WERNER GEORG KÜMMEL

HEILSGESCHEHEN UND GESCHICHTE

MARBURGER THEOLOGISCHE STUDIEN

3

WERNER GEORG KÜMMEL

HEILSGESCHEHEN
UND
GESCHICHTE

Gesammelte Aufsätze 1933–1964

Herausgegeben von

Erich Grässer, Otto Merk und Adolf Fritz

N. G. ELWERT VERLAG MARBURG

1965

Die Herausgeberschaft für diesen Band der Reihe „Marburger theologische Studien"
hat Professor D. Hans Graß allein übernommen.

© bei N. G. Elwert Verlag Marburg
Printed in Germany
Druck: H. Laupp jr Tübingen

HOCHVEREHRTER HERR PROFESSOR!

Der vorliegende Band, den wir Ihnen heute überreichen möchten, soll eine Gabe zu Ihrem 60. Geburtstag sein. Freilich hat es mit dieser seine besondere Bewandtnis, indem der Beschenkte selbst zum Schenkenden wird, da Sie nach begreiflichem Zögern sich vor zwei Jahren auf unsere Bitte hin zum Wiederabdruck einer großen Zahl Ihrer Aufsätze bereit erklärten. Diese Bitte ist schon öfter von Kollegen und Schülern des In- und Auslandes an Sie herangetragen worden; und wenn Sie sich diesem Wunsche bisher versagten, so war es die Bescheidenheit des Gelehrten, der mit schon Veröffentlichtem nicht erneut vor die Fachwelt treten und darum auch nicht selbst die Herausgabe der eigenen Aufsätze vornehmen wollte. Jedoch sind gerade Ihre Aufsätze so weit verstreut in in- und ausländischen Zeit- und Festschriften erschienen, daß sie dem Studenten und Pfarrer großenteils kaum und auch dem Fachkollegen oft nur schwer zugänglich sind. So ergibt sich schon aus diesem äußeren Grunde die volle Berechtigung, Ihre kleineren Schriften einmal gesammelt vorzulegen. Entscheidend aber ist natürlich ihr Inhalt, der Zeugnis davon ablegt, in wie weitem Horizont Sie Ihre Aufgabe als Vertreter der Neutestamentlichen Wissenschaft sehen und mit welch umfassenden Kenntnissen und welcher Akribie Sie selbst an die Lösung der Probleme Ihres Fachgebietes in mehr als drei Jahrzehnten herangegangen sind.

Jede Wiederveröffentlichung zeitlich zurückliegender wissenschaftlicher Arbeiten führt unausweichlich zu der Frage, ob ein nichtbearbeiteter Wiederabdruck sinnvoll ist. Wenn wir mit Ihrer Zustimmung ohne Veränderungen Ihre Arbeiten hier abdrucken, dann deshalb, weil wir meinen, daß sie den Gang der Forschung in den letzten Jahrzehnten deutlich widerspiegeln und daß jeder Ihrer Aufsätze an einem bestimmten Punkt Ihrer wissenschaftlichen Laufbahn und Entwicklung steht. Wir haben darum Ihre Aufsätze in zeitlicher Reihenfolge gebracht und in Ergänzung dazu eine Bibliographie Ihrer wissenschaftlichen Veröffentlichungen beigefügt.

Unsere Arbeit an diesem Bande war im Grunde nur eine technische (bis hin zu den Registern). Wir bitten Sie, unsere Herausgebertätigkeit als ein Zeichen unseres Dankes, den wir Ihnen als unserem verehrten Lehrer reichlich schulden, annehmen zu wollen.

Mit dem Dank aber möchten wir an diesem Tage unsere herzlichen und guten Wünsche für Ihren weiteren Weg als akademischer Lehrer und Forscher verbinden.

Ihre   ADOLF FRITZ, ERICH GRÄSSER, OTTO MERK

Marburg/Lahn, am 16. Mai 1965

INHALTSVERZEICHNIS

QUELLENANGABE DER ERSTVERÖFFENTLICHUNGEN

Jesus und die Rabbinen (Aus: Kirchenblatt für die Reformierte Schweiz 89, 1933, S. 214–217, 225–230 [Verlag: F. Reinhardt, Basel])

Jesus und der jüdische Traditionsgedanke (Aus: Zeitschrift für die neutestamentliche Wissenschaft und die Kunde der älteren Kirche 33, 1934, S. 105–130 [Verlag A. Töpelmann, Gießen])

Die Bedeutung der Enderwartung für die Lehre des Paulus (Aus: Kirchenblatt für die Reformierte Schweiz 90, 1934, S. 98–104 [Verlag: F. Reinhardt, Basel])

Die Eschatologie der Evangelien (Aus: Theologische Blätter 15, 1936, S. 225–241; zitiert nach der Buchhandelsausgabe, Leipzig 1936 [Verlag: J. C. Hinrichs])

Der Glaube im Neuen Testament, seine katholische und reformatorische Deutung (Aus: Theologische Blätter 16, 1937, S. 209–221 [Verlag J. C. Hinrichs])

Jesus und Paulus (Aus: Theologische Blätter 19, 1940, S. 211–231 [Verlag: J. C. Hinrichs])

Die Gottesverkündigung Jesu und der Gottesgedanke des Spätjudentums (Aus: Judaica 1, 1945, S. 40–68 [Verlag: Zwingli-Verlag, Zürich])

Die älteste religiöse Kunst der Juden (Aus: Judaica 2, 1946, S. 1–56 [Verlag: Zwingli-Verlag, Zürich])

Mythische Rede und Heilsgeschehen im Neuen Testament (Aus: Coniectanea Neotestamentica XI in honorem Antonii Fridrichsen, Lund/Kopenhagen 1947, S. 109–131 [Verlag: C. W. K. Gleerup, Lund])

Jesus und Paulus. Zu Joseph Klausners Darstellung des Urchristentums (Aus: Judaica 4, 1948, S. 1–35 [Verlag: Zwingli-Verlag, Zürich])

Martin Dibelius als Theologe (Aus: Theologische Literaturzeitung 74, 1949, S. 129 bis 140 [Verlag: Evangelische Verlagsanstalt, Berlin])

Das Gleichnis von den bösen Weingärtnern (Mk 12, 1–9) (Aus: Aux Sources de la Tradition Chrétienne, Mélanges offerts à M. Goguel, Neuchâtel-Paris 1950, S. 120 bis 131 [Verlag: Delachaux & Niestlé, Neuchâtel-Paris])

Mythos im Neuen Testament (Aus: Theologische Zeitschrift Basel 6, 1950, S. 321–337 [Verlag: F. Reinhardt, Basel])

Notwendigkeit und Grenze des Neutestamentlichen Kanons (Aus: Zeitschrift für Theologie und Kirche 47, 1950, S. 277–313 [Verlag: J. C. B. Mohr, Tübingen])

Πάρεσις und ἔνδειξις. Ein Beitrag zum Verständnis der paulinischen Rechtfertigungslehre (Aus: Zeitschrift für Theologie und Kirche 49, 1952, S. 154–167 [Verlag: J. C. B. Mohr, Tübingen])

Der Begriff des Eigentums im Neuen Testament (masch. vervielfältigt, abgedruckt mit Genehmigung des Ökumenischen Rates der Kirchen–Studienabteilung–, Genf)

Die älteste Form des Aposteldekrets (Aus: Spiritus et Veritas, Festschrift K. Kundzins, San Francisco 1953, S. 83–98 [Verlag: Selbstverlag des Herausgebers A. Ernstsons, wiederabgedruckt mit Genehmigung von Prof. Dr. K. Kundzins])

Jesus und die Anfänge der Kirche (Aus: Studia Theologica 7, 1953, S. 1–27 [Verlag: W. K. Gleerup, Lund])

Verlobung und Heirat bei Paulus (I Cor. 7, 36–38) (Aus: Neutestamentliche Studien für R. Bultmann, hrg. von W. Eltester, S. 275–295 [Verlag: A. Töpelmann, Berlin])

Die „konsequente Eschatologie" Albert Schweitzers im Urteil der Zeitgenossen (in deutscher Sprache erstmals veröffentlicht; franz. siehe in der Bibliographie zu 1957)

„Einleitung in das Neue Testament" als theologische Aufgabe (Aus: Evangelische Theologie 19, 1959, S. 4–16 [Verlag: Chr. Kaiser, München])

Futurische und präsentische Eschatologie im ältesten Urchristentum (Aus: New Testament Studies 5, 1958/59, S. 113–126 [Verlag: Cambridge University Press, London])

Das Erbe des 19. Jahrhunderts für die neutestamentliche Wissenschaft von heute (Aus: Deutscher Evangelischer Theologentag 1960: Das Erbe des 19. Jahrhunderts, hrg. v. W. Schneemelcher, 1960, S. 67–89 [Verlag: A. Töpelmann, Berlin])

Diakritik zwischen Jesus von Nazareth und dem Christusbild der Urkirche (Aus: Ein Leben für die Kirche, Festschrift zum dankbaren Gedächtnis an Johannes Bauer, Karlsruhe 1960, S. 54–67 [Verlag: Hans Thoma Verlag, Karlsruhe])

Das Problem des geschichtlichen Jesus in der gegenwärtigen Forschungslage (Aus: Der historische Jesus und der kerygmatische Christus. Beiträge zum Christusverständnis in Forschung und Lehre, hrg. von H. Ristow und K. Matthiae, 1960, S. 39–53 [Verlag: Evangelische Verlagsanstalt, Berlin])

Das literarische und geschichtliche Problem des Ersten Thessalonicherbriefes (Aus: Neotestamentica et Patristica, Freundesgabe O. Cullmann, hrg. von W. C. van Unnik, Novum Testamentum Suppl. VI, Leiden 1962, S. 213–227 [Verlag: E. J. Brill, Leiden])

Das Problem des historischen Jesus in der gegenwärtigen Diskussion (Aus: Deutsches Pfarrerblatt 61. Jhrg. 1961, S. 573–578 [wiederabgedruckt mit freundlicher Genehmigung des Herausgebers Pastor Dr. Klaus Harms, Detmold])

Der persönliche Anspruch Jesu und der Christusglaube der Urgemeinde (Aus: Jesus Christus. Das Christusverständnis im Wandel der Zeiten, Marburger Theologische Studien Bd. 1, 1963, S. 1–10 [Verlag: N. G. Elwert, Marburg])

Jesus und Paulus (Aus: New Testament Studies 10, 1963/64, S. 163–181 [Verlag: Cambridge University Press, London])

Die Naherwartung in der Verkündigung Jesu (Aus: Zeit und Geschichte, Dankesgabe an R. Bultmann, hrg. von E. Dinkler, 1964, S. 31–46 [wiederabgedruckt mit freundlicher Genehmigung des Herrn Herausgebers und des Verlages J. C. B. Mohr, Tübingen])

VORWORT

Sind Anlaß und Anlage des Bandes bereits aus den mehr persönlichen Eingangszeilen deutlich geworden, so sei darüber hinaus für den Benutzer angemerkt, daß die Seitenangaben der ursprünglichen Veröffentlichung am oberen inneren Seitenrand und durch einen Strich (|) die ursprüngliche Seitenabgrenzung zu finden sind. Alle Anmerkungen der einzelnen Aufsätze sind jetzt jeweils durchnumeriert, jedoch so, daß die Anmerkungszahl der Erstveröffentlichung in eckiger Klammer ebenfalls gegeben wurde (z.B. [84] [307²] besagt, die urspr. Anm. war S. 307 Anm. 2, jetzt aber Anm. 84). Die Abkürzungen der biblischen Schriften wie der Zeitschriften und Sammelwerke sind mit Hilfe des Abkürzungsverzeichnisses der RGG, 3.Aufl., 1957–1962, in Zweifelsfällen leicht zu ermitteln. Bei Verweisen auf die Aufsätze von Herrn Professor Kümmel, die jetzt wieder abgedruckt sind, wurden die ursprünglichen Seitenhinweise beibehalten, da diese durch die Doppelpaginierung leicht zu finden sind. Offensichtliche Versehen in den Originalveröffentlichungen wurden stillschweigend verbessert. Lediglich in dem Aufsatz über „Die älteste religiöse Kunst der Juden" wurden teilweise bessere Reproduktionen verwendet (siehe dazu den Korrekturnachtrag S. 152).

Allen Herren Herausgebern und Verlegern der Erstveröffentlichungen, die sämtlich und bereitwilligst ihre Zustimmung zum Wiederabdruck gaben, sei an dieser Stelle aufrichtig gedankt. Auf die Seite IX genannten ursprünglichen Erscheinungsorte und -verlage sei ausdrücklich hingewiesen.

Für die Aufnahme dieses Bandes in die „Marburger Theologischen Studien" danken wir Herrn Professor D.Hans Graß herzlich. Er hat freundlicherweise auf Wunsch von Herrn Professor Dr. Kümmel die Herausgeberschaft für diesen Band der Reihe allein übernommen.

Weiter gilt unser herzlicher Dank Herrn Verleger Dr. W. Braun-Elwert, Marburg, der durch seinen persönlichen Einsatz wesentlich zum Gelingen dieses Bandes beigetragen hat.

Schließlich möchten wir allen denen danken, die schriftlich und mündlich ihre guten Wünsche zur Herausgabe dieses Bandes geäußert haben.

Die Herausgeber

JESUS UND DIE RABBINEN[1]

Die theologische Arbeit am Neuen Testament ist als philologische Exegese zunächst immer Kleinarbeit, die die einzelnen Texte und Schriften immer neu und immer besser zu verstehen sich bemüht. Aber so wichtig diese Arbeit ist, die Erforschung des Neuen Testaments ist niemals bei dieser rudimentären Aufgabe stehengeblieben. Denn auf der einen Seite fordert die Stellung des Neuen Testaments innerhalb der antiken Literatur- und Religionsgeschichte eine Einordnung der neutestamentlichen Gedanken in diesen Gesamtzusammenhang. Auf der andern Seite aber fordert das Wesen des Neuen Testaments als der Urkunde der christlichen Offenbarung immer wieder eine Gesamtdeutung der neutestamentlichen Botschaft und ihre Abgrenzung gegen benachbarte und verwandte Lehren und Religionen. Bei dieser zusammenfassenden Aufgabe stehen aber immer wieder drei Probleme als die brennendsten im Vordergrund. Einmal ist heute mehr als je die Frage umstritten, inwiefern wir wissenschaftlich zu einer wirklichen Erfassung der Offenbarungstatsache im Neuen Testament kommen können; mit andern Worten, das Verhältnis von historischer Exegese und glaubensmäßiger Erfassung der neutestamentlichen Botschaft sucht immer wieder seine Klärung. Zweitens aber hat die historische Forschung immer deutlicher gezeigt, daß das Neue Testament nicht eine Lehre, sondern mehrere stark abweichende Typen christlicher Lehre enthält. Natürlich ist die Art und Weise dieser Abweichungen auch rein historisch immer wieder fraglich; aber daneben erhebt sich doch die Frage, inwiefern in diesen abweichenden Typen die eine Botschaft sich zeigt und inwiefern die Unterschiede Wesentliches und Unwesentliches betreffen. Zu diesen beiden Problemen gesellt sich aber als drittes die Frage, worin denn historisch die Eigenart des Christentums gegenüber den andern antiken Religionen bestehe, und wie es kommt, daß das Christentum diesen andern Religionen als etwas anderes und als der Sieger gegenübertritt. Aber auch bei diesem dritten Problem steht hinter und in der historischen Frage eine theologische Frage. Ist das Christentum nur eine von den vielen synkretistischen Religionen der ausgehenden Antike, oder ist es etwas grundsätzlich anderes? Wie kommen wir überhaupt dazu, einer historisch zufälligen Religion des Altertums heute noch absolute Bedeutung zuzuschreiben?

Alle diese drei Fragenkomplexe sind gleich wichtig, alle diese Fragen sind Lebensfragen für Theologie und Kirche. Wenn ich meinerseits die dritte Frage in den Vordergrund stelle, so bewegt mich dabei die Überzeugung, daß wir nur auf dem Wege der

[1] Vortrag gehalten im Pfarrverein des Kantons Zürich am 12. Juni 1933.

Religionsvergleichung eine sichere Anschauung vom | eigentlichen Wesen des Christentums finden können. Diese sichere Einsicht aber brauchen wir heute dringend, weil in Kirche und Staat, in der Schweiz wie anderswo, sich ein erbitterter Kampf abspielt um die Frage, was als das Wahre und Wesentliche im Christentum anzusehen sei. Natürlich haben wir diese Frage theologisch dem ganzen Neuen Testament gegenüber zu stellen, aber ganz besonders ernsthaft gegenüber der Botschaft Jesu. Denn es ist ja keine Frage, daß Jesus mit seiner Lehre aus dem Judentum herausgewachsen ist; wohl aber ist das große Problem, worin Jesus sich von diesem Mutterboden des Judentums unterscheidet. Damit aber ist weiter die Frage gestellt, ob die jüdische Religion in der Lehre Jesu etwas Zufälliges und Erledigtes oder etwas Wesentliches und Bleibendes bedeute. Darum möchte ich der Frage ein wenig nachzugehen suchen, worin der eigentliche Gegensatz zwischen der Botschaft Jesu und der Lehre der Führer seines Volkes bestehe, damit aber zugleich, worin das Wesentliche der Botschaft Jesu überhaupt liege. Daß diese auf dem Boden exakter historischer Forschung zu führende Untersuchung dabei doch an sehr brennende Fragen unserer Gegenwart rührt, wird hoffentlich im Verlaufe meiner Ausführungen deutlich werden.

Die Frage des Verhältnisses Jesu zum Judentum und der jüdischen Theologie seiner Zeit ist denn auch heute durchaus aktuell. Ich brauche, wenn ich kurz auf die Lage der wissenschaftlichen Diskussion hinweise, wohl nicht erst auszuführen, daß heute allgemein anerkannt ist, daß man eine solche Vergleichung Jesu mit dem Judentum nicht mit dem Alten Testament allein, aber auch nicht mit den Apokryphen allein durchführen kann, sondern daß nur die Heranziehung der ältesten rabbinischen Literatur einen zuverlässigen Hintergrund für die Arbeit bilden kann. Ebensowenig brauche ich näher auszuführen, daß die Heranziehung dieses Quellenmaterials heute erheblich erleichtert ist durch die großen Werke von BILLERBECK, G. F. MOORE, DALMAN, um nur das Wichtigste zu nennen. Dagegen scheint es mir zweckmäßig, zur Umreißung der wissenschaftlichen Situation kurz auf drei Werke einzugehen, die unser Spezialthema in den letzten Jahren behandelt haben, wobei sich zeigen wird, daß Juden und Christen in gleicher Weise sich um die Klärung des Problems gemüht haben. An erster Stelle möchte ich hier nennen das Jesusbuch des Zionisten JOSEPH KLAUSNER (hebräisch 1922, deutsch 1930). Für KLAUSNER ist es keine Frage, daß Jesus ein pharisäischer, chauvinistischer Jude war, dem es ganz fern lag, irgend etwas an der Tora zu ändern. Aber mehr unbewußt als bewußt hat Jesus dann doch dem Zeremonialgesetz seine Bedeutung genommen, indem er es zur Sache zweiten Ranges machte. Damit aber entwurzelte Jesus das Volk; denn die rein sittlichen Gebote sind bei allen Völkern die gleichen; wo also eine rein ethische Lehre verkündigt wird, wo der Glaube an Gott und die Befolgung einer extremen Ethik zu genügen scheinen, da hört das nationale Leben auf. Denn eine Religion, die nur einen allgemeinen Gottesbegriff und eine für alle Menschen geeignete Ethik besitzt, kann nicht einem besondern Volke zugehören. Jesus hat an sich nicht eine einzige Lehre verkündigt, die nicht in den jüdischen Schriften ihre Parallele hätte. Aber durch ihre Überbetonung, die auf die Wirklichkeit und die Ausführbarkeit gar keine Rücksicht nahm, wurde diese jüdische Lehre unjüdisch und haltlos. Weil so in der Lehre Jesu keine staatserhaltenden, sozial regulativen Elemente vorhanden waren, konnte das jüdische Volk Jesu Lehre nicht annehmen. Mag also auch Jesu Lehre restlos jüdisch sein, so war sie doch so vereinseitigt, daß Jesus zwar zu dem größten ethischen Lehrer, aber nicht zu dem Führer seines Volkes wurde.

Für KLAUSNER ist also unzweifelhaft, daß Jesus inhaltlich nichts Neues gegenüber der jüdischen Lehre brachte. Nun ist interessant, daß diese Seite der KLAUSNERschen Ansicht von dem christlichen Forscher G. KITTEL in seinem Werke: ,,Die Probleme des palästinischen Spätjudentums und das Urchristentum" (1926) vollständig gebilligt wird. KITTEL verficht unter Anführung reichen Materials die These, daß man nahezu zu jedem Einzelsatz Jesu einen analogen jüdischen Satz stellen könne. Und in keinem Fall kann man nach KITTEL sagen, daß es grundsätzlich ausgeschlossen und unmöglich sei, daß das Judentum zu einem Satz Jesu auch eine Parallele hervorgebracht habe. Darum kann die Besonderheit des Urchristentums nicht in irgendeiner noch so hohen Einzelforderung gegeben sein. Jesus steht wie die Rabbinen auf dem Boden des Alten Testaments, aber er hat die Höhenunterschiede innerhalb des Alten Testaments überwunden, weil für ihn die Forderung Gottes ganze Forderung ist ohne Normierung am praktisch Möglichen. Diese Absolutheit der Forderung Jesu wird aber nur begreifbar von dem Bewußtsein Jesu von seiner Sendung her. Darum liegt die religionsgeschichtliche Besonderheit des Christentums nicht in einer Lehre, sondern einzig und allein in dem Faktum der Person Jesu.

Mit dieser Theorie KITTELS ist deutlich gezeigt, warum sich bis zur Gegenwart die Geister an der Stellung zur Person Jesu scheiden. Und doch bleibt der Zweifel, ob denn wirklich das ganze Wesen des Christentums in diese Tatsächlichkeit der Person Jesu, auch abgesehen von seiner Botschaft, gelegt werden könne. Und es ist denn auch durchaus nicht so, daß allgemein anerkannt wäre, daß Jesu Lehre sich in Einzelheiten gar nicht vom Judentum unterschieden habe. CLAUDE MONTEFIORE, der Führer des englischen liberalen Judentums, hat schon früher in seinem großen Kommentar zu den Synoptikern, besonders deutlich aber in seinem Werk ,,Rabbinic Literature and Gospel Teachings" (1930) immer wieder betont, daß Jesus in einer Reihe von Punkten seiner | Lehre dem Judentum gegenüber gänzlich original sei (Ehescheidungsverbot, Schwurverbot, teilweise auch im Gebot der Feindesliebe). In der Hauptsache nimmt freilich auch MONTEFIORE an, daß Jesus dasselbe lehre wie die Rabbinen, ja er betont gegen BILLERBECK, daß die Heilslehre Jesu von der der Rabbinen durchaus nicht stark abweiche. Das Entscheidende ist für MONTEFIORE (The Synoptic Gospels I² S. 130), daß Jesus die Lehre der Propheten aufnahm und ihre Kritik am Zeremonialgesetz fortführte: und darin ist Jesus der Befreier für das liberale Judentum von der Knechtschaft des Buchstabens. Das Wesentliche an Jesus ist dann also, daß er nicht die rabbinische, sondern die prophetische Seite der jüdischen Tradition fortsetzte.

Nimmt man diese drei Anschauungen der bedeutendsten Fachleute der Gegenwart zusammen, so zeigt sich, daß auch weiterhin zwei große Probleme der Klärung bedürfen, wenn wir die Eigenart Jesu gegenüber dem Judentum feststellen wollen.

Auf der einen Seite muß die Einzelvergleichung untersuchen, ob und worin Unterschiede zwischen der Lehre Jesu und der Gesetzesauslegung der Rabbinen zu finden sind. Dabei darf aber zunächst gar nicht die Frage in den Vordergrund gestellt werden, ob Jesus oder die Rabbinen Höheres oder Wertvolleres gelehrt haben, denn diese Frage kann auf dieser Stufe noch gar nicht beantwortet werden. Sondern es ist einfach zu fragen, ob es wirklich wahr ist, daß Jesus nichts anderes gelehrt habe als die Rabbinen, und ob etwa vorhandene Abweichungen zufällig oder wesentlich sind. Bei dieser Untersuchung werden wir aber von selber zu dem zweiten großen Problem geführt, wie denn Jesus überhaupt und grundsätzlich zur jüdischen Lehre stehe, ob seine Person in diesem Zusammenhang eine Rolle spiele oder nicht. Und nur wenn wir diese beiden Fragen vorsichtig geprüft haben, werden wir auch für die Gegenwart sagen können, was das Entscheidende an unserm christlichen Glauben ist, und ob wir nicht gar in Gefahr sind, dieses Entscheidende zu vergessen.

Indem ich mich nun der ersten Frage zuwende, ob man von einer Originalität Jesu der Lehre der Rabbinen gegenüber reden könne, so müßte diese Frage natürlich eigentlich an der gesamten Lehre Jesu durchgeprüft werden. Weil ich das aber weder selbst getan habe, noch hier durchführen könnte, will ich mich um der methodischen Sicherheit willen an die sechs Antithesen der Bergpredigt anschließen, in denen ausdrücklich Jesus seine Lehre der der Alten gegenüberstellt. Ich setze dabei als Resultat der kritischen Vergleichung voraus, daß nur in den drei Antithesen vom Töten, Ehebruch und Schwören, die sich allein bei Matthäus finden, diese antithetische Form ursprünglich ist, während bei den drei restlichen Forderungen (Ehescheidung, Wiedervergeltung, Feindesliebe) die antithetische Form, die bei Lukas fehlt, erst von Matthäus stammt. Dabei wird sich im folgenden zeigen, daß diese literarische Feststellung einen wesentlichen *sachlichen* Grund hat.

Die drei Antithesen vom Töten, Ehebruch und Schwören haben nämlich die sachliche Gemeinsamkeit, daß Jesus hier jeweils ein Gebot der Tradition anführt und es durch seine eigene Lehre überbietet. Das ist beim Töten ja deutlich. Jesus ersetzt das äußerliche Tun, das die Tradition verbot, durch die dahinter stehende Gesinnung und verschärft so das Gebot erheblich. Nun haben auch die Rabbinen gewußt, daß Zorn so schlimm ist wie Töten, wie das alte rabbinische Wort beweist: „Wer das Angesicht seines Nächsten öffentlich beschämt, der ist wie einer, der Blut vergießt." Aber das Charakteristische ist nun, daß diese Meinung zustande kommt durch Ausweitung des in der Tora Gebotenen. Denn das Blutvergießen ist verboten im Dekalog; die Rabbinen wissen aber, daß Haß nur der erste Anfang zum Morde ist und zum Morde führt, und darum dehnen sie das Verbot des Tötens auch auf den Haß aus. Darin scheint Jesus nichts anderes als die Rabbinen zu sagen. Nun ist aber in Mt 5 von Jesus nicht bloß ein Verbot des Hasses berichtet, sondern es folgen noch besonders scharfe Bestimmungen gegen das Aussprechen der Schimpfworte Hohlkopf und Idiot. Diese Erweiterungen zu streichen ist ganz willkürlich; aber ebensowenig ist nachweisbar, inwiefern zwischen Hohlkopf und Idiot eine so große Steigerung vorhanden ist, daß das eine Verbrechen noch von Menschen, das andere aber nur noch von Gott gerichtet werden kann. Wenn man nun bemerkt, daß diese angeb-

liche Liste von immer strengeren Strafen für das wirkliche Töten überhaupt keine
Strafe mehr übrigläßt, wenn man weiter sieht, daß die Zuteilung der Strafen ganz
willkürlich ist, so muß man zu der Einsicht kommen, daß diese scheinbare Kasuistik
in Wirklichkeit nur so scharf wie möglich einhämmern will, daß die Haßgesinnung
ohne Rücksicht auf ihre Auswirkung von Gott verurteilt wird. Es ist also keinesfalls
richtig, daß Jesu Originalität darin besteht, daß er die von den Rabbinen erst auf
den Totschlag bezogene Gerichtsstrafe schon auf den bloßen Zorn anwendet. Vielmehr ist deutlich, daß Jesus keinerlei Versuch macht, sein Wort von der Strafwürdig-
keit des Zorns exegetisch zu begründen; er sagt auch nicht, daß das Tötungsverbot
des Dekalogs den Zorn einschließe. Sondern Jesus setzt an die Stelle des Verbots des
Tötens das Verbot des Hasses. Während also die Rabbinen über die Ausdehnung des
Toragebotes nachsinnen, setzt Jesus einfach die Forderung auf radikalen Gehorsam
des ganzen Menschen an die Stelle des Toragebots. Es ist also hier inhaltlich zweifellos richtig, daß Jesus nichts von den Rabbinen Abweichendes lehre, und doch ist,
näher besehen, Jesu Lehre etwas ganz anderes.

Ich übergehe die zweite Antithese, die vom geistlichen Ehebruch redet, weil hier
der Sachverhalt genau der gleiche ist wie beim Verbot des Tötens. | Dagegen bietet
nun die dritte der ursprünglichen Antithesen, das Verbot des Schwörens, eine andere
Sachlage dar. Auch hier überbietet Jesus die Lehre der Tradition, die er zusammen-
faßt in dem Gebot, seinen Schwur zu halten, und in dem Verbot, falsch zu schwören.
Jesus verbietet demgegenüber überhaupt jedes Schwören. Und zwar gibt Jesus für
dieses Verbot zwei Begründungen. Alle von der rabbinischen Kasuistik zur Vermeidung des Gottesnamens erlaubten Schwurzeugen lehnt Jesus ab, weil der Mensch
über alle diese Dinge nicht verfügen kann und darum kein Recht hat, etwas zum
Garanten seines Schwures zu machen, was er nicht in seiner Gewalt hat. Aber wesentlicher ist, daß Jesus das Schwören darum für unbedingt unnötig hält, weil Gott vom
Menschen immer unbedingte Wahrhaftigkeit in seinem Reden fordert. Es ist ja bekannt, daß dieser ursprüngliche Sinn des Wortes Jesu nur Jak 5, 12 erhalten ist:
„Euer Ja sei ein Ja, euer Nein ein Nein"; es ist ebenso bekannt, daß dabei nicht an
den Staats- oder Gerichtseid gedacht ist, die es damals noch gar nicht gab, sondern
an das häufige Beschwören von Aussagen im täglichen Leben. Ist das richtig, so kann
keine Frage sein, daß auch hier Jesus durchaus in jüdischer Sprache redet, da bei
den Rabbinen mehrfach die Forderung begegnet, daß das Ja der Gerechten ein Ja
und ihr Nein ein Nein sein soll. Ja auch bei den Rabbinen findet sich das Bemühen,
den Schwur einzuschränken. Aber es ist nun wieder bezeichnend, warum das geschieht. Der berühmte Rabbi Meir in der Mitte des 2. Jahrhunderts zitierte den Vers
Pred 5, 4: „Besser ist, daß du nicht gelobest, als daß du gelobest und nicht erfüllst"
und fügte dazu: „Besser als dieses beides (nämlich geloben und halten oder geloben
und nicht halten) ist, daß du überhaupt nicht gelobst." Damit war freilich Rabbi
Juda doch nicht einverstanden und meinte, daß es doch noch besser sei, zu geloben
und sein Gelübde zu halten. Man sieht aus diesem Streit deutlich, daß die Gefahr der
Nichterfüllung eines Gelübdes oder Schwures den einen Rabbi veranlaßt, vom Schwören überhaupt abzuraten, den andern aber, nur die Pflicht der Erfüllung einzuschär-

fen. Die Frage ist also wieder, wie weit man das Gebot auszudehnen oder einzuschränken habe, und wegen der großen Gefahr der Nichterfüllung wünschten viele Rabbinen eine Einschränkung der ja vom Gesetz nicht geforderten Schwüre. Und darin treffen die Rabbinen wieder mit Jesus zusammen. Aber entscheidend ist nun, daß Jesus wieder nicht nach der engeren oder weiteren Ausdehnung des Gebotes fragt, sondern das Schwören überhaupt ablehnt, weil es der radikalen Forderung Gottes an den Menschen widerspricht. Und damit überschreitet Jesus an dieser Stelle die Lehre der Rabbinen auch inhaltlich, weil ein absolutes Schwurverbot im Judentum nicht bezeugt ist und nicht vorhanden sein kann. Das heißt, hier tritt Jesus nicht nur formal, sondern auch inhaltlich aus dem Judentum heraus, so daß man kaum Kittels These wird ganz aufrechterhalten können, nach der es grundsätzlich möglich sein müsse, zu jedem Satze Jesu auch eine jüdische Parallele zu finden. |

Wenden wir uns nun zu der zweiten Reihe der Antithesen, die vermutlich ursprünglich nicht antithetisch formuliert waren, so finden wir hier auch sachlich einen andern Typus. Auch hier steht jeweils ein Gebot der Tora im Hintergrund, aber Jesus überbietet nicht diese Gebote, sondern beseitigt sie durch seine neue Forderung. Das ist sofort deutlich bei dem Verbot der Ehescheidung. Ich setze dabei die Lösung der kritischen Frage in dem Sinne voraus, daß die Einschränkungen des Matthäus als sekundär zu betrachten sind, so daß als ursprüngliches Wort Jesu sich das unbeschränkte Verbot der Scheidung ergibt, das begründet wird mit der Schöpfungsordnung, nach der jede Ehe auch bei Bruch oder Trennung als Ehe bestehen bleibt. Dann kann aber keine Frage sein, daß Jesus ein Gebot der Tora aufhebt und seine Anordnung an die Stelle setzt, weil nur so Gottes Wille in der Schöpfungsordnung voll zur Geltung kommt. Und hier fällt es nun schwer, Parallelen aus den Rabbinen herbeizubringen. Daß es nach der rabbinischen Gesetzesauslegung möglich war, so ziemlich jede Ehe zu scheiden, ist oft genug gezeigt worden und braucht nicht näher ausgeführt zu werden. Aber die Rabbinen haben doch versucht, die Ehescheidung zu beschränken und haben davor sogar gewarnt; so konnte im 3. Jahrhundert ein berühmter Rabbine sagen: „verhaßt ist, wer verstößt." Aber damit ist man natürlich noch weit entfernt von einem Verbot der Ehescheidung, und ein | solches haben die Rabbinen nie ausgesprochen und konnten es nicht aussprechen. Denn wieder ist es auch hier so, daß die Rabbinen fragen nach der Ausdehnung des Verbots der Ehescheidung; sie bauen einen „Zaun um die Tora" und suchen durch Erschwerungen leichtsinnige Ehescheidung zu verhindern, aber sie denken nicht daran, an dem Gebot selber etwas zu ändern. Jesus aber fragt wieder nicht nach der Ausdehnung des Gebots, sondern stellt einfach seine Lehre hin, die in diesem Falle das Gebot aufhebt. Und hier kann nun gar keine Frage sein, daß wir keine Parallele zu Jesu Lehre finden und auch nicht finden können.

Etwas anders steht es freilich wieder mit der zweiten von Matthäus gebildeten Antithese, dem Gebot, Böses nicht zu vergelten, vielmehr lieber noch mehr Schaden auf sich zu nehmen. Dabei ist sicher, daß Jesus gar nicht an die Bekämpfung des Bösen in Staat und Gemeinschaft denkt, sondern durch seine paradoxen Beispiele jede Rachsucht oder Vergeltung für den Menschen als unmöglich hinstellen will, der

in das nahe Gottesreich eingehen will. Ferner ist sicher, daß das ius talionis zur Zeit
Jesu kaum noch wörtlich ausgeführt wurde, sondern durch Geldstrafen ersetzt war.
Aber damit war natürlich das Prinzip der Vergeltung durchaus beibehalten. Doch
sind auch die Rabbinen noch weiter gegangen und haben immer wieder gefordert,
der Mensch solle nicht auf seinem Recht bestehen bleiben. Man erzählte eine Geschichte, daß bei einem Gebete Rabbi Aqiba vor Rabbi Eliezer erhört wurde, weil
Aqiba nachgiebig war und nicht auf seinem Recht bestand. Und ein anderer Rabbine betete: ,,Denen, die mir fluchen, schweige meine Seele, und wie Staub sei meine
Seele gegen jedermann.'' So kann MONTEFIORE mit Recht sagen, daß im Grunde
,,die Tugend, die Jesus von seinen Jüngern forderte, nichts war als die Nachgiebigkeit der Rabbinen auf die Spitze getrieben.'' Aber damit ist das Entscheidende noch
nicht gesagt. Denn der Satz ,,du sollst dem Bösen keinen Widerstand leisten'' war
doch im Munde der Rabbinen nicht möglich, wie auch MONTEFIORE zugibt. Wenn
also hier Jesus materiell wieder von der Lehre der Rabbinen nicht abweicht, so ist
doch formaliter seine Lehre wieder nicht rabbinisch. Denn wieder fragen die Rabbinen, wie die lex talionis anzuwenden oder zu beschränken sei, und mahnen da zu Ge-
duld und Verzicht, wo dieses Gesetz nicht übertreten wird. Jesus aber stellt als Gottes Willen die Forderung hin, überhaupt nicht an Rache zu denken, weil für den
Menschen des Gottesreiches schon jeder Gedanke an Vergeltung unmöglich ist. Wieder weicht also Jesus inhaltlich nicht entscheidend von den Rabbinen ab, sagt aber
formal seine Botschaft so, wie kein Rabbine es tun könnte.

Und so steht es schließlich auch mit der letzten der Antithesen des Matthäus, dem
Gebot der Feindesliebe. Hier ist sich freilich die Wissenschaft auf beiden Seiten
nicht recht klar, ob sie Jesus Originalität zuschreiben könne; aber das kommt meines
Erachtens nur daher, daß man meistens den entscheidenden Punkt nicht gesehen
hat. Kurz kann ich dabei über die Tatsache hinweggehen, daß nirgends im Judentum der Haß gegen die Feinde geboten ist. Mag also die Antithese ,,du sollst deinen
Nächsten lieben und deinen Feind hassen'' von Jesus oder erst aus der Tradition
stammen, jedenfalls liegt hier nur eine populäre Maxime vor, die wir bei der wissenschaftlichen Vergleichung nicht berücksichtigen dürfen. Halten wir uns also nur an
Jesu Gebot der Feindesliebe und des Betens für die Verfolger, so ist durchaus festzustellen, daß solche Gedanken auch im Judentum begegnen. Zwar ist es durchaus
richtig, daß in vielen rabbinischen Diskussionen der Haß gegen die Feinde der Frommen und besonders gegen die Nichtjuden gefordert oder wohlgeheißen wird. Aber in
der Tora steht Ex 23, 4f die Forderung, das verirrte oder zusammengebrochene Tier
des Feindes dem Feinde zurückzubringen, und bei der Erklärung dieses Verses im
ältesten Kommentar zum Exodus sagt doch wenigstens ein Rabbine, mit ,,Feind''
sei hier der heidnische Götzendiener gemeint. Und im ältesten Kommentar zu Leviticus wird betont, daß das Gebot ,,du sollst deinen Bruder nicht hassen'' so weit aus-
zudehnen sei, daß aller Haß im Herzen eingeschlossen ist. Man wird sich darum nicht
wundern, wenn man mitten zwischen gesetzlichen Bestimmungen in der Tosephta
den Satz findet: ,,Wenn einer einen andern verletzt hat, so ist der Verletzte verpflichtet, für ihn um Erbarmen zu flehen, auch wenn der, der ihn verletzte, ihm nicht Ab-

bitte getan hat." So kann man sicher mit Grund sagen, daß das Judentum zwar nie wie Jesus ein prinzipielles Gebot der Feindesliebe ausgesprochen hat, daß aber einzelne Rabbinen wohl zu dieser Höhe emporgestiegen sind. Aber nun fragt es sich, was denn Jesus bei seinem Gebot der Feindesliebe gemeint habe. Und da sucht nun Montefiore zu zeigen, daß Jesus nicht an die Liebe zu Nichtchristen oder allgemeine Menschenliebe gedacht habe, überhaupt nicht ausdrücklich an den öffentlichen Feind denke. Nun ist sicher richtig, daß weder das Wort $\grave{\varepsilon}\chi\vartheta\varrho\acute{o}\varsigma$ noch der exegetische Zusammenhang beweisen können, daß Jesus an andere Menschen als an persönliche Feinde und Belästiger denkt. Aber diese exegetische Feststellung ist darum nicht entscheidend, weil Jesus eben nicht wie die Rabbinen oder auch Philo exegetisch oder logisch feststellt, wer eigentlich auch noch in das Liebesgebot einzubeziehen sei. Denken wir vielmehr an Jesu Art in den anderen Antithesen, so wird es nicht zu kühn sein, wenn ich behaupte, daß Jesus auch beim Gebot der Feindesliebe nicht ein Toragebot erweitert, sondern Gottes Willen ohne Rücksicht auf das Toragebot verkündigt. Das bedeutet aber, daß Jesus von dem Jünger die Liebe fordert, wie Gott sie durch Sonne und Regen allen Menschen erzeigt. Dieser grenzen- | los gütige Gott fordert eine Liebe, die auch nicht nach Recht und Würdigkeit, nach nah und ferne fragt, sondern die Feind wie Freund liebt, weil Gottes Liebe grenzenlos ist. Das heißt aber, daß man Jesus verhängnisvoll mißverstehen muß, wenn man seine Lehre wie die der Rabbinen als Ausdehnung oder Einschränkung von Torageboten versteht, weil man übersieht, daß Jesus grundsätzlich anders vorgeht. Und es dürfte bereits klar geworden sein, daß dieses verschiedene Vorgehen Jesu und der Rabbinen auf einer verschiedenen Stellung zum Gesetz beruht, von der wir nun im zweiten Teil zu reden haben.

Zuvor aber muß noch ein zusammenfassendes Wort gesagt werden. Die wenigen Beispiele, an denen wir die Botschaft Jesu mit der Lehre der Rabbinen verglichen haben, zeigen, daß die Frage nach der Andersheit oder Neuheit der Lehre Jesu durchaus nicht mit einer einfachen Formel beantwortet werden kann. Gewiß sind oftmals die Rabbinen nicht hinter Jesus zurückgeblieben, aber ebenso gewiß hat Jesus an manchen Punkten Dinge gelehrt, die kein Rabbine sagen konnte, so daß es sicherlich auch inhaltlich nicht richtig ist, daß Jesus sich in nichts vom jüdischen Denken unterscheide. Aber wichtiger als diese materiellen Ähnlichkeiten und Unterschiede ist die Erkenntnis, daß Jesus formal sich von den Rabbinen radikal unterscheidet, weil er ohne Rücksicht auf rechte oder falsche Auslegung von Torageboten Gottes Willen verkündete. Dabei zeigt es sich in der Tat, daß Jesus keine Rücksicht nimmt auf die Frage der Ausführbarkeit seiner Lehre, daß Jesus auch keine volkserhaltende Ethik geben wollte. All das hat Klausner richtig beobachtet, und es wird unsere Aufgabe sein, den sachlichen Grund für diese Tatsachen zu finden, indem wir nach der Stellung der Rabbinen und Jesu zum Gesetz fragen.

Sehen wir zunächst in aller Kürze, wie die Juden zur Zeit Jesu zum Gesetz standen. Es ist ja unbestritten, daß in den letzten Jahrhunderten vor Christus das Gesetz zur beherrschenden Macht des jüdischen Lebens geworden war. Die Tora enthält ja Gottes Offenbarung an die Väter und ist, wie Sirach sagt, ,,das Bundesbuch

Gottes, das Gesetz, das Mose gebot als Erbteil für die Gemeinde Jakobs."Wer darum
ein frommer Jude sein wollte, mußte sein ganzes Leben nach dieser offenbarten
Gotteslehre einrichten. In der Praxis erhoben sich dann freilich die Schwierigkeiten,
weil weder die Gebote immer klar und genügend, noch überhaupt für alle Fragen
Gebote vorhanden waren. Noch schwieriger aber war die Frage, wie man sich zu verhalten habe, wenn ein Gebot einfach nicht mehr durchführbar war und man es doch
nicht einfach beseitigen konnte. Freilich sind diese Schwierigkeiten dem jüdischen
Bewußtsein gar nicht in der Schärfe klar geworden, wie sie sich dem historischen
Denken von heute ergeben. Denn der jüdische Gesetzesbegriff ist niemals der eines
starren Kodex gewesen, sondern war immer in den weiteren Begriff der Tradition
eingespannt. Daß neben dem geschriebenen Gesetz eine Tradition seit langer Zeit
vorhanden war, brauche ich wohl kaum zu beweisen, wenn ich erinnere an die selbstverständliche Ausführung von Fasten und Synagogengottesdienst, aber auch an die
vielen Einzelheiten des Tempeldienstes, die nicht im Alten Testament zu lesen waren. So hat man denn auch theoretisch schon früh den Traditionsgedanken vertreten.
Daher kommt es, daß im Neuen Testament wie bei den Rabbinen „Gesetz" (tora,
nomos) sowohl den Kanon wie auch die fünf Bücher Moses, aber auch die gesamte
Lehre, Schrift und Tradition zusammen, bezeichnet. Wie ist es aber zu erklären, daß
man so ohne weiteres mit diesem einen Wort die geschriebene und die mündliche
Lehre bezeichnete ?

Sowenig wir die genaue Geschichte der Traditionslehre heute geben können, so
sicher kann doch auf Grund der ältesten Zeugnisse die Anschauung zur Zeit Jesu ge-
zeichnet werden. Da finden wir zwei Glaubenssätze mit dogmatischer Sicherheit
nebeneinander. Auf der einen Seite ist man überzeugt, daß jeder gültige Rechtssatz
von Gott schon am Sinai dem Mose verkündigt worden ist. Darum übergibt schon
im Jubiläenbuch ein Engel die ganze dort berichtete Erweiterung der Genesis dem
Mose am Sinai. Ja man redete sogar davon, daß Mose am Sinai zwei Toroth erhalten
habe. Ich muß darum nur beweisen können, daß meine Meinung bis auf Moses zurückgeht, dann gilt meine Meinung als Gottes Gesetz. So kann Aqiba einer Diskussion ein Ende machen, indem er sagt: „Wenn das eine überlieferte Satzung ist, so
müssen wir sie annehmen." Aber neben diesem Glauben an die Überlieferung jedes
Gesetzessatzes vom Sinai her steht die Überzeugung, daß jeder Lehrsatz der Tradition im Torabuch angedeutet sei. Darum bemüht man sich, für eine Meinung einen
Beweis im Torabuch zu finden, und freut sich, wenn jemandem der Beweis gelingt.
Es ist nun wohl deutlich, daß schon diese beiden Glaubenssätze sich vielfach widersprechen. Denn ist der Traditionsbeweis entscheidend, so kann das Fehlen einer
Lehre im Torabuch eigentlich nichts schaden; umgekehrt aber ist die Annahme von
zwei Toroth eigentlich überflüssig, wenn ich alle Gebote aus der schriftlichen Tora
ableiten kann. Aber noch nicht genug damit: neben diesen beiden Glaubenssätzen
steht als dritter die Tatsache, daß die Rabbinen gänzlich neue Lehren schufen und
durch Mehrheitsbeschluß gültig erklärten, ja daß sie sogar Gebote des Torabuches
vollständig aufhoben, wofür der bekannteste Beleg die Erzählung des 1Makk ist,
nach der die Juden beschließen, gegen die Tora auch am Sabbat zu kämpfen.

Diese Widersprüche erklären sich aber ohne weiteres, wenn man einsieht, daß die ganze Gesetzesanschauung des Judentums von dem Glauben an die vollkommene Offenbarung Gottes am Sianai aus | geht. Diese Offenbarung ist weitergegeben worden, und zur Zeit Jesu sind die Schriftgelehrten die Träger dieser Traditionskette. Darum steht aber nur der im Zusammenhang mit der Tora der Väter, der die gesamte Tradition annimmt, wie sie die Schriftgelehrten der Gegenwart verkündigen. So kann Paulus von seiner jüdischen Zeit einmal sagen: ,,ich war in der Gerechtigkeit, wie sie das Gesetz fordert, tadelsfrei", und ein anderes Mal ,,ich war ganz besonders eifrig in der Befolgung der väterlichen Überlieferungen." Denn für den Juden, der an die einmal geschehene Offenbarung glaubt und gemäß dieser einmal gegebenen Offenbarung sein Leben regeln will, sind Gesetz und Tradition dasselbe. Dann aber sind beide vorhin genannten Glaubenssätze nur verschiedene Folgerungen dieses einen Glaubens. Wenn Moses am Sinai die schriftliche Tora erhalten hat, die selber erklärt, die volle Offenbarung Gottes zu enthalten, so muß in dieser Tora alle Lehre Gottes enthalten sein, und es kommt nur darauf an, daß man sie darin finde. Wenn aber auf der andern Seite feststeht, daß alle geltende Lehre von Moses stammt, so braucht man nur eine Lehre auf Moses zurückzuführen, um ihre Gültigkeit zu beweisen. Ja, von diesem Glauben aus ist es auch nicht weiter wunderbar, daß diese ganze lebendige Tradition Gottes sich nach den Bedürfnissen ändern konnte, da ja die Schriftgelehrten die bevollmächtigten Träger dieser einen Tradition waren. So widerspruchsvoll uns also die verschiedenen Vorstellungen zunächst scheinen, sie werden klar, sobald wir einsehen, daß die gesamte Gesetzesanschauung des Judentums vom Traditionsgedanken abhängt. Diese fortschrittliche Lehre aber haben die Pharisäer vertreten, und nur dieser Traditionsglaube der Pharisäer garantiert die Lebendigkeit der einmal geschehenen Offenbarung und die Gegenwärtigkeit des in grauer Vorzeit den Vätern geoffenbarten Willens Gottes.

Jesus ist nun ohne Zweifel als frommer Jude in diesem Glauben an die eine Tradition vom Sinai her aufgewachsen. Die Frage ist nur, wie er sich zu diesem ihm überlieferten Traditionsglauben stellte, als er als selbständiger Lehrer auftrat. Zunächst hat Jesus durchaus, soweit wir sehen können, die üblichen religiösen Gebräuche auf sich genommen, indem er am Sabbat die Synagogen besuchte, sich von heidnischen Städten und überhaupt von den Heiden fernhielt, die von der Tora vorgeschriebenen Fransen am Gewand trug. Aber Jesus weist auch ausdrücklich auf das Gesetz als Gottes Willen hin. Ich brauche nur an die Berichte von der Frage des Reichen nach dem ewigen Leben und von der Frage nach dem größten Gebot zu erinnern. Auch die widerspruchslose Anspielung Jesu auf die Tempelopfer zeigt, daß Jesus den Kultus nicht ablehnte. Jesus verweist aber nicht bloß auf das Torabuch, er zitiert auch wie die Schriftgelehrten andere Bücher des alttestamentlichen Kanons und geht sogar über den Kanon hinaus. In verschiedener Form ist uns bezeugt, daß Jesus für seine Heilungen am Sabbat die Regel der mündlichen Lehre anführte, daß man ein Rind oder Schaf am Sabbat aus dem Brunnen ziehen dürfe. Und was noch bezeichnender ist, Jesus teilt ausdrücklich den Glauben an die Auferstehung, den die Sadduzäer ablehnten, weil davon nichts in der Tora stehe. Das alles zeigt, daß Jesus durchaus

nicht, wie immer wieder behauptet wird, wie die Sadduzäer nur im Torabuch Gottes
Willen gefunden hat. Jesus folgte vielmehr durchaus der Tradition der Pharisäer
und sah in Schrift und mündlicher Lehre Gottes Willen ausgesprochen.

Aber das Auffällige ist nun, daß sich trotzdem Jesus nicht scheute, die pharisäischen Regeln gänzlich zu mißachten. Er hütete sich nicht vor levitischer Befleckung
und erklärte, er sei zu denen gesandt, die die Pharisäer streng gemieden wissen wollten, weil sich der Fromme an ihnen nur verunreinigen könne. So mußte es bald zur
Auseinandersetzung mit den Pharisäern kommen. Am bezeichnendsten ist dafür der
Streit um die Heilung der gelähmten Hand am Sabbat. Solche Heilung war natürlich
nach dem wörtlich verstandenen Arbeitsgebot der Tora verboten; und auch die
rabbinische Vorschrift, daß man ein Menschenleben am Sabbat retten dürfe, konnte
daran nichts ändern, da es ja gar nicht um Rettung eines Menschenlebens ging. Die
Pharisäer würden denn auch wohl auf Jesu Frage: „darf man am Sabbat Gutes tun
oder Böses tun?" geantwortet haben, daß man nach Gottes Willen weder Gutes
noch Böses tun dürfe. Jesus aber zeigt durch seine Frage, daß er das Unterlassen
einer Liebestat als ein Tun des Bösen betrachtete. Wenn die Pharisäer also das Sabbatgebot so verstehen, daß es dem Liebeswillen Gottes widerspricht, der eben in diesem Gebot sich äußern will, so nehmen sie dem Sabbatgebot seinen göttlichen Sinn.
Jesus leugnet nicht, daß ihre Auslegung wörtlich recht haben mag, er fragt überhaupt nicht nach der richtigen Auslegung, sondern Jesus fragt allein nach dem Willen Gottes, der sich in dem Gebot der Tora äußert. Und weil er diesen Willen Gottes
weiß, der das Tun des Guten fordert, nimmt sich Jesus das Recht, den Buchstaben
des Sabbatgebotes zu übertreten und Gottes Willen zu tun.

Aber Jesus geht noch einen Schritt weiter. Er erklärt ausdrücklich einen Teil der
Tora für ungültig. Wir sahen das schon bei der Aufhebung der Ehescheidung und bei
der Beseitigung der Wiedervergeltung. Beide Male geht Jesus nicht auf ein anderes
Toragebot zurück, sondern auf Gottes Willen, den er ohne Beweis anführt. Der gleiche Tatbestand zeigt sich aber auch bei der Diskussion über das Korbangelübde.
Zwar steht hier scheinbar die traditionelle Regel, daß man mittels des Korban-
gelübdes sein Eigentum der Benutzung durch einen anderen entziehen könne, ge-
gen das biblische Gebot | der Elternliebe. Aber was Jesus in Wirklichkeit angreift,
ist nicht so sehr die Lehre, daß das Korbangelübde ein gültiges Gelübde sei, sondern
die Vorstellung, daß man jedes Gelübde halten müsse; und diese Vorschrift steht in
der Tora (Dtn 23, 22). Jesus stellt also das Gebot der Elternliebe gegen das Gebot
„du sollst dein Gelübde halten" und gibt dem Gebot der Elternliebe den Vorzug,
weil darin Gottes Wille am vollkommensten ausgesprochen ist. Wieder steht Jesus
damit also gegen das Torabuch; und wenn er dabei in diesem Falle eine andere Bibelstelle für seine Stellungnahme anführt, so ist doch nicht diese Bibelstelle, sondern
seine Kenntnis des Willens Gottes die wahre Ursache der Entscheidung. So kann es
denn nicht wundernehmen, daß Jesus Mk 7, 15 ohne jede Begründung mit seinem
bloßen Machtwort den biblischen Unterschied von reinen und unreinen Speisen
gänzlich aufhebt. Damit ist aber deutlich geworden, daß Jesus die Befolgung des
Gotteswillens wichtiger ist als der Gehorsam gegen den Torabuchstaben. In der Tora

ist Gottes Wille also nicht vollkommen enthalten, man kann dort Gottes Willen nicht sicher finden.

Es scheint also ein unüberbrückbarer Widerspruch zu sein, in den uns die Betrachtung der Stellung Jesu zum Gesetz hineinführt. Auf der einen Seite erkennt Jesus das Gesetz in der pharisäischen Ausweitung als heiligen Willen Gottes an, nach dem er selbst lebt, und auf den er andere hinweist. Auf der anderen Seite aber kümmert sich Jesus nicht um das Gesetz, ja erklärt sogar, daß Gottes Wille gegen das Gesetz stehe und dort nicht richtig zu finden sei. Müssen wir wirklich bei diesem Widerspruch stehenbleiben? Ich glaube, wir haben durch die bisherigen Ausführungen die Lösung schon in der Hand. Denn wir sahen ja, daß Jesus sich zwar weitgehend an jüdische Lehren anschließt oder zu ähnlichen Folgerungen kommt wie die Rabbinen; wir sahen aber zugleich, daß dabei Jesus grundsätzlich und immer anders vorgeht als die Rabbinen. Fanden die Rabbinen den Gotteswillen in der Tradition, indem sie nach der rechten Ausdehnung eines Gebotes fragten oder nachforschten, ob sich eine Lehre von Moses her finde, so leugnet Jesus durchaus nicht, daß in Tora und Tradition Gottes Willen zu finden sei. Aber Jesus geht einen andern Weg, um Gottes Willen dort zu finden; er erklärt einfach „ich sage euch". Er stellt seine Sätze ohne jede Begründung hin und fragt nicht danach, ob er damit einem Torabuchstaben widerspreche. Und das ist nun das Furchtbare für die Pharisäer. Hier ist ein Mensch, der nicht wie der Heide Tacitus behauptet, daß Moses zu seinem eigenen Ruhm „neue und denen aller andern Menschen entgegengesetzte Riten eingeführt" habe; denn Jesus erkennt das Gesetz als göttlich an. Aber Jesus nimmt sich heraus, von sich aus zu bestimmen, was im Gesetz und in der Tradition Gottes Wille ist. Mit diesem „Ich sage euch" beseitigt aber Jesus mit einem Strich den ganzen jüdischen Traditionsgedanken und wirft damit für die Pharisäer das ganze Gesetz überhaupt über den Haufen. Wie kommt aber Jesus zu dieser allem jüdischen Denken widersprechenden Stellung? Jesus behauptet, von sich aus und unmittelbar Gottes Willen zu wissen. Damit aber wird deutlich, daß hinter der Haltung Jesu zum Gesetz sein Bewußtsein steht, von Gott gesandt zu sein, von Gott den Auftrag erhalten zu haben, vor dem Eintreten des Gottesreiches Gottes Willen zu verkünden, von Gott zu dem Messias des kommenden Gottesreiches bestimmt zu sein. Wer aber einen solchen Auftrag Gottes hat, der braucht keine Tradition mehr. Denn dazu war ja die Tradition da, das Wissen um Gottes Willen für die Gegenwart zu erhalten, und diesen Willen Gottes meinte Jesus selber zu kennen. Dieser Wille Gottes war zwar auch im Gesetz zu finden; aber Jesus leugnete, daß nur der im Gesetz Gottes Willen finden könnte, der die ganze Tradition als Gottes Willen anerkennt. Jesus wollte vielmehr dem Gesetz seinen wahren Gottessinn geben, aber ohne nach der Meinung der Alten zu fragen. Hier redete wirklich einer in Vollmacht, weil er Gottes Willen auch ohne das Gesetz wußte, damit aber war das Gesetz als allbeherrschende Tradition am Ende. Mit Jesus war etwas Neues, Vollkommenes gekommen, das Gesetz war bedeutungslos geworden, so daß Jesus sagen konnte, was man ihm so ungern zutraut: „Das Gesetz und die Propheten waren bis Johannes!"

Damit aber stehen wir vor dem entscheidenden Gegensatz zwischen Jesus und den Rabbinen. KLAUSNER hat ganz recht gesehen, daß Jesus eine Ethik lehrte, die für alle Menschen geeignet ist und alle nationalen Schranken durchbricht; und KLAUSNER hat ebenso recht gesehen, daß Jesus die volkserhaltende Seite des Zeremonialgesetzes nicht verstand und nach der Ausführbarkeit seiner Lehren nicht fragte. KLAUSNER hat aber falsch gesehen, wenn er glaubte, das einfach darauf zurückführen zu können, daß Jesus eben eine extreme und einseitige Ethik gelehrt habe, ohne an die Notwendigkeiten des völkischen Lebens zu denken. Denn Jesus hat, wenn ich das Wort einmal in KLAUSNERS Sinn gebrauche, überhaupt keine Ethik gelehrt, sondern Gottes Willen verkündigt. Aber Jesus hat das so getan, daß er den Pharisäer von damals wie den Juden von heute vor ein unentrinnbares Entweder-Oder stellte. Entweder der jüdische Glaube an die Weitergabe der Offenbarung in der Traditionskette war richtig, dann mußte Jesus fallen, weil er dem Judentum die Wurzel abschnitt. Oder Jesus hatte von Gott das Recht, Gottes Willen neu und endgültig zu verkündigen, dann blieb nur Gehorsam diesem einen Gesandten Gottes gegenüber, aber dann war die ganze jüdische Tradition wertlos geworden. Dieses Entweder-Oder hat Jesus den Tod gebracht. Dieses Entweder-Oder besteht aber heute noch ebenso wie vor 2000 Jahren. Konnten wir wissenschaftlich zu begreifen versuchen, wie es zu | diesem Entweder-Oder in der Stellung Jesu zu den Rabbinen gekommen ist, so kann keine Wissenschaft auf dieses Entweder-Oder eine Antwort geben. Aber ebensowenig kann irgend jemand, können wir diesen Anspruch Jesu, diese Aufhebung des Judentums wirklich verstehen, wenn wir nicht im Glauben ja sagen zu diesem Anspruch und bekennen: Jesus hatte den Auftrag von Gott, Gottes neue Willensverkündigung an die Stelle des alten Bundes zu setzen, und auf ihn wollen wir darum dankbar hören. Dann ist das Entweder-Oder im Sinne Jesu entschieden.

Ist dieses Entweder-Oder aber wirklich auch heute in der Christenheit, bei uns, entschieden? Ich stehe keinen Augenblick an, zu sagen, daß wir heute mehr als je in Gefahr stehen, dieses unser Ja zu Jesus zu verraten. Wir sahen, daß der Jude von heute an der Lehre Jesu Kritik übt, weil er einsehen muß, daß Jesu Botschaft nicht für ein Volk allein bestimmt sein kann, weil ihm mißfällt, daß Jesus einen neuen Gotteswillen verkündigt, der nicht nach unserm Können fragt, sondern das Letzte von uns fordert. Und wir sahen auch, daß Jesus über jüdisches Denken hinausgeht und als Gottes Willen verkündigt, daß der Christ Rache und Haß nicht kennen dürfe, daß er mit Gottes Liebe Freund und Feind entgegentreten solle. Und was tun wir Christen? In allen Landen, nicht nur in Deutschland, greift die Saat des Hasses gegen die andere Klasse, Rasse, Nation, kurz gegen Feinde jeder Art, wirkliche und eingebildete, um sich, und man versteht es, diesen Haß und Kampf in ein christliches Mäntelchen zu hüllen. Daneben keimt ein ungeheurer Nationalstolz auf, der im andern Volk etwas Minderwertiges sieht; und das Christentum soll dazu dienen, dieses Selbstbewußtsein zu decken, indem man verlangt, daß ein artgemäßes Christentum die stützende Kraft der Nation im Kampf um die Selbstbehauptung sein müsse. Und die Christen tun dabei entweder mit oder schweigen. Was ist aber der wirkliche Sachverhalt? Wir fallen ins Judentum zurück, aus dem uns Jesus hat herausführen

wollen, und verleugnen gerade die Gedanken, die Jesus von den Rabbinen getrennt
haben. Und wenn man heute so viel vom jüdischen Geiste redet und Kampf und
Haß gegen die Juden als die Träger dieses Geistes fordert, so verfällt man eben dem
jüdischen Geist, den Jesus ablehnte und im Kampf gegen den Jesus starb. Oder noch
deutlicher gesagt: wenn wir vergessen, daß Jesus Gottes Willen nicht für ein Volk,
eine Rasse, einen Erdteil, sondern allen Menschen verkündigt hat, wenn wir das vergessen, so verleugnen wir nicht nur das Christentum, sondern Gott selbst. Und so
geht heute der Kampf um nichts anderes als zu Jesu Zeiten, nämlich um die eine
Frage, ob wir in Jesu Botschaft Gottes absoluten Willen hören wollen, oder ob wir
glauben, wie es die Rabbinen taten, daß wir Gottes Willen ja schon selber wüßten.
Daß wir an diesem Punkte klar sehen, dazu will die wissenschaftliche Untersuchung
beitragen. Gebe Gott, daß die Christenheit hierzulande wie in aller Welt die Entscheidung sehe, in der wir auch heute stehen, damit wir nicht in die Knechtschaft zurückkehren, aus der uns Jesus Christus durch Gottes Willen frei gemacht hat!

JESUS UND DER JÜDISCHE TRADITIONSGEDANKE *

Die wissenschaftliche Erforschung des Neuen Testaments sieht sich immer wieder vor die Frage gestellt, wie die Botschaft Jesu und seiner Apostel sich zu den anderen Religionen der ausgehenden Antike verhalte. Dabei ist nicht so sehr die Frage nach der Abhängigkeit der neutestamentlichen Gedanken von jüdischen *oder* hellenistischen Vorstellungen entscheidend. Denn dieser Streit, der immer wieder die Forschung verwirrt hat, verliert sein Interesse, sobald man einsieht, daß auch das Judentum trotz aller Unterschiede gebend und nehmend in den Religionen des Hellenismus drinsteht[1] und daß der Hellenismus weitgehend von orientalischen Gedanken lebt. Die Untersuchung der Abhängigkeiten in Sprache und Gedankenwelt bleibt zwar selbstverständlich eine unerläßliche Aufgabe jeder ernsthaften Exegese. Aber viel wichtiger ist die Frage, worin denn die Besonderheit der neutestamentlichen Botschaft gegenüber der Umwelt besteht. Diese Frage ist aber nicht etwa darum entscheidend wichtig, weil so die „Überlegenheit“ der christlichen Gedanken über alles andere Denken herausgestellt werden kann. Sondern diese Vergleichung läßt uns überhaupt erst die Gedanken Jesu und seiner Jünger voll und ganz verstehen. Denn alle Gedanken sind notwendig in die Formen der Zeit gekleidet und bilden sich in Auseinandersetzung und Übereinstimmung mit dem, was die Zeitgenossen denken und lehren. Daß aus diesen Gründen eine religionsgeschichtliche Betrachtung notwendiger Bestandteil theologischer Forschung am Neuen Testament sein muß, ist heute wohl allgemein anerkannt. Aber in der Praxis der Exegese muß diese Erkenntnis doch noch weitgehend erst durchgesetzt werden.

Das zeigt sich z. B. deutlich, wenn wir die wichtige Frage nach der Stellung Jesu zu dem Gesetz und der religiösen Tradition seines Volkes zu beantworten suchen. Sehen wir die Literatur auf dieses Problem hin durch, so finden wir fast überall höchst unklare und widerspruchsvolle Darstellungen[2]. Auf der einen Seite wird etwa | behauptet, Jesus habe nicht zum mosaischen Gesetz, sondern nur zur Auslegung der Schriftgelehrten im Gegensatz gestanden[3]. „L'autorité de l'Ancien Testa-

---

* Vorliegender Aufsatz gibt in umgearbeiteter und erweiterter Form die Antrittsvorlesung wieder, die der Verf. am 19. November 1932 an der Universität Zürich gehalten hat.

[1] So mit Recht GERH. KITTEL, Die Religionsgeschichte und das Urchristentum, 1932, S. 66.

[2] Man vergleiche nur die betreffenden Abschnitte in den nt. Theologien von H. J. HOLTZMANN, I², S. 191–210, WEINEL³, S. 85–98, FEINE⁵, S. 21–29. Anders aber SCHLATTER, Die Geschichte des Christus, 1921, S. 275–286.

[3] A. HARNACK, Hat Jesus das at. Gesetz abgeschafft ? „Aus Wissenschaft und Leben“ II, 1911, S. 229.

ment, pour Jésus, est absolue."[4] Auf der anderen Seite stellt man fest: „Jesus kennt ewige und vergängliche Schriftgedanken, ... Das Ergebnis kann nicht in der Meinung gesehen werden, daß für Jesus das Alte Testament schlechthinnige Autorität gewesen sei und die Polemik gegen die Schriftstellen sich in Wirklichkeit nur gegen eine verkehrte Auslegung bei den Rabbinen gewandt habe."[5] Alle diese sich widersprechenden Darstellungen und Untersuchungen leiden an zwei entscheidenden Fehlern. Sie ersparen sich einmal eine Untersuchung des jüdischen Gesetzesglaubens und meinen, ihn zur Genüge aus der Polemik Jesu erkennen zu können. Dabei wird aber gänzlich übersehen, daß der spätjüdische Gesetzesgedanke von dem alttestamentlichen grundsätzlich verschieden ist. Der zweite Fehler ist, daß man meistens nicht eingesehen hat, daß der Gegensatz Jesu zu den jüdischen Lehrern seiner Zeit niemals sicher aus den theoretischen Äußerungen über das Gesetz, sondern nur aus den konkreten Berichten über das Handeln und die Entscheidungen Jesu entnommen werden kann.

In diesen beiden Punkten stellt einen entschiedenen Fortschritt dar die umfangreiche Untersuchung „Jesus and the Law of Moses" von B. H. BRANSCOMB[6]. Hier wird zum erstenmal eine sorgfältige Untersuchung der spätjüdischen Gesetzesanschauung geboten, und hier wird auch der Boden zum Verständnis Jesu bereitet durch eine Untersuchung der Gesetzeskonflikte. Aber auch diese Arbeit gibt keinen wirklich geschlossenen und befriedigenden Eindruck von der Stellungnahme Jesu, weil auch ihr zwei wesentliche Fehler anhaften. Bei der Untersuchung der jüdischen Vorstellungen benutzt zwar BRANSCOMB reichlich das durch die neueren Hilfsmittel zugänglich gewordene rabbinische Material. Aber er unterläßt dabei gänzlich die Scheidung in ältere und jüngere Texte und führt darum manche Vorstellung an, die zweifellos erst später entstanden ist. Dann aber bietet BRANSCOMB wohl eine sorgfältige Besprechung der einzelnen jüdischen oder neutestamentlichen Texte. Aber es fehlt eine wirklich theologische Besinnung auf den inneren Zusammenhang der beiderseitigen Anschauungen, und darum kommt es nicht zu einer wirklich radikalen Gegenüberstellung. |

Wollen wir der Lösung des für das Verständnis Jesu wie für unsere Stellung zum Alten Testament gleich wichtigen Problems darum wirklich näherkommen, so müssen wir zuerst versuchen, aus den sorgfältig geprüften zeitgenössischen jüdischen Texten ein möglichst scharfes Bild der jüdischen Gesetzesanschauung zu zeichnen. Dabei habe ich mich bemüht, die Gedanken durch möglichst vielseitige Belege als allgemein jüdisch aufzuzeigen. Und von den rabbinischen Texten habe ich, soweit nicht anders bemerkt, nur Texte aus dem 1. Jahrhundert verwendet, so daß die Wahrscheinlichkeit besteht, daß keine späteren Vorstellungen zurückdatiert werden. Dann aber gilt es, die Haltung Jesu wirklich auf dem Hintergrund der so gefundenen jüdischen Gedanken zu sehen, wobei von den konkreten Berichten auszugehen ist. Ich glaube, daß es so möglich ist, den entscheidenden und letzten Gegensatz zwischen

---

[4] M. GOGUEL, La Vie de Jésus, 1932, S. 538.
[5] J. HÄNEL, Der Schriftbegriff Jesu, 1919, S. 155. 209.
[6] New York, Richard R. Smith, 1930. Ich zitiere im folgenden „BRANSCOMB".

Jesus und den Rabbinen aufzudecken, der am Traditionsglauben zum Durchbruch kommt. Auf diese Weise scheint es mir aber auch zu gelingen, die scheinbaren Widersprüche in Jesu Stellung zum Gesetz zu beseitigen und die Eigenart der Haltung Jesu scharf herauszustellen.

I

In den letzten Jahrhunderten vor unserer Zeitrechnung war die Tora, und d. h. zunächst die fünf Bücher Mose, immer deutlicher zur beherrschenden Macht des jüdischen Lebens und Denkens geworden. Für diese Tatsache bieten den sprechenden Beweis die griechischen Apokryphen des Alten Testaments, ganz besonders das Sirachbuch. Diese Bücher, die in der Hauptsache allgemein mahnende Spruchweisheit enthalten und sich nicht mit der gesetzlichen Regelung des täglichen Lebens befassen, werden doch nicht müde zu betonen, daß die wahre Weisheit in der Erkenntnis und Befolgung des göttlichen Gesetzes liege: καὶ τούτῳ (sc. τῷ νῷ) νόμον ἔδωκεν (sc. ὁ θεός), καθ᾽ ὃν πολιτευόμενος βασιλεύσει βασιλείαν σώφρονά τε καὶ δικαίαν καὶ ἀγαθὴν καὶ ἀνδρείαν(4Makk 2, 23)[7]. Und wie die Hellenisten, kennen die Apokalyptiker[8] und die Rabbinen[9] nichts Höhers als den Gehorsam | gegen das Gesetz. Freilich ist diese Übersetzung von תורה mit „Gesetz", wie wir im Anschluß an das griechische νόμος zu sagen gewohnt sind, sehr mißverständlich, da wir unter,, Gesetz" gewöhnlich ein Gesetzbuch verstehen; man sollte תורה besser mit „Lehre Gottes" wiedergeben[10], jedenfalls sich klarmachen, daß nicht das Formuliertsein einer Vorschrift, sondern ihre Herkunft von Gott mit diesem Wort bezeichnet wird. Der Wert dieser göttlichen Tora zeigt sich dem jüdischen Bewußtsein augenfällig darin, daß nur dann die Feinde dem Volke Schaden antun konnten, wenn die Juden „abwichen von dem Wege, den Gott ihnen gewiesen hatte" (Judt 5, 18)[11]. Damit wird aber sogleich deutlich sichtbar, *warum* die Tora dem Volke so absolut wertvoll, ihre Befolgung für das Schicksal des Volkes entscheidend war: die Tora stammt ja von Gott, Gott hat am Sinai dem Moses das Gebot in seine Hand gelegt, „das Gesetz des Lebens und der Einsicht, daß er Jakob seine Satzungen lehre und Israel seine Rechte" (Sir 45, 5)[12]. Indem aber Gott dem Moses die Tora gab, daß er sie den Vätern weitergebe, hat Gott einen Bund geschlossen mit den Vätern, und die Tora ist das Zeichen

[7] Ferner vgl. Sap 6, 18; Sir 2, 16; 15, 15; 35, 24; TestLev 13, 2f; TestJud 26, 1; Test Naph 8, 10; TestAss 6, 1ff; 4 Makk 1, 16f *(σοφία . . . ἐστιν γνῶσις θείων καὶ ἀνθρωπίνων πραγμάτων. αὕτη δέ ἐστιν ἡ τοῦ νόμου παιδία, δι᾽ ἧς τὰ θεῖα σεμνῶς καὶ τὰ ἀνθρώπινα συμφερόντως μανθάνομεν)* 1, 34; 2, 6; 5, 16; 7, 7f; 11, 5.

[8] ApkHen 108, 1; AssMos 12, 10 *(Facientes itaque et consummantes mandata dei crescunt et bonam vitam exigunt);* 4Esr 7, 21ff (= III, 4, 5ff VIOLET); ApkBar 48, 24 (V, 2, 27f); 77, 16 (VII, 5, 2).

[9] Sifre Num 6, 26 § 42 (S. 47, 7f HOROVITZ, S. 135 KUHN), Sifre Num 10, 29 § 78 (S. 73, 18f, HOROVITZ, S. 203 KUHN), Josephus Ant. XX, § 264. Vgl. auch GRUNDMANN, ZNW 1933, S. 54f.

[10] Vgl. S. SCHECHTER, Some Aspects of Rabbinic Theology, 1909, S. 117; R. T. HERFORD, Die Pharisäer, 1928, S. 58.

[11] Ferner Tob 3, 4f; Bar 2, 9f; Sir 49, 4f; Jub 1, 10; 23, 16ff; TestLev 14, 7; 15, 1; 4Esr 14, 30f (VII, 5, 4–6); ApkBar 48, 38f (V, 3, 17f); 84, 2. 5 (VII, 6, 2. 5).

[12] Vgl. 4Esr 3, 19 (I, 4, 3); ApkBar 17, 4 (II, 6, 6); Josephus Ant. VII, § 338.

dieses göttlichen Bundes: „Das alles ist das Bundesbuch Gottes, das Gesetz, das uns Mose gebot, als Erbteil für die Gemeinde Jakobs, das da voll ist wie der Pison von Weisheit" (Sir 24, 23. 25 a). So wird die Tora weitergegeben als Gottes Weisung für alle Geschlechter, und nur wer an der Tora festhält, bleibt im Bunde mit dem Gotte Israels[13]. Und das ist nicht etwa ein neuer Gedanke des Spätjudentums: schon Ex 24, 1 ff wird berichtet, daß auf Grund des Bundesbuches ein Bund zwischen Jahwe und dem Volke geschlossen wurde, in dem sich das Volk verpflichtete: „alles, was Jahwe gesagt | hat, wollen wir tun und befolgen" (24, 7). Und zweimal wird uns aus der Zeit der späteren Geschichte Israels erzählt, daß das Volk auf Grund eines Gesetzbuches mit Gott einen Bund schließt und durch einen Eid verspricht, die Gebote Gottes zu halten: das erstemal zur Zeit Josias (2Reg 23, 1 ff) und dann wieder unter Esra bei der Neueinführung des „Gesetzes Gottes, welches durch Mose gegeben ist" (Neh 10, 29 f). Die Tora ist darum nach allgemeiner Überzeugung die höchste, die ewige Gottesgabe für Israel[14].

So kann es keinem Juden zweifelhaft sein, daß er aus dem Bunde der Väter herausfällt und ihren Eid bricht, wenn er sein Leben nicht nach dem Gesetze Gottes einrichtet (vgl. 4Makk 5, 29). Jeder Jude hat in seinem *ganzen* Leben sich nach den Vorschriften der Tora einzurichten[15], und so weiß auch Paulus, daß „jeder beschnittene Mann schuldig ist, das *ganze* Gesetz auszuführen" (Gal 5, 3). Aber da erhob sich nun in der Praxis die Schwierigkeit. Einmal waren viele Gesetze so allgemein formuliert, daß man nicht mit Bestimmtheit erkennen konnte, wie man sie recht, das heißt Gottes Willen genau entsprechend, ausführen sollte. So fand man z. B. im Dtn angeordnet, daß die Juden ihr tägliches Bekenntnis zum einen Gott zum Zeichen auf die Hand und an die Stirn binden sollten (Dtn 6, 8). Aber wie diese Gebetsriemen aussehen sollten, war nicht angegeben. Wollte man nun ein solches Gebot ausführen, so mußte man anderswoher wissen, wie Gott dieses Gebot gemeint habe, oder man mußte von sich aus den Sinn zu ermitteln suchen. Das hat man denn auch in dem Falle der Gebetsriemen getan, und so finden wir später im Talmud die Angabe, daß diese Gebetsriemen vier Fächer haben sollen, in denen die vier Abschnitte des Sch^ema' auf Röllchen geschrieben sich befinden[16]. Dieselbe Frage, wie das Gesetz auszuführen sei, erhob sich aber in noch viel stärkerem Maße bei den vielen kulti-

---

[13] Vgl. 1Makk 1, 15; 1, 63; 2, 20 *(διαθήκη πατέρων ἡμῶν)* 2, 27; 4, 10; Jub 1, 5. 10; 6, 11; 23, 16; 30, 21; Ps Sal 9, 19; 10, 5 *(ἡ μαρτυρία ἐν νόμῳ διαθήκης αἰωνίου)* 4Esr 4, 23 (I, 9, 4); 7, 24 (III, 4, 7); ApkBar 41, 3 (IV, 5, 3); 84, 8. 9 (VIII, 6, 8. 9); Damaskusschrift 1, 20 Schechter (= 1, 15 Charles); 3, 12 ff (= 5, 1–3); 4, 9 (= 6, 6). Der Gedanke, daß die Tora von jeher als Gottes Willensäußerung durch die Geschlechter weitergegeben wurde, ist dem Juden so selbstverständlich, daß TestBenj 10, 3 f einfach vorausgesetzt wird, daß schon Abraham, Isaak und Jakob den *νόμος κυρίου* ihren Söhnen weitergaben (vgl. Arn. Meyer, Das Rätsel des Jakobusbriefes, 1930, S. 189). Ähnlich auch Jub 7, 38 f; 11, 16; slHen 48, 6 ff (dazu Ch. Albeck, Das Buch der Jubiläen und die Halacha, 1930, S. 4 f, 38 f). Auf die verbreitete Vorstellung von der Präexistenz der Tora gehe ich nicht ein.

[14] Sap 18, 4; Bar 4, 1; Jub 6, 14 (und oft); PsSal 14, 1–3; ApkHen 99, 2; 4Esr 9, 31. 37 (IV, 2, 3. 10); ApkBar 59, 2 (VI, 8, 2); Jos c. Ap II, § 277; Philo Vita Mos II, § 14f. Vgl. auch G. F. Moore, Judaism I, 1927, S. 269 f.

[15] Vgl. Jos c. Ap II, § 173 f, 1Makk 6, 59.

[16] Menachoth 34 b (Baraita) bei Billerbeck, Kommentar zum NT IV, 1, S. 256 e.

schen Vorschriften für die Priester; denn hier waren genaue Ausführungsbestimmungen einfach unentbehrlich. War es denkbar, daß Gottes höchste Offenbarung,
die Tora, auf diese Fragen keine Antwort gab? Aber vielleicht ließ sich doch auf
irgendeine Weise feststellen, wie die einzelnen Toragebote auszuführen waren. Daneben aber gab es zweifellos im täglichen Leben eine Unmenge von Fällen, für die
das Gesetz überhaupt keine Weisung bot, wo man also nicht | wissen konnte, was
man zu tun hatte. So fehlte z. B. für die öffentlichen Fasten, die wir schon Neh 9, 1
beobachten können, jede Anordnung in der Tora[17]. Sollte also Gottes Gesetz einen
wesentlichen Teil des Lebens nicht umfassen? Man sieht, wie die Anwendung des
Gesetzes auf das *ganze* Leben zu erheblichen Schwierigkeiten führen mußte. Aber
noch eine dritte Schwierigkeit zeigte sich in der Praxis. Manche Bestimmungen der
Tora, die für andere Verhältnisse geschaffen waren, ließen sich fast nicht mehr durchführen. So verlangte die Tora z. B. ausnahmsloses Halten jedes Gelübdes, sie verbot
restlos jede Arbeit am Sabbath, also auch jede Hilfeleistung. Sollte man solche Gebote, die man nicht mehr verantworten konnte, auch gegen das Gewissen weiter ausführen? Die Tora gebot, bei jedem ungeklärten Mordfall einem Kalb das Genick zu
brechen (Dtn 21, 1 ff); sollte man diesen kostspieligen Ritus weiter durchführen,
„seit die Mörder sich mehrten" (Sota 9, 9)? Man sieht aus alle dem deutlich, daß das
Gesetzbuch viele Fragen unbeantwortet ließ, wenn man es wirklich auf das ganze Leben anwenden wollte. Konnte demnach die Tora wirklich das ganze Leben regieren?
    Diese Frage ist historisch durchaus berechtigt, aber dem jüdischen Bewußtsein
hat sie sich niemals in dieser Schärfe gestellt. Denn der starre Begriff eines Gesetzes-
kodex, wie ihn diese Überlegungen voraussetzen, ist niemals der jüdische Gesetzesbegriff gewesen. Vielmehr war der jüdische Gesetzesgedanke immer eingebettet in
den weiteren Gedanken der Tradition. Das läßt sich leicht an ein paar Beobachtungen zeigen. Ich sehe dabei ab von der Tatsache, daß die Mosebücher selber so entstanden sind, daß ältere Traditionen und Bräuche mit jüngeren zusammenwuchsen,
daß also die Tora selber Niederschlag einer langen Tradition ist[18]. Denn von dieser
Tatsache wußte man zur Zeit Jesu nichts mehr. Wohl aber wußte man von einer
Tradition, die neben der geschriebenen Tora herging, aber doch absolute Nachach-
tung verlangte. Daß eine solche Tradition vorhanden war, ergibt sich schon daraus,
daß die Priester im Tempel ihre komplizierten kultischen Funktionen ja tatsächlich
ausführten, also wissen mußten, wie die Gebote gemeint waren[19]. Auch der Prophet
Haggai legt den Priestern eine Frage | der kultischen Reinheit vor, setzt also voraus,
daß die Priester darüber Bescheid wissen (Hag 2, 11 ff). Das Vorhandensein einer solchen Tradition ergibt sich aber noch deutlicher daraus, daß wir in den letzten Jahr-

---

[17] Erst der Mischnatraktat Ta'anith gibt hierfür Anweisungen.
[18] Vgl. dazu W. Staerk, Der Schrift- und Kanonbegriff der jüdischen Bibel, ZSTh 9,
1929, S. 113 ff. Es läßt sich nachweisen, daß einzelne Gesetze vor der Zeit beobachtet wurden, in der sie schriftlich fixiert wurden; so zeigen schon Amos und Jeremia eine genauere
Befolgung der Sabbathbräuche, als die Tora es dann festsetzte (Moore, Judaism I, S. 253;
Lauterbach, Jewish Encyclopedia 9, S. 424).
[19] Moore, Judaism I, S. 17, 251 ff; S. Funk, Entstehung des Talmuds (Samml. Göschen),
1919, S. 14 ff.

hunderten vor Christus eine Reihe von Bräuchen beobachtet sehen, die nicht im Gesetzbuch standen. Judith betet morgens vor dem Lager des Holofernes, sie badet jeden Morgen, um die Befleckung durch das heidnische Lager abzuwaschen, sie gibt ihr Fasten regelmäßig auf an Sabbathen, Neumonden und Festtagen[20]. Und im Neuen Testament wie bei Philo und Josephus sehen wir den Synagogengottesdienst wie selbstverständlich beobachtet. Ja, Josephus wie Philo halten die Gesetzesverlesung am Sabbath für eine Anordnung des Mose[21]. Von all diesen Bräuchen stand nichts in den Büchern Mose, und doch hielt man diese Traditionen für Gottes Gebot.

Läßt sich so auf der einen Seite erkennen, daß in der Praxis des jüdischen Lebens in der Tat eine große Anzahl von Traditionen als Gottes Gebote betrachtet wurden, so bestätigt auf der andern Seite schon früh die Theorie das Vorhandensein des Traditionsgedankens. Daß die Juden unter תורה nicht bloß die fünf Bücher Mose verstanden, sondern mit diesem Terminus ganz allgemein Gottes Willensäußerung in den Heiligen Schriften bezeichneten, zeigt sich schon an einer ganz einfachen Beobachtung: im Neuen Testament wie bei den Rabbinen werden gelegentlich auch die anderen Bücher des alttestamentlichen Kanons außer den Mosebüchern als „Gesetz" zitiert, und zwar ohne jede Begründung der Ausdrucksweise[22]. So wird denn auch, wo von der Grundlage des jüdischen Glaubens die Rede ist, immer der ganze alttestamentliche Kanon mit seinen drei Teilen zitiert, oder wenigstens „Gesetz und Propheten"[23]; und die Rabbinen erklär | ten ausdrücklich: „Siehe, die Propheten und Schriften sind Tora, wie es heißt ‚Höre, mein Volk, meine Tora' (Ps 78, 1)."[24] Aber man verstand unter Tora durchaus nicht bloß die Bücher des Kanons, sondern zur Tora gehörten noch unzählige mündliche Überlieferungen[25]. Dafür ist folgende Erzählung vom Ende des ersten christlichen Jahrhunderts bezeichnend. „Einst sandte die (fremde) Regierung zwei Soldaten, zu denen sie sagte: geht und macht euch zu Proselyten und seht die Tora Israels an, wie geartet sie ist.

[20] Jdt 12, 5f. 7; 8, 6. Zu Jdt 12, 7 vgl. FINKELSTEIN, The Pharisees, Harvard Theol. Rev. 22, 1929, S. 212. Weitere Belege für die Befolgung traditioneller Bräuche aus den Apokryphen bei MOORE, Judaism I, S. 71.

[21] Jos c. Ap II, § 175; Philo, Vita Mos II, § 215f. Zur Entstehung der Synagogeneinrichtung siehe MOORE, Judaism I, S. 281 ff. BOUSSET-GRESSMANN, Die Religion des Judentums³, 1926, S. 171 ff.

[22] Joh 10, 34 (zitiert Ps 82, 6 als νόμος); 12, 34 (Ps 109, 4); 15, 25 (Ps 68, 5); 1Kor 14, 21 (Jes 28, 11f); Röm 3, 19 ist fraglich, ob mit νόμος das ganze Zitat 3, 10–18 gemeint ist. HÄNEL, Schriftbegriff Jesu, 1919, S. 19 versteht auch in Mt 23, 23 unter νόμος das ganze AT. – Mekhilta Ex 15, 1 (S. 118, 2f HOROVITZ-RABIN), Mekh Ex 15, 9 (S. 139, 5ff HOROVITZ-RABIN), Sifre Num 15, 22 § 111 (S. 116, 20ff HOROVITZ); Ab Zar 17a oben (Baraita). Weitere Beispiele für תורה = Heilige Schrift bei BILLERBECK II, S. 542f; III S. 159. 436; SCHLATTER zu Joh 10, 34 (Belege aus Tanḥ). Wahrscheinlich bezeichnet auch 4Esr 14, 22 (VII, 3, 5) *in lege tua* das ganze AT, vgl. 4Esr 14, 42–46 (VII, 7. 8).

[23] Sir Prol; Sir 38, 34; 39, 1; 2Makk 2, 13; 15, 9; 4Makk 18, 10; TestLev 16, 2; Jos c. Ap I, § 38–41; Philo, Vit Cont § 25; Mt 5, 17; 7, 12; 11, 13 par 22, 40; Lk 16, 29. 31; 24, 27. 44; Joh 1, 45; Act 24, 14; 28, 23; Röm 3, 21; Dam 9, 4. 7.

[24] Tanchuma ed. BUBER, Reeh § 1, 10a. Aus der gleichen Vorstellung ist die sehr häufige Bezeichnung קבלה für die nichtpentateuchischen Schriften entstanden, die diese Schriften als Bestandteil der Gesamttradition erklärt (ältester mir bekannter Beleg Tos. Nidd. 4, 10, S. 644, 38 ZUCKERMANDEL).

[25] In Sanh 99a Baraita (= BILLERBECK I, S. 805) und Nidda 45a unten Baraita (Zeit Aqibas) werden mündliche Traditionen ausdrücklich in die Tora einbezogen.

Sie gingen zu Rabbi Gamaliel (II.) nach Uscha und lasen die Schrift und lernten die Mischna, den Midrasch, die Halachoth und Aggadoth. Bei ihrem Abschied sagten sie zu ihnen (den Juden): Eure ganze Tora ist schön außer dem einen Wort ‚Das dem Götzendiener Geraubte ist erlaubt, das dem Israeliten Geraubte verboten'. Aber wir werden dieses Wort der Regierung nicht kundtun."[26] Hier ist alles, was die Soldaten lernten, Heilige Schrift wie mündliche Lehre, einfach תורה genannt. Nun stehen diese mündlichen Lehren ja sicher nicht ohne weiteres im Torabuch. Wie konnte man da alle diese Traditionen zur Tora rechnen? Die Tora selber erklärte doch ausdrücklich, man dürfe nichts zu ihr hinzufügen oder wegnehmen (Dtn 4, 2; 13, 1); und die Juden haben diesen Satz immer betont, ja sogar dahin ausgedehnt, daß „kein Prophet berechtigt ist, von nun an etwas Neues zu sagen"[27]. Wie läßt sich dieser Widerspruch verstehen, daß auf der einen Seite nichts zur Tora hinzugefügt werden darf, auf der anderen Seite aber eine Unmenge anderer Bücher und mündlicher Lehren dennoch zur Tora gerechnet werden?

Suchen wir in den Quellen der ältesten Zeit nach der Lösung dieses Widerspruchs, so finden wir zwar noch kein sorgfältig ausgebautes Traditionsdogma, wie es die spätere Zeit kannte; aber wir sehen schon in der ältesten rabbinischen Lehre zwei entscheidende Glaubenssätze, die mit dogmatischer Sicherheit auftreten. Der eine Satz lautet: *Jeder gültige Rechtssatz ist von Gott schon | am Sinai dem Mose verkündet worden.* Mit diesem Satz ist natürlich gegeben, daß der entscheidende Beweis für die Göttlichkeit eines Rechtssatzes darin besteht, daß man nachweist, der Satz stamme direkt aus der Sinaioffenbarung. Daß die Juden tatsächlich so dachten, kann man schon rein formal an zwei alten Beweisverfahren erkennen. In zwei Erzählungen der Tosephta wird berichtet, daß ein Rabbine vom Ende des 1. Jahrhunderts halachische Fragen andern Rabbinen vorlegt und deren Antwort dann dem berühmten Rabbi El'azar ben 'Azarja vorträgt. Beidemal antwortet El'azar: „Bei der Tora, das sind Worte, die dem Moses am Sinai gesagt wurden."[28] El'azar erkennt also den Rechtssatz als gültig an, indem er ihn als Bestandteil der Sinaioffenbarung erweist. Dieselbe Vorstellung von der sinaitischen Herkunft aller gültigen Gesetze zeigt sich ferner in einem zweiten Beweisverfahren, das wir am besten aus einer Erzählung über den bekannten Hillel erkennen können. Man legt Hillel die halachische Frage vor, ob das Passahfest die Sabbathvorschriften verdränge oder nicht. Hillel sucht die Frage durch logische Schlüsse jeder Art zu lösen, aber „obwohl er dasaß und ihnen den ganzen Tag bewies, nahmen sie es nicht an, bis er zu ihnen sprach: ‚Ich habe so von Sch^emaja und 'Abṭaljon gehört'. Als sie das hörten, standen sie auf und setzten ihn zum Meister (נשׂיא) über sich ein."[29] Der Sinn ist klar: als Hillel seinen

---

[26] Sifre Dtn 33, 3 § 344 (S. 143b FRIEDMANN).

[27] Sifra Lev 27, 34 Beḥuqqothai Perek 13, 7 (S. 115d WEISS); vgl. auch Meg. 14a Bar (= BILLERBECK I, S. 106), Tos Sanh 14, 13 (S. 437, 24 ZUCKERMANDEL). Dtn 13, 1 wird in Sifre Dtn 13, 1 § 82 (S. 92a FRIEDMANN) zwar umgedeutet auf Zufügen beim Kultus. Um so energischer wird aber das Verbot des Zufügens zur Tora betont von Jos c. Ap I, § 42; Philo, de spec. Leg IV, § 143; de migr. Abr. § 90; Aristeasbrief § 311.

[28] Tos. Pea 3, 2 (S. 21, 10f): התורה אלו הדברים שנאמרו למשה בסיני, ähnlich Tos. Challa 1, 6 (S. 97, 25f).

[29] jPes 6, 1, 53a oben. Dasselbe Verfahren, daß der Traditionsbeweis jeden Widerspruch

Lehrsatz auf ein berühmtes Lehrerpaar des ersten vorchristlichen Jahrhunderts zurückführen kann, braucht es keinen weiteren Beweis; denn damit ist der Lehrsatz als Teil der Tradition vom Sinai her erwiesen.

Aber nicht nur aus formalen Zügen läßt sich erkennen, daß man den sinaitischen Ursprung aller Gesetze glaubte, sondern auch theoretisch ist dieser Glaube schon früh formuliert worden. Darauf weist zunächst einmal die Formel הלכה למשה מסיני = Halacha, die Mose am Sinai empfing[30]. So bezeichnete man einen Lehrsatz, den man nicht aus der Tora als richtig erweisen konnte, und zwar aus dem Grunde, weil ja alle gültige Lehre vom Sinai stammte. Darum kann Aqiba ausdrücklich den Satz formulieren: „Wie die ganze Tora Gesetz an Mose vom Sinai ist, so ist auch ein geringer Lehrsatz | ein Gesetz an Mose vom Sinai."[31] Dieser Glaube an die sinaitische Herkunft aller legitimen Lehre war so fest im jüdischen Bewußtsein verankert, daß auch der Verfasser des Jubiläenbuches es sich nicht anders denken kann, als daß die ganze Erweiterung der Genesis, die sein Buch darbietet, dem Mose am Sinai von einem Engel übergeben worden sei.[32] Dieser Traditionsglaube hat aber noch eine zweite, wohl noch charakteristischere theoretische Ausprägung gefunden. In einer Baraita wird erzählt: „Einmal kam ein Heide vor Schammai und sprach zu ihm: ,Wieviele Toroth habt ihr?' Er antwortete ihm: ,Zwei, die schriftliche und die mündliche Tora'."[33] Damit ist deutlich gesagt, daß die Tradition aus zwei verschiedenen Bestandteilen besteht, der schriftlichen Tora und den mündlichen Traditionen; beides aber stammt vom Sinai, beides zusammen ist erst die volle Offenbarung. In dieser Theorie, die, konsequent angewendet, natürlich die Einheit der sinaitischen Tora aufheben müßte, hat der jüdische Glaube an die sinaitische Herkunft aller Tradition seinen radikalsten Ausdruck gefunden. Damit kann aber wohl als allseitig bewiesen gelten, daß schon zu Beginn unserer Zeitrechnung der Satz allgemein galt: Jeder gültige Rechtssatz ist von Gott dem Mose am Sinai übergeben worden.

Daneben steht nun als zweiter Glaubenssatz: *Jeder Lehrsatz der Tradition ist im Torabuch angedeutet.* Weil man dieses Glaubens war, darum geht das Bestreben aller Rabbinen dahin, für die Sätze, die sie vertreten, den Beweis aus der Tora zu finden. Aqiba wird von seinen Kollegen hochgerühmt, weil es ihm gelingt, für zweifelhafte Sätze den Schriftbeweis zu führen und so die Sätze als gültig zu erweisen[34]. Und

beseitigt, findet man auch Mischna Ed 1, 3; Nazir 7, 4; Ker 3, 9; Sifra Lev 7, 12 Zaw Perek 11, 6 (S. 34d f WEISS) (sämtlich 1. Jh.). Wer aber der Tradition doch widerspricht, wird gebannt, vgl. Sifre Num 5, 12 § 7 (S. 11, 2ff HOROVITZ, S. 33f KUHN).

[30] Die ältesten Belege für diesen Begriff sind Mischna Pea 2, 6; Ed 8, 7; Jad 4, 3 (sämtlich Mitte 1. Jh.).

[31] כשם שכל התורה הלכה למשה מסיני כך פחותה... הלכה למשה מסיני Nidda 45a unten Bar. Vgl. auch den Satz des Tacitus hist. V 5 *hi ritus quoquo modo inducti antiquitate defenduntur.*

[32] Jub 1, 26; 2, 1. Nach Jub 50, 6ff sind am Sinai auch alle Ausführungsbestimmungen zum Sabbathgebot aufgeschrieben worden.

[33] Schabbath 31a Baraita (Fortsetzung bei BILLERBECK I, S. 930). Die Lehre von den 2 Toroth begegnet dann wieder bei Aqiba Sifra Lev 26, 46 Beḥuqqothai Perek 8, 12 (S. 112c WEISS) und Gamaliel II. Sifre Dtn 33, 10 § 351 (S. 145a FRIEDMANN). Verwandt ist auch Jub 6, 22 wo das Jubiläenbuch als zweites Gesetz dem „Buch des ersten Gesetzes" gegenübergestellt wird.

[34] „Heil Abraham, unserem Vater, daß aus deinen Lenden Aqiba hervorging! Tarphon sah (ein halachisches Geschehen) und vergaß; Aqiba forschte für sich allein und brachte

wahrscheinlich ist die älteste Form der rabbinischen Lehre überhaupt die des Midrasch, | des Kommentars zur Tora gewesen[35]. Dieser Glaube an die Gründung aller Lehre in der schriftlichen Tora war denn auch seinerseits so festgewurzelt, daß man im tannaitischen Midrasch zum Leviticus von den wichtigen Geboten sagen konnte: „Wenn sie nicht geschrieben wären, so müßte man schließen, sie seien geschrieben, z. B. Räubereien, Unzucht, Götzendienst, Lästerung des Namens (Gottes), Blutvergießen."[36] Damit ist deutlich gesagt, daß außerhalb der Tora überhaupt keine gültige Lehre vorkommen kann.

Schon die beiden genannten Glaubenssätze, deren Vorhandensein zur Zeit Jesu wir feststellen konnten, stehen nun aber vielfach im Widerspruch miteinander. Ist es allein entscheidend, daß ich einen von mir vertretenen Lehrsatz als Bestandteil der Tradition vom Sinai her erweisen kann, indem ich die Kette der Tradenten genügend weit zurückführe, so kann das Fehlen einer Lehre im Torabuch natürlich nichts gegen die Gültigkeit dieser Lehre beweisen. Ist es auf der anderen Seite sicher, daß alle gültigen Gebote sich aus der einen geschriebenen Tora ableiten lassen müssen, so ist eigentlich nicht einzusehen, warum man die Theorie von den zwei sinaitischen Toroth überhaupt aufgestellt hat. Aber noch nicht genug mit diesen Widersprüchen: neben die beiden genannten Glaubenssätze muß nun noch die Tatsache gestellt werden, daß die Rabbinen sich vielfach gar nicht um Tora und Tradition kümmerten, sondern neue Lehren schufen und alte abschafften. Daß die Rabbinen sich das Recht zuschrieben und handhaben, von sich aus Rechtssätze zu schaffen, ergibt sich aus dem Grundsatz, daß Mehrheitsbeschluß Recht setzt. „Diese Sätze gehören zu den Halachasätzen, die man im Obergemach des Chananja ben Chizqijja ben Gorjon (zweite Hälfte des 1. Jh.s) ausgesprochen hat. Als (die Gelehrten) nämlich zu ihm kamen, um ihn zu besuchen, zählte man, und die Schule Schammais war zahlreicher als die Schule Hillels. Achtzehn Sätze beschloß man an jenem Tage."[37] Die Schammaiten nützten also ihre zufällige Überzahl aus, um eine Reihe von Rechtssätzen zu beschließen, die aber infolge dieses Mehrheitsbeschlusses nun gültige Rechtssätze waren. So erklärt sich das eigentümliche Rechenexempel, das 'Akabja ben Mahal'el (zweite Hälfte des 1. Jh.s) seinem Sohne vortrug: | er forderte seinen Sohn auf, keine seiner Lehren beizubehalten, weil der Sohn die Lehren des Vaters nur aus dem Munde eines einzelnen (d. h. seines Vaters) gehört habe, die Lehren seiner Gegner aber aus dem Munde vieler (Eduj 5, 7)! Wie die Rabbinen so einerseits neues Recht schufen, hoben sie andererseits auch deutliche Gesetze der Tora auf. Schon im 2. vorchristlichen Jahrhundert erklärte der Hohepriester Jochanan,

---

(den Text) in Übereinstimmung mit der Halacha. Wer sich von dir trennt, ist wie einer, der sich von seinem (ewigen) Leben trennt" Sifre Num 10, 8 § 75 (S. 70, 1 ff Horovitz). Ferner Sifra Lev 1, 5 Wajjiqra Nedaba Par 4, 4. 5 (S. 6 b Weiss); Sota 5, 2. Vgl. auch Sifre Dtn 23, 9 § 253 (S. 120 a unten Friedmann).

[35] So Blau bei Winter-Wünsche, Mechiltha, 1909, XVIII f; Strack, Einleitung in Talmud und Midraš[5], 1921, 20 f; Lauterbach, Midrash and Mishna, Jewish Quarterly Review N. S. 5, 1914/15, S. 503 ff; Moore, Judaism I, S. 150.

[36] Sifra Lev 18, 4 Achare Moth Perek 13, 10 (S. 86 a Weiss).

[37] Mischna Schabbath 1, 4. In Eduj 1, 5 wird gesagt, daß nur eine an Zahl größere Versammlung einen Beschluß einer früheren Versammlung aufheben kann.

man brauche nicht mehr feierlich zu bekennen, daß man alle Zehnten abgesondert habe, wie doch Dtn 26, 12–15 angeordnet ist[38]. Hillel aber hob durch eine juristische Fiktion die Regel auf, daß man in jedem siebten Jahr alle Schulden erlassen solle (Dtn 15, 1 ff). „Als er nämlich sah, daß die Leute sich weigerten, einander Geld zu leihen…, da verordnete Hillel den Prosbol. Das ist der wesentliche Inhalt eines Prosbol: Ich übergebe euch, den Richtern, (die Erklärung), daß ich jede mir zustehende Schuldforderung zu jeder Zeit, wenn ich will, eintreiben darf. Die Richter unterschreiben dann oder die Zeugen."[39] In ähnlicher Weise beseitigte man das Kalbopfer für einen ungesühnten Mord und das Bitterwasser für ehebruchsverdächtige Frauen (Sota 9, 9). Und am bekanntesten ist wohl die Erzählung des 1 Makk (2, 31 ff. 41), daß die Juden nach einer furchtbaren Niedermetzelung am Sabbath beschlossen (ἐβουλεύσαντο), von nun an auch am Sabbath zu kämpfen, obwohl damit ein Toragebot übertreten wird.

Aber sind denn nun nicht die verschiedenen geschilderten Vorstellungen über das Verhältnis von Tora und Tradition gänzlich unvereinbar miteinander? Sind diesem Nebeneinander sich widersprechender Theorien gegenüber nicht die Sadduzäer die einzig Vernünftigen, weil sie außer der geschriebenen Tora nichts gelten ließen, aber dafür wenigstens am Torabuch nicht herumflickten? Ich wage die Behauptung, daß der eben geschilderte Vorstellungskreis der Pharisäer trotz des gegenteiligen Scheins durchaus verständlich und von den Voraussetzungen des jüdischen Glaubens aus die einzig konsequente Anschauung war. Denn wir brauchen nun nur auf das zurückzugreifen, was wir oben über die jüdische Gesetzesanschauung hörten. Das Gesetz ist danach als Gottes Willensoffenbarung am Sinai dem Moses gegeben worden, die Väter haben dieses „väterliche Gesetz"[40] weitergegeben. Die Propheten haben | weiter in Gottes Auftrag geredet und so die Sinaioffenbarung gemehrt und weitergegeben. Nicht darauf kam es also den Juden an, daß sie ein Gesetzbuch hatten, sondern daß Gott durch seine einmalige Offenbarung den Vätern seinen Willen gezeigt hat und daß diese Offenbarung weitergegeben wurde und wird. An die Stelle der Propheten sind jetzt die Schriftgelehrten getreten, auch sie stehen in der Traditionskette und verkünden darum in der Gegenwart Gottes Willen mit Vollmacht[41]. So steht nur *der* in Zusammenhang mit der Tora, die Gott den Vätern am Sinai gab, der dieser ganzen Tradition gehorcht, die die Schriftgelehrten in der Gegenwart verkünden. Darum mahnt Sirach „Verachte nicht die Überlieferung der Alten, die sie von ihren Vätern überkommen haben!"[42] Und darum kann Paulus von seiner jüdischen

---

[38] Sota 9, 10. In Tos. Sota 13, 10 (S. 230, 3 ZUCKERMANDEL) wird als Autor freilich Jochanan ben Zakkai (vor 70) genannt (vgl. BILLERBECK I, S. 717).

[39] Schebiith 10, 3. 4.

[40] Dieser Terminus ist sehr häufig, vgl. 2 Makk 6, 1; 7, 2. 30; 3 Makk 1, 23; 4 Makk 4, 23; 5, 33; 16, 16; Jos Ant XIV, § 116; XVII, § 149; Vita § 191, ähnlich 1 Makk 2, 19 f; 2 Makk 6, 6; 3 Makk 1, 3; 4 Makk 8, 7; 9, 1. Bemerkenswert sind auch die fiktiven Begriffe γραφὴ τῶν πατέρων μου (TestSeb 9,5), „Buch meiner Vorväter" (Jub 21, 10), „Bücher deiner Handschrift und deiner Väter" (slHen 35, 2).

[41] TestAss 2, 6 nennt den Schriftgelehrten τὸν ἐντολέα τοῦ νόμου κυρίου (so zu lesen).

[42] אל תמאס בשמועת שבים אשר שמעו מאבותם Sir 8, 9. שמועה und שמע sind später Termini technici der Traditionslehre, vgl. Edujjoth 5, 7. Zum Gedanken vgl. auch Sir 39, 1. 2; Mt 23, 2. 3.

Zeit einmal sagen κατὰ δικαιοσύνην τὴν ἐν ν ό μ ῳ γενόμενος ἄμεμπτος Phil 3, 6, und
er kann ein anderes Mal von derselben Zeit erzählen περισσοτέρως ζηλωτὴς ὑπάρχων
τῶν πατρικῶν μου π α ρ α δ ό σ ε ω ν (Gal 1, 14). Denn da der Jude glaubt an die *einmal* geschehene Offenbarung, die noch in der Gegenwart das Leben regeln soll, so sind
für ihn Gesetz und Tradition nicht nur untrennbar verbunden, sondern sie sind ein und
dasselbe. Wer diesen Glauben teilt, dem muß natürlich *alle* Lehre in der schriftlichen
Tora enthalten sein, die Moses bei der Offenbarung am Sinai niederschrieb. Wer diesen Glauben teilt, dem muß aber ebenso selbstverständlich sein, daß eine Lehre sofort als Gottes Lehre erwiesen ist, wenn man ihre Überlieferung bis Moses zurückführen kann. Ja, wer glaubt, daß die *einmal* in der Vergangenheit geschehene Offenbarung heute noch von den Trägern der Tradition als Gottes Wille für die *Gegenwart*
verkündet wird, der wird es auch für natürlich halten, daß die Tradition sich mit der
Zeit ändere, ja, daß man am Torabuch Änderungen anbringen mußte. So widerspruchsvoll alle diese Vorstellungen uns also zunächst auch scheinen mögen, sie werden verständlich, sobald wir einsehen, daß die ganze Gesetzesanschauung des Judentums vom Traditionsgedanken beherrscht ist. Die einzelnen Glaubenssätze, die wir
in der Wirklichkeit des rabbinischen Schulbetriebes kennen lernten, sind ja nur ver-
schiedenartige Folgerungen aus dem *einen* Grundbekenntnis von der einmaligen
Offenbarung am Sinai. Natürlich haben die späteren Rabbinen die sich widersprechenden Glaubenssätze in ein System zu bringen versucht, aber der Weg dieser Dog-
menbildung kann heute noch nicht gezeichnet | werden, ist auch für unsere Zwecke
unwesentlich. Zur Zeit Jesu sehen wir jedenfalls, daß die frommen, rechtgläubigen
Juden in dem geschilderten Traditionsglauben lebten und von ihm aus ihr Leben
gestalteten.

Wie steht es aber mit den Sadduzäern, deren Meinung, daß nur die schriftliche
Tora verbindlich sei, uns oben so vernünftig vorkam ? Sie waren, das haben die
neueren Forschungen immer deutlicher gezeigt [43], die konservativen, aristokratischen
Kreise. Sie lehnten, wie alles Neue, so auch den revolutionären Gedanken einer fortschreitenden mündlichen Tradition ab und wollten die Geltung der Tora nicht weiter
ausgedehnt wissen, als sich aus der geschriebenen Tora ergab [44]. Daraus folgt aber
nicht, daß die Sadduzäer überhaupt nichts von Tradition wissen wollten; sie hatten
auch Traditionen, aber sie billigten ihnen kein göttliches Recht zu [45]. Mit dieser Haltung aber leugneten sie, daß die Tora auch für alle Fälle des Lebens der Gegenwart
Anweisung biete, und schnitten so dem Gesetz als dem endgültigen Willen Gottes an
sein Volk den Lebensfaden ab. Wo kein Fortschritt mehr möglich ist, weil es keine
Entwicklung gibt, da muß das Leben absterben. Darum mußte das offenbarungs-

---

[43] Vgl. BOUSSET-GRESSMANN, Religion des Judentums, S. 185f; LAUTERBACH, The Pharisees and their Teaching, Hebrew Union College Annual 6, 1929, S. 77ff; JOACH. JEREMIAS,
Jerusalem zur Zeit Jesu, II B. 1, 1929, S. 95ff.

[44] Vgl. Jos. Ant. XIII, § 297; Tos. Sukka 3, 1 (S. 195, 19ff ZUCKERMANDEL), deutsch
STRACK-BILLERBECK II, 793f; Sanh. 33b; Mk 12, 18ff (dazu Jos. Bell. Jud II, § 165; Sanh.
90b).

[45] LAUTERBACH, The Sadducees and Pharisees, Studies in Jewish Literature, issued in
honour of K. Kohler, 1913, S. 176ff; MOORE, Judaism I, 67. 279f; JEREMIAS, Jerusalem,
II B. 1, S. 98f. 137f; FINKELSTEIN, Harvard Theol. Rev. 1929, S. 244.

gläubige Judentum die sadduzäische Lehre ablehnen, und das Volk hat den Sadduzäern nie angehangen[46]. Nur der pharisäische Traditionsglaube garantierte die
Lebendigkeit der *einmaligen* Offenbarung und die Gegenwärtigkeit des den Vätern
offenbarten Willens Gottes.

II

Jesus jedenfalls ist als Kind frommer Juden in diesem Glauben an die eine Tradition vom Sinai her aufgewachsen. Wie hat er sich aber zu diesem überlieferten Glauben gestellt, als er selbständig lehrend vor das Volk trat? Ehe wir versuchen, Jesu
Stellung zu Gesetz und Tradition aus seinen Äußerungen zu ermitteln, müssen wir
kurz untersuchen, wie sich Jesus im täglichen Leben zu den Forderungen des Gesetzes verhalten hat. Da sehen wir denn, daß Jesus durchaus die üblichen religiösen
Bräuche auf sich nimmt: er | hält sich von heidnischen Städten und überhaupt den
Heiden fern, trägt die von der Tora vorgeschriebenen Fransen (ציצית) am Gewand,
er besucht nach traditioneller Regel am Sabbath die Synagoge[47]. Ob Jesus auch die
Halbschekelsteuer zahlte, ist leider nicht sicher festzustellen[48]. Aber nicht nur im
täglichen Leben zeigt Jesus, daß er Gesetz und Tradition für sich als verbindlich
ansieht, sondern er weist auch ausdrücklich auf das Gesetz als Gottes Willen hin. Als
ein reicher Mann ihn nach dem Weg zum ewigen Leben fragt, weist er ihn auf den
Dekalog zurück (Mk 10, 19). Und einem Schriftgelehrten, der das wichtigste Gebot
wissen will, nennt er das Bekenntnis zum einen Gott (Dtn 6, 4f), fügt das Gebot der
Nächstenliebe hinzu (Lev 19, 18) und erklärt: „Es gibt kein wichtigeres Gebot als
diese beiden" (Mk 12, 28–31). Ferner zeigen Jesu widerspruchslose Anspielungen auf
die Tempelopfer (Mt 5, 23f; 23, 17ff), daß Jesus die Opfer durchaus nicht verwarf[49].
Und das Wort Abrahams im Gleichnis vom reichen Mann „sie haben Moses und die
Propheten, auf die mögen sie hören" (Lk 16, 29) zeigt denn auch deutlich, daß nach
Jesu Überzeugung in der Tora wirklich Gottes letzter Wille zu finden ist.

Aber Jesus verweist seine Hörer nicht nur auf das *Tora*buch, er zitiert auch wie
die Schriftgelehrten andere Bücher des alttestamentlichen Kanons[50] und weist auf
„die Schriften" (Mk 12, 24) hin. Ja, Jesus geht sogar über den Kanon hinaus. Mehr-

[46] Vgl. Jos. Ant. XIII, § 298; XVIII, § 17 und Jeremias, Jerusalem II B. 1, S. 138.

[47] Mk 7, 27; Mt 10, 5; Mk 6, 56; Lk 8, 44 = Mt 9, 20 (dazu Branscomb, S. 115f); Mk
1, 21, vgl. Lk 4, 16. Einige weitere, weniger sichere Beispiele liturgischer Art stellt zusammen S. Cohon, The Place of Jesus in the Religious Life of His Day, Journal of Bibl. Literature 48, 1929, S. 94f.

[48] Mt 17, 24ff ist wegen der traditionsgeschichtlich nicht auflösbaren Verbindung mit dem
Selbsthilfewunder 17, 27 nicht auf seinen geschichtlichen Kern reduzierbar. Sollte Jesus
aber die Steuer bezahlt haben, so folgte er auch hier pharisäischer Sitte, da die Sadduzäer
die Halbschekelsteuer ablehnten (vgl. Men 65a Bar bei Billerbeck IV, 1, S. 346 und Leszynsky, Die Sadduzäer, 1912, S. 67ff).

[49] Ob Jesus Aussätzige an die Priester sandte, hängt von der nicht ganz sicheren Geschichtlichkeit der Berichte Mk 1, 40ff; Lk 17, 11ff ab. Aber auf alle Fälle zeigen auch diese
Texte, daß die ältesten Christen nichts davon wußten, daß Jesus die rituellen Vorschriften
der Tora beseitigen wollte.

[50] Mk 2, 23ff (= 1Sam 21, 2–7); Mk 12, 35ff (= Ps 110, 1).

fach ist uns bezeugt, daß Jesus zur Verteidigung seiner Heilungen am Sabbath die Lehre anführt, daß man ein Rind oder Schaf am Sabbath aus dem Brunnen ziehen darf (Mt 12, 11; Lk 14, 5); das ist aber eine rabbinische Erleichterung des Sabbathgesetzes, die uns freilich erst aus dem 3. Jahrhundert ausdrücklich bezeugt ist: „Wenn ein Stück Vieh (am Sabbath) in einen Wassergraben gefallen ist, so bringt man Decken und Polster | und legt sie ihm unter. Kommt es herauf, so kommt es herauf."[51] Wie Jesus also hier eine Regel der mündlichen Lehre billigend anführt, so anerkennt er ebenfalls (Mk 3, 4) die alte Regel der Tradition: „Lebensrettung verdrängt den Sabbath"[52]; freilich deutet Jesus diese Regel anders als die Rabbinen, wovon gleich zu reden sein wird. Jesus teilt ferner den Glauben an die Auferstehung der Toten, und gerade diesen Glauben leugneten die Sadduzäer, weil davon nichts in der Tora stehe, wie wir nicht bloß aus Mk 12, 12ff, sondern auch aus Josephus und dem Talmud nachweisen können[53]. Jesus folgt hier also der pharisäischen Tradition, die demjenigen den Anteil an der zukünftigen Welt absprach, der sagt: „Es gibt keine Totenauferweckung auf Grund der Tora" (Sanh 10 [11], 1). So ist deutlich, daß Jesus wie die Pharisäer in Schrift *und* mündlicher Lehre Gottes Willen ausgesprochen fand, und es ist falsch, wenn immer wieder behauptet wird, Jesus habe wie die Sadduzäer nur das Torabuch als Ausdruck göttlichen Willens anerkannt[54].

Nein, Jesus folgte den Traditionen der Pharisäer. Und doch scheute er sich nicht, die pharisäischen Regeln ganz zu mißachten. Er hat kein Bedenken, mit „Zöllnern und Sündern" am selben Tisch zu sitzen, also mit Menschen, die moralisch anrüchig waren und sich nicht levitisch rein hielten[55]. Ja, Jesus nahm sogar einen Zöllner in den engsten Kreis seiner Jünger auf (Mk 2, 14). Ihm liegt also gar nichts daran, sich vor Befleckung zu hüten, wie es die Pharisäer taten. Im Gegenteil, er erklärte ausdrücklich, er sei zu den „Sündern" gesandt, zu *den* Menschen, die man als meidenswert betrachtete[56]. Man hatte also Grund, Jesus „Freund der Zöllner und Sünder" zu nennen (Mt 11, 19). Ja, nicht einmal von der Berührung der Aussätzigen scheint Jesus sich ferngehalten zu haben[57]. So sehen wir, | daß Jesus auf der einen Seite das Gesetz im weitesten Umfange der pharisäischen Lehre anerkennt, sich aber andererseits nicht scheut, es gänzlich zu mißachten.

[51] Schabbath 128b bei BILLERBECK I, S.629. Diese rabbinische Erlaubnis war, wie die Fortsetzung der Stelle zeigt, jedenfalls in späterer Zeit nicht allgemein anerkannt. Auch die Damaskusschrift 11, 13f (= 13, 2) verbietet diese Hilfe. Lk 13, 15 wird das Tränken von Vieh am Sabbath angeführt (dazu BILLERBECK II, S. 199); das ist vielleicht nur eine Variante zu Mt 12, 11, bezeugt jedenfalls dieselbe Haltung Jesu.

[52] Mekhilta Ex 31, 13 (S. 340, 11 HOROVITZ-RABIN) im Munde Rabbi Jischmaels († 135).

[53] Siehe Anm. 44.

[54] So LESZYNSKY, Die Sadduzäer, S. 284ff; ELBOGEN, Einige neuere Theorien über den Ursprung der Pharisäer und Sadduzäer, Jewish Studies in honour of I. Abrahams, 1927, 138; GOGUEL, Jésus et la tradition religieuse de son peuple, Revue d'histoire et de philosophie religieuses 7, 1927, 160f; RAWLINSON, St. Mark, 1927², S. 92.

[55] Mk 2, 15ff; Lk 19, 7. Vgl. JOACH. JEREMIAS, Zöllner und Sünder, ZNW 1931, 293ff.

[56] Mk 2, 17b. Dieser Spruch könnte ein sekundärer Predigtschluß sein (so M. DIBELIUS, Die Formgeschichte des Evangeliums, 1933², 60f). Aber die Überspitzung der Formulierung, nach der scheinbar die „Gerechten" überhaupt nicht ins Gottesreich gerufen sind, macht mir die Echtheit des Spruches wahrscheinlich.

[57] Vgl. Anm. 49.

So ist es kein Wunder, daß Jesus mit den Pharisäern bald in Konflikt geriet. Markus berichtet uns zum ersten Mal von einem solchen Gesetzeskonflikt, als die Jünger am Sabbath sich Ähren ausrauften, um mit den Körnern ihren Hunger zu stillen (2, 23–26). Das Ährenausraufen war gestattet (Dtn 23, 26), aber die Pharisäer tadelten, daß die Jünger am Sabbath „ernteten", was nach der rabbinischen Auslegung des Arbeitsverbots der Tora untersagt war[58]. Jesus weist auf Davids Verhalten, der seinen Leuten die Schaubrote zu essen gab, als sie nichts anderes hatten, obwohl die Schaubrote nur von den Priestern gegessen werden durften (1Sam 21, 2ff). Das Beispiel soll offenbar zeigen, daß der fromme David in der Not einfach das Gesetz brach[59], und dasselbe Recht nimmt Jesus für sich und seine Jünger in Anspruch. Jesus bestreitet, daß man ein Gesetz wörtlich befolgen dürfe, wenn sein göttlicher Sinn dadurch in sein Gegenteil verkehrt würde. Das wäre aber der Fall, wenn man sich durch das Sabbathgebot das Stillen des Hungers verbieten lassen wollte, da das Sabbathgebot dem Liebeswillen Gottes den Menschen gegenüber entspringt. Jesus weicht also vom Gesetzesbuchstaben ab, um den göttlichen Willen, der sich im Gesetz ausdrückt, nicht zu verletzen.

Daß ich mit dieser Erklärung nichts Falsches in den reichlich kurz erzählten Text Mk 2, 23–26 hineinlese, zeigt der zweite Sabbathkonflikt (Mk 3, 1–5). Jesus will am Sabbath einen Mann mit einer gelähmten Hand heilen. Das war natürlich nach dem Arbeitsverbot der Tora verboten. Die Rabbinen hatten zwar Lebensrettung am Sabbath ausdrücklich gestattet[60]; aber hier handelte es sich ja gar nicht um Lebensrettung, sondern um eine einfache Liebestat. Jesus fragt denn auch deutlich: „Darf man am Sabbath (nicht eher) Gutes tun als Böses tun?" Die Pharisäer müßten darauf natürlich antworten, daß man am Sabbath gar nichts tun dürfe; Jesus aber zeigt durch seine Frage, daß er das Unterlassen der Liebestat als ein Tun des Bösen betrachtet. Wenn die Pharisäer also das Sabbathgebot so verstehen, daß es dem Liebeswillen Gottes widerspricht, der sich | im Sabbathgebot äußert, so nehmen sie dem Sabbathgebot seinen göttlichen Sinn. Mag ihre Auslegung wörtlich richtig sein, Jesus fragt allein nach dem Willen Gottes, der hinter dem Gesetz steht. Und damit nimmt sich Jesus das Recht, den Buchstaben des Gebotes zu übertreten und von der traditionellen Erklärung abzuweichen, weil er den göttlichen Willen kennt, der das Gebot geschaffen hat, während die Schriftgelehrten mit all ihrer Tradition diesen Willen nicht kennen.

Das wird noch deutlicher, wenn wir die Streitrede um das Qorban-Gelübde betrachten. Der Text Mk 7, 1–23 ist deutlich aus mehreren, ursprünglich unabhängigen Stücken zusammengesetzt; aber seine Analyse ist kaum ganz sicher durchzuführen[61]. Ich beschränke mich darum hier auf das Notwendigste. Zweifellos behandelt die

---

[58] Schabbath 7, 2 „39 Arbeiten (sind verboten): Säen, Pflügen, Ernten usw.".

[59] ABRAHAMS, Studies in Pharisaism and the Gospels I, 1917, S. 134 und MURMELSTEIN, Jesu Gang durch die Saatfelder, Angelos 3, 1930, S. 111ff weisen darauf hin, daß nach Jalqut 1Sam § 130 die Handlung Davids am Sabbath geschah. Das würde die Heranziehung des Beispiels durch Jesus noch besser erklären. Aber das Alter dieser Tradition ist unsicher.

[60] Vgl. Anm. 52.

[61] Vgl. DIBELIUS, Formgeschichte², S. 222f; BRANSCOMB, S. 156ff.

Perikope zwei durchaus verschiedene Dinge. In 7, 1–13 ist von dem Problem der kultischen Reinheit die Rede, in 7, 14–23 von der Reinheit der Speisen. Es kann nun kein Zweifel sein, daß 7, 14ff erst nachträglich mit 7, 1–13 zusammengefügt worden ist um des gleichen Themas „Unreinheit" willen. Wir können uns in diesem Zusammenhang also auf die Betrachtung von 7, 1–13 beschränken. Aber auch dieser Abschnitt ist nicht einheitlich. Schon rein stilkritisch zeigt sich, daß 7, 3. 4 von Markus als Erklärung eingefügt wurde und daß 7, 6 und 7, 9 neue Ansätze vorliegen. In 7, 1. 2. 5 nun handelt es sich um das Händewaschen vor dem Essen, eine vermutlich im 1. Jahrhundert von den Priestern langsam auf die Laien ausgedehnte Sitte [62], die zugegebenermaßen nur eine Anordnung der Tradition war [63]. 7, 6–8 aber greift Jesus die Pharisäer an, weil sie um ihrer Menschenüberlieferung willen ein Gottesgebot übertreten. Beim Händewaschen wird nun gar kein Gottesgebot übertreten, wohl aber bei dem Qorbangelübde, von dem 7, 9–13 handelt. 7, 6–8 kann also nur eine Parallelargumentation zu 7, 9–13 sein [64]. Außerdem aber ist das Zitat in 7, 6f aus Jes 29, 13 nur im LXX-Text beweisend, so daß 7, 6–8 nicht die ursprüngliche Fortsetzung von 7, 1. 2. 5 gebildet haben kann. 7, 9–13 dagegen ist eine in sich abgeschlossene Rede Jesu, die an einem Beispiel beweist, daß die Pharisäer ihre Überlieferung höher schätzen als die Tora. Es ist in diesem Abschnitt freilich vom Händewaschen nicht die Rede. Wäre also 7, 9–13 die ursprüngliche Fortsetzung von 7, 1. 2. 5, so würde Jesus die Frage der Pharisäer nach dem Händewaschen | nicht direkt beantworten, sondern statt dessen den Pharisäern nachweisen, daß *sie* das *Gottes*gebot vernachlässigen, um ihren Menschenlehren zu folgen. Diese Verbindung 7, 1. 2. 5 mit 7, 9–13 erscheint freilich merkwürdig, aber in Mk 2, 23ff sahen wir Jesus in ähnlicher Weise indirekt argumentieren. Es scheint mir also durchaus möglich, aber keineswegs beweisbar zu sein, daß der Qorbanstreit ursprünglich als Antwort Jesu auf die pharisäische Frage nach dem Händewaschen überliefert wurde [65]. Da dieser Zusammenhang aber nicht sicher beweisbar ist, außerdem Jesus auf alle Fälle nur indirekt antwortet, können wir die Frage des Händewaschens ganz beiseite lassen und den Text Mk 7, 9–14 für sich allein betrachten. Jesus wirft da den Pharisäern vor, sie setzten das Gottesgebot außer Kraft, um ihre Überlieferung zu halten. Als Beweis dafür nennt er die rabbinische Regel, daß man mittels des Gelübdes „Qorban sei, was du von mir nutznießen könntest" [66] verhindern konnte, daß ein anderer Mensch irgend etwas von einem erhielt. Natürlich konnte jemand ein solches Gelübde auch gegen seine Eltern richten; und so ist denn Ned 5, 6 von einem Fall erzählt, wo ein Mann seinem Vater durch ein Gelübde jeden Genuß von ihm ver-

---

[62] Zu dieser schwierigen Frage vgl. die klare Darstellung bei Branscomb, S. 156–160.
[63] pSchab. 1, 3d, 46 und Schab. 14b bei Billerbeck, I, S. 696.
[64] So schon J. Horst, Die Worte Jesu über kultische Reinheit, ThStKr 87, 1914, S. 434f.
[65] So auch F. Hauck, Das Evangelium des Markus, 1931, S. 88. 90. Daß Mt also hier die richtigere Reihenfolge bewahrt hat, scheint mir kein Gegengrund gegen diese Annahme. „Matthäus" als geschulter Rabbi mußte die Unmöglichkeit der Anordnung des Mk merken und hat vermutlich durch sekundäre Umstellung den ursprünglichen Zusammenhang wiederhergestellt. Wer diesen ursprünglichen Zusammenhang leugnet, muß darauf verzichten, den Schluß zu 7, 1–5 zu finden.
[66] קונם שאתה נהנה לי Ned 8, 7; nach Ned 1, 2 ist קונם gültige Umschreibung für קרבן.

bot, und Ned 9, 1 setzt solche Fälle als möglich voraus [67]. Nun war nach Num 30, 2ff; Dtn 23, 22ff ein Gelübde unauflöslich. Die Rabbinen erfanden zwar allerdings Umwege, wie man dem Geschädigten doch etwas zukommen lassen konnte, und bestimmten schließlich, daß die Rabbinen bei Verletzung eines Gottesgebotes das Gelübde als ungültig erklären dürften (Ned 9, 4 bei BILLERBECK I, S. 715). Aber es ist nicht bekannt, ob diese Bestimmung schon zu Jesu Zeiten galt, es ist sogar nicht sehr wahrscheinlich, daß sie damals schon bekannt war [68]. Aber selbst wenn sie galt, so legte sie die Lösung eines solchen Gelübdes ganz in die Willkür von Menschen. Darum konnte Jesus mit Recht sagen, daß hier das biblische Gebot der Elternliebe der menschlichen Tradition weichen müsse. Aber dieser Tatbestand ist nur oberflächlich richtig. In Wirklichkeit steht hier *ein* Gebot der Tora gegen | ein anderes. Die Rabbinen hatten ja nur festgesetzt, daß die Qorbanformel eine gültige Gelübdeformel sei; daß man ein Gelübde unbedingt halten müsse, steht in der Tora. Jesus stellt also das Gebot der Elternliebe gegen das Gebot „Du sollst Dein Gelübde halten" (Dtn 23, 24) und gibt dem Gebot der Elternliebe den Vorzug, weil Gottes Willen darin am deutlichsten ausgesprochen ist. Nicht das ungeschriebene Gesetz, sondern die Verletzung des Gotteswillens mittels des Torabuchstabens bekämpft hier Jesus; und damit steht er schon direkt gegen ein Gebot des Torabuches [69].

Und Jesus geht noch einen Schritt weiter. Er erklärt ausdrücklich einen Teil der Tora für ungültig. Man fragt ihn, ob der Mann das Recht habe, seine Frau mittels eines Scheidebriefes zu entlassen (Mk 10, 2–9); Moses habe das ja ausdrücklich gestattet durch die Anordnung des Scheidebriefes [70]. Jesus aber lehnt dieses klare Toragebot als Zugeständnis an die menschliche Schwachheit ab; ihm ist der Schöpferwille Gottes, von dem die Schöpfungsgeschichte berichtet, allein entscheidend, und nach diesem Gotteswillen sind Mann und Frau füreinander geschaffen und darum untrennbar. Gottes Wille verbietet also die Ehescheidung, und darum ist das Scheidungsgebot des Moses *nicht* Gottes Wille [71]. Während hier Jesus aber anscheinend nur ein Wort der Tora gegen das andere ausspielt, geht er in Wirklichkeit wieder auf Gottes Willen zurück und erklärt eine Bestimmung der Tora als Gottes Willen nicht ent-

---

[67] Beide Texte bei BILLERBECK I, S. 716.

[68] J. KLAUSNER, Jesus von Nazareth, 1930, S. 397 weist mit Recht darauf hin, daß Ned 5, 6 jemand vergeblich versucht, sein Gelübde gegen den Vater aufzulösen, daß da also die Lösungsmöglichkeit noch nicht bekannt ist.

[69] Es ist also ganz ungenügend, wenn man als Meinung Jesu angibt, man müsse vom Buchstaben des Gesetzes zu dem Prinzip aufsteigen, das es inspiriert, selbst gegen den Buchstaben des Gesetzes (so GOGUEL, Revue d'hist. et de philos. rel. 7, 1927, S. 162).

[70] Ich bin mit BRANSCOMB S. 149ff der Meinung, daß Mk 10, 1ff die ursprüngliche Form der Debatte bietet, während Mt 19, 1ff durch die Umgestaltung zur Frage, welche Scheidungsgründe ausreichend seien, die grundsätzliche Frage ins Rabbinisch-Kasuistische umgebogen hat (gegen HAUCK, Markusev., S. 118 und J. JEREMIAS, Jesus als Weltvollender, 1930, S. 64ff; SCHNIEWIND, Mk, S. 126).

[71] Dies wird als Meinung Jesu bestätigt durch das bei Mk und Q überlieferte Logion Mk 10, 11f; Mt 5, 31f = Lk 16, 18. Es ist also falsch, daß Jesus seine Kritik nie gegen die Bibel gerichtet habe (so LÜTGERT, Jesus als Jude, in „Reich Gottes und Weltgeschichte", 1928, S. 88; ähnlich z. B. B.S. EASTON, Christ in the Gospels, 1930, S. 110).

sprechend[72]. Damit aber hebt Jesus einfach ein Wort der Tora auf, um Gottes Willen an dessen Stelle zu setzen.

Nicht anders aber handelt Jesus, wenn er sagt: ,,Nichts, was von außen in den Menschen hineingeht, kann ihn beflecken, sondern was aus dem Menschen heraus- geht, befleckt den Menschen" (Mk 7, 15). In der Tora steht freilich ,,ihr sollt einen Unterschied machen zwischen | den reinen und unreinen Tieren, daß ihr euch nicht selbst zum Greuel macht durch die Tiere, die ich ausgeschieden habe, daß sie euch als unrein gelten" (Lev 20, 25). Diesen biblischen Unterschied zwischen reinen und unreinen Speisen hebt Jesus also mit *einem* Wort auf, und diesmal ist uns nicht die geringste exegetische Begründung für diesen Entscheid überliefert. Und dieselbe Stellungnahme Jesu zeigt auch die Aufhebung des Vergeltungsgedankens (Mt 5, 38f). Zweifellos haben auch die Rabbinen die Lex talionis nicht mehr wörtlich ausgeführt wissen wollen[73], aber das Prinzip der Vergeltung haben sie nie aufgegeben. Jesus aber fordert, überhaupt niemals an Rache zu denken, und hebt damit wieder ein Gebot der Tora (Lev 24, 20) auf[74]. Jesus scheint also deutlich Gehorsam gegen Gottes lebendigen Willen wichtiger zu sein als die Befolgung des Gesetzesbuchstabens. Ist also nach Jesu Meinung in der Tora Gottes Willen doch nicht vollkommen enthalten?

So scheint die Betrachtung der Haltung Jesu zum Gottesgesetz wie die Betrach- tung der jüdischen Gesetzeslehre in einem scharfen Widerspruch zu enden. Jesus er- kennt Gesetz und Tradition als Gottes Willen, damit als höchste Autorität an, und doch scheut er sich nicht, an diesem Gesetz Gottes nach Gutdünken Kritik zu üben. Sind diese beiden Tatsachen nicht gänzlich unvereinbar? Ich glaube, daß uns die Betrachtung der jüdischen Gesetzesanschauung, die wir oben vorgenommen haben, den Schlüssel zur Lösung dieses Widerspruchs an die Hand gibt. Vergleichen wir mit diesen jüdischen Anschauungen einmal die Antithesen der Bergpredigt (Mt 5, 21 bis 48). Vermutlich sind ja von den sechs Antithesen, die Mt bietet, nur diejenigen drei von Jesus selber antithetisch formuliert worden, die Mt allein berichtet, nämlich die Worte über Töten, Ehebruch und Schwören (Mt 5, 21f. 27f. 33–37)[75]. In diesen Antithesen stellt Jesus seine Lehre gegen ein Wort der Tora, zitiert aber diese Tora- worte ausdrücklich als Bestandteil der Tradition der Väter: ἠκούσατε ὅτι ἐρρέθη τοῖς ἀρχαίοις; שמע und אמר sind häufig gebrauchte Termini des | Überlieferungsglaubens, so daß Jesus hier ausdrücklich auf die Tora als Bestandteil der Tradition und in

---

[72] So mit Recht MONTEFIORE, The Synoptic Gospels II², 1927, S. 66 und BRANSCOMB, S. 153f, auch schon Catene ed. CRAMER zu Mk 10, 3 (I, S. 373): εἰ Μωυσέα προβάλλῃ, ἐγὼ δὲ λέγω σοι τὸν Μωυσέως δεσπότην.

[73] Vgl. BILLERBECK I, S. 337ff.

[74] Es ist darum reine Willkür, wenn LAUTERBACH, Hebrew Union College Annual 1929, S. 73ff behauptet, die Pharisäer hätten Jesus sicher nicht verfolgt, weil Jesus nicht zum Tun gegen das Gesetz aufforderte. Genau das Gegenteil ist richtig.

[75] Die von Mt *und* Lk bezeugten Texte werden von Lk ohne antithetische Formulierung überliefert. Aber auch sachlich sind die beiden Gruppen verschieden: in den Matthäus- Texten überbietet Jesus ein Wort der Tora, in den Texten aus Q beseitigt er ein Wort der Tora bzw. der Tradition (zu dieser Analyse vgl. R. BULTMANN, Die Geschichte der synopti- schen Tradition, 1931², S. 142–144). Mt hat also die drei mit Lk gemeinsamen Texte den drei übrigen angeglichen. Wir können darum in diesem Zusammenhang nur die matthäischen Texte heranziehen.

ihrem traditionellen Verständnis hinweist[76]. Diesem traditionellen Verständnis des
Gesetzes stellt Jesus deutlich *sein* Verständnis des Gotteswillens *entgegen*[77]. Inhaltlich bedeutet dieses Verständnis Jesu eine Radikalisierung des Gotteswillens, ein
Zurückgehen auf den Willen Gottes in seiner ganzen unendlichen Größe; dabei berührt sich Jesu Verständnis oftmals mit den Gedanken der Rabbinen, aber über-
schreitet sie doch auch an wichtigen Punkten[78]. Aber nun ist das Merkwürdige, das
für den Rabbinen Erschreckende (Mt 15, 12!), daß Jesus dieses tiefere Verständnis
des Willens Gottes nicht durch genauere Auslegung des Gesetzeswortes und auch
nicht durch Anschluß an die Tradition findet, sondern einfach erklärt: ,,Ich aber
sage euch". Ja selbst, wo diese Formel nicht begegnet, liegt derselbe Sachverhalt
vor: sowohl das Wort über die Ehescheidung (Mk 10, 11ff; Lk 16, 18) wie die Ablehnung der Reinheitsgesetze (Mk 7, 15) stellt Jesus einfach als *seine* Weisung hin,
ohne irgendeine Begründung zu geben. Und darin liegt nun eben das Erschreckende
für den Pharisäer: mag Jesus auch *in* Gesetz und Tradition Gottes Willen finden,
dieses ,,ich sage euch" beseitigt mit einem Strich den ganzen jüdischen Traditionsgedanken und wirft damit für den Pharisäer die Geltung des Gesetzes überhaupt
über den Haufen.

Warum aber wagt es Jesus, so die Wurzel des jüdischen Gesetzesglaubens abzu-
schneiden? Weil er den Anspruch erhebt, *unmittelbar* Gottes Willen zu wissen: *Ich
aber sage euch, und was ich sage, das ist* Gottes Willen. Damit wird deutlich, daß
hinter der Stellung Jesu zum Gesetz sein Bewußtsein steht, von Gott gesandt |
zu sein, zum Messias des Gottesreiches bestimmt zu sein, dessen baldiges Eintreten
ja Jesus verkündigt hatte. Wer aber von Gott einen solchen besonderen Auftrag erhalten hat, wer den Gotteswillen für die Menschen der Endzeit zu verkünden hat,
der braucht keine Tradition mehr. Denn gerade darum war der Traditionsglaube
entstanden, weil man sich den Willen Gottes für die Gegenwart nur sichern konnte,
wenn man streng an der einmal in ferner Vergangenheit geschehenen Offenbarung
festhielt und sie weitergab. Und gerade das brauchte Jesus nicht. Jesus hat niemals
geleugnet, daß *im* Gesetz im weitesten jüdischen Sinn Gottes Wille enthalten sei;
aber er leugnete wohl, daß nur der im Gesetz Gottes Willen finden könne, der sich

---

[76] שנאמר ist sehr häufig zur Einleitung von Bibelzitaten, אמר bezeichnet aber ebenso die
Entscheidungen der Rabbinen (vgl. W. Bacher, Die älteste Terminologie der jüdischen
Schriftauslegung, 1899, S. 5f und den häufigen Ausdruck מכאן אמרו, z. B. Sifre Num 5, 16
§ 9, S. 15, 18 Horovitz). שמע aber bezeichnet das Empfangen der Tradition, vgl. nur Tos.
Jeb. 3, 4 (S. 244, 5 Zuckermandel) und Eduj. 1, 6. Es ist darum gänzlich falsch, wenn
H. Huber, Die Bergpredigt, 1932, S. 74f aus der Formel Mt 5, 21 usw. schließt, Jesus be-
ziehe sich nur auf rabbinische Urteile. Dabei ist das Wesen des jüdischen Traditionsgedan-
kens verkannt.

[77] Branscomb, S. 239ff (im Anschluß an Abrahams, Studies in Pharisaism and the
Gospels I, S. 16f) will die Einleitung der Antithesen nach der Midraschformel verstehen,
die eine mögliche falsche Gesetzesauslegung zurückweist mit dem Hinweis auf eine andere
Schriftstelle (תלמוד לאמר) ... שומע אני, vgl. Belege bei Bacher, Terminologie I, S. 189). Aber
diese Formel ist ausschließlich auf die Midrasche beschränkt, auch lehnt Jesus nicht mögliche Mißverständnisse, sondern das wirkliche Verständnis der traditionellen Exegese ab,
so daß die angeführte Formel nicht paßt.

[78] Vgl. R. Bultmann, Jesus (1926), S. 69ff und meinen Vortrag ,,Jesus und die Rabbinen"
Kirchenblatt für die reformierte Schweiz 1933, Nr. 14 und 15.

in den Strom der traditionellen Erklärung hineinstellt und *alles* als Gottesgebot annimmt, was die Gesetzeslehrer als Gottes Willen ausgeben. Denn in Schrift wie
Tradition ist Gottes Wille nur in menschlicher Form zu finden, darum gilt es, Gottes Willen erst herauszusuchen ; und darum hat sich Jesus nicht gescheut, Teile
der Tora als Gottes Willen nicht gemäß beiseitezuschieben.

Betrachtet man diese Stellung Jesu, die sich aus der *Gesamtheit* der konkreten
Berichte ergab, die wir von ihm überliefert haben, so scheint mir die Echtheit des
Satzes Mt 5, 18 = Lk 16, 17 sehr fraglich: „Bis Himmel und Erde vergehen, wird
kein Jod oder Häkchen am Gesetz vergehen.“ In diesem bildhaften Wort werden der
kleinste Buchstabe des hebräischen Alphabetes und die Verzierungen, die man an
einzelnen Buchstaben anbrachte (תָּגִין, Krönchen)[79] als unvergänglich bezeichnet.
Mit demselben Bildwort aber beschrieben die Rabbinen ihren Glauben, daß die Tora
mit allen rabbinischen Zusätzen (vgl. die „Krönchen“) ewig sei: „Gott sprach:
Salomo und tausend wie er werden vergehen, aber ein Strichelchen von dir lasse ich
nicht vergehen.“[80] Da der Spruch Mt 5, 18 also nicht nur den jüdischen Gedanken
der Ewigkeit des Gesetzes[81] wiedergibt, sondern wörtlich mit Aussprüchen der
Rabbinen übereinstimmt, so scheint es mir nicht erlaubt, diesen Vers anders als im
jüdischen Sinne zu verstehen[82]. Dann aber kann der Spruch unmöglich Jesu Meinung wiedergeben, die deutlich von der jüdischen Gesetzesanschauung stark ab-
weicht. Man wird darum Mt 5, 18 für eine judenchristliche | Sekundärbildung halten
müssen. In dieser Meinung wird man noch bestärkt, wenn man unmittelbar daneben
Mt 5, 19 den nur von Mt gebotenen Satz liest: „Wer eines dieser Gebote auflöst, wird
der Kleinste im Himmelreich genannt werden.“ Voraussetzung dieses Satzes ist einmal, daß die unwichtigen Gebote zur Erfüllung ebenso wichtig sind wie die großen.
Voraussetzung dieses Satzes ist ferner, daß entsprechend der jüdischen Meinung
jede Gesetzeskritik unerlaubt ist[83]. Beide Voraussetzungen gelten für Jesus aber
sonst nirgends, so daß die Meinung wohlbegründet erscheint, daß Mt 5, 18. 19 judaistischer Zuwachs zur Tradition sind, den Mt der Einleitung zu seiner neuen „Gesetzgebung“ eingefügt hat[84]. Und ähnlich ist wahrscheinlich auch Mt 23, 2. 3 zu
beurteilen. Denn in diesen Versen sagt Jesus nicht etwa bloß, daß die Worte der
Rabbinen mit ihren Taten nicht übereinstimmen. Sondern er erkennt an, daß die
Rabbinen die wahren und vollberechtigten Inhaber der mosaischen Tradition sind
und daß man ihnen darum (οὖν!) gehorchen muß. Gerade das aber widerspricht der

---

[79] Vgl. BILLERBECK I, S. 247f.
[80] אִינִי מְבַטֵּל שְׁלֹמֹה וְאֶלֶף כַּיּוֹצֵא בּוֹ יִהְיוּ בְּטֵלִין וְקוֹצָה מִמְּךָ Ex Rabba 6, 2 § 6, 1; ähnliche
Aussprüche für das Jod bei BILLERBECK I, 244.
[81] Vgl. Anm. 14.
[82] EASTON, Christ in the Gospels, S. 123 deutet um: Jesus meinte „the Law as an organic
whole, in which all parts are visibly subordinated to the ultimate principle of love“. Das
scheint mit keine erlaubte Exegese mehr zu sein.
[83] Vgl. Sifre Num 15, 31 § 112 (S. 121, 4 HOROVITZ): Es sagt einer: ‚Die ganze Tora nehme
ich an außer diesem Wort‘; „dieser hat GottesWort verachtet“ (Num 15, 31). Es sagt einer:
‚Die ganze Tora sprach Moses im Namen des Heiligen, aber dieses Wort sprach er in seinem
eigenen Namen‘; „dieser hat GottesWort verachtet“.
[84] Vgl. MONTEFIORE, Syn. Gospels II², S. 51 und BRANSCOMB, S. 231: „to regard verse
19 as authentic is frankly out of the question“.

sonstigen Haltung Jesu scharf, da Jesus den Pharisäern bestritt, daß sie Gottes Willen kännten. So wird wohl auch dieses Wort eine judenchristliche Bildung sein, die man Jesus fälschlich zugeschrieben hat[85].

Diese wenigen Worte der Spruchüberlieferung fallen also aus mehreren Gründen aus der sonstigen Überlieferung als unecht heraus. Im übrigen aber erscheint die Stellungnahme Jesu auf dem Hintergrund des Traditionsglaubens ganz eindeutig. Jesus wollte das Gesetz nicht beseitigen, vielmehr wollte er durch seine Botschaft vom Willen Gottes den wahren Sinn des Gesetzes aufzeigen. Denn so wird man wohl das berühmte Wort Mt 5, 17 zu verstehen haben: Μὴ νομίσητε ὅτι ἦλθον καταλῦσαι τὸν νόμον ἢ τοὺς προφήτας · οὐκ ἦλθον καταλῦσαι ἀλλὰ πληρῶσαι. Es scheint mir sicher, daß in dem deutlichen inneren | Zusammenhang dieses Spruches καταλύειν nur heißen kann „auflösen, beseitigen", πληροῦν nur „zur Vollendung bringen durch Lehre"[86]. Aber das nähere Verständnis läßt sich bei der äußeren Zusammenhangslosigkeit des Spruches nur aus dem Zusammenhang der gesamten Lehre Jesu entnehmen. Bedenkt man, daß Jesus zweifellos Toragebote als nicht Gottes Willen entsprechend erklärte, so begreift sich der Vorwurf leicht, Jesus wolle die Tora überhaupt beseitigen. Das lehnt Jesus ab, er wollte die Tora nicht beseitigen, wohl aber ohne Rücksicht auf den menschlichen Buchstaben als Gottes Willen *richtig* erklären und ihr damit ihren wahren Sinn geben[87]. Aber von *sich* aus wollte Jesus das tun. Er fragte nicht nach der Meinung der Väter, und das war es, was die Leute in Erstaunen setzte und was sie die prophetischen Worte sagen ließ: „Er redet wie einer, der Vollmacht hat, und nicht wie die Schriftgelehrten" (Mk 1, 22. 27). Hier fehlte alle Berufung auf die Tradition, hier war ein Mensch, der ganz aus eigener Kraft entschied und Autorität für seine Lehren beanspruchte[88]. Denn Jesus wußte sich ja gesandt, angesichts des nahen Gerichtstages Gottes Willen neu und endgültig zu verkünden.

[85] So auch BRANSCOMB, S. 231 f und GOGUEL, Revue d'hist. et de philos. rel. 1927, S. 175. Unsicher scheint mir die Echtheit von Mt 23, 23 = Lk 11, 42. Sollte die Form Lk 11, 42 D ursprünglich sein, die die Befolgung der Zehntpflicht für Gartenkräuter nicht fordert, so wäre die Echtheit sicher; aber es ist wahrscheinlicher, daß D gekürzt hat. Dann muß man sagen, daß der Satz: „Jenes sollte man tun und dieses (Verzehnten von Gartenkräutern!) nicht lassen" kaum von Jesus stammt; ob der Rest des Spruches echt ist, ist dann kaum zu entscheiden. Vgl. die sorgfältigen Ausführungen von BRANSCOMB, S. 207 ff.

[86] Vgl. HÄNEL, Schriftbegriff Jesu, S. 156 ff. καταλύεσθαι νόμους heißt 2Makk 2, 22 „die Gesetze abschaffen", cf. ὅσα ἐγὼ ἐνομοθέτησα, οὐδεὶς αὐτὰ δύναται λύσαι (Diod. Bibl. I, 27) (von Jesus gesagt) καταλύειν = abschaffen bei Jos. Ant. 13, 296; 13, 408, καταλύειν oder λύειν heißt „ungültig erklären" bei Philo, de spec. leg. III, § 182, de migr. Abr. § 90f. πληρόω heißt Gal 5, 14 „zu seinem wahren Sinn bringen". Die aramäischen Äquivalente für καταλῦσαι und πληρῶσαι sind leider nicht sicher zu bestimmen. Möglich ist כטל und קים (so DALMAN, Jesus-Jeschua, 1922, S. 52 ff, bes. 54 f; vgl. auch G. SCHRENK in Kittels Theol. Wörterbuch zum NT I, 1933, S. 758 Anm. 52). Die syrischen Übersetzungen lesen freilich alle שׁרא und מלא (sin und cur ܠܡܫܪܐ, ܠܡܫܠܡܘ; pesch ܕܐܫܪܐ, ܐܦܠܐ̈ܐ; pal ܠܡܫܪܐ, ܘܣܥܠܐ).

[87] Vgl. BULTMANN, Jesus, S. 60: „Jesus hat nicht das Gesetz bekämpft, sondern hat es … erklärt". Falsch ist es aber, wenn dann BULTMANN (S. 71) als Jesu Meinung angibt, daß dem Menschen die Einsicht zugesprochen werde zu erkennen, was von Gott gefordert ist. Dabei wird der autoritative Charakter der Stellung Jesu zur Schrift gänzlich übersehen. Vgl. ferner HARNACK, Aus Wissenschaft und Leben II, S. 233 und G. KITTEL, Die Probleme des palästinischen Spätjudentums und das Urchristentum, 1926, S. 130 f, 138.

[88] Vgl. MONTEFIORE, Syn. Gospels I², S. 33.

So konnte er wohl *im* Gesetz der Väter nach Gottes Willen suchen, aber als allbe-
herrschende Tradition, als unbeugsames Recht war das Gesetz damit am Ende.
Jesus wußte ja Gottes Willen auch ohne das Gesetz, und so konnte er trotz aller
Ehrfurcht vor dem Gesetz sagen, was man ihm bis auf den heutigen Tag so ungern
zutraut: „Das Gesetz und die Propheten waren bis Johannes" (Lk 16, 16a)[89], und
das heißt nichts anderes als: das Gesetz ist nun am Ende, | weil die messianische
Zeit in Jesu Lehre und Person schon im geheimen begonnen hat.

Und da lag nun für den Juden das Unbegreifliche und doch für Jesus gerade das
Selbstverständliche: hier erkannte ein Mensch das Gesetz an und brachte es doch
zu seinem Ende, hier erklärte einer das Gesetz und beseitigte doch den jüdischen
Traditionsgedanken. Demgegenüber gab es für die Pharisäer nur ein Entweder-
Oder. *Entweder* ihr Glaube an die Weitergabe von Gottes Willen in der Offenbarungs-
kette war richtig, dann *mußte* Jesus fallen, weil er dem Judentum die Wurzel abschnitt. *Oder* Jesus hatte den Auftrag und das Recht von Gott, Gottes Willen endgültig zu verkünden, dann gab es nur Gehorsam diesem einen Gesandten Gottes
gegenüber, und die ganze jüdische Tradition war wertlos geworden. Dieses Entweder-Oder, das Jesus den Pharisäern stellte, hat Jesus den Tod gebracht. Aber in
noch viel tieferem Sinne ist auch der jüdische Glaube darüber zugrunde gegangen,
weil das jüdische Volk noch heute *der* Tradition gehorcht, an deren Stelle Jesus Gottes neuen Willen gesetzt hat.

Dieses Entweder-Oder besteht aber heute noch. Wohl konnte die wissenschaftliche, religionsvergleichende Betrachtung uns zeigen, wie es zu diesem Entweder-
Oder kam. Aber keine Wissenschaft kann die Frage beantworten: Hatte denn Jesus
wirklich das Recht, von sich aus Gottes Willen zu verkündigen und damit dem Glauben seiner Väter ein Ende zu bereiten? Und doch wird niemand Jesu Stellung zum
jüdischen Gesetz wirklich verstehen können, wird niemand den Widerspruch von
Bejahung des Gesetzes und Ablehnung des Gesetzes in seiner Notwendigkeit begreifen können, der nicht gläubig Ja sagt zu diesem Anspruch Jesu und bekennt: Jesus
hatte das Recht von Gott, uns Gottes Willen zu bezeugen[90]. Wer freilich so im Glauben sich Jesu Leitung anvertraut, der wird sowohl vor der Verwerfung des Alten
Testaments wie vor dem Bauen auf seine Buchstaben bewahrt sein. Ihm wird aber
Jesus die Autorität sein, die den Christen Gottes Willen im Alten Testament erst
wirklich finden läßt.

[89] In dem schwierigen Wort Mt 11, 12. 13 = Lk 16, 16 ist in der zweiten Hälfte von ἀπὸ
τότε bzw. ἀπὸ τῶν ἡμερῶν Ἰωάννου an sicherlich Lk sekundär; aber in der ersten Hälfte hat
ebenso sicher Mt das scharfe Wort vom Ende des Gesetzes (Lk 16, 16a) durch Umbildung
auf die Prophetie abgeschwächt, so daß Lk 16, 16a in unserem Zusammenhang als ursprünglich zu gelten hat (so Goguel, Jean-Baptiste, 1928, S. 66). Zum Sinn des Spruches vgl.
Schrenk, Art. βιάζομαι in Kittels Theol. Wörterbuch I, S. 608–613, bes. 612, 8 ff. Branscomb,
S. 205 ff erklärt den Spruch einfach für hellenistischen Ursprungs!

[90] Vgl. auch F. C. Burkitt, Jesus and the Pharisees, Journal of Theol. Studies 28, 1927,
S. 397: „He felt He knew the mind of His father in heaven directly ... The difference be-
tween the Christian and the non-Christian is just, wether Jesus had, or had not, authority to
trust what in others we should call personal instinct".

DIE BEDEUTUNG DER ENDERWARTUNG FÜR DIE LEHRE DES PAULUS *

Es scheint ein sehr kühner Versuch zu sein, sich die Frage zu stellen, welche Bedeutung die Erwartung des nahen Weltendes für die gesamte Theologie des Paulus gehabt habe. Denn hier wird offenbar vorausgesetzt, daß man aus den einzelnen Gedankenkreisen des Paulus auf die Enderwartung als einen wichtigen Leitgedanken zurückschließen und den Umfang der Einwirkung dieses Leitgedankens feststellen könne. Aber das Thema ist nicht willkürlich gewählt, sondern ist aus der wissenschaftlichen Situation der Gegenwart als wichtig herausgewachsen. Es möchte den Versuch machen, in dem Für und Wider der gegenwärtigen wissenschaftlichen Diskussion einen festen Punkt zu finden, von dem aus die Paulusinterpretation geleistet werden kann.

Die heutige wissenschaftliche Lage ist von derjenigen vor etwa zwanzig Jahren in manchen Stücken entscheidend verschieden. Denn als ALBERT SCHWEITZER 1911 die „Geschichte der paulinischen Forschung" schrieb, konnte er mit Recht sagen, daß die Forschung zu jener Zeit das Denken des Paulus in Stücke hatte auseinanderfallen lassen. Seit LÜDEMANN zuerst 1872 in seiner „Anthropologie des Paulus" die These vertreten hatte, daß durch die ganze Theologie des Paulus die Spannung zwischen einer juridisch-subjektiven und einer ethisch-physisch-objektiven Erlösungslehre hindurchgehe, hatte sich diese Aufzeigung von Antinomien im Denken des Paulus immer mehr verfeinert und ihren Höhepunkt etwa in H. J. HOLTZMANNS Neutestamentlicher Theologie erreicht. Dazu kam durch die religionsgeschichtliche Forschung noch die Aufzeigung von jüdischen und hellenistischen Zügen in Paulus, so daß schließlich die disparaten Elemente nur noch in der Person des Paulus selber zusammengehalten waren. Dazu kam weiter, daß die Hellenisierung und Dogmatisierung des paulinischen Denkens die Kluft zwischen dem undogmatisch verstandenen Jesus und Paulus immer mehr vertiefte, so daß schließlich fraglich wurde, wie es überhaupt zu einer Entwicklung von Jesus zu Paulus hatte kommen können. SCHWEITZER suchte darum in seiner kritischen Forschungsgeschichte von 1911 zu zeigen, daß nur eine konsequent eschatologische Paulusdeutung die Forschung aus dieser Zersplitterung herausführen könne, aber er kam selber über eine Skizze seiner Idee damals nicht hinaus. Inzwischen veränderten zwei neue Forschungsrichtungen die wissenschaftliche Lage aber entscheidend. Auf der einen Seite begann man sich endlich wieder, zum Teil unter Einfluß der dialektischen Theologie, darauf zu be-

---

* Vortrag beim Schweizerischen Tag freigesinnter Theologen in Zürich, 5. Februar 1934.

sinnen, daß die Theologie des Paulus ja nicht einfach ein interessantes Denkgebilde des Altertums sei, sondern eine Botschaft predigen wolle, die sich auch an uns richtet. Das heißt, man begann wieder zu sehen, daß die Sache, um die es Paulus geht, entscheidend wichtig sei und daß wir uns um das Verständnis dieser Sache zu kümmern hätten. Man fragte also aus sachlicher Beteiligung nach dem inneren Zusammenhang der paulinischen Gedanken. Aus diesem Bestreben gingen neben zahlreichen Einzelstudien eine Reihe von synthetischen Versuchen hervor, als deren bedeutendste man BULTMANNS Paulusartikel in der zweiten Auflage der RGG wird bezeichnen dürfen. Daneben aber ging die religionsgeschichtliche Forschung weiter. Sie stellte auf der einen Seite die auffallende Verwandtschaft der paulinischen Sprache mit der Terminologie der hellenistischen Erlösungsreligionen heraus; sie zeigte auf der anderen Seite, daß Paulus sich eng berühre mit Gedanken des apokalyptischen und rabbinischen Judentums und Bekanntschaft zeige mit dem orientalischen Erlösungsmythus vom herabsteigenden Urmenschen, der auch ins Judentum eingedrungen war; und von hier aus zeigte sich, daß auch bei Paulus die Erlösung verstanden werde als ein großes Drama, das mit dem Auftreten des göttlichen Gesandten begonnen hatte. So versuchte man nun, den eschatologisch-geschichtlichen Charakter der paulinischen Theologie zu entwickeln und wurde skeptisch gegen das Verständnis des Paulus als eines hellenistischen Mystikers.

I

In diese wissenschaftliche Situation trat 1930 A. SCHWEITZERS lange angekündigte eschatologische Pau- | lusdeutung unter dem mißverständlichen Titel ,,Die Mystik des Apostels Paulus". Die Tatsache, daß die Entwicklung der Forschung SCHWEITZERS Gedanken weitgehend vorgearbeitet hatte, verursachte, daß dieses Werk nicht das Aufsehen erregte, das es zweifellos 1911 verursacht hätte. War doch hier zum erstenmal wieder eine streng in sich geschlossene Paulusdeutung geboten worden. SCHWEITZER sieht Paulus grundsätzlich als logischen Denker, der seine ganze Theologie ausgedacht hat zur Erklärung der eigentümlichen heilsgeschichtlichen Situation, in der er sich als Christ vorfand. Als Jude hatte Paulus eine eschatologische Erwartung vertreten, nach der am Ende der Zeit das irdische messianische Reich erscheinen werde, an dessen Ende erst die allgemeine Totenauferstehung und damit das Gottesreich folgen solle. Jesus hatte die unmittelbare Nähe des Endes verkündigt, und die Urgemeinde hatte diesen Glauben übernommen. Paulus teilte ebenfalls diesen Glauben an das baldige Kommen des Messias; er sah sich dadurch aber vor der Aufgabe, in das ihm feststehende eschatologische Schema die Tatsache einzutragen, daß der Messias schon dagewesen und gestorben und auferstanden war. Zu diesem Zwecke bildete Paulus die Lehre aus, daß seit dem Auftreten und Auferstehen Jesu die Kräfte der messianischen Zeit schon wirksam seien, wenn auch vorläufig nur unsichtbar und nur für die Erwählten spürbar. Nur diese Erwählten der letzten Zeit von Jesu Auftreten bis zum Eintritt des messianischen Reiches dürfen an diesem Reich teilnehmen und stehen bei seinem Anbruch entweder auf oder werden verwandelt. Erst nach dem messianischen Reich kommt die allgemeine Auferstehung mit dem Gericht. Um aber nun erklären zu können, wie die Überlebenden beim Anbruch des messianischen Reiches ohne wirklichen Tod und Auferstehung doch in die Seinsweise der Auferstehung eingehen könnten, bildete Paulus die Lehre von der Mystik des Sterbens und Auferstehens mit Christus aus. Danach wird den Christen schon in der Gegenwart die Seinsweise der Auferstehung zuteil, die ihnen die Sakramente und die leibliche Zugehörigkeit zum Leibe Christi vermitteln, indem sie naturhaft umgestaltet werden. Das Sein der Christen ist also die naturhafte Zugehörigkeit zu dem Kreise derer, die schon jetzt für das bald kommende messianische Reich vorbereitet sind. Und von diesem naturhaft-eschatologischen Sein der Christen aus läßt sich nun nach SCHWEITZER die gesamte paulinische Auffassung von Sakrament, Ethik, Geistbesitz usw. erklären. Die Gerechtigkeit aus Glauben aber ist nur uneigentlich gemeint als anderer Ausdruck des Seins in Christo, die Rechtfertigungslehre ist nur ein Fragment einer Erlösungslehre, ,,ein Nebenkrater, der sich im Hauptkrater der Erlösungslehre der Mystik des Seins in Christo bildet" (S. 220). Von der Rechtfertigungslehre aus läßt sich überhaupt keine Ethik entwickeln. Alles kommt also darauf an, daß man die Erlösung versteht als ein Hineingestelltsein in ein kosmisches Geschehen, das mit Christus und seiner geistgewirkten Auferstehung begonnen hat und dessen Ende im Dasein der Christen schon vorweggenommen ist.

Diese Darstellung der paulinischen Lehre ist von einer imponierenden Geschlossenheit. Und diese Geschlossenheit ist nicht gewonnen durch Beiseitelassen bestimmter Teile des paulinischen Denkens, sondern durch konsequente Unterstellung aller Gedanken unter einen leitenden Gedanken. SCHWEITZER hat mit dieser Darstellung endgültig die Vorstellung überwunden, als sei die Erlösung bei Paulus ein individuelles Geschehen, in dem durch die Berührung des Menschen mit dem göttlichen Geist die Erlösung von der fleischlichen Natur und die Erhebung zur Freiheit der Kinder Gottes geschieht; das Wirken des Geistes ist vielmehr endgültig gesehen als Teil des ganzen eschatologischen Erlösungskampfes, in dem die Geisterwelt vernichtet und die Christen in das kosmische Geschehen hineingerissen werden. SCHWEITZER hat ferner endgültig überwunden die Betrachtung der Gedanken des Paulus als Ausdruck einzelner dogmatischer Lehren. Es geht nicht mehr an, die Briefe des Paulus nach Taufe, Rechtfertigung, Glaube usw. zu befragen, ohne sich zu überlegen, welche zusammenhaltende Erlösungsbotschaft denn hinter all den Einzelgedanken steht. Und SCHWEITZER hat schließlich endgültig erwiesen, was man vor ihm nicht so klar gesehen hatte, daß Paulus tatsächlich alles Erlösungsgeschehen, alle Botschaft von Christus, alles Handeln des Christen nur als Teil der Wahrheit faßt, daß das Ende dieser Welt vor der Türe steht und daß mit Christus der kommende Äon schon angebrochen ist. Daß Paulus nur eschatologisch richtig verstanden werden kann, das kann nicht mehr zweifelhaft sein.

Aber SCHWEITZER hat diese eschatologische Bedingtheit des paulinischen Denkens nicht ganz zu Ende gedacht. Er hat zwar gesehen, daß der Christ nicht als Individuum, sondern als Glied des Leibes Christi in das Endgeschehen hineingestellt ist;

er hat aber den Eintritt in diesen Leib Christi, das Christwerden nicht von dem eschatologischen Heilsgeschehen aus verstanden, sondern als persönliche naturhafte Umgestaltung erklärt, so daß für das Christwerden des einzelnen die Eschatologie eigentlich keine Rolle spielt. Ist in diesem Punkt die Bedeutung der Eschatologie ausgeschaltet, so fällt die Rechtfertigung überhaupt aus dem eschatologischen Geschehen heraus und wird zu einem störenden Fragment. Während also Paulus als geschlossener Denker bezeichnet werden soll, werden die für Paulus deutlich besonders wichtigen Gedanken über Gottes und der Menschen Gerechtigkeit wieder als nicht passendes Stück erklärt, so daß wieder neben einem | großen Gedankenkreis ein kleiner steht, der sich mit dem ersten nicht verträgt. Die Folge ist, daß auch SCHWEITZER wie LÜDEMANN Röm 3–5 und 6–8 als Paralleldarstellungen erklären muß, wovon Paulus freilich nichts angedeutet hat.

Mit diesem Mangel ist eng verwandt die Tatsache, daß SCHWEITZER Paulus fälschlich als logischen Denker hingestellt hat. Nicht als ob Paulus nicht ein ganz gewaltiger Denker gewesen wäre. Aber es entspricht nicht dem Charakter des paulinischen Denkens, wenn man annimmt, daß Paulus seine Theologie geschaffen habe, indem er die Tatsache seiner Zugehörigkeit zur Gemeinde der Enderwählten logisch durchdacht und zu ihrer Erklärung die Mystik des Seins in Christo ausgedacht habe. Paulus denkt nicht aus, wie sein Sein in Christo sich in das ihm feststehende eschatologische Schema einordnen lasse, sondern er versucht, den im Glauben erfaßten Tatbestand des Erlöstseins durch Christus denkend zu begreifen. Paulus denkt nicht logisch, sondern theologisch, sein Denken ist Glaubensdenken, in dem sich sein Glaube vollzieht. Dabei will ich nur im Vorbeigehen sagen, daß auch das eschatologische Schema ganz unerweislich ist, das SCHWEITZER für Paulus konstruiert; es läßt sich bei Paulus weder eine doppelte Auferstehung noch eine Trennung von messianischer und ewiger Herrlichkeit nachweisen.

Aber das alles ist nicht das Wesentlichste. Wesentlich ist vielmehr, daß SCHWEITZER von seinem naturhaften Verständnis der Eschatologie aus die bekannten Antinomien im Denken des Paulus nicht auflösen kann. Wir sahen schon, daß SCHWEITZER die Rechtfertigung nicht einordnen kann, und darum fallen für ihn auch Rechtfertigung und Ethik auseinander. Ebensowenig gelingt es aber, von der naturhaften Sakramentsauffassung SCHWEITZERS aus einen Weg zu den Sündlosigkeitsmahnungen zu finden, weil neben einer naturhaft geschehenen Erlösung eigentlich eine Aufforderung zur Verwirklichung der Sündenfreiheit keinen Sinn hat. Aus diesen und anderen unerklärten Antinomien ergibt sich aber, daß SCHWEITZER das Wesen der von Paulus verkündigten eschatologischen Erlösung in seinen theologischen Zusammenhängen noch nicht wirklich verständlich gemacht hat. Es muß darum unsere Aufgabe im Folgenden sein, der Frage gründlich nachzudenken, was Paulus denn letztlich mit seiner Botschaft vom Hineingestelltsein der Christen in das kosmisch-eschatologische Heilsgeschehen gemeint hat und wie er von dieser Voraussetzung aus das Sein der Christen beschreibt.

II

Da ist entscheidend wichtig zu erkennen, daß Paulus die eschatologische Erlösung nicht naturhaft, sondern geschichtlich versteht. Diese Erkenntnis ist nicht
neu; sie ist in verschiedener Form von Forschern wie E. WEBER, SCHMITZ, DIBELIUS,
VON SODEN, SCHRENK und anderen, besonders aber von BULTMANN, vertreten worden und drängt sich in der Tat auf allen Gebieten des paulinischen Denkens auf.
Diese Tatsache steht schon am Grunde allen Heilsgeschehens, denn sie ist der Ausdruck dafür, daß Gott das Heil wirkt. ,,Gott war in Christus und versöhnte die Welt
mit sich selbst'' (2Kor 5, 19); ,,Gott hat Christus eingesetzt zum Sühnemittel durch
den Glauben in seinem Blut'' (Röm 3, 25); ,,zu seiner Herrlichkeit hat Gott uns
berufen, nicht nur aus Juden, sondern auch aus Heiden'' (Röm 9, 24). Die Zitate
ließen sich beliebig vermehren; es kann kein Zweifel sein, daß für Paulus Gott in
allem Heilsgeschehen der Handelnde ist. Merkwürdigerweise hat SCHWEITZER diese
treibende Kraft hinter allem paulinischen Denken übersehen, weil für ihn die eschatologische Gemeinde der Erwählten naturhaften Charakter hat. Er kann darum formulieren: ,,Paulus weiß, daß die unvergängliche Welt im Begriff ist, in aufeinander-
folgenden Stößen aus dem Ozean der Vergänglichkeit aufzusteigen'' (S. 113). Hier
haben wir ein ablaufendes Geschehen, dessen eschatologisches Wesen im Grunde nur
darin besteht, daß es am Ende der Zeiten steht, dort aber mit naturhafter Notwendigkeit erfolgt. Für Paulus gilt das nicht. Für ihn liegt die Garantie, daß die verheißene Enderlösung kommen wird, einzig und allein in der Tatsache, daß der Gott
der Endzeit derselbe ist, der Christus in der Vergangenheit gesandt und die Christen
in seine Gemeinde gerufen hat. Das Heilsgeschehen bleibt für Paulus immer unverfügbar, allein Gott und seiner freien Vollmacht unterworfen. Eschatologie ist also für
Paulus nicht bloß die Tatsache, daß das Ende bald kommt und in Christus schon in
den vergehenden Äon eingebrochen ist; sondern in der jüdischen Denkform der
eschatologischen Erwartung bringt Paulus die Glaubensgewißheit zum Ausdruck,
daß Gott selber das Heil schafft und die Menschen in dieses Heil hineinruft, so daß
das Heil wirklich nicht als endzeitliches Naturgeschehen, sondern ganz streng geschichtlich als Handeln Gottes verstanden ist.

Die Geschichtlichkeit des paulinischen Heilsdenkens zeigt sich weiter darin, daß
das Heil durch ein geschichtliches Faktum bedingt ist. Darin liegt die religionsgeschichtliche Besonderheit der paulinischen Heilspredigt. In den hellenistischen
Mysterienreligionen nehmen die Mysten teil an dem Erleben des Gottes, der immer
wieder stirbt und aufersteht; hier wird also der Gläubige eingeschaltet in einen sich
wiederholenden mythischen Kreislauf, so daß auch für den Mysten eine Wiederholung der Weihen möglich und unter Umständen sogar notwendig ist. Im Judentum dagegen ist der Erlösungsglaube immer an Gottes Handeln in der Vergangenheit gebunden, nämlich die unwiederholbare Tatsache der Gesetzgebung; und der
Jude erhofft Gottes Handeln in der Zukunft, das dieser Welt ein Ende machen soll.
In | der Gegenwart ist aber mehr oder weniger Gottes Handeln fern, der Geist hat
zu wirken aufgehört seit den letzten Propheten, und man schaut darum sehnsüchtig

nach der letzten Heilszeit aus. Hier ist also das Heil des Menschen an ein geschichtliches Faktum gebunden, und darum kann die Zugehörigkeit zum göttlichen Heil nur in unaufhörlich neuem Anschluß an das geschichtliche Faktum des Gottesgesetzes realisiert werden; dem einzelnen wird dabei nie wirklich gewiß, inwieweit er sich durch seinen Gesetzesgehorsam in dieses vergangen-zukünftige Heilshandeln Gottes wirklich eingeschaltet hat. Paulus übernimmt nun diese geschichtliche Auffassung vom Heil. Aber er gestaltet sie dadurch um, daß er wie das ganze Urchristentum die Gegenwart als heilserfüllt betrachtet. Denn Gott hat in Jesus Christus seinen Heilswillen für alle Menschen offenbart, indem er Sühne schuf, indem er Christus durch seinen Geist auferweckte und so die Auferstehungskräfte schon in den gegenwärtigen vergänglichen Äon hineinwirken läßt. Der Christ aber wird dementsprechend gerettet durch den einmaligen und unwiederholbaren Anschluß an Christus und das von ihm gebrachte Heil: „Was Christus starb, starb er einmal für die Sünde; so bedenkt auch ihr, daß ihr tot seid für die Sünde, aber lebt für Gott in Christus" (Röm 6, 10f). Der Anschluß an Christus geschieht im Glauben an Gottes rechtfertigendes Handeln in Christus, in der Übernahme der Taufe und der dadurch bewirkten Sündenbefreiung, im Eintritt in den Sklavendienst gegenüber Christus. Damit aber zeigt sich, daß Christsein auf der einen Seite nichts anderes ist als der Anschluß an ein historisches Faktum, daß Christsein auf der anderen Seite aber selbst nichts anderes ist als ein geschichtliches Sein, nämlich ein aktives, unaufhörliches Bleiben in dem Heilsgeschehen, also nicht ein naturhaftes Eingegliedertwerden in den Leib Christi.

Von dieser geschichtlichen Auffassung des göttlichen Heilshandelns durch Paulus legt auch die Geschichtsbetrachtung des Paulus Zeugnis ab. Ich gehe auf diesen Tatbestand nur kurz ein, weil G. Schrenk hierüber in einem schönen Aufsatz der Jahrbücher der Theologischen Schule Bethel 1932 ausführlich gehandelt hat. Die Weltgeschichte ist für Paulus wie für die jüdische Apokalyptik zielstrebig auf das Ende angelegt, aber für Paulus ist diese Zielstrebigkeit ausnahmslos beherrscht von dem Christusgeschehen. Christus steht an der Wende der Äonen; was vor Christus war, wird nur danach beurteilt, ob es ein vollständig vergebliches Sich-Mühen und Fernsein von Gott war oder ob es auf die kommende Christuswirklichkeit hinweisen konnte. Und durch die Menschheit geht die große Teilung: vor Christus waren alle der Sünde und dem Tode unterworfen, seit Christus gibt es die Möglichkeit des Lebens durch Anschluß an Christus. Die Wendung hat Gott selbst herbeigeführt, das Weltgeschehen ist der freien Gestaltung des Menschen durchaus entzogen und allein von Gottes kontingentem Willen abhängig gedacht: „als die Welt zur Zeit der Weisheit Gottes mit ihrer Weisheit Gott nicht erkannte, da gefiel es Gott, durch die Torheit der Verkündigung die Glaubenden zu retten" (1 Kor 1, 21). Aber dieses für uns unberechenbare Handeln Gottes ist von Anfang der Welt an vorbedacht, denn auf Christus hin ist alles geschaffen, auf ihn hin ist sowohl der erste Mensch Adam wie das Gesetz angelegt. Und damit trägt Paulus keine Spekulation vor, denn diese Geschichtsbetrachtung ist an ein höchst anstößiges Geschichtsfaktum gebunden, nämlich das Auftreten des Gottessohnes in Sklavengestalt und das Kreuz. Das ist „Torheit", aber Paulus reflektiert eben nicht über den Sinn der Weltgeschichte, sondern er weiß sich gerettet durch Christus und versteht darum diese Geschichte als Gottes Heilshandeln. Die Geschichtlichkeit, die geschichtliche Gebundenheit der Heilsbotschaft ist damit gegen alle Zweifelsmöglichkeit gesichert.

Daß Paulus die Erlösung geschichtlich versteht, läßt sich aber ebenso auch von der Seite des Menschen her zeigen. Das gilt zunächst für die Anthropologie, wo diese Tatsache freilich noch am wenigsten anerkannt ist. Seit man nämlich gesehen hat, daß Paulus den Gegensatz von Fleisch und Geist radikal versteht als den Gegensatz von gottwidrig und gottgemäß und daß Paulus dabei Fleisch irgendwie zusammenbringe mit dem menschlichen Leib, hat sich die Meinung verbreitet, daß Paulus hier den griechischen Gegensatz von Materie und Geist aufnehme (so besonders HOLSTEN). Die Erlösung muß dann naturhaft sein, und dem entsprechend faßte z. B. BOUSSET das Wunder der Erlösung durch die Geistesgabe als naturhafte Umgestaltung des menschlichen Seins durch den physisch-hyperphysischen göttlichen Geist. Aber diese Anthropologie ist ganz unhaltbar, wie ich schon in meinem Buche über „Römer 7 und die Bekehrung des Paulus", wenn auch nur andeutend, zu zeigen suchte. Paulus faßt nämlich den ganzen Menschen von Gott her gesehen als σάρξ und damit als Glied des gottfernen κόσμος. Gewiß hat auch der unerlöste Mensch geistige Fähigkeiten, für die Paulus verschiedene Termini gebraucht (νοῦς, ψυχή, καρδία usw.); aber durch diese geistigen Fähigkeiten steht der Mensch Gott nicht näher als durch den Leib. Denn der ganze irdische Mensch steht unter der Macht der Sünde und mangelt sowohl des göttlichen πνεῦμα wie der göttlichen Herrlichkeit. Die Sünde ist darum für Paulus mit der σάρξ nicht naturnotwendig verbunden, sondern nur geschichtlich, da es seit Adam keinen Menschen mehr gab, der ohne Sünde war. Christus aber hatte wohl dasselbe der Sünde ausgesetzte Fleisch wie wir, ohne selbst der Sünde unterworfen zu sein. Paulus versteht also σάρξ geschichtlich als Beschreibung der Zugehörigkeit zum alten Äon und des Unterworfenseins unter seine Dämonen und Engelmächte. Ein bisher nicht | gelöstes Rätsel bleibt dabei freilich, daß Paulus Fleisch und Leib als Wechselbegriffe gebrauchen kann, woraus man immer wieder auf eine dualistische Menschenanschauung geschlossen hat; fernere Untersuchungen werden durch terminologische und religionsgeschichtliche Klärung diesem Sachverhalt auf den Grund zu kommen suchen müssen. Sicher aber ist, daß Paulus den als fleischliches Wesen in den gegenwärtigen bösen Äon hineingestellten Menschen erlöst weiß nur durch den göttlichen Geist, der nicht wie eine physische Kraft den Menschen umgestaltet, sondern im Menschen den Glauben an Gottes Heilstat in Christus wirkt und ihn befreit von der Knechtschaft unter Sünde, Gesetz und Tod. Auch der göttliche Geist ist für Paulus nicht eine naturhaft wirkende Macht, sondern Gottes Wirksamkeit in der Zeit zwischen Christi Auftreten und dem Ende, also eine geschichtliche Wirklichkeit, die sich aber im gegenwärtigen Christenleben in ekstatischen und ethischen Wirkungen als Realität erweist.

Auch an dem paulinischen Glaubensbegriff kann man ferner die geschichtlich-eschatologische Auffassung des Heils ablesen. Die neuere Forschung hat unbezweifelbar erwiesen, daß Glauben für Paulus zunächst durchaus ein Fürwahrhalten, ein

gehorsames Annehmen der Botschaft vom auferstandenen Christus ist. Aber damit
ist das Wesen des paulinischen Glaubens durchaus nicht ausreichend beschrieben,
denn für Paulus umfaßt der Glaube als Gehorsam nicht einzelne Akte der intellek-
tuellen Bejahung, sondern das ganze Leben des Christen, auch sein Handeln. Und
das Abrahambeispiel zeigt, daß Paulus in das Glauben auch ein vertrauensvolles
Sich-Hingeben an Gott einschließt. „An Christus glauben" umschreibt also für Paulus das ganze Christsein. Wie ist das möglich ? MUNDLE hat kürzlich in einem sehr
sorgfältigen Buch über den „Glaubensbegriff des Paulus" (1932) die Ansicht vertreten, daß Paulus immer in dem Begriff des Christusglaubens den Eintritt in die
Christusgemeinschaft durch die Taufe mitdenke. Diese Annahme ist aber darum
unmöglich, weil Paulus natürlich gelegentlich die Taufe als den Anfang der Zugehörigkeit zu Christus mit dem Gläubigwerden zusammen nennt, aber an den wichtigsten Stellen, wie z. B. Röm 3, 25, die Taufe weder erwähnt noch erwähnen kann.
Vielmehr ist Glauben für Paulus auch nur Ausdruck des eschatologischen Erlöstseins. Die Missionspredigt verlangte die Anerkennung der Tatsache, daß der gekreuzigte Jesus der Christus sei und in Zukunft in Herrlichkeit erscheinen werde.
Weil die Zugehörigkeit zu diesem Christus den Menschen hineinstellt zwischen das
Einst von Christi Auftreten in der Vergangenheit und das Dann seiner herrlichen
Erscheinung in der Zukunft, darum konnte dieses Christsein nicht anders beschrie-
ben werden als ein Glauben, das erst zur Zeit der Parusie zum Schauen wird. Die
Christen leben in der Gegenwart in einem Gehorsam, der gläubig die Christusbot-
schaft als Wirklichkeit bejaht und das ganze Leben unter diesen Gehorsam stellt.
Gott aber ist es, der diese neue Möglichkeit des Gerechtwerdens geschaffen hat und
dadurch eine neue Heilszeit heraufführte; dem Christen bleibt nur die Wahl, ob er
sich in diese Heilszeit hineinrufen läßt oder nicht, sein Heil ist also auch von dieser
Seite nur ein Teil der im raschen Ablauf befindlichen Heilsgeschichte.

III

Man könnte mit der Aufzählung solcher Beispiele fortfahren, aber die angeführten Gedankenkreise zeigen ja wohl zur Genüge, daß das eschatologische Verständnis
des Paulus erst dann dem exegetischen Sachverhalt gerecht wird, wenn man die
Eschatologie nicht als Rahmen für eine naturalistische Erlösung faßt, sondern in der
Eschatologie die Ausdrucksform einer konsequent theozentrischen geschichtlichen
Erlösungsvorstellung sieht. Erst dann wird auf der einen Seite der Zusammenhang
mit Jesus deutlich, der auch nichts anderes als Gottes endzeitliches Handeln verkünden und bringen wollte; und erst dann wird andererseits klar, inwieweit Paulus
hier zwar auf jüdischem Denken fußt, aber etwas grundsätzlich Neues schafft, das
weder jüdisch noch hellenistisch genannt werden kann. Ist somit, wie ich glaube,
die „Geschichtlichkeit" des paulinischen Heilsdenkens unbezweifelbar, so erhebt
sich schließlich die Frage, ob von dieser Grundlage aus nun wirklich für das Verständnis der Antinomien im paulinischen Denken etwas Entscheidendes gewonnen
werden kann. Denn SCHWEITZERS ganze Arbeit ist ja ausgegangen von der richtigen

Erkenntnis, daß ein derartig zerfallenes Paulusbild, wie es die damalige Forschung bot, dem wirklichen Bild des erfolgreichen Missionars und gewaltigen Denkers nicht entsprechen kann. Es ist natürlich in diesem Rahmen unmöglich, diese sehr schwierigen Fragen in Vollständigkeit zu behandeln; es sei mir darum gestattet, an einigen der wichtigsten Beispiele zu zeigen, wie in der Tat das Gesamtverständnis der paulinischen Predigt als einer geschichtlich-eschatologischen Erlösungslehre über viele Schwierigkeiten hinweghelfen kann.

Es ist ja wohl bekannt, daß seit WERNLES berühmtem Buch ,,Der Christ und die Sünde bei Paulus" (1897) die Forschung auf die merkwürdige Tatsache aufmerksam geworden ist, daß Paulus immer wieder neben die uneingeschränkte Behauptung der Sündenfreiheit der Christen die Aufforderung zur Verwirklichung dieser Sündenfreiheit stellt. Die aus der Diskussion erwachsene communis opinio stellt fest, daß Paulus zwar die sakramental-magische Entsündigung der Christen behaupte, aber ungeklärt daneben die Auffassung der christlichen Vollkommenheit als einer ethischen Entwicklung stelle. Aber diese verbreitete Anschauung ist sehr fraglich. Paulus redet von einer ethischen Entwicklung des Christen | nirgends, und er stellt nicht nur gelegentlich, sondern immer mit Bewußtsein den Imperativ neben den Indikativ, ja, er leitet den Imperativ aus dem Indikativ ab. Hier muß also ein innerer Zusammenhang vorliegen. Paulus sagt nun z. B. Röm 6 sehr deutlich, daß er die Freiheit von der Sünde überhaupt nur fordern kann, weil er gewiß ist, daß die Christen von der Sünde bereits freigeworden sind, daß die Christen der Macht der Sünde nicht mehr unterworfen sind. Paulus kann also die Entsündigung in der Taufe nicht naturhaft gedacht haben, wovon noch zu reden sein wird, da er zwar nicht mit dem regelmäßigen Vorhandensein von Sünde in den Gemeinden rechnet, wohl aber mit einer ständigen Bedrohung durch die Gefahr des Abfalls in die Sünde. Paulus geht nämlich auch hier von Gottes Tat aus. Gottes Tat aber ist, daß er durch Christi Erscheinung und Tod den neuen Äon hat anbrechen lassen, wenn auch nur für das Auge des Glaubens sichtbar. Tod und Sünde sind zwar überwunden, aber der alte Äon dauert noch ein Weilchen, die Auferstehungskräfte wirken jetzt nur an denen, die durch Glauben und Taufe zu Christus gehören und den lebenspendenden Geist empfangen haben. Die Heilssituation der Gläubigen ist also auf der einen Seite die, daß sie schon jetzt versetzt sind in das kommende Reich und frei sind von der Macht der Sünde. Freilich, es handelt sich um Gottes Handeln am persönlichen Menschen, und diese Sündenfreiheit besteht darum nur da, wo der Mensch sich mit seinem ganzen Wesen in Glauben und Handeln in diese Gottestat hineinstellt. Aber diese selben Gläubigen stehen auf der andern Seite jetzt noch in dem gegenwärtigen bösen Äon drin, und Tod und Sünde sind für sie, solange sie noch in diesem Äon leben, nicht tot, sondern eine ständige Gefahr, der sie freilich durch den Geist trotzen können. Der Indikativ ist darum die notwendige Aussageform für die Existenz der von der Zukunft bestimmten Christen; der Imperativ aber ist die Aussageform der von der Gegenwart bedrohten Existenz der Christen. Das geschichtliche Sein der Christen zwischen Einst und Dann verlangt also das Nebeneinander von Indikativ und Imperativ. Der Indikativ aber steht voraus, weil Gottes Heilshandeln überhaupt erst die

Möglichkeit für den Christen schafft, Gottwohlgefälliges zu wirken. Es ist also eine echte Antinomie, die sich in dem Nebeneinander von Indikativ und Imperativ zeigt, und die Wurzel dieser Antinomie ist die geschichtliche Existenz des Gläubigen zwischen Gottes Heilshandeln in Vergangenheit und Zukunft.

Eng verwandt mit dieser Antinomie ist eine zweite, die besonders für die religionsgeschichtliche Forschung schwer lösbar war. Paulus behauptet Röm 6, daß die Christen in der Taufe mit Christus gestorben und darum für die Sünde tot seien. Und er setzt 1Kor 8–10 voraus, daß die Teilnehmer am Herrenmahl Gemeinschaft erhalten mit dem Leib und Blut Christi. Die religionsgeschichtliche Forschung hatte die Realität dieser sakramentalen Vorstellungen erkannt und darum behauptet, Paulus fasse Taufe und Abendmahl als naturhaft wirksam. SCHWEITZER hat diese naturhafte Deutung der Sakramente ungeprüft übernommen, obwohl er sah, daß die Sakramente eschatologisch zu verstehen seien. Aber von dieser Sakramentsauffassung aus blieb unbegreiflich, wie Paulus gerade auf Grund der sakramentalen Erfahrung die Forderung zum Dienst für Gott erheben könne. Denn wo die Entsündigung naturhaft geschehen ist, wird die Aufforderung zu verantwortlicher Lebensgestaltung sinnlos. Aber diese naturalistische Sakramentsanschauung ist durchaus nicht die des Paulus, wie besonders H. VON SODEN in seiner Arbeit über „Sakrament und Ethik bei Paulus" (Marburger Theologische Studien 1931) gezeigt hat. Paulus knüpft nämlich das Sterben in der Taufe an die geschichtliche Tatsache des Todes Christi; der einzelne tritt durch die Taufe hinein in das Heilsgeschehen, das mit Christus begonnen hat, so daß der Täufling nicht das Schicksal Christi mystisch nacherlebt, sondern in den eschatologischen Geschichtsverlauf hineingestellt wird, so daß nun ein neues Leben in ihm entsteht. Es geschieht etwas Reales, die Christen sterben wirklich, aber es geschieht keine naturhafte Änderung, sondern Gott handelt am Menschen, indem er das Sterben und Auferstehen Christi am Christen geschehen läßt. Nun zeigt aber der Zusammenhang von Röm 3–6 und Kol 2, 11ff, daß Paulus das Rechtfertigungsgeschehen und den Tod in der Taufe als dasselbe Geschehen faßt. Nach der Rechtfertigungslehre versetzt uns Gott in das durch Christi Tod gewirkte Heil hinein, indem wir im Glauben dieses Heilshandeln Gottes als an uns geschehend annehmen; und genauso bringt uns die Taufe in das Heilsgeschehen hinein, indem wir in der Taufe auf Grund des Todes Christi von Gott als tot für die Sünde anerkannt werden, so daß wir dadurch in der Tat neue Menschen sind. Die Taufe wirkt also nicht magisch-naturhaft, sondern real für den, der an Gottes rechtfertigendes Handeln glaubt. Die Taufe ist danach also kein mystisches Erleben, sondern ein eschatologisches Sakrament, das den einzelnen in das mit Christus begonnene Heilsgeschehen hineinversetzt. Daß Paulus diese Gedanken durch die aus dem Hellenismus stammende Terminologie mißverständlich ausdrückt, ist zweifellos, und 1Kor 8–10 zeigt, daß bereits in Korinth seine Gedanken naturalistisch mißverstanden wurden. Aber ernsthafte Zusammenhangsexegese zeigt, daß Paulus die Sakramente nur versteht als reale Zeichen, als Gottes reales Handeln am Menschen, in dem das eschatologische Geschehen schon in die Gegenwart einbricht. Weil aber Gott dies Wunder wirkt an Menschen in diesem noch bestehenden Äon, darum bedeutet dieses | Sterben ein Geschehen, das nur Wirklichkeit ist, solange der Mensch durch sein ganzes Sein und Handeln an diesem göttlichen Handeln festhält, im Zusammenhang dieses Heilsgeschehens bleibt. Ist das Sakrament also geschichtliches, eschatologisches Handeln Gottes, so ist die Ethik in diesem Heilsgeschehen notwendig enthalten. Das heißt, zwischen Sakrament und Ethik besteht in Wirklichkeit keine Antinomie, sobald das Sakrament richtig als reales, geschichtliches Geschehen am geschichtlichen Menschen verstanden wird.

Um nicht zu ermüden, gehe ich zum Schluß nur noch auf die schwierigste Antinomie ein, auf den sogenannten Gegensatz von Rechtfertigung und Mystik. Seit Lüdemann hat man die Doppelheit des paulinischen Denkens an dieser Spannung aufgezeigt, und auch Schweitzer sah sich gezwungen, die Rechtfertigungslehre als „unnatürliches Gedankenerzeugnis" zu bezeichnen. Diese Lösung ist aber darum ganz unmöglich, weil Paulus die Rechtfertigungslehre nicht bloß in den Kampfschriften Gal und Röm, sondern ebenso 1 Kor 6, 11; 2 Kor 5, Phil 3, Kol 2, 11 ff verwertet. Und gerade Phil 3, 8 ff zeigt die Vermischung von Termini der beiden Gedankenreihen, daß es der Wirklichkeit widersprechen muß, wenn man beide Gedankenreihen bei Paulus als sich widersprechend oder unverbunden hinstellt. Nun kann es keine Frage sein, daß der Rechtfertigungsgedanke für Paulus die eigentliche Denkform für das eschatologische Geschehen ist. Er glaubt, daß Gott in Christus den neuen Äon hat anbrechen lassen, und er faßt das in den Gedanken, daß Gott durch Christus die Sünden der vergangenen Zeit gesühnt und damit eine neue Zeit heraufgeführt hat, da die Sünde nicht mehr herrscht, sondern der Glaube gilt. Gott hat dadurch gezeigt, daß der Mensch durch sein eigenes Handeln nicht zu Gott kommen kann, sondern daß Gott selber handeln muß, der Mensch demgegenüber nur glauben kann. Dieses Handeln Gottes ist aber eschatologisch, Gerechtigkeit besteht nur in der Hoffnung, erst mit dem Eintritt des Gottesreiches folgt dem Glauben das Schauen, wird die Gerechtigkeit offenbar. Die Rechtfertigungslehre ist also eschatologische Heilslehre in jüdischem Gewande, und sie entspricht dem durch und durch eschatologischen Denken des Paulus aufs beste. Nun ist unbezweifelbar, daß Paulus daneben immer wieder in Ausdrücken spricht, die aus der mystischen Terminologie stammen (Erkennen – Erkanntsein, verwandelt werden, in Christo sein, vollkommen sein usw.), und daß 2 Kor 3, 18 sogar von einer in der Gegenwart sich vollziehenden Umgestaltung zur Herrlichkeit die Rede ist, die durch Schauen der Herrlichkeit des Herrn zustande kommt. Diese mystischen Termini beschreiben die gegenwärtige Situation des Christen und scheinen die Vorstellung eines nur in der Zukunft liegenden, in der Gegenwart unsichtbaren Heils auszuschließen. Aber der Schein trügt. Es besteht zweifellos eine Spannung zwischen beiden Gedankenreihen, schon infolge der verschiedenen Terminologie. Aber Paulus vergißt nie, daß das Schauen Sache der Zukunft ist und daß wir hier noch fern von Christus sind. Und gerade Phil 3, 8 ff wird die Beschreibung der gegenwärtigen Erkenntnis Christi beschränkt durch das Bekenntnis: „Ich habe noch nicht ergriffen und bin noch nicht vollendet, laufe aber danach, ob ich ergreifen möchte, da ich ja von Christus ergriffen bin." Hier ist deutlich gesagt, daß der Christus, von dem Paulus in der Gegenwart in mystischen Termini reden kann, der Herr ist, der erst am Ende der Zeiten in Herrlichkeit kommen wird, und auf den hin alles Leben der Christen ausgerichtet ist. So läßt sich die Spannung zwischen Rechtfertigung und Mystik verstehen, wenn man sieht, daß die mystische Terminologie nur einen Teil des christlichen Seins beschreibt, nämlich die Gegenwart, während der eschatologische Rechtfertigungsgedanke das ganze Christsein unter Gottes Handeln in Vergangenheit, Gegenwart und Zukunft stellt. Das geschichtlich-endgeschichtliche Verständnis der paulinischen Heilslehre läßt so zwar die Spannungen in den paulinischen Gedanken nicht verschwinden, wohl aber in ihrer inneren Notwendigkeit verstehen.

Und damit wird uns das Denken des Paulus auch ganz persönlich wichtig und wertvoll. Denn alle ernsthafte Anthropologie wird den Menschen immer als geschichtliches, nicht naturhaftes Wesen verstehen, und die Bibel hat den Menschen nie anders gesehen, als in Gottes Geschichte hineingestellt. Paulus aber verkündet nichts anderes, als daß wir zu Gott niemals anders kommen können, als wenn wir uns in das Heilshandeln hineinziehen lassen, das Gott mit Christus begonnen hat und das er einst vollenden wird. Die Weltanschauungsform der eschatologischen Erwartung ist für uns freilich unwiederbringlich dahin; aber was Paulus unter dieser Form meint, nämlich das geschichtliche Handeln Gottes an den Menschen, die ihrerseits in einer Geschichte stehen, diese Botschaft des Paulus ist für uns genauso die christliche Botschaft wie für die Zeitgenossen des Paulus oder die Reformatoren. SCHWEITZER sagt am Ende seines Buches, daß Erlösungsfrömmigkeit ohne Reich-Gottes-Glaube unvollständiges Christentum sei (S. 371). Das ist richtig. Aber wir können nur dann durch den Glauben an Christus zugleich im Glauben an das Reich Gottes stehen, wenn wir wissen, daß dieser Christusglaube uns gerade hineinstellt in Gottes geschichtliches Heilshandeln, das Gottes Reich heraufführt. Nur von einem solchen geschichtlich-eschatologischen Boden aus kann Paulus richtig verstanden werden; aber auch nur von einem solchen Verständnis aus kann die Reich-Gottes-Botschaft des Paulus uns Menschen von heute Gottes Offenbarung so verkünden, daß wir sie persönlich hören können.

DIE ESCHATOLOGIE DER EVANGELIEN

Ihre Geschichte und ihr Sinn

Die Frage nach dem Sinn der Eschatologie der Evangelien ist aus der gegenwärtigen Lage der neutestamentlichen Forschung herausgewachsen. Daß in den Evangelien Worte vom Ende der Welt enthalten sind und daß Jesus vom Schicksal der Menschen nach dem Tode redet, hat man natürlich immer gewußt. Aber diese Gedanken begegneten keinem großen Interesse, weil man sie als Einzellehren wertete, die keine zentrale Bedeutung haben. Selbst der Begriff „Gottesreich" konnte nur sekundäres Interesse beanspruchen für eine Forschungsrichtung, die darin eine soziale Größe oder ein ethisches Mahnwort sah[1]. Das wurde anders, als JOHANNES WEISS und ALBERT SCHWEITZER erkannten, daß ganz im Gegenteil die Enderwartung die treibende Kraft in der gesamten Predigt Jesu sei. WEISS, damals Professor in Marburg, hatte als Schüler und Schwiegersohn ALBRECHT RITSCHLS sich „von der ungemeinen Bedeutung des systematischen Gedankens vom Reiche Gottes überzeugt". Er hatte von RITSCHL gelernt, wie es ADOLF VON HARNACK klassisch formuliert hat, daß nach Jesu Meinung das Gottesreich „kommt, indem es zu den *einzelnen* kommt, Einzug in ihre *Seele* hält, und sie es ergreifen"[2]. Wir müssen uns heute, wo diese Deutung des Gottesreichs kaum noch | überhaupt bekannt ist, diese Lage klar machen, um zu begreifen, welche große exegetische Leistung darin lag, daß WEISS sich trotzdem davon überzeugte, daß historisch alle Behauptungen von der inneren Gegenwärtigkeit des Gottesreiches und seiner innerweltlichen Entwicklung in der Predigt Jesu unhaltbar sind, daß Jesus vielmehr das Gottesreich immer als zukünftig-apokalyptische Größe verstanden habe[3]. Doch sah sich auch WEISS genötigt, eine Reihe von Gegenwartsaussagen Jesu anzuerkennen, erklärte sie aber als „Äußerungen pneumatischer Ekstase". SCHWEITZER aber, damals Privatdozent für Neues Testament an der Universität Straßburg, war schon als Student anhand der Lektüre der Synoptiker an dem herrschenden Jesus-Verständnis irre geworden. Er hatte die Bedeutung der eschatologischen Worte Jesu erkannt und suchte nun, die ihm unverständ-

[1] Charakteristisch sind in dieser Hinsicht noch die Neutestamentlichen Theologien von H.J. HOLTZMANN, 1911[2] und P. FEINE, 1931[5], die die Gerichts- und Parusiegedanken ans Ende ihrer Darstellung der Lehre Jesu stellen und von der Gottesherrschaft erst nach der Gesetzes- und Gottesfrage (HOLTZMANN) oder gar erst nach der Messiasfrage (FEINE) handeln.

[2] A. v. HARNACK, Das Wesen des Christentums, 1901[4], S. 36. Vgl. S. 39: „Das Gottesreich hat die Natur einer geistigen Größe, einer Macht, die in das Innere eingesenkt wird und nur von dem Innern zu erfassen ist."

[3] J. WEISS, Die Predigt Jesu vom Reiche Gottes (1892[1]), 1900[2].

lich gewesene Lehre Jesu dadurch neu zu begreifen, daß er die Verkündigung des
nahen Reiches und den Glauben Jesu, zum Messias des kommenden Reiches bestimmt zu sein, als die Zentralgedanken der Predigt Jesu herausstellte und konsequent jede Gegenwart des Gottesreiches bestritt[4]. Diese beiden, von ganz verschiedenen Ausgangspunkten aus unternommenen Versuche, die Eschatologie als den
Mittelpunkt der Predigt Jesu aufzuweisen, erregten naturgemäß zunächst Entsetzen,
da damit die Lehre Jesu restlos an jüdische Vorstellungen gebunden und dem Irrtum
der Erwartung des nahen Endes unterworfen schien; aber die weitere Forschung hat
doch einsehen müssen, daß in der Tat die Enderwartung die gesamte Predigt Jesu
beherrscht[5]. Damit war die Escha | tologie in den Mittelpunkt der Bemühung um
die Darstellung Jesu in den synoptischen Evangelien gerückt, und es erhob sich
immer mehr die Frage nach dem Umfang der eschatologischen Gedanken Jesu, noch
viel mehr aber die nach ihrem eigentlichen Sinn. So hat, was den Umfang der eschatologischen Erwartung Jesu anbetrifft, etwa WILHELM MICHAELIS wieder jede Ge-
genwartsaussage in der Reichspredigt Jesu geleugnet[6], während HEINZ-DIETRICH
WENDLAND und RUDOLF OTTO in verschiedener Weise betonten, daß die Lehre Jesu
nicht verständlich sei ohne die Annahme, daß Jesus die eschatologische Erwartung
auch in die Gegenwart hineingetragen habe[7]. Aber nicht nur diese exegetische Frage
ist umstritten; sondern immer mehr ist das theologische Problem in den Vordergrund getreten, welchen *Sinn* denn diese durch das Ausbleiben des Endes belastete
eschatologische Predigt gehabt habe; dieses Problem aber ist besonders im Zusammenhang mit der Tatsache brennend geworden, daß die moderne Theologie seit dem
Kriege wieder in einem vorher ungekannten Maße „eschatologische" Theologie sein
wollte, mochte auch „eschatologisch" in sehr verschiedenem Sinn gebraucht werden[8]. Von dieser im engeren Sinn theologischen Fragestellung aus ist die Frage nach
der Bedeutung der Eschatologie auch auf die Untersuchung | des Johannesevange-
liums ausgedehnt worden. Es ist ja bekannt, daß das Johannesevangelium in erster
Linie die Gegenwart des Heils für den Gläubigen verkündet und kaum etwas von
apokalyptischen Ereignissen der Endzeit sagt. Fehlt bei Johannes wirklich jede

[4] A. SCHWEITZER, Das Messianitäts- und Leidensgeheimnis (Das Abendmahl im Zusammenhang mit dem Leben Jesu, II), 1901; A. SCHWEITZER, Geschichte der Leben-Jesu-Forschung (1906[1]) 1913[2] (bes. S. 390 ff). Vgl. auch die Zusammenfassung bei A. SCHWEITZER,
Selbstdarstellung, 1929, S. 4 ff.

[5] Vereinzelte Vertreter der innerweltlichen Deutung des Gottesreiches finden sich auch
heute noch, z. B. T. BOHLIN, Die Reich-Gottes-Idee im letzten halben Jahrhundert, ZThK
1929, S. 1 ff und C. H. DODD, Das innerweltliche Reich Gottes in der Verkündigung Jesu,
ThBl 1927, S. 120 ff. Vgl. auch die Theologie des social gospel bei H. FRICK, Das Reich Gottes in amerikanischer und deutscher Theologie der Gegenwart, 1926, S. 6 ff. Die katholische
Theologie bestreitet die eschatologische Naherwartung bei Jesus, siehe K. ADAM, Das Wesen
des Katholizismus, 1928[5], S. 90 ff.

[6] W. MICHAELIS, Täufer, Jesus, Urgemeinde. Die Predigt vom Reiche Gottes vor und
nach Pfingsten, 1928.

[7] H.-D. WENDLAND, Die Eschatologie des Reiches Gottes bei Jesus, 1931. – R. OTTO,
Reich Gottes und Menschensohn, 1934. Vgl. auch E. v. DOBSCHÜTZ, The Eschatology of the
Gospels III (The Expositor VII, 9, 1910, S. 334 ff).

[8] Vgl. den Überblick bei F. BURI, Die Bedeutung der neutestamentlichen Eschatologie
für die neuere protestantische Theologie. Diss. Bern 1934 (auch als Buch erschienen). Ferner F. HOLMSTRÖM, Das eschatologische Denken der Gegenwart, 1936.

Eschatologie, jede Enderwartung im Sinne der synoptischen Evangelien oder auch des Paulus? Steht das Johannesevangelium in seiner uneschatologischen Haltung im Gegensatz zum übrigen Neuen Testament? Besonders RUDOLF BULTMANN hat in einem Aufsatz diese Frage gestellt und ihre Diskussion dringlich gemacht[9]. Alle diese genannten Fragen können aber nur im Zusammenhang einer befriedigenden Antwort zugeführt werden. Denn die geschichtliche Frage nach der Entwicklung des eschatologischen Denkens innerhalb der Evangelien und die theologische Frage nach dem Sinn dieses Denkens sind unauflöslich miteinander verknüpft und können nur in stetiger Verbindung gelöst werden. Ihre Lösung aber ist in der gegenwärtigen theologischen Lage dringend wichtig geworden. Es soll darum in den folgenden Ausführungen versucht werden, die geschichtliche Entwicklung der eschatologischen Verkündigung der Evangelien als Frage nach ihrem Sinn zu behandeln und damit einen Beitrag zur Klärung des Wesens der neutestamentlichen Verkündigung zu liefern.

I

Wenden wir uns nun zunächst zur Predigt Jesu, so ist ja seit den Zeiten von DAVID FRIEDRICH STRAUSS anerkannt, daß wir als Quellen für die Predigt Jesu die Synoptiker zu verwenden haben und daß das Johannesevangelium höchstens ergänzend herangezogen werden darf. Aber mit dieser Voraussetzung ist die kritische Frage noch keineswegs erschöpft. Denn die neueren Bemühungen um die Entstehung der Evangelien haben | immer deutlicher gezeigt, daß auch die synoptischen Evangelien nicht Geschichtsberichte sind, die man einfach als historische Quellen benutzen könnte, sondern Zeugnisse für den Glauben der Urgemeinde. Die Synoptiker lehren uns also zunächst, was die ältesten christlichen Gemeinden von Jesus dachten und erzählten, sie sind Quellen für die Urgemeinde. Und doch hat die sog. „formgeschichtliche" Untersuchung der Tradition gezeigt, daß der Urgemeinde eine große Anzahl von wertvollen Einzelberichten und Worten zur Verfügung stand, die sie in missionarischer oder katechetischer Absicht formte und weitergab. Die Forschung muß diese Einzeltexte zurückzugewinnen suchen und aus ihnen den Zusammenhang der Gedanken Jesu neu herstellen. Was wir über Jesu Lehre sagen, ist also bis zu einem gewissen Grade immer Konstruktion, freilich eine Konstruktion, die auf dem Wissen aufbaut, daß uns in der Botschaft der Urgemeinde die Nachricht von dem geschichtlichen Menschen Jesus erreicht hat[10]. Auch die Frage nach der eschatologischen Botschaft Jesu muß also analytisch *und* konstruktiv angefaßt werden, darf aber dann auch hoffen, bis zur geschichtlichen Wirklichkeit der Predigt Jesu vorzudringen.

[9] R. BULTMANN, Die Eschatologie des Johannesevangeliums, in „Glauben und Verstehen", Gesammelte Aufsätze, 1933, S. 134–152.
[10] Vgl. zu diesen methodischen Fragen angesichts der Synoptiker: M. DIBELIUS, Die Formgeschichte des Evangeliums, 1933²; M. DIBELIUS, Zur Formgeschichte der Evangelien, ThR 1929, S. 185 ff; R. BULTMANN, Die Geschichte der synoptischen Tradition, 1931²; J. SCHNIEWIND, Zur Synoptiker-Exegese, ThR 1930, S. 129 ff; V. TAYLOR, The Formation of the Gospel Tradition, 1933.

Daß Jesus den eschatologischen Bußruf des Täufers aufgenommen hat, ist zwar nicht direkt bezeugt, darf aber wohl als sicher angenommen werden. Es ist aber sofort charakteristisch, *wie* Jesus diesen Bußruf aufgenommen hat. Jesus hat zwar mit allem Ernst vor dem kommenden Gericht gewarnt und davon geredet, daß eine Ablehnung seiner Person zur Verwerfung im Gericht führen werde (Mk 12, 40; Mt 11, 21 f); er hat auch betont, daß er als „Menschensohn" | beim Gericht als Ankläger beteiligt sein werde (Mt 10, 33; Mk 8, 38). Und Jesus hat das Bestehen im Gericht gelegentlich auch einmal deutlich als die Bedingung für den Eingang ins Gottesreich bezeichnet (Mk 9, 43 ff). Aber Jesus hat doch in der Hauptsache einfach gepredigt, daß die *Gottesherrschaft* nahe sei (Mk 1, 15; 9, 1; Mt 10, 7). Und das ist sehr bezeichnend. Natürlich hat Jesus mit diesem Begriff der kommenden Königsherrschaft Gottes einen jüdischen Gedanken aufgenommen[11]. Spätestens seit der Königszeit hat man in Israel von Gottes Königtum geredet, und besonders Deuterojesaja hat Gottes eschatologische Königsherrschaft verkündet (Jes 45, 23; 52, 7). Das Spätjudentum hat dementsprechend davon gesprochen, daß Jahve immer König ist und daß man durch Halten der Gebote das „Joch der Gottesherrschaft" auf sich nimmt. Aber ebenso hofften die frommen Juden der Zeit Jesu darauf, daß Gottes Herrschaft bald kommen werde und daß dann alle feindlichen Gewalten besiegt werden. Eine glühende Hoffnung auf das Ende der Feinde Gottes und eine brennende Sehnsucht nach dem Offenbarwerden der Herrlichkeit Gottes, die allem irdischen Streit ein Ende macht, liegt in dieser Erwartung. „Dann wird seine (d. h. Gottes) Herrschaft erscheinen über aller seiner Kreatur, und dann wird der Teufel ein Ende haben, und die Traurigkeit wird mit ihm schwinden... Dann wirst du, Israel, glücklich sein... und wirst von oben herabblicken und deine Feinde auf Erden sehen und sie erkennen und dich freuen und Dank sagen und dich zu deinem Schöpfer bekennen"[12]. Man muß diese glühende Hoffnung kennen, muß wissen, | daß die Juden schon damals in ihrem täglichen Gebet Gott anflehten: „Sei König über uns, du allein"[13], wenn man nachempfinden will, was der Jude von damals empfand, wenn er die Botschaft hörte: Die Herrschaft Gottes ist nahe. Und trotzdem ist charakteristisch, daß Jesus gerade von der Nähe der *Gottesherrschaft* geredet hat. Denn so lebendig die eschatologische Erwartung zur Zeit Jesu auch gewesen ist, diese Hoffnung hat sich gerade damals in viel stärkerem Maße an den Begriff des „kommenden Äon" geheftet als an den weniger deutlich zukünftigen der Gottesherrschaft[14]. Wenn Jesus also gerade davon spricht, daß Gottes Herrschaft nahe ist, so zeigt er damit, daß seine eschatologische Erwartung an *Gottes* Handeln, nicht allgemein an apokalyptischen Endereignissen interessiert ist. Jesus kennt wohl die apokalyptischen Erwar-

---

[11] Genaueres zuletzt bei G. DALMAN, Die Worte Jesu I, 1930², S. 75 ff; W. EICHRODT, Theologie des Alten Testaments I, 1933, S. 95 ff; P. VOLZ, Die Eschatologie der jüdischen Gemeinde im neutestamentlichen Zeitalter, 1934, S. 165 ff. – Man übersetzt ἡ βασιλεία τοῦ θεοῦ bzw. sein aramäisches Äquivalent malkhūthā dišemájjä am besten mit „Gottesherrschaft".

[12] Himmelfahrt des Mose 10, 1. 8. 10.

[13] Achtzehnbittengebet, Palästin. Rezension, 11. Bitte (s. H. L. STRACK und P. BILLERBECK, Kommentar zum Neuen Testament aus Talmud und Midrasch IV, 1, 1928, S. 212).

[14] Siehe G. DALMAN, Die Worte Jesu I, S. 110; J. WEISS, Die Predigt Jesu vom Reiche Gottes², S. 1 ff.

tungen von kosmischen Katastrophen, die mit dem Kommen des Endes verbunden sein sollen (vgl. Mk 13, 31), aber er erwähnt diese nur im Vorbeigehen. Diese Behauptung wäre freilich falsch, wenn die Worte der sogenannten „Synoptischen Apokalypse" (Mk 13 und Parallelen) ganz und gar von Jesus stammten. Aber eine Analyse dieser Rede zeigt, daß es sich hier um ein aus vielen Einzeltexten zusammengesetztes Stück handelt, dessen Hauptbestandteil nicht christliche Neubildung, sondern jüdische Tradition ist, die die Urgemeinde aufgenommen hat[15]. Und es ist durchaus nicht so, wie JULIUS SCHNIEWIND neuerdings behauptet hat[16], daß die | Frage der „Echtheit" dieser Worte eine Frage zweiten Ranges sei, weil jedes Wort eine solche Prägung habe, wie sie nur von der Wirklichkeit „Jesus" her möglich ist. Denn die Gemeinde hat nicht nur die Worte Jesu geformt und weitergegeben, sondern auch fremde Traditionen aufgenommen; und das Fehlen aller Beziehung der meisten Texte von Mk 13 auf die konkrete Endsituation zur Zeit Jesu zeigt, daß hier tatsächlich jüdische Tradition vorliegt. Erst diese kritische Einsicht aber läßt begreifen, warum die deutlichen Aussagen Jesu so ganz anders lauten. Denn Jesus lehnt ausdrücklich alle apokalyptische Zeichendeuterei ab, „die Gottesherrschaft kommt nicht so, daß man sie berechnen könnte" (Lk 17, 20), das Ende kommt plötzlich wie ein Blitz (Mt 24, 27). Aber Jesus gibt überhaupt keinerlei Beschreibung des Zustandes in der Gottesherrschaft; in der Gottesherrschaft wird es ganz anders sein, als die Menschen sich wünschen möchten (Mk 12, 25). Und was noch wichtiger ist, Jesus verbindet keinerlei nationale Hoffnungen mit der Gottesherrschaft, er redet nicht von der Vernichtung der politischen Feinde, sondern von der Vernichtung Satans und der Dämonen (Lk 11, 20; 10, 18; Mk 3, 23 ff). Und das hat seinen Grund darin, daß Jesus die Gottesherrschaft nicht von menschlichen Wünschen, sondern von Gott her sieht. Alle menschlichen Wünsche, alles menschliche Mühen um die Welt und das eigene Heil werden demgegenüber bedeutungslos. Daß *Gott* bald in seiner vollen Macht handeln wird, das ist zunächst der Sinn der Predigt Jesu von der Gottesherrschaft.

Fragen wir nun aber nach dem *Inhalt* dieser Botschaft „Gott wird König sein", so müssen wir bemerken, daß Jesus auch das *Heil* der Gottesherrschaft nicht näher beschreibt. Er kennt und verwendet wohl die jüdischen Bilder vom Mahl, von den Ehrenplätzen, vom Sitzen im Schoße Abrahams (Mt 8, 11; Mk 10, 40; Lk 16, 23), doch werden alle diese Bilder niemals näher | ausgeführt; Jesus spricht auch häufig davon, daß das Empfangen der Gottesherrschaft Leben, Freude, Herrlichkeit bedeute (z. B. Mk 9, 45. 47; Mt 25, 21; Mk 10, 37). Aber all das sind ja nur Andeutungen. Und daneben steht nun, durch die ganze Verkündigung Jesu hindurch, die Gerichtspredigt, die den Eintritt in das Heil der Gottesherrschaft unbarmherzig an das Bestehen in Gottes Gericht knüpft (Lk 17, 34 f; Mt 12, 41; Mk 12, 40 usw.). So

---

[15] Zu dieser Analyse vgl. J. WELLHAUSEN, Evangelium Marci, 1909², S. 100 ff; F. HAUCK, Das Evangelium des Markus, 1931, S. 153 f; R. BULTMANN, Geschichte der synoptischen Tradition², S. 129. – Es handelt sich aber wohl um keine geschlossene jüdische Apokalypse, sondern um jüdische Einzeltraditionen (so auch J. SCHNIEWIND, Das Evangelium nach Markus, 1933, S. 157).

[16] A. Anm. 15 aO.

scheint Jesus ein Buß- und Gerichtsprediger gewesen zu sein wie der Täufer Johannes. Und doch haben die Juden einen scharfen Unterschied zwischen der Gerichtspredigt des Täufers und der Botschaft Jesu gespürt (Mt 11, 18f). Hier zeigt sich angesichts der Predigt Jesu von der Gottesherrschaft eine Aporie, die wir lösen müssen, wenn wir den *sachlichen* Sinn dieser Predigt Jesu verstehen wollen. Wir müssen fragen, ob Jesus denn wirklich *nur* von einer ungewissen, nicht zu beschreibenden, wenn auch nahe bevorstehenden Herrschaft Gottes gepredigt habe.

Diese Frage erhebt sich ganz besonders angesichts der Tatsache, daß Jesus mit der Predigt von der nahen Gottesherrschaft die Forderung des Glaubens an das Evangelium, die frohe Botschaft, verbunden haben soll (Mk 1, 15). Hat Jesus wirklich seine Predigt eine Frohbotschaft genannt?[17] Man hat das einst energisch be | stritten und eine Reihe guter Gründe gegen den Gebrauch des Wortes „Frohbotschaft" durch Jesus vorbringen können. Und in der Tat wird man zugeben müssen, daß keiner der Aussprüche Jesu im Markusevangelium, in denen das Wort „Evangelium" begegnet, als echt gesichert werden kann. Anders steht es aber mit dem Verbum „ $\varepsilon \vartheta \alpha \gamma \gamma \varepsilon \lambda i \zeta \varepsilon \sigma \vartheta \alpha \iota =$ eine frohe Botschaft verkünden". Dieses Verbum begegnet in der Antwort Jesu auf die Täuferfrage: „Blinde sehen, und Lahme gehen, Aussätzige werden rein, und Taube hören, und Tote stehen auf, und Armen wird die frohe Botschaft verkündet. Und selig, wer an mir nicht zu Fall kommt" (Mt 11, 5f). Dieses Wort Jesu gehört gerade um seiner ausweichenden Antwort auf die Messiasfrage willen zu den am sichersten echten Worten Jesu; es zeigt aber deutlich, daß Jesus die alttestamentliche Weissagung „der Geist des Herrn ruht auf mir..., er hat mich gesandt, den Elenden frohe Botschaft zu bringen" (Jes 61, 1) auf seine Predigt bezogen hat. Nun hat Schniewind gezeigt, daß im palästinischen Judentum die Erwartung eines Freudenboten der Endzeit, die zuerst Deuterojesaja verkündet hat (Jes 41, 27; 52, 7), weiterlebte, also nicht vergessen worden war[18]. Mt 11, 5 zeigt also, daß Jesus diese Erwartung des Spätjudentums auf sich bezogen und sich als den

---

[17] Siehe die zusammenfassende Darstellung und die Literaturangabe bei G. Friedrich, Art. $\varepsilon \vartheta \alpha \gamma \gamma \varepsilon \lambda i \zeta o \mu \alpha \iota$ usw., Theol. Wörterbuch zum Neuen Testament, hrsg. von G. Kittel, II, 1935, S. 705ff. Besonders G. Dalman, Die Worte Jesu I², S. 84f; J. Wellhausen, Einleitung in die drei ersten Evangelien, 1911², S. 98ff; M. Werner, Der Einfluß paulinischer Theologie im Markusevangelium, 1923, S. 98ff; J. Schniewind, Euangelion I, 1927, II, 1931; J. Schniewind, ThR 1930, S. 177ff. Dalman und Wellhausen haben den Gebrauch des Begriffes „Evangelium" im Munde Jesu bestritten, weil die einzelnen Texte Gemeindebildungen seien, ferner weil das aramäische Wort „bassar" nur „verkündigen", nicht „frohbotschaften" heiße, und weil bei Markus $\varepsilon \vartheta \alpha \gamma \gamma \varepsilon \lambda \iota o \nu$ immer die paulinische Botschaft von Kreuz und Auferstehung Christi bezeichne; Wellhausen hat überhaupt den ganzen Begriff aus dem Hellenismus, besonders aus dem Kaiserkult ableiten wollen. Aber M. Werner hat demgegenüber gezeigt, daß $\varepsilon \vartheta \alpha \gamma \gamma \varepsilon \lambda \iota o \nu$ bei Markus nicht einheitlich gebraucht wird, daß z. B. Mk 1, 14. 15; 13, 10 $\varepsilon \vartheta \alpha \gamma \gamma \varepsilon \lambda \iota o \nu$ deutlich die Frohbotschaft von der kommenden Gottesherrschaft bezeichne, also nicht paulinischen Einfluß zeige. Schniewind hat dann nachgewiesen, daß bassar wie die entsprechenden Wörter anderer semitischer Sprachen in der Tat immer „*frohe* Botschaft verkünden" bezeichnen; ganz besonders aber hat Schniewind auf die spätjüdischen Parallelen zur synoptischen Vorstellung aufmerksam gemacht.

[18] Siehe besonders Psalm Salomos 11, 1. 2: „Posaunet in Zion mit der Lärmposaune der Heiligen, laßt in Jerusalem des Freudenboten ($\varepsilon \vartheta \alpha \gamma \gamma \varepsilon \lambda \iota \zeta o \mu \varepsilon \nu o \nu$) Stimme hören, denn Gott hat sich Israels in seiner Heimsuchung erbarmt." Weitere Belege bei G. Friedrich, ThW II, S. 712f.

Freudenboten der Endzeit gewußt hat. Bei aller Unsicherheit der Überlieferung läßt sich also doch ziemlich sicher sagen, daß Jesus seine Predigt von der kommenden | Gottesherrschaft als „Evangelium" bezeichnet hat. Und derselbe Text, Mt 11, 5f, zeigt uns auch, warum Jesus seine Predigt so beurteilen konnte. Jesus war vom Täufer gefragt worden, ob er der Messias der Zukunft sei; er antwortet mit einem Hinweis auf die Gegenwart, in der messianische Taten geschehen. Und zwar werden nicht nur die Heilungen, sondern gerade auch die Predigt Jesu als Zeichen, als Vorgänge der sich offenbarenden Gottesherrschaft gewertet[19]. Jesus bringt in seiner Predigt *und* in seinem Handeln die zukünftige Gottesherrschaft in die Gegenwart hinein. Und dieselbe Tatsache kann man an den Antithesen der Bergpredigt erkennen (Mt 5, 21 ff). Wenn hier Jesus der jüdischen Überlieferung sein „Ich sage euch" entgegenstellt, so bringt er den endgültigen Willen Gottes, die abschließende Offenbarung[20]. Damit tritt Gott, dessen Handeln Jesus als bald bevorstehend verkündet hatte, bereits in die Gegenwart handelnd hinein in dem, was Jesus sagt. Hier liegt also keine reine Zukunftspredigt vor, sondern hier haben wir Gegenwart, Vorauswirken der Eschatologie. Und noch deutlicher hat Jesus das für sein Handeln bezeugt. In der Gewalt über die Dämonen, die ihm geschenkt ist, sieht Jesus die Gottesherrschaft schon zu den Menschen gekommen (Mt 12, 28), in der Überwindung des Satans spürt Jesus Gottes Herrschaft schon angebrochen (Mk 3, 27; Lk 10, 18). Es kann also keine Frage sein: Jesus wußte in *seinem* Reden und Handeln den handelnden Gott der Endzeit in die Gegenwart hinein wirkend. Und eben darin liegt die Frohbotschaft, daß in Jesus, seiner Predigt, seinem Handeln, seiner Person die kommende Gottesherrschaft | schon Gegenwart geworden ist: „Selig eure Augen, die sehen, was ihr seht, und eure Ohren, die hören, was ihr hört" (Mt 13, 16)!

Aber hier erhebt sich nun die entscheidende Frage, *in welchem Sinne* Jesus dieses Gegenwärtigsein der endzeitlichen Gottesherrschaft gemeint habe. Daß Jesus die Gottesherrschaft nie als auf Erden oder gar in den Menschenherzen sich entwickelnde Größe verstanden hat, ist wohl oft genug bewiesen worden, um hier als sicher vorausgesetzt werden zu dürfen[21]. Die Gleichnisse vom Fischnetz (Mt 13, 47 ff), vom Senfkorn und Sauerteig (Mk 4, 30–32; Mt 13, 33), vom Unkraut unter dem Weizen (Mt 13, 24 ff) schildern, wie man sie im einzelnen auch deuten will, nicht die Entwicklung der auf Erden wachsenden Gottesherrschaft, sondern reden von der Scheidung, die sich beim Anbruch der Gottesherrschaft vollziehen wird; auch diese Gleichnisse setzen nur voraus, daß es jetzt schon Menschen gibt, die einst Glieder des Reiches sein werden, die man aber jetzt noch nicht ausscheiden kann[22]. Und

---

[19] Das gleiche zeigt sich Mt 13, 16f = Lk 10, 23f: „Selig eure Augen, die sehen, was ihr seht, und eure Ohren, die hören, was ihr hört." Die entsprechenden jüdischen Seligpreisungen für diejenigen, die die messianische Zeit erleben dürfen, reden immer nur vom *Sehen* des Heils (z. B. Psalm Salomos 17, 50 und Pesiqta de Rab Kahana, Kap. 22 bis, S. 149a ed. Buber)!

[20] Vgl. dazu W. G. Kümmel, Jesus und der jüdische Traditionsgedanke, ZNW 1934, S. 125 ff.

[21] Vgl. etwa J. Weiss, Jesu Predigt vom Reiche Gottes[2], S. 73 ff und G. Gloege, Reich Gottes und Kirche im Neuen Testament, 1929, S. 67 ff.

[22] Siehe zu diesen Gleichnissen W. Michaelis, Täufer, Jesus, Urgemeinde, 1928, S. 70f

ebensowenig beweist Lk 17, 20f, daß Jesus eine Gottesherrschaft in den Menschenherzen kannte. Daß die Übersetzung Luthers „das Reich Gottes ist inwendig in
euch" falsch ist angesichts der Tatsache, daß Jesus zu Pharisäern redet, ist wohl anerkannt. Man deutet darum heute meist: Das Reich Gottes kann man nicht voraus-
berechnen, es ist mit einem Schlage unter euch da[23]. Aber bei dieser Auslegung ist
das entscheidende Wort „mit einem Schlage" eben eingetragen. Wahrscheinlicher ist
mir darum die Auslegung, die Jesus das Berechnen des Endes ablehnen läßt, weil
„die Got | tesherrschaft zwischen euch da ist", nämlich in der Person Jesu und
seinem Tun[24]. Dann besagt Lk 17, 20f also auch nur, daß *in Jesus* die eschatologische Gottesherrschaft in die Gegenwart vorauswirkt. Von einer irdischen Entwicklung der Gottesherrschaft kann also nicht die Rede sein. Wohl aber wird neuerdings
mit beachtlichen Gründen die Frage gestellt, ob denn nicht Jesus in dem Kreise seiner Jünger die Gottesherrschaft gegenwärtig gesehen habe. Diese auch früher schon
vertretene Meinung hat eine neue Begründung erhalten durch die Forschungen von
FERDINAND KATTENBUSCH und die sich daran anschließende Diskussion (besonders
in einem Aufsatz von KARL LUDWIG SCHMIDT)[25]. KATTENBUSCH hat darauf hingewiesen, daß Jesus, der sich als den Menschensohn von Dan 7 wußte, auch in seinem Jüngerkreis das „Volk der Heiligen des Höchsten" sehen *mußte;* Jesus habe
darum in seinen Jüngern die kommende Gottesherrschaft schon gegenwärtig gesehen; und SCHMIDT hat durch sprachliche Untersuchungen den Gedanken zu stützen gesucht, daß Jesus eine Sonder-Gemeinde gründen wollte, wofür denn auch das
als echt anerkannte Wort an Petrus Mt 16, 18f als Beweis zu gelten hat. Es ist charakteristisch, wie stark in dieser ganzen Erörterung systematische Konstruktion die
exegetische Fragestellung | verdrängt hat[26]. Demgegenüber muß aber eine ernst-
haft *biblisch*-theologische Forschung von der Frage nach dem exegetischen Tatbestand ausgehen. Da zeigt sich zunächst zweifellos, daß Jesus einen Kreis von Nachfolgern um sich geschart hatte, die nicht nur sein Leben teilen sollten, sondern auch
den Auftrag erhielten, durch ihre Predigt von der Nähe des kommenden Reiches zu

und H.-D. WENDLAND, Die Eschatologie des Reiches Gottes bei Jesus, 1931, S. 34 ff.
[23] So R. BULTMANN, Jesus, 1926, S. 39; E. KLOSTERMANN, Das Lukasevangelium, 1929[2],
S. 175; W. MICHAELIS, Täufer, Jesus, Urgemeinde, S. 76 ff; F. HAUCK, Das Evangelium des
Lukas, 1934, S. 215.
[24] So R. OTTO, Reich Gottes und Menschensohn, S. 104 ff; G. GLOEGE, Reich Gottes und
Kirche im Neuen Testament, S. 130 f; H.-D. WENDLAND, Die Eschatologie des Reiches Gottes, S. 46 f; H. PREISKER, Geist und Leben, 1933, S. 13. Die Vulgata übersetzt ἐντὸς ὑμῶν
mit „intra vos"; die beiden altsyrischen Übersetzungen lesen baināthkhūn = zwischen euch.
[25] Vgl. F. KATTENBUSCH, Der Quellort der Kirchenidee (Festgabe für A. v. HARNACK,
1921, S. 143 ff); KATTENBUSCH, Die Vorzugsstellung des Petrus und der Charakter der Urgemeinde zu Jerusalem (Festgabe für K. MÜLLER, 1922, S. 322 ff); K. L. SCHMIDT, Die Kirche
des Urchristentums (Festgabe für A. DEISSMANN, 1927, S. 258 ff); H.-D. WENDLAND, Die
Eschatologie des Reiches Gottes bei Jesus, S. 135 ff. Für die übrige Diskussion siehe die Berichte von O. LINTON, Das Problem der Urkirche in der neueren Forschung, Diss. Upsala
1932, S. 132 ff und H. WINDISCH, ThR 1933, S. 239 ff.
[26] Siehe z. B. H.-D. WENDLAND, Die Eschatologie usw., S. 163: „Durch die innere Dialektik der Eschatologie ist wie eine eschatologische Gegenwärtigkeit, so auch ein eschatologischer, vom Reichsbegriff abhängiger Gemeindebegriff schon in der Geschichte Jesu tief ver-
wurzelt."

zeugen (Mk 1, 16ff; 10, 17. 21; Lk 9, 61f). Es ist auch keine Frage, daß auf diese Weise diese Menschen zu Dienern an der kommenden Gottesherrschaft gemacht wurden, ja eine Gemeinschaft von künftigen Kindern der Gottesherrschaft bildeten. Aber Jesus hat niemals die Zugehörigkeit zu dem Kreise seiner Nachfolger für *alle* seine Hörer zur Bedingung für den Eintritt in die Gottesherrschaft gemacht (vgl. Mk 12, 34; Mt 5, 3; 6, 33), sondern von der Mehrzahl nur das Tun des Willens Gottes verlangt. Und es ist ganz deutlich, daß Jesus nicht in dem einen Teil seiner Anhänger schon jetzt die Gottesherrschaft gegenwärtig sah, in dem andern aber nicht, und nirgendwo steht in den Quellen zu lesen, daß der Gehorsam der Menschen gegen die messianische Botschaft Jesu aus diesen Jüngern eine Gemeinde oder den Anfang der Gottesherrschaft gemacht habe. Widerspricht dem aber nicht der Kreis der Zwölf, die den „Grundstock der neuen Gemeinde" und die „Repräsentation des wahren Gottesvolkes" bildeten?[27] Doch wohl kaum. Denn sowenig man bestreiten darf, daß Jesus einen Kreis von zwölf Jüngern ausgewählt hat, die für ihn den Anspruch seiner messianischen Predigt an die zwölf Stämme, an das ganze jüdische Volk, repräsentieren[28], sowenig ist irgend | wo gesagt, daß die Zwölf den Anfang einer „neuen Gemeinde" bildeten. Wohl sind die Zwölf der engste Kreis derer, die im Anschluß an Jesus auf die kommende Gottesherrschaft warten und für sie werben, aber eine Gegenwart der kommenden Gottesherrschaft hat Jesus auch in diesem Kreise nie gesehen. Erst auf diesem Hintergrund kann nun die vielumstrittene Frage nach der Echtheit von Mt 16, 18f behandelt werden[29]. Hier sagt Jesus deutlich: „Du bist Petrus, und auf diesen Felsen will ich meine Gemeinde bauen"; hier scheint also Jesus deutlich eine Gemeinde zu gründen, die eine Vorbereitung ist für die Gottesherrschaft. Man hält diesen Text heute wieder weitgehend für echt; doch erheben sich dagegen schwere Bedenken. Es ist zunächst kein Zweifel daran möglich, daß Matthäus die Antwort Jesu 16, 17–19 in den Zusammenhang des Messiasbekenntnisses von Caesarea Philippi Mk 8, 27–30 sekundär eingefügt hat (das beweist die Umbildung von Mk 8, 30 in Mt 16, 20!); die Antwort Mt 16, 17–19 ist nicht nur der ursprünglichen Perikope, sondern überhaupt dem Markus und Lukas unbekannt. Andererseits bilden die drei Verse einen geschlossenen formalen Parallelismus, der zweifellos auf aramäischem Sprachgebiet entstanden sein muß[30]. Der Text muß also als ganzer betrachtet und beurteilt werden. Nun fällt schon auf, daß nur hier und Mt 18, 17 im Munde Jesu ἐκκλησία = Gemeinde begegnet; die Gründung einer solchen Sondergemeinde paßt aber schlecht zu Jesu Anspruch, der | sich im Zwölfer-

---

[27] H.-D. WENDLAND, aaO, S. 160.

[28] Dazu vgl. J. WAGENMANN, Die Stellung des Apostels Paulus neben den Zwölf in den ersten zwei Jahrhunderten, 1926, S. 3ff; K. H. RENGSTORF, ThW I, S. 406ff, II, S. 321ff; K. LAKE, The Beginnings of Christianity, Part I, Vol. V, 1933, S. 37ff.

[29] Vgl. neben der Literatur in Anm. 25: H. WINDISCH, ZNW 1928, S. 185ff; R. BULTMANN, Die Geschichte der synopt. Tradition², S. 147, 150.

[30] Zur Form vgl. A. JUNCKER, NKZ 1929, S. 184; zum semitischen Sprachcharakter vgl. das Wortspiel „Du bist kēphā, und auf diesen kēphā (= Fels) will ich meine Gemeinde bauen", ferner das Patronymikon Βαριωνά, den rabbinischen Gegensatz von „Binden und Lösen", die Formel „Fleisch und Blut" für den Menschen, die Gottesbezeichnung „Vater im Himmel", schließlich die Seligpreisung in der zweiten Person.

kreis zeigt, das *ganze* Volk gewinnen zu wollen. Ferner hören wir, wie schon gesagt, nirgends, daß Jesus den Eintritt in die Gottesherrschaft an die Zugehörigkeit zu einer kultischen Sondergemeinde gebunden hätte. Noch weniger hören wir sonst irgendwo davon, daß Jesus für die Zeit zwischen seinem Tod und seiner Parusie eine organisatorische Vorsorge getroffen hätte; und man müßte sich ja auch sehr wundern, daß ein so wichtiges Wort dann nur dem Matthäus bekannt geworden sein sollte. Noch unbegreiflicher aber wäre, daß Jesus den Petrus zum Fundament dieser eschatologischen Gemeinde erklärt haben sollte; in den ganzen Kämpfen des Urchristentums ist davon nie die Rede. Und gänzlich unvorstellbar wäre schließlich, daß Jesus einem Menschen die Verfügung über den Eintritt in die Gottesherrschaft zuerkannt haben sollte. Läßt man den Text also stehen, wie er steht[31], so muß man zugeben, daß er nicht von Jesus stammen kann, sondern eine Bildung der Urgemeinde ist. Dann ergibt sich aber, daß Jesus zwar durchaus eine Gemeinschaft von zukünftigen Gliedern der Gottesherrschaft kennt, aber keine eschatologische Gemeinde, in der die Gottesherrschaft schon angebrochen wäre.

Und damit haben wir ein sehr wichtiges Resultat erreicht. Wir fanden, daß Jesus die kommende Gottes | herrschaft verkündete, daß er aber durchaus auch von einem Vorauswirken dieser Gottesherrschaft in die Gegenwart gezeugt hat. Aber dieses Vorauswirken zeigt sich allein in der Person Jesu, in seiner Predigt, seinem Handeln, seiner Gewinnung von Jüngern. In all dem ist die zukünftige und ganz in Gottes Macht stehende, darum nicht näher zu beschreibende Gottesherrschaft sichtbar und wirklich geworden, und die Menschen können in Ernst und Freude an Jesus erkennen, was die Verkündigung, daß Gott als König handeln wird, für sie bedeutet. Und hier unterscheidet sich die Reichspredigt Jesu radikal von den jüdischen Erwartungen. Jesu Predigt von der kommenden Herrschaft Gottes ist nicht das Reden von einem ungewissen Einst, das der Mensch sich nach seinen Wünschen ausmalt, sondern Jesus predigt von der Zukunft, indem er zur Entscheidung auffordert angesichts seiner konkreten, gegenwärtigen Person, die der Bringer und der Garant des eschatologischen Geschehens ist. Die Eschatologie ist also bei Jesus untrennbar verbunden mit der Christologie; Jesus will nicht apokalyptische Ereignisse enthüllen, sondern angesichts der durch ihn den Menschen sich zeigenden Forderungen des ewigen und darum auch zukünftigen Gottes zum Gehorsam rufen. Jesu Eschatologie ist Heilsbotschaft, weil sie nicht Apokalyptik, sondern die Christuswirklichkeit zum Inhalt hat. Ist diese Behauptung richtig, so wird sich zeigen müssen, daß alle Wand-

---

[31] Es ist charakteristisch, daß die meisten Forscher, die den Text als echt hinstellen, etwas wegzustreichen sich genötigt sehen. F. KATTENBUSCH macht aus dem Fundament, das Petrus für die Gemeinde sein soll, den „festen Punkt", den „geistigen Rückhalt" der Sondergemeinde (HARNACK-Festgabe, S. 166f) und hält V. 19 für eine Zufügung zu dem echten Jesusspruch (MÜLLER-Festgabe, S. 349 Anm. 3). K. L. SCHMIDT vermutet, der Hinweis auf das „Bauen" der Gemeinde durch Jesus sei erst nachträglich eingetragen, es habe ursprünglich dem Sinne nach geheißen: „Du bist der Fels der Gemeinde Gottes, die mit dir sich konstituiert als das wahre Israel" (DEISSMANN-Festgabe, S. 288). H. WINDISCH will die drei Sprüche Mt 16, 17. 18. 19 auseinandernehmen und nimmt für jeden von ihnen eine andere Entstehung an (ThR 1933, S. 255f). H.-D. WENDLAND redet statt von Petrus als dem Fundament der Gemeinde davon, daß Petrus die „Funktion des ersten Steines der Gemeinde haben" werde (Eschatologie usw., S. 175).

lungen im eschatologischen Denken der ersten Christen verbunden sein *müssen* mit der Wandlung in der Christologie.

II

Das bestätigt sich sofort, wenn man sich zur *Urgemeinde* wendet. Hier können wir freilich besonders wenig sicher urteilen, weil wir keine direkten Quellen haben. Aber Rückschlüsse aus den Evangelien, der Apostelgeschichte, den Paulusbriefen erlauben doch | einige ausreichende Erkenntnisse. Die Urgemeinde hat an der Hoffnung auf das baldige Kommen des Messias Jesus und damit an der Hoffnung auf das Kommen der Gottesherrschaft ungewandelt festgehalten (Mk 13, 26f; Apg 3, 20). Ja, diese Hoffnungen sind, wie gerade die synoptische Apokalypse (Mk 13) und verwandte Texte zeigen, noch verstärkt worden, indem die ersten Christen jüdische Zukunftshoffnungen zur Ausmalung ihrer Erwartung aufnahmen. Die Urgemeinde hat also die eschatologische Erwartung stärker als apokalyptische Voraussage verstanden als Jesus selber; dabei hat vermutlich der Zusammenhang des Menschensohntitels, den die Urgemeinde besonders reichlich für Jesus gebrauchte, mit apokalyptischen Gedanken (wie bei Daniel und im Henochbuch) eine wichtige Rolle gespielt[32]. Aber neben dieser Verstärkung des jüdischen Momentes der eschatologischen Erwartung Jesu geht nun doch eine andere, wichtigere Entwicklung her. Gewiß, man erwartete den Menschensohn auf den Wolken des Himmels; aber dieser erwartete Menschensohn war doch nicht eine unbekannte, nur durch die apokalyptische Tradition gegebene Gestalt, sondern der Mensch Jesus, den viele noch auf Erden gekannt und dessen Auferstehung viele erlebt hatten. Von diesem Auferstandenen glaubte man, daß er im Himmel bei Gott weile (Apg 2, 33), man erfuhr seine Wirksamkeit darin, daß er den Getauften den Geist sandte (Apg 2, 38), daß er seiner Gemeinde Kraft zu Heilungen gab (Apg 4, 10). Die Erfahrung von Ostern und Pfingsten bewirkte also, daß die ersten Christen nicht dabei stehen bleiben *konnten,* in Jesus nur den kommenden Menschensohn zu sehen, sie mußten den zukünftigen Menschensohn schon jetzt im Himmel erhöht wissen. Das zeigt sich einerseits in der altertümlichen Vorstellung, daß Jesus durch die Auferstehung oder auch schon durch die Taufe zum | Messias geworden sei (Apg 2, 36; Mk 1, 9ff)[33]. Das zeigt sich andererseits darin, daß die Urgemeinde den Auferstandenen als „Herrn" anrief und sich so als abhängig von dem Auferstandenen bezeichnete[34]. Diesem Wissen um die Gegenwart des kommenden Messias im Himmel entsprach dann das Bewußtsein der Urgemeinde, die auserwählte Gemeinde der Endzeit zu sein, in deren Mitte die kom-

[32] Vgl. K. KUNDSIN, Das Urchristentum im Lichte der Evangelienforschung, 1929, S. 13 ff; W. BOUSSET, Kyrios Christos, 1921², S. 5 ff.

[33] Vgl. zu diesem Verständnis der Taufgeschichte M. DIBELIUS, Die Formgeschichte des Evangeliums, 1933², S. 270 ff.

[34] Auf diese seit BOUSSETS Kyrios Christos vielumstrittene Frage kann ich hier nicht näher eingehen. Die wichtigsten Belege für eine frühe Entstehung des Kyrios-Titels scheinen mir zu sein: Der aramäische Gebetsruf μαραναθα in 1Kor 16, 22, ferner Apg 2, 36 und Mt 7, 22 vgl. mit Lk 6, 46. Siehe auch W. FOERSTER, Herr ist Jesus, 1924 und E. v. DOBSCHÜTZ, Κύριος Ἰησοῦς, ZNW 1931, S. 97 ff.

mende Gottesherrschaft schon angebrochen sei; dafür ist die schon besprochene Verheißung an Petrus (Mt 16, 18f) ebenso beweisend wie die Tatsache, daß sich die Urgemeinde als „die Heiligen" bezeichnete, womit sie deutlich eine jüdische Bezeichnung für die Gemeinde der Endzeit auf sich bezog[35]. Mit dem allen war aber ein
Wandel der eschatologischen Erwartung insofern gegeben, als die Erfahrung der
Auferstehung Jesu, seines Wirkens vom Himmel, der Heilsgegenwart in der Gemeinde die Vergegenwärtigung der Eschatologie, wie wir sie schon bei Jesus fanden,
ungeheuer *verstärkte;* und daß auch die Existenz der *Gemeinde* als ein Vorauswirken
der nahen Endzeit empfunden wurde, war überhaupt ein neuer Gedanke. Und doch
blieb auch in der Urgemeinde der eschatologische Grundcharakter des gesamten
Glaubens erhalten. Die Erwartung der Gottesherrschaft blieb die beherrschende
Kraft, und die Gegenwart wurde durchaus nur verstanden als ein Vorauswirken der
kommenden Heilszeit in die Gegenwart. Nur wuchs mit der Anerkennung der himm-
lischen Würde Jesu und mit dem Glauben an | sein gegenwärtiges Wirken auch der
christologische Charakter der eschatologischen Erwartung. Trotz des Eindringens
apokalyptischer Gedanken hat auch die Urgemeinde nur darum auf das Ende ge-
wartet, weil dann der Auferstandene in Herrlichkeit erscheinen sollte, und die
Gegenwart war nur ein Sich-Rüsten auf diese Heilszukunft, deren Vorauswirken
man im Glauben schon erfahren hatte.

Auch *Paulus* hat diesen Grundcharakter der urchristlichen Enderwartung nicht
entscheidend verändert. Seine Predigt ist ja sozusagen ausschließlich Christuspredigt
gewesen (1Kor 1, 23). Aber diese Christuspredigt ist nicht dogmatische Konstruktion oder abstrakte Spekulation, sondern Ausdruck des Glaubens an die Wende der
Zeiten in Christus[36]. Auch Paulus hat bis zuletzt unwandelbar an der Erwartung
des baldigen Endes festgehalten (z. B. 1Thess 4, 15; Röm 13, 11; Phil 4, 5). Aber
Paulus hat schärfer als die Urgemeinde gesehen, daß die eigentliche Wende der Äonen
nicht in der Zukunft liegt, sondern in der Vergangenheit. Mit Christus, seinem Tod,
seiner Auferstehung hat die neue Welt begonnen (Gal 4, 5; Röm 3, 21), aber sie ist
noch verborgen und nur wirklich für den, der an Gottes Handeln in Christus glaubt
und damit im neuen Äon steht (Gal 1, 4); doch wird diese neue Welt bald in voller
Herrlichkeit hervortreten (Röm 8, 18). Alle Predigt des Paulus geht darum dahin,
den Menschen die Augen zu öffnen für die Tatsache, daß Gott in Christus die neue
Welt geschaffen hat, und die Gläubigen zu veranlassen, daß sie ihr Leben von den
Kräften beherrschen lassen, die aus der in der Gegenwart sich schon auswirkenden |
Zukunft dem Gläubigen zufließen. Daraus ergibt sich aber, daß Paulus die Eschatologie noch konsequenter als Jesus und die Urgemeinde christologisch gesehen hat,

---

[35] Vgl. 1Kor 16, 1; Röm 15, 25 und dazu H. Lietzmann, An die Römer, 1933[4], S. 121ff
(Exkurs zu Röm 15, 25).
[36] Zu diesem Paulusverständnis, das hier nicht näher begründet werden kann, vgl.
A. Schweitzer, Die Mystik des Apostels Paulus, 1930; G. Schrenk, Die Geschichtsan-
schauung des Paulus auf dem Hintergrunde seines Zeitalters, Jahrbuch der Theol. Schule
Bethel, 1932, S. 59ff; W. G. Kümmel, Die Bedeutung der Enderwartung für die Lehre des
Paulus, Kirchenblatt für die Reformierte Schweiz 1934, Nr. 7; H.-D. Wendland, Die Mitte
der paulinischen Botschaft, 1935.

daß für ihn alle Zukunftserwartung und alle Gegenwart der erwarteten Heilszukunft nur Ausdruck seines Glaubens an Gottes Handeln in Christus waren. Einst in der Vergangenheit ist Christus auferweckt worden, damals hat der neue Äon für den Glauben begonnen, bald in der Zukunft wird die Gottesherrschaft erscheinen und Christus in Herrlichkeit hervortreten, – an diesem Einst und Dann hat Paulus festgehalten, weil für ihn die christliche Heilshoffnung als Hoffnung auf das endgültige „Sein mit Christus" (1Thess 4, 17) unbedingt daran gebunden war, daß das Heilsgeschehen ein *geschichtlicher* Vorgang ist, in den sich der Gläubige durch sein Leben eingliedert. In all dem stellt das Denken des Paulus nur eine legitime Weiterbildung der christologischen Eschatologie Jesu selber dar, eine Weiterbildung, die durch die neuen geschichtlichen Wirklichkeiten von Ostern und Pfingsten gefordert war.

III

Soweit hat sich die geschichtliche Entwicklung des eschatologischen Denkens der Urchristenheit als klar und folgerichtig gezeigt. Aber nun erhebt sich die schwierige Frage, ob das *Johannesevangelium* nicht aus dieser Entwicklung herausfalle und die *Aufhebung* der eschatologischen Erwartung des Urchristentums bedeute. So hat man oft behauptet und das Heilsverständnis des Johannesevangeliums ein „mystisches", verinnerlichtes, uneschatologisches genannt[37]. Die Aussagen des Evangeliums scheinen denn auch dieser Ansicht zunächst durchaus Recht zu geben. Es ist ja | offensichtlich, daß das Johannesevangelium sehr häufig und in eindrucksvoller Weise die Erlösung als gegenwärtige Erfahrung des Gläubigen schildert. „Wer an den Sohn glaubt, hat ewiges Leben", „wer mein Wort hört und glaubt dem, der mich gesandt hat, hat ewiges Leben und kommt nicht ins Gericht, sondern ist aus dem Tod ins Leben hinübergeschritten" (3, 36; 5, 24). Wer an Jesus glaubt, hat schon die Auferstehung erlebt (11, 25 f); und umgekehrt steht schon jetzt der Ungläubige im Verderben (3, 18 f; 9, 39. 41). Schon jetzt ißt der Gläubige das Brot des Lebens (6, 32 ff). Daß in diesem starken Bewußtsein des Heilsbesitzes die eigentliche Kraft des Johannesevangeliums für den Bibelleser liegt, ist ja auch unbestreitbar[38]. Aber auf der anderen Seite ist auch unbestreitbar, daß das Johannesevangelium eine ganze Reihe von Aussagen kennt, die durchaus eschatologisch im Sinne einer erwarteten Endzukunft sind. Da ist mehrfach die Rede von dem ewigen Leben, das der Gläubige einst erhalten soll (6, 57 f; 8, 12), von dem Verderben, das den Ungläubigen einst treffen soll (3, 36 b). Da wird allen Menschen das kommende Gericht angedroht (5, 27–29), und dieses Gericht findet ausdrücklich „am letzten Tage" statt (6, 39. 40. 44. 54; 12, 48) und wird vom kommenden Eingang in das Heil geredet (10, 9; 12, 32; 3, 3. 5 [Eingehen in die Gottesherrschaft!]). Und diese im strengen Sinn eschatologischen Aussagen stehen mehrfach äußerst hart neben Worten, die von der Gegen-

---

[37] Vgl. etwa H. J. HOLTZMANN, Lehrbuch der Neutestamentlichen Theologie II², 1911, S. 572 ff; W. BOUSSET, Kyrios Christos², S. 176 f: „Die religiöse Mystik des Johannesevangeliums räumt mit der Eschatologie fast restlos auf." Vgl. auch E. HIRSCH, Das vierte Evangelium in seiner ursprünglichen Gestalt, 1936, S. 288 f.

[38] Siehe auch die Gegenwartsaussagen Joh 6, 47. 54; 8, 51; 10, 27 f; 12, 31; 15, 3; 17, 3; 20, 31.

wart des Heils und der Scheidung sprechen (vgl. 3, 18a und 3, 18b; 6, 54a und 6, 54b). Ganz besonders auffällig ist dieser Widerspruch für den Gedanken der Auferstehung und der Parusie. In Joh 5, 22ff ist einerseits gesagt, daß der Glaubende schon aus dem Tod ins Leben geschritten ist; andererseits aber ist gerade hier der jüdische und urchristliche Gedanke ausgesprochen, daß in der letzten | Stunde der Menschensohn alle Menschen aus den Gräbern ruft, „und es werden herauskommen die, die Gutes getan haben, zur Auferstehung für das Leben, die Böses getan haben, zur Auferstehung für das Gericht" (5, 29). Und am Beginn der Abschiedsreden verheißt Jesus: „Ich werde wiederkommen und euch zu mir nehmen" (14, 3; vgl. 14, 28), und der Anhang des Evangeliums (21, 22f) setzt die Parusie in der Endzeit ganz deutlich voraus. Weniger deutlich sind freilich zwei andere Stellen der Abschiedsreden, in denen von einem Kommen Jesu zu den Jüngern die Rede ist (14, 18–21; 16, 16–26). Denn auch hier ist zwar davon die Rede, daß die Jünger Jesus „an jenem Tage" sehen werden, aber dieses Kommen Jesu soll nur für die Gläubigen stattfinden, nicht für die Welt, und es soll in Kürze stattfinden ($\mu\iota\varkappa\varrho\acute{o}\nu$). Die Exegese dieser beiden Abschnitte ist darum bis zur Gegenwart umstritten; man kann mit guten Gründen annehmen, daß auch hier an die endzeitliche Parusie gedacht sein solle[39]; doch spricht vielleicht die Beschränkung der Erscheinung Jesu auf die Jünger für eine Deutung dieser Stellen auf die Ostererlebnisse der Jünger[40]. Mag man aber hier auch verschieden urteilen können, sicher ist 14, 3. 28 von der Erwartung der Parusie in der Endzeit die Rede. Unmittelbar daneben aber steht die Verheißung, daß der Auferstandene bei den Seinen ewig in der Gestalt des Fürsprechers (Parakleten) anwesend sein werde (14, 16f. 26; 15, 26; 16, 7ff)[41], | daß Christus bei den Seinen auf Erden Wohnung nehmen werde (14, 23). Es kann also gar keine Frage sein, daß im Johannesevangelium wirklich eschatologische Zukunftsaussagen recht unvermittelt neben einer Gegenwartsbetrachtung stehen, die keine Zukunft mehr zu brauchen scheint. Man hat sich diesem Widerspruch gegenüber oft so zu helfen gesucht, daß man die Zukunftsaussagen als Interpolationen oder als zur Überarbeitung des Evangeliums gehörig strich[42]. Man kann die Methode, Schwierigkeiten

---

[39] So zuletzt TH. ZAHN, Das Evangelium des Johannes, 1921[5.6], S. 568 und G. STÄHLIN, ZNW 1934, S. 236f, 239f, auch E. LOHMEYER, Galiläa und Jerusalem, 1936, S. 11.

[40] So B. WEISS (1902[6]), A. SCHLATTER (1930), F. BÜCHSEL (1934) in ihren Kommentaren zu Joh 14, 18f, ferner H. J. HOLTZMANN, Neutestamentliche Theologie II[2], S. 573 und P. FEINE, Theologie des Neuen Testaments, 1931[5], S. 383. – Sicher abzulehnen scheint mir die Deutung auf ein geistiges Kommen Christi, das man mit dem Kommen des Parakleten identifiziert (so W. HEITMÜLLER [1918[3]], W. BAUER [1933[3]] und J. H. BERNARD [1929] zu Joh 14, 18f).

[41] Auf die Frage nach Herkunft und Sinn der Parakletverheißung kann hier nicht eingegangen werden. Deutlich ist, daß der Geist als Paraklet die Rolle des irdischen Jesus nach Jesu Tode bei den Jüngern fortsetzen soll, so daß eine Parusie Jesu eigentlich überflüssig wäre. Im übrigen vgl. W. BAUER, Das Johannesevangelium, 1933[3], S. 182f; H. WINDISCH, Die fünf johanneischen Parakletsprüche, Festgabe für A. JÜLICHER, 1927, S. 110ff; S. MOWINCKEL, ZNW 1933, S. 97ff.

[42] J. WELLHAUSEN, Das Evangelium Johannis, 1908, S. 26, 31, 48, 63 streicht 5, 25–28; 6, 39f; 10, 9 und 14, 3 teilweise; W. BOUSSET, Kyrios Christos[2], S. 177 streicht 5, 28f; 6, 39. 40. 44. 54; 12, 48; R. BULTMANN, a. Anm. 9 aO., S. 135 hält 5, 28f und 6, 54 für redaktionelle Zusätze; E. HIRSCH, Studien zum vierten Evangelium, 1936, S. 56ff bezeichnet als Zusätze

durch Beseitigung der anstößigen Stellen aus dem Weg zu räumen, schon an sich für bedenklich halten; denn es wird dabei gerade hier wieder ein Interpolator vorausgesetzt, der so ungeschickt arbeitete, daß er einfach die sich widersprechenden Aussagen direkt nebeneinandersetzte, ohne den Widerspruch auch nur zu überdecken. Aber es ist auch so, daß die Entfernung einiger Stellen wenig nützt, weil der Widerspruch zwischen Gegenwartsaussagen und Zukunftserwartungen durch das ganze Evangelium hindurchgeht, wie die obigen Ausführungen gezeigt haben werden. Das hat auch GUSTAV STÄHLIN[43] neuerdings mit Recht betont und darauf hingewiesen, daß auch Johannes mit der Nähe des Endes rechnet (vgl. 15, 18 ff die Verheißung der „messianischen Wehen"). Man hat auch versucht, diesem Tatbestand zu entgehen, indem man die eschatologisch-futurischen Aussagen als | Akkomodation an das Gemeindeempfinden erklärte[44] oder den eschatologischen Klang dieser Worte bestritt und ihnen einen gegenwärtigen, verinnerlichten Sinn zu geben suchte[45]. Gegen solche Versuche ist aber zu sagen, daß nirgends angedeutet ist, daß die Zukunftsaussagen anders als wörtlich verstanden werden wollen und daß das auffällige Nebeneinander von Gegenwarts- und Zukunftsaussagen keiner bloßen Anpassung oder Ungeschicklichkeit entspringen kann. R. BULTMANN hat darum ein anderes Verständnis der johanneischen Eschatologie vertreten. Er sucht zu zeigen, daß von Verinnerlichung oder Spiritualisierung der Eschatologie keine Rede sein kann, sondern daß Johannes den Menschen zum Glauben auffordert in dem „eschatologischen Jetzt", das durch die Fleischwerdung des Logos in der Vergangenheit bestimmt ist. Die Parusie *ist* schon geschehen, was noch kommen kann, ist gleichgültig. Die Glaubenden „leben immer in Hoffnung; Jesus ist für sie immer ein Abschiednehmender, und immer gilt: ‚Ich werde wiederkommen und werde euch zu mir nehmen' (14, 3)" (aaO, S. 148f). BULTMANN deutet also die Eschatologie des Johannes restlos als *erfüllte* Eschatologie, die aber als geschichtliche Wirklichkeit der Vergangenheit, die die Äonen voneinander scheidet, jedem Augenblick, in dem ich diese Botschaft höre, den Charakter der endgültigen Entscheidung gibt. Bei dieser Deutung ist die Bezogenheit der Eschatologie des Johannesevangeliums auf das eschatologische Christusgeschehen richtig gesehen; aber zugleich hat doch BULTMANN den Begriff | der Eschatologie zu Unrecht umgedeutet, so daß aus dem Glauben an das Geschehen in der Zukunft die Entscheidung in der Gegenwart gegenüber einem geschichtlichen Ereignis der Vergangenheit wird. Auch streicht ja BULTMANN die stärksten Widersprüche (5, 28f; 6, 54). So kann auch dieser Versuch der Deutung der johanneischen

zum ursprünglichen Evangelium: 5, 22f. 28f; 6, 39 b f. 44 b. 54. 57; 10, 9; 12, 48 b; 14, 3. Vgl. auch E. HIRSCH, Das vierte Evangelium, 1936, S. 93f über die Gründe der antignostischen Zusätze.

[43] G. STÄHLIN, Zum Problem der johanneischen Eschatologie, ZNW 1934, S. 225–259.

[44] So H. J. HOLTZMANN, Neutestamentliche Theologie II², S. 582.

[45] So z. B. W. HEITMÜLLER, Die Schriften des Neuen Testaments IV, 1918³, zu Joh 14, 3 und E. v. DOBSCHÜTZ, The Eschatology of the Gospels IV (The Expositor VII, 9, 1910, S. 409 ff), der von „transmuted eschatology" spricht. – Neuestens hat K. KUNDSIN, Die Wiederkunft Jesu in den Abschiedsreden des Johannesevangeliums, ZNW 1934, S. 210 ff die These vertreten, die Parusie Jesu in den Abschiedsreden beziehe sich auf das Kommen Jesu zu den Jüngern in der Stunde ihres Martyriums; das ist aber eine reine Eintragung in den Text.

Eschatologie nicht befriedigen. Vielmehr muß eine gut begründete Deutung von der Tatsache ausgehen, daß sich im Johannesevangelium neben den vielen und beherrschenden Gegenwartsaussagen eine Reihe von deutlichen und betonten Zukunftsaussagen findet, die offenbar beabsichtigt sind. Und es ist die Frage zu beantworten, warum Johannes dieses Nebeneinander sich zunächst widersprechender Aussagen hat bestehen lassen.

Wie jede Frage, die das Johannesevangelium uns stellt, so kann freilich auch die Frage nach seiner Eschatologie nur auf dem Hintergrund einer Gesamtauffassung vom Johannesevangelium beantwortet werden. Die Gesamtauffassung, von der man meines Erachtens auszugehen hat, ist folgende[46]. Das Johannesevangelium ist nach den Synoptikern entstanden und setzt die synoptische Erzählung bei seinen Lesern voraus; es will diese Erzählung aber nicht ergänzen, sondern ihr erst ihren wahren, allein richtigen Sinn geben. Johannes will die Geschichte Jesu erzählen als Zeugnis für den christlichen Glauben, daß sich in dem Menschen Jesus der ewige Gottessohn offenbart hat. Das Johannesevangelium unternimmt also den kühnen Versuch, den Glauben an die göttliche Würde Jesu Christi in der Form einer Geschichtserzählung von dem Leben eines Menschen auszudrücken. Daraus erklärt sich, daß das Johannesevangelium an Widersprüchen so reich ist; denn man kann den Glauben an die absolute Bedeutung des Menschen | Jesus und seines schmählichen Todes nicht in geschichtliche, begrenzte Form kleiden, ohne in Schwierigkeiten und Widersprüche zu geraten. Was aber so für die johanneische Christusdarstellung im allgemeinen gilt, gilt in ähnlicher Weise auch für die eschatologischen Gedanken des Johannesevangeliums. Johannes verkündet auf der einen Seite die Botschaft, daß schon an dem Menschen Jesus die volle göttliche Herrlichkeit für den Glaubenden zu sehen war (1, 14. 49 usw.), daß schon der irdische Jesus dem Gläubigen die volle Herrlichkeit gebracht hat (14, 8ff), daß darum dem Gläubigen schon in der Gegenwart die volle Herrlichkeit der Erlösung zuteil wird (5, 24 und die übrigen Gegenwartsaussagen). Aber Johannes weiß auf der anderen Seite auch ganz genau, daß Jesus als schwacher Mensch über die Erde gegangen ist, dessen Zeugnis nur wenige annahmen (9, 29; 1, 11f), dessen Herrlichkeit eine verborgene war; und so ist auch das Heil der Gläubigen auf Erden ein vorläufiges, verborgenes Heil (17, 15. 24). Diese Verborgenheit des Christus *muß* aber ebenso wie die Verborgenheit des Heils der Gläubigen einmal ein Ende nehmen, und darum *muß* dem Offenbarungsverständnis des Johannes gemäß das *Ende* noch bevorstehen, das Ende, das die volle Offenbarung des Heils und die endgültige Überwindung des Todes in sich schließt. Die Predigt von dem verborgenen, aber ewigen Gottessohn Jesus fordert also die Erwartung einer endgeschichtlichen Heilszeit trotz aller Gegenwartserfahrung des Heils. Das hat auch mit Recht STÄHLIN betont[46a]. Aber ich glaube, daß man noch einen Schritt weiter gehen muß, wenn man die eschatologischen Aussagen des Johannesevangeliums verstehen will.

---

[46] Vgl. dazu M. DIBELIUS, Art. Johannesevangelium, Die Religion in Geschichte und Gegenwart III, 1929², S. 349ff. – E. GAUGLER, Das Christuszeugnis des Johannesevangeliums, in „Jesus Christus im Zeugnis der Heiligen Schrift und der Kirche", 1936, S. 34ff.
[46a] Siehe Anm. 43.

Johannes verkündet den Christus als geschichtliche Person, als konkreten Menschen;
aber er sagt, daß diese geschichtliche Person Gottes aus der Ewigkeit kommender
Gesandter war (1, 1. 14). *Diese* so verstandene geschichtliche Gestalt kann aber nicht
bloß eine Vergangenheit und Gegenwart, | sondern sie *muß* auch eine Zukunft haben.
Und darum gehört zu dem Christusglauben des Johannes, der ein Glauben an den
geschichtlichen Gottessohn ist, die Erwartung der Parusie und der endzeitlichen
Vollendung unbedingt hinzu. Soll der Glaube des Johannes an Christus der Glaube
an den *geschichtlichen* Offenbarer bleiben und nicht zur mystischen Schau einer geschichtslosen Gestalt werden, so ist *auch* für die Botschaft des Johannes die eschatologische Erwartung unentbehrlich. Und es ist nicht ein Zeichen von Textverderb-
nis, Anpassung oder Unklarheit, sondern gerade ein Zeichen von letzter Einsicht in
das Wesen der Christusbotschaft, wenn Johannes diese Enderwartung nicht aufgegeben hat. Es ist natürlich unbestreitbar, daß bei Johannes das Reden von der
erfüllten Eschatologie *vorherrscht* und daß die Enderwartung bei ihm nicht ent-
fernt mehr die Stärke und beherrschende Stellung hat wie bei Jesus und auch bei
Paulus. Aber wenn es das Wesen aller urchristlichen Eschatologie ist, dem Glauben
an Gottes Heilshandeln in Christus in Gegenwart und Zukunft Ausdruck zu geben,
dann hat auch bei Johannes die endzeitliche Eschatologie eine sehr wichtige Funktion. Sie spricht nicht von apokalyptischen Ereignissen oder Hoffnungen[47], sondern
sie redet davon, daß das göttliche Handeln, das in Christi irdischem Leben und seiner Auferstehung begonnen hat, auch einst sein herrliches Ende finden wird, wenn
alle Angst, alle Not, aller Tod ein Ende findet. Und gerade durch dieses zu Widersprüchen führende Festhalten an der Enderwartung steht Johannes in der Gesamtheit des Urchristentums. Auch Johannes ist, so stark die entgegengesetzten Motive
bereits gewesen sein mögen, ein echter Zeuge für den urchristlichen Glauben an Got-
tes geschichtliches Heilshandeln in Jesus Christus. |

Ist diese Darstellung der Entwicklung und des Sinnes der eschatologischen Gedanken in den Evangelien richtig, so erhebt sich nun eine letzte Frage. Denn es kann
ja kein Zweifel sein, daß *wir* heute die Gewißheit des *nahen* Weltendes im Sinne des
Urchristentums nicht zu teilen vermögen, und ebensowenig können wir leugnen, daß
sich die urchristliche Erwartung vom baldigen Weltende nicht erfüllt hat. Wie sollen
wir Christen von heute uns zu dieser Tatsache des Ausbleibens des erwarteten nahen
Endes stellen, was ist der *Sinn* dieser eschatologischen Gedanken der Evangelien, ja
Jesu selber *für uns?* Fritz Buri hat in seiner Arbeit über „Die Bedeutung der neutestamentlichen Eschatologie für die neuere protestantische Theologie"[47a] die radikale Konsequenz vertreten, daß mit dem Ausbleiben des erwarteten Endes „nicht nur
die endgeschichtliche Naherwartung der neutestamentlichen Eschatologie, sondern
die ganze neutestamentliche eschatologische Vorstellungswelt als Quelle für Aussagen der Weltdeutung hinfällig geworden" sei (S. 53). Denn die Naherwartung in
ihrer endgeschichtlichen Form bilde den *Inhalt* des Neuen Testaments. Das eigent-

---

[47] Die Eschatologie des Johannesevangeliums ist nicht kosmisch interessiert, sondern auf
die Menschen reduziert (so mit Recht H. H. Huber, Der Begriff der Offenbarung im Johannesevangelium, 1934, S. 125).
[47a] Siehe Anm. 8

liche Anliegen aller, auch der neutestamentlichen Eschatologie sei aber der „Wille zur absoluten Lebensvollendung". Sei also auch die endgeschichtliche Eschatologie des Neuen Testaments Illusion, so müsse doch dieses Anliegen aufrechterhalten werden. Eschatologisches Geschehen vollziehe sich dort, „wo in konkreter Entscheidung aus der Ehrfurcht vor dem Schöpfungsgeheimnis heraus gehandelt wird" (S. 168), und diese Eschatologie der „Ehrfurcht vor dem Leben" (ALBERT SCHWEITZER) entspreche dem Wesen der neutestamentlichen Eschatologie. Dieser Lösungsversuch ist gänzlich unhaltbar, wenn die oben gegebene Darstellung des Wesens der Eschatologie der Evangelien nur einigermaßen dem Tatbestand entspricht. Alle eschatologische Hoffnung des Urchristentums entspringt nicht dem menschlichen Willen zur absoluten Le | bensvollendung, ist auch keine Illusion, die den Widerspruch zwischen Wollen und Erkenntnis im Menschen lösen soll. Sondern alle eschatologische Verkündigung des Neuen Testaments entspringt dem Glauben, daß Gott endzeitlich in Jesus Christus gehandelt hat. Wer nicht sieht, daß die Eschatologie des Neuen Testamentes von Gottes Tat, gerade nicht von menschlichen Wünschen ausgeht, wird die eschatologische Frohbotschaft des Neuen Testamentes nicht begreifen können. Und ebensowenig ist richtig, daß die Enderwartung den *Inhalt* der neutestamentlichen Verkündigung bilde. Ganz gewiß ist gerade auch die Verkündigung der Evangelien, wie wir gesehen haben, in den Rahmen der Erwartung des nahen Endes gespannt, und man darf diesen *zeitlichen* Charakter der neutestamentlichen Eschatologie nicht wegleugnen[48]. Aber der Sinn *dieser* zeitlichen Naherwartung ist im Gegensatz zur jüdischen Apokalyptik und zu jeder spekulativen Eschatologie nicht die Absicht, nationale Wünsche erfüllt zu sehen oder der Auflösung unlösbarer Welträtsel zu dienen. Nein, der Sinn der Eschatologie der Evangelien ist einzig und allein, von Gottes rettendem Handeln am Ende der Zeiten zu zeugen. Die zeitliche Naherwartung dieser Eschatologie können und sollen wir nicht neu beleben wollen. Daß sie aufgegeben werden mußte, ist ja nicht eine Folge unseres Unglaubens, sondern die Schuld der von Gott geleiteten, über das Urchristentum fortschreitenden Entwicklung[49]. Aber der Sinn der neutestamentlichen Eschatologie hängt ja nicht an dieser Naherwartung. Sondern wesentlich für die neutestamentliche Eschatolo | gie ist *auf der einen Seite* der Glaube, daß in Christus ein göttliches Handeln geschehen ist, das endgültigen Charakter trägt, daß in Christus eschatologisches Geschehen Vergangenheit und Gegenwart geworden ist; die neutestamentliche Eschatologie ist also durchaus *auch* „erfüllte Eschatologie", wie sie besonders das Johannesevangelium verkündet. Wesentlich ist für die neutestamentliche Eschatologie aber *auf der anderen Seite*, daß das in Christus begonnene Handeln Gottes auf ein Ende in der Zeit, auf die zeitliche Vollendung zuläuft, die irgendwann einmal kommen muß, weil es ein *geschichtliches* Handeln Gottes ist; die neutestamentliche Es-

---

[48] Das hat mit Recht F. BURI gegen dialektische und andere Umdeutungen betont (bes. S. 29 ff). Auch H. FRICK, a. Anm. 6. aO, S. 12 ff wendet sich mit Recht gegen die Eliminierung des Zeitbegriffs, gegen die „einfache Umsetzung des post in ein trans". Vgl. auch die Kritik der „übergeschichtlichen" Deutung bei F. HOLMSTRÖM, Das eschatologische Denken der Gegenwart, 1936, passim.

[49] Vgl. die von F. BURI, a. Anm. 8 aO, S. 33 ff angeführten Urteile neuerer Theologen.

chatologie ist also auch, ja ursprünglich in erster Linie, Enderwartung, unerfüllte Eschatologie, wie sie am stärksten in den Synoptikern hervortritt. Beachten wir aber diese Doppelseitigkeit der neutestamentlichen Eschatologie, so erkennen wir, daß die Verkündigung von dem Boten und Heiland der Endzeit und das Warten auf das nahe Ende der notwendige *Rahmen,* der zeitgeschichtliche, aber darum nicht weniger wichtige Rahmen der Heilsbotschaft der Urchristenheit ist; und dieser Rahmen allein verhindert, daß Christus aus einer geschichtlichen Gestalt zu einer übergeschichtlichen Idee wird. Wenn darum auch eine heutige Theologie, selbst wenn sie streng biblisch sein will, diesen Rahmen nicht in *vollem* Umfang übernehmen kann und das ehrlich wird zugestehen müssen, so wird doch jede ihres Wesens bewußte Theologie nicht vergessen dürfen, daß zur Christusbotschaft der Evangelien und des Neuen Testamentes überhaupt auch die Erwartung des Endes hinzugehört und daß Gott das Kommen seines Sohnes in Herrlichkeit und die Aufrichtung seiner Herrschaft verheißen hat. Welche Form wir dieser Hoffnung heute geben wollen, in welcher Weise diese Gewißheit heute das Wissen um die *Geschichtlichkeit* der Offenbarung Gottes in Christus zu schützen hat, davon zu handeln kann hier nicht die Aufgabe sein. | Wohl aber ist es eine unerläßliche und absolut wichtige Einsicht, die sich aus der Betrachtung der Eschatologie der Evangelien ergeben hat, daß das Christusgeschehen als geschichtliches Handeln Gottes der Inhalt und der eigentliche Sinn dieser Eschatologie ist. Und an diesem Inhalt darf für den Christen auch der teilweise Wechsel des Rahmens nichts ändern.

DER GLAUBE IM NEUEN TESTAMENT,
SEINE KATHOLISCHE UND REFORMATORISCHE DEUTUNG *

Es ist sicherlich richtig, wenn man sagt, daß die Reformation zwei neue Grundeinsichten gebracht habe. Auf der einen Seite stellten die Reformatoren den Glauben in den Mittelpunkt des Verhältnisses zu Gott und betonten im Anschluß an ein
neues Paulusverständnis, daß der Mensch sola fide, aus Glauben allein, vor Gott
Anerkennung finde. Auf der andern Seite erklärten die Reformatoren die Bibel als
die alleinige Offenbarungsquelle und verwiesen darum den Glauben für seinen Inhalt
auf Gottes Wort in der Heiligen Schrift. Daß aus der inneren Verknüpfung dieser beiden Grundeinsichten der Reformatoren für die Theologie erhebliche Schwierigkeiten
erwachsen, ist bekannt, doch können wir davon hier nicht reden. Aber sicher ist, daß
einem evangelischen Verständnis des Christentums aufgrund dieser reformatorischen
Einsicht immer wieder die Aufgabe gestellt ist, das Wesen seines Glaubens an der
biblischen Botschaft zu prüfen. Nun ist die Bibel, auch das Neue Testament, keine
geschlossene, einheitliche Größe; nicht nur geschichtlich, sondern auch sachlich-
theologisch finden sich im Neuen Testament erhebliche Unterschiede zwischen den
einzelnen Schriften. Die Besinnung auf das Wesen des Glaubens, wie ihn uns das
Neue Testament zeigt, muß also kritisch, aus innerer Einsicht in das Wesen der neutestamentlichen Christusbotschaft, zu ermitteln suchen, was das Neue Testament
über den Glauben sagt. Nicht um eine einfache Bestandsaufnahme kann es sich also
handeln, wenn wir nach dem Wesen des Glaubens im Neuen Testament fragen, sondern um eine theologische Besinnung über die biblische Botschaft, wobei die Erkenntnisse der Reformatoren uns den Dienst einer Wegleitung leisten können. Die
Aufgabe dieser Ausführungen muß also sein, zunächst nach dem Wesen der verschiedenen Formen des neutestamentlichen Glaubensverständnisses zu fragen, dann zu
zeigen, wie die katholische Deutung sich zu diesem Tatbestand verhält, und schließlich die reformatorischen Anschauungen am Neuen Testament zu prüfen. Denn nicht
die Reformatoren, sondern Gottes Wort muß uns die letzte Weisung geben. |

I

Daß das Neue Testament in seinem Reden vom Glauben an das *Spätjudentum* an-
knüpft, leidet keinen Zweifel. Gewiß ist im Heidentum gelegentlich auch einmal von

---

* Vortrag, gehalten beim 8. Ferienkurs für Pfarrer und Freunde der schweizerischen
evangelischen Diaspora in Brunnen am 22. April 1936.

Glauben die Rede (etwa Apuleius, Metamorphosen 11, 28: vor der Osirisweihe sagt
der Isismyste „Im vollen Vertrauen (fiducia) zur verwandten Religion nahm ich am
Gottesdienst teil"). Aber hier kann der Glaube darum keine entscheidende Rolle
spielen, weil das Heil wesentlich durch die Teilnahme am Kultus und die Schau vermittelt wird[1]. Im Spätjudentum aber ist Gläubigsein gegenüber dem im Gesetz sich
offenbarenden Willen Gottes das Wesen der Frömmigkeit[2]. „Achior glaubte an den
Gott Israels, er ließ sich beschneiden und wurde dem Volke Israel beigezählt bis zum
heutigen Tage" (Jdt 14, 10). „Du offenbarst das Verborgene denen, die ohne Makel
sind, die sich im Glauben Dir und Deinem Gesetz unterworfen haben" (ApkBar
54, 5). Die Folge solchen Gläubigseins ist also ein Erfüllen des Gesetzes, der Glaube
steht als Werk *neben* dem Tun des Gesetzes („Derselbe, der in jener Zeit die Drangsal
bringt, wird auch die in Drangsal Gefallenen bewahren, wenn sie Werke haben und
Glauben an den Allerhöchsten und Allmächtigen" 4Esr 13, 23). Wo der Glaube so als
Teil des Gehorsams gegen Gott verstanden wird, ist er natürlich ein verdienstliches
Werk, das neben den übrigen Gesetzeswerken steht („Zum Lohne dafür, daß die
Israeliten an Gott glaubten, ruhte auf ihnen der Heilige Geist")[3]. Der Glaube ist
also im Spätjudentum ganz nomistisch verstanden, aber er ist doch für das rechte
Verhältnis zu Gott unentbehrlich. Man kann also durchaus sagen, daß das Spätjuden-
tum eine Religion des Glaubens und der Gesetzeserfüllung war. Wenn das Urchristentum den Glauben in den Mittelpunkt stellte, so knüpfte es zweifellos an das Spätjudentum an.

 Jesus hat in der Tat vom Glauben gesprochen. Wir dürfen natürlich nicht aus-
gehen von Mk 1, 15 „tuet Buße und glaubt an das Evangelium", denn diese |
Zusammenfassung der Predigt Jesu ist ohne Zweifel Formulierung des Evangelisten.
Und richtig ist natürlich auch, daß im Zentrum der Predigt Jesu die Verkündigung
von der Nähe der Gottesherrschaft steht, nicht eine Glaubensforderung. Und doch
hat Jesus in zweierlei Weise vom Glauben geredet. Einmal nennt Jesus als die Haltung der Menschen, die auf die Gottesherrschaft warten, einen unwandelbaren Glauben; solche Menschen hoffen nicht nur, daß Gott bald seine Herrschaft aufrichten
wird, sondern sie sind felsenfest davon überzeugt, daß dieser Gott auch in der Gegenwart als strafender, fordernder Gott handelt, aber auch als helfender, leitender Gott
sich den Frommen erweist. Diese Menschen vertrauen auf Gottes Hilfe und rechnen
sicher mit Erfüllung des rechten Gebetes durch Gott. Jesus hat die Kraft solchen
Glaubens paradox beschrieben: „Wenn ihr Glauben habt wie ein Senfkorn, werdet
ihr zu diesem Berg sagen: Geh von da weg dorthin, und er wird weggehen; und nichts
wird euch unmöglich sein" (Mt 17, 20). Solcher Glaube kennt keinen Zweifel an Gottes Fürsorge, und Jesus nennt darum die Zweifelnden „Kleingläubige" (Mt 6, 30).
Und als die Jünger im Sturm in Angst geraten, tadelt er sie, daß sie keinen Glauben
hätten (Mk 4, 40). Charakteristisch für diesen Glauben, den Jesus bei seinen Jüngern

---

[1] Zum Glaubensbegriff im Heidentum vgl. zuletzt O. Kietzig, Die Bekehrung des Paulus, 1932, S. 176ff.

[2] Vgl. besonders Ad. Schlatter, Der Glaube im NT, 1927⁴, S. 9ff.

[3] Mekhilta Ex 14, 31, Wajjehi beschallach 6, S. 114, 13 ed. Horovitz-Rabin. Vgl. H.-W.
Heidland, Die Anrechnung des Glaubens zur Gerechtigkeit, 1936, S. 89ff.

voraussetzt oder wecken möchte, ist also nicht ein Fürwahrhalten, und sei es nur der Existenz Gottes, sondern ein praktisches Rechnen mit Gott, ein Wagen mit dem Vertrauen auf Gott. In dieser Hinsicht bildet die Glaubensforderung Jesu nur eine Intensivierung jüdischen Glaubens.

Aber daneben bietet die Überlieferung eine Reihe von Worten, in denen von Glauben angesichts des Wundertuns Jesu die Rede ist. Dem für seinen kranken Knecht bittenden Hauptmann von Kapernaum sagt Jesus: „Solchen Glauben habe ich bei niemandem in Israel gefunden" (Mt 8, 10); die Träger des Gichtbrüchigen beschreiten einen ganz ungewöhnlichen Weg, um zu Jesus zu kommen, Jesus sieht daran ihren Glauben (Mk 2, 5), und dem geheilten Blinden Bartimäus sagt Jesus gar: „Dein Glaube hat dich gerettet" (Mk 10, 52). Es ist nun in allen diesen Erzählungen ganz deutlich, daß der Glaube der Hilfesuchenden zunächst ein Glaube daran ist, daß Jesus die Kraft hat, ihnen zu helfen. Aber handelt es sich wirklich nur um den Glauben an die Kraft des Wundertäters? So hat man oft behauptet. Oder man hat vermutet, daß Jesus in der Tat *mehr* gefordert habe, nämlich den Glauben an seine Person. Aber davon zeigen die alten Quellen nichts (später ist dieser Gedanke freilich an wenigen Stellen in die Synoptiker eingedrungen, so etwa Mt 18, 6 „die Kleinen, die an mich glauben", wo Mk 9, 42 nur „die Glaubenden" hat). Dagegen zeigt es sich deutlich, daß Jesus keine Wunder tun kann, wo er Unglauben findet (Mk 6, 5 f). Hier ist nicht von Glauben an Jesus die Rede, aber von einem Gottesglauben, der sich an Jesu Worte und Taten hält und hier Gott sieht und hört („Wer meine Worte hört und tut, den vergleiche ich einem klugen Mann, der auf Fels baut" Mt 7, 24). Jesus fordert also zwar keinen Glauben an sich, aber er fordert, daß die Menschen in seinem Handeln und Reden Gott erkennen, daß sie in seiner Person Gott wirksam sehen. Die kommende Gottesherrschaft ist so eng mit dem Boten dieses Geschehens verknüpft, daß man Jesus nicht richtig hören kann, ohne in ihm zugleich Gottes Gesandten, ohne in ihm den kommenden Messias zu sehen. Wer aber in Jesus Gottes Boten sieht, dessen Glauben erhält kein neues Objekt; er glaubt nicht an Jesus statt an Gott oder an Jesus neben Gott. Wohl aber sieht sich, wer Jesu Sendung erkennt, in einer neuen Lage, er erkennt, daß in Jesus die Gottesherrschaft schon erschienen ist. Diese Erkenntnis des Wirkens Gottes in Jesus war es, die manche Menschen an Jesu Wunderkraft glauben ließ. Es war also nicht | ein einfacher Wunderglaube, sondern ein Erkennen der göttlichen Heilszeit. Daraus erklärt sich nun aber auch, daß die Worte, die von einem Glauben Jesus gegenüber berichten, so außerordentlich spärlich sind. Jesus, der vor Ostern und Pfingsten lebte und predigte, setzt den Glauben an Gott als selbstverständlich voraus und ermahnt höchstens zu einem Festhalten dieses Glaubens. Existenz und Wesen Gottes sind gar nicht zur Diskussion gestellt. Wohl aber ist nicht selbstverständlich die neue geschichtliche Lage, die Jesus verkündigt und bringt. Daß der jedem Juden bekannte Gott jetzt in Jesus handelt, das sollen die Hörer Jesu erkennen, diese Erkenntnis sollen sie in ihren Gottesglauben hineinnehmen. So wenig also der Glaubensbegriff stark betont wird, so stark ist doch *sachlich* die Forderung des Glaubens gegenüber der Sendung Jesu in der Predigt Jesu mitenthalten. Aber diese Tatsache lehrt uns gleich etwas Wesentliches für das Verständnis des neutestamentlichen Glaubensbegriffes überhaupt. Wer Jesus gegenüber Glauben hat, der hält nicht eine Gotteslehre für wahr oder beugt sich einer Christologie, sondern bejaht ein geschichtliches Handeln Gottes.

Diese Stellung der Menschen zu dem irdischen Jesus wurde nun grundlegend verändert durch die Ereignisse von Ostern und Pfingsten. Damit war eine neue Lage geschaffen. Wer Gottes Tat in der Auferweckung Jesu und in der Sendung bejahte, der anerkannte, daß in diesen Ereignissen die Endzeit bereits begonnen habe. Aber diese Erkenntnis war mit den Sinnen nicht faßbar, nur *glauben* konnte man, daß Jesus auferweckt sei und vom Himmel her seine Gemeinde leite. So kam es, daß in dieser neuen Lage der Glaube daran, daß Gott Jesus auferweckt hat, und der Glaube, daß der Geist in der Gemeinde wirkt, zur Bedingung des Eintritts in die Gemeinde, zum Kennzeichen des Christen wurde. Und ein äußeres Zeichen für diese Tatsache ist, daß sich die Christen jetzt „die Gläubigen" nannten (Apg 2, 44). Wir wissen ja wenig über den Glauben und das Leben der Urgemeinde, aber dieser Titel zeigt deutlich, daß man unter Glauben nicht mehr einfach den Gottesglauben verstanden haben kann (den hatten ja auch die Juden), sondern daß gläubig jetzt der genannt wurde, der an Christus glaubte. Aber freilich war auch dieser Christusglaube ein Glaube an Gottes Handeln; denn „*Gott* hat zum Herrn und Christus gemacht diesen Jesus, den ihr gekreuzigt habt" (Apg 2, 36). Es war ein Gottesglaube, aber ein Gottesglaube, wie ihn der Jude nicht teilen konnte.

II

Auf diesem Hintergrund müssen wir nun Paulus sehen. Er ist ja für die Reformatoren *der* Apostel des Glaubens gewesen, und um sein Verständnis geht von jeher der Streit zwischen Katholiken und Protestanten. Will man nun Paulus recht verstehen, so kommt sehr viel darauf an, daß man den rechten Ausgangspunkt für sein Verständnis finde. Denn die Forschung hat gezeigt, daß bei mangelndem rechten Ausgangspunkt leicht die Lehre des Paulus in unzusammenhängende Stücke auseinanderfällt[4]. Nun ist besonders durch die Arbeiten ALBERT SCHWEITZERS[5] klar geworden, daß auch Paulus wie Jesus als eschatologischer Prediger zu verstehen ist. Die gesamte Botschaft des Paulus ist ja keine Verkündigung ruhender Gotteslehren, sondern sie lebt von der Gewißheit, daß der neue Äon in Christus begonnen hat, daß die Heilszeit schon im Vollzug ist. Von dieser Überzeugung aus betrachtet Paulus | das gegenwärtige Sein des Christen. Der Christ hat die Erlösung erfahren aus der Macht der Sünde, des Fleisches, der Welt, des Todes (Röm 8, 35 ff); und diese Erlösung ist allein Gottes Werk, Gott hat in Christus gehandelt und durch die Sendung seines Sohnes die Sünde verurteilt, den Tod überwunden usw. Diese Erfahrung des Erlöst-

---

[4] Vgl. ALBERT SCHWEITZERS Kritik an H. J. HOLTZMANNS Paulusdarstellung in seiner „Geschichte der paulinischen Forschung", 1913, S. 79 ff.

[5] A. SCHWEITZER, „Geschichte der paulinischen Forschung" und „Die Mystik des Apostels Paulus", 1930. Vgl. zur Korrektur der eschatologischen Paulusdeutung Schweitzers: W. G. KÜMMEL, Die Bedeutung der Enderwartung für die Lehre des Paulus, Kirchenblatt für die ref. Schweiz, 1934, Nr. 7.

seins ist ja durch alle Briefe des Paulus als Jubel zu spüren. Aber fragt man, wie sich dieses Erlöstsein *zeige,* so sieht man, daß auch für Paulus der „alte Mensch" noch lebt, daß auch für Paulus die Welt, das Fleisch, die Sünde usw. noch vorhanden sind. Die Erlösung ist also keine Wirklichkeit, die man einfach mit den Sinnen ergreifen könnte, sondern eine Wirklichkeit, die auf andere Weise erfahren werden muß. Nun ist für Paulus wie für Jesus die größte Not des Menschen die Sündenschuld, die den Menschen von Gott trennt. Erlösung muß also Beseitigung der Sündenschuld sein, und Paulus verkündigt denn auch, daß wir in Christus die Vergebung der Sünden und damit Erlösung haben (Kol 1, 14; 2Kor 5, 19). Diesen Gedanken, daß der Christ durch Christus die Vergebung der Sünden und damit die Erlösung von der Sündenschuld erhalten hat, drückt aber Paulus auch so aus, daß er sagt, der Christ werde auf Grund des Glaubens von Gott als gerecht erklärt (Röm 3, 28). Die Rechtfertigungslehre ist also die begriffliche Ausdrucksform für die Botschaft, daß Gott in Christus dem Menschen jetzt die Vergebung seiner Sünden schenkt. Geschichtlich stammt die Begriffswelt der Rechtfertigungslehre zweifellos aus dem Judentum, und Paulus hat diese für sein Denken nicht ganz passende Begriffsform aufgenommen, um die Heilslehre der Judaisten zu bekämpfen. Denn Paulus hatte als Pharisäer ja selbst in dem Glauben gelebt, daß die möglichst vollständige Erfüllung der Gebote Gottes ihn gerecht, vor Gott wohlgefällig machen werde. Nicht sittliche Verzweiflung, sondern die Anerkennung des Kreuzes als Gottes Heilshandeln in der Bekehrung hatte ihm gezeigt, daß seine pharisäische Annahme falsch war. Aber Paulus hatte nun auch erfahren, daß Gott einen für alle Menschen gültigen Heilsweg eröffnet hatte, eben den Weg des Anschlusses an Christus. Gott will gerade den verlorenen Menschen, den Sünder haben, Gott nimmt den verlorenen Menschen aus seinem freien Willen durch sein Handeln in Christus bei sich auf. Das Heil besteht also für Paulus in einem objektiven, geschichtlichen Handeln Gottes am Ende der Zeiten. Aber dieses Handeln Gottes ist für den Menschen nur zu empfangen im Glauben, dieses Handeln Gottes ist ja nicht für die Sinne, sondern nur für den Glauben da. Und darum gehört der Glaube in die Rechtfertigungslehre als Ausdruck der Erlösungsgewißheit unbedingt hinein.

Aber hier entsteht eine oft gesehene Schwierigkeit. Paulus kämpft ja doch in seiner Erlösungsbotschaft gegen jede Auffassung, die sich das Heil durch irgendwelches eigenes Handeln verdienen will. Wird nun aber nicht der Glaube als menschliches Handeln verstanden, das eine Leistung und darum wieder ein Mittel zur eigenen Gewinnung des Heils ist? Diese Frage ist aber schon ganz falsch gestellt[6]. Paulus kämpft in seiner Rechtfertigungslehre ja nicht gegen das menschliche Handeln an sich, und er würde nie bestritten haben, daß der Glaube ein menschliches Handeln ist. Paulus kämpft vielmehr gegen jedes *verdienstliche* Handeln des Menschen. Der Glaube ist aber kein verdienstliches Handeln des Menschen, sondern nichts als eine Antwort auf Gottes Handeln. Gott hat seinen Sohn gesandt, und diese Wirklichkeit wird nun gepredigt; der Glaube entsteht aber aus dem Hören dieser Predigt (Röm 10, 14). Es ist also durchaus richtig und zu Unrecht bestritten worden, daß der

[6] Vgl. dazu besonders W. MUNDLE, Der Glaubensbegriff des Paulus, 1932, S. 99ff.

Glaube bei Paulus zunächst durch | aus ein Fürwahrhalten der Botschaft ist[7]. Und es ist auch richtig, daß sich der Glaube für Paulus gewöhnlich auf Christus richtet; von Glauben an Gott redet Paulus nur 1 Thess 1, 8. Das ist sehr bezeichnend. Denn Paulus war ja Heidenmissionar, dessen Ziel es war, die Heiden von den stummen Götzen zu dem lebendigen Gott zu führen (1 Thess 1, 9; 1 Kor 12, 2); und so ist der Glaube an den einen Gott zweifellos ein wesentlicher Bestandteil seiner Missionspredigt gewesen. Aber für Paulus ist ein solcher Glaube noch kein rechter Glaube. Der Glaube ist nicht nur ein Fürwahrhalten der Existenz Gottes, sondern ein Erfassen des göttlichen Handelns in Christus, das Vertrauen und die Hoffnung, daß dieses göttliche Handeln auch für mich geschehen ist. Wenn ich an Christus glaube, dann bin ich ein Christ, dann ist mein ganzes Sein und Handeln in den neuen Äon hineingezogen[8]. Glaube ist also das Leben in einer eschatologischen Heilszeit. In der Zeit zwischen den Äonen, gegenüber einer Heilswirklichkeit, die man nicht sehen kann, ist das Glauben die einzige dem Menschen mögliche Haltung. Der Glaube ist für Paulus also ein Sich-Öffnen des Menschen gegenüber dem eschatologischen göttlichen Heilshandeln und insofern ein menschliches Handeln, aber ein von Gott gewirktes menschliches Handeln. Es bleibt freilich die Möglichkeit des Unglaubens gegenüber der Botschaft, ja, das göttliche Handeln existiert für mich überhaupt nur, wenn ich es im Glauben ergreife. Gottes Heilstat und menschlicher Glaube gehören also untrennbar zusammen. Aber der Glaube richtet sich nicht auf eine Lehre über mein persönliches Heil, sondern auf ein göttliches Handeln, das ich als auch für *mich* geschehen bejahe. Der Glaube macht mich also zum Teilhaber an dem göttlichen Geschehen der Heilszeit. Und der Glaube umfaßt mein *ganzes* Leben. Wer im Glauben Gottes Handeln ergreift, der ist eine neue Schöpfung (2 Kor 5, 17), und wer glaubt, der lebt in der neuen Welt Gottes, nicht mehr in der Sünde. Hier entspringt dann freilich für Paulus das Problem der Sünde im Christenleben, das hier nicht behandelt werden kann. Es dürfte aber schon deutlich geworden sein, daß für den Christen des Paulus Sünde nur darum möglich ist, weil der Christ *auch* noch im alten Äon und seinen Mächten lebt. Der Christ, der wirklich im Glauben *lebt*, tut Gottes Willen und hat darum Teil an der Verheißung der Herrlichkeit für die Kinder Gottes.

Es dürfte klar geworden sein, daß das Reden des Paulus vom Glauben entstanden ist in der Abwehr judaistischer Mißdeutung der christlichen Heilsbotschaft und als Ausdruck des Wissens um die Wende der Zeiten in Christus. Aber ebenso dürfte klar geworden sein, daß das Reden des Paulus vom Glauben eine echte Weiterbildung der Botschaft Jesu ist. Glaube ist auch für Paulus Gottesglaube; aber dieser Gottesglaube ist ein konkret geschichtlicher Glaube, der sich nicht auf einen Gottesbegriff richtet, sondern auf *den* Gott, der in Christus für mich das Heil gewirkt hat, und insofern ist dieser Glaube Christusglaube. Dieser Glaube ist nicht ein bloßes Anerkennen eines Geschehens oder einer Wahrheit, sondern ein Ergriffenwerden, das einen

---

[7] MUNDLE, aaO, S. 14 ff.

[8] Natürlich lasse ich mich nach Paulus taufen, wenn ich zum Glauben gekommen bin; aber die Taufe ist nur Voraussetzung für das Christwerden, sie gehört nicht zum Wesen des Glaubens selbst (gegen MUNDLE, aaO, S. 114 ff).

neuen Menschen schafft, ein Sichhingeben der sich nach mir ausstreckenden Liebe Gottes. Und dieser Glaube ist nicht ein *Teil* des Christseins, sondern das *ganze* Christsein. Alles, was Paulus über den Glauben sagt, lebt also von dem Wissen, daß das Heil allein Gottes Werk ist und von mir nur angenommen oder verworfen werden kann. Und dieses Handeln Gottes ist ein eschatologisches und erstreckt sich also auf die ganze | Menschheit und auf den einzelnen nur insoweit, als er zu dieser Menschheit gehört. Gläubig sein heißt, in der Gemeinde der Heiligen der Endzeit leben und auf die Ankunft des Herrn in Herrlichkeit warten. Diesen Glauben zu wecken, darauf kommt es Paulus an, und er gibt darum keinerlei formale Beschreibung des Glaubens, weil für ihn der Glaube ein zu weckendes Geschehen, nicht ein ruhendes Sein ist.

Paulus ist der eigentliche Prediger des Glaubens im Neuen Testament. Aber im Neuen Testament stehen auch noch andere Äußerungen über den Glauben, und wir müssen fragen, wie sie sich zu Jesus und Paulus verhalten. Wenden wir uns zum *Johannesevangelium* und den *Johannesbriefen,* so fehlt zwar merkwürdigerweise (außer 1Joh 5, 4) das Wort πίστις, nicht aber das Verbum πιστεύειν. Ja, Glauben ist die eigentliche, vom Menschen geforderte Haltung; das ganze Evangelium ist ja geschrieben, um Glauben an Jesu Messiaswürde zu wecken (20, 31). Das Objekt des Glaubens ist Christus (8, 24), der Gläubige glaubt, daß Christus von Gott gesandt ist (,,ihr habt geglaubt, daß ich von Gott ausgegangen bin" 16, 27). Gelegentlich werden Menschen durch die Wunder Jesu zu diesem Glauben geführt (10, 25), aber höher ist ein Glaube, der glaubt, ohne zu sehen (20, 29). Auch das Zeugnis der Schrift kann zum Glauben führen (,,Wenn ihr Moses glaubtet, würdet ihr mir glauben" 5, 46f.) Es ist also ganz deutlich, daß auch für Johannes der Glaube zunächst ein Fürwahrhalten, eine Anerkenntnis der göttlichen Würde Jesu ist. Aber auch für Johannes ist dieser Glaube an Christus nicht etwas *neben* dem Glauben an Gott, sondern jeder Glaube an Christus ist für ihn *zugleich* Glaube an Gott (,,wer an mich glaubt, glaubt nicht an mich, sondern an den, der mich gesandt hat" 12, 44). Auch Johannes kennt also keinen Gottesglauben, der nicht Christusglaube ist, und keinen Christusglauben, der nicht Gottesglaube ist. Darin steht also auch Johannes ganz in der Tradition des Urchristentums.

Dieses Stehen in der Tradition gilt aber für Johannes auch noch in einem ganz anderen Sinn. Auch für Johannes ist der Glaube ein Erfaßtwerden des ganzen Menschen, das das Tun in sich schließt (,,Das ist sein Gebot, daß wir dem Namen seines Sohnes Jesus Christus glauben und einander lieben" 1Joh 3, 23). Und auch für Johannes ist der Glaube nicht ein einmaliges Annehmen der Wahrheit, sondern eine Haltung, die im Leben festgehalten werden muß (8, 31). Der Glaube ist also auch für Johannes Beschreibung des ganzen Christseins. Dem widerspricht nicht, daß Johannes Glauben und Erkennen fast identisch brauchen kann (,,wir haben geglaubt und erkannt, daß Du der Heilige Gottes bist" 6, 69). Denn auch Erkennen ist für Johannes ein Akt des lebensmäßigen Bejahens, ja er beschreibt den Glauben gerade dann als Erkennen, wenn er vom Erfaßtwerden des ganzen Lebens durch den Glauben reden will (8, 30–32)[9]. In allen diesen Punkten ist das Reden des Jo-

---

[9] Siehe dazu R. Bultmann, Glauben und Verstehen I, 1933, S. 151f.

hannes vom Glauben sachlich von Jesus und Paulus nicht verschieden. Aber in einem Punkt weicht doch Johannes von Paulus charakteristisch ab. Bei Paulus war der Glaube deutlich als eschatologische Haltung, als etwas Vorläufiges in der zu Ende gehenden Weltzeit beschrieben worden (2 Kor 5, 7). Wie bei Johannes die endzeitliche Eschatologie zwar durchaus nicht wegfällt, aber doch in den Hintergrund tritt, so ist auch die eschatologische Vorläufigkeit des Glaubens nicht mehr deutlich betont. Und darum wird auch nicht deutlich, daß der Glaube ein geschichtlicher Vorgang ist, und es entsteht die Gefahr, den Glauben als einen von der Geschichte unabhängigen Zustand mißzuverstehen. Johannes selber weiß noch sehr wohl um die Geschichtlichkeit | des Heilsgeschehens, aber er hat diese Wirklichkeit nicht mehr so stark und deutlich betont wie Jesus und Paulus.

III

Bei allen Ausführungen über den Glauben im Neuen Testament sind wir aber bisher an *der* Schrift vorübergegangen, die die bekannteste Äußerung über den Glauben enthält, dem *Hebräerbrief*. Hier findet sich nämlich 11, 1 eine ausdrückliche Beschreibung des Glaubens: „Es ist der Glaube ein Feststehen bei dem, was man erhofft, eine Überzeugung von Dingen, die man nicht sieht."[10] Nach dieser Beschreibung ist der Glaube eine Haltung, die dem Sich-Beschränken auf das Sichtbare und der Hoffnungslosigkeit entgegengesetzt ist. 11, 3 heißt es dann, daß der Glaube die Schöpfung der Welt durch Gottes Wort ergreift, und 11, 6 sagt: „Wer zu Gott kommt, muß glauben, daß er *ist,* und denen, die ihn suchen, ein Belohner wird." Und dann folgt die berühmte Aufzählung der Wolke von Glaubenszeugen, denen 12, 2 Jesus als der „Anführer und Vollender des Glaubens" an die Seite gestellt wird. An dieser ganzen Ausführung über den Glauben fällt auf, wie stark das eschatologische Moment der Hoffnung und Vergeltung betont und der Glaube als eine Kraft zum Überwinden gegenwärtiger Schwierigkeiten geschildert wird. Nun kann ja keine Frage sein, daß im gesamten Hebräerbrief das Christusgeschehen so stark wie möglich im Mittelpunkt steht. Und Christus erscheint auch gelegentlich ausdrücklich als Objekt des Glaubens (5, 9). Aber die Schilderung des Glaubens in Hebr 11 fällt dadurch aus dieser Beziehung auf Christus heraus, daß diesem Glauben die absolute Bezogenheit auf das Christusgeschehen fehlt. Der Glaube erscheint als Fürwahrhalten der Existenz Gottes, nicht aber als Leben in einem neuen Sein durch den Anschluß an Christus. Daß in diesem Glaubensverständnis jüdisch-hellenistische Gedanken weiterwirken, ist zweifellos[11]; aber ebenso deutlich ist, daß damit ein gefährliches Abrücken von dem bei Jesus, Paulus und Johannes vorliegenden Glaubensverständnis angebahnt wird. Der Glaube erscheint hier als eine Teilfunktion des Intellekts und

---

[10] Die Übersetzung von ἔλεγχος ist umstritten. Das Wort heißt eigentlich „Überführung", die Bedeutung „Überzeugung" ist nur aus dem Zusammenhang erschlossen. Wer sie nicht billigt, muß übersetzen „eine Überführung von ungesehenen Dingen", sc. durch Gott (so Büchsel, ThW II, 1935, S. 473 f) oder „Beweis für Dinge, die man nicht sehen kann" (W. Bauer, Griechisch-deutsches Wörterbuch zum Neuen Testament, 1937³, S. 413).

[11] Siehe H. Windisch, Der Hebräerbrief, 1937², S. 106 ff.

Willens, das Handeln des Menschen tritt *neben* den Glauben. Und dieser Glaube richtet sich dann auch nicht ausschließlich auf ein göttliches *Handeln,* sondern auf eine ruhende Wahrheit, eine Gotteslehre.

Und noch in einer anderen Richtung finden wir im Neuen Testament ein Abrücken vom ursprünglichen Glaubensgedanken. Der *Jakobusbrief* kämpft gegen einen Glauben, der ohne Werke ist, und stellt diesem toten Glauben einen Glauben gegenüber, der nicht bloß Anerkennung Gottes ist, sondern ein Vertrauen auf Gottes Hilfe (2, 14 ff). Aber auch hier fehlt dem Glauben jede Beziehung auf die Tat Gottes in Christus, und ARNOLD MEYER hat darum mit Recht sagen können, daß der Glaubensbegriff des Jakobusbriefes durchaus auch jüdisch sein könne [12]. Aber wesentlicher für unsern Zusammenhang ist, daß der Jakobusbrief schon ausdrücklich kämpfen muß gegen ein Glaubensverständnis, das den Glauben als intellektuelle Leistung versteht und vom übrigen Verhalten des Menschen isoliert. Dieser Entwicklung des Glaubens zur Rechtgläubigkeit begegnen wir dann ganz deutlich in den *Pastoralbriefen* und im *Judasbrief* („Gesunde Lehre" und „Gesunder Glaube" begegnen mehrfach in den Pastoralbriefen, vgl. 1 Tim 1, 10; | Tit 1, 13; 2, 2) [13]. Der Judasbrief weiß gegenüber den Irrlehren des Gnostiker nur zu mahnen, für den „ein für alle Mal den Heiligen überlieferten Glauben zu kämpfen" (3, vgl. 20 „erbauet euch auf euerm heiligsten Glauben"). Hier ist der Glaube des Menschen zu einem Wissen, zu einem Haben geworden, das ihn wohl mit Gott verbindet, das aber darum auch mit aller Anstrengung festgehalten werden muß um des Heiles willen; das Leben aber steht als unabhängige Größe neben diesem Glauben.

Man muß sich einmal klarmachen, daß *auch* diese Gedanken im Neuen Testament stehen. Und es kann keine Frage sein, daß die beiden geschilderten Formen des Glaubensverständnisses sich nicht vereinigen lassen. Denn es handelt sich bei der Auffassung der Pastoralbriefe usw. nicht einfach darum, daß Glaube und Werke nebeneinandergestellt sind; das kann auch in einem mit Paulus vereinbaren Sinne geschehen. Aber wo der Glaube als Rechtgläubigkeit verstanden wird, wo er seine Gottgewirktheit und seine eschatologische Beziehung verloren hat, wo der Glaube also nicht mehr das ganze von Gott geschenkte neue Sein in der Endzeit beschreibt, da ist er etwas grundlegend anderes geworden als der Glaube, von dem Jesus, Paulus, Johannes redeten. Und eine biblische Theologie, die sich der geschichtlichen Bedingtheit ihrer Offenbarungsurkunde bewußt ist, muß wissen, daß sie gegenüber solchen geschichtlich bedingten Unterschieden innerhalb des Neuen Testaments nur durch eine Besinnung auf das der gesamten neutestamentlichen Botschaft Gemäße entscheiden kann, was als *der* Glaubensgedanke des Neuen Testaments anzuerkennen ist und was nicht.

IV

Diese kritische Notwendigkeit wird besonders bedeutsam, wenn wir uns nun der *katholischen* Auffassung vom Glauben zuwenden. Denn die katholische Glaubensauf-

---

[12] A. MEYER, Das Rätsel des Jakobusbriefes, 1930, S. 139.
[13] Vgl. dazu M. DIBELIUS, Die Pastoralbriefe, 1931², S. 14f.

fassung beansprucht auch, nichts anderes als eine Umschreibung der biblischen Verkündigung zu sein. Aber wir brauchen uns nur in den ersten Zeugnissen jenseits des Neuen Testaments umzusehen, um zu erkennen, in welcher Richtung die Entwicklung des Glaubensverständnisses gehen mußte. Der *1. Klemensbrief* (ca. 95) sagt zwar ausdrücklich im Anschluß an Paulus, daß der Glaube für Gott Grund zur Rechtfertigung sei: „Wir nun, die wir durch Gottes Willen in Christus Jesus berufen sind, werden nicht durch uns selber gerecht und nicht durch unsere Weisheit oder Einsicht oder Frömmigkeit oder durch die Werke, die wir mit reinem Herzen getan haben, sondern durch den Glauben, durch den der allmächtige Gott alle von Anfang an gerechtfertigt hat" (32, 4). Aber unmittelbar vorher sagt Klemens: „Weswegen wurde unser Vater Abraham gesegnet? Nicht deswegen, weil er im Glauben Gerechtigkeit und Wahrheit tat?" (31, 2), und dann wird aus der Tatsache der Glaubensrechtfertigung gefolgert: „Also wollen wir uns anstrengen, mit Gebet und bereitwillig jedes gute Werk zu tun" (33, 11)! Hier ist der Glaube also ein Begleitumstand des guten Handelns geworden, er ist nicht mehr die Kraft, die das ganze Leben beherrscht; und auch Christus ist nicht mehr als Objekt des Glaubens genannt. Noch deutlicher aber kommt das zum Ausdruck in der Forderung des *Hermas* (Mitte des zweiten Jh.): „Vor allen Dingen glaube, daß Gott einer ist, der alles schuf und gestaltete, der das All aus dem Nichtsein ins Dasein rief, der, selbst unbegreiflich, alles in sich begreift. Ihm sollst Du glauben, ihn sollst Du fürchten, in solcher Furcht aber sollst Du enthaltsam sein" (mand. 1, 1). Hier ist der Glaube im Anschluß an jüdische und stoische Formeln[14] zu einem | einzelnen Gebot geworden, dessen Leistung in die freie Kraft des Menschen gestellt ist und das darum Belohnung beanspruchen darf. Mit all dem sind wir kaum über den Glaubensbegriff der Pastoralbriefe und des Judasbriefes hinausgeschritten und stehen doch schon mitten im katholischen Glaubensbegriff.

Das wird sofort einleuchten, wenn wir uns der offiziellen katholischen Definition des Glaubens zuwenden. Denn nicht darum kann es sich hier ja handeln zu schildern, was der katholische Mensch von heute glaubt; sondern das offizielle Verständnis der katholischen Kirche vom neutestamentlichen Glauben soll erkannt werden. Schon auf dem *Tridentinischen Konzil* wurde festgelegt, daß der Mensch sich zur Rechtfertigung bereite, indem er glaubt, „daß wahr ist, was von Gott offenbart und verheißen ist" (Sessio VI, 6)[15]. Zum Glauben muß aber Hoffnung und Liebe hinzukommen; „denn der Glaube, wenn Hoffnung und Liebe nicht zu ihm hinzukommen, einigt nicht vollkommen mit Christus und macht auch nicht zu einem vollkommenen Glied seines Leibes" (VI, 7). So kann der Glaube als „humanae salutis initium" bezeichnet werden (VI, 8). Der auf Befehl des Tridentinischen Konzils herausgegebene *Catechismus Romanus* hat dann noch deutlicher gesagt, daß „der Glaube bewirkt, daß wir als richtig festhalten, was die Autorität unserer heiligen Mutter, der Kirche, als von Gott offenbart erklärt" (I, 1, 1)[16]. Das Vatikanische Konzil hat schließlich eine

[14] Siehe die Nachweise bei M. DIBELIUS, Der Hirt des Hermas, 1923, S. 497f.
[15] C. MIRBT, Quellen zur Geschichte des Papsttums und des römischen Katholizismus, 1924⁴, S. 296f.
[16] MIRBT, aaO, S. 343.

ausführliche Beschreibung des Glaubens gegeben[17]. Der Glaube wird hier im Anschluß an Hebr 11, 1 als eine übernatürliche Tugend beschrieben, „kraft deren wir, unter Anregung und Mithilfe der Gnade Gottes, alles für wahr halten, was Gott geoffenbart hat", und zwar um der Autorität des offenbarenden Gottes willen. „Es muß all das geglaubt werden, was im geschriebenen und überlieferten Wort Gottes enthalten ist, und was die Kirche als von Gott offenbart zu glauben vorstellt, sei es in feierlichem Lehrentscheid, sei es durch das gewöhnliche und allgemeine Lehramt." Dieser Glaube ist, *auch* wenn er sich nicht durch die Liebe auswirkt, eine Gabe Gottes, und seine Annahme ist verdienstlich. Zwischen Vernunft und Glaube *kann* kein Widerspruch entstehen; und wer einmal den Glauben unter Leitung des kirchlichen Lehramtes angenommen hat, der kann niemals mehr irgendeinen Grund haben, diesen Glauben zu wechseln oder auch nur in Zweifel zu ziehen! Und wer einmal katholisch zu glauben sich entschlossen hat, dem ist es auch nicht mehr erlaubt, gegen den von der Kirche festgesetzten Sinn die Heilige Schrift zu erklären.

Es ist nun leicht zu sehen, daß diese ganze Glaubensauffassung sich durchaus mit einigem Recht an die Definition des Hebräerbriefes und an die Pastoralbriefe anschließen kann. Aber die katholische Theologie erhebt ja den Anspruch, mit ihrer Auffassung vom Glauben den neutestamentlichen Glaubensgedanken überhaupt wiederzugeben[18]. Wird nun Glaube in erster Linie als Fürwahrhalten dogmatischer Wahrheiten verstanden, so widerspricht das zwar nicht dem Judasbrief oder den Pastoralbriefen, wohl aber Jesus, Paulus und Johannes. Und wenn die katholische Theologie seit dem Tridentinum gegen die Auffassung des Glaubens als Vertrauen protestiert hat[19], so hat sie gegen das Vertrauen auf Gottes Tat protestiert, das Jesus und Paulus gefordert haben. Aber diese Beschränkung des Glaubens auf eine intellektuelle Zustimmung zu einer Lehre ist noch nicht das Entscheidende, was den katholischen Glaubensbegriff dem zentralen Glaubensdenken des | Neuen Testaments entgegenstellt, so sehr auch hier schon ein verhängnisvolles Mißverständnis dessen vorliegt, was wirklich als Glaube sich für ein kritisches Suchen aus dem Neuen Testament ergibt. Entscheidend zeigt sich der Gegensatz des katholischen Glaubensverständnisses zu den zentralen Gedanken des Neuen Testaments erst in den Auswirkungen der katholischen Grundanschauung. 1. Nach katholischer Lehre ist der Glaube zwar gewirkt durch die Gnade Gottes, aber der menschliche Wille entscheidet sich doch frei für die ihm gegenübertretende Glaubensforderung. Durch diese freie Entscheidung aber entsteht ein Verdienst, so daß KARL ADAM sagen kann: „Gott und Mensch einen sich im Heilswerk."[20] Damit ist aber der Glaube nicht mehr als wirkliches Werk Gottes, als Geschenk Gottes verstanden. Die Grunderkenntnis Jesu und des Paulus, ja letztlich des ganzen Neuen Testaments ist aber die, daß Gott es ist, der allein Wollen und Vollbringen wirkt. Ist der Glaube aber in seinem Wesen als Bejahung einer mir entgegentretenden übernatürlichen Wahrheit verstanden, so kann ich diese Wahrheit zwar äußerlich lernen, aber ich muß sie, wenn

[17] MIRBT, aaO, S. 457 ff.   [18] B. BARTMANN, Lehrbuch der Dogmatik I, 1923[6], S. 52 ff.
[19] B. BARTMANN, aaO, II[6], S. 91.
[20] KARL ADAM, Das Wesen des Katholizismus, 1928[5], S. 224.

ich glauben will, aus *freier* Entscheidung anerkennen. Damit aber steht der katholische Glaubensgedanke schon außerhalb des Neuen Testaments. 2. Aus der Definition des Glaubens als Zustimmung folgt, daß Objekt des Glaubens eine *Lehre* ist. Diese Lehre muß, da sie übernatürliche Wahrheiten enthält, von einer damit beauftragten Instanz gelehrt werden. Und hier schaltet sich die Kirche als die alleinige Inhaberin der Offenbarung in den Glaubensprozeß ein. Das augustinische Wort „Ego vero evangelio non crederem, nisi me catholicae ecclesiae commoveret auctoritas"[21] ist darum gut katholisch. Ja, KARL ADAM behauptet ganz konsequent, daß der volle, lebendige Jesus nur in seiner Weiterwirkung in der Kirche zu finden sei und daß dementsprechend die Bibel nicht Quelle, sondern nur Hilfsmittel zu diesem Glauben sei[22]. Damit aber wird Gott und sein Heilswirken aus dem Objekt zum Garanten des Glaubens herabgedrückt. Der Katholik glaubt an die Lehre der Kirche, freilich um der Autorität Gottes willen. Damit aber unterwerfe ich mich im Glauben nicht meinem Herrn, sondern einer menschlichen Größe, die alleinige Vermittlerin des Zugangs zu Gott zu sein beansprucht. Im Neuen Testament aber, wenigstens in seinen zentralen Aussagen, unterwirft sich der Mensch allein Gott in Christus. 3. Und damit ist nun der wesentlichste Einwand gegeben. Der Glaube ist im Katholizismus Vorbedingung, nicht das Wesen des christlichen Heilsverhältnisses. Das kommt daher, daß der Glaube hier nicht als Eintritt in ein Heilsgeschehen, sondern als Anerkennung einer ruhenden Wahrheit verstanden wird. Das *Leben* des Glaubenden ist nicht wesensmäßig an seinen Glauben gebunden, so daß die katholische Kirche auch dem Todsünder einen einwandfreien Glauben zuerkennen kann[23]. Damit aber hat der Glaube aufgehört, eine Bestimmung meines ganzen Seins zu sein, und der Glaube stellt mich auch nicht als ganzen Menschen in das Heilsgeschehen am Ende der Zeiten hinein. Das Heil besteht also nicht in dem Empfangen der Neuschöpfung durch Gott, die ich im Glauben ergreife und die nun mein ganzes Sein beherrscht, wenn ich wirklich glaube. Sondern das Heil besteht in der mir durch die Kirche vermittelten Gnade, die aber erst eine *Folge* meines Glaubens ist. Damit aber haben wir uns endgültig vom neutestamentlichen Heilsverständnis entfernt. So sehr sich also die katho | lische Lehre für ihren intellektualistischen Glaubensbegriff auf einen *Teil* des Neuen Testaments berufen kann, so wenig läßt sich das diesem Glaubensbegriff zugrunde liegende *Heils*verständnis mit dem Neuen Testament vereinigen. Wo der Glaube nicht mehr als die Antwort des Menschen auf Gottes Handeln verstanden wird, eine Antwort, die mein ganzes Leben beherrschen muß, da ist auch die Heilslehre der zentralen neutestamentlichen Botschaft verlassen. Und nicht nur wegen verschiedener Definition oder einzelner Abweichungen, sondern wegen dieser an die Wurzeln gehenden Verschiedenheit im Heilsverständnis muß der katholische Glaubensbegriff als unbiblisch bezeichnet werden, wenigstens wenn man ihn an den zentralen Aussagen des Neuen Testaments mißt.

[21] AUGUSTIN, Contra epistolam, quam vocant fundamenti 5, bei MIRBT, Quellen, S. 68.
[22] ADAM, aaO, S. 66 ff.
[23] Siehe E. HIRSCH, Der Glaube nach evangelischer und römisch-katholischer Anschauung (in „Der römische Katholizismus und das Evangelium", 1931), S. 87 f.

V

Daß wir in dieser Kritik schon zu einem guten Teil uns der Erkenntnisse der Reformatoren bedient haben, dürfte klar sein. Haben aber denn nun die *Reformatoren* den zentralen neutestamentlichen Glaubensbegriff wiedergegeben? Es ist schon aus LUTHERS Entwicklung in seinen Klosterkämpfen klar, daß er sich nicht mit einem Glauben begnügen konnte, der einzelne Akte der Zustimmung umfaßte und immer wieder neu zu erwecken war. Denn LUTHER litt ja eben darunter, daß ein voller Gehorsam von ihm gefordert sei, den er nicht leisten zu können glaubte[24]. LUTHER mußte aber dann aufgrund seines Studiums des Neuen Testaments einsehen, daß Glaube nicht Zustimmung zu Glaubenssätzen, sondern ein Wagnis ist, das wider alle menschliche Hoffnung auf Gottes Güte, die in seinem Wort verheißen ist, zu trauen wagt. „Denn das ist die natur des glaubens, das er sich vermist auff gottes genaden und schöpft ain guten won und zuversicht gegen jm ... der glaub fordert nit kundtschafft, wissenhait oder sicherheit, Sonder frey ergeben und frölich wagen auff sein unempfundne, unversuchte, unerkante güte" (LUTHER, Weim. Ausg. X, 3, 239). Der Glaube richtet sich also auf Gott direkt und empfängt so von Gott die Sündenvergebung. Damit aber ist zugleich ein neues Ich entstanden, das auf Gott gerichtet ist. „Szo tzeucht er ab seyn allte heutt, lest haussen seyn liecht, seyn dunckel, seyn willen, seyn liebe, seyn lust, seyn reden, seyn wircken, und wirt alsso gantz eyn ander new mensch, der alle dinck anders ansihet denn vorhynn, anderss richtet, anderss urteilt, anderss dunckt, anderss will, anderss redt, anderss liebt, anderss lust, anderss wirckt und feret denn vorhynn" (W. A. X, 1, 233 f). Damit hängt zusammen, daß der Glaube wieder konsequent als Empfangen, als Gehandeltwerden verstanden wird („Haec est enim vera via salutis, subdi deo, in fide deo cedere et silere..., ut ipse in nobis operetur, non nos operemur" W. A. VIII, 589). Und darum richtet sich das Vertrauen nicht mehr auf eigenes Leisten oder Können, sondern allein auf die Verheißungen Gottes. Und daraus entspringt die Heilsgewißheit: „At nunc, cum Deus salutem meam extra meum arbitrium tollens in suum receperit, et non meo opere aut cursu, sed sua gratia et misericordia promiserit me servare, securus et certus sum, quod ille fidelis sit et mihi non mentietur" (W. A. XVIII, 783). Mit diesem Glauben ist bereits alles gegeben, was der Mensch auf Erden an Heil erhalten kann, und er richtet sich auf Gott, nicht auf menschliche Lehre. Trotzdem ist auch hier der Glaube nicht bloß, wie die katholische Polemik seit dem Tridentinum behauptet, als Vertrauen verstanden, sondern ebenso als Anerkennung der Wahrheit der göttlichen Offenbarung. Und CALVIN sagt darum ausdrücklich, daß keine Religion vorhanden und die Frömmigkeit ausgeschaltet und der Glaube vernichtet ist, wo keine sichere Gotteserkenntnis vorhanden ist („Cognitio igitur Dei necessaria ad fidem | requiritur ... nam ubi nulla est Dei cognitio certa, nulla est etiam religio, et pietas prorsus exstincta est, et fides abolita")[25].

---

[24] Vgl. KARL HOLL, Gesammelte Aufsätze zur Kirchengeschichte I, 1923², S. 19 ff.
[25] Opera Calvini 42 (= Corpus Reformatorum 70), S. 331.

In dieser grundsätzlichen Auffassung vom Glauben als einem Erfassen von Gottes in der Sündenvergebung sich auswirkendem Heilshandeln stimmen alle Reformatoren überein. Und ebenso lehnen alle Reformatoren das Verständnis des Glaubens als Annahme der Kirchenlehre ab („fides enim in Dei et Christi cognitione, non in ecclesiae reverentia jacet")[26]. Und es ist wohl ohne weiteres klar, daß in diesen grundsätzlichen Punkten die Reformatoren den Grundcharakter des Glaubens, wie ihn Jesus, Paulus, Johannes lehren, richtig erfaßt haben. Die Reformatoren haben auch mit gutem Grund, wohl ohne sich über die Unterschiede innerhalb des Neuen Testaments ganz klar zu sein, in Paulus und Johannes, nicht im Hebräerbrief und den Pastoralbriefen, den eigentlichen biblischen Grund ihres Glaubens gefunden. Und doch haben auch die Reformatoren an *einem* Punkte den biblischen Glaubensgedanken nicht in seiner ganzen Tiefe erfaßt. Sie gingen aus von der Frage, wie erhalte *ich* einen gnädigen Gott? Gewiß fragen so auch die Menschen, denen die Apostel die Heilsbotschaft bringen. Aber das Neue Testament antwortet nicht direkt auf diese Frage, sondern zeugt von Gottes Handeln am Ende der Zeiten, von Gottes Handeln der Welt gegenüber; und das Neue Testament sieht in der von Gott empfangenen Vergebung der Sünden einen Teil, nicht aber das Ganze des Glaubensinhaltes. Daß der Glaube den Eintritt in das *Heilsgeschehen* bedeutet, daß der Glaube ein Weltgeschehen ergreift, können wir nur aus dem Neuen Testament lernen. Aber daß wir diese Erkenntnis aus dem Neuen Testament gewinnen können, ist uns erst ermöglicht worden, seit die Reformatoren den Glauben wieder als Erfassen des ganzen Heils verstanden.

Wir müssen darum, wenn wir biblische Christen sein wollen, es wagen, uns auf den durch Jesus, Paulus, Johannes gebotenen Begriff des Glaubens zu stützen und die davon abweichenden Gedanken des Neuen Testaments aufgrund innerer Kritik als dem Wesen des Glaubens nicht entsprechend abzulehnen. Der Streit um das rechte Verständnis des Glaubens ist also nur zum Teil ein Streit um die rechte Exegese des Neuen Testaments, er ist ebensosehr eine Entscheidung zwischen den verschiedenen Aussagen des Neuen Testaments. Und nur wer die geschichtliche Bedingtheit des neutestamentlichen Zeugnisses erkannt hat, kann hier die rechte Entscheidung für das Wesentliche fällen. Dieser Glaube aber, der das Zentrum des Neuen Testaments bildet, ist eine Kraft, die selig macht!

[26] CALVIN, Institutio III, 2, 3 (Joannis Calvini Opera Selecta, ed. P. BARTH et W. NIESEL, IV, 1931, S. 11).

JESUS UND PAULUS

Die Frage nach dem Verhältnis von Jesus und Paulus* stand vor mehr als 30 Jahren im Mittelpunkt der theologischen Diskussion[1]; heute scheint sie gegenüber anderen Fragen so sehr in den Hintergrund getreten zu sein, daß es verfehlt erscheint, auf sie zurückzukommen. Aber mag auch im Vordergrund der theologischen Auseinandersetzung diese Frage keine Rolle spielen, sie ist nichts desto weniger äußerst lebendig und real vorhanden. Das zeigt sich auf der einen Seite im Felde der politischen und weltanschaulichen Auseinandersetzung, wo A. ROSENBERG die Behauptung erneuerte, daß Paulus das Christentum Jesu verorientalisiert und verjudet habe[2]. ROSENBERG hat damit nicht nur den Haß PAUL DE LAGARDES gegen Paulus aufgenommen[3], sondern ebensosehr in überspitzter Form den Gegensatz erneuert, den besonders W. WREDE zwischen Jesus und Paulus behauptet hatte. WREDE hatte in seinem „Paulus" (2. Aufl. 1907) die Behauptung aufgestellt, daß erst Paulus im Gegensatz zu Jesus das Christentum zur Erlösungsreligion gemacht habe; Paulus sei „als der zweite Stifter des Christentums zu betrachten"; „dieser zweite Stifter der christlichen Religion hat ohne Zweifel gegenüber dem ersten im ganzen sogar den stärkeren – nicht den besseren – Einfluß geübt" (S. 103f). Gegen diese Auseinanderreißung von Jesus und Paulus hat schon damals AD. JÜLICHER in seiner vorzüglichen Schrift „Paulus und Jesus" (1907) Widerspruch erhoben, indem er darauf verwies, daß zwischen Jesus und Paulus die Urgemeinde stehe, auf de|ren Vorstellungskreis für das Verständnis des Paulus Rücksicht genommen werden müsse[4]. Die Frage ist damals aber nicht zu Ende diskutiert worden und hat in den Lehrbüchern nur einen schwachen Niederschlag gefunden[5].

---

* Vorliegende Untersuchung erschien in wesentlich kürzerer Vortragsform im Kirchenblatt für die ref. Schweiz, 1939, Heft 7 u. 8.

[1] Die ältere Literatur ist besprochen bei E. VISCHER, ThR 1905, S. 129 ff; 173 ff; 1908, S. 301 ff, ältere und neuere bei P. FEINE, Der Apostel Paulus, 1927, S. 158 ff. Hinzuzufügen ist außer den im Text genannten Arbeiten noch F. G. BRATTON, Continuity and Divergence in the Jesus-Paul-Problem, JBL 1929, S. 149 ff.

[2] A. ROSENBERG, Der Mythus des 20. Jahrhunderts, 1933, S. 74f, 235f. Vgl. auch H. WINDISCH, Paulus und das Judentum, 1935, S. 1 ff.

[3] PAUL DE LAGARDE, Deutsche Schriften, 1891, S. 57: Paulus hat uns das AT in die Kirche gebracht, an dessen Einflüssen das Evangelium, soweit dies möglich, zugrunde gegangen ist. Paulus hat uns mit der pharisäischen Exegese beglückt...: „Paulus hat uns die jüdische Opfertheorie und alles, was daran hängt, ins Haus getragen."

[4] Ähnlich A. v. HARNACK, Lehrbuch der Dogmengeschichte I, 1909[4], S. 106f, aber auch selbst W. WREDE, Paulus, 1907[2], S. 96.

[5] Vgl. besonders H. J. HOLTZMANN, Lehrbuch der Nt. Theol. II, 1911[2], S. 229 ff.

Die Wichtigkeit des mit dem Titel „Jesus und Paulus" umschriebenen Problem-
kreises hat aber dazu geführt, daß die Diskussion darüber auch innerhalb der Theologie in den letzten Jahren wieder neu aufgenommen worden ist. Die formgeschichtliche Einsicht in den kerygmatischen Charakter der synoptischen Überlieferung und
die Neubesinnung über die Theologie Jesu und des Paulus mußten die Frage von
neuem in den Vordergrund schieben, ob denn das innere Verhältnis der beiden Lehrformen nicht ganz anders bestimmt werden müsse, als es etwa ein WREDE oder ein
JÜLICHER von der Fragestellung aus getan hatten, ob Paulus die Lehre Jesu verfälscht habe oder nicht. Und sobald das Problem der Einheitlichkeit der neutestamentlichen Verkündigung sich der theologischen Forschung gebieterisch aufdrängte,
mußte sich die scheinbare oder wirkliche Diskrepanz zwischen der Predigt Jesu und
der Theologie des Paulus als besonders wichtige Frage erweisen. Besonders RUD.
BULTMANN hat sich darum wiederholt um die Abklärung des sachlichen Verhältnisses zwischen diesen beiden Lehrformen bemüht. Er suchte bereits 1929 in einem
Aufsatz über „Die Bedeutung des geschichtlichen Jesus für die Theologie des Paulus"[6] nachzuweisen, daß Paulus in seinen wesentlichen Gedanken nicht von der Predigt Jesu abhängig sei, daß dagegen sachlich in allen wichtigen Punkten der Lehre
Übereinstimmung zwischen Jesus und Paulus bestehe. Der Unterschied zeige sich
nur darin, daß Jesus ganz in die Zukunft blickt und den Menschen als Wartenden
sieht, während Paulus zurückblickt auf die schon geschehene Wende der Äonen und
den Menschen als Empfangenden versteht. Das Hauptinteresse BULTMANNS in diesem Aufsatz liegt dann freilich auf dem abschließenden Nachweis, daß erst die vom
Kerygma verkündigte geschichtliche Person Jesu die Predigt des Paulus zum Evan-
gelium mache. BULT | MANN hat dann 1936 das Thema „Jesus und Paulus" in noch
grundsätzlicherer Weise wieder aufgenommen[7] und sich besonders um den Nachweis
bemüht, daß es nicht gelingen könne, durch den Rückgang von Paulus auf Jesus ein
mythologiefreies Christentum zu gewinnen: „Wem Paulus widerwärtig und unheimlich ist, dem muß Jesus genauso widerwärtig und unheimlich sein" (S. 81). Auch hier
wird der eigentliche Unterschied zwischen Jesus und Paulus in der verschiedenen
Stellung zur Zeitenwende gesehen; aber beide verkünden den gleichen Gott, und
man kann nur durch Paulus zu Jesus kommen. BULTMANNS sehr förderliche Untersuchungen haben aber nicht überall Anklang gefunden. JOH. LEIPOLDT in seinem
1936 erschienenen Buch „Jesus und Paulus – Jesus oder Paulus?" geht freilich auf
diese Fragen nicht ein, sondern behandelt fast ausschließlich periphere Gegenstände
wie die verschiedene Herkunft und die verschiedenen Wirkungskreise Jesu und des
Paulus. Wichtiger ist dagegen H. WINDISCHS Bemühung um unsere Frage. Allerdings muß ich sein großes Werk „Paulus und Christus. Ein biblisch-religionsge-
schichtlicher Vergleich" (1934) als bedauerlichen Mißgriff bezeichnen; denn die
These, daß religionsgeschichtlich Jesus und Paulus demselben Typus angehören
(WINDISCH redet von der Apostelhaftigkeit Jesu und der Christusähnlichkeit des

---

[6] ThBl 1929, S. 137 ff, abgedruckt in „Glauben und Verstehen" I, 1933, S. 188 ff.
[7] In dem Sammelband „Jesus Christus im Zeugnis der Hl. Schrift und der Kirche", hrsg.
von P. BARTH (Beiheft 2 zur „Ev. Theologie"), 1936, S. 68 ff.

Paulus) enthält sicherlich richtige Beobachtungen, ist aber als ganze völlig schief und zwingt auf Schritt und Tritt zu Gewaltsamkeiten; es scheint mir darum am besten, wenn man dieses Buch als ganzes mit Schweigen übergeht. Dagegen hat WINDISCH kurz vor seinem Tode einen Aufsatz fertiggestellt, der das Problem „Paulus und Jesus" von neuen Gesichtspunkten aus anpackt[8]. WINDISCH stellt hier die These auf, daß bereits die Verkündigung Jesu zwei sich ausschließende Heilslehren enthalte, die Soteriologie des Vaterunsers und der Bergpredigt auf der einen und die Märtyrertheologie des Kreuzestodes auf der andern Seite; in ähnlicher Weise vertrete Paulus auf der einen Seite die von der Urgemeinde überkommene Verkündigung, auf der andern Seite das von ihm selbst geschaffene Evangelium, das seine Hauptwurzel im Damaskuserlebnis habe. WINDISCH sucht dann im einzelnen eine Fülle von Widersprüchen zwischen Jesus und Paulus aufzuweisen und stellt abschließend fest, daß Paulus die nur schwach bezeugte Jerusalemer Kreuzespredigt Jesu stärker verwertet habe als die Heilslehre des Vaterunsers und daß Paulus dann an diese von der Urgemeinde bereits weitergebildeten späten Gedanken Jesu seine eigenen ganz neuen Gedanken herangetragen habe. Daraus erkläre sich, daß Jesus und Paulus zwar zusammengehören, daß ihr Verhältnis aber ein äußerst kompliziertes und nicht auf eine einfache Formel zu bringendes sei.

Es dürfte deutlich sein, daß das Verhältnis von Paulus zu Jesus in der Tat eine Frage darstellt, deren Beantwortung maßgebend ist für unser gesamtes Urteil über die Botschaft des Neuen Testaments. Denn wenn Paulus wirklich im Ansatz eine andere Predigt verkündigt als Jesus, so ist sein Anspruch, der Apostel Jesu Christi zu sein, ein Irrtum; und wenn Jesus mit seiner Predigt nicht den Grund gelegt hat für die Verkündigung der Urgemeinde und damit des Paulus, dann hat Jesus in der Tat nicht den Grund gelegt für das Christentum. Die Frage nach dem Verhältnis von Jesus und Paulus hat die neuere Diskussion zwar in bisher nicht erreichter Schärfe gestellt, aber wohl noch nicht ausreichend beantwortet. Es muß darum unsere Aufgabe sein, wenn wir hier weiterkommen wollen, den zentralen sachlichen Gehalt der Predigt Jesu und des Paulus aufzudecken und auf diese Weise einen zuverlässigen Boden für den Vergleich der beiden Verkündigungsformen zu | finden. Exegetische Einzelfragen müssen dabei natürlich weitgehend unberücksichtigt bleiben.

I

BULTMANN hat mit Recht festgestellt, daß man die Frage „Jesus und Paulus" in dreifachem Sinne stellen könne: „1. Ist Paulus in seiner Gedankenbildung durch den historischen Jesus bestimmt, sei es direkt, sei es durch Vermittlung der Urgemeinde? bzw. wie weit ist er es? 2. Wie verhält sich sachlich die Theologie des Paulus zur Verkündigung Jesu, ganz abgesehen von der etwaigen kausalen Bedeutung der Verkündigung Jesu für Paulus? 3. Welche Bedeutung hat für die Theologie des Paulus das Faktum des geschichtlichen Jesus?"[9] Die zweite Frage nach dem

---

[8] Paulus und Jesus, ThStKr 1934/35, S. 432ff.
[9] Glauben und Verstehen I, S. 188.

sachlichen Verhältnis der beiden Verkündigungen ist zweifellos die wichtigste und soll uns hier auch in der Hauptsache beschäftigen; aber zu ihrer Beantwortung ist auch ein kurzes Eingehen auf die beiden andern Fragen unumgänglich.

Fragen wir zunächst, wieweit Paulus von den Worten Jesu, die ihm in der Gemeindetradition überliefert wurden, und von der gesamten Jesusüberlieferung abhängig war, so ist ja bekannt, daß Paulus nur ganz selten ausdrücklich Worte Jesu zitiert: er erwähnt die praktischen Entscheidungen Jesu über die Ehescheidung und die Unterhaltspflicht der Gemeinden gegenüber den Missionaren (1Kor 7, 10; 9, 14) und die eschatologische Belehrung über das Schicksal der Verstorbenen und Überlebenden bei der Parusie (1Thess 4, 15); außerdem zitiert er innerhalb der urgemeindlichen Überlieferung vom Herrenmahl die Einsetzungsworte Jesu (1Kor 11, 23ff). Weiter hat Paulus mehrfach Worte Jesu innerhalb der Paränese verwandt, ohne sie als solche zu kennzeichnen, und man kann darum über die Zahl der hierher gehörigen Stellen streiten[10]. Bezeichnenderweise gibt also Paulus hier niemals Jesus als den Urheber des betreffenden Wortes an, und man kann selbstverständlich nicht feststellen, ob er diese Herkunft der verwerteten Worte kannte. Aber Paulus hätte es auch kaum für nötig befunden, solche Herkunft immer genau anzugeben, da er als beauftragter Apostel im Geiste Christi lehrend (1Kor 7, 25. 40) niemals etwas anderes zu verkünden glaubte als den „Willen Gottes in Christus Jesus euch gegenüber" (1Thess 5, 18). Der Befund der Briefe zeigt also ganz deutlich, daß Paulus in allen Hauptteilen seines theologischen Denkens nicht direkt von Worten Jesu abhängig ist. Selbstverständlich ist dieser Befund insofern ein zufälliger, als die Briefe nicht die gesamte Missionspredigt wiedergeben, sondern nur *die* Fragen behandeln, die gerade für eine Gemeinde besonders wichtig oder umstritten waren. Weder in der theologischen Argumentation noch gar in der Paränese enthalten darum die Paulusbriefe mehr als eine Auswahl[11]. Wenn darum der Römerbrief, der sich an eine von Paulus nicht gegründete Gemeinde wendet, mehrfach innerhalb der Paränese Jesusworte verwendet, so darf das vielleicht als Hinweis darauf verstanden werden, daß die Worte Jesu in der Missionspredigt des Paulus eine größere Rolle gespielt haben müssen, als die Briefe uns ahnen lassen. Aber mag die Zahl der von Paulus verwerteten Jesusworte in der mündlichen Predigt auch erheblich größer gewesen sein, die Tatsache ist nicht zu bestreiten, daß Paulus es nicht als seine Aufgabe ansieht, die Predigt Jesu weiterzugeben. Es liegt gewiß nicht so, daß Paulus | die Worte Jesu seinen eigenen völlig gleichstellt; gerade dort, wo er eine höhere Autorität als seine eigene Person aufrufen will, verweist er ja auf Worte des Kyrios (1Kor 7, 10. 12); aber er *braucht* diese Worte nicht, und wo ihm solche Worte fehlen, hat er als berufener Apostel das Recht, selbst vollgültige Anweisung zu geben (1Kor 7, 25. 40). Für sein „Evangelium" aber beansprucht er erst recht nicht eine irdische Autorität, und

---

[10] Als sicher sind etwa zu bezeichnen Röm 12, 14; 13, 9; Gal 5, 14; 1Kor 13, 2; eine sorgfältig gegliederte Liste weiterer möglicher Anspielungen auf Jesusworte bei H. J. HOLTZMANN, Lehrbuch der nt. Theol. II, 1911², S. 232f, doch ist hier keinerlei Sicherheit zu gewinnen.

[11] So hat z. B. W. GUTBROD, Die paulinische Anthropologie, 1934, S. 9ff gezeigt, daß der bei Paulus in den Briefen nur angedeutete Schöpfungsgedanke im Gesamtrahmen seiner Predigt und Theologie eine viel größere Rolle gespielt haben muß.

sei es auch ein Wort des Menschen Jesus, sein Evangelium hat er vom Auferstandenen empfangen, und darum allein ist es τὸ εὐαγγέλιον τοῦ Χριστοῦ (Gal 1, 6 ff. 11 f). Paulus fühlt sich nicht als Schüler des geschichtlichen Jesus, den er wahrscheinlich niemals gesehen hat[12], sondern als Beauftragter des Auferstandenen, und darum ist es nicht seine Aufgabe, weiterzugeben, was er über den geschichtlichen Jesus und seine Worte gehört und überliefert erhalten hat, sondern Christus zu verkündigen (1 Kor 1, 17. 23). Daß Jesus ein Rabbi war und daß seine Schüler seine Worte tradierten[13], ist für Paulus offensichtlich nur ein kleiner und durchaus nicht zentraler Teil seiner Christusverkündigung gewesen. Bestünde die wahre Evangeliumsverkündigung also darin, daß die Predigt Jesu zuverlässig und unverfälscht weitergegeben wird, so wäre Paulus in der Tat ein schlechter Evangeliumsbote und hätte eine *grundlegend* andere Botschaft verkündigt als Jesus selbst. Die Beantwortung der Frage nach der Abhängigkeit der Predigt des Paulus von den Worten Jesu kann also nicht wirklich das sachliche Verhältnis von Paulus und Jesus klären, weil alles darauf ankommt, was denn der zentrale Charakter der Predigt Jesu und das eigentliche Interesse der Christusbotschaft des Paulus gewesen ist.

II

Schon viel wesentlicher ist die Frage, was denn Paulus von dem geschichtlichen Jesus gewußt und verkündet habe und welche Rolle die Gestalt des geschichtlichen Jesus in der Theologie des Paulus spiele. Diese Frage drängt sich darum auf, weil Paulus ja an zentralen Stellen von der Menschwerdung des präexistenten Gottessohnes, von der Schöpfungsmittlerschaft des Präexistenten usw. redet (etwa Phil 2, 5 ff; Röm 1, 3 f; Kol 1, 16 ff). Dementsprechend gibt Paulus selber als die Aufgabe seiner Predigt an, vom gekreuzigten und auferstandenen Christus zu reden (1 Kor 1, 23; Gal 3, 1; 1 Kor 15, 3 ff). Es kann ja nun keine Frage sein, daß Paulus an diesen Stellen von Jesus Christus in mythischen Denkformen spricht, über deren Herkunft man streiten kann[14], die aber zweifellos nicht einfach ein ir | disch-geschichtliches

---

[12] Daß 2 Kor 5, 16 hypothetisch zu übersetzen ist: „Wenn wir auch Christus nach dem Fleische kännten, so kennen wir ihn jetzt nicht mehr so", scheint mir die wahrscheinlichste Auslegung der schwierigen Stelle zu sein, vgl. etwa R. REITZENSTEIN, Die hellenistischen Mysterienreligionen, 1927³, S. 733 ff; M. GOGUEL, Introduction au NT, IV, 1, 1925, S. 176 ff. H. WINDISCH, ThStKr 1934/35, S. 437 hat mit Recht betont, daß 1 Kor 9, 1 beweise, daß Paulus den geschichtlichen Jesus nicht gesehen haben kann.

[13] Ich bin mir bewußt, daß damit weder das Wesen Jesu noch das Jüngerverhältnis zu Jesus ausreichend beschrieben ist. K. H. RENGSTORF, ThW IV, S. 408, 444 f, 448 ff hat mit Recht betont, daß das Jüngerverhältnis zu Jesus nicht das des Schülers zum Lehrer war („Jesus ist für die Jünger nirgends ein Schulhaupt, sondern der lebendige Herr der Seinen", S. 458) und daß es darum nicht zu einem Traditionsprinzip im Jüngerkreise kommen konnte. Das ändert aber nichts an der Tatsache, daß der palästinensische Jüngerkreis Erzählungen von Jesus und Worte Jesu in großem Umfang tradiert hat und daß Paulus das eben nicht tut. Vgl. die Analyse der Motive, die die Weitergabe und Formung der Jesusüberlieferung bestimmten, bei M. DIBELIUS, Die Formgeschichte des Evangeliums, 1933², passim.

[14] Es scheint mir sicher, daß Paulus in seinen christologischen Begriffen und Vorstellungen den vom Judentum assimilierten Mythus vom herabsteigenden Himmelsmenschen auf-

Menschenleben beschreiben. Wenn auch Paulus sehr wahrscheinlich den Titel ϑεός
für Jesus Christus vermieden hat[15], so redet er doch von einem mythischen Wesen,
dessen Berührung mit der Erde nur schwach zu sein scheint. Ist innerhalb einer Predigt von Christus, wo Tod und Auferstehung im Mittelpunkt stehen, wo Präexistenz
und himmlische Kyrioswürde Voraussetzung des Christusglaubens sind, die Menschheit Jesu nicht eine bedeutungslose Episode? Nimmt Paulus überhaupt den Menschen Jesus wirklich ernst oder kommt er nicht gar nahe an doketische Aussagen
heran? So hat man behauptet[16], und damit wäre natürlich die Anknüpfung der Theologie des Paulus an Jesus zu einer bloßen Zufälligkeit geworden. Dagegen ist zunächst zu sagen, daß Paulus die volle Menschlichkeit Jesu so stark wie möglich betont hat: Jesus ist von einem Weib geboren, stammt nach dem Fleisch aus dem Ge-
schlechte Davids, trug menschliches Sündenfleisch, nahm menschliches Sklaven-
dasein auf sich (Gal 4, 4; Röm 1, 3; 8, 3; Phil 2, 7). Paulus spricht aber auch vom
Verhalten des geschichtlichen Menschen Jesus, wenn er die Milde und Sanftmut
Christi, seine Liebe, die ihn ans Kreuz trieb, sein selbstloses Ertragen der Schmä-
hungen, seinen demütigen Gehorsam bis zum Kreuzestode erwähnt (2Kor 10, 1; Gal
2, 20; Röm 15, 3; 5, 19; Phil 2, 8). Hier ist nicht von der Selbstentäußerung des Präexistenten die Rede[17], sondern von einem innerweltlichen Verhalten, das zum Vorbild und zur Nachahmung empfohlen werden kann (vgl. Röm 15, 2f; 1Thess 1, 6)[18].
Ja, in 2Kor 10, 1 „Ich ermahne euch bei der Sanftmut und Milde Christi" ist doch
wohl vorausgesetzt, daß auch das irdische demütige Leben Jesu einen Teil seines
Erlöserwirkens darstellt[19]. Aber so sehr auch Paulus über diese Andeutungen seiner
Briefe hinaus Einzelheiten des Lebens Jesu gekannt und in seiner Missionspredigt

genommen hat (vgl. etwa M. BRÜCKNER, Die Entstehung der paulinischen Christologie,
1903; H. WINDISCH, Die göttliche Weisheit der Juden und die paulinische Christologie, Nt.
Abhandl. für HEINRICI, 1914, S. 220ff; O. MICHEL, Die Entstehung der paulinischen Christologie, ZNW 1929, S. 324ff), aber im einzelnen muß natürlich ungewiß bleiben, welche Vorstellungen Paulus schon in der Urgemeinde vorfand und welche er selber umbildete.

    [15] Röm 9, 5 muß die Doxologie m. E. auf Gott bezogen werden, vgl. neuestens besonders
H. LIETZMANN, An die Römer, 1933[4], z. St.; W. BOUSSET, Kyrios Christos, 1921[2], S. 154;
M. GOGUEL, Introduction au NT, IV, 2, 1926, S. 230; G. HARDER, Paulus und das Gebet,
1936, S. 177, Anm. 6; J. HÉRING, Le royaume de Dieu et sa venue, 1937, S. 169. L. G. CHAMPION,
Benedictions and Doxologies in the Epistles of Paul, Diss. Heidelberg, 1934, S. 124ff hat ge-
zeigt, daß in spätjüdischen Doxologien der Artikel häufig von ϑεός durch Attribute getrennt
ist, und betont mit Recht, daß nach der Aufzählung der Wohltaten Gottes in Röm 9, 4f für
Paulus eine Doxologie Gott gegenüber durchaus nahe lag.

    [16] J. WEISS, Das Urchristentum, 1917, S. 376ff; W. BOUSSET, Kyrios Christos, 1921[2],
S. 152f. Die ans Doketische streifende Deutung von Röm 8, 3 ἐν ὁμοιώματι σαρκὸς ἁμαρτίας
ist falsch, siehe W. G. KÜMMEL, Röm 7 und die Bekehrung des Paulus, 1929, S. 71f.

    [17] So z. B. R. BULTMANN, Glauben und Verstehen I, 1933, S. 206.

    [18] Das betont mit Recht C. H. DODD, History and the Gospel, 1938, S. 64ff unter Verweis
auf die Unverträglichkeit dieser Züge mit dem traditionellen Messiasbild. Zum Bild des
Paulus vom geschichtlichen Jesus vgl. auch A. OEPKE, Die Missionspredigt des Apostels
Paulus, 1920, S. 132ff.

    [19] Die Phrase παρακαλῶ ὑμᾶς διὰ τῆς πραΰτητος καὶ ἐπιεικείας τοῦ Χριστοῦ ist im Vergleich
mit Röm 12, 1; 15, 30 als Ermahnung zu verstehen, die ihre Kraft durch den Hinweis auf
die Sanftmut und Milde Christi erhält (vgl. A. OEPKE, ThW II, 1935, S. 67). Dann kann aber
im Zusammenhang nur an das Verhalten des irdischen Menschen Jesus gedacht sein, nicht
an die Christus-Sanftmut, die die Korinther haben sollen (gegen O. SCHMITZ, Die Christusgemeinschaft des Paulus im Lichte seines Genetivgebrauchs, 1924, S. 216f).

verwandt haben wird, wichtig sind ihm nicht solche Einzelheiten, sondern wichtig ist ihm allein die Tatsächlichkeit der Menschheit Christi, weil in diesem Menschen, in seinem Leben, Sterben, Auferstehen Gott die Endzeit heraufgeführt hat (Gal 4, 4ff; Kol 1, 12f). Darum legt Paulus so großen Nachdruck auf die Tatsache, daß die Kreuzigung ein wirkliches geschichtliches Ereignis war (Gal 3, 1; 1Thess 2, 15); darum betont er die Momente, die die Menschheit Jesu si | chern; denn von der Geschichtlichkeit der Menschheit Jesu und seiner Kreuzigung hängt die Heilsbotschaft des Paulus in jeder Weise ab. Und weil Paulus allein das predigt, daß Gott in dem Menschen Jesus Christus als der Erlöser gehandelt hat (Gal 4, 4f), darum sind für Paulus nicht die Einzelheiten des Lebens Jesu wichtig, sondern allein die Tatsache, daß in diesem vor kurzem getöteten Menschen, in seinem Leben und seiner Lehre wie in seinem Tode und seiner Auferstehung, Gott gehandelt hat. Paulus hat sich dabei keinerlei Mühe gegeben, für das Zusammensein von Mensch und erniedrigtem präexistenten Gottwesen in der Person Jesu irgendeine Erklärung zu geben; und wir brauchen nicht zu bestreiten, daß seine in mythischen Formen denkende Präexistenzchristologie sich nicht ohne weiteres verträgt mit der schlichten, gewöhnlichen Menschheit Jesu. Aber an der Verständlichmachung dieses Sachverhalts liegt Paulus eben gar nichts, ihm kommt es nur darauf an, daß in Jesus Christus der Gottessohn und der Mensch untrennbar beieinander waren. Paulus will die paradoxe Tatsache bezeugen, daß der ewige Gott in dem geschichtlichen Menschen Jesus endzeitlich gehandelt hat, und darum haftet alles Interesse an der Tatsächlichkeit der geschichtlichen Existenz Jesu Christi, aber gar kein Interesse daran, diesen Menschen als Gottwesen oder Heros oder Propheten oder sonstwie begreifbar zu machen. Man wird also sagen müssen, daß der geschichtliche Jesus darum zentraler Inhalt der Predigt des Paulus ist, weil er eben von dem geschichtlichen und auferstandenen Jesus verkündigt, daß er der Gottessohn sei; aber über dieses zentrale Kerygma hinaus ist der geschichtliche Jesus für Paulus nicht zentral[20]. Und wir müssen wieder fragen, ob Paulus in diesem einseitigen Wertlegen auf die Glaubensdeutung der Person Jesu als einer göttlichen Wirklichkeit grundlegend von Jesus abweicht oder ob er hier nur die Botschaft Jesu über seine eigene Person fortführt.

III

Damit können wir uns nun der dritten und wichtigsten Frage zuwenden, wie sich nämlich sachlich die Theologie des Paulus zur Predigt Jesu verhalte. Besteht zwischen beiden Größen ein grundlegender, das Wesen beider Formen der Botschaft betreffender Unterschied? In *formaler* Hinsicht besteht ja zweifellos zwischen Jesus und Paulus ein zweifacher Unterschied. Es ist ohne weiteres deutlich, daß Jesus einfacher, schlichter redet als der oftmals kompliziert argumentierende Paulus. Nun spricht Jesus ganz gewiß in der Sprache seines Volkes und seiner Zeit und kennt die rabbinische Schriftauslegung seiner Tage; die Auseinandersetzungen mit den Rabbi-

---

[20] Den näheren theologischen Sinn dieser Einsicht hat R. BULTMANN herausgearbeitet (Glauben und Verstehen I, S. 202ff).

nen etwa über die Auferstehung oder Davidssohnschaft oder der Angriff gegen die Kasuistik des Qorban-Gelübdes (Mk 12, 18 ff. 35 ff; 7, 11 ff) zeigen, daß Jesus sich durchaus nicht von jeder Berührung mit der Schriftgelehrsamkeit und dem Pharisäertum ferngehalten hat. Jesus geht auch in seiner Stellung zum jüdischen Offenbarungsglauben durchaus von der Anschauung der Pharisäer aus, daß die Thora in der gesamten von Mose hergeleiteten Überlieferung zu finden sei, und dementsprechend bezieht er sich auch auf halachische Vorschriften der mündlichen Lehre [21]. Aber ein geschulter oder gar ordinierter Rabbi ist Jesus nicht gewesen [22], und seine Landsleute haben gewußt, daß er zu | keiner Rabbinenschule gehörte, als sie fragten: „Woher hat er das? Was ist das für eine Weisheit, die ihm gegeben ist?" (Mk 6, 2). Und ebenso stellt Joh 7, 15 richtig fest, daß Jesus keine reguläre rabbinische Schulbildung durchgemacht hat. Paulus dagegen ist Rabbinenschüler und Anhänger des Pharisäerbundes gewesen (Phil 3, 5; Gal 1, 14; Apg 22, 3; 26, 5). Er argumentiert theologisch und handhabt sowohl den palästinensisch-jüdischen wie den hellenistisch-jüdischen Schriftbeweis selbständig [23]. Infolge dieses Unterschiedes trägt Jesus keine systematisch aufgebaute Lehre vor, sondern einzelne Gedanken, Mahnungen und Gleichnisse, die ganz zweifellos in einem inneren Zusammenhang stehen, aber keine eigentliche Lehreinheit darstellen. Paulus dagegen baut seine Gedankengänge nach einem theologischen Schema auf, argumentiert systematisch und entscheidet auch spezielle ethische Fragen von grundsätzlichen theologischen Aspekten aus. Zu diesem sichtbarsten formalen Unterschied zwischen Jesus und Paulus kommt ein zweiter hinzu. Jesus denkt und lehrt ganz und gar in jüdischer Begriffswelt; auch seine mythischen Gedankenformen wie die Gestalt des Himmelsmenschen („Menschensohn") hat er durch die Vermittlung des palästinensischen Judentums empfangen [24]. Auch Paulus ist zunächst als Jude von jüdischen Gedankengängen abhängig: die Rechtfertigung, die Vergeltung nach den Werken, die Vorstellungsformen seiner Christologie, die in Röm 5, 12 ff verwerteten Gedanken und manches andere stammen aus dem palästinensischen Judentum; die Bezeichnung Christi als „Bild Gottes", die „natürliche Theologie" von Röm 1, 20 ff, die allegorische Exegese usw. haben ihre begriffliche Wurzel im hellenistischen Judentum. Aber Paulus hat ganz zweifellos auch heidnische Vorstellungen seiner Zeit aufgenommen wie den Ge-

---

[21] Vgl. den Nachweis bei W. G. KÜMMEL, Jesus und der jüdische Traditionsgedanke, ZNW 1934, S. 118 ff.

[22] Über Jesus als Lehrer vgl. K. H. RENGSTORF, ThW II, 1935, S. 155 ff. WINDISCHS Behauptung, daß Jesus „selbst durch die Schule der Thoralehrer hindurchgegangen ist", und alle Folgerungen, die er daraus zieht (auch Jesus sei durch einen Bruch hindurchgegangen! usw.), sind ein willkürlicher Versuch, Jesus an Paulus anzugleichen (gegen Paulus und Christus, S. 118 ff).

[23] Daß Paulus ordinierter Rabbi war (so J. JEREMIAS, ZNW 1926, S. 310 f aufgrund von Apg 9, 1 f; 13, 15; 22, 5; 26, 10. 12), läßt sich kaum beweisen, ist sogar recht unwahrscheinlich (vgl. A. OEPKE, Probleme der vorchristlichen Zeit des Paulus, ThStKr 1933, S. 387 ff). Zum Schriftbeweis des Paulus vgl. O. MICHEL, Paulus und seine Bibel, 1929, S. 91 ff und J. BONSIRVEN, Exégèse rabbinique et exégèse paulinienne, 1939.

[24] Der Versuch von E. WECHSSLER, Hellas im Evangelium, 1936, Jesus als abhängig von platonischer und hellenistischer Philosophie zu erweisen (ähnlich, wenn auch vorsichtiger, J. LEIPOLDT, Jesus und Paulus-Jesus oder Paulus?, 1936, S. 54), mußte mißglücken.

danken des Mitsterbens in der Taufe, den Gegensatz von Psychiker und Pneumatiker, die realistische Sakramentswertung, die Vorstellung vom Herabstieg des Erlösers in Verkleidung usw.[25]. Daß sich diese von Paulus verwerteten Vorstellungsformen oft erheblich mit den von Paulus beabsichtigten Gedanken stoßen und daß daraus viele exegetische und theologische Schwierigkeiten im Paulusverständnis sich erklären, ist nicht zu bezweifeln, und Paulus ist auch durch die Verwendung dieser verschiedenartigen Vorstellungsformen weder ein Jude noch ein Hellenist geworden. Aber daß Paulus jüdisch-hellenistische und heidnisch-hellenische Vorstellungen kennt und verwendet, unterscheidet seine Lehre auffällig von der Jesu. Doch bedeutet dieser Unterschied so wenig wie der des Rabbinen vom Laien einen fundamentalen Gegensatz[26].

Ein wirklich entscheidender Unterschied besteht dagegen darin, daß Paulus in einer ganz andern heilsgeschichtlichen Situation steht als Jesus. Es ist schon darauf verwiesen worden, daß A. Jülicher mit Energie betont hat, daß zwischen Paulus und Jesus die Entstehung der Urgemeinde liegt. Damit ist aber gegeben, daß Paulus nicht nur den Tod Jesu und die Auferstehungserfahrung der ältesten Gemeinde als Geschehnisse der Vergangenheit hinter sich liegen weiß, sondern daß auch | die Gründung der Gemeinde durch die Gabe des Geistes am ersten Pfingstfest bereits geschehen ist. Die Urgemeinde aber war in ihrer Stellung zu Jesus durch diese Ereignisse entscheidend bestimmt. Denn wenn es wahr war, daß Gott Jesus von den Toten auferweckt und die endzeitliche Gabe des Geistes gesandt hatte, dann war eben mit diesen beiden Geschehnissen die Endzeit wirklich angebrochen (Apg 3, 18 ff). Infolgedessen gab es für die Urgemeinde gar keinen andern Weg, als in ihrer Christusverkündigung von Tod und Auferstehung Jesu auszugehen und von da her nicht nur die Person Jesu, sondern die ganze Heilsgeschichte zu verstehen (Apg 10, 39 ff). Wenn also Paulus, der das urchristliche Kerygma übernommen hat (1 Kor 15, 3 ff), von Christus predigte, so konnte er nicht einfach vom irdischen Jesus und seinen Worten erzählen, als wäre er ein interessierter Zeitgenosse des irdischen Jesus; denn der irdische Jesus war für die ersten Christen überhaupt nur darum Gegenstand ihrer Predigt und ihres Glaubens, weil er kein anderer war als der himmlische Herr, dessen Auferstehung man erlebt hatte (Apg 10, 39 ff). Paulus konnte als Glied und Nachfolger der ältesten Gemeinde also gar nicht das Leben oder die Frömmigkeit Jesu als eines Lehrers oder Propheten oder gar eines frommen Heros seinen Gemeinden als Vorbild verkünden, sondern Paulus mußte wie die Urgemeinde bezeugen, daß Gott den irdischen Menschen Jesus durch Tod und Auferstehung zur himmlischen Herrlichkeit erhöht habe und daß dieser erhöhte Mensch darum jetzt der himmlische Herr sei, dem alle Welt zu dienen habe und der allein Gottes Heil schenken könne (Phil 2, 5 ff; Gal 3, 1 f; 1 Kor 15, 20). Paulus hat also keineswegs aus dem schlichten Gottesglauben Jesu die Religion der Christusverehrung gemacht,

---

[25] Diese Behauptungen können hier nicht in Kürze bewiesen werden. Vgl. den Literaturbericht von R. Bultmann, ThR 1936, S. 1 ff.
[26] Weitere formale Unterschiede hat J. Leipoldt in dem Anm. 24 genannten Buch zusammengestellt.

weil er diese Christusreligion bereits in den christlichen Gemeinden vorgefunden hat; daß er diese Christusreligion vertieft und grundsätzlicher gestaltet hat, ändert nichts an dieser Tatsache. Die eigentliche Frage ist darum die, ob wir anerkennen, daß die Urgemeinde wirklich recht hatte, als sie in Tod und Auferstehung Jesu Gott endzeitlich handeln sah, ob hier göttliche Wirklichkeiten geschehen waren, denen Paulus sich so gut beugen mußte wie jeder Christ, oder ob Paulus hier abhängig ist von einer Verfälschung der Gestalt und Lehre Jesu, wie sie die erste Gemeinde vorgenommen hatte, wobei freilich dann in der Tat die gesamte Verkündigung des Paulus als grundsätzliche Verfälschung erscheinen müßte. Daß für Paulus nicht das Leben und die Lehre Jesu, sondern Gottes Tat in dem Menschen Jesus und ganz besonders Tod und Auferstehung Jesu im Mittelpunkt stehen, ist nicht die Folge einer persönlichen willkürlichen Entscheidung des Paulus, sondern die Folge davon, daß nach dem Urteil der gesamten Urchristenheit Gott in diesen Geschehnissen endzeitliches Heil gewirkt hat. Wir können diese Verkündigung der ältesten Christenheit bejahen oder verneinen, aber wir können zweifellos dem Paulus nicht gerecht werden, wenn wir diese Verkündigung verneinen.

Aber nicht nur durch Tod und Auferstehung Jesu befand sich Paulus in einer andern heilsgeschichtlichen Lage als Jesus: er fand auch, als er Christ wurde, bereits die Kirche vor, zu deren Kennzeichen die beiden Sakramente der Taufe und des Herrenmahles gehörten. Es ist ja nun freilich sehr umstritten, ob die Gründung der Kirche bereits in das Leben Jesu zurückreiche oder nicht. ,,Nichts ist deutlicher, als daß Jesus gar nicht daran gedacht hat, eine Kirche zu gründen"[27], das war das fast einstimmige Urteil der kritischen protestantischen Theologie zu Beginn dieses Jahrhunderts. Das hat sich in den letzten zwanzig Jahren grundlegend gewandelt, seit im Anschluß an KATTENBUSCH und K. L. SCHMIDT sich mehr und mehr die Meinung durchsetzte, Jesus habe eine Sondergemeinde gründen wollen, und seit darum das Wort von der Kirchengründung Mt 16, 18f wieder fast allgemein als echtes Wort Jesu angesehen wird. Ich habe früher ausgeführt[28], daß ich diese Ansicht nicht für richtig halten kann, und will die Begründung nicht wiederholen; es scheint mir nach wie vor nicht bewiesen, daß Jesus an die Gründung einer Sondergemeinde gedacht oder gar feierlich Petrus zum Grundfels dieser Gemeinde bestimmt habe. Aber sicher ist, daß Jesus einen Kreis von Menschen kennt, die sich um seine Person scharen und von ihm den Auftrag zur Predigt vom kommenden Gottesreich erhalten haben (Mk 1, 17; 10, 17. 21; Lk 9, 61f; 12, 32). Doch wie man über die Frage der ,,Kirchengründung" durch Jesus auch urteilen möge, ganz sicher ist, daß durch die Gabe des Geistes an Pfingsten eine endzeitliche Gemeinde entstand, die mehr und mehr *neben*

---

[27] H. WEINEL, Biblische Theologie des NT, 1921³, S. 120f. Vgl. H. J. HOLTZMANN, Lehrbuch der Nt. Theol. II, 1911², S. 268ff und das Referat von O. LINTON, Das Problem der Urkirche in der neueren Forschung, Diss. Uppsala 1932, S. 157ff.

[28] ThBl 1936, S. 231–233 (= Die Eschatologie der Evangelien, S. 13ff); dort weitere Literatur. Auch die neuesten Ausführungen von K. L. SCHMIDT, ThW III, 1938, S. 522ff zeigen, daß systematische Postulate wie die Annahme der notwendigen Zusammengehörigkeit von Menschensohn und Jüngergemeinde usw. entscheidend sind für die Zurückführung des Kirchenbegriffs auf Jesus.

die jüdische Gemeinde treten mußte. Diese Gemeinde fühlte sich als „die Heiligen",
„die Auserwählten" (1Kor 16, 1; Mk 13, 20. 27; Lk 18, 7)[29], hier bestand zweifellos
das Bewußtsein, die Gemeinde der Endzeit zu sein, über die der Tod keine Macht
mehr hat (Mt 16, 18). Durch diese Erfahrung der Gegenwart des Geistes als einer von
den übrigen Menschen absondernden göttlichen Wirklichkeit war auf alle Fälle ein
wesentlicher Schritt über Jesus hinaus getan.

Und mit dieser durch die Entstehung der ältesten Gemeinde geschaffenen neuen
heilsgeschichtlichen Situation war etwas weiteres gegeben: zu den Kennzeichen dieser Gemeinde gehörten von Anfang an die beiden Sakramente der Taufe und des
Herrenmahles. Das letzte Mahl Jesu, mag man seinen Sinn bestimmen, wie immer
man will, war zweifellos eine Feier, deren Wiederholung Jesus für die Zeit bis zu
seiner Parusie erwartet und gewünscht hatte[30]. Aber seit die Jünger Jesu Auferstehung erfahren und den Geist empfangen hatten, war das Herrenmahl zu einer Vor-
wegnahme des messianischen Mahles geworden, bei der der Auferstandene als gegenwärtig erlebt wurde. Die Tatsache von Ostern und Pfingsten hatte also aus dem Ge-
dächtnismahl eine weit darüber hinausgreifende Feier realer gegenwärtiger Heils-
gemeinschaft mit dem kommenden Herrn gemacht[31]. Und die Taufe, die in der ältesten Gemeinde schon vor Paulus feste Sitte gewesen sein muß, geht zweifellos nicht
auf eine Anordnung des irdischen Jesus zurück (Mt 28, 19 ist ein Wort des Auferstandenen!), sondern ist von der Gemeinde wohl im Anschluß an den Ritus der Johannes-
jünger aufgenommen worden; hier liegt also eine Wirklichkeit vor, die überhaupt
nicht in das Leben Jesu zurückreicht. Paulus schließt sich in diesen drei Punkten
an die Erfahrung und den Glauben der ältesten Gemeinde an. Er hat gewiß Kirche,
Herrenmahl und Tauffeier in mancher Hinsicht anders gedeutet als die Urgemeinde,
aber das ändert nichts an der Tatsache, daß Paulus hier nur die Vorstellungen der
Urgemeinde weitergebildet hat, die mit Ostern und Pfingsten gegeben waren. Wenn
sich hier Paulus von Jesus zweifellos unterscheidet, so hat er eben nur weitergedacht,
was in der Urgemeinde bereits durch die göttlichen Geschehnisse von Ostern und
Pfingsten entstanden war. |

IV

Damit stehen wir aber vor der entscheidenden Frage. Steht Paulus in der prinzi-
piellen Deutung von Tod und Auferstehung Christi, im Glauben an die Gründung
der Gemeinde durch den Geist und an die Wirksamkeit des Geistes in Taufe und
Herrenmahl auf den Schultern der ältesten Gemeinde, so kommen wir nicht um die
Frage herum, ob denn die Urgemeinde, und mit ihr Paulus, in ihrer Predigt vom Auferstandenen, in ihrem Glauben an die Gegenwart des Geistes usw. nur angesichts

---

[29] Vgl. G. Schrenk, ThW IV, S. 191ff.
[30] Das wird bewiesen durch den Zusammenhang von Mk 14, 22–25 und besonders durch
οὐ μὴ πίω Mk 14, 25 (s. M. Dibelius, Die Formgeschichte des Evangeliums, 1933², S. 209).
[31] Vgl. Apg 2, 46 und dazu E. G. Gulin, Die Freude im NT I, Annales Academiae Scient.
Fennicae B, 26, 1932, S. 126 und E. Lohmeyer, Das Abendmahl in der Urgemeinde, JBL
1937, S. 217ff.

einer neuen heilsgeschichtlichen Situation das weitergebildet hat, was in der
Predigt Jesu schon grundsätzlich vorhanden war, oder ob die Urgemeinde (und mit
ihr Paulus) mit alledem eine wesentliche, an die Wurzeln reichende Umbildung oder
gar Verfälschung dessen vorgenommen hat, was Jesus verkündigt hat. Zur rechten Beantwortung dieser Frage kommt freilich alles darauf an, was wir als den
wesentlichen Inhalt der Predigt Jesu erkennen. Die ältere liberale Forschung hat die
Botschaft Jesu etwa in folgender Weise zusammengefaßt: „Bei Jesus zielt alles auf
die Persönlichkeit des Einzelnen. Es gilt, daß der Mensch seine Seele ganz und un-
geteilt Gott und seinem Willen hingebe." „Das Beste, was Jesus zu geben hatte und
was er beständig gab, das war er selbst. In ihm wohnte die Liebe, die er forderte, in
ihm das herzhafte Vertrauen zu Gott als dem Vater, wie er's dem Menschen einpflan-
zen wollte … Es war die Macht seiner überwältigenden Persönlichkeit, dadurch die
Leute hineingezogen wurden in ein Liebes- und Glaubensleben, wie er es hatte."
„In dem Gefüge: Gott der Vater, die Vorsehung, die Kindschaft, der unendliche
Wert der Menschenseele, spricht sich das ganze Evangelium aus."[32] Wäre damit
wirklich der wesentliche Inhalt der Verkündigung Jesu richtig wiedergegeben, so
wäre schon die Bindung der Predigt der Urgemeinde an die Heilsbedeutung der
Person Jesu eine Verfälschung des schlichten Evangeliums Jesu gewesen, ganz zu
schweigen von der paulinischen Deutung des Opfertodes Jesu, seiner Präexistenz-
christologie usw. Aber dieses Bild von der Predigt Jesu ist nicht haltbar, wie sowohl
die Entdeckung der eschatologischen Bedingtheit der Predigt Jesu wie die moderne
Neubesinnung über den theologischen Sinn der Predigt Jesu gezeigt haben[33]. Jesus
hat die Nähe der Gottesherrschaft und angesichts dieser Nähe Gottes radikale Forderung verkündet, und er hat diese Forderung im Gegensatz zum Gesetzesverständnis der Schriftgelehrten vorgetragen. Der Hörer soll diese neue Lehre Jesu, diese
Gottes Willen entsprechende neue Toraauslegung aber nicht darum annehmen, weil
„dem Menschen die Einsicht zugesprochen wird zu erkennen, was von Gott geford-
dert ist"[34], sondern weil Jesus von Gott das Recht hat, Gottes Willen autoritativ zu
verkünden, und weil darum jedermann diesem Anspruch Jesu sich beugen müßte
(Mt 5, 21ff; 7, 24ff; Mk 2, 23ff usw.)[35]. Und Jesus hat darüber hinaus sich nicht nur
als göttlichen Beauftragten gewußt, der wie die Propheten Gottes Wort weitergibt,
sondern er hat den Anspruch erhoben, daß in seiner Person, seiner Lehre, | seinem
Handeln das Heil der Endzeit, die letzte Entscheidung bereits hereinbreche (Mk 3,

---

[32] W. WREDE, Paulus, 1907[2], S. 93; ARN. MEYER, Wer hat das Christentum begründet,
Jesus oder Paulus?, 1907, S. 55; A. HARNACK, Das Wesen des Christentums, 1901[4], S. 44.
Vgl. neuestens noch H. WEINEL, Art. Jesusbild der Gegenwart, RGG III, 1929[2], S. 166ff;
ED. MEYER, Ursprung und Anfänge des Christentums II, 1921, S. 420ff, bes. 431, 436;
R. THIEL, Jesus Christus und die Wissenschaft, 1938, S. 252, 256.

[33] Vgl. die zusammenfassenden Darstellungen von A. SCHWEITZER, Geschichte der Leben-
Jesu-Forschung, 1913[2]; R. BULTMANN, Jesus, 1926; R. OTTO, Reich Gottes und Menschen-
sohn, 1934; K. L. SCHMIDT, Art. Jesus Christus, RGG III, 1929[2], S. 110ff; M. DIBELIUS,
Jesus, 1939; E. C. HOSKYNS und F. N. DAVEY, Das Rätsel des NT, 1938, S. 176ff.

[34] So R. BULTMANN, Jesus, 1926, S. 71, 73.

[35] W. GRUNDMANN, Die Gotteskindschaft in der Geschichte Jesu, 1938, S. 136ff weist in
diesem Zusammenhang mit Recht auch auf den Gebrauch des ἀμήν durch Jesus hin.

27; Mt 11, 2 ff; 12, 28). Man konnte darum nicht Jesu Lehre so annehmen, wie man zum Schüler eines Rabbi wurde, sondern man mußte sich Jesus gegenüber entscheiden, ob man seine Autorität anerkennen oder leugnen wolle, und erst von da aus war seine Lehre dann gültig oder nicht; wer aber Jesu Autorität anerkannte, der trat damit unausweichlich in die endzeitliche Geschichte hinein, die mit der Sendung Jesu begonnen hatte (Mt 24, 32f). Jesus verkündete also eine ganz bestimmte heilsgeschichtliche Lage, die Situation der in Jesu Person und Handeln bereits angebrochenen zukünftigen Gottesherrschaft, und die Hörer Jesu waren durch seine Predigt und sein Handeln vor die Frage gestellt, ob sie diese heilsgeschichtliche Situation anerkennen und Gottes Forderung in dieser Lage auf sich nehmen wollten[36].

Die Lage der Urgemeinde und des Paulus im Ablauf dieser endzeitlichen Heilsgeschichte war zunächst durchaus die gleiche wie die Lage Jesu. Das von Jesus als nahe verkündete Ende war ja noch nicht eingetreten, wurde aber nach wie vor als unmittelbar bevorstehend erwartet, und darum wußte man sich im Angesicht dieses nahen Endes lebend. Aber eine gewisse Verschiebung des geschichtlichen Selbstverständnisses war doch eingetreten. Seit der Herr als erster der Verstorbenen auferweckt war und vom Himmel aus den Geist der Endzeit gesandt hatte, war die *Gegenwart* der kommenden Heilszeit realer geworden. Das kommende Heil war jetzt nicht mehr nur gegenwärtig in der Person Jesu und deren Handeln, sondern dieser Jesus war bereits in sein endzeitliches Herrscheramt im Himmel eingetreten, und auf Erden bestand bereits für die Gläubigen sichtbar die Gemeinde der Auserwählten der Endzeit (Apg 2, 16; 3, 20f; 5, 30–32). Jetzt konnte gar kein Zweifel mehr daran sein, daß Gott in Christus die Heilszeit hatte anbrechen lassen, und man empfing im Gottesdienst, in den Sakramenten, aber auch in den Wunderkräften und der sittlichen Neuschöpfung bereits mit Dank die Gaben des endzeitlichen Geistes. In dem Handeln Gottes in Christus war für den Glauben der Urgemeinde das Endzeitgeschehen bereits da. Die Endzeit hatte begonnen, obwohl der kommende Äon noch ausstand. Paulus hat dieses Geschichtsverständnis von der Urgemeinde übernommen und von ihrem nachpfingstlichen Glauben aus das Christusgeschehen gedeutet. Die Gegenwart ist für Paulus ganz gewiß noch der gegenwärtige böse Äon, und die endzeitliche σωτηρία steht noch aus, so nahe sie auch sein mag (Gal 1, 4; Röm 12, 2; 13, 11; 1 Kor 2, 6; 7, 29; Phil 4, 5; 2 Kor 4, 4). Aber das entscheidende heilsgeschichtliche Ereignis *ist* in Tod und Auferstehung Christi schon geschehen, die Christen sind bereits ,,versetzt in das Reich seines lieben Sohnes" (Kol 1, 13), in der Auferstehung Jesu Christi hat die Endzeit begonnen, und ihre Kräfte sind den Gläubigen zuteilgeworden (Röm 3, 21. 25f; 1 Kor 15, 20; 2 Kor 5, 19; 6, 2; Gal 4, 4; Kol 1, 18. 26). Die beiden Äonen sind also für das Geschichtsbewußtsein des Paulus paradoxerweise zugleich da. Darum konnte es gar nicht anders ein, als daß bei Paulus im Gegensatz zu Jesus die Christusverkündigung anstelle der Reichsverkündigung in den

---

[36] Vgl. zur näheren Begründung meine Ausführungen ThBl 1936, S. 226 ff (= Die Eschatologie der Evangelien, 1936, S. 4 ff), aber auch schon J. KAFTAN, Jesus und Paulus, 1906, S. 24 f, dazu und zum Folgenden neuestens H.-D. WENDLAND, Geschichtsanschauung und Geschichtsbewußtsein im NT, 1938.

Mittelpunkt trat. Denn jetzt konnte man von Gottes endzeitlichem Heilshandeln
ja nur noch dann voll zeugen, wenn man von dem Menschen Jesus, seinem Tod und
seiner Erhöhung zum Herrn des Geistes redete. Damit ist aber die Predigt Jesu nicht
verfälscht worden; denn Jesus hatte selber das zukünftige Endheil in seiner Person
schon gegenwärtig und darum Gottes eschatologisches Heilshandeln an seine Person
gebunden gewußt. Wohl aber hat | Paulus durch seine Konzentration auf das Chri-
stusgeschehen erreicht, daß wirklich auch weiterhin Gottes Heilshandeln als eine
geschichtliche Wirklichkeit verstanden werden mußte, weil dieses Handeln Gottes
ganz an das Handeln in Jesus Christus gebunden blieb. Und Paulus hat dadurch die
doppelte Gefahr vermieden, daß entweder die Heilsbotschaft von der Geschichte
gelöst und damit zum geschichtslosen Mythus wurde oder daß die Person und das
Handeln Jesu ihren Charakter als heilsgeschichtliches Handeln Gottes verloren und
zu einem rein innerweltlichen Geschehen wurden.

So scheint es mir nicht fraglich, daß in dem zentralen Punkt, in dem Glauben an
Gottes eschatologisches Heilshandeln in der Person Jesu Christi, Paulus über Jesus
nicht weiter hinausgeschritten ist, als es die neue Situation nach Ostern und Pfingsten mit sich brachte[37]. Es ist also nicht richtig, daß der wirkliche Unterschied zwischen Paulus und Jesus in der Beurteilung der eschatologischen Situation liege:
„Jesus blickt in die Zukunft, auf die *kommende* Gottesherrschaft, freilich auf die

---

[37] Diese Übereinstimmung in der Geschichtsanschauung bei Jesus und Paulus hat WEND-
LAND in dem Anm. 36 genannten Buch m. E. richtig herausgestellt (vgl. zu Paulus auch
schon DERS., Die Mitte der paulinischen Botschaft, 1935, S. 8ff und vorher A.SCHWEITZER,
Die Mystik des Apostels Paulus, 1930, S. 98f). W.MICHAELIS (ThBl 1939, S. 113ff) hat sich
in der Auseinandersetzung mit WENDLAND gegen die Rede von der Äonenwende, vom Zugleich des alten und neuen Äon und dergl. gewandt. Nun ist MICHAELIS zuzugeben, daß der
Gegensatz von „altem“ und „neuem“ Äon im NT in der Tat nicht begegnet; die auch von
MICHAELIS erwähnte Tatsache, daß im Judentum gelegentlich vom „neuen Äon“ die Rede
ist und daß das NT von den endzeitlichen Wirklichkeiten der „neuen Schöpfung“, des
„neuen Jerusalem“ und des „neuen Himmels und der neuen Erde“ redet (s. J.BEHM, ThW
III, S. 451f), lassen mir freilich zweifelhaft erscheinen, ob das Fehlen des Begriffs „neuer
Äon“ nicht doch eine terminologische Zufälligkeit ist. Aber mag auch diese Terminologie
im NT fehlen und darum vielleicht besser vermieden werden, die Tatsache scheint mir von
MICHAELIS nicht erschüttert, daß Paulus und in etwas andererWeise schon Jesus das Neben-
einander der beiden Äonen und die geschehene Äonenwende verkünden. Die Aussagen über
den Schon-Anbruch der Gottesherrschaft bei Jesus und über die Gegenwart des endzeitlichen
Heils bei Paulus stehen zweifellos neben Aussagen, die das Ende des bestehenden bösen
Äons erst erwarten (Belege s. oben im Text). DieWende der Äonen ist also schon geschehen.
Eine Aussage wie 2Kor 5, 17 zeigt ja deutlich, daß die Endzeit nicht nur in gewissenKräften
vorauswirkt, sondern für den Glaubenden als volle Wirklichkeit bereits angebrochen ist, obwohl der gegenwärtige böse Äon noch besteht; die Christen sind darum noch gefährdet
durch den Gott dieses Äons, der aber vergeht (2Kor 4, 4; 1Kor 2, 6), aber sie sind bereits in
die Gottesherrschaft versetzt und erwarten doch erst das Erbteil der Heiligen im Licht
(Kol 1, 12f). Mag also von dem Nebeneinander der beiden Äonen nicht ausdrücklich die
Rede sein, die Sache ist zweifellos da, und nur von dieser Voraussetzung aus läßt sich die
gesamte Theologie des Paulus einheitlich erklären. BULTMANNS Auseinandersetzung mit
WENDLANDS Ergebnissen (ThLZ 1939, S. 252ff) beruht auf der Eintragung des modernen
Begriffs der Geschichte als einer immanenten Sinnabfolge, während WENDLAND mit Ge-
schichte allein das im zeitlichen Ablauf geschehende Handeln meint, zu dem die Endgeschichte eben keinen absoluten Gegensatz, sondern die andersartige göttliche Fortsetzung
bildet. Und in diesem Verständnis des Geschichtsbewußtseins des NT scheint mir WEND-
LAND recht zu haben.

jetzt kommende bzw. jetzt anbrechende. Paulus aber blickt zurück: die Wende der
Äonen ist schon erfolgt."[38] Paulus beurteilt vielmehr wie die Urgemeinde die eschatologische Situation grundsätzlich genauso wie Jesus als das Nebeneinander von
angebrochener Endzeit und zu Ende gehender Weltzeit, nur ist durch Ostern und
Pfingsten die Gegenwärtigkeit der Endzeit in der Einsetzung des Herrn in die himmlische Herrlichkeit und in der Geistesgabe sozusagen „erweitert" worden. Wenn aber
Paulus und Jesus in diesem für beide zentralen Punkte übereinstimmen, dann ver-
liert die Frage an Wichtigkeit, ob in den näheren Ausführungen dieser Heilsleh|re
nicht doch noch wesentliche Unterschiede auftreten. Windisch hat diese Frage
bejaht[39], aber seine Aufteilung der Lehre Jesu (und entsprechend der des Paulus)
in zwei disparate Hälften ist falsch, weil das eben geschilderte Geschichtsbewußtsein das innere Band zwischen der „Theologie des Vaterunsers" und des „Märtyrer-
todes" ist und weil man darum nur den ganzen Paulus mit dem ganzen Jesus ver-
gleichen darf. Aber die Frage nach den Differenzen in der Ausführung der Heilsverkündigung ist durchaus von neuem zu stellen. Es ergibt sich dabei meines Erachtens, daß keine grundlegenden Unterschiede bestehen im Gottesgedanken, in der
Gesetzeslehre, in der Heilsverwirklichung.

1. Jesus hat auf der einen Seite davon geredet, daß *Gott* in der Zukunft beim Anbruch der Gottesherrschaft, aber auch jetzt schon beim Vorauswirken der Gottesherrschaft durch die Predigt und das Handeln Jesu als fürsorgender und vergeben-
der Vater handle (Mt 7, 11; Mk 11, 25; Mt 5, 45; Mk 2, 1 ff); Jesus hat daneben aber
von Lohn und Vergeltung Gottes gesprochen, freilich keinen *Anspruch* auf Lohn anerkannt (Mt 10, 28; 20, 1 ff). Jesu Gottesverkündigung zeigt also einen scheinbaren
Widerspruch zwischen Gottes Vergebungsbereitschaft und Gottes richterlichem
Ernst[40]. Ganz entsprechend verkündigt Paulus Gottes gnädige, an keine menschliche Leistung gebundene Vergebung in der Form der Rechtfertigung (Röm 3, 21 ff;
5, 8 ff); denn der Glaube, der Gottes Heilshandeln ergreift, ist zwar eine menschliche
Tat, aber kein verdienstliches Werk[41]. Auf der andern Seite verkündet Paulus den
Lohn und das Gericht nach den Werken, auch für die Christen (2 Kor 5, 10; Röm 14,
10), und rechnet mit der Möglichkeit des Verworfenwerdens auch für die Christen
(1 Kor 9, 27). Der Grund für diesen Widerspruch ist nicht, daß die jüdische Vergeltungslehre noch nicht völlig abgestoßen worden ist[42], sondern bei Jesus wie bei
Paulus erklärt sich der Widerspruch zwischen Gnadenpredigt und Vergeltungslehre

---

[38] So R. Bultmann, Glauben und Verstehen I, S. 200; Jesus Christus im Zeugnis der Hl.
Schrift und der Kirche, S. 84 unter Verweis auf A. Schweitzer, Die Mystik des Apostels Paulus 1930, S. 114; ähnlich dann auch H. Windisch, ThStKr 1934/35, S. 440 f.

[39] ThStKr 1934/35, S. 432 ff, siehe oben Anm. 8.

[40] W. Grundmann, Die Gotteskindschaft in der Geschichte Jesu, 1938, S. 117 ff bestreitet
die Auffassung Gottes als des Herrn und beschneidet den Gerichtsgedanken möglichst stark.
Das ist ihm aber nur darum möglich, weil der eschatologische Charakter der Gottesverkündigung Jesu ebensowenig gesehen wird wie die Tatsache, daß Gott als der Schöpfer der fordernde Herr ist. Auf diese Weise verliert die Gotteskindschaft aber auch ihren Charakter als
wirklich unverdiente Gnadengabe!

[41] Vgl. meine Ausführungen ThBl 1937, S. 213 f.

[42] Daß der Lohngedanke *bewußt* übernommen und darum umgebildet worden ist, zeigen
F. K. Karner, Die Bedeutung des Vergeltungsgedankens für die Ethik Jesu, Diss. Leipzig,

aus demselben sachlichen Grund: beide wissen, daß es der unbedingt fordernde Herr
ist, der den Menschen als der vergebende Vater entgegenkommt, und beide lassen
diesen formalen Widerspruch stehen, weil er der erfahrenen Einheit von Gnade und
Heiligkeit Gottes entspricht, die logisch nicht auflösbar ist. Aber Jesus hat den
Lohngedanken nur darum wirklich festhalten können, weil er weiß, daß Gottes Vergebung dem Menschen überhaupt erst die Möglichkeit gibt, Gottes Willen zu tun, und
daß darum das Handeln des Jüngers Jesu seine Möglichkeit und darum auch seine
Verantwortlichkeit aus dem Handeln Gottes empfängt: der Schalksknecht müßte die
empfangene Liebe weitergeben, die große Sünderin kann Liebe erzeigen, weil ihr
vergeben ist (Mt 18, 23 ff; Lk 7, 47). Und ganz entsprechend betrachtet Paulus das
Handeln des Christen nicht als eigene Tat, sondern als Werk des im Erlösten wirkenden Geistes Gottes (Phil 2, 12 f; Röm 8, 4; 1 Kor 4, 7); der Christ ist gerade darum
für sein Tun verantwortlich, weil er Gottes Wirken in sich Raum geben soll. Jesus
und Paulus betrachten also die Lage des Menschen vor Gott in genau der gleichen
Weise, sie haben denselben Gott verkündigt. |

2. Das gleiche gilt für die Auffassung vom *Gesetz*. Jesus hat das Gesetz als Träger
des Gotteswillens bezeichnet und Fragende auf das Gesetz verwiesen; er hat selber
das Gesetz in seiner traditionellen Auslegung weitgehend befolgt; aber daneben hat
Jesus Gesetzesgebote als Gottes Willen widersprechend erklärt, hat von sich aus bestimmt, was im Gesetz Gottes Willen entspreche, und hat schließlich mit seinem
Auftreten die Periode des Gesetzes am Ende gewußt (Lk 16, 16). Diese widerspruchs-
volle Stellung aber hat ihre Wurzel darin, daß Jesus sich als Träger der vollkommenen Gottesoffenbarung wußte, der die alte Gesetzesoffenbarung richtig erklären und
ersetzen sollte [43]. Dasselbe Nebeneinander von Anerkennung und Ablehnung des
Gesetzes zeigt Paulus. Das Gesetz ist für Paulus Gottes Forderung, die auch vom
Christen erfüllt werden muß (Röm 7, 12; 8, 4; 13, 8 f); es ist ein Vorzug der Juden,
daß sie das Gesetz erhalten haben (Röm 9, 4). Aber das Gesetz als Heilsweg ist für
ihn erledigt, wer nach dem Gesetz vor Gott gerecht werden will, wird nur tiefer in
das Unheil hineingeführt (Röm 3, 20; Gal 3, 10). Ja, Paulus behauptet sogar, daß das
Gesetz nach Gottes Willen gar nicht retten sollte und selber sage, daß es nicht der
Heilsweg sei (Gal 3, 10 f; Röm 10, 6 ff); mit Christus ist die Zeit des Gesetzes vorbei
(Röm 3, 21; 10, 4). Also ist auch für Paulus das Gesetz Ausdruck des Gotteswillens
und doch als Heilsordnung erledigt. Wenn auch Paulus einen Zusammenhang sieht
zwischen Sünde und Gesetz (Röm 7, 7 ff), der Jesus fremd ist, so haben doch Jesus
wie Paulus in gleicher Weise im Gesetz Gottes Offenbarung gesehen, aber mit dem
Anbruch der messianischen Zeit das Ende des Gesetzes gekommen und damit die

1927, und H. Braun, Gerichtsgedanke und Rechtfertigungslehre bei Paulus, 1930. Vgl.
jetzt auch H. Preisker, ThW IV, S. 719 ff.

[43] Siehe die Belege in meinem Aufsatz, Jesus und der jüdische Traditionsgedanke,
ZNW 1934, S. 105 ff; vgl. dazu jetzt den weiterführenden Aufsatz von J. Hempel, Der
synoptische Jesus und das AT, ZNW 1938, S. 1 ff. Hempel kommt, offenbar ganz unabhängig, zu weitgehend denselben Hauptresultaten; er scheint mir nur nicht genügend betont zu haben, daß der messianische Anspruch Jesu dem Traditionsglauben des zeitgenössischen Judentums die Wurzel abschneidet. Zum Vergleich mit Paulus an diesem Punkte
s. R. Bultmann, Glauben und Verstehen I, S. 191 ff.

Gültigkeit des Gesetzes als Heilsweg aufgehoben gewußt. Und weil beide in dieser Ablehnung des Gesetzes als Heilsweg übereinstimmen, darum kämpfen beide gegen die Anmaßung des Menschen, der aufgrund seiner Leistung in der Erfüllung der Gebote einen Anspruch auf Belohnung durch Gott zu haben meint (Mt 20, 1 ff; Röm 2, 23); und indem das menschliche Handeln als Folge, nicht als Ursache des göttlichen Heilshandelns verstanden ist, wird der Verdienstgedanke bei Jesus wie bei Paulus überflüssig und unmöglich.

3. Diese Übereinstimmung zwischen Jesus und Paulus in zentralen Punkten ihrer Verkündigung zeigt sich nun aber auch an einem Punkte, wo diese Tatsache sehr umstritten ist, bei der Frage nach der *Verwirklichung von Gottes Heil.* Man hat oft beim Vergleich von Jesus und Paulus gesagt, daß Jesus die Vergebung dem bußfertigen Sünder verkünde, sie aber nicht an irgendwelche Bedingung binde, und nennt als Belege dann hauptsächlich das Gleichnis vom Verlorenen Sohn und das Vaterunser; Paulus dagegen knüpfe Gottes Vergebung an den Opfertod Christi, dem man sich als einer Heilsveranstaltung Gottes im Glauben zu beugen habe[44]. Aber diese Entgegensetzung beruht auf einer Verkennung der Heilslehre bei Jesus wie bei Paulus. Jesus hat ganz gewiß Gottes Vergebungsbereitschaft dem bußfertigen Sünder gegenüber verkündigt (Mt 6, 14f; Lk 18, 10ff). Aber diese Vergebungsbereitschaft Gottes ist | nicht eine allgemeine Wahrheit, die man nur kennen zu lernen braucht, die jederzeit und überall zu haben ist; sondern Gottes Vergebungswille ist eine *Offenbarung,* die Jesus als Ereignis verkündet. Der Verlorene Sohn kommt ja auch nicht zum Vater als einer, der damit rechnen kann, daß der Vater ihm vergibt, sondern der sich der Barmherzigkeit des Vaters auf Gnade und Ungnade unterwirft[45]. Aber weil es sich um wirkliche Offenbarung handelt, die man nicht einfach von sich aus wissen kann, darum hängt der Glaube an Gottes Vergebungswillen davon ab, daß man dem Verkündiger dieser Vergebung göttlichen Auftrag zuerkennt, daß man auf ihn als den Offenbarer der Vergebung Gottes hört. Und das konnten die Hörer Jesu darum tun, weil Jesus durch sein eigenes Verhalten, den Verkehr mit den Sündern und Zöllnern, durch sein Suchen der Verlorenen, die Vergebung Gottes als eine reale Tatsache erwies (Mk 2, 15ff; Mt 11, 19; 21, 31 usw.). Ja, Jesus hat sich selber gelegentlich das Recht genommen, Sündenvergebung autoritativ zuzusprechen (Mk 2, 1 ff; Lk 7, 36 ff; vgl. auch [Joh 8, 11]) und dadurch die eschatologische Wirklichkeit des vergebenden Gottes in die Gegenwart hineingetragen. Die Annahme der Vergebung, die Jesus ver-

---

[44] Z. B. Arn. Meyer, Wer hat das Christentum begründet, Jesus oder Paulus?, 1907, S. 61f; A. Jülicher, Jesus und Paulus, 1907, S. 20ff; W. Wrede Paulus, 1907², 93f; H. Windisch, ThStKr 1934/35, S. 453f. Dagegen besonders R. Bultmann, Jesus Christus im Zeugnis der Hl. Schrift..., 1936, S. 81ff; vgl. auch E. Brunner, Der Mittler, 1927, S. 487ff; A. Oepke, ThW IV, S. 624f.

[45] W. Michaelis, Es ging ein Sämann aus zu säen..., 1938, S. 255ff. identifiziert den Vater des Gleichnisses mit Jesus, weil Jesus um die Mitfreude der Hörer werbe, und meint, daß so auch dieses Gleichnis vom Heilsmittler Jesus rede; das ist eine ganz unberechtigte Allegorisierung. Der Zusammenhang des Gleichnisses mit der Person Jesu ist nur durch Besinnung auf den Gesamtzusammenhang der Verkündigung Jesu, nicht durch gewaltsame Exegese zu erkennen. Vgl. auch W. Twisselmann, Die Gotteskindschaft der Christen nach dem NT, 1939, S. 46.

kündet, ist also aufs engste verbunden mit der Anerkennung des Verkündigers und Bringers dieser Vergebung. Damit hat Jesus gewiß keine Zustimmung zu einem formulierten Christusbekenntnis gefordert, aber wohl gewußt, daß man die Vergebung Gottes nur empfangen kann, wenn man Jesu Vollmacht anerkennt. Die Antwort an den Täufer „Selig, wer über mich nicht zu Fall kommt" (Mt 11, 6) wie das Wort vom Rufen der Sünder (Mk 2, 17) besagen ja deutlich, daß nur der die Vergebung Gottes, die Jesus verkündigt und bringt, empfangen kann, der in Jesus den Gesandten, den kommenden Messias zu sehen vermag. Es ist also durchaus nicht so, daß Jesus einfach mitteilt, daß die Gottesvorstellung der Juden falsch gewesen sei, Gott sei nicht zornig, sondern barmherzig, sondern Jesus verkündet konkret die mit seinem Auftreten im geheimen schon beginnende eschatologische Heilszeit, die Gottes vergebendes Handeln offenbart, aber man kann dieses Handeln Gottes nur dort fassen, wo man den Boten anerkennt, der diese Botschaft real bringt. Ist also auch bei Jesus selber die Person Jesu aufs engste mit seiner Vergebungsbotschaft verbunden, so ist vom Tod und der Auferstehung als dem geschichtlichen Ort, an dem Gott durch Jesus handelt, natürlich noch nicht die Rede. Wenn Paulus diese zusammengehörenden Ereignisse in den Mittelpunkt stellt, weil sich das eschatologische Heilshandeln Gottes hier besonders greifbar zeigte (Röm 4, 24; Gal 1, 3f; Kol 1, 18ff), so folgt er im Anschluß an die Urgemeinde (vgl. 1Kor 15, 3ff) einfach der veränderten heilsgeschichtlichen Situation; daß Gott in Christus war, konnte ja jetzt nirgends mehr deutlicher gesehen werden als in diesen Ereignissen, und darum konnte jetzt Gottes Heilshandeln nirgend anderswo mehr ergriffen werden als in dem Leben, Sterben und Auferstehen Jesu Christi (Röm 10, 9). So weit sind Jesus und Paulus in Anbetracht der veränderten heilsgeschichtlichen Lage sich durchaus über den Heilsweg einig. Aber geht nun Paulus nicht darüber hinaus, wenn er den Opfer- und Sühnegedanken auf den Tod Jesu anwendet und den Glauben an den so verstandenen Tod Jesu zur Voraussetzung des rechtfertigenden Handelns Gottes am Menschen macht? Das ist der Fall, und darin hat wahr | scheinlich die Verkündigung des Paulus bei Jesus keine Anknüpfung. Jesus hat ganz zweifellos sein Leiden als notwendigen Bestandteil seines messianischen Berufes angesehen[46]; aber es gibt höchstens zwei Texte, in denen dem Tode Jesu ein *besonderer* Heilswert innerhalb seines messianischen Amts oder gar der Charakter des Opfers zugeschrieben wird. Das Wort „Der Menschensohn kam nicht, um sich dienen zu lassen, sondern um zu dienen und sein Leben als Lösegeld für viele zu geben" (Mk 10, 45) ist wohl ursprünglich ein einzelnes Logion, das zum „Hinweis auf das Vorbild Jesu" an die Worte über das Dienen der Jünger angefügt wurde[47]. Lk 22, 27 stellt sich Jesus in parallelem Zusammenhang nur als den bei Tische Aufwartenden hin. Man hat nun oft behauptet, die Markusform sei eine Umbildung der ursprünglicheren Lukasfassung „nach der hellenistisch-christlichen Erlösungslehre"[48]; das ist aber sehr fraglich, zumal λύτρον nicht pauli-

---

[46] Vgl. die alten Texte Mk 2, 19a; 10, 35ff; Lk 12, 50; 13, 31–33; 17, 25. V. Taylor, Jesus and His Sacrifice, 1937, bietet eine vollständige, aber unkritische Behandlung aller Leidensaussagen Jesu.

[47] S. R. Bultmann, Die Geschichte der syn. Tradition, 1931², S. 154.

[48] So Bultmann a. Anm. 47 aO; E. Klostermann, Markusevangelium, 1936³, S. 109;

nisch ist und 1Kor 15, 3 beweist, daß die Deutung des Todes Jesu als für die Sünden geschehen schon aus der Urgemeinde stammt. Lukas hat wohl eine unabhängige, andersartige Überlieferung[49]. Dagegen erhebt sich, gerade wenn Mk 10, 45 schon aus der palästinensischen Tradition stammt, die Frage, welchen Sinn das Wort vom λύτρον ἀντὶ πολλῶν denn habe. Daß hier Gedanken von Jes 53 verwendet sind, ist aus sachlichen wie sprachlichen Gründen wahrscheinlich[50]; aber in den Begriff des λύτρον = Loskaufgeld darf darum nicht einfach der Opfergedanke hineingelesen werden, der nur unter der sehr fraglichen Berufung auf den sonstigen Anschluß Jesu an die Figur des leidenden Gottesknechts hier gefunden werden kann[51]. Dann fragt sich aber, in welchem Sinn Jesus von seinem Tod als einem Loskauf zugunsten der Vielen gesprochen haben kann. Gewöhnlich wird als Objekt der Zahlung Gott angesehen: Jesus beschreibt seinen Tod „als die Gott dargebrachte Zahlung, durch die er der Gemeinde die Befreiung verschafft"[52]. Diese Auslegung ist darum ausgeschlossen, weil Jesus im Auftrage Gottes, nicht Gott gegenüber seinen Dienst tut (Mt 10, 34f; 12, 28; Mk 2, 10 usw.); von einer Einwirkung des Todes Jesu auf Gott kann Jesus nicht geredet haben. Ebensowenig ist es möglich, den Tod Jesu als Loskaufpreis dem Satan gegenüber zu verstehen[53], da Jesus überzeugt war, in seinem irdischen Vollmachtshandeln bereits den Satan überwunden zu haben (Mk 3, 27; Lk 10, 18). Aber selbst wenn man darauf verzichten wollte, auf den Empfänger der Loskaufzahlung zu raten, so bleibt es völlig rätselhaft, in welchem Sinne Jesus seinen Tod über sein gesamtes messianisches Wirken *hinaus* als Loskaufpreis bezeichnet haben sollte[54], und wenn man nicht annehmen will, es liege hier doch eine Weiterbildung aus der Urgemeinde vor, so bleibt nichts anderes übrig, als auf eine nähere Deutung des Worts zu verzichten. Jedenfalls scheint mir Mk 10, 45 keine Berechtigung zu geben, Jesus den Gedanken zuzuschreiben, daß sein Tod einen besonderen Heilswert oder gar den Charakter eines Sühneopfers habe.

Und Analoges gilt für die Abendmahlsworte. Ohne auf die Fülle der Fragen einzugehen, die die Abendmahlsberichte aufgeben[55], muß in unserm Zusammenhang doch Folgendes gesagt werden. Als ursprüngliche und voneinander unabhängige

H. J. HOLTZMANN, Lehrbuch der Nt. Theol. I, 1911², S. 363; unsicher F. HAUCK, Evangelium des Markus, 1931, S. 127.

[49] Daß Lk 22, 27 eine jüngere Form des Wortes darstelle (so F. BÜCHSEL, ThW IV, S. 343), ist freilich auch nicht erweisbar.

[50] Vgl. H. WENSCHKEWITZ, Die Spiritualisierung der Kultusbegriffe, 1932, S. 102; J. SCHNIEWIND, Evangelium nach Markus, 1933, S. 136; G. KITTEL, Jesu Worte über sein Sterben, DTh, 1936, S. 186; V. TAYLOR, Jesus and His Sacrifice, 1937, S. 102 u. a., bestritten von F. BÜCHSEL, ThW IV, S. 344.

[51] Gegen P. FEINE, Theologie des NT, 1931⁵, S. 117; H. WENSCHKEWITZ, a. Anm. 50 aO, 102ff; V. TAYLOR, a. Anm. 50 aO, S. 103. Richtig J. SCHNIEWIND, a. Anm. 50 aO, S. 136; O. SCHMITZ, Die Opferanschauung des späteren Judentums, 1910, S. 199f.

[52] A. SCHLATTER, Der Evangelist Matthäus, 1933, S. 603; F. BÜCHSEL, ThW IV, S. 345; FEINE, WENSCHKEWITZ, TAYLOR, s. Anm. 51.

[53] So zögernd W. GRUNDMANN, Die Gotteskindschaft in der Geschichte Jesu, 1938, S. 149.

[54] S. die sich radikal widersprechenden Deutungsversuche von R. OTTO, Reich Gottes und Menschensohn, S. 214ff; J. SCHNIEWIND, Evangelium nach Markus, 1933, S. 137; F. BÜCHSEL, ThW IV, S. 346ff.

[55] Vgl. den Bericht von E. LOHMEYER, ThR 1937, S. 168ff, 195ff, 273ff; 1938, S. 81ff.

Berichte ergeben sich Markus und Paulus. Für das Brotwort bietet zweifellos Mk 14, 22 die ursprüngliche Form[56]. Die Worte „Das ist mein Leib" = *dēn hū gūphī* haben wohl den Sinn „Das bin ich", und es ist sehr fraglich, ob das Brechen des Brotes mit der gedeuteten Darreichung des Brotes durch Jesus irgend etwas zu tun hat; es scheint mir darum sehr unsicher, ob das Brotwort überhaupt eine spezielle Beziehung auf den Tod Jesu in sich schließt. Vermutlich repräsentiert das Essen des Brotes für die Jünger nur die Mahlgemeinschaft mit dem in den Tod gehenden Herrn[57]. Beim Weinwort erhebt sich die Frage, ob hier Mk 14, 24 oder 1Kor 11, 25 die ursprüngliche Form bietet. Nach den Ausführungen von J. JEREMIAS wird heute meistens die Paulusform für eine erleichternde Umbildung der schwierigen Markusform gehalten[58]; aber die Markusform unterliegt nicht nur dem Verdacht der Konformation an das Brotwort, sondern besonders der Schwierigkeit, daß Jesus als Jude vom Trinken des Blutes gesprochen haben sollte, so daß meines Erachtens die Paulusform die ursprünglichere ist[59]. Obwohl in der Tat sachlich der Unterschied zwischen beiden Fassungen gering ist, fällt doch bei der Paulusfassung („Dieser Becher ist die neue Gottesordnung aufgrund meines Blutes") erst recht jede Nötigung, das Kelchwort dahin zu verstehen, daß Jesus seinen Tod als sündensühnendes Sterben deute[60]. Vielmehr gibt der gemeinsam getrunkene Wein den Jüngern Anteil an der neuen Heilsordnung des Reiches Gottes, die durch Jesu Tod begonnen wird[61]. Ob dabei dem Tod Jesu eine besondere Bedeutung zugeschrieben wird abgesehen davon, daß er die Vollendung seines messianischen Wirkens darstellt, läßt sich kaum sicher sagen, ist aber keineswegs anzunehmen nötig. Auf alle Fälle haben wir in keiner der besprochenen Stellen einen sicheren Beleg dafür, daß Jesus seinem Tod einen besonderen Heilswert beigemessen habe, und der Opferbegriff findet sich erst recht nirgends. |

Es ist also durchaus richtig, daß Paulus über Jesus hinausgeht, wenn er auf den Tod Jesu den Opfer- und Sühnegedanken anwendet. Aber es ist sehr wichtig zu sehen, *wie* Paulus das tut. Man deutet Röm 3, 25f gewöhnlich dahin, daß Gott durch Jesu Tod die Sünden sühnen ließ, um sich so als Gerechten zu erweisen; der Tod Jesu ist dann als eine Notwendigkeit verstanden, sein Vollzug ermöglicht erst Gott die Vergebung, die er sonst nicht schenken könnte[62]. Aber diese Auslegung hat ihre gro-

---

[56] JOACH. JEREMIAS, Die Abendmahlsworte Jesu, 1935, S. 57ff.
[57] So oder ähnlich H. HUBER, Das Herrenmahl im NT, Diss. Bern, 1929, S. 34f; E. LOHMEYER, Markus-Evangelium, 1937, S. 306f; J. SCHNIEWIND, Evangelium nach Markus, 1933, S. 173; J. BEHM, ThW III, 1938, S. 735. Voraussetzung dieser Deutung ist, daß es sich beim Abendmahl nicht um ein Passahmahl handelt, was mir trotz J. JEREMIAS wahrscheinlich ist; vgl. dazu E. LOHMEYER, ThR 1937, S. 195ff und W. GRUNDMANN, Die Gotteskindschaft in der Geschichte Jesu, 1938, S. 149, auch P. G. S. HOPWOOD, The Religious Experience of the Primitive Church, 1936, S. 292.
[58] So J. JEREMIAS, Die Abendmahlsworte Jesu, 1935, S. 59ff; E. LOHMEYER, Markus-Evangelium, 1937, S. 305f; V. TAYLOR, Jesus and His Sacrifice, 1937, S. 132f.
[59] So M. DIBELIUS, Die Formgeschichte des Evangeliums, 1933², S. 208; H. HUBER, Das Herrenmahl im NT, S. 49f; J. BEHM, ThW III, S. 730f.
[60] Gegen J. JEREMIAS, Abendmahlsworte, S. 77ff; V. TAYLOR, a. Anm. 58 aO, S. 137ff.
[61] So oder ähnlich J. BEHM, ThW II, 1935, S. 136; III, 1937, S. 735f; E. LOHMEYER, Markus-Evangelium, 1937, S. 307f.
[62] Vgl. z. B. neuestens P. ALTHAUS, 1932 und E. BRUNNER, 1938 in ihren Kommentaren

ßen Bedenken[63]. Einmal setzt sie voraus, daß das nur hier in der Bibel begegnende
πάρεσις im Gegensatz zu ἄφεσις „das Hingehenlassen" bezeichne; aber die profanen
Belege[64] beweisen, daß das Wort „Entlassung, Schulderlaß" bedeutet, also mit ἄφεσις
identisch ist[65]; es kann dann also διὰ τὴν πάρεσιν nicht auf ein Übersehen der Sünden der früheren Generationen durch Gott hinweisen. Aber das ist überhaupt nicht
die Meinung des Paulus, er betont Röm 1, 18 ff sehr deutlich, daß Gott die früheren
Sünden bestraft hat. Wesentlicher ist aber, daß bei der üblichen Exegese δικαιοσύνη
ϑεοῦ hier plötzlich im Sinn einer „Eigenschaft" Gottes gebraucht wäre, während es
sonst Gottes gerechtes Handeln beschreibt, das den Menschen ergreift[66]. Ganz besonders aber fehlt jede Analogie im paulinischen Denken für die Annahme, daß Paulus an die Anzweiflung der Gerechtigkeit Gottes denke, gegen die sich Gott sozusagen zwangsmäßig durch die Sühneleistung Christi wehren müsse; ein solcher Gedanke widerspricht in jeder Weise dem Gottesgedanken des Paulus (vgl. nur Röm 9).
Und schließlich beachtet die übliche Auslegung nicht, daß Paulus Offenbarung nie
als Mitteilung einer bisher unbekannten Tatsache versteht, sondern immer als Kundwerdung einer neuen göttlichen Tat (vgl. Röm 3, 21 νυνὶ πεφανέρωται und 2Kor 4,
10). Ist das richtig, so ergeben sich für Röm 3, 25f mehrere exegetische Folgerungen. εἰς ἔνδειξιν und πρὸς τὴν ἔνδειξιν können dann nicht „zum Beweis, zum Nachweis" bedeuten (so Phil 1, 28), sondern müssen besagen „zum Erweis, zum wirksamen In-Erscheinung-Treten" (vgl. 2Kor 8, 24; 2Tim 4, 14); προέϑετο ferner kann
dann nur heißen „Gott stellte öffentlich auf, setzte ein"; und da die Gerechtigkeit
Gottes nicht in Erscheinung treten kann „wegen der Vergebung der früheren Sünden", so muß διὰ τὴν πάρεσιν hier übersetzt werden „*durch* die Vergebung der früheren Sünden"[67]. Der Sinn der Verse ist dann: „Gott hat Christus zum Sühnemittel
durch sein Blut eingesetzt, das sich dem | Glauben darbietet; er wollte dadurch seine
Gerechtigkeit wirksam werden lassen, indem er die zur Zeit des Ansichhaltens Gottes
früher begangenen Sünden vergab, er wollte seine Gerechtigkeit wirksam werden

z. St., ferner Arn. Meyer, Wer hat das Christentum gegründet, Jesus oder Paulus ?, 1907,
S. 63; H.J. Holtzmann, Lehrbuch der Nt. Theol. II, 1911², S. 118; P. Feine, Theologie des
NT, 1931⁵, S. 197; G. Schrenk, ThW II, 1935, S. 206; V. Taylor, Expos. Times 1938/9,
S. 295ff usw. Daß Paulus nichts weiß von „einer durch Christum Gott dargebrachten Ge-
nugtuung" (so A. Schweitzer, Die Mystik des Apostels Paulus, 1930, S. 213, ähnlich
F. Büchsel, ThW III, S. 323), braucht kaum bewiesen zu werden.

[63] Vgl. dazu W. Wrede, Paulus, 1907², S. 77; A. Schlatter, Gottes Gerechtigkeit, 1935,
S. 149 und besonders C.A.A. Scott, Christianity according to St. Paul, 1927, S. 59f;
G. Wiencke, Paulus über Jesu Tod, 1939, S. 50ff, 82ff (bes. 61f, 86) betont, daß der Opfer-
gedanke bei Paulus nur angedeutet, nicht ausgeführt wird, und daß die Andeutungen des
Paulus sich nicht zu einer Lehre vom stellvertretenden Strafleiden Jesu zusammenschließen
lassen.

[64] Vgl. Liddell and Scott, A Greek-English Lexicon, New Ed. by Jones, Sp. 1337.

[65] So richtig z. B. H. Lietzmann, 1933, z. St.,; Bultmann, ThW I, 1933, S. 508; C.A.A.
Scott, a. Anm. 63 aO, S. 67.

[66] Vgl. die Ausführungen von G. Schrenk, ThW II, 1935, S. 205ff.

[67] Dieser Sinn von διά c. Acc. begegnet auch Joh 6, 57; Röm 8, 20 und bei Profanen (Belege bei W. Bauer, Wörtb. z. NT, 1937³, S. 300 und Moulton-Milligan, Vocabulary of the
Greek Testament, S. 146). Diese Übersetzung von διά in Röm 3, 25 vertreten H. Lietzmann,
1933, z. St.; W. Mundle, Der Glaubensbegriff des Paulus, 1932, S. 88; vgl. aber auch schon
Calvin, Corp. Ref. 77, S. 62.

lassen in der Jetztzeit, auf daß er gerecht sei und rechtfertige den, der an Jesus glaubt." Diese Auslegung, die mit Röm 5, 8 ff genau übereinstimmt, zeigt, daß Paulus in der Tat den Tod Christi als ein sühnendes Handeln Gottes versteht, und man darf, da 1 Kor 5, 7 von Christus als dem geschlachteten Passahlamm spricht, auch im Sinne des Paulus vom Sühn*opfer* Christi reden. Aber weder behauptet Paulus in irgendeiner Form, daß Gott die Sünde auf diesem Wege sühnen *mußte,* wenn er sie überhaupt vergeben wollte, noch handelt es sich um ein objektives Geschehen, das unabhängig vom Menschen in foro coeli stattfände; sondern Paulus bezeugt als Glaubender, daß es Gott gefallen hat, seinen eschatologischen Heilswillen zur Wirklichkeit werden zu lassen, indem er als Sühnender in Christi Tod handelte, aber er bezeugt ebenso, daß diese Sühnung nur dort eine Wirklichkeit ist, wo der Mensch sie im Glauben ergreift. Das ist gewiß eine Deutung des Todes (und ebenso der Auferstehung) Jesu, die überkommene theologische Begriffe verwendet und die Jesus so nicht kennt; aber im Prinzip sagt Paulus in der Situation nach Ostern und Pfingsten auch damit nichts anderes, als was Jesus verkündigte, daß nämlich ausschließlich in dem endzeitlichen Handeln Gottes in Jesus die göttliche Vergebung für den Glauben faßbar sei und daß außerhalb dieser von Jesus gebrachten und gewirkten Vergebung Gottes kein Heil zu finden sei. So sehr Paulus in der theologisch-begrifflichen Formulierung hier über Jesus hinausgeht, im grundlegenden Heilsverständnis besteht auch hier zwischen Jesus und Paulus kein wesentlicher Unterschied.

V

Es hat sich gezeigt, daß nicht nur in dem Verständnis der heilsgeschichtlichen Situation, sondern auch im Gottesgedanken, der Gesetzeslehre, der Heilslehre zwischen Jesus und Paulus eine weitgehende sachliche Übereinstimmung besteht, soweit nicht die veränderte Situation bei Paulus selbstverständliche Abweichungen mit sich brachte. Daneben bestehen nun freilich deutliche Unterschiede, die keineswegs übersehen werden dürfen. Erklären sich auch diese Unterschiede großenteils aus der veränderten Lage und dem Theologe-Sein des Paulus, so ist ihre rechte Einschätzung für das Gesamturteil doch wesentlich.

1. Es ist sicher nicht richtig, daß Jesus einen ,,naiven Optimismus der Natur- und Weltbetrachtung" vertritt, neben dem dann ,,Sprüche resignierter Menschen- und Weltbetrachtung" stehen[68]; vielmehr steht Jesus der Natur und dem Weltgeschehen mit dem unerschütterlichen Glauben gegenüber, daß hinter allem Geschehen der allmächtige Gott steht, auch wenn wir seine Hand nicht erkennen können (Lk 13, 4) und auch wenn in der Gegenwart der Satan und die Dämonen in der Welt herrschen (Mt 12, 43 ff). Während Jesus aber in all diesen Aussagen ein starkes Gefühl für die Schönheit der Natur und Gottes Fürsorge für sie zeigt[69], sieht Paulus die Welt

---

[68] BULTMANN, Jesus, 1926, S. 147; vgl. auch H.J. HOLTZMANN, Lehrbuch der Nt. Theol. I, 1911², S. 216.
[69] S. dazu J. LEIPOLDT, Das Gotteserlebnis Jesu im Lichte der vergleichenden Religionsgeschichte, 1927, S. 16; DERS., Jesus und Paulus-Jesus oder Paulus ?, 1936, S. 31 f.

wesentlich gottferner an (2Kor 4, 4 „der Gott dieses Äons") und scheut sich, Gott allzusehr in die Welt hineinzuziehen (1Kor 9, 9). Ferner weist Paulus ausdrücklich nach, daß alle Menschen in der Zwingmacht der Sünde und darum verloren seien (Röm 3, 9ff; 5, 12ff), und er schildert die absolute Hilflosigkeit des unter der Gewalt des Gesetzes stehenden Menschen (Röm 7, 7ff); Jesus aber setzt in seiner Vergebungsbotschaft wie in gelegentlichen Äußerungen (Mk | 8, 38; Mt 7, 11) durchaus voraus, daß alle Menschen Sünder sind und darum Vergebung nötig haben, aber er formuliert diese Tatsache niemals. Und der paulinische Begriff des Fleisches ist Jesus ebenso fremd wie die Vorstellung der Knechtschaft von Heiden und Juden unter die στοιχεῖα τοῦ κόσμου (Gal 4, 8f). Es ist leicht einzusehen, daß Paulus in der Formulierung des Gedankens von der Allgemeinheit der Sünde und von der Dämonenherrschaft nur theologisch weiterdenkt, was Jesus voraussetzt. Aber nicht nur seine theologische Reflexion ist an dieser Abweichung von Jesus schuld, Paulus hat im Gegensatz zu Jesus durch seine Bekehrung einen Bruch erlebt, der ihn nun seine vorchristliche Zeit rein negativ bewerten und damit die gesamte Menschheit außerhalb des Evangeliums als völlig verloren ansehen läßt. Jesus aber hat einen solchen Bruch nie erlebt[70], was sich in seinem Urteil über Welt und Mensch zeigt.

2. Paulus vertritt eine Christologie, die nicht nur aufgrund der Auferstehungserfahrungen vom auferstandenen κύριος redet, sondern Christus als Präexistenten an der Schöpfung und Geschichte beteiligt sein läßt (Kol 1, 16; 1Kor 10, 4) und die Erniedrigung und Erhöhung des Präexistenten verkündet (Phil 2, 5ff). Es ist keine Frage, daß Paulus hier zur begrifflichen Gestaltung seiner Christusbotschaft den ursprünglich heidnischen Mythus vom herabsteigenden Himmelsmenschen aufgenommen hat und sich an jüdisch-hellenistische Weisheitsspekulation anschließt[71]; und es ist ebenso sicher, daß der Jesus der synoptischen Tradition von Präexistenz, Schöpfungsmittlerschaft und Erniedrigung nichts weiß. Gewiß ist auch hier die erfahrene Auferstehung die Ursache, daß überhaupt solche Gedanken an die Gestalt Christi herangetragen werden konnten; aber die Vorstellungen der Präexistenz und Schöpfungsmittlerschaft lassen sich auch von da aus nicht ausreichend erklären. Hier sind wirklich im Anschluß an vorhandene nicht-christliche Vorstellungsformen neue Gedanken auf die Gestalt Jesu Christi übertragen. Aber das geschieht nicht aus spekulativem Interesse, sondern dieses „mythische" Denken entspringt einem tiefen Glaubensinteresse: nur durch die Annahme der Schöpfungsmittlerschaft und Präexistenz Christi können für Paulus die beiden Wahrheiten gesichert werden, daß der erhöhte und vom Himmel her wirkende Herr nicht *neben* den Schöpfergott tritt und daß es dieser *eine* Gott selbst ist, der in Jesus Christus das Heil schafft (1Kor 8, 6; 2Kor 4, 6; 5, 19). Während also diese christologischen Weiterbildungen Jesus und wohl auch teilweise der Urgemeinde fremd sind, ist ihre Absicht eine Fortbildung der Predigt Jesu von *Gottes* Heilshandeln in Jesus am Ende der Zeiten. Hier liegt also

[70] Das betont mit Recht J. Leipoldt, Jesus und Paulus, S. 21ff; Windischs Behauptung, daß wohl auch Jesus durch einen ähnlichen Bruch hindurchgegangen sei wie Paulus (Paulus und Christus, 1934, S. 120f), ist phantastisch.

[71] S. Anm. 14 und M. Dibelius, Le NT et l'histoire des religions, Études Théologiques et Religieuses, 1930, S. 295ff.

gewiß ein bedeutsamer Unterschied vor, aber keiner, der die zentrale Heilsverkündigung Jesu grundlegend verändert hätte.

3. Paulus hat, wie schon betont wurde, aus der Urgemeinde die beiden Sakramente der Taufe und des Herrenmahls übernommen. Aber er hat diesen beiden Sakramenten eine Deutung gegeben, die äußerst „realistischen" Charakter trägt: Die Taufe bewirkt ein Mitsterben mit Christus, die Teilhabe an dem einen Brot und einen Kelch läßt die Christen an dem einen Leib Christi teilhaben (Röm 6, 3ff; 1 Kor 10, 16f; 12, 13; 2Kor 5, 14f). Kol 2, 11ff ist sogar von einer geschehenen Mitauferweckung mit Christus im Zusammenhang mit der Taufe die Rede, und 1 Kor 15, 29 erwähnt Paulus die stellvertretende Taufe für Tote, die in Korinth geübt wurde, ohne etwas dagegen zu sagen. Man hat darum immer wieder die Behauptung aufgestellt, Paulus lehre|„eine naturhafte Umwandlung des Menschen durch naturhafte Vorgänge", die *ex opere operato* geschieht und keinen sittlich-personhaften Charakter trägt[72]. Daß die Sakramentsaussagen des Paulus leicht naturhaft-magisch mißverstanden werden können, zeigt sich schon an der Tatsache, daß Paulus bereits 1 Kor 8–11 gegen eine solche Mißdeutung seiner Sakramentslehre kämpfen muß; und ebenso ist keine Frage, daß Paulus mit seinen Ausführungen über die Wirkung der Sakramente ungewollt der katholischen Sakramentsmagie vorgearbeitet hat. Daran ist in erster Linie die Tatsache schuld, daß Paulus sich bei seiner Deutung der Sakramente gewisser Vorstellungen der Mysterienreligionen vom Mitsterben und Mitauferstehen und von der Wirkung der Einweihungsriten und sakramentaler Mahlzeiten bedient hat[73]. Aber er benutzt diese schon vor ihm (Röm 6, 3!) von den Christen aufgenommene Terminologie, um damit eine völlig unmagische geschichtliche Sakramentsauffassung zu verkünden. Die Sakramente sind ihm gewiß ein reales Geschehen, aber ein reales Geschehen, das den Menschen in das mit Christus begonnene Heilshandeln Gottes hineinversetzt, wenn er dieses ihm dargebotene Handeln Gottes gläubig ergreift. Die Sakramente sind also nicht ein naturhafter, sondern ein geschichtlicher Vorgang, der genau dasselbe bewirkt wie die durch den Glauben erfahrene Rechtfertigung Gottes (Phil 3, 9f; Kol 2, 11ff). Das ist neuerdings mehrfach so überzeugend nachgewiesen worden[74], daß diese andeutenden Behauptungen hier genügen können. Aus diesem Tatbestand ergibt sich aber, daß auch die Sakramentsaussagen des Paulus, so völlig sie der Predigt Jesu fremd sind, nur eine andere Form der Verkündigung vom endzeitlichen Heilshandeln Gottes in Jesus Christus darstellen, also keine *grundlegend* andere Heilsauffassung vertreten als Jesus, wenn auch hier eine deutliche Neubildung der religiösen Begriffs- und Formenwelt gegenüber Jesus vorliegt.

[72] W. WREDE, Paulus, 1907², S. 71; ferner z. B. W. HEITMÜLLER, Taufe und Abendmahl im Urchristentum, 1911, S. 19f, 66f; E. G. GULIN, Die Freude im NT I, Annales Academiae Scient. Fennicae B, 26, 1932, S. 219f; H. WEINEL, Bibl. Theol. des NT, 1921³, S. 303ff.
[73] Siehe M. DIBELIUS, Die Isisweihe bei Apuleius und verwandte Initiationsriten, SAH, Phil.-hist. Kl., 1917, 4, S. 45f; A. OEPKE, ThW I, 1933, S. 539.
[74] K. MITTRING, Heilswirklichkeit bei Paulus, 1929, S. 43; A. OEPKE, Urchristentum und Kindertaufe, ZNW 1930, S. 104ff; H. v. SODEN, Sakrament und Ethik bei Paulus, Marburger Theol. Stud. I, 1931, S. 23ff; G. BORNKAMM, Taufe und neues Leben bei Paulus, ThBl 1939, S. 233ff.

4. Der entscheidende Unterschied zwischen Paulus und Jesus ist mit dem allen aber noch nicht genannt. Er besteht nicht in der verschiedenen Stellung zur eschatologischen Äonenwende, er besteht nicht in einzelnen oder mehreren Abweichungen der theologischen Begriffswelt oder gar in der gesamten Heilsauffassung, er besteht auch nicht einfach darin, daß bei Paulus die Religion mit Jesus übereinstimmt, die Theologie und Apologetik aber nicht[75]. Der entscheidende Unterschied ist vielmehr der, daß Jesus sich als den von Gott zum himmlischen „Menschen" bestimmten Boten und Bringer des endzeitlichen Heiles weiß, daß also in Jesus Gott selber handelt, während Paulus nichts ist und sein will als der Diener und Bote dieses Christus, der Gottes Handeln nicht bringt, sondern nur verkündigt (2Kor 4, 5; 5, 19f)[76]. |

Daraus ergibt sich, daß notwendigerweise der Ausgangspunkt der Verkündigung bei Jesus und Paulus ein verschiedener sein muß: bei Paulus steht die Christologie im Mittelpunkt, weil er Christus zu predigen hat (1Kor 1, 23); bei Jesus aber steht die Nähe der Gottesherrschaft im Mittelpunkt, weil in diesem Rahmen von dem verborgenen Anfang der Gottesherrschaft in Jesus und seinem Wirken die Rede sein kann. Das bedeutet aber nicht, daß Paulus eine andere Religion oder Offenbarung bringt als Jesus; sondern Paulus verkündet von der Heilssituation des Christen nach der Auferstehung Jesu aus die Heilsbotschaft von Gottes Handeln in Christus, das sich in Jesu Leben, Lehren und Sterben vollzogen und von dem Jesus in seiner Situation vor Tod und Auferstehung auch geredet hat. Paulus ist der Apostel, Jesus ist der Herr: das ist der tiefste Unterschied, der sich in der Verkündigung der beiden Männer auswirken muß.

Das Christentum geht nur auf *eine* geschichtliche Wirklichket zurück, auf Gottes Heilshandeln in Jesus Christus am Ende der Zeiten. Dieses Heilshandeln hat Jesus in seinem Leben und Wirken gebracht, von diesem Heilshandeln hat er predigend gezeugt, und die Urgemeinde hat diese geschichtliche Wirklichkeit, die die Grundlage aller christlichen Verkündigung darstellt, in der Tradition aufbewahrt, die dann in den synoptischen Evangelien schriftliche Gestalt gewann. Paulus hat diese Tradition gewiß teilweise gekannt, er hat darüber hinaus die Verkündigung der Urgemeinde von Gottes Ja zu dieser Geschichte durch die Auferweckung Jesu Christi und die Sendung des Geistes gekannt. Und Paulus hat in seinem ganzen Leben und Denken nichts anderes getan, als diese Botschaft vom Heilshandeln Gottes in Jesus Christus

---

[75] Diese Lösung bietet BRATTON, s. Anm. 1; dagegen R. BULTMANN, ThR 1936, S. 10f.
[76] WINDISCHS Versuch (Paulus und Christus, 1934, S. 143ff), Jesus und Paulus als Beispiele derselben „religionsgeschichtlichen Kategorie" des Gesandten zu erweisen, geht, ganz abgesehen von einer Fülle höchst gewaltsamer Auslegungen, an dem Selbstbewußtsein des Apostels gänzlich vorbei und erklärt z. B. die Tatsache, daß Paulus eine Verantwortung und einen Lohn vor Gott und Christus erwartet (1Kor 3, 10ff; 4, 4; 9, 27; 2Kor 5, 10 usw.), Jesus aber nicht (Mk 8, 38 usw.), einfach dadurch weg, daß er Joh 17, 4ff (!!) als Beleg für die Rechenschaftsablegung Jesu vor Gott heranzieht! Das Bewußtsein des Paulus, δοῦλος Χριστοῦ Ἰησοῦ zu sein, wird ebensowenig beachtet wie die als unbedeutend bezeichnete Tatsache, daß Paulus Jesus nie ἀπόστολος nennt. G. SASS, Apostelamt und Kirche, 1939, S. 32ff schildert das Apostelbewußtsein des Paulus richtig als „von Gott berufener Apostel Jesu Christi (1Kor 1,1)", stellt aber dann S. 69ff den Apostel doch zu sehr in Parallele zu Christus und übersieht das δοῦλος-Bewußtsein. Richtig O. SCHMITZ, Das Lebensgefühl des Paulus, 1922, S. 89ff; K. H. RENGSTORF, ThW I, S. 438ff; II, S. 279f.

am Ende der Zeiten neu zu formulieren und begrifflich gegen Entleerung und Mißverständnisse zu sichern, um auf diese Weise die ihm aufgetragene Botschaft in einer
neuen missionarischen und apologetischen Situation wirksam verkündigen zu können. So führen die Synoptiker wie Paulus zu Jesus als dem entscheidenden Ereignis
der Geschichte Gottes, und dabei haben sowohl die Synoptiker wie Paulus die Botschaft Jesu an manchen Punkten verändert oder auch einmal verdunkelt. Das Christentum ist aber nicht allein die Lehre Jesu und ebensowenig allein die Botschaft
des Paulus, sondern das Christentum ist die Christuswirklichkeit, das Handeln Gottes in Christus an einem bestimmten Punkte der Geschichte, und von diesem Handeln Gottes in Christus haben Jesus und Paulus beide auf ihre Weise gezeugt. Wer
darum Paulus ablehnt, weil er das Christusgeschehen verkündet, der hat damit auch
Jesus abgelehnt.

DIE GOTTESVERKÜNDIGUNG JESU UND DER GOTTESGEDANKE
DES SPÄTJUDENTUMS

Die Frage nach dem Verhältnis der Gottesverkündigung Jesu zum Gottesgedanken seiner jüdischen Zeitgenossen ist vor zwanzig Jahren von neuem in den Mittelpunkt der wissenschaftlichen Diskussion über den wesentlichen Charakter der Verkündigung Jesu überhaupt gestellt worden durch KARL HOLLS Arbeit über „Urchristen|tum und Religionsgeschichte"[1]. HOLL ging in seiner Auseinandersetzung mit der „religionsgeschichtlichen" Auffassung des Urchristentums aus von der tatsächlich entscheidenden Frage, worin eigentlich der Sieg des Christentums über die anderen Religionen begründet gewesen sei, und er findet dieses Besondere in Jesu Verhalten zu den Sündern. Dieses Verhalten Jesu beruht nach HOLL auf Jesu Gottesbegriff, „Jesus verkündet ... einen Gott, der mit dem sündigen Menschen etwas zu tun haben will". Dieser Wille zum Vergeben ist im innersten Wesen Gottes begründet, der aus freier Güte über die Kluft hinweg dem Menschen entgegenkommen will. Dieser Gottesgedanke ist nach HOLL dem Judentum gegenüber etwas Unerhörtes, und HOLL betont: „Ich habe nie verstanden, wie man bezweifeln konnte, ob Jesus gegenüber dem Alten Testament einen neuen Gottesgedanken gebracht habe." „Ein Gottesglaube, wonach Gott dem Sünder sich gibt, das war der Tod alles ernsthaften sittlichen Strebens, das war nichts anderes als Gotteslästerung. Dafür haben ihn die Juden ans Kreuz gebracht" (S. 10f). Jesus dreht infolgedessen das gewohnte Verhältnis von Religion und Sittlichkeit um: durch Gottes Vergebung entsteht etwas Neues, aus dem eine Sittlichkeit erwächst, die sich Gott als Vorbild nehmen kann. Dieser in sich im tiefsten Sinne sinnhafte Gottesgedanke ist das Sieghafte am Christentum gewesen. HOLL hat mit dieser Auffassung starke Zustimmung gefunden[2], sie ist besonders durch GERHARD KITTEL fortgebildet worden[3], der die Neuheit der Gottesverkündigung Jesu freilich nicht in einem neuen Gottesbegriff, wohl aber in der Tatsache sieht, daß der den Sünder suchende Gott im Gegensatz zum Judentum „in Jesus dem Christus Gegenwart und Vollendung und Wirklichkeit" geworden ist (S. 130). Schärfste Opposition hat dagegen HOLLS An-

---

[1] Ursprünglich erschienen in den „Studien des apologetischen Seminars in Wernigerode", Heft 10, 1925. Wiederabgedruckt in den „Gesammelten Aufsätzen zur Kirchengeschichte" II, 1927, S. 1 ff, bes. 18 ff (danach zitiert).

[2] G. AULÉN, Das christliche Gottesbild, 1930, S. 21 ff; A. NYGREN, Eros und Agape I, 1930, S. 51 ff.

[3] G. KITTEL, Die Religionsgeschichte und das Urchristentum, 1932, S. 118 ff (bes. S. 129f, 151f, 154f).

schauung bei Rudolf Bultmann | gefunden[4]. Er bestreitet, „daß die Eigenart der christlichen Religion dem Judentum gegenüber … in der Neuheit ihres Gottesbegriffes liegt", und sucht nachzuweisen, daß der Gottesbegriff Jesu der altjüdische ist, nur sei dieser Gottesbegriff von Jesus radikal ernst genommen. Das Eigentümliche der Predigt Jesu war vielmehr „die Behauptung, daß sein Kommen die letzte Stunde für die Welt bedeutet", das Neue in der Predigt Jesu ist also nicht sein Gottesgedanke, sondern seine prophetische Verkündigung von der Nähe der Gottesherrschaft. Es stehen sich damit in den Anschauungen von Holl und Bultmann zwei Auffassungen des Verhältnisses Jesu zum Judentum gegenüber, die beide deutlich auf richtigen Beobachtungen beruhen, aber in ihrer Einseitigkeit am eigentlichen Problem vorbeigehen. Kittel ist dem entscheidenden Sachverhalt dadurch nahe gekommen, daß er auf das Problem der *Gegenwart* des Heils und der Bedeutung Jesu für diese Heilsgegenwart ergänzend hinwies, aber er hat diese wichtigen Beobachtungen nur thesenhaft vorgetragen und nicht eingehend begründet. Die Frage ist darum noch immer offen, wie sich die Gottesverkündigung Jesu sachlich zur jüdischen Gottesanschauung verhalte und wo hier die entscheidende Besonderheit bei Jesus liege. Eine überzeugende Beantwortung dieser Frage ist aber für die Einsicht in das eigentlich Wesentliche und Besondere der gesamten Predigt Jesu unerläßlich, und nur auf dem Hintergrund einer solchen Antwort kann klar erkannt werden, worin von Anfang an der grundlegende Unterschied zum Judentum und darum auch die Ursache der radikalen Ablehnung Jesu durch das Judentum lag. Die Frage der Beziehung der Gottesverkündigung Jesu zu den Gedanken seiner jüdischen Umwelt soll darum hier von neuem aufgenommen werden; doch sollen in diesem Rahmen nur die wesentlichen Punkte herausgehoben und durch bezeichnende Beispiele erläutert werden.

Es ist wohl am zweckmäßigsten, von den Grundzügen der alttestamentlichen Gottesanschauung auszugehen, auf deren Boden | sowohl Jesus wie das Spätjudentum standen[5]. Für das israelitische Volk war Jahwe zum mindesten seit der Zeit des Moses der einzige wirkliche Gott, der mit dem Volk aus freien Stücken seinen Bund geschlossen und seit dieser Bundschließung das Volk geführt hat. Dieser Gott ist eine personhafte Gestalt übermenschlich-unheimlicher Art, deren Wesen grundlegend das des gebietenden Herrn ist, dessen Handeln man nicht berechnen und nur aus seinem Verhalten zu dem Volk seiner Erwählung und zu den andern Völkern ablesen kann. Dieser Gott ist im Gegensatz zu den Menschen heilig, ehrfurchtgebietend und unnahbar, ein persönlicher Wille, der vom Menschen Gehorsam gegenüber seinen Geboten und vom israelitischen Volk im besonderen Gehorsam gegenüber den Forderungen des Bundesgottes verlangt. Der Bund Gottes mit dem Volk beruht völlig auf der freien Erwählung des Volkes durch Gott, und die Erfüllung des Willens Gottes ist nicht die Vorbedingung, sondern die Folge dieser erfahrenen Erwählung: „Ihr

---

[4] R. Bultmann, Urchristentum und Religionsgeschichte, ThR, N. F. 4, 1932, S. 1ff (bes. S. 10ff); vgl. schon früher R. Bultmann, Jesus, 1926, S. 123ff.

[5] Vgl. W. Eichrodt, Theologie des AT I, 1933, S. 101ff; L. Köhler, Theologie des AT, 1936, S. 2ff; G. Quell, ThW III, 1938, S. 79ff, S. 1056ff.

sollt euch nicht wegen eines Toten tätowieren... Denn du bist ein Volk, das Jahwe, deinem Gott, heilig ist; dich hat Jahwe, dein Gott, erwählt, daß du ihm Eigentumsvolk seiest unter allen Völkern der Erde" (5Mos 14, 1). Dieser das Volk erwählende Bundesgott wird einerseits erfahren als der *gerechte* Gott. Gottes Gerechtigkeit zeigt sich nicht in der Wahrung einer formalen Rechtsordnung, sondern in der Wahrung des gottgemäßen Verhältnisses zwischen Gott und Volk durch Gott selber; „Gerechtigkeit ist im Alten Testament kein juristischer, sondern ein gemeinschaftsbezogener Begriff ... Der Herr kann die Gemeinschaft derer, die er beherrscht, ... nur so beherrschen, daß er ihr hilft und sie gegen ihre Zerstörer außen und innen beschützt. Deshalb heißt er gerecht."[6] Gottes Gerechtigkeit sorgt darum dafür, daß das Bundesverhältnis zwischen Gott und dem Volk nicht gestört wird, indem Gott den Ungerechten bestraft, aber auch dem Bußfertigen vergibt („Ich will den Grimm des Herrn tragen – denn ich habe wider ihn gesündigt –, bis er sich meiner Sache annimmt und mir | Recht schafft, mich in das Licht hinausführt, daß ich seine Gerechtigkeit schaue" Mi 7, 9). Weil das Verständnis für Gottes Gerechtigkeit ausging von der Erfahrung des Bundesverhältnisses zum Volk durch den Bundesherrn Jahwe selber, bestand aber immer die Gefahr, daß Gottes Gerechtigkeit nur für das jüdische Volk erwartet und auf die Völker der Welt Gottes Zorn herabbeschworen wurde („Der Herr, der Gerechte, hat zerhauen der Gottlosen Stränge. Zu Schanden werden und zurückweichen müssen alle, die Zion hassen" Ps 129, 4f). Wie das Alte Testament Gott als den Gerechten kennt, ebenso sicher kennt es ihn andererseits auch als den *Barmherzigen und Liebenden*. Gott hat das abtrünnige Volk immer wieder zu sich gezogen und ohne alles Verdienst des Volkes an der Erwählung festgehalten („Er aber in seiner Gnade und seinem Erbarmen, er vergab ihre Schuld und vertilgte sie nicht, ließ oftmals ab von seinem Zorn" Ps 78, 38). Diese Liebe Gottes zu dem untreuen Volk wird nicht aus einem Prinzip abgeleitet, sondern in Gottes unbegreiflicher Person begründet gesehen („Ich will meinen glühenden Zorn nicht vollstrekken' will Ephraim nicht wieder verderben. Denn Gott bin ich und nicht ein Mensch, heilig in deiner Mitte, doch nicht ein Vertilger" Hos 11, 9). Diese Liebe Gottes zu seinem Volk zeigt sich sowohl in der geschichtlichen Führung des Volkes und des Einzelnen[7] wie in der Gabe des Gesetzes, die durchaus als Gnade empfunden wird („Und dafür, daß ihr diese Rechte anhört, sie haltet und danach tut, wird der Herr, dein Gott, den Bund halten und die Huld bewahren, die er deinen Vätern zugeschworen hat, und er wird dich lieben, dich segnen und dich mehren" 5Mos 6, 12f)[8]. Diese Gerechtigkeit und Liebe Gottes soll sich in ihrer ganzen Größe am Ende der Tage offenbaren („Da wird gebeugt der Mensch und erniedrigt der Mann, und die Augen der Hochmütigen werden gedemütigt. Aber der Herr der Heerscharen wird erhaben durch das Gericht, und der | heilige Gott erweist sich heilig durch Gerech-

---

[6] L. Köhler (s. Anm. 5), S. 17.

[7] Vgl. 5Mos 4, 37; Ps 106, 3ff; Hiob 33, 23ff und dazu J. Hempel, Gott und Mensch im AT, 1936², S. 80ff, 241ff.

[8] Vgl. ferner 5Mos 4, 5ff und dazu Hempel (s. Anm. 7), S. 291f: „Durch die Erfüllung des Gesetzes wird der Bund immer aufs neue Wirklichkeit, so daß das Bewußtsein um die Nähe Gottes und die Herrlichkeit des Gesetzes zusammenwachsen."

tigkeit" Jes 5, 15f; „Wird auch ein Weib ihres Kindleins vergessen, daß sie sich nicht erbarmte über den Sohn ihres Leibes ? Und ob sie gleich seiner vergäße, so will *ich* doch dein nicht vergessen" Jes 49, 15). Bei allen solchen Aussagen über Gottes Handeln bleibt das Bewußtsein erhalten, daß Jahwe freier Wille ist, den man nicht erklären und berechnen, sondern dem man sich nur beugen und unterwerfen, aber auf den man auch sein Vertrauen setzen kann.

Auf dem Boden dieser alttestamentlichen Gottesanschauung, deren allmähliches Werden ebensowenig ins Bewußtsein trat wie das Nebeneinander von Höhen und Tiefen in der Gottesanschauung, steht die Gottesanschauung des Spätjudentums der letzten Jahrhunderte vor Christi Geburt und der Zeit Jesu. Man hat nun oft gesagt, daß das Spätjudentum den alttestamentlichen Gottesglauben entscheidend verändert und damit zu einer völlig andersartigen Größe umgestaltet habe[9]. Man weist darauf hin, daß im Spätjudentum der Eigenname Gottes, Jahwe, völlig aus dem Gebrauch verschwindet und durch abstrakte Begriffe wie „Himmel", „Herr", „der Name" usw. ersetzt wird, worin sich die Gefahr einer unlebendigen, unpersönlichen Auffassung der Gottheit zeige; erweise sich schon dadurch, daß Gott seine lebendige Wirklichkeit verloren habe, so wird dieser Eindruck verstärkt durch die Tatsache, daß sich zwischen Gott und Mensch „ein ganzes Heer von Mittelwesen" dränge, wodurch Gott als der Weltferne erscheint, der mit dem Menschen nicht mehr direkt verkehren kann. Jesus aber habe wieder den nahen, barmherzigen Gott verkündet, der sich um seine Kinder kümmert, so daß Jesus in der Gottesanschauung in wesentlichen Punkten zum Alten Testament, besonders zu den Propheten zurückgekehrt sei. Aber diese Auffassung der Gottesanschauung des Spätjudentums ist zweifellos nicht richtig, und darum ist auch das Urteil über Jesu Stellung zu dieser Gottesan|schauung falsch[10]. Es ist ganz zweifellos, daß das Spätjudentum mit der Erhabenheit und Weltüberlegenheit Gottes konsequenter Ernst gemacht hat als große Teile des Alten Testaments. Aber die Vermeidung des Jahwenamens hat ebensowenig wie das stärkere Vordringen einer zwischen Gott und Welt stehenden Geisterwelt damit etwas zu tun. Der Gottesname ist schon in den späteren Schriften des Alten Testamentes teilweise vermieden worden[11]; und das Spätjudentum hat zweifellos eine Reihe von Abstraktbegriffen wie „der Himmel, der Name, der Ort" usw. statt dessen gebraucht[12];

[9] W. Bousset, Die Religion des Judentums im späthellenistischen Zeitalter, 3. Aufl. von H. Gressmann, 1926, S. 307ff; H. Weinel, Biblische Theologie des NT, 1921³, S. 152; H.J. Holtzmann, Lehrbuch der Nt. Theologie I, 1911², S. 52ff.
[10] Siehe besonders G. Kittel, Die Probleme des palästinischen Spätjudentums und das Urchristentum, 1926, S. 132ff; G.F. Moore, Judaism in the First Centuries of the Christian Era. The Age of the Tannaim. I, 1927, S. 357ff, 423ff. Ferner zum Gottesgedanken des Spätjudentums A. Marmorstein, The Old Rabbinic Doctrine of God. I. The Names and Attributes of God, 1927; J. Bonsirven, Le Judaïsme palestinien au temps de Jésus-Christ. Sa Théologie. I, 1934, S. 111ff; C. G. Montefiore and H. Loewe, A Rabbinic Anthology, 1938, S. 1ff; E. Sjöberg, Gott und die Sünder im palästinischen Judentum nach dem Zeugnis der Tannaiten und der apokryphisch-pseudepigraphischen Literatur, 1939.
[11] Belege im ThW III, S. 93ff, 1069.
[12] Genaue Listen bei Marmorstein (s. Anm. 10), S. 56ff und Bousset-Gressmann (s. Anm. 9), S. 310ff.

der Jahwename wurde nur noch im Jerusalemer Tempelgottesdienst ausgesprochen, und auch dort möglichst unverständlich. Aber diese Meidung des Eigennamens Gottes geschah nicht darum, weil man Gott als persönliches Wesen aus den Augen verlor, sondern weil ein Eigenname bei dem einzigen, absoluten Gott nicht mehr nötig war, und auch darum, weil der Mißbrauch des Gottesnamens zu Zauberzwecken, den wir in den Zauberpapyri verfolgen können, nur auf diese Weise vermieden werden konnte. Der Glaube an das stärkere Eingreifen von Engeln in das irdische Geschehen und überhaupt die starke Ausbildung der Vorstellungen von der Engel- und Geisterwelt sind ebenso nicht die Folge eines Fernrückens Gottes, sondern ganz im Gegenteil zeigt sich in diesen Erscheinungen das starke Bewußtsein, daß Gott persönlich in das Leben der Menschen eingreift und sich auch um die einzelnen Vorgänge kümmert (man denke nur an das Tobitbuch)[13]. Aber wich|tiger als diese negativen Feststellungen sind einige positive Tatsachen, die dartun, daß dem spätjüdischen Gottesbegriff durchaus nicht der Charakter der Weltferne und Abstraktheit eignet. Immer wieder haben die Lehrer des Spätjudentums betont, daß Gott in der ganzen Welt anwesend ist und daß er sich um jedes seiner Geschöpfe bis ins kleinste kümmere. „An jedem Ort, wo du die Spur von eines Menschen Fuß findest, bin ich vor dir", sagt Gott zu Mose am Sinai nach der ältesten Auslegung des 2. Mosebuches[14]; und von einem bekannten Rabbi der Mitte des 2. Jahrhunderts wird erzählt: „Rabbi Simeon ben Jochai sah einen Jäger, der Vögel fing und sein Netz ausspannte; sooft er eine Himmelsstimme hörte, welche „frei" rief, war der Vogel gerettet. Da sprach er: „ein Vogel geht nicht zugrunde ohne den Himmel (= Gott), um wieviel weniger der Mensch"[15]. Weil so der fromme Jude von der Fürsorge Gottes für alle Kreaturen, von dem Wissen Gottes um jedes irdische Geschehen und von der Anwesenheit Gottes an allen Orten überzeugt war, konnte auch nie ein Zweifel an der Tatsache aufkommen, daß Gott dem Menschen nahe ist und jedes Gebet unmittelbar hört. Das findet sich besonders deutlich in einem etwas späteren Text ausgedrückt: „Gott ist weit und ist doch nah … Denn ein Mensch geht in die Synagoge und steht hinter einem Pfeiler und betet flüsternd, und Gott hört sein Gebet, und so ist es mit allen seinen Geschöpfen. Gibt es einen näheren Gott als diesen ? Er ist seinen Geschöpfen so nah wie das Ohr zum Mund."[16] Aber diese Vorstellung ist zweifellos viel älter als dieser Text. So heißt es nicht nur im ältesten Kommentar zum 2. Mosebuch: „Nicht wie das Maß von Fleisch und Blut ist dein Maß … Das Maß von Fleisch und Blut: nicht kann er zwei Menschen hören, wenn sie zusammen schreien. Aber auch wenn alle Weltbewohner kommen und vor dem Heiligen, gepriesen sei er, schreien, hört er ihr Geschrei"[17]; sondern schon der kurz vor Jesus lebende Hillel sagte, | daß Gott

---

[13] Vgl. Moore (s. Anm. 10), S. 404f und E. Stauffer, ThW III, S. 99.

[14] Mekhilta Ex 17, 6, Wajjassa beschallach § 6, S. 175, 6f ed. Horovitz-Rabin, S. 167 der Übersetzung von Winter-Wünsche.

[15] Talmud jeruschalmi Scheb. 9, 38d, 27ff; apokryphe und pseudepigraphische Belege bei Bonsirven (s. Anm. 10), S. 176.

[16] Talmud jeruschalmi Ber. 9, 1, 13a, 20f, 25ff (4. Jh.).

[17] Mekhilta Ex 15, 11, Wajjehi beschallach § 8, S. 143, 7ff ed. Horovitz-Rabin, S. 137f der Übersetzung von Winter-Wünsche.

zum Frommen in sein Haus komme, wenn der Fromme zu ihm in die Synagoge komme: „Wenn du in mein Haus kommst, werde ich (d. h. Gott) in dein Haus kommen, und wenn du nicht in mein Haus kommst, werde ich nicht in dein Haus kommen."[18] Hat so das Spätjudentum zweifellos die Nähe Gottes zur Welt und besonders zum Frommen nicht vergessen, so hat es ebenso fest an Gottes Erbarmen als unerklärlicher Äußerung des göttlichen Wesens festgehalten. Man redet selten von Gottes Liebe zu allen Menschen: „Geliebt ist der Mensch; denn er wurde zum Ebenbild Gottes geschaffen. Eine noch größere Liebe, es wurde ihm bekanntgemacht, daß er zum Ebenbild geschaffen wurde."[19] Man betont, daß Gottes Liebe Mann und Frau in gleicher Weise gelte: „Die Liebe Gottes ist nicht so wie die Liebe von Fleisch und Blut. Bei Fleisch und Blut richtet sich die Liebe mehr auf die männlichen als auf die weiblichen (Kinder). Aber bei dem, der sprach und die Welt ward, ist es nicht so. Sondern seine Liebe richtet sich auf die Männlichen und auf die Weiblichen, seine Liebe richtet sich auf Alle, wie es heißt: Gütig ist Gott gegen alle, und seine Liebe richtet sich auf alle seine Geschöpfe" (Ps 145, 9)[20]. Dem entsprechen die Tatsachen, daß wie im Alten Testament das ganze Spätjudentum von der Grundauffassung ausgeht, daß sich Gottes Wesen als durch die beiden Eigenschaften der Gerechtigkeit und des Erbarmens bestimmt beschreiben läßt[21] und daß die später häufig gebrauchte Bezeichnung Gottes als „der Barmherzige" schon früh bezeugt ist[22]. Und so ist denn von der Liebe und dem Erbarmen Gottes zu dem | jüdischen Volk, auch wenn es sündig ist, häufig die Rede[23], und man weiß, daß solche Gnade völlig unverdient aus Gottes freiem Willen entspringt: der Gebetswunsch aus dem aaronitischen Segen „und sei dir gnädig" (4Mos 6, 25) wird darum im ältesten Kommentar zum 4. Mosebuch so gedeutet: „Er begnade dich mit unverdienten Gaben"[24], und ein alter Prediger läßt Gott sagen: „Ich schulde den Geschöpfen nichts, sondern umsonst gebe ich euch, wie geschrieben steht: Ich erbarme mich dessen, dessen ich mich erbarme" (2Mos 33, 19)[25]. Ja, der Glaube an Gottes Erbarmen ist so tief im jüdischen Gottesbild verwurzelt, daß man auch von Gottes Erbarmen gegenüber den Heiden redet, obwohl angesichts der Erwählung des jüdischen Volkes „das andere Hauptmoment der jüdischen Religion, die Vergeltung, in Gottes Beziehungen zu den Hei-

[18] Tosephta Sukk. 4, 3, S. 198, 13 ff ed. ZUCKERMANDEL. Weitere Belege bei BONSIRVEN (s. Anm. 10), S. 179 f.
[19] So R. Akiba (1./2. Jh.), Mischna Aboth 3, 14, dazu vgl. SJÖBERG (s. Anm. 10), S. 27. Vgl. aber auch Rabbi Zadok (Ende des 1. Jh.): „Gott reicht in jeder Stunde Nahrung dar allen Weltbewohnern nach ihrem Bedürfnis und sättigt alle Lebewesen mit Wohlgefallen, und nicht nur die frommen und gerechten Menschen allein, sondern auch die Gottlosen und die Götzendiener" (Mekhilta Ex 18, 12, Amalek Jithro 1, S. 195, 20f ed. HOROVITZ-RABIN, S. 185 der Übersetzung von WINTER-WÜNSCHE).
[20] Sifre Num. 27, 1 § 133, S. 176, 2ff. ed. HOROVITZ, S. 534 der Übersetzung von K. G. KUHN.
[21] Belege bei SJÖBERG (s. Anm. 10), S. 2ff.
[22] Siehe MARMORSTEIN (s. Anm. 10), S. 101f; BONSIRVEN (s. Anm. 10), S. 143.
[23] Ausführliche Belege bei SJÖBERG (s. Anm. 10), S. 62ff, 109ff, 203ff.
[24] Sifre Num. 6, 25 § 41, S. 45,1 ed. HOROVITZ, S. 128 der Übersetzung von KUHN. SJÖBERG (s. Anm. 10), S. 64 Anm. 2 betont mit Recht die Nähe dieses Gedankens zur paulinischen Lehre von der unverdienten Gnade.
[25] Tanchuma ed. BUBER, Waetchanan § 3, S. 9, 17 f.

den entschieden den Vorrang hat"[26]. Es ist also unbezweifelbar, daß das Spätjudentum, aufs ganze gesehen, die alttestamentliche Auffassung von der Nähe und Barmherzigkeit des gerechten Gottes durchaus festgehalten hat, und es kann keine Rede davon sein, daß Gott dem Spätjudentum der „ferne" Gott geworden war.

Und doch ist an dieser These Boussets und anderer etwas Richtiges, dessen genaue Bestimmung für das Verständnis der Beziehung Jesu zum jüdischen Gottesgedanken entscheidend wichtig ist. Für den Juden zur Zeit Jesu ist Gott nicht fern, wohl aber ist die Gegenwart leer von Gottes Heilshandeln in der Geschichte seines Volkes. Gott sorgt auch in der Gegenwart für den Einzelnen, kümmert sich um das Wohl der Welt und besonders Israels und hört jedes Gebet. Aber seit den letzten Propheten, deren Schriften in den alttestamentlichen Kanon aufgenommen worden waren, hatte sich Gottes Geist von Israel zurückgezogen, Gott redete direkt nur noch durch Himmelsstimmen: „Als Haggai, Sacharja und Maleachi, die letzten Propheten, gestorben waren, verschwand der Hei|lige Geist aus Israel; gleichwohl ließ man sie die Himmelsstimme hören."[27] Diese Überzeugung, daß die Zeit der Propheten in der Gegenwart vorbei ist, geht parallel mit der noch wesentlicheren und für das gesamte spätjüdische Denken grundlegenden Anschauung, daß Gott seinen Willen den Vätern *einst* am Sinai geoffenbart habe, daß diese Offenbarung damit aber ein für allemal gegeben sei und daß es jetzt nur noch gelte, diese Offenbarung festzuhalten, auszulegen, weiterzugeben und das Leben danach einzurichten. Man war darum davon überzeugt, daß schon die biblischen Propheten und die Verfasser der übrigen biblischen Schriften außerhalb der fünf Bücher Mose nichts Neues mehr zum „Gesetz" hinzugefügt hätten[28], und erst recht durfte kein Rabbi am Buchstaben des Gesetzes etwas ändern oder dazu hinzufügen[29]. Die Offenbarung hatte also seit den „Vätern" aufgehört, und in der Gegenwart hatte der Fromme von dieser vergangenen Offenbarung zu leben und auf die Zukunft auszuschauen, wie ein pharisäischer Psalm des ersten vorchristlichen Jahrhunderts deutlich sagt: „Du hast einen Bund mit unsern Vätern um unsertwillen geschlossen, und wir hoffen auf dich, indem wir unsere Seele dir zuwenden" (Ps Sal 9, 19). Dieser zeitlichen Ferne des sich offenbarenden Gottes zur Gegenwart entspricht das Zurücktreten des göttlichen Wunders in der Gegenwart. Häufig wird auf die Wunder Gottes in der Vergangenheit verwiesen, und ebenso selbstverständlich ist, daß Gott jederzeit Wunder tun *kann*; auch erzählt man eine Fülle von Wundern von einzelnen Rabbinen und Frommen[30]. Aber man stellt daneben in einer alten Überlieferung fest, daß „die Israeliten würdig waren, daß ihnen in den Tagen Esras Wunder geschahen wie in den Tagen Josuas, des Sohnes Nuns, die Sünde aber hat es verursacht (nämlich, daß

[26] Genaue Nachweise bei Sjöberg (s. Anm. 10), S. 86 ff. Dieser Gedanke fehlt aber in den Apokryphen und Pseudepigraphen, s. Sjöberg, S. 210.

[27] Tosephta Sota 13, 2, S. 318, 21 ff. ed. Zuckermandel.

[28] Siehe Moore (s. Anm. 10), S. 239.

[29] Vgl. W. G. Kümmel, Jesus und der jüdische Traditionsgedanke, ZNW 33, 1934, S. 112 ff.

[30] Nachweise bei Bonsirven (s. Anm. 10), S. 185 f; Moore (s. Anm. 10), S. 376 f; Montefiore-Loewe (s. Anm. 10), S. 690 ff.

keine Wunder mehr geschahen)"[31]. Und man weiß von Gottes Eingreifen in die Geschichte seines Volkes | in der Gegenwart nichts zu erzählen, was dem zur Zeit der Väter beim Auszug aus Ägypten Geschehenen entspräche, und streckt sich darum sehnend nach der Endzeit aus, in der noch größere Wunder als einst geschehen sollen[32]. Und noch einmal zeigt sich der gleiche Sachverhalt beim Blick auf Gottes Urteil über den Menschen. Es ist dem Juden völlig sicher, daß Gott die Menschen nach ihren Taten belohnt und bestraft, aber ebenso auch, daß er sich des umkehrenden Sünders erbarmt[33]. Aber so hoch das fromme Selbstbewußtsein des einzelnen Rabbi auch gehen mag, völlige Sicherheit über Gottes einstiges Urteil über den einzelnen Menschen ist in der Gegenwart nicht zu gewinnen, sondern darüber entscheidet erst das Endgericht, und so bleibt die Heilsgewißheit gerade des ernsten Frommen in der Gegenwart völlig unsicher, wie die bekannte Erzählung vom Tod Rabbi Jochanan ben Zakkais, des Zeitgenossen der Apostel, beweist: „Als R. Jochanan ben Zakkai erkrankte, traten seine Schüler ein, ihn zu besuchen. Als er sie sah, begann er zu weinen. Seine Schüler sprachen zu ihm: Leuchte Israels, rechte Säule, mächtiger Hammer, warum weinst du? Er erwiderte ihnen: Wenn man mich vor einen König aus Fleisch und Blut führte, der heute hier und morgen im Grabe ist..., würde ich dennoch weinen. Jetzt, da man mich vor den König der Könige, den Heiligen, gepriesen sei er, führt, ... dessen Zorn ein ewiger Zorn ist, ... und außerdem auch zwei Wege vor mir sind, einer zum Paradiese und einer zur Hölle, und ich nicht weiß, welchen man mich führen wird, soll ich da nicht weinen?"[34] Und schließlich: Der fromme Jude bekennt, daß Gott der König seines Volkes, ja der ganzen Welt sei. Diese Königsherrschaft Gottes ist aber in der Gegenwart verborgen, man kann jetzt nur „das Joch der Königsherrschaft Gottes auf sich nehmen", indem | man die Gebote erfüllt; aber Gottes Königtum wird wirklich hervortreten am Ende der Tage, wenn die Gottesherrschaft erscheint[35]. Darum betet der jüdische Fromme dreimal täglich im Achtzehnbittengebet: „Bringe wieder unsere Richter wie vordem und unsere Ratsherrn wie zu Anfang, und sei König über uns, du allein!"[36] So streckt sich der jüdische Fromme der Zeit Jesu nach der verheißenen Zukunft aus, bleibt aber in der Gegenwart in einer gewissen Heilsleere. Das bedeutet nicht, daß das Judentum einen andern Gottesbegriff hätte als das Alte Testament, wohl aber, daß für die Frömmigkeit des Spätjudentums der gegenwärtig wirkende Gott verdeckt wurde durch die Erinnerung an Gottes Gnadenhandeln in der Vergangenheit und durch die Hoffnung auf die Heilsvollendung in der Zukunft.

[31] Talmud Babli Ber. 4a unten, übersetzt von GOLDSCHMIDT I, 1929, S. 9.
[32] Siehe P. VOLZ, Die Eschatologie der jüdischen Gemeinde im nt. Zeitalter, 1934², S. 387. Z. B. 4Esra 7, 27: „Und wer aus den vorausgesagten Plagen Rettung findet, wird selber meine Wunder schauen."
[33] Genaue Nachweise bei SJÖBERG (s. Anm. 10), passim.
[34] Talmud Babli Ber. 28b Mitte, übersetzt von GOLDSCHMIDT I, 1929, S. 124f. Vgl. zur spätjüdischen Heilsungewißheit K. H. RENGSTORF, ThW II, S. 523ff und H. PREISKER, Die urchristliche Botschaft von der Liebe Gottes im Lichte der vergleichenden Religionsgeschichte, 1930, S. 24.
[35] S. VOLZ (s. Anm. 31), S. 165ff.
[36] 11.Bitte der palästinischen Rezension nach STRACK-BILLERBECK, Kommentar zum NT aus Talmud und Midrasch IV, 1, 1928, S. 212.

Auf dem Hintergrund dieser spätjüdischen Gottesanschauung ist nun die Gottesverkündigung Jesu zu sehen [37]. Daß Jesus an die Gottesvorstellung seiner jüdischen
Umwelt anknüpfte, zeigt sich schon darin, daß er keine neue Gottesbezeichnung
einführte, vielmehr gelegentlich geläufige jüdische Umschreibungen des Gottesnamens gebrauchte („der Herr" Mt 11, 25; „der Himmel" Lk 15, 21; „die Kraft"
Mk 14, 62) und sonst ohne Umschreibung einfach von „Gott" redet (z. B. Mt 6, 24)
oder Gott als „Vater" bezeichnet, worauf wir zurückkommen müssen [38]. Die Anknüpfung Jesu an die jüdische Gottesvorstellung zeigt sich aber besonders darin, daß
Jesus Gott konsequent als den zukünftigen verkündet, wie es das Judentum tat.
Das ergibt sich schon daraus, daß Jesus das baldige Kommen der Gottesherrschaft,
damit das bevorstehende Handeln Gottes als „König" verkündete (Mk 1, 15; Mt
10, 7 | usw.) [39]. Wenn die Gottesherrschaft erscheint, wird Gott als *Richter* walten
(Mt 25, 14ff), der Leib und Seele in die Hölle verderben kann (Mt 10, 28). Dieser
kommende Richter ist so völlig freier Wille, daß er im Gleichnis den reichen Bauern
wegrufen kann, ehe dieser seine Schätze genießen konnte. Aber dieser kommende
Gott ist für Jesus wie für das Judentum nicht nur der strenge König und Richter,
sondern auch der *barmherzige Vater*. Jesus knüpft nicht nur in der Verkündigung
von Gott als dem Barmherzigen, wie wir bereits sahen, an das Spätjudentum an,
sondern ebenso in der Bezeichnung Gottes als „Vater" [40]. Schon im Alten Testament
begegnet der Vatername für Gottes Verhalten gegenüber dem Volk, besonders häufig
seit der Zeit der Propheten (z. B. Jer 3, 19; Jes 63, 16). Aber auch der einzelne
Fromme vergleicht schon im Alten Testament gelegentlich einmal das Verhalten
Gottes zum Menschen mit dem Verhalten eines Vaters zu seinen Kindern (Ps 103, 13).
Diese im Alten Testament noch seltene Bezeichnung Gottes wird in den Apokryphen
häufiger, besonders als Gebetsanrede des einzelnen Frommen („Herr, Vater, Beherr-
scher meines Lebens" Sir 23, 1), und bei den Rabbinen ist die Bezeichnung „mein
Vater im Himmel" oder „unser Vater im Himmel" sehr häufig („Rabbi Eliezer sagte:
... Auf wen sollen wir uns stützen? Auf unsern Vater, der im Himmel ist") [41]. Es
kann also keine Frage sein, daß Jesus nichts grundlegend Neues tat, als er selber
Gott als Vater anrief und seinen Jüngern von ihrem himmlischen Vater sprach und
sie lehrte, zu Gott als Vater zu beten (Mk 14, 36; 11, 25; Mt 6, 9 = Lk 11, 2). Und
doch ist diese Feststellung in dieser Allgemeinheit ungenügend. Denn einmal ist

---

[37] Vgl. dazu besonders R. BULTMANN, Jesus, 1926, S. 123ff; H.-D. WENDLAND, Die
Eschatologie des Reiches Gottes bei Jesus, 1930, S. 10ff; R. A. HOFFMANN, Das Gottesbild
Jesu, 1934; W. GRUNDMANN, Die Gotteskindschaft in der Geschichte Jesu, 1938; W. TWIS-
SELMANN, Die Gotteskindschaft der Christen nach dem NT, 1939, S. 27ff.
[38] Zu den Gottesbezeichnungen Jesu vgl. GRUNDMANN (s. Anm. 37), S. 62ff und STAUF-
FER, ThW III, S. 92.
[39] Siehe den Nachweis in meiner Arbeit „Verheißung und Erfüllung. Untersuchungen zur
eschatologischen Verkündigung Jesu", 1945.
[40] Vgl. dazu G. DALMAN, Die Worte Jesu I, 1930², S. 150ff; MOORE (s. Anm. 10), II, S.
201ff; G. KITTEL, ThW I, S. 4ff; GRUNDMANN (s. Anm. 37), S. 27ff; TWISSELMANN (s. Anm.
37), S. 26ff.
[41] Mischna Sota 9, 15. MARMORSTEIN (s. Anm. 10), S. 56f zeigt, daß die Bezeichnung Gottes als Vater auch in der rabbinischen Literatur im 1. christlichen Jahrhundert sicher bezeugt ist.

zweifellos richtig, daß der Gedanke von Gott als dem Vater der Juden im spätjüdischen Denken nicht eigentlich zentral ist | und daß ganz besonders die Texte, in denen der einzelne Fromme Gott seinen Vater nennt, nicht sehr zahlreich sind[42]. Es ist also zum mindesten bezeichnend, daß Jesus gerade *diese* jüdische Gottesbezeichnung in den Mittelpunkt gestellt hat. Und dann ist es sehr bedeutsam, in welcher *Form* Jesus seine Jünger den Vaternamen als Gebetsanrede gelehrt hat. Nach der ältesten Überlieferung des Vaterunsers in der Form des Lukas (11, 2) hat die Anrede nur „Vater" gelautet, und aus dem bei Paulus sich zeigenden liturgischen Sprachgebrauch der christlichen Gemeinde ebenso wie aus der eigenen Gebetsanrede Jesu (Röm 8, 16; Gal 4, 6; Mk 14, 36) läßt sich erschließen, daß diese Anrede in der aramäischen Muttersprache Jesu „Abba" lautete. Das ist aber, wie G. KITTEL gezeigt hat[43], nicht die allein im Judentum für die Gebetsanrede übliche feierliche Form des Wortes, sondern die alltägliche, die das Kind seinem Vater gegenüber anzuwenden pflegte. Daraus ergibt sich, daß Jesus nicht einfach *einen* jüdischen Gottesnamen in den Vordergrund schiebt, wenn er Abba zum Gottesnamen macht, sondern einen Ausdruck des alltäglichen Lebens auf Gott anwendet, der seinen ursprünglichen familiären Gehalt nicht verloren hatte und darum Gottes Liebe zum Menschen eindrücklich und unüberhörbar beschrieb.

Diese neue Fülle des Vaterbegriffs, die beweist, daß Jesus doch nicht einfach die jüdische Gottesvorstellung übernimmt, läßt sich in ihrem Sinn aber erst wirklich erkennen, wenn wir fragen, was Jesus von Gott dem Vater zu sagen hat. Wir waren davon ausgegangen, daß Jesus Gott als den kommenden, zukünftigen verkündigte. Das gilt nun zunächst zweifellos auch von Gott dem Vater. Jesus beschränkt den Vaternamen nicht auf das Verhältnis Gottes zum jüdischen Volk, sondern redet gerade entsprechend jüdischem Sprachgebrauch von den Juden als den „Kindern" Gottes in Zusammenhängen, die den Vorzug der Juden vor Gott aufheben (Mk 7, 27 ff werden die „Hündchen" den Kindern gleichgestellt, und Mt 8, 12 ist von der Verwerfung der „Söhne der Gottes|herrschaft" zugunsten der vielen aus Osten und Westen die Rede). Gott handelt als der Vater nicht dem Juden, sondern dem Menschen gegenüber. Dieses zukünftige Vaterhandeln Gottes zeigt sich zunächst darin, daß Gott für die Menschen sorgen wird („Euer himmlischer Vater weiß, was ihr bedürft" Mt 6, 8. 32; „Euer himmlischer Vater wird Gutes geben denen, die ihn bitten", noch mehr als ein irdischer Vater seinen Kindern Mt 7, 11). Darum sollen die Jünger zum himmlischen Vater beten (Mt 6, 9 ff) und ihr ganzes Leben von der Nahrung bis zur Sorge um das ewige Heil unter Gottes Fürsorge stellen. Denn das zukünftige Handeln Gottes, des Vaters, zeigt sich weiter darin, daß er seine Kinder beim Kommen der Gottesherrschaft beschenken wird. Als Jesus seine Jünger lehrt, wie sie recht beten, fasten, Almosen geben sollen, da verheißt er solchem rechten kultischen Verhalten jeweils: „Dein Vater, der ins Verborgene sieht, wird dir vergelten"[44]; da-

---

[42] Das betonen mit Recht GRUNDMANN (s. Anm. 37), S. 40 ff und BONSIRVEN (s. Anm. 10), S. 138 f.

[43] S. Anm 40.

[44] Der in Luthers Übersetzung sich findende Zusatz „öffentlich" ist nach dem Ausweis der ältesten Handschriften eine spätere Zufügung und zweifellos ein Mißverständnis.

mit ist nicht an irdische Belohnung gedacht, sondern an den „Schatz im Himmel"
(Mt 6, 20), an das Heil in der Gottesherrschaft. Entsprechend wird den treuen Anhängern Jesu verheißen: „Fürchte dich nicht, du kleine Herde, denn es hat euerm
Vater gefallen, euch die (Gottes-)Herrschaft zu geben" (Lk 12, 32): wer sich jetzt
um Jesus schart, wird vom Vater in die kommende Gottesherrschaft aufgenommen
werden. Und darum ist es die höchste Verheißung an die Friedensstifter und die, die
ihre Feinde lieben, daß sie Gottes Söhne genannt werden sollen, daß sie „Söhne eures
Vaters in den Himmeln werden" sollen (Mt 5, 9. 45). Man sieht aus dieser Verheißung
ganz deutlich, daß für Jesus die Gotteskindschaft nicht einfach ein Besitztum des
Menschen, eine Schöpfungsgabe Gottes ist, sondern eine Verheißung für die Zeit der
Endvollendung, eine Verheißung für die, die „vollkommen sind, wie euer himmlischer
Vater vollkommen ist" (Mt 5, 48)[45]. Auch Gott der Vater als der Kommende tritt
also mit der Forderung auf Erfüllung seines Willens und mit der Verheißung der
Gabe der | Gottesherrschaft vor die Seinen, und darin weicht Jesus durchaus nicht
vom jüdischen Gottesglauben ab[46].

Gott zeigt sich als der zukünftig handelnde Vater in der Verkündigung Jesu aber
ganz besonders darin, daß er dem Menschen vergeben will: „Wenn ihr dasteht und
betet, so vergebt, wenn ihr etwas gegen einen Menschen habt, damit auch euer himmlischer Vater euch eure Übertretungen vergebe" (Mk 11, 25). Denn Gott „ist gütig
gegen die Undankbaren und Bösen", darum die Mahnung: „Seid barmherzig, wie
euer Vater barmherzig ist" (Lk 6, 35f). Die eigentliche Not des Menschen vor Gott
ist die Sünde, die Gottferne, die vom Menschen aus nicht aufgehoben werden kann
(Mt 7, 11; 12, 34), und darum fordert Jesus seine Jünger auf, in ihrem Gebet zum
Vater um Vergebung der Sünden zu bitten (Mt 6, 12)[47]. Jesus sagt aber nicht nur,
daß Gott zu vergeben bereit ist, sondern er schildert Gott gerade als den, der an der
Rückkehr des Sünders besondere Freude hat. So wird aus dem Gleichnis vom Verlorenen Schaf gefolgert: „Ich sage euch: So wird im Himmel mehr Freude sein über
einen Sünder, der umkehrt, als über 99 Gerechte, die die Umkehr nicht nötig
haben" (Lk 15, 1–7, ähnlich 15, 8–10). Und das Gleichnis vom Verlorenen Sohn (Lk
15, 11 ff) zeigt einen menschlichen Vater, der durchaus nicht ungerecht einen seiner
Söhne bevorzugt, der aber den heimkehrenden verlorenen Sohn mit offenen Armen
aufnimmt, ohne ihm vorzurechnen, daß er auf väterliche Güte und väterliches Gut
keinen Anspruch habe. Das Gleichnis zeigt, daß Gott den Sünder einfach | aufnimmt,

[45] W. Michaelis, Das Urchristentum (in dem Sammelband „Mensch und Gottheit in den
Religionen", 1942), S. 322 f hat mit Recht betont, daß in den Aussagen Jesu über die Gotteskindschaft in den drei ersten Evangelien (Mt 5, 9. 45, unsicher Lk 20, 36) die Gotteskindschaft ausnahmslos als ein endzeitliches *Ziel* erscheint.

[46] Vgl. z. B. Ps Sal 17, 27: der Messias „wird sie erkennen, daß sie alle Söhne ihres Gottes
sind" und Jub 1, 24f: „Ich werde dann ihr Vater sein und sie meine Kinder. Und sie alle
heißen Kinder des lebendigen Gottes, und alle Engel und Geister wissen, ... daß sie meine
Kinder sind und ich ihr Vater in Wahrhaftigkeit und Gerechtigkeit, und daß ich sie liebe."
Weiteres bei Grundmann (s. Anm. 37), S. 33 ff.

[47] Das entspricht der 6. Bitte im jüdischen Achtzehnbittengebet: „Vergib uns, unser
Vater, denn wir haben gesündigt gegen dich ... Gepriesen seist du, Jahwe, der viel vergibt"
(s. Anm. 36).

weil er gütig ist und nicht will, daß der Sünder verdirbt. Noch deutlicher zeigt diesen Gott das Gleichnis vom Weinbergsbesitzer (Mt 20, 1 ff). Das Verhalten dieses Arbeitgebers erscheint menschlichem Rechtsempfinden durchaus nicht vorbildlich, obwohl kein formales Recht verletzt wird; denn auch der, der am längsten gearbeitet hat, erhält ja den Lohn, auf den hin er auf den Arbeitsvertrag eingegangen ist. Es ist vielmehr einfach Ausfluß der Güte dieses Arbeitgebers, daß er auch *dem* Arbeiter, der nur kurz arbeiten konnte, den vollen Lohn bezahlt. Und Jesus zeigt daran das Handeln Gottes, dessen Wesen nicht aus einem Prinzip abgeleitet werden kann, wohl aber als liebende Persönlichkeit verkündet werden darf. Man kann darum mit diesem göttlichen Vergebungswillen nicht rechnen wie mit einer sicheren Größe; Gott kann auch unbarmherzig strafen, wenn der Mensch nicht umkehrt (Lk 13, 1–9). Und man kann diesen Vergebungswillen Gottes auch nicht begründen mit Gottes Schätzung des „unendlichen Wertes der Menschenseele", wie man einst meinte[48]. Daß Gott den sündigen Menschen liebt und zu sich ziehen möchte, ist nicht begründbar, sondern eine Wahrheit, die Jesus vollmächtig bezeugt.

Wir hatten nun zu Beginn gesehen, daß K. HOLL in dieser Verkündigung Jesu von Gottes Sünderliebe das entscheidend Neue bei Jesus gegenüber dem Judentum gesehen hat und daß demgegenüber R. BULTMANN die Anschauung vertrat, daß Jesus nur mit dem Gottesgedanken des Judentums Ernst gemacht habe. Es dürfte schon jetzt deutlich sein, daß beide Anschauungen nur teilweise recht haben. Auf der einen Seite haben wir festgestellt, daß Jesus mit der Verkündigung von Gottes Vergebungswillen dem Sünder gegenüber durchaus der alttestamentlich-spätjüdischen Gottesanschauung folgt. Und doch tritt andererseits an diesem Punkte die Verkündigung Jesu deutlich aus dem Judentum heraus. Wohl verkündet das Judentum in allen seinen Richtungen Gottes vergebende Liebe gegenüber dem bußfertigen Sünder. Aber einmal wird immer wieder aus Aussagen über Gottes Liebe zu den Sündern die Folgerung gezogen, daß Gott noch viel mehr Liebe den Gerechten gegenüber erzeigt. Das zeigt sich besonders deutlich an der Er|zählung von Rabbi Akiba, der auf einer Reise nach Rom am Ende des ersten Jahrhunderts im Gegensatz zu seinen Gefährten, die beim Anblick der blühenden Heidenstadt und bei der Erinnerung an das zerstörte Jerusalem weinen, voller Freude sagt: „Auch ich habe darum (weil Jerusalem in Trümmern liegt) gelacht. Wenn er (d. h. Gott) so gibt denen, die ihn erzürnen, wie viel mehr denen, die seinen Willen tun!"[49] Gottes Liebe zu den Sündern, auch zu den umkehrenden Sündern, so wenig sie bezweifelt wird, ist doch nicht das letzte Wort Gottes; größere Freude hat Gott trotzdem an den Gerechten, die keine Vergebung nötig haben. Angesichts dieser Tatsache ist aber ein Wort wie Lk 15, 7, daß Gott am umkehrenden Sünder mehr Freude habe als an 99 Gerechten, im Judentum völlig unmöglich. Und andererseits muß der Gott, den Jesus Mt 20, 1 ff in seiner unverständlichen Güte schildert, den Juden als völlig willkürlich erscheinen. Das läßt

---

[48] So A. HARNACK, Das Wesen des Christentums, 1901⁴, S. 40 ff.

[49] Sifre Dt. 11, 15 f, § 43, S. 94, 7 ff ed. FINKELSTEIN. Wir verdanken SJÖBERG (s. Anm. 10), S. 66, 89, 91, 117, 189 die wichtige Feststellung, daß an fast alle rabbinischen Aussagen über die Güte Gottes gegen die Sünder der Schluß angehängt ist: „Wenn so den Sündern, um wieviel mehr den Gerechten".

sich mit zwei Tatsachen belegen. Es findet sich im ältesten Kommentar zum 3. Mosebuch eine interessante Parallele zu Mt 20, 1 ff: „Wem gleicht die Sache ? Einem König,
der viele Arbeiter gemietet hat. Und dort war ein Arbeiter, der bei ihm viele Tage
Arbeit verrichtet hat. Die Arbeiter gingen hinein, um ihren Lohn zu nehmen, und
mit ihnen ging jener Arbeiter. Der König sagte zu ihm, zu jenem Arbeiter: Ich
wende mich dir zu. Diese Vielen, die bei mir wenig Arbeit verrichtet haben, ihnen
gebe ich wenig Lohn. Du aber, große Rechnung werde ich mit dir machen. So verlangten die Israeliten in dieser Welt ihren Lohn von Gott, und die Völker der Welt
verlangten ihren Lohn von Gott. Und Gott spricht zu den Israeliten: Meine Kinder,
euch wende ich mich zu. Diese Völker der Welt haben bei mir wenig Arbeit verrichtet,
und ich gebe ihnen wenig Lohn. Ihr aber, große Rechnung werde ich mit euch ma-
chen."[50] Hier ist deutlich zu sehen, wie Gott zwar auch mit den Sündern, den Hei-|
den, gnädig verfährt, aber trotzdem die größere Gerechtigkeit der Juden anerkennen und durch einen größeren Lohn auszeichnen muß. An die Möglichkeit, daß die
Güte Gottes die Sünder den Gerechten gleichstellte, ist hier im Gegensatz zu Mt 20,
1 ff nicht gedacht und kann nicht gedacht werden. Und daß in der Tat dem Juden
dieser in Mt 20, 1 ff veranschaulichte Gott als völlig unjüdisch erscheint, zeigt zum
andern das Urteil von JOSEPH KLAUSNER, des zionistischen Professors an der Universität Jerusalem und Verfassers eines wissenschaftlich wertvollen Jesus-Buches:
„Hier gibt es überhaupt keine Kranken mehr: vor dem Angesichte Gottes sind Zöllner und Sünder ‚gesund‘; Sünder und Nichtsünder, Gute und Böse, Gerechte und
Ungerechte – sie alle sind gleich vor Gott. Daraus folgt also, daß Gott nicht die *absolute Gerechtigkeit* ist, sondern nur das *Gute,* vor dem niemand böse ist … Das ist die
jüdische Auffassung von Gott: die Bösen sind nicht wert, daß die Sonne sie be-
scheint … Gott ist gut, aber auch gerecht … Er ist nicht nur ‚der barmherzige
Vater‘, sondern auch ‚der König des Gerichts‘ – der Gott der sozialen Ordnung,
der Gott der Nation, der Gott der Geschichte. Jesu Gottesbegriff steht zu alledem in
genauem Gegensatz … Eine solche Auffassung konnte das Judentum unter keinen
Umständen zu der seinen machen"[51]. Es ist hier nicht zu fragen, ob KLAUSNER die
Gottesverkündigung Jesu ganz richtig wiedergibt, es ist aber wichtig, aus KLAUS-
NERS Ausführungen zu erkennen, daß Jesus offensichtlich *eine* Seite des jüdischen
Gottesbildes so stark in den Vordergrund geschoben hat, daß damit das jüdische
Gottesbild aufgehoben wurde. Daß Gott gerade den Sünder sucht, das war darum
ganz gewiß ein neuer Zug in der Gottesverkündigung Jesu.

Hat in dieser Hinsicht HOLL etwas Richtiges gesehen, so hat doch auch BULT-
MANN darin durchaus recht, daß das eigentlich Grundlegende und Neue in der Verkündigung Jesu der Ruf zur Entscheidung in der endzeitlichen Gegenwart angesichts der Verkündigung Jesu von der kommenden Gottesherrschaft war. Aber gerade hier erhebt sich nun die Frage, ob damit nicht gegeben ist, daß für Jesus Gott
eben nicht nur der zukünftig Handelnde ist, als | den wir ihn bisher kennen gelernt

---

[50] Sifra Lev. 26, 9, Bechuqqothai Perek II, 5, S. 111a ed. WEISS; S. 648 der Übersetzung von WINTER. Cf. C. F. W. SMITH, The Jesus of the Parables, 1937, S. 130f.
[51] Jos. KLAUSNER, Jesus von Nazareth, 1930, S. 527f.

haben, ob auch für Jesus wie für das Spätjudentum die Gegenwart im letzten Sinne heilsleer bleibt oder nicht. Erst wenn diese Frage beantwortet ist, werden wir das wirklich Neue an der Gottesverkündigung Jesu erkennen können[52].

Gottes zukünftiges Handeln zeigte sich zunächst in seinem Handeln als der königliche Richter. Greift der kommende Richter, dessen Entscheidung in der Gegenwart ungewiß bleiben muß, auch schon handelnd in die Gegenwart hinein, bestimmt er schon jetzt das Sein des Menschen? Das ist zweifellos der Fall. Denn der kommende König und Richter stellt den Menschen in der Gegenwart vor die Aufforderung: „Kehrt um!" (Mk 1, 15). Was bedeutet dieser Ruf? Der prophetische Ruf zur Umkehr vom falschen Weg auf den Weg Gottes ist im Spätjudentum zu einer zentralen Forderung geworden: „Kehre um einen Tag vor deinem Tode!" forderte Rabbi Eliezer ben Hyrkanos am Ende des 1. Jahrhunderts, und er meinte damit, daß man jederzeit umkehren solle, weil man seinen Todestag nicht kennt[53]. Ja, ein anderer berühmter Rabbi des 2. Jahrhunderts, Simeon ben Jochai, sagte sogar: „Wenn ein Mensch sein Leben lang ein vollendeter Sünder war und zuletzt umkehrt, so nimmt Gott ihn an."[54] Die Umkehr ist also der von Gott gewollte entscheidende Weg des Menschen: „Man fragte den Heiligen, gepriesen sei er: Was soll die Strafe des Sünders sein? Er antwortete ihnen: Er kehre um, so wird er Versöhnung empfangen."[55] Jesus hat also zweifellos einen zentralen Gedanken des Spätjudentums aufgenommen, wenn er die Umkehr als Bedingung für den Eintritt in die Gottesherrschaft verkündet (Mt 11, 21f; 12, 41). Jesus setzt dabei voraus, daß *alle* Menschen Umkehr nötig haben (Lk 13, 3. 5), daß darum Umkehr die einzige Haltung ist, die dem Menschen Gott gegenüber ansteht (Lk 18, 9–14). Solche Umkehr erweckt infolgedessen bei Gott Freude (Lk 15, 7. 10), und | die Jünger werden mit der Aufforderung zur Umkehr ausgesandt (Mk 6, 12). Wenn Jesus also im Zusammenhang mit seiner Verkündigung von der Nähe der Gottesherrschaft den Ruf zur Umkehr erhebt, weil nur die Umkehr dem Menschen die Möglichkeit zum Eingang in die Gottesherrschaft gewährleistet, so greift der zukünftige Gott mit seiner radikalen Forderung an den Menschen in die Gegenwart so unmittelbar hinein, daß er das ganze gegenwärtige Leben des Menschen beherrscht. Darum redet Jesus von den *jetzt* zu erfüllenden Bedingungen für den zukünftigen Eingang in die Gottesherrschaft („Wer die Hand an den Pflug legt und zurückschaut, ist nicht brauchbar für die Gottesherrschaft" Lk 9, 62, vgl. Mt 6, 33; 7, 21). Der zukünftige Gott tritt also in seiner Forderung durchaus gegenwärtig dem Menschen gegenüber. Darin unterscheidet sich nun Jesus freilich durchaus nicht vom Spätjudentum, weil auch hier die Gesetzesforderung Gottes als Bedingung für das Schicksal des Menschen im kommenden Gericht die Gegenwart völlig beherrscht. Und doch zeigt sich schon hier ein beachtlicher Unterschied. Einmal erhält die Forderung auf Umkehr bei Jesus dadurch eine ungeheure

---

[52] Siehe dazu besonders F. K. Dietrich, Die Umkehr im AT und im Judentum, 1936; Sjöberg (s. Anm. 10), S. 125ff; J. Behm, ThW IV, S. 972ff.
[53] Mischna Aboth 2, 10.
[54] Tosephta Qidd. 1, 15, S. 337, 3 ed. Zuckermandel.
[55] Pesiqta de Rab Qahana, Kap. 25 Schubah, S. 158b, 15 ed. Buber.

Verschärfung, daß Jesus die *Nähe* der Gottesherrschaft verkündet und darum seine Forderung in ganz besonders unausweichlicher Weise andringend wird: wer auf Jesu Botschaft von der Nähe der Gottesherrschaft hört, der kann nicht anders, als sich auch von dem Ruf zur Umkehr erfassen lassen. Wichtiger ist aber ein Zweites: Jesus verkündet die Forderung Gottes an den Menschen endgültig und neu, er bringt gegenüber der überlieferten Auslegung des Gotteswillens die abschließende und vollkommene Offenbarung (Mt 5, 21ff). Die Entscheidung, ob man umkehren will oder nicht, ist also gefordert angesichts *des* Jesus, der Gottes Willen *maßgeblich* verkündet. Und darum handelt Gott als der königliche Richter in der Verkündigung Jesu nicht nur zukünftig, sondern gegenwärtig, in einer ganz neuen und noch nie dagewesenen Gegenwärtigkeit. Und dieses gegenwärtige Handeln Gottes hängt unlöslich mit der Person Jesu zusammen.

Freilich ist damit die Frage, ob auch für Jesus die Gegenwart als leer von Gottes Heilshandeln zu beschreiben ist, erst sehr unvoll|kommen beantwortet. Wir haben ja gesehen, daß Jesus in besonders betonter Weise von Gottes *väterlichem* Handeln in der Zukunft redet, und wir müssen darum weiter fragen, ob auch dieses väterliche Handeln Gottes nach Jesu Verkündigung in die Gegenwart eingreift. Wir sahen, daß Jesus bezeugt, daß Gott der Vater für seine Kinder sorgen wird. Es ist nun keine Frage, daß Jesus auch hier den zukünftigen Gott in der Gegenwart wirkend sieht. Jesus hat in bekannten Sprüchen von Gottes Fürsorge für die Menschen geredet, die sich aus dem Vergleich mit Gottes Fürsorge für die Tiere und Pflanzen ergibt (Lk 12, 24. 27f; Mt 10, 29–31) und die sich in gleicher Weise über Gute wie Böse erstreckt: „Er läßt seine Sonne aufgehen über Gute und Böse und läßt regnen über Gerechte und Ungerechte" (Mt 5, 45). Solche Äußerungen verraten nicht „einen kindlichen Vorsehungsglauben und einen naiven Optimismus", neben denen dann Aussagen „resignierter Menschen- und Weltbetrachtung" stünden (etwa Mt 6, 27. 34b; Mk 4, 25)[56], sondern diese Äußerungen entspringen einem unerschütterlichen *Glauben*, daß der Schöpfer und einstige Erlöser der Welt die Welt auch jetzt fürsorglich leitet, ob wir diese Fürsorge jeweilen erkennen und anerkennen oder nicht. Und wir haben ja oben gesehen, daß das Judentum diese Fürsorge Gottes für die Welt in der Gegenwart sehr eindrücklich verkündigt hat, so daß an diesem Punkte Jesus zweifellos nur mit dem jüdischen Gottesglauben völlig Ernst gemacht hat.

Das eigentliche Problem dieser gegenwärtigen Fürsorge des Vaters für seine Kinder ist im Sinne Jesu damit aber noch gar nicht berührt. Kann man im Sinne Jesu von der gegenwärtigen Wirksamkeit des zukünftigen Gottes überhaupt reden, wenn doch jetzt in der Welt nicht Gott die Herrschaft auszuüben scheint, sondern gottfeindliche Mächte, der Satan und die Dämonen? Jesus sieht die Besessenen in der Macht Satans, der wie ein Kriegsherr darum zuerst überwunden werden muß, wenn man ihm seine Beute rauben will (Mk 3, 27); die Dämonen streifen durch die Welt und suchen die Menschen in Besitz zu nehmen (Mt 12, 43–45). Jesus hat | diese spätjüdische Ansicht von der Herrschaft der Dämonen und Satans nicht nur geteilt,

---

[56] So R. BULTMANN, Jesus, 1926, S. 147, 156. Dagegen H.-D. WENDLAND (s. Anm. 37), S. 21ff.

sondern dadurch stark radikalisiert, daß er nicht eine Vielheit von Dämonenfürsten annimmt, sondern nur das ungeteilte Satansreich (Mk 3, 23 ff)[57]. Das Spätjudentum erwartet das Aufhören der Herrschaft dieser gottfeindlichen Mächte erst mit dem Anbruch der in der Zukunft liegenden messianischen Zeit: „Dann erscheint seine Königsherrschaft über alle Geschöpfe, dann wird der Satan sein Ende haben und die Traurigkeit mit ihm entfliehen" (Himmelfahrt des Mose 10, 1). Jesus aber verkündet: „Ich sah den Satan vom Himmel fallen wie einen Blitz" (Lk 10, 18); „Wenn ich mit dem Finger Gottes die Dämonen austreibe, dann ist die Gottesherrschaft zu euch gekommen" (Lk 11, 20); und Jesus sagt ebenso im Hinblick auf seine Dämonenaustreibungen: „Niemand kann in das Haus des Starken hineingehen und seine Werkzeuge rauben, wenn er nicht zuerst den Starken gebunden hat, dann wird er sein Haus ausrauben" (Mk 3, 27). Und auf die Frage des Täufers, ob er der erwartete Messias sei oder nicht, antwortete Jesus mit den messianischen Farben des Jesajabuches: „Blinde sehen und Lahme gehen, Aussätzige werden rein und Taube hören, und Tote werden auferweckt, und Armen wird die Frohbotschaft verkündet. Und selig, wer über mich nicht zu Fall kommt" (Mt 11, 2 ff). Mögen diese Texte auch in manchen Einzelheiten schwer zu deuten sein[58], eines ist ganz unbestreitbar, daß sie nämlich davon reden, daß in Jesus als dem gegenwärtig Handelnden die endzeitliche Überwindung des Satansreiches sich bereits vollzieht. Gott der Vater, der den Seinen die Gottesherrschaft schenken will, greift also bereits in die Gegenwart hinein, indem er durch Jesus die gottfeindlichen Mächte überwinden läßt. Wieder ist dieses gegenwärtige Heilandshandeln Gottes ganz an die Person Jesu gebunden, und es zeigt sich an einem weiteren, sehr bedeutsamen Punkt, daß für Jesus die Gegenwart nicht heilsleer ist, sondern durch Jesu Auftreten und Handeln Heilsgegenwart wird. Gott ist also in Jesu Verkündigung nicht nur der Zu|künftige, sondern in einer ganz neuen und unerhörten Weise der Gegenwärtige.

Nun hat aber Jesus, wie wir sahen, Gott den Vater ganz besonders eindringlich verkündigt als den, der uns unsere Sünden vergeben will. Gilt auch an diesem Punkt, wo Jesu Verkündigung von Gottes zukünftigem Handeln sich bereits deutlich vom jüdischen Gottesglauben trennte, daß Gott gegenwärtig ist, in die Gegenwart handelnd eingreift? Wir sahen ja, daß für den jüdischen Glauben trotz aller Überzeugung von Gottes Vergebungswillen das Endurteil Gottes ungewiß bleibt, so daß in der Gegenwart das Vertrauen auf Gottes Vergebung nicht ungehindert sich auswirken kann. Unterscheidet sich Jesus, der so neu von Gottes Vergebungs*willen* redet, hier vom Judentum? Jesus hat nicht nur davon geredet, daß Gott barmherzig ist und einst vergeben wird, sondern er hat Gottes Vergebung in die Gegenwart hineingetragen. Er setzt sich an den gleichen Tisch mit Zöllnern und Sündern, d. h. mit Menschen, die durch ihren Beruf nach der Meinung der Frommen im Verdacht standen, schlimme Sünder zu sein, deren Verkehr darum der Fromme streng zu meiden hatte. Man hat Jesus diese Lebensgemeinschaft mit den religiös Geächteten zum Vor-

---

[57] Das hat richtig beobachtet W. Foerster, ThW II, S. 18.
[58] Vgl. für die Begründung des oben vertretenen Verständnisses das 3. Kapitel meiner Anm. 39 genannten Arbeit.

wurf gemacht (Mk 2, 15ff); Jesus aber hat auf diese Anklage geantwortet: „Die Gesunden brauchen den Arzt nicht, sondern die Kranken; ich bin nicht gekommen, Gerechte zu rufen, sondern Sünder." Die zweite Hälfte dieses Jesuswortes will natürlich nicht besagen, daß es Gerechte gebe, an die sich Jesu Sendung nicht richte (auch Lk 15, 7 darf nicht dahin gedeutet werden, daß Jesus Gerechte anerkennt, die keine Umkehr nötig haben). Jesus will vielmehr in überspitzter Form sagen, daß seine Sendung sich gerade an die Sünder richtet, während die ihn angreifenden Pharisäer fälschlich meinen, sie gehörten zu den Gerechten, die sich von den „Sündern" absondern dürften. Jesus hat dieses Verhalten ganz konsequent durchgeführt, er hat einen Zöllner zu seinem Jünger gemacht (Mk 2, 14), hat bei einem Zöllner Quartier genommen (Lk 19, 1ff), so daß seine Feinde ihn „Freund der Zöllner und Sünder" nannten (Mt 11, 19). Jesus zeigte mit solchem ungewöhnlichen Verhalten, daß Gottes Liebe zum Sünder nicht nur | ein Glaubenssatz, sondern eine gegenwärtige Wirklichkeit ist, daß Gott diesen Menschen tatsächlich in der Gegenwart vergibt. Dementsprechend hat Jesus direkt erklärt: „Die Zöllner und die Dirnen gehen vor euch in die Gottesherrschaft" (Mt 21, 31). Und ebenso hat Jesus im Gleichnis vom großen Mahl (Lk 14, 16ff) zu zeigen gesucht, daß zum himmlischen Mahl, d. h. zur Gottesherrschaft, gerade die auf Erden Verworfenen Einlaß erhalten sollen. Jesus verkündet also nicht nur allgemein Gottes Sünderliebe, sondern er tritt in Gemeinschaft mit den Sündern und sagt ihnen schon jetzt dieses zukünftige Handeln Gottes als sicher zu. Schon dadurch wird deutlich, daß Jesus Gottes vergebendes Handeln in die Gegenwart hineinträgt. Jesus geht aber noch einen Schritt weiter. Als er sich in einem Hause aufhielt, brachte man auf dem ungewöhnlichen Wege durch das Dach einen Gelähmten zu ihm; „als Jesus ihren Glauben sah, spricht er zu dem Gelähmten: Kind, deine Sünden werden vergeben." Anwesende Schriftgelehrte tadeln dieses Wort Jesu als Gotteslästerung, und nach jüdischem Glauben mit Recht, denn Sündenvergebung stand nach jüdischem Glauben niemand, nicht einmal dem Messias, sondern nur Gott zu. Jesus erweist aber das Recht des „Menschensohns", auf Erden Sünden zu vergeben, indem er das tut, was in den Augen der Schriftgelehrten viel schwieriger ist als Sündenvergebung, indem er nämlich den Mann durch ein Befehlswort heilt (Mk 2, 1ff). Jesus maßt sich also nach dieser ungewöhnlichen Erzählung[59] das Recht an, dem Kranken Gottes Sündenvergebung schon jetzt zuzusprechen („Deine Sünden werden vergeben" Mk 2, 5 ist jüdische Umschreibung für „Gott vergibt dir deine Sünden"). Und das bedeutet nicht weniger, als daß Jesus Gottes vergebendes Heilshandeln in die Gegenwart hineinträgt und durch sein eigenes Han-| deln in irgendeiner Weise verkörpert. Und das gleiche ergibt sich noch aus einem

---

[59] Es ist seit längerer Zeit üblich, Mk 2, 5b–10 als Einfügung in den ältesten Bericht anzusehen, so daß der älteste Bericht eine einfache Heilungsgeschichte ohne Auseinandersetzung über das Recht zur Sündenvergebung gewesen wäre (so etwa R. BULTMANN, Geschichte der synoptischen Tradition, 1931², S. 12f und viele andere). Aber die ganze Erzählung ist nur um des Zusammenhangs von Heilung und Sündenvergebung willen erzählt worden, so daß es einen Urbericht ohne die Diskussion über das Recht zur Sündenvergebung schwerlich gegeben hat (so mit Recht z. B. M. DIBELIUS, Formgeschichte des Evangeliums, 1933², S. 263ff).

zweiten Bericht (Lk 7, 36 ff). Bei einem Gastmahl bei einem Pharisäer tritt weinend eine „Sünderin" zu Jesus und erweist ihm die ungewöhnliche Ehre, daß sie seine Füße mit ihren Tränen benetzt, mit ihren Haaren trocknet, küßt und mit Salböl salbt. Das Erscheinen dieser Frau im Kreise „frommer" Männer ist natürlich nach jüdischem Empfinden völlig unerlaubt, und der Gastgeber schließt aus der Tatsache, daß Jesus sich dieses Verhalten *dieser* Frau gefallen läßt, Jesus könne kein Prophet sein. Jesus erzählt daraufhin das Gleichnis von den zwei Schuldnern, die beide ihre Schuld erlassen bekamen und von denen auch nach der Meinung des pharisäischen Gastgebers derjenige dankbarer sein muß, der eine größere Schuld erlassen erhielt. Daraus folgert Jesus, daß die Sünden der Frau erlassen seien, „weil sie viel geliebt hat", was sich eben an ihrem dankbaren Verhalten Jesus gegenüber zeigt. Dann erklärt Jesus der Frau selber: „Dir sind deine Sünden vergeben", was wieder Entsetzen unter den Anwesenden hervorruft. Auch hier ist es ganz deutlich, daß Jesus der Frau Gottes Vergebung zuzusprechen wagt, also Gottes zukünftiges Heilshandeln in die Gegenwart hineinträgt. Es ist darum unverkennbar, daß für Jesus die Gegenwart nicht heilsleer ist, sondern daß Gott auch in der Gegenwart sein Heil schafft, daß dieses Heilswirken Gottes aber eng an die Person Jesu gebunden ist.

Damit aber haben wir den entscheidenden Unterschied der Gottesverkündigung Jesu vom jüdischen Gottesglauben berührt. Jesus hat keinen neuen Gottes*begriff* gebracht, indem er Gott als den den Sünder Suchenden verkündete. Denn auch im Judentum ist ebenso eindringlich von Gottes Gerechtigkeit wie von Gottes Vergebungswillen die Rede. Gewiß hat Jesus den Vergebungswillen Gottes, das *Verlangen* Gottes nach der Umkehr des Sünders, und Gottes Freude über die Möglichkeit der Vergebung dem Umkehrenden gegenüber so stark betont, daß er schon damit sich vom jüdischen Gottesglauben deutlich entfernte. Aber das wirklich grundstürzend Neue in Jesu Gottesverkündigung ist damit noch nicht genannt. Es ist doppelter Art. Auf der einen Seite hat Jesus seine ganze Verkündigung von Gottes Handeln hineingestellt in | die Verkündigung von Gottes baldigem Kommen, um sein Reich aufzurichten. Gott ruft die Menschen durch Jesus ins kommende Gottesreich, und Gottes Vergebungswille ist nichts anderes als Gottes Bereitschaft, dem sündigen Menschen den Zugang zur vollen Gottesgemeinschaft zu ermöglichen. Weil Gott aber allein dieses Ziel der Aufrichtung seiner Herrschaft im Auge hat, darum gehört das Richten Gottes in sein Heilshandeln hinein. Nur wenn der strenge Richter, der unerbittlich fordernde Gott zugleich der gnädige, vergebende Vater ist, der alle in sein Reich führen möchte, kann es sich wirklich um die Aufrichtung von *Gottes* Herrschaft durch Gott *allein*, um das Ende alles Gottwidrigen und den Anfang der unbeschränkten Gottesherrschaft handeln. Damit ist aber gegeben, daß für Jesus die beiden Wirklichkeiten, daß Gott der Richter und daß Gott der Vater ist, nicht zwei ein-

---

[60] „Zorn Gottes ist nur der Ausdruck dafür, daß der darin stehende Mensch von der Liebe Gottes erfaßt ist, wobei offenbar wird, daß sich sein Streben gegen *Gott* richtet, der sich nicht abweisen läßt. Die Liebe Gottes kann aus ihrer Endbestimmung nicht heraus; wer aber diese Endbestimmung, das Reich Gottes, nicht bejaht, bleibt ohne Erfüllung" (H. Preisker, s. Anm. 34, S. 32).

ander im Grunde widersprechende „Seiten" des Gottesbegriffes sind, wie das im
Judentum der Fall ist; Gottes Gericht und Gottes Vergebung sind vielmehr beide
untrennbarer Ausdruck des *einen* Liebeswillens Gottes, der auf die endzeitliche Heilsvollendung abzielt[60]. Dadurch, daß Jesus Gott konsequent als den in der Gegenwart
das endzeitliche Heil Wirkenden verkündet, hat er die Zwiespältigkeit des jüdischen
Gottesbildes überwunden, obwohl die Unbegreiflichkeit des Gottes, der richtet *und*
begnadet, nicht aufgehoben wird. Aber noch wichtiger ist das Zweite, das die Neuheit der Gottesverkündigung Jesu kennzeichnet. Dieses zukünftige Liebeshandeln
Gottes ist nach Jesu Verkündigung gegenwärtig real durch Gottes Eingreifen in die
Gegenwart in Jesu Forderung, Hilfe, Vergebungszusage. Wer sich diesem gegenwärtigen Handeln Gottes gläubig erschließt, wer im Glauben erkennt, daß Jesus Gottes
Heil gegenwärtig bringt, für den ist Gottes Heil nicht mehr nur zukünftig, sondern
eine spürbare Wirklichkeit der Gegenwart. Das Heil bleibt auch für Jesus in seiner
vollen Wirklichkeit immer | zukünftig, aber eine Wirklichkeit der *nahen* Zukunft;
doch bestimmt diese Zukunft so spürbar die Gegenwart, daß die Gegenwart dadurch
nicht mehr heilsleer bleibt. Freilich ist es die Person Jesu in ihrer menschlichen Be-
grenztheit, an der allein sich dieses gegenwärtige Heilshandeln Gottes erkennen läßt,
in der allein sich dieses gegenwärtige Heilshandeln vollzieht. Und es ist die Frage
an den Menschen, ob er diesen Anspruch Jesu bejahen will oder nicht. Jesus hat so
dem Spätjudentum gegenüber keinen neuen Gottes*begriff* gebracht, wohl aber eine
neue *Wirklichkeit* Gottes, die gegeben war mit seiner Person und seinem Handeln.
Und es gilt darum auch für das Verhältnis der Gottesverkündigung Jesu zum spätjüdischen Gottesglauben, daß über alle anderen, weniger wichtigen Unterschiede
hinaus das entscheidend Neue eben die in *Jesus* sich zeigende Gotteswirklichkeit ist,
die man ablehnen oder annehmen kann, an der sich Judentum und Christentum im
letzten immer scheiden.

DIE ÄLTESTE RELIGIÖSE KUNST DER JUDEN

Unsere Vorstellungen und Kenntnisse über die künstlerischen Darstellungen religiösen Charakters aus dem Judentum der ersten vier Jahrhunderte der christlichen Zeitrechnung haben sich in den letzten Jahrzehnten ganz entscheidend verändert. Vor vierzig Jahren schrieb der beste Kenner der jüdischen Geschichte jener Zeit, E. SCHÜRER: „Die *bildende* Kunst konnte in Palästina wegen der jüdischen Verwerfung aller Menschen- und Tierbilder natürlich keinen Eingang finden; denn die Herodianer haben sich doch nur in vereinzelten Fällen erlaubt, der jüdischen Anschauung Trotz zu bieten ... In der *Diaspora* kommen freilich *Tierbilder* als ornamentaler Schmuck zuweilen vor."[1] Dann änderte sich freilich die Situation bald durch die Auffindung zahlreicher jüdischer Denkmäler. Vor dem ersten Weltkrieg erfolgte die Ausgrabung und bald auch die Veröffentlichung der erhaltenen Reste einer Reihe galiläischer Synagogen[2], und so konnte 1922 der bekannte Talmudarchäologe SAMUEL KRAUSS bereits schreiben: „Dank den deutschen Ausgrabungen wissen wir auch, daß man sich nicht scheute, in den Synagogen von Galiläa figürliche Darstellungen von tierischen Wesen ... als Ornamente anzubringen", fügte aber hinzu: „Ein eigentliches Mosaik als Bodenbelag fehlt selbst in den galiläischen Synagogenruinen, obzwar man in ihnen, wie z. B. im Punkte der Embleme, nicht gerade ängstlich nach rabbinischen Gesetzen und Wün | schen verfuhr", dagegen „aus Naro in Nordafrika haben wir es in denkbar schönster Form"[3]. Inzwischen sind nicht nur sehr bedeutende Fußbodenmosaiken in palästinischen Synagogen entdeckt worden[4], sondern man hat auch eine reich bemalte jüdische Katakombe in Rom ausgegraben und veröffentlicht[5]. Ganz besonders aber hat man nach dem ersten Weltkrieg in der Ruinenstadt Dura-Europos am Euphrat eine von oben bis unten mit biblischen Szenen bemalte und weitgehend gut erhaltene Synagoge ausgegraben, deren Bildmaterial uns

---

[1] E. SCHÜRER, Geschichte des jüdischen Volkes im Zeitalter Jesu Christi II, 1907[4], S. 65. Dort Anm. 169 ein Verzeichnis der damals bekannten altjüdischen Kunstdenkmäler.

[2] H. KOHL und C. WATZINGER, Antike Synagogen in Galiläa, 1916 (abgekürzt KOHL-WATZINGER).

[3] S. KRAUSS, Synagogale Altertümer, 1922, S. 345 ff.

[4] A. BARROIS, Découverte d'une synagogue à Djerash, Revue Biblique 39, 1930, S. 256 ff. E. L. SUKENIK, The Ancient Synagogue of Beth Alpha, 1932 (abgekürzt SUKENIK, Beth Alpha); DERS., The Ancient Synagogue of El-Ḥammeh (Ḥammath-by-Gadara), 1935 (abgekürzt SUKENIK, El-Ḥammeh).

[5] H. W. BEYER und H. LIETZMANN, Die jüdische Katakombe der Villa Torlonia in Rom, 1930 (abgekürzt BEYER-LIETZMANN). Dazu K. H. RENGSTORF, ZNW 31, 1932, S. 33 ff; A. MARMORSTEIN, ebd. 32, 1933, S. 32 ff; P. RIEGER, ebd. 33, 1934, S. 216 ff.

ganz unerwartete Aufschlüsse über die älteste jüdische religiöse Kunst vermittelt
hat[6]. Angesichts dieser zahlreichen neuen Funde sind bereits mehrere zusammen-
fassende Darstellungen erschienen[7], aber noch nirgendwo sind ausreichende | Ab-
bildungen aller wichtigen altjüdischen Kunstdenkmäler zusammen veröffentlicht
worden, und man hat auch noch keinen umfassenden Versuch unternommen, die
religiöse Bedeutung dieses künstlerischen Materials im Zusammenhang darzustellen.
Es kann sich darum, solange ausreichende Vorarbeiten auf Grund der Originale fehlen, auch im folgenden nur um den Versuch handeln, die wichtigsten altjüdischen
Kunstdenkmäler zu besprechen und eine kleine Auswahl daraus abzubilden[8], wobei
besonders auf den religiösen Sinn und die religionsgeschichtliche Bedeutung dieses
neuen Quellenmaterials geachtet werden soll. Auf die Schilderung der Synagogenbauten als solcher und ihrer Einrichtung soll dabei grundsätzlich verzichtet werden.

Die Tatsache, daß das Judentum der ersten Jahrhunderte unserer Zeitrechnung
die bildende Kunst zur Ausschmückung seiner Kulträume, Gebrauchsgegenstände
und Grabanlagen in ausgiebigem Maße herangezogen hat und daß dabei nicht nur
Ornamente und Pflanzen, sondern auch Tiere und in erheblichem Umfang menschliche Gestalten dargestellt wurden, ist angesichts der neueren Funde heute nicht
mehr zu bestreiten. Um so dringender erhebt sich die Frage, wie denn dieses Verhalten, das im Mutterland Palästina sich in kaum weniger weitreichender Weise zeigt

---

[6] Die Literatur über die Synagoge von Dura ist sehr umfangreich; sie ist fast vollständig
aufgezählt in dem zusammenfassenden Werk von COMTE DU MESNIL DU BUISSON, Les pein-
tures de la synagogue de Doura-Europos, 1939, S. 6, Anm. 2 (abgekürzt MESNIL DU BUIS-
SON). Die wichtigsten Arbeiten sind: J. HEMPEL, ZAW N. F. 10, 1933, S. 284 ff; M. ROSTOV-
TZEFF, Röm. Quartalsschrift 42, 1934, S. 208 ff; G. WODTKE, ZNW 34, 1935, S. 51 ff; H. F.
PEARSON and C. H. KRAELING, The Excavations at Dura-Europos, Preliminary Report of
Sixth Season of Work, 1936, S. 309 ff (abgekürzt KRAELING); E. R. GOODENOUGH, By Light,
Light. The Mystic Gospel of Hellenistic Judaism, 1935, S. 209 ff; M. ROSTOVTZEFF, Dura-
Europos and its Art, 1938, S. 108 ff (abgekürzt ROSTOVTZEFF); R. DE VAUX, Revue Biblique 49, 1940, S. 137 ff; A. GRABAR, Revue de l'histoire des religions 123, 1941, S. 143 ff;
124, 1941, S. 5 ff.
[7] E. COHN-WIENER, Die jüdische Kunst. Ihre Geschichte von den Anfängen bis zur
Gegenwart, 1929 (abgekürzt COHN-WIENER); E. L. SUKENIK, Ancient Synagogues in Palestine and Greece, 1934 (abgekürzt SUKENIK, Synagogues); A. REIFENBERG, Denkmäler der
jüdischen Antike, 1937 (abgekürzt REIFENBERG); C. WATZINGER, Denkmäler Palästinas II,
1935, S. 106 ff; J.-B. FREY, Corpus Inscriptionum Judaicarum I, 1936 (abgekürzt FREY,
Corpus). Dieser 1. Band umfaßt nur Europa; der 2. Band, dessen Druck schon 1939 ange-
kündigt war, ist m. W. noch nicht erschienen. Keine neuen Erkenntnisse bietet G. KITTEL,
Die ältesten jüdischen Bilder. Eine Aufgabe für die wissenschaftliche Zusammenarbeit
(Forschungen zur Judenfrage 4, 1940, S. 273 ff).
[8] Bei der Auswahl der Abbildungen ist darauf geachtet worden, die charakteristischsten
Denkmäler nach den besten erreichbaren Vorlagen wiederzugeben. Wo im Folgenden bei
der Besprechung der einzelnen Tafeln keine Quellenangabe gemacht wird, sind die Abbildungen nach Diapositiven hergestellt, die dem Theologischen Seminar der Universität
Zürich vom Christlich-archäologischen Seminar der Universität Berlin zur Verfügung gestellt worden sind; da diese Diapositive fast durchweg nach Originalaufnahmen hergestellt
worden waren, ermöglichen sie eine bessere Wiedergabe als die Abbildungen in den Publi-
kationen. – Auf die Erörterung der rein antiquarischen Fragen nach der Gestalt und Ausrüstung der ältesten Synagogen gehe ich in diesem Zusammenhang nicht ein. Auch ist in
der Aufzählung der Belege für die einzelnen Darstellungen und in der Registrierung der vor-
kommenden Bildmotive keine Vollständigkeit angestrebt. [siehe Korrekturnachtrag S. 152]

als in der Diaspora, zu | erklären sei angesichts des bekannten Bilderverbots der Zehn Gebote (2Mos 20, 3 ff) und verwandter Texte. J.-B. Frey, der dieser Frage eine eindringende Untersuchung gewidmet hat[9], weist nach, daß die alttestamentlichen Bilderverbote, die an sich nur die Anfertigung von menschlichen und tierischen Bildern *zum Zwecke der Anbetung* untersagen, im 1. Jh. nChr ausnahmslos, auch von den stark hellenistisch beeinflußten Juden Philo und Josephus, dahin gedeutet worden sind, daß man *keinerlei* Darstellung lebender Wesen anfertigen dürfe, daß es darum auch den Beruf des Malers unter Juden nicht geben dürfe. Josephus äußert sich z. B. in dieser Hinsicht völlig eindeutig: „Unser Gesetzgeber hat die Anfertigung von Bildern verboten, weil er die Sache als weder Gott noch den Menschen nützlich verachtete und weil sie jedem belebten Wesen, und noch viel mehr dem unerschaffenen (?) Gott unterlegen sind" (contra Apionem II, 6, § 75). Es finden sich denn auch aus dem 1. Jahrhundert keine sicheren Belege für die Darstellung beseelter Wesen in der jüdischen Kunst, dagegen hat sich offenbar vom 2. Jahrhundert an die Anschauung gewandelt; denn nun finden wir im Mutterlande wie in der Diaspora menschliche und tierische Figuren in reicher Anzahl, und die Rabbinen äußern sich jetzt teilweise auch wesentlich weniger streng. Im 3. Jahrhundert sagt ein Rabbi: „Alle Abbildungen sind erlaubt ausgenommen die Abbildung eines Menschen", und im 4. Jahrhundert deutet die aramäische Übersetzung (der sog. palästinische Targum) 2Mos 26, 1 dahin, daß man Mosaikfußböden in den Synagogen anbringen dürfe, wenn man sich darauf nicht niederwerfen wolle[10]. Wenn auch das Bilderverbot generell aufrecht erhalten wurde, gestatteten doch die Rabbinen eine Reihe von Ausnahmen, so daß die zahlreichen in dieser Zeit begegnenden Darstellungen belebter Wesen nicht nur als ein Erliegen gegenüber heidnischem Einfluß angesehen | werden dürfen, sondern einer einflußreichen Strömung im jüdischen Denken jener Zeit entsprechen. Daß diese Freiheit freilich nicht *allen* Kreisen des damaligen Judentums zusagte, ergibt sich aus der Tatsache, daß in mehreren palästinischen Synagogen in byzantinischer Zeit ein Teil der Bilder von Juden selber abgehauen oder sonst zerstört worden ist[11]. Angesichts dieser Tatbestände kann man gewiß nicht behaupten, daß die älteste jüdische Kunst die religiöse Anschauung des *gesamten* Judentums jener Zeit wiedergeben müsse, aber ebensowenig zeigen sich in dieser Kunst nur häretische Strömungen oder auch nur Kreise, die ganz am Rande des traditionstreuen Judentums standen. Es dürfte darum nicht verfehlt sein, wenn man die gesamten bekannt gewordenen Denkmäler als Zeugnisse für das religiöse Denken eines sehr großen Teils des damaligen Judentums wertet.

---

[9] J.-B. Frey, La question des images chez les Juifs à la lumière des récentes découvertes, Biblica 15, 1934, S. 265 ff. Vgl. die Zusammenstellung der Zeugnisse bei H. L. Strack und P. Billerbeck, Kommentar zum NT aus Talmud und Midrasch IV, 1, 1928, S. 385 ff und die Ausführungen von Sukenik, Synagogues, S. 61 ff.

[10] Talmud Babli Aboda Zara 42 b; Targum Pseudo-Jonathan zu 3Mos 26, 1 (hrsg. v. M. Ginsburger, 1903, S. 219 f); deutsch bei S. Krauss (s. Anm. 3), S. 348, Anm. 2.

[11] Vgl. die Reliefs der Synagoge von Kapernaum bei G. Kittel, Die Religionsgeschichte und das Urchristentum, 1931, S. 51, ferner Sukenik, Synagogues, Taf. II und III und die Mosaiken von Naaran bei Sukenik, Beth Alpha, Taf. 2–4.

Wenn man die Gesamtheit der bildlichen Darstellungen jüdischer Herkunft aus den ersten 4–5 Jahrhunderten unserer Zeitrechnung überblickt, so zeigt sich leicht, daß in der Hauptsache zwei verschiedenartige Gruppen von bildlichen Darstellungen begegnen. Auf der einen Seite stehen die sehr zahlreichen Wiedergaben spezifisch jüdischer Gegenstände und Symbole auf architektonischen Schmuckstücken der Synagogen, auf Gebrauchsgegenständen und in der Grabausschmückung. Aber auch schon in den Denkmälern dieser Gruppe finden sich daneben vereinzelte Abbildungen von Tieren und Pflanzen, ja selbst menschlicher Figuren, die teilweise deutlich ornamentalen Charakter tragen, teilweise in ihrem Sinngehalt umstritten sind. Eine zweite Gruppe bilden die weniger zahlreichen, aber dafür viel eindrücklicheren Mosaikfußböden und Wandgemälde in Synagogen, die biblische Szenen oder gar mythologische Motive wiedergeben. Beide Gruppen bildlicher Darstellungen sind dadurch miteinander verbunden, daß die Motive der ersten Gruppe fast ausnahmslos auch in den Denkmälern der zweiten Gruppe wiederkehren; und auch unter den Katakombenbildern | der ersten Gruppe finden sich schon vereinzelt stärker schildernde Darstellungen. Trotzdem wird man den religiösen Sinn der Kunstwerke am besten erkennen können, wenn man beide Denkmälergruppen getrennt betrachtet, wobei sich zeigen wird, daß beide Gruppen, trotz ihrer Gemeinsamkeiten, sehr deutlich verschiedenartige Einblicke in die jüdische Frömmigkeit ermöglichen.

Gehen wir von den architektonischen Schmuckstücken der Synagogen aus[12], so finden wir neben rein ornamentalen Zügen wie Rosetten, Blättern, Palmbäumen, Kränzen, Girlanden, Trauben, Granatäpfeln, Sternen, Adlern, Delphinen, Seepferden, geometrischen Mustern usw. vereinzelte heidnische Motive (Kentauren, Putten, ein Medusenhaupt und ähnliches), die zweifellos keinerlei jüdisch-religiösen Sinn haben, sondern nur als Übernahme heidnischer Motive zu rein dekorativen Zwecken erklärt werden können. Daneben finden sich aber nun in den Synagogenornamenten eine Reihe spezifisch jüdischer Motive, die für den religiösen Sinn dieser Kunst besonders aufschlußreich sind. Wohl am häufigsten begegnet der siebenarmige Leuchter[13], und es kann kein Zweifel sein, daß damit ein in allen Synagogen gebräuchliches Kultgerät wiedergegeben werden soll. Das beweist nicht nur die Tatsache, daß der Leuchter häufig neben sonstigen unbezweifelbaren Kultgeräten dargestellt wird, sondern die Ausgrabungen haben neuerdings auch einen steinernen Leuchter der Synagoge in Ḥammath bei Tiberias ans Licht gebracht (Taf. 2a)[14]. Im Zusammenhang mit dem Leuchter finden sich, wie gesagt, häufig eine Reihe von weiteren jüdi-

---

[12] Siehe das Material bei Kohl-Watzinger, S. 184ff; Sukenik, Synagogues, S. 52ff; Frey (s. Anm. 9) S. 290ff.

[13] S. die Synagogenschranke aus Askalon auf Taf. 1 (nach Sukenik, Synagogues, Taf. XIV; rechts neben dem brennenden Leuchter das Schofarhorn, links der Feststrauß und die Zitronatfrucht des Laubhüttenfestes, Lulab und Ethrog). Weitere Beispiele bei Cohn-Wiener, S. 90f; Reifenberg, Taf. 33, 36, 61; Sukenik, El-Ḥammeh, Taf. XIIIb; XVIIb; Sukenik, Beth Alpha, S. 29.

[14] Sukenik, Synagogues, Taf. XIIa (danach unsere Abbildung) und S. 55. Es handelt sich um einen Steinblock, auf dessen Vorderseite ein siebenarmiger Leuchter ausgehauen ist und auf dessen Oberseite sich 7 Löcher für die dort aufzustellenden irdenen Lampen befinden.

schen Kult-|gegenständen dargestellt, so der beim Laubhüttenfest gebrauchte Palm-
zweig oder Feststrauß (Lulab), die ebenfalls beim Laubhüttenfest gebrauchte Zitronatfrucht (Ethrog) und das beim Neujahrsfest verwendete Schofarhorn[15]. Daß es
sich bei all diesen Gegenständen um Dinge handelt, die im Synagogengottesdienst
gebraucht wurden, kann man nicht bezweifeln; aber es ist ebenso deutlich, daß diese
Gegenstände an so hervorstechenden Stellen der Synagogenarchitektur dargestellt
wurden (besonders auf den Steinschranken, die den für die Gemeinde bestimmten
Teil des Synagogenraumes von dem für die Verlesung und Aufbewahrung des Gesetzes bestimmten vorderen Teil des Kultraumes trennten, s. Taf. 1), daß die Frage
nicht zu umgehen ist, ob der bildlichen Wiedergabe dieser Gegenstände nicht noch
ein tieferer Sinn innewohnt. Diese Frage wird noch dringender, wenn man zwei weitere Gegenstände des Kultgebäudes mit heranzieht, die ebenfalls in der Dekoration
der Synagogen mehrfach nachgebildet worden sind. Auf der einen Seite ist mehrfach
der hölzerne Schrank, der in der Mitte der Front der gottesdienstlichen Räume der
Synagogen stand und zur Aufbewahrung der Gesetzesrollen diente, in Stein abgebildet worden[16]. Diese Nachbildungen des Gesetzesschreines in der Synagogendeko-
ration zeigen einen Schrank mit geschlossenen verzierten Doppeltüren, über denen
sich ein Ziergiebel erhebt. Daß es sich um einen Schrank für die Gesetzesrollen handelt, kann man aus diesen Darstellungen, die durchwegs geschlossene Türen aufwei-
sen, nicht direkt entnehmen; aber da in jeder Synagoge ein solcher | Schrank ge-
standen haben muß, von dem uns seines vergänglichen Materials wegen natürlich
kein Beispiel erhalten ist, kann die Nachbildung eines solchen Schreines in der Syn-
agogendekoration schwerlich einen nur abbildenden Sinn haben, sondern muß
irgendwie einen tieferen Sinn wiedergeben wollen[17]. Und einen solchen tieferen Sinn
hatten andererseits zweifellos auch die Löwen, denen wir in der verschiedensten

---

[15] Vgl. die Mehrzahl der Anm. 13 genannten Beispiele. An einigen Stellen begegnet daneben auch ein Krug, der vermutlich einen Weinkrug für die Sabbatmahlzeit darstellen soll
(siehe das später zu besprechende Gemälde der Torlonia-Katakombe, Taf. 5b), aber auch
als Ölkrug für den Leuchter gedeutet wird. Mehrfach findet sich auch (wie auch auf später
zu besprechenden Denkmälern) ein kastenartiger Gegenstand mit einem Griff, der nicht
sicher gedeutet ist (vgl. z. B. Taf. 3b); SUKENIK, Beth Alpha, S. 27ff, will darin eine Gesetzesrolle mit dem hervorstehenden Mittelstock erkennen; REIFENBERG, S. 47 und zu Taf.
33, 36, 44, 62 sieht darin mit größerer Wahrscheinlichkeit eine Räucherschaufel.
[16] Beispiele bei SUKENIK, Beth Alpha, S. 24f; REIFENBERG, Taf. 31, 3. 4. Ganz ähnlich
ist das späte Mosaik der Synagoge in Beth Alpha (s. SUKENIK, Beth Alpha, Taf. VIII).
[17] Nicht sicher gedeutet ist ein Gegenstand, der auf einem Wandfries der Synagoge von
Kapernaum dargestellt ist (unsere Taf. 2b nach SUKENIK, Synagogues, Taf. Vc): auf einem
vierrädrigen Wagen steht ein Säulentempel mit nach oben gewölbtem Tonnendach; an der
sichtbaren Schmalseite zeigt sich eine Doppeltür mit Verzierungen, die den Darstellungen
der Tü en an den Gesetzesschreinen entspricht. Man hat dieses Gefährt als den Luxuswagen
des jüdischen Patriarchen gedeutet (KOHL-WATZINGER, S. 193ff) oder als die Bundeslade,
die als fahrbarer Gesetzesschrein gestaltet sei (REIFENBERG, S. 42 und zu Taf. 33; WATZIN-
GER, s. Anm. 7, S. 113), oder man hat gar darin den Wagen aus der himmlischen Vision
Ezechiels (Ez 1) dargestellt gesehen (SUKENIK, Synagogues, S. 17 Anm. 2). Daß auch in
diesem Relief ein Gesetzesschrein dargestellt werden sollte, ist aber nicht ausgeschlossen. –
Einzelne Gesetzesrollen finden sich wahrscheinlich neben dem siebenarmigen Leuchter und
anderen Kultgegenständen auf einem Synagogenrelief aus Priene (s. BEYER-LIETZMANN,
Taf. 26b).

Form auf Reliefs und Mosaiken der Synagogen begegnen[18]. Denn Fragmente von
aus Stein ausgehauenen Löwenfiguren hat man in mehreren Synagogen gefunden[19],
und es kann kein Zweifel sein, daß diese steinernen Löwen einst zu beiden Seiten des
Gesetzesschreines an der Front der Kulträume der Synagogen aufgestellt waren. An
so betonter Stelle aufgestellt, mußten diese großen Tierbilder einen tieferen Sinn
repräsentieren.

Daß die bisher besprochenen dekorativen Motive der ältesten Synagogenbauten
für die Juden jener Zeit mit einem tieferen Sinn erfüllt waren, wird nun zur Gewißheit erhoben, wenn wir sehen, daß alle diese Motive auch auf jüdischen Gegenständen des täglichen Gebrauchs ebenso wie in der Grabkunst wieder begegnen. Auf
Glasflaschen, Lampen, Münzen, einem Bronzeteller[20] finden sich in | reicher Ab-
wechslung die uns schon bekannten Motive: siebenarmiger Leuchter, Feststrauß,
Zitronatfrucht, Schofarhorn, Gesetzesschrein, Räucherschaufel (?). Alle diese Motive kennzeichnen diese Gegenstände als jüdisch, sind also zum allermindesten Sym-
bole der jüdischen Religion überhaupt. Und noch deutlicher zeigt sich derselbe Sachverhalt auf den figurenreichsten Gegenständen, den Goldgläsern[21]. Es handelt sich
um dünne Goldblättchen, in die eine Zeichnung durch Ausschneiden eingraviert
wurde und die dann zwischen zwei Glasscheiben eingeschmolzen wurden. Diese
Goldgläser sind hauptsächlich im 4. Jahrhundert hergestellt worden und waren zweifellos zu einem großen Teil ursprünglich die Böden von Trinkgläsern oder Schüsseln,
doch hat man auch solche Gläser als Schmuckstücke in den Wänden von Katakomben gefunden. Diese jüdischen Goldgläser zeigen ohne Ausnahme den siebenarmigen
Leuchter in einem oder zwei Exemplaren, außerdem fast alle den Gesetzesschrein
mit geöffneten Türen, so daß man die im Schranke liegenden Gesetzesrollen erkennen kann, ferner die uns schon bekannten Kultgegenstände (Feststrauß, Zitronatfrucht, Schofarhorn, Krug), daneben auch mehrfach eine einzelne Gesetzesrolle und
auch einmal eine Mazzenscheibe. Auf zwei dieser Goldgläser sind auch die beiden
Löwen dargestellt, die hier deutlich den Gesetzesschrein auf beiden Seiten flankieren
und zu bewachen scheinen (Taf. 3a)[22]. | Besonders bezeichnend sind die beiden
andern hier noch wiedergegebenen Goldgläser. Das Glas aus dem Berliner Museum

---

[18] SUKENIK, Synagogues, Taf. 3b; DERS., El Ḥammeh, Titelbild u. S. 36f; vgl. die Aufzählung mehr oder weniger zerstörter Löwendarstellungen aus galiläischen Synagogen bei
KOHL-WATZINGER, S. 198.

[19] SUKENIK, Synagogues, Taf. 13; DERS., Beth Alpha, S. 32f.

[20] REIFENBERG, Taf. 59, 60, 62, 63; SUKENIK, Beth Alpha, S. 23, 27; BEYER-LIETZMANN,
Taf. 30; COHN-WIENER, S. 100, 102, 105; Österr. Jahreshefte 1930, Beiblatt S. 39, Abb. 17.
Unsere Taf. 3b nach REIFENBERG, Taf. 62; diese palästinischen Lampen, wohl aus dem
3. Jahrhundert stammend, zeigen neben dem siebenarmigen Leuchter das Schofarhorn und
die Räucherschaufel (?, vgl. Anm. 15).

[21] SUKENIK, Beth Alpha, S. 19f, 31, 34; REIFENBERG, Taf. 56–58; FREY, Corpus, Nr.
515ff.

[22] Taf. 3a nach REIFENBERG, Taf. 58. Das Goldglas befindet sich in der vatikanischen
Bibliothek in Rom; s. dazu FREY, Corpus, Nr. 516 und SUKENIK, Beth Alpha, S. 31. Oben
sieht man den Gesetzesschrein mit Ziergiebel und geöffneten Türen, im Schrein 6 Gesetzesrollen in 2 Fächern, man erkennt deutlich den Stock, um den die Rollen gewickelt sind.
Unten 2 brennende siebenarmige Leuchter, in der Mitte ein Feststrauß, rechts eine Zitronat-

(Taf. 4a)[23] zeigt in der oberen Hälfte den hier auf einem Treppenpodest stehenden Gesetzesschrank mit den Gesetzesrollen, davor einen aufgezogenen Vorhang, die Türen sind geöffnet; neben den beiden Leuchtern sind rechts Feststrauß und Zitronatfrucht (oder eine Rübe?), links Schofarhorn und Krug zu sehen. Unterhalb der Inschrift, die das Bild einem Vitalis mit seiner Familie widmet, ist ein halbkreisförmiges Liegepolster dargestellt, auf dem davor stehenden Tisch sieht man eine Platte mit einem Fisch[24]. Damit soll zweifellos die Mahlzeit des Sabbateingangs angedeutet werden, und so erweist sich die ganze Darstellung auch durch diesen Teil des Bildes als Hinweis auf zentrale Züge der jüdischen Frömmigkeitsübung. Aber sollen diese Züge nur einfach bildlich dargestellt werden, oder verfolgt diese Darstellung nicht noch einen tieferen Zweck?

Diese Frage erhebt sich ganz besonders dringend bei der Deutung des letzten hier zu besprechenden Goldglases aus der vatikanischen Bibliothek in Rom (Taf. 4b)[25]. In einem von Säulen umgebenen Hof (oder in einem Gebäude mit einem äußeren, durch Säulen begrenzten Umgang), an dessen Außenseite sich Palmen und kapellenartige Anbauten befinden, steht ein Tempel griechischer Bauart mit geöffneten Türen, zu dessen Seiten je eine Säule steht. Davor sind ein brennender siebenarmiger Leuchter, Krüge, Feststrauß, Zitronatfrucht zu erkennen. Wir finden also auch hier die uns immer wieder begegnenden Gegenstände des Synagogenkultus. Dagegen ist stark umstritten, was mit dem tempelartigen Gebäude in der Mitte und den Säulen zu seinen beiden Seiten gemeint ist. Die grie|chische Inschrift: „Haus des Friedens. Nimm Segen … mit all den Deinen!" bietet auch keine sichere Hilfe zur Deutung, da nicht klar ist, von wo der gewünschte Segen ausgehen soll. Man hat in dem Tempelgebäude eine Darstellung des Jerusalemer Tempels sehen wollen mit den beiden Säulen Jachin und Boas (1Kön 7, 15ff), und man hat diesen Tempel dann als Symbol des Gesetzesgottesdienstes oder als Bild des ewigen Tempels gedeutet. Das ist aber angesichts der Tatsache, daß auch hier wie auf den bisher besprochenen Denkmälern sich neben dem tempelartigen Gebäude die üblichen Gegenstände des Synagogengottesdienstes befinden, äußerst fraglich. Man wird eher vermuten dürfen, daß auch hier ein Gesetzesschrein dargestellt werden soll, der eben dieses Mal die Form eines Tempels hat; die beiden Säulen könnten dann, wie vermutet wurde[26], die anderswo bezeugten Säulen für den vor dem Schrein üblichen Vorhang wiedergeben sollen, aber bei der schlechten Erhaltung des Glases ist hier vorläufig kein sicheres Urteil

frucht und ein Krug (für Wein oder Öl), links 2 Schofarhörner und wohl eine Rübe. Die Inschrift in griechischer Sprache, aber mit lateinischen Buchstaben geschrieben, lautet: „Anastasius, trink, lebe." Hier handelt es sich also zweifellos um das Fragment eines zu kultischen Mahlzeiten benützten Glases.

[23] Vgl. dazu außer der Anm. 22 genannten Literatur J. Leipoldt, Angelos III, 1928, S. 1; Beyer-Lietzmann, S. 19f, 45 und Taf. 29.

[24] Eine ähnliche Darstellung einer Fischmahlzeit findet sich auf dem fragmentarischen Glas in Rom bei Sukenik, Beth Alpha, S. 19, Fig. 22 (= Frey, Corpus, Nr. 518).

[25] Vgl. zu diesem Glas außer der Anm. 22 genannten Literatur Beyer-Lietzmann, S. 22f; K. H. Rengstorf (s. Anm. 5), S. 57ff. Unsere Tafel gibt den heutigen Zustand des Glases und die Zeichnung de Rossis aus dem Ende des 19. Jh.s wieder.

[26] So Sukenik, Beth Alpha, S. 21; auf ein Synagogeninneres deutet auch Rengstorf (s. Anm. 5), S. 49f.

möglich. Auf alle Fälle bleibt auch hier die Frage noch offen, ob diesen Darstellungen ein tieferer Sinn innewohnt.

Diese Frage wird nun am brennendsten, wenn man schließlich die künstlerischen Darstellungen in der jüdischen Grabeskunst heranzieht. Da ist zunächst hinzuweisen auf die rohen Zeichnungen auf den zahlreichen Inschriften der jüdischen Katakomben[27]. Auch hier finden sich häufig der siebenarmige Leuchter, Feststrauß, Zitronatfrucht, Krug, Schofarhorn, Gesetzesrolle, Gesetzesschrein mit Gesetzesrollen, Mazzenscheibe, und gelegentlich begegnen auch rein ornamentale Figuren wie Vögel, Blumen, ein Widder- und Stierkopf, ein Hahnenkampf und dergl. Weil sich aber alle diese Zeichnungen auf Grabinschriften finden, erhebt sich die Frage, ob sie eine besondere Beziehung auf das Schicksal der Toten haben sollen | oder ob ihnen derselbe Sinn innewohnt wie den durchaus parallelen Darstellungen in den Synagogen und auf Gebrauchsgegenständen. Neben diesen Zeichnungen auf Inschriften fanden sich in Rom auch einige jüdische Sarkophage[28]. Einer dieser Sarkophage zeigt in sehr schlichter Form die üblichen jüdischen Gegenstände (siebenarmiger Leuchter, Zitronatfrucht, Schofarhorn, eine Rübe, die auch sonst begegnet, aber in ihrem kultischen Sinn umstritten ist)[29]. Ein zweiter, recht alter Sarkophag, der sehr stark verstümmelt ist (Taf. 6), zeigt ebenso außer dem siebenarmigen Leuchter und vier Palmbäumen (als Symbolen des Heiligen Landes?) auf beiden Seiten je ein Schofarhorn, einen Feststrauß, eine Zitronatfrucht und einen Teller, dessen Sinn nicht sicher gedeutet werden kann. Auch diese beiden Sarkophage unterscheiden sich also in den dargestellten Gegenständen in keinerlei Weise von den bisher besprochenen Denkmälern. Ein dritter Sarkophag zeigt in der Mitte einen siebenarmigen Leuchter, von zwei geflügelten Genien getragen, darunter weinkelternde Knaben; rechts und links waren Knaben als Genien der Jahreszeiten dargestellt, aber nur der Herbst ist ganz erhalten. Man hat in dieser Mischung heidnischer Motive mit dem jüdischen Motiv des Leuchters ein Zeichen von Religionsmischung sehen wollen oder gar aus dieser Mischung auf die Jenseitshoffnungen dieser Juden Rückschlüsse gezogen[30]. Aber es ist äußerst fraglich, ob man solche Schlüsse ziehen darf. Es handelt sich, da nichts die jüdische Umdeutung oder Anpassung der heidnischen Symbole nahelegt, wohl eher um einen heidnischen Sarkophag, der von Juden gekauft und durch Anbringung des siebenarmigen Leuchters als jüdisch gekennzeichnet wurde, ohne daß man dabei den heidnischen Dekorationen auf dem übrigen Sarg eine besondere Bedeutung zumaß[31]. Daß es sich dabei freilich um relativ laxe Juden gehandelt haben muß, ist zweifelsfrei, und auf alle Fälle läßt sich aus diesem Sarkophag nichts all-

---

[27] Vgl. das Verzeichnis bei FREY, Corpus, S. 663f. Unsere Taf. 5a nach REIFENBERG, Taf. 51 (= FREY, Corpus, Nr. 318): Über der griechischen Inschrift, die Donatus als Sekretär der Synagoge der Vernaculi kennzeichnet, sind Leuchter, Zitronatfrucht, Krug und Feststrauß dargestellt (über das Amt des „Sekretärs" in den römischen Synagogengemeinden vgl. FREY, Corpus, S. XCIIff.

[28] S. BEYER-LIETZMANN, Taf. 26–28. Unsere Taf. 6 nach REIFENBERG, Taf. 54.

[29] Vgl. dazu BEYER-LIETZMANN, S. 20; RENGSTORF (s. Anm. 5), S. 58ff; MARMORSTEIN (s. Anm. 5), S. 41. Vgl. schon Taf. 3a und 4a.

[30] Vgl. die Literatur bei FREY, Corpus, S. CXXVIIIff.

[31] So FREY (s. Anm. 30) und wohl auch REIFENBERG, zu Taf. 55.

gemein Gültiges über die religiösen Anschauungen der Juden jener Zeit entnehmen. |
    Als letztes Beispiel der jüdischen Sepulkralkunst ist schließlich auf die Malereien
der römischen Katakomben zu verweisen. Schon länger bekannt war eine Katakombe in der Vigna Randanini[32]. Die Anfänge dieser Katakombe gehen bis ins
1. Jahrhundert zurück, ihre Inschriften zeigen die üblichen jüdischen Darstellungen,
darunter auch einige Tierköpfe und dergleichen[33]. Die Katakombe war aber auch
völlig ausgemalt und zeigt hier neben zweifellos rein dekorativen Darstellungen
(Tauben, Pfauen, Palmbäumen, Blumen usw.) deutlich heidnisch-mythologische
Motive (eine Glücksgöttin mit Füllhorn, einen Pegasus, eine Siegesgöttin, die einen
Jüngling bekränzt). Man hat daraus schließen wollen, daß die Juden, die diese Bilder
anfertigen ließen, die heidnischen Darstellungen als allgemein-religiöses Gedankengut der Zeit aufgenommen und symbolisch als Hinweise auf das ewige Leben usw.
gedeutet hätten[34]. Das ist an sich nicht unmöglich, aber schon darum fraglich, weil
im Zusammenhang mit diesen heidnischen Motiven gar keine jüdischen Darstellungen erscheinen. J.-B. FREY hat außerdem auf Grund der Untersuchung der Örtlich-
keit die Annahme ausgesprochen[35], daß die Grabkammern mit diesen heidnisch-
mythologischen Darstellungen erst nachträglich zu der jüdischen Katakombe hin-
zugenommen worden seien, so daß es sich überhaupt um ursprünglich heidnische
Bilder handeln würde. Das ist nicht unwahrscheinlich, wenn auch vielleicht nicht
völlig beweisbar, und auf keinen Fall darf man aus diesen heidnischen Bildern irgendwelche jüdisch-religiösen Gedanken entnehmen wollen. Um so bezeichnender sind dagegen für das jüdisch-religiöse Denken jener Zeit die Wandgemälde der neuerdings
entdeckten römischen Katakombe unter der Villa Torlonia[36]. Hier sind mehrere
Grabräume im 2./3. Jahrhundert völlig ausgemalt worden. Es finden sich da neben
rein dekorativen Zügen (Blättern, Früchten, gelegentlich Löwenköpfen, Vögeln,
Widdern, Pfauen, über einen Dreizack springenden Delphinen) die bekannten jüdi-
schen Kultgegen|stände (brennende siebenarmige Leuchter, eine Gesetzesrolle, rote
Mohnfrüchte oder Granatäpfel, deren kultischer Sinn unbekannt ist, s. Taf. 7; ferner
Schofarhörner, Zitronatfrucht, auch die schon auf andern Denkmälern begegnende,
nicht sicher gedeutete Rübe). Aber neben diesen einzeln da und dort gemalten
Gegenständen finden sich nun zwei Darstellungen, die weiterführen. Auf der Hinter-
wand eines Bogengrabes findet sich ein figurenreiches Gemälde (Taf. 5 b)[37]. In der
Mitte sieht man einen Gesetzesschrein, hinter dessen geöffneten Türen die liegenden
Gesetzesrollen zu erkennen sind (hier ist das Bild absichtlich oder zufällig beschä-
digt); rechts über dem Dach bricht die Sonne durch Wolken, links der Mond, über
der Mitte des Giebels steht ein Stern. Rechts vom Schrein ist ein brennender siebenarmiger Leuchter, daneben erkennt man eine Zitronatfrucht, ein Messer (Beschnei-
dungsmesser ?) und ein Schofarhorn; links bemerkt man neben einem weiteren

---

[32] Abbildungen bei COHN-WIENER, S. 118 ff; FREY, Corpus, S. CXX ff.
[33] Siehe FREY, Corpus, Nr. 81 ff.
[34] So COHN-WIENER (s. Anm. 32).
[35] S. Anm. 32.
[36] Siehe die Literatur in Anm. 5. Unsere Taf. 7 nach BEYER-LIETZMANN, Taf. 4.
[37] Unsere Taf. 5 b nach REIFENBERG, Taf. 53.

Leuchter eine Flasche mit rotem Wein, wohl für die Sabbatmahlzeit bestimmt, einen Granatapfel (?) und einen Palmzweig (soll damit der Feststrauß angedeutet sein?). Vor diesem am Hintergrund des Grabes angebrachten Bild wölbt sich eine Bogennische, an deren unterem Rande Landschaften gemalt waren, von denen nur noch eine sicher erkennbar ist; sie zeigt vor einem Berghintergrund auf einer mit Bäumen bestandenen Wiese einen liegenden Widder und ein halbzerstörtes Tier, vielleicht ein Schaf. LIETZMANN[38] hat für diese Wiese, weil sie auf der Dekoration eines Bogengrabes begegnet, eine symbolische Deutung gefordert und darin das Bild des himmlischen Paradieses erkennen wollen. Entsprechend schloß er aus den Gestirnen über dem Gesetzesschrein in dem eben besprochenen Bild[39], daß der Gesetzesschrein hier „ein Bild des | himmlischen Tempels sei, der beim Eintritt der messianischen Vollendung auf die beglückte Erde niedersteigen wird". Während LIETZMANN sich aber weigert, auch in den übrigen Darstellungen jüdischer Gegenstände in der Katakombe Symbole für das Leben im Jenseits und für das Ende der Zeiten zu sehen, sind andere Forscher[40] noch weiter gegangen und haben den brennenden Leuchter auf die sühnende Kraft des Lichtes für die Toten oder auf das brennende Licht als Sinnbild des Frommen oder als Sinnbild des den leuchtenden Seelen der Frommen bestimmten glücklichen Loses gedeutet, haben die Symbole des Laubhüttenfestes (Feststrauß und Zitronatfrucht) als Andeutung der prophetisch verheißenen Fortdauer des Laubhüttenfestes in der Messiaszeit erklärt, haben gar im dargestellten Horn nicht das Schofarhorn des Neujahrsfestes erkennen wollen, sondern „das Horn des Messiasboten Elia, mit dem er den Anbruch der Messiaszeit künden wird" (RIEGER). Der offene Gesetzesschrein soll dann für die römischen Juden die offene Bundeslade als Zeichen der Gegenwart Gottes repräsentieren, die ihre Wirkung auf die toten Gebeine der Begrabenen haben solle (MARMORSTEIN); umgekehrt bestreitet RIEGER, daß überhaupt der Gesetzesschrein dargestellt sein solle, es sei vielmehr der himmlische Tempel gemeint, der im messianischen Zeitalter auf die Erde herabkommen soll. Alle diese Deutungen werden in der Hauptsache durch Heranziehung jüdischer Texte gestützt, wo solche symbolischen Gedanken unabhängig von bildlichen Darstellungen vertreten werden. Aber demgegenüber ist mit allem Nachdruck zu betonen, was die bisherigen Ausführungen wohl gezeigt haben dürften, daß die Darstellungen der Sarkophage und der Katakomben sich in der Wahl der dargestellten jüdischen Motive ebensowenig von den künstlerischen Darstellungen in den Synagogen und auf Gebrauchsgegenständen unterscheiden wie in der Form und Anordnung der bidlichen Gestaltung. Darum ist das Postulat, die Katakombenbilder *müßten* auf

---

[38] BEYER-LIETZMANN, S. 24 ff.

[39] Auf einem zweiten, stark zerstörten Bild derselben Katakombe erkennt man nur noch ein Tempeldach und daneben rechts und links einen abnehmenden bzw. einen zunehmenden Mond. LIETZMANN wollte auch darin einen Gesetzesschrein sehen; RENGSTORF (s. Anm. 5), S. 42 ff hat diese Deutung als unmöglich bestritten, weil die Dachform allen sonstigen Darstellungen des Gesetzesschreines widerspreche, und erwägt darum eine Deutung auf eine Darstellung der Arche Noah. Das ist aber phantastisch, und es ist keineswegs sicher, daß nicht auch hier ursprünglich ein Gesetzesschrein dargestellt gewesen sein könne. Doch ist das Bild zu schlecht erhalten, so daß wir es hier außer Betracht lassen müssen.

[40] Siehe die bei FREY, Corpus, S. CXXVIII Anm. 2 Genannten, dazu RIEGER (s. Anm. 5).

das Schicksal der Verstorbenen nach dem Tode bezogen werden, durchaus unberechtigt. | Daß die Juden jener frühen christlichen Jahrhunderte im festen Glauben an die Auferstehung der Toten ihre Verstorbenen begruben, zeigen die Inschriften und besonders die darin enthaltenen Gebetswünsche zur Genüge [41]. Aber es besteht keine Veranlassung, sofern die Darstellungen der bildenden Kunst nicht dazu *zwingen,* diese Zukunftshoffnungen in bildliche Darstellungen hineinzudeuten, die ihrer sonstigen Bezeugung gemäß zu solcher Deutung keine Veranlassung geben.

Vielmehr wird man an der Gesamtheit der bisher besprochenen jüdischen Denkmäler leicht erkennen, daß im Mittelpunkt aller künstlerischen Darstellungen der siebenarmige Leuchter steht, der sehr oft brennend dargestellt wird und der häufig neben dem Gesetzesschrein oder einer Gesetzesrolle erscheint. Die Tatsache, daß der Schrein innerhalb der Synagogendekorationen immer geschlossen, auf den übrigen Denkmälern fast immer offen dargestellt wird, so daß man die liegenden Gesetzesrollen erkennen kann, beweist, daß der Schrein nicht den Jerusalemer Tempel symbolisiert, aber auch nicht den himmlischen Tempel der Endzeit, sondern das wirkliche Kultgerät in den Synagogen abbildet, das die zentrale Bedeutung der Gesetzesverlesung und Gesetzesdeutung im Synagogengottesdienst repräsentiert. Und nicht anders wird man die einzeln dargestellten Gesetzesrollen auf den Denkmälern zu deuten haben. Damit dürfte aber feststehen, daß die Darstellung des Gesetzesschreines und der Gesetzesrollen auf den jüdischen Denkmälern ein Ausdruck der Glaubensüberzeugung ist, daß das Gesetz und sein Studium den Mittelpunkt der jüdischen Frömmigkeit bilden sollen. Nun wird aber, wie gesagt, noch häufiger der siebenarmige Leuchter dargestellt, und zwar recht oft im Zusammenhang mit dem Gesetzesschrein und den Gesetzesrollen. Daß auch hier nicht der Tempelleuchter gemeint sein kann, sondern nur der Synagogenleuchter, ist schon oben betont worden [42]. Das häufige Beieinander von Leuchter und Gesetzesschrein oder Gesetzes-| rolle [43] macht aber die Annahme unwahrscheinlich, daß der Leuchter nur einfach Symbol jüdischer Frömmigkeit überhaupt gewesen sei [44]. RENGSTORF hat mit Recht darauf aufmerksam gemacht, daß der Leuchter meistens brennend dargestellt wird, und zwar auf allen Arten von Denkmälern [45]. Nimmt man diese Tatsache zusammen mit dem häufigen Beieinander von Leuchter und Gesetzesschrein oder Gesetzesrolle, so liegt die Annahme äußerst nahe, daß der brennende Leuchter das Licht des Gesetzes symbolisieren solle. Dieser Gedanke vom Gesetz als Licht ist ja im Judentum äußerst verbreitet, und auch das Bild des Leuchters begegnet in diesem Zusammen-

---

[41] Vgl. FREY, Corpus, S. CXXXI ff.

[42] S. Taf. 2a mit Anm. 14. Die Behauptung von RENGSTORF (s. Anm. 5), S. 39 ff, die Darstellungen müßten auf den Tempelleuchter bezogen werden, weil man bis heute nicht ein einziges Exemplar eines siebenarmigen Leuchters gefunden habe, ist darum nicht mehr haltbar.

[43] Daß es keine Darstellungen des Schreines ohne Leuchter gegeben habe (so RENGSTORF, s. Anm. 5, S. 46, Anm. 1), ist ebenfalls falsch. Die Inschriften bei FREY, Corpus, Nr. 337 und 343 zeigen deutlich einen Schrein ohne Leuchter.

[44] So LIETZMANN bei BEYER-LIETZMANN, S. 18.

[45] A. Anm. 5 aO, S. 52 ff.

hang⁴⁶. Die Häufigkeit der Darstellung des siebenarmigen Leuchters in der altjüdischen Kunst erklärt sich also vermutlich daraus, daß dieser Leuchter das Symbol für das Licht des Gesetzes geworden war, so daß auch diese häufige künstlerische Darstellung die zentrale Stellung des Gesetzes in der Frömmigkeit der Juden jener Zeit erkennen läßt. Und wenn gelegentlich einmal in den besprochenen Gemälden der Torlonia-Katakombe über dem Gesetzesschrein die Gestirne zu sehen sind, so liegt keine Notwendigkeit vor, darin einen Hinweis auf das ewige Leben der Verstorbenen zu sehen, obwohl auch daran mit gedacht sein *könnte;* die Gestirne könnten ebenso die ewige Geltung des Gesetzes für die ganze Welt andeuten sollen. Die Löwen zu beiden Seiten des Gesetzesschreines und dann überhaupt in der Synagogendekoration dienen ja zweifellos der Kennzeichnung des Gesetzes als der beherrschenden Wirklichkeit, sie sind als Ehrenwache für das Gesetz aufzufassen. Und ebenso kann man die so häufig begegnenden jüdischen Kultgegenstände (Schofarhorn, Zitronatfrucht, Feststrauß usw.), die ja meistens im Zusammenhang mit | dem Leuchter, dem Gesetzesschrein oder den Gesetzesrollen erscheinen, nur verstehen als Hinweis auf die im Gesetz gebotenen Feste, deren rechte Feier im Gehorsam gegen das Gebot des Gesetzes dem Juden die rechte Stellung vor Gott gewinnen hilft. So sehr also die gesamten bisher besprochenen Darstellungen jüdischer Kultgegenstände nicht bloß darstellenden, sondern durchaus auch symbolischen Sinn haben werden, so wenig liegt irgendeine Veranlassung vor, einen anderen als den genannten Sinn darin zu finden. Darum muß es schließlich auch fraglich erscheinen, ob die zuletzt besprochene Darstellung einer Landschaft mit Tieren in der Torlonia-Katakombe wirklich ein Hinweis auf das Paradies sein wolle. Diese Deutung ist darum an sich naheliegend, weil eine solche *Szene* sich bisher in der jüdischen Katakombenkunst nicht gefunden hat; aber irgendein sicherer Hinweis in dem sehr schlecht erhaltenen Bilde selber, daß man die äußerst einfache Darstellung so deuten *müsse,* ist nicht zu entdecken, und es besteht durchaus die Möglichkeit, daß auch diese Darstellung, da sie keinen spezifisch jüdischen Gegenstand schildert, rein dekorativen Absichten entsprungen ist⁴⁷. Auf alle Fälle zeigt uns die frühe jüdische Kunst in allen ihren besprochenen Denkmälern von neuem, welche alles beherrschende Rolle das Gesetz und der im Gesetz geregelte Gottesdienst im religiösen Denken der Juden gespielt hat.

Diese Erkenntnis wird nicht aufgehoben, aber ergänzt, wenn wir uns der zweiten Gruppe altjüdischer Denkmäler zuwenden, von der zu Beginn die Rede war, den Mosaikfußböden und Wandmalereien in den Synagogen. Schon lange war ein Mosaikfußboden der Synagoge des nordafrikanischen Naro bei Karthago (heute HammâmLif in Tripolis) bekannt (Taf. 8). Der eigentliche Kultraum findet sich hier im Rahmen einer komplizierten Bauanlage⁴⁸, der Boden des Kultraums ist mit einem Mo-

⁴⁶ Belege bei R. Bultmann, Das Evangelium des Johannes, 1941, S. 23 Anm. 4. Vgl. etwa Sprüche Sal 6, 23: „Denn ein Leuchter ist das Gebot und das Gesetz ein Licht" und Weisheit Sal 18, 4: „Das unvergängliche Licht des Gesetzes".

⁴⁷ So auch Frey, Corpus, S. CXXVIII.

⁴⁸ Siehe S. Krauss (s. Anm. 3), S. 266, 340f. Die veröffentlichten Abbildungen des Mosaiks sind leider sehr ungenügend.

saik ausgelegt. Es zeigt in den beiden Seitenschiffen zwischen Blattranken verschiedene Tiere und Körbe (mit Früchten ?); im Mittelschiff ist unterhalb einer Inschrift|ein von Palmen und Pfauen flankierter Springbrunnen zu sehen, über der Inschrift war wohl eine Meereslandschaft mit Fischen und Seevögeln angebracht. Die lateinische Inschrift besagt, daß eine Frau namens Juliana die Synagoge von Naro für ihr Seelenheil mit Mosaik hat belegen lassen, daneben sieht man zwei siebenarmige Leuchter, den linken zusammen mit Feststrauß und Zitronatfrucht oder Schofarhorn. Auch hier finden sich also die bekannten Gesetzessymbole, daneben aber zahlreiche Tierdarstellungen. Man hat auch hier die Landschaft mit den Pfauen als Paradieslandschaft gedeutet und den Springbrunnen als Hinweis auf den Quell des ewigen Lebens[49]. Aber es ist willkürlich, nur die Darstellungen des Mittelschiffs so symbolisch zu deuten und in den Darstellungen der Seitenschiffe reine Ornamentik zu sehen. Da nun in anderen Räumen der Synagoge sonstige heidnische Motive (Büsten eines speertragenden Mannes und Weibes) begegnen und da in der benachbarten jüdischen Katakombe sich ebenfalls Dekorationen mit heidnischen Motiven finden[50], liegt die Annahme viel näher, daß auch die Darstellungen auf dem Mosaikboden des Kultraums der Synagoge weitgehend nur dekorativen Charakter haben und daß nur die spezifisch jüdischen Darstellungen auf dem Inschriftstreifen einen religiösen Sinn wiedergeben sollen. Während dieses Mosaik uns also vermutlich nichts Neues lehrt, vermittelt eine neue Einsicht der große Mosaikfußboden der Synagoge von Gerasa (Dscherasch) im Ostjordanland[51]. Man fand dort unter den Trümmern einer aus dem 6. Jahrhundert stammenden Kirche die Reste einer etwa Anfang des 5. Jahrhunderts errichteten Synagoge. Das Fußbodenmosaik (Taf. 9a) zeigt im Mittelfeld drei Reihen von Tieren nach der Einteilung in 1Mos 6, 20: Vögel, Vieh, Kriechtiere; die Darstellung ist künstlerisch so vollkommen, daß es heutigen Zoologen gelungen ist, sämtliche dargestellten Tiere genau zu identifizieren. Ganz links sind oberhalb einer durch den Kirchenbau zer|störten Stelle des Mosaiks noch zwei Männerköpfe zu sehen, über denen in griechischer Sprache die Namen Sem und Japhet, zweier Söhne des Noah, stehen, darüber erkennt man eine Taube mit einem Zweig im Schnabel. Es handelt sich also um eine Darstellung des Auszugs aus der Arche. Am Rande verfolgen zwischen Blumen und Girlanden tragenden Vögeln Raubtiere zahme Tiere; es wäre möglich, daß diese Szene die Gewalttätigkeit darstellen soll, die vor der Flut herrschte, aber diese Randdarstellungen könnten auch rein dekorativen Charakter haben. Zwischen den sich verfolgenden Tieren findet sich am unteren Rande eine griechische Inschrift, die dem „heiligen Ort" und der Synagogenversammlung Frieden wünscht; dazwischen ist ein siebenarmiger brennender Leuchter zu sehen, rechts davon Feststrauß und Zitronatfrucht, links Schofarhorn und Räucherschaufel (?)[52]. In diesem künstlerisch hochstehenden Mosaik

[49] Cohn-Wiener, S. 116f; Beyer-Lietzmann, S. 26f.
[50] Siehe Frey (s. Anm. 9), S. 295.
[51] Zuerst veröffentlicht von A. Barrois, s. Anm. 4. Vgl. ferner Sukenik, Beth Alpha, S. 27, 55f und Taf. 7 und XXVI; Ders., Synagogues, S. 35ff, 77. Unsere Taf. 9a nach Sukenik, Synagogues, Taf. 9; unsere Taf. 9b nach Revue Bibl. 1930, Taf. XI.
[52] Siehe dazu Anm. 15.

haben wir also neben den üblichen bildlichen Hinweisen auf das Gesetz als Mittelpunkt jüdischer Frömmigkeit[53] zum ersten Mal die Darstellung einer biblischen
Szene. Warum gerade der Auszug aus der Arche gewählt ist (im zerstörten Teil dürfte
die übrige Familie Noahs dargestellt gewesen sein), | wissen wir natürlich nicht,
aber man könnte vermuten, daß damit auf den Segen über die Erde und den Bund
Gottes mit Noah (1Mos 8, 21 ff) hingewiesen werden sollte. Auf alle Fälle erscheint
hier neben dem Hinweis auf das Gesetz der Hinweis auf die Taten Gottes mit seinem
Volke in bildlicher Darstellung, und dieses religiöse Motiv zeigt sich nun beherr-
schend in dem letzten hier zu besprechenden Denkmal, der Synagoge von Dura-
Europos[54].

Die Euphratstadt Dura, an der Karawanenstraße vom syrischen Aleppo nach
Bagdad gelegen, wurde von den Makedonen als Grenzfestung ausgebaut und Europos genannt. Man wußte aus antiken Quellen nur von der Existenz dieser Stadt, bis
im Jahre 1921 englische Truppen, die gegen Araber kämpften, in einem Ruinenfeld
am Euphrat bedeutsame antike Wandmalereien entdeckten. Sofort einsetzende Ausgrabungen der Franzosen legten den zuerst entdeckten heidnischen Tempel und
andere Gebäude frei, dabei gelang durch die Aufschrift eines Wandgemäldes die ein-
wandfreie Identifizierung der Ruinenstadt mit der aus Schriftstellern bekannten
Stadt Dura-Europos. 1928 wurden die Ausgrabungen von Franzosen und Amerika-
nern gemeinsam wieder aufgenommen und durch mehrere Jahre fortgeführt, aber
dann aus Mangel an Mitteln 1937 vorläufig eingestellt. Diese Ausgrabungen haben
Dura rasch zum „Pompeji des Ostens" gemacht, weil die Ruinen unter dem Schutz
des Sandes erstaunlich viele Kunstdenkmäler bewahrt und uns sehr wesentliche
neue Einsichten in die Geschichte, Kunst- und Religionsgeschichte des Vorderen
Orients in der Spätantike vermittelt haben. Wir wissen jetzt, daß Dura zuerst makedonische Grenzfestung, dann lange Zeit Grenzstadt des parthischen Reiches und
wichtige Karawanenstadt war, bis die Römer sie zu Beginn des 3. Jh. nChr von
neuem zu einer Grenzfestung machten, die schließlich um die Mitte des 4. Jahrhunderts von den Parthern erobert wurde. Von da an blieb Dura verlassen und vergessen,

---

[53] Eine ganz ähnliche Mosaikdarstellung findet sich in der 1933 in Esfija auf dem Karmel
ausgegrabenen Synagoge, die als ganze noch unveröffentlicht zu sein scheint (siehe die Abbildung bei REIFENBERG, Taf 44, und die kurze Beschreibung bei SUKENIK, Synagogues,
S. 85 f). Neben Früchten und Vögeln zeigte dieses Mosaik ursprünglich noch den Sonnengott
auf seinem Wagen und darum den Tierkreis mit den vier Jahreszeiten; solche Darstellungen
des Tierkreises fanden sich ebenfalls in andern späten Synagogenmosaiken (Naaran, Beth
Alpha), auch da neben Darstellungen der Gesetzeslade mit Leuchtern und weiteren Kultgegenständen (in Naaran außerdem Daniel in der Löwengrube, in Beth Alpha das Opfer
Isaaks). Diese Tierkreismosaiken sind nicht nur sehr spät (5.–7. Jh.), sondern zeigen auch
in der räumlich so betonten Darstellung des Tierkreises einen so starken Einfluß der Astro-
logie, daß sie für den jüdischen Glauben der ersten Jahrhunderte nicht ohne weiteres herangezogen werden dürfen und darum hier außer Betracht bleiben sollen. Vgl. zu diesen späten
Denkmälern SUKENIK, Beth Alpha, S. 35 ff, 54 f; DERS., Synagogues, S. 28 ff. Älter ist dagegen vielleicht eine Tierkreisdarstellung auf einem Steinfries, der wahrscheinlich aus der
Synagoge in Kefar Birim in Galiläa stammt (s. SUKENIK, Beth Alpha, S. 57 und Taf. 6 b).
[54] Siehe die Literatur in Anm. 5. Unsere Taf. 10 und 11 nach ROSTOVTZEFF, Dura, Taf.
21 und 22; Taf. 15 nach MESNIL DU BUISSON, Taf. 39. Die abschließende Publikation über
die Synagoge mit ausreichenden Abbildungen steht noch aus.

bis die neuen Ausgrabungen die Stadt | wieder bekannt gemacht haben. Die religiösen Verhältnisse waren entsprechend der Buntheit der Bevölkerung außerordentlich gemischt, und man hat Tempel aller Arten gefunden (darunter auch ein sehr bedeutsames Mithräum). So ist es nicht erstaunlich, daß man eine kleine christliche Kirche und eine Synagoge ausgegraben hat. Die Synagoge lag in einem Privathaus an der Stadtmauer, hinter der man zu Befestigungszwecken einen schiefen Stützungswall aufgeworfen hatte, unter dem die an der Mauer gelegenen Häuser begraben wurden. Unter dem Schutz dieses Walles blieb die an der Mauer gelegene Frontwand der Synagoge völlig erhalten, während die Seitenwände nur abgeschrägt, die Eingangswand fast gar nicht erhalten blieb. Es fanden sich aber unter dem Schutt innerhalb der Synagoge auch erhebliche Teile der Dachziegel, so daß man die erhaltenen Wandgemälde ablösen und die Synagoge in Rekonstruktion im Museum von Damaskus wiederaufbauen konnte (siehe die rechte Seite der Frontwand im Westen und einen Teil der anschließenden Nordwand auf Taf. 10 und die linke Seite der Frontwand auf Taf. 11). Die Synagoge stand freilich nur bis etwa 256 nChr in Gebrauch, dann wurde sie durch die Errichtung des Walles hinter der Stadtmauer zugedeckt und teilweise zerstört.

Die Ausgrabungen haben nun aber ergeben, daß die Synagoge, wie sie sich den Ausgräbern zuerst darbot und wie sie in Damaskus wiederaufgebaut worden ist, nicht die erste Synagoge an diesem Platz war. Eine ältere, kleinere Synagoge war um 200 nChr gebaut worden, sie war offensichtlich nur mit geometrischen und pflanzlichen Ornamenten ausgeschmückt. Um 244 wurde dann an ihrer Stelle die größere Synagoge gebaut, die in üblicher Weise in der Richtung nach Jerusalem (hier nach Westen) den Platz für den Gesetzesschrein aufwies und rings an den Wänden mit Bänken versehen war; rechts neben der Nische für den Gesetzesschrein sind die Stufen für den Sitz des Synagogenvorstandes, des Priesters Samuel, erhalten. Die Nische für den Gesetzesschrein, der natürlich nicht erhalten blieb, wurde sofort beim Neubau kunstvoll ausgestaltet (Taf. 10 und 12). Vor die oben mit einer Muschel abgeschlossene Nische sind links und rechts je eine Säule in Marmor|imitation gestellt, die eine von der Wand abgerückte Fassade tragen. Diese Fassade ist offenbar auch sofort bemalt worden. Dieses Bild zeigt in der Mitte einen Tempel mit geschlossenen Türen, der zweifellos einen Gesetzesschrein darstellen soll[55]. Rechts daneben sind ein siebenarmiger Leuchter, eine Zitronatfrucht und ein Feststrauß zu erkennen. Auch hier waren also an beherrschender Stelle und im ältesten Zustand des Neubaus diejenigen Kultgegenstände dargestellt, die die Bedeutung des Gesetzes für den jüdischen Gottesdienst kennzeichnen sollten. Rechts neben dem tempelförmigen Gesetzesschrein ist in einer recht primitiven und den späteren Gemälden derselben Synagoge unebenbürtigen Art die Opferung Isaaks dargestellt. Man sieht in der

---

[55] Gegen die Annahme von MESNIL DU BUISSON, S. 20 und GRABAR, s. Anm. 6, S. 145 f, es sei der salomonische Tempel mit seinen Geräten gemeint, spricht die Analogie der früher besprochenen jüdischen Denkmäler (vgl. z. B. das vatikanische Goldglas, Taf. 4b) und besonders die Tatsache, daß auch in allen früher besprochenen *synagogalen* Darstellungen des Gesetzesschreines die Türen des Schreines ebenfalls geschlossen sind.

Mitte Abraham mit dem Messer von hinten neben dem Altar stehen, auf dem Isaak liegt, darunter ist der Widder neben dem Dornbusch zu erkennen. Oben rechts ist ein Zelt oder eine Hütte gemalt, in deren Türe mit dem Rücken zum Beschauer ein kleiner Mann steht; links darüber greift Gottes Hand aus den Wolken. Die Hand Gottes repräsentiert zweifellos das Reden Gottes zu Abraham; es ist das Äußerste, was jüdische Kunst in der Abbildung Gottes zu tun imstande ist[56]. Unklar ist dagegen, was mit der Hütte und dem davor stehenden kleinen Mann oder Knaben gemeint sein soll. Die Deutung auf den Diener Abrahams[57] liegt wenig nahe, da dabei die Hütte nicht erklärt wird; daß Abraham beim Opfer im Heiligtum von Beerseba nach Vollendung des Isaakopfers (1Mos 22, 19) dargestellt werden solle[58], ist darum unwahrscheinlich, weil die Figur im Eingang | der Hütte eher ein Kind darstellt. Man hat darum vermutet, daß Isaak *nach* dem Opfer im Heiligtum auf dem Gipfel des Berges anbetend dargestellt werde, weil eine aramäische Übersetzung zu 1Mos 22, 14 ein Gebet hinzufügt, in dem die Vorstellung enthalten ist, daß Abraham das Opfer auf dem „Berg des Heiligtums Gottes" darbrachte[59]; diese Vermutung ist recht einleuchtend, wenn auch vielleicht nicht ganz sicher beweisbar. Auf alle Fälle zeigt sich schon hier, daß die Darstellung der biblischen Szene durch die legendarische Weiterbildung des Bibeltextes in der frommen jüdischen Überlieferung beeinflußt ist. Warum gerade das Opfer Isaaks an diesem hervorstechenden Punkte dargestellt wurde, kann man kaum sicher sagen, aber am ehesten wird man darin doch wohl einen betonten Hinweis auf den Segen über Abraham und sein Geschlecht erkennen dürfen, der auf Grund des Gehorsams Abrahams beim Isaakopfer dem Abraham zugesprochen wird (1Mos 22, 16f). Auf der Wand über der Gesetzesnische war auch von jeher ein Gemälde angebracht, das aber später übermalt wurde, so daß auch auf Grund des Originals nur Vermutungen über dessen Inhalt geäußert werden konnten (man glaubt einen Weinstock und Löwen zu erkennen); dieses Mittelbild muß darum hier außer Betracht bleiben.

Einige Zeit später haben die Juden von Dura offenbar beschlossen, die ganze Synagoge mit Wandgemälden zu schmücken; dabei wurde auch das alte Mittelbild übermalt, während die Darstellung auf der Fassade der Gesetzesnische erhalten blieb. Die Gesamtanlage der Wandbilder (s. Taf. 10 und 11) wurde nun so angeordnet, daß über einem mit Tieren und Frauenköpfen in Medaillons geschmückten Sockel sich drei (über der Gesetzesnische nur zwei) Bilderfriese über alle Wände erstrecken, die durch Zierleisten von einander getrennt sind. Die Frage der Anord-

---

[56] Auf der in der sonstigen Darstellung völlig abweichenden Wiedergabe des Isaakopfers in der späten Synagoge von Beth Alpha stehen neben der Hand Gottes die hebräischen Worte: „Lege (deine Hand) nicht an" (1Mos 22, 12), s. Sukenik, Beth Alpha, Taf. XIX. – Die Scheu vor der Darstellung *menschlicher* Figuren zeigt sich in unserm Fresko noch deutlich darin, daß alle Figuren von hinten gezeigt werden!

[57] So z. B. Hempel, s. Anm. 6, S. 286.

[58] So Mesnil du Buisson, S. 26f.

[59] Vgl. Grabar, s. Anm. 6, S. 145f. Das Gebet Abrahams im Fragmententargum (Das Fragmententhargum, hrsg. v. M. Ginsburger, 1899, S. 13) schließt: „Künftige Geschlechter nach ihm (Isaak) werden sagen: Auf dem Berge des Heiligtums Gottes brachte Abraham den Isaak seinen Sohn dar…".

nung der Bilder und ihrer beabsichtigten Reihenfolge ist trotz mancher bereits ge-
äußerten Vermutungen kaum sicher zu lösen, obwohl an | einigen Stellen deutlich
zusammengehörige Bilder nebeneinander stehen[60]. Auch fehlen ja bisher gänzlich
direkte Vorbilder und Parallelen zu den Darstellungen, so daß die Erklärung der Bilder im einzelnen vielfach unsicher geblieben ist und teilweise infolge der schlechten
Erhaltung der Bilder immer unsicher bleiben wird. Es ist darum hier nicht beabsichtigt, sämtliche erhaltenen Bilder zu beschreiben und in ihren Einzelheiten zu deuten; vielmehr sollen nur die besonders wichtigen Darstellungen der Frontwand und
ein Bild einer Seitenwand abgebildet und besprochen werden[61].

Lassen wir das übermalte Mittelbild und die vier Gestalten zu seinen beiden Seiten
vorläufig außer Betracht, so finden wir in der gesamten obersten Reihe der rechten
Seite der Westwand (auf Taf. 10 nicht deutlich zu erkennen) eine ausführlich schil-
dernde Darstellung des Auszugs des Volkes Israel aus Ägypten unter der Führung
des Moses. Ganz rechts ist eine Stadt mit geöffnetem Stadttor zu sehen; über dem
Tor sind ein heidnischer Gott und zwei Siegesgöttinnen zu erkennen; auf die Stadt
fallen Feuer und Hagel nieder. Das Volk Israel, bewaffnete Soldaten und fliehende
Zivilisten mit Kindern, teilweise Lasten tragend, dazwischen die 12 Stammes-
ältesten, marschiert nach rechts aus der Stadt, angeführt von dem | riesenhaften
Moses, der einen Mantel mit den vorgeschriebenen Schaufäden an den Ecken trägt
und einen Stab in der rechten Hand hochhält. Zwischen den Füßen des Moses steht
eine aramäische Inschrift: „Moses, als er aus Ägypten zog und das Meer spaltete".
Es folgt das Meer mit den darin ertrinkenden Ägyptern, links davon steht wieder
der riesige Moses, der seinen Stab über das Wasser ausstreckt. Über ihm erscheint die
Hand Gottes aus dem Himmel. Hinter der Gestalt des Moses laufen vom Meer aus
12 ursprünglich blaue Streifen nach links. Dann ist Moses, wieder vor diesen Streifen, ein drittes Mal weiter links dargestellt, dieses Mal senkt er seinen Stock über
ein kleines Wasser, in dem Fische schwimmen und Muscheln zu sehen sind; oberhalb
des Wassers stehen die jüdischen Bewaffneten und Ältesten und schauen dem Tun
des Moses zu. Darüber ist ein zweites Mal Gottes Hand zu sehen. Neben dem Kopf
dieses dritten Moses steht die aramäische Inschrift: „Moses, als er das Meer spaltete".

---

[60] MESNIL DU BUISSON, S. 14ff wollte die drei Reihen unterscheiden als geschichtliche,
liturgische und moralische Reihe; GRABAR, s. Anm. 6, S. 16ff nimmt an, daß jeweilen zwei
Bilder, eines rechts und eines links von der Mitte, eine Parallele oder einen Gegensatz miteinander bilden. Aber beide Annahmen erweisen sich als sehr gesucht. Eher könnte KRAE-
LING, S. 373ff recht haben, der die Auswahl von den speziellen Interessen der Juden der
östlichen Diaspora und überhaupt von der Rücksichtnahme auf die Lieblingsgestalten jüdischer volkstümlicher Frömmigkeit beherrscht sein läßt. Vielleicht aber ist die Auswahl der
Szenen viel mehr den persönlichen Wünschen der einzelnen Auftraggeber zu verdanken als
einem einheitlichen Plan, wie ROSTOVTZEFF, Dura, S. 115f vermutet. Die ganze Frage ist
vorläufig völlig unentschieden.

[61] Die Frage nach der kunstgeschichtlichen Bedeutung der Bilder soll hier ebensowenig
berührt werden wie die Frage nach der Zahl und dem Charakter der zweifellos vorhandenen
Mehrzahl von Malern, die an den Bildern gearbeitet haben (dafür zeugen nicht nur die Stil-
unterschiede, sondern auch die Tatsache, daß die Aufschriften teils in griechischer, teils in
aramäischer, teils in mittelpersischer Sprache verfaßt sind). MESNIL DU BUISSON, S. 150
nimmt vier verschiedene Maler an.

Es ist klar, daß es sich bei der ganzen Schilderung um den Auszug aus Ägypten handelt; rätselhaft ist nur, was der Feuerhagel auf die zurückgelassene ägyptische Stadt hier soll, da ja die 7. Plage (2Mos 9, 22 ff) durch mehrere Ereignisse von dem Auszug Israels aus Ägypten (2Mos 12, 37 ff) getrennt ist; und rätselhaft ist auch, warum die Spaltung des Meeres durch Moses erst *nach* dem Ertrinken der Ägypter im Meer dargestellt zu sein scheint. Um dieser merkwürdigen Reihenfolge zu entgehen, hat man vermutet, es solle in der letzten Szene, wo Moses den Stab über das kleine Wasser senkt, gar nicht die Spaltung des Meeres für die Israeliten, sondern das später erzählte Wunder dargestellt werden, bei dem Moses durch ein ins Wasser geworfenes Holz bitteres Wasser süß machte (2Mos 14, 25)[62]. Aber dagegen spricht nicht nur die Inschrift über der dritten Mosesgestalt, die gerade die letzte Szene als Spaltung des Meeres kennzeichnet, sondern bei dieser Annahme bleiben auch die zwölf hellblauen Bänder hinter der 2. *und* 3. Mosesgestalt unerklärt. Man hat nun aber darauf hingewiesen, daß nach einer rabbinischen Vorstellung, die sich besonders in der aramäischen Übersetzung, | dem Targum, zeigt, das Wasser des Meeres durch Moses in 12 Wege für die 12 Stämme geteilt worden war, und diese 12 Wege durch das Wasser sind hier eben hinter der 2. und 3. Mosesgestalt wiedergegeben. Es sind also zweifellos in der fortlaufenden Erzählung dieses Bildes nur der Auszug aus Ägypten, das Ertrinken der Ägypter im Meer und der Durchzug Israels durch das Meer geschildert[63]. Schon dabei ergibt sich aber, daß die Weiterspinnung der biblischen Erzählung in der frommen Überlieferung, der Haggada, die Art der bildlichen Darstellung im einzelnen stark beeinflußt hat. Und aus dem gleichen Zusammenhang erklärt sich auch, wie kürzlich gezeigt wurde[64], die Darstellung der Plage des Feuerhagels beim Auszug aus Ägypten: die aramäische Übersetzung erzählt, daß Gott beim Auszug das ägyptische Heer mit Feuerhagel in Verwirrung brachte. Die auffällige Reihenfolge der Darstellungen läßt sich schließlich vielleicht so erklären, daß der Maler jeweilen zwei Szenen zusammenfaßte: rechts die zerstörte ägyptische Stadt, links die geglückte Flucht der Ägypter; rechts die ertrinkenden Ägypter, links die geretteten Israeliten[65]. So würde sich auch das nur zweimalige Auftreten der Hand Gottes in dem gesamten Bilderzyklus erklären: die eine Hand wendet sich deutlich *gegen* die Ägypter, die andere *zu* den Israeliten. Und damit ergibt sich, daß der religiöse Sinn

---

[62] So MESNIL DU BUISSON, S. 39; G. MILLET bei MESNIL DU BUISSON, S. XII ff; GOODENOUGH, s. Anm. 6, S. 222 (will diese Deutung aus philonischer Symbolik begründen); ROSTOVTZEFF, Röm. Quartalsschr. 42, 1934, S. 211.

[63] So KRAELING, S. 346; ROSTOVTZEFF, Dura, S. 124; DE VAUX, s. Anm. 6, S. 138 f; GRABAR, s. Anm. 6, S. 146 ff. H. LIETZMANN, ThLZ 65, 1940, Sp. 116. Der Targum Pseudojonathan zu 2Mos 14, 21 f (hrsg. v. M. GINSBURGER, 1903, S. 123) lautet: „Und die Wasser wurden gespalten in 12 Teile entsprechend den 12 Stämmen Jakobs. Und die Söhne Israels zogen in der Mitte des Wassers im Trockenen...".

[64] S. GRABAR in Anm. 63. Der Targum Pseudojonathan zu 2Mos 14, 24 (GINSBURGER, S. 124) sagt: „... Gott schaute im Zorn auf das Heer der Ägypter in der Feuersäule, um auf sie glühende Kohlen zu werfen, und in der Wolkensäule, um auf sie Hagel zu werfen; und er verwirrte das Heer der Ägypter". Erklären sich aus dieser haggadischen Tradition auch die schwarze und die rote Säule, die unterhalb des Feuerhagels außerhalb der Mauer dastehen?

[65] So GRABAR, s. Anm. 63.

dieser bildlichen Erzählung deutlich darin besteht, daß die Machttaten Gottes für
sein Volk an dem grundlegenden Ereignis des Auszugs des Volkes aus Ägypten ge-
schildert werden sollen. |

Die gleiche Absicht erkennt man in dem äußersten rechten Bild des mittleren
Frieses der Westwand (Taf. 13). Das zeitlich vorangehende Bild auf dem mittleren
Fries der Nordwand (vgl. Taf. 10), das hier nicht genau besprochen werden soll, zeigt
eine Schlacht zwischen Reitern und Fußvolk um die Lade, worin man vermutlich
mit Recht eine Darstellung der Eroberung der Lade Gottes durch die Philister
(1Sam 4, 1ff) erkennt. Auf der Westwand schließt sich nun der Triumph der Lade an.
Man erkennt rechts den Tempel des Gottes Dagon in Asdod (1Sam 5, 1ff), in den die
Lade von den Philistern gebracht worden war; vor dem Tempel liegen nicht nur zerbrochene Tempelgeräte, sondern auch zwei zerbrochene Statuen des Gottes. Durch
diese primitive Art der Darstellung soll offenbar das vom biblischen Text berichtete
zweimalige Herunterfallen des Gottesbildes infolge der Anwesenheit der Lade dargestellt werden. Aber viel wichtiger ist, daß die Statue des Gottes auf unserm Bild
der Statue des Gottes Adonis im gegenüberliegenden Adonistempel nachgebildet ist:
diese Juden wagen es auf ihre Weise, die Überlegenheit ihres Gottes über den im
benachbarten Tempel verehrten Vegetationsgott zu verkünden und so die alte Erzählung aktuell zu gestalten. Die linke Seite des Bildes zeigt dann die Rücksendung
der Lade zu den Israeliten (1Sam 6, 1ff): die Lade, in der Form eines Gesetzes-
schreins mit einem Baldachin darüber, steht auf einem von zwei Kühen gezogenen
Wagen, den zwei Philister anführen; im Hintergrund folgen drei der fünf philistä-
ischen Fürsten, die der Lade bis zu ihrem Übergang in israelitisches Gebiet folgten.
Auch dieses Bild zeigt also Gottes Tat für sein Volk und seine Überlegenheit über
alle anderen Götter. Links an dieses Bild schließt sich im selben Fries eine nicht
sicher gedeutete Darstellung an (Taf. 10). Oben steht ein korinthischer Tempel mit
geschlossener Türe und Figuren von Siegesgöttinnen an den Dachecken. Der Tempel
ist von sieben mit Zinnen gekrönten Mauern umgeben; die drei Türen der äußersten
Mauer sind vorne groß dargestellt und zeigen auf ihren Zierfeldern Stiere, nackte
männliche Figuren mit Kindern, Glücksgöttinnen mit Füllhörnern, Löwenköpfe
usw. Das sieht alles nach einem heidnischen Tempel aus, und man hat darum an den
Tempel von Beth Schemesch gedacht, in den die Lade nach | der Rückkehr aus dem
Philisterland gebracht worden sei[66]. Aber einmal sagt der biblische Bericht nichts
von einem solchen Tempel (1Sam 6, 12), und dann hätte man kaum einem heidnischen Tempel als solchem einen so beherrschenden Platz in der Synagogendekora-
tion gegeben. Es kann also trotz der heidnischen Verzierungen nur der Jerusalemer
Tempel gemeint sein, und dann doch wohl der Tempel Salomos, in den die Lade
schließlich gebracht wurde[67].

Der unterste Fries der rechten Seite der Westwand enthält ebenfalls zwei Bilder.
Rechts ist die Auffindung des Moses im Nil dargestellt (Taf. 14). Ganz rechts sitzt
vor einem geöffneten Stadttor der Pharao auf seinem Thron, neben ihm stehen zwei

---

[66] MESNIL DU BUISSON, S. 92.
[67] Vgl. KRAELING, S. 351; HEMPEL, s. Anm. 6, S. 288f; DE VAUX, s. Anm. 6, S. 141.

Fragment der Steinschranke aus der Synagoge in Askalon

a) Steinleuchter aus Ḥammath bei Tiberias

b) Fragment der Dekoration aus der Synagoge in Kapernaum

a) Goldglas aus der vatikanischen Bibliothek in Rom

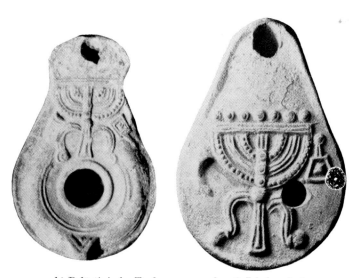

b) Palästinische Tonlampen aus dem 3.Jahrhundert

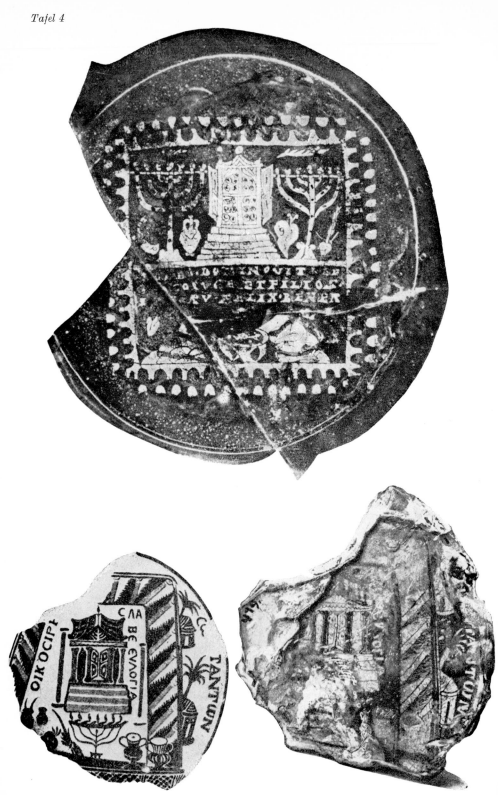

Goldgläser. a) Aus dem Berliner Museum. b) Aus der vatikanischen Bibliothek in Rom.

a) Inschrift aus der Katakombe am Monteverde in Rom

b) Wandgemälde aus der Katakombe der Villa Torlonia in Rom

Sarkophag aus Rom im Kaiser-Friedrich-Museum in Berlin

Wandmalerei aus der Villa Torlonia in Rom

Mosaikfußboden der Synagoge in Hammâm-Lif (Tripolis)

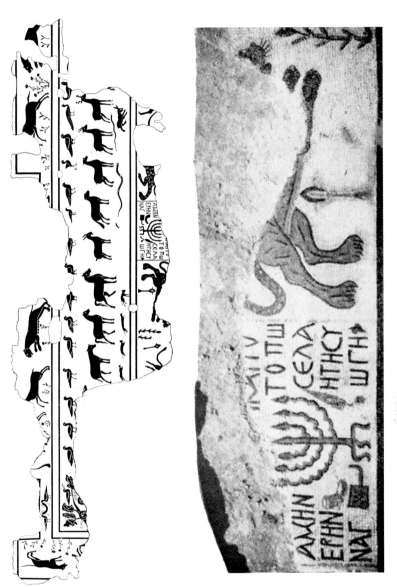

Mosaikfußboden der Synagoge in Gerasa (Ostjordanland)
a) Gesamtansicht nach Zeichnung.   b) Detail nach Photographie

Synagoge in Dura-Europos: rechte Seite der Westwand und Nordwand

Synagoge in Dura-Europos: linke Seite der Westwand

Synagoge in Dura-Europos: Mitte der Westwand mit Gesetzesnische

Synagoge in Dura-Europos: Ausschnitt der rechten Seite der Westwand (Bundeslade bei den Philistern)

Synagoge in Dura-Europos: Ausschnitt der rechten Seite der Westwand (Auffindung des Moses im Nil)

Synagoge in Dura-Europos: Ausschnitt der Nordwand (Ezechiel und die Totenerweckung)

Synagoge in Dura-Europos: zwei Figuren von der Mitte der Westwand

Hofbeamte. Vor dem Thron stehen zwei Frauen mit anbetender Gebärde; zu ihren Füßen ist eine dritte Frau sichtbar, die auf den Knien liegt und entweder sich vor Pharao niedergeworfen hat oder etwas niederlegt (dieser Teil des Bildes ist zerstört). Links davon sieht man drei stehende Frauen mit Toilettengegenständen, vor ihnen steht die nackte Tochter Pharaos mit dem Moseskind auf dem Arm im Nil, neben ihr ist der Kasten zu erkennen, in dem das Kind gelegen hatte. Ganz links sind noch einmal zwei Frauen zu sehen, von denen die eine der andern ein nacktes Kind übergibt. Die mittlere Szene ist durchaus klar; sie schildert die Auffindung des Moseskindes durch die Tochter Pharaos, die von ihren drei am Ufer stehenden Dienerinnen begleitet ist. Unklar ist dagegen die Deutung der beiden Szenen rechts und links, weil rechts der unterste Teil zerstört ist und weil links nicht deutlich zu erkennen ist, ob das Kind von der hinteren Frau der vorderen übergeben wird oder umgekehrt. Im ersten Falle wäre dargestellt, wie die Mutter des Moses das Kind der Schwester übergibt, die es im Nil aussetzen soll; im zweiten Fall wäre gezeigt, wie die Schwester des Moses das von der Prinzessin empfangene Kind der Mutter weitergibt. Nimmt man die erste Möglichkeit an, so muß man die Szene rechts dahin deuten, daß die kniende Frau die Prinzessin wäre, die in Anwesenheit von Mutter und Schwester des | Moses den Pharao um Adoption des Kindes bittet[68]. Das ist aber darum unwahrscheinlich, weil diese Szene der Adoption des Moses dann ja ganz ohne Anwesenheit des Moses geschildert wäre, weil ferner die kniende Frau keinen königlichen Schmuck trägt und weil schließlich die spätere jüdische Bildtradition die beiden vor dem Pharao stehenden Frauen deutlich als die beiden Hebammen kennzeichnet, die den Befehl zur Tötung aller männlichen Judenkinder erhalten (2Mos 2, 15f. 22)[69]. Die kniende Frau rechts vorn muß vielmehr die Mutter sein, die Moses im Nil aussetzt. Es ist dann also in fortlaufender Schilderung von rechts nach links berichtet, wie Pharao den Befehl gibt, alle neugeborenen jüdischen Knaben in den Nil zu werfen, wie die Mutter das Moseskind in einem Kasten im Nil aussetzt, wie die Tochter Pharaos es auffindet und es der Schwester des Moses übergibt, die es der Mutter weitergibt; der biblische Bericht ist dabei nicht ganz genau wiedergegeben, weil dort die Prinzessin nicht selbst den Kasten aus dem Nil holt, sondern ihn durch eine Dienerin holen läßt (2Mos 2, 5). Im übrigen schildert diese klare Szene ja deutlich die Tat Gottes, der den zum Führer seines Volkes erwählten Moses wunderbar vor den Nachstellungen Pharaos bewahrt. Links schließt sich an diese mehrteilige Szene die Salbung Davids durch Samuel an, eines der eindrucksvollsten Bilder der Synagoge (Taf. 12). Daß dies der Sinn der mit fast byzantinischer Feierlichkeit geschilderten Szene ist, ergibt sich aus der aramäischen Unterschrift: „Samuel, als er David salbte". Man sieht den riesenhaften Samuel, wie er das Öl auf David ausgießt, der in dunkler (vielleicht ursprünglich purpurfarbener) Gewandung vor seinen Brüdern steht. Die Darstellung entspricht genau dem biblischen Bericht (1Sam 16, 1ff),

---

[68] So ROSTOVTZEFF, Dura, S. 123f.
[69] Nachgewiesen von WODTKE, s. Anm. 6, S. 56ff. Dieselbe Deutung der beiden Frauen auf die Hebammen und die daraus folgende Interpretation des Bildes vertreten auch KRAELING, S. 359f und MESNIL DU BUISSON, S. 120ff.

und man hat mit Recht vermutet, daß diese Szene darum an dieser hervorstechenden Stelle angebracht ist (unmittelbar über dem Sitz des Synagogenvorstandes), weil der Synagogenvorstand zur Zeit der Erbauung der Synagoge nach einer aufgefundenen In|schrift Samuel hieß [70]. Darüber hinaus zeigt das Bild natürlich, wie Gott seinem Volke seinen König salben ließ. Man hat nun freilich noch weitergehend aus dem Purpurgewand Davids schließen wollen, daß David, der Gesalbte, hier als Hinweis auf den „Gesalbten" aus dem Hause Davids in der Endzeit, den Messias, dienen solle, so daß dieses Bild einen eschatologischen Sinn hätte [71]; aber nichts weist darauf hin, daß die Königstracht Davids hier mit Hinblick auf den Endzeitkönig gewählt ist, und nichts würde den Betrachter dazu anleiten, diesen angeblichen eschatologischen Sinn des Bildes zu bemerken. Auch dieses Bild kann darum nur als Hinweis auf Gottes Tat in der Geschichte seines Volkes verstanden werden.

Von den Gemälden auf der linken Hälfte der Westwand (Taf. 11) sind die beiden Darstellungen der obersten Reihe so schlecht erhalten, daß sie hier außer Betracht bleiben müssen. In der mittleren Reihe schließt sich an die stehende Figur des zentralen Gemäldes, das wir zuletzt besprechen wollen, zunächst die Darstellung Aarons als Hohepriester an. Man sieht in der Mitte einen Tempel mit geöffneten Türen, in dessen Innerem die Bundeslade zu erkennen ist; vor dem Tempel stehen ein siebenarmiger Leuchter, zwei Räucheraltäre und ein Brandopferaltar mit einem Opfertier darauf. Der Tempelhof wird von einer Mauer abgeschlossen, deren drei Tore vorne dargestellt sind. Rechts neben dem Tempel steht Aaron in hohepriesterlichem Ornat, auf seinem Mantel sind deutlich geflügelte Siegesgöttinnen und nackte geflügelte Genien zu erkennen. Neben seinem Kopf ist sein Name in griechischer Sprache aufgemalt. Rechts von ihm stehen zwei Männer mit Trompeten, unter ihnen sieht man einen Buckelstier und einen Widder; beide Tiere sind offensichtlich zum Opfer bestimmt. Links stehen zwei weitere Männer mit Trompeten neben bzw. vor dem Tempel, ein fünfter | steht links unten mit einer Axt neben einem weiteren Stier. Es ist gezeigt worden [72], daß die Darstellung des Tempels, der Kleidung Aarons und der Priester oder Leviten usw. durchaus nicht den biblischen Angaben entspricht, sondern wohl zeitgenössischen Vorstellungen und Mustern entnommen ist; und man hat darum angenommen, es solle nicht eine bestimmte Szene des Alten Testaments, etwa Aarons Einsetzung zum Priesterdienst, dargestellt werden, sondern das Bild solle einfach das alttestamentliche Priestertum und besonders den Opferkult verherrlichen. Demgegenüber hat GRABAR [73] darauf verwiesen, daß der Ritus der Proklamation des Neumondes dargestellt werden solle (4Mos 10, 10; 28, 11 ff), da zu dieser Szene ebenso die Trompeten wie die Art und Anzahl der Opfertiere paßten. Und GRABAR will darüber hinaus aus kleinen Einzelheiten der Darstellung erschlie-

---

[70] Siehe die Vertreter dieser Ansicht bei GRABAR, s. Anm. 6, S. 175 Anm. 4; die Inschrift bei KRAELING, S. 390. GRABAR, S. 176 will seinerseits die Salbung Davids deswegen über dem Sitz des Synagogenvorstandes dargestellt finden, weil der Synagogenvorstand den Patriarchen von Jerusalem repräsentiere, der als „Gesalbter" angesehen wurde; das ist aber wenig naheliegend.   [71] So GRABAR, s. Anm. 6, S. 172 ff.
[72] MESNIL DU BUISSON, S. 55 ff; KRAELING, S. 352 f.
[73] A. Anm. 6 aO, S. 187 ff.

ßen, daß auch dieses Bild ein Hinweis sei auf den Anbruch der durch den Monats-
beginn symbolisierten Endzeit. Aber für den Ritus der Proklamation des Neumon-
des ist die Anwesenheit des Hohenpriesters keineswegs deutlich gefordert, und nur
aus der Auswahl der Opfertiere kann schwerlich jemand das gemeinte Fest erkennen,
zumal auch die Zahl der angeordneten Opfertiere nicht genau mit dem Bild übereinstimmt; die Beziehung des angeblichen Neumondfestes auf die Endzeit ist erst
recht völlig willkürlich. Es bleibt darum viel wahrscheinlicher, daß hier ganz allgemein das alttestamentliche Priestertum und der Tempeldienst als Gabe Gottes
an sein Volk gepriesen werden sollen.

An dieses Bild schließt sich im gleichen Fries links eine höchst eigentümliche Darstellung an. In der Mitte vorne ist ein Brunnen zu erkennen, von dem aus 12 Wasser-
läufe zu 12 Zelten fließen, die im Kreise angeordnet sind und vor denen je ein Mann
mit erhobenen Händen steht. Neben dem Brunnen steht links die riesenhafte Figur
des Moses, der seinen Stock in den Brunnen hält. In der Mitte hinten ist ein Tempel
(das Wüstenheiligtum darstellend) zu sehen, davor ein siebenarmiger Leuchter, zwei
Räucheraltäre und ein nicht sicher zu deutender schemelartiger Gegenstand. | Es
kann kein Zweifel sein, daß hier das mehrfach erzählte Wunder der Wasserspendung
durch Moses dargestellt werden soll. Man hat angenommen, daß der Maler aus allen
biblischen Berichten über das Wasserwunder (2Mos 15, 22 ff. 27; 17, 1 ff; 4Mos 20,
2 ff; 21, 16 ff) Einzelzüge entnommen und daraus eine Gesamtdarstellung des Wasser-
wunders gestaltet habe[74]; aber damit sind die 12 Wasserströme, die von dem Brunnen zu den Zelten laufen, nicht erklärt. Nun hat aber die rabbinische Überlieferung
schon früh bemerkt, daß 4Mos 20, 7 ff von einem Felsen die Rede ist, aus dem Mose
Wasser schlug, daß dann aber 21, 16 nach langer Wanderung des Volkes wieder von
dem Brunnen die Rede ist, aus dem Mose Wasser zu trinken gab (auch 2Mos 17, 6
war ja schon von einem Felsen die Rede gewesen, aus dem Moses Wasser schlug).
Die rabbinische Tradition hat darum behauptet, der Brunnen sei mit den Israeliten
gewandert, und diese Tradition ist sehr alt, wie Paulus beweist, der sie 1Kor 10, 4
voraussetzt. Diese Tradition ist dann dahin ausgeschmückt worden, daß dieser
Brunnen sich an jedem Halteplatz der Israeliten gegenüber dem Eingang der Stiftshütte aufstellte und daß auf den Gesang der Stammesältesten hin von diesem Brunnen aus ein Strom zu jedem Stamm floß[75]; und auch diese Weiterbildung ist sehr
alt[76]. Es kann darum schwerlich fraglich sein, daß der Maler diesen wunderbaren
Brunnen darstellen wollte[77], den Moses auf Gottes Geheiß hin schlug und der den

---

[74] MESNIL DU BUISSON, S. 64 ff, der außerdem in dem Bild ohne genügenden Beweis einen
Hinweis auf das Laubhüttenfest sehen möchte. Ähnlich auch HEMPEL, s. Anm. 6, S. 291.
[75] Vgl. die Belege bei STRACK-BILLERBECK, s. Anm. 9, III, S. 406f. Noch älter ist wohl
Pseudo-Philo, Antiquitates Biblicae 10,7 (bei P. RIESSLER, Altjüdisches Schrifttum außerhalb der Bibel, 1928, S. 755.)
[76] Im 2. Jahrhundert vor Christus machte der jüdische Tragiker Ezechiel aus 2Mos 15, 27
(„Elim, da waren 12 Quellen mit Wasser") „12 Quellen, die aus *einem* Felsen sprudelten"
(V. 250 bei J. WIENEKE, Ezechielis Judaei poetae Alexandrini fabulae quae inscribitur Ex-
agoge fragmenta, 1931, S. 24); auf diesen Text verwies DE VAUX, s. Anm. 6, S. 140.
[77] So deuten ROSTOVTZEFF, Dura, S. 110 f; KRAELING, S. 353 f; DE VAUX, s. Anm. 6,
S. 140; wohl auch GOODENOUGH, s. Anm. 6, S. 209 f; GRABAR, s. Anm. 6, S. 190 ff.

Stämmen durch die Wüste folgte und immer | alle Stämme mit Wasser versorgte.
Daraus erklärt sich sowohl, daß auf unserm Bild hinten die Stiftshütte dargestellt
ist, der gegenüber sich der Brunnen aufgestellt hat, als auch das Dastehen der 12
Stammesältesten mit erhobenen Armen. Auch dieses Bild verkündet also Gottes
großes Tun für sein Volk[78].

Die beiden Bilder auf dem untersten Fries der linken Seite der Vorderfront bieten
keinerlei Schwierigkeiten. Das linke Bild schließt sich sachlich an drei hier nicht näher
zu besprechende Darstellungen des untersten Frieses der Südwand an, die Elia bei
der Witwe von Sarepta (1Kön 17, 1ff), das Baalsopfer auf dem Karmel (1Kön 18,
19ff, unter starker Verwertung der legendarischen Weiterbildung des Berichts), das
Eliaopfer auf dem Karmel (1Kön 17, 29ff) schildern. Das anschließende Bild der
Westwand (Taf. 11) zeigt links die Witwe von Sarepta mit ihrem toten nackten Sohn
auf dem Arm; in der Mitte sieht man Elia auf einem Bett sitzen (auf dem Bett ist
der Name Elia beigeschrieben), auf seinem Arm trägt er den wieder lebenden Sohn
der Witwe, rechts über ihm zeigt sich Gottes Hand aus dem Himmel. Ganz rechts
steht wieder die Witwe, dieses Mal im Festgewand, mit dem lebenden Kind auf dem
linken Arm, die rechte Hand streckt sie gegen den Propheten aus, wohl um ihren
Dank auszudrücken. Es ist klar, daß hier die zeitlich vor den beiden letzten Szenen
der Südwand liegende Auferweckung des Sohnes der Witwe (1Kön 17, 17ff) geschildert wird, wobei die Hand Gottes wieder deutlich zeigt, daß auch hier das geschichtliche Handeln Gottes für sein Volk betont werden soll. Und nichts anderes lehrt auch
das anschließende Bild, der Triumph Mardochais und Esthers (Taf. 11 und 12;
Est 6, 6ff). Links reitet Mardochai in königlichem Gewande auf einem Schimmel, der
von dem barfüßigen Haman geführt wird; in der Mitte sehen vier vornehme Männer
dem Schauspiel zu. Rechts sitzt der | König Ahasveros auf seinem Thron, neben ihm
Esther als Königin, hinter ihnen stehen zwei Höflinge und eine Dienerin; vor dem
König ist ein gebückter Höfling zu sehen, der dem König eine Rolle übergibt oder
eine Rolle von ihm empfängt. Es ist nicht ganz klar, was mit dieser Überreichung
einer Rolle gemeint ist[79]; aber deutlich ist, daß Esther ebenso wie Mardochai in der
höchsten Würde gezeigt werden sollen, die diesen Juden von dem persischen König
zuteil wurde. Die Namen Mardochai, Ahasveros, Esther sind in aramäischer Sprache
beigeschrieben. Daß diese Szene ebenfalls die wunderbar großen Taten Gottes für
sein Volk schildern will, ist ohne weiteres einleuchtend.

Betrachten wir schließlich noch das lange Gemälde auf dem größten Teil des untersten Frieses der Nordwand (Taf. 10 und 15), das einzige noch nicht erwähnte, einiger-

---

[78] GRABAR (s. Anm. 77) will auch diesem Bild eine eschatologische Lehre entnehmen:
Moses sei hier der Prototyp des Messias, der Brunnen der Prototyp des Brunnens, der aus
dem Tempel des neuen Jerusalem hervorsprudeln soll. Aber die Belege für diese Anschau-
ungen entstammen ganz späten Schriften (Targum zum Hohenlied und Pirqe de Rabbi
Elieser), und das Bild selbst bietet keinerlei Hinweis auf diese angebliche eschatologische
Bedeutung.

[79] MESNIL DU BUISSON, S. 118f schlägt vor, darin die Annullierung der antijüdischen
Dekrete durch den König (Est 8, 5) dargestellt zu sehen; KRAELING, S. 362 schlägt vor, hier
den Erlaß des Dekrets durch den König, das die Begründung des Purimfestes bedeutet
(Est 9, 25ff), angedeutet zu finden. Eine Entscheidung ist kaum sicher möglich.

maßen sicher zu deutende Gemälde der Seitenwände. Es ist völlig unzweifelhaft, daß hier die Schau der Wiederbelebung der Toten von Ez 37 dargestellt werden soll, aber die Deutung dieses sehr figurenreichen Gemäldes ist im einzelnen stark umstritten; es soll darum hier um der Klarheit willen nicht jede vorgetragene Deutung erörtert, sondern nur die wahrscheinlichste Deutung dargelegt werden [80]. Man hat vermutlich das fortlaufende Gemälde von links nach rechts zu lesen. Ganz links sieht man in einer Wüstengegend menschliche Köpfe und Glieder herumliegen; davor steht eine männliche Gestalt in persischer Tracht, die von einer göttlichen Hand an den Haaren gehalten wird. Rechts davon stehen zwei weitere Männer in gleicher | Tracht, über ihnen ist je eine weitere, jetzt geöffnete Hand Gottes zu sehen. Es folgt ein gespaltener Berg mit einem Haus darauf, das ebenfalls geborsten ist und zusammenfällt; über den ganzen Berg sind menschliche Glieder zerstreut, rechts vorne liegen drei ganze nackte Leichen. Dann wechselt plötzlich der Hintergrund von hellgrau zu rot. Rechts von dem Berg steht wieder ein Mann in persischer Tracht, dem sich wieder eine geöffnete Hand Gottes zuwendet. Über seinem Kopf und rechts davon schweben drei kleine geflügelte Figuren in der Form einer „Psyche"; neben dem Mann liegen drei nackte Leichen, den Kopf einer dieser Leichen hebt eine größer dargestellte „Psyche" empor. Nun folgt ein Mann in griechischer Tracht, neben ihm 10 kleiner gemalte Männer in gleicher Tracht, sie alle halten die Hand erhoben. Ganz rechts steht noch einmal der große Mann vor einem Berg, über ihm die geöffnete Hand Gottes; zwischen diesem letzten Mann und der Gruppe von 10 Männern liegen wieder ein paar Totenglieder herum. Nach der wahrscheinlichsten Deutung haben wir in den 6 großen Männergestalten, über denen sich mit einer Ausnahme die Hand Gottes zeigt, den Propheten Ezechiel zu sehen. Er wird zuerst von Gott im Geist in eine Ebene voller Totengebeine versetzt (Ez 37, 1 f), dann redet Gott zweimal zum Propheten und beauftragt ihn, die Belebung der toten Gebeine zu weissagen (37, 3. 4–8: 2. und 3. Figur des Propheten mit der 2. und 3. Hand Gottes). Es folgt das bei dem Zusammenrücken der Glieder berichtete Erdbeben (37, 7 f: der sich spaltende Berg, das zusammenfallende Haus). Dann beginnt mit der 4. Gestalt des Propheten mit der 4. Hand Gottes die eigentliche Belebung, darum wechselt der Hintergrund: der Prophet erhält den Auftrag, das Kommen des Geistes zu weissagen, das durch die psyche-artigen Figuren verbildlicht wird, die die Toten beleben (37, 9 f). Nun wechselt die Tracht des Propheten, er trägt ein weißes griechisches Gewand, dieses Mal ist keine Hand Gottes über ihm dargestellt; diese 5. Gestalt des Propheten entspricht vermutlich dem Gotteswort 37, 11, das die Deutung der Totengebeine auf das Volk Israel enthält, aber keinen Fortgang der Handlung bedeutet. Die letzte Szene schildert das auferweckte Volk mit der 6. Gestalt des Propheten, dem sich wieder eine Gotteshand zuwendet (37, 12–14). Wenn zwischen die|ser letzten Gestalt des

---

[80] Die hier vorgetragene Erklärung schließt sich im wesentlichen an an Kraeling, S. 355 ff; Mesnil du Buisson, S. 94 ff; Grabar, s. Anm. 6, S. 148 ff. Die entgegengesetzte Lesung des Bildes von rechts nach links vertritt Wodtke, s. Anm. 6, S. 52 ff, wobei dann die Personen ganz links nicht den Propheten, sondern Auferweckte darstellen würden (so auch de Vaux, s. Anm. 6, S. 141 f), was aber mit der Gesamtkomposition kaum in Einklang zu bringen ist.

Propheten und der Schar der Auferweckten noch ein paar Totengebeine herumliegen, so deutet das zweifellos darauf hin, daß nicht *alle* Toten auferweckt werden. Und damit haben wir bereits erkannt, daß der Maler die ganze Szene offensichtlich nicht als Vision, sondern als Darstellung einer wirklichen Totenerweckung durch den Propheten aufgefaßt hat[81]; zugleich aber soll durch diese von Ezechiel vorgenommene Totenerweckung deutlich hingewiesen werden auf die Totenerweckung am Ende der Tage, weil sich nur so erklärt, daß der Prophet selber in den zwei letzten Szenen in derselben Tracht erscheint wie die Auferweckten. Und auf denselben Sachverhalt weist auch die Zahl der Auferweckten: nach einer, freilich umstrittenen, rabbinischen Auffassung werden am Ende der Tage die 10 von Nebukadnezar nach Babylon ins Exil geführten Stämme nach Palästina zurückkehren und mit den übrigen Juden dort vereinigt werden[82]. Der Maler hat also die vom Propheten erweckten Toten mit der Haggada als die 10 Stämme des Nordreichs gefaßt[83], die am Ende der Tage mit allen Juden auferstehen werden. Hier ist also deutlich zu erkennen, daß die so breit geschilderte Szene nicht nur eine der großen Taten Gottes für sein Volk darstellen will, sondern auch zugleich eine Verkündigung der Auferstehung der Toten ist. Und auch darin steht diese künstlerische Darstellung im Rahmen der allgemeinen jüdischen Hoffnung jener Zeit.

Wenden wir uns zum Schluß zum zentralen Bild der Frontwand. Das Bild über der Gesetzesnische ist dreiteilig: auf beiden Seiten eines aus zwei Bildern übereinander bestehenden Mittelbildes stehen je zwei Männerfiguren übereinander. Das Mittelbild ist, wie schon betont wurde, bei der endgültigen Ausmalung der ganzen Synagoge übermalt worden, und die Erhaltung des Bildes ist so | schlecht, daß die Beschreibungen des Dargestellten in den grundlegenden Werken sich stark widersprechen, so daß auch die Deutungen weit auseinandergehen. Es ist darum schwerlich methodisch gerechtfertigt, auf einer Deutung dieses höchst unsicher überlieferten Bildes eine Deutung des ganzen Bilderzyklus aufzubauen[84]. Es muß darum in diesem Zusammenhang darauf verzichtet werden, eine Vermutung über das Aussehen und den Sinn dieses zentralen Bildes zu äußern. Die vier großen Gestalten zu beiden Seiten des Mittelbildes sind in der Hauptsache gut erhalten, aber trotzdem sehr schwer sicher zu deuten (Taf. 10, 11, 16). Die Figur rechts oben zeigt Moses am brennenden Dornbusch (2Mos 3): Moses steht in weißem Gewand neben dem brennenden Busch, auf den er mit seiner rechten Hand hinweist, seine Schuhe stehen

---

[81] Das war allgemein rabbinische Anschauung, vgl. Talmud Babli Sanhedrin 92 b (Der babylonische Talmud, neu übertragen von L. GOLDSCHMIDT 9, 1934, S. 40f); an dieser Stelle findet sich auch die Tradition, daß die von Ezechiel Auferweckten die Nachkommen Ephraims waren.

[82] Vgl. die Belege bei G. F. MOORE, Judaism in the First Centuries of the Christian Era II, 1927, S. 368ff.

[83] Vgl. Anm. 81; dieselbe Tradition auch Targum Pseudo-Jonathan zu 2Mos 13, 17 (hrsg. v. M. GINSBURGER, S. 121).

[84] Das ist der grundlegende Fehler in GRABARS (s. Anm. 6) sonst so förderlicher Arbeit. Man glaubt in den beiden Bildern eine thronende Gestalt (Moses?), einen Löwen, den Harfe spielenden David als Orpheus unter den Tieren, den Segen Jakobs über seine 12 Söhne und über Ephraim und Manasse zu erkennen.

neben ihm; oben erscheint die Hand Gottes. Von der entsprechenden Figur links
oben ist nur der untere Teil erhalten: zwei nackte Füße eines Mannes, dessen Schuhe
neben ihm stehen. Man hat diese Figur auf Josua gedeutet, von dem allein noch berichtet wird, daß er seine Schuhe ausziehen solle (Jos 5, 15)[85]; ist es aber richtig, daß
die Figur an einem Berghang steht und einen rechteckigen Gegenstand in Händen
hält, so ist die Annahme wahrscheinlicher, daß es sich um Moses handelt, der auf
dem Sinai das Gesetz empfängt[86]. Die beiden unteren „Porträts" gehören zu den
eindrucksvollsten Darstellungen der gesamten Synagoge (Taf. 16). Links unten
steht ein Greis in weißem Gewand, dessen Hände unter seinem Gewand gekreuzt
sind, über ihm sind die Sonne und der Mond mit 7 Sternen zu erkennen. Man denkt
für diese Figur an Abraham, dem man besondere Kenntnis der Gestirne zuschrieb[87],
an Josua, für den Sonne und Mond stillstanden[88], an Henoch, den | Kenner der
astrologischen Geheimnisse nach der legendarischen Überlieferung[89] oder an Moses,
der in den Himmel aufgenommen wird[90]. Eine sichere Entscheidung ist aber schwerlich möglich. Rechts unten steht ein sehr großer bärtiger Mann mit besonders ein-
drucksvollem Gesichtsausdruck in weißem Gewand, der eine Rolle offen vor sich
hält; unten links neben ihm steht ein Behälter für die Gesetzesrollen, der mit einem
roten Tuch verhüllt ist. Daß hier ein Gesetzeslehrer gemeint ist, leidet keinen Zweifel,
aber man hat auch hier Moses[91], den König Josias, der das Gesetz wiederfand[92],
oder Esra[93] vorgeschlagen; auch hier ist kaum eine sichere Entscheidung zu treffen,
obwohl Esra am nächsten zu liegen scheint. Aber an der sicheren Identifizierung
liegt auch nicht viel: daß in diesen Bildern die großen Gestalten, durch die Gott seinem Volk seine Offenbarung und sein Heil vermittelt hat, dargestellt sein sollen, leidet keine Frage.

Man sieht also, daß in der Synagoge von Dura-Europos sich eine jüdische Wandmalerei zeigt, die in der Motivgestaltung der „heidnischen" Kunst sehr weit entgegenkommt (nackte Männer und Frauen, heidnische Tempelverzierungen, Psyche-
Figuren usw.). Aber ebenso deutlich ist, daß diese Kunst nur *eine* Absicht hat, die
Geschichte Gottes mit seinem Volk an wichtigen Beispielen möglichst eindrücklich
darzustellen (vgl. nur die immer wiederholte Hand Gottes). Und damit rundet dieses
bedeutende Denkmal altjüdischer Kunst das Bild, das uns die altjüdische Kunst
überhaupt vermittelt hat, durchaus ab. Auch in dieser Kunst steht das Gesetz und
der durch das Gesetz geregelte Kultus im Mittelpunkt der Frömmigkeit, und daneben steht beherrschend der Glaube an den Gott des Volkes, der sich in der Ge-

---

[85] Sukenik, Synagogues, S. 84; Hempel, s. Anm. 6, S. 289.
[86] Mesnil du Buisson, S. 45f; Goodenough, s. Anm. 6, S. 242; Kraeling, S. 348;
de Vaux, s. Anm. 6, S. 139; Grabar, s. Anm. 6, S. 178.
[87] Mesnil du Buisson, S. 53ff; Grabar, s. Anm. 6, S. 182ff.
[88] Sukenik, Synagogues, S. 84.
[89] Hempel, s. Anm. 6, S. 289.
[90] Goodenough, s. Anm. 6, S. 242; Rostovtzeff, Dura, S. 108; de Vaux, s. Anm. 6,
S. 139.
[91] S. die Anm. 90 Genannten, ferner Sukenik, Synagogues, S. 84.
[92] Grabar, s. Anm. 6, S. 178ff.
[93] Hempel, s. Anm. 6, S. 287; Mesnil du Buisson, S. 92ff.

schichte geoffenbart hat, ja, der noch ein herrliches Ende für seine fromme Volksgemeinde her25aufführen wird. Und zugleich wird deutlich, daß die fromme Weiterbildung der Geschichtserzählung in der Haggada nicht bloß | gelehrte Überlieferung war, sondern tief in der Volksfrömmigkeit lebte; nur so erklärt sich ja das starke Vorherrschen haggadischer Züge in vielen der Dura-Bilder. Die Betrachtung der altjüdischen Kunst verändert darum unsere Kenntnis von dem tiefsten Wesen der altjüdischen Frömmigkeit nicht; sie bestätigt im Gegenteil die Kenntnis, die uns die schriftlichen Quellen vermitteln, und hilft uns dadurch, die tiefe Verwurzelung der in der altjüdischen Literatur erscheinenden Frömmigkeit im Bewußtsein der jüdischen Frommen jener Zeit zu erkennen. Und auch darum ist diese altjüdische Kunst für uns so bedeutungsvoll.

Tafel 1; 2a; 2b: nach Photographien der Hebrew University of Jerusalem, Department of Archaeology

Tafel 4a: nach *B. Kanael*, Die Kunst der antiken Synagoge, 1961, Abb. 75

Tafel 4b: nach *B. Kanael*, aaO, Abb. 73

Tafel 5b: Nach Photographie der Archäologischen Abteilung der Vatikanischen Museen (Inv.-Nr. 14518)

Tafel 6: nach Photographie der Staatlichen Museen zu Berlin, Abt. Frühchristlich-Byzantinische Sammlung (Inv.-Nr. 6123)

Tafel 7: nach Photographie der Archäologischen Abteilung der Vatikanischen Museen (Inv.-Nr. 15406)

Tafel 8: nach *B. Kanael*, aaO, Abb. 72

Tafel 11: nach *E. R. Goodenough*, Jewish Symbols in the Greco-Roman Period, Vol. 11, 1964, Tafel I (Ausschnitt)

Tafel 12: wie zu Tafel 11

Tafel 13: nach *E. R. Goodenough*, aaO, Abb. 334

Tafel 14: nach *E. R. Goodenough*, aaO, Abb. 338

Tafel 15: nach *E. R. Goodenough*, aaO, Abb. 348

Tafel 16: nach *B. Kanael*, aaO, Abb. 39. 37

Alle übrigen Reproduktionen sind nach der Erstveröffentlichung dieses Aufsatzes (bzw. den ihr zugrunde liegenden Vorlagen) wiedergegeben. Für die neuen Vorlagen danken die Herausgeber den Autoren, Verlagen und Institutionen herzlich.

MYTHISCHE REDE UND HEILSGESCHEHEN IM NEUEN TESTAMENT

Seit es eine historisch-kritische Forschung am Neuen Testament gibt, hat sich den Forschern die Beobachtung aufgedrängt, daß das Neue Testament eine große Zahl von Vorstellungen und Denkformen aufweist, die dem modernen Menschen mit seinem naturwissenschaftlichen Weltbild und seinem kausal verknüpfenden Denken fremd sind. Damit stellte sich notwendigerweise die Frage, ob diese veralteten Vorstellungen und Denkformen für den modernen Menschen überhaupt noch annehmbar seien, ja ob sie nicht überhaupt als dem eigentlichen Sinn der neutestamentlichen Verkündigung inadäquat angesehen werden müßten; in beiden Fällen bestünde die Notwendigkeit, sich dieser Vorstellungen und Denkformen zu entledigen, wenn man die bleibende Botschaft des Neuen Testaments rein herausstellen wollte. Diese historisch-dogmatische Kritik am Neuen Testament, die weitgehend gehandhabt wurde, ohne daß man sich des damit gegebenen hermeneutischen Problems immer klar gewesen wäre, hat freilich, wie K. BARTH schon vor 25 Jahren gegenüber P. WERNLE feststellte[1], die Gefahr mit sich gebracht, daß nach Entfernung der „zeitgeschichtlichen Reste" und „ungemütlichen Punkte" nichts wirklich Erhebliches von der neutestamentlichen Verkündigung übrig zu bleiben schien. Der Ausweg, darum auf alle derartige Kritik an den neutestamentlichen Vorstellungs- und Denkformen zu verzichten, um in biblizistischer Weise einfach die neutestamentlichen Aussagen zu reproduzieren, mußte naturgemäß die unbestreitbare | Tatsache der zeitgeschichtlichen Bedingtheit der neutestamentlichen Vorstellungsformen beiseite schieben oder ignorieren, womit aber die der theologischen Wissenschaft gestellte Aufgabe verlassen war, die neutestamentliche Verkündigung dem Menschen von heute *verständlich* zu machen. Blieb somit die Aufgabe bestehen, die zeitbedingte Vorstellungsform zu eliminieren, ohne damit zugleich das gesamte neutestamentliche Kerygma aufzulösen, so mußte man sich ernsthaft die Frage vorlegen, *auf welchem Wege* man diese zeitbedingten Vorstellungsformen des Neuen Testaments abstreifen könne, ohne damit auch das Kerygma preiszugeben.

Es ist das Verdienst von R. BULTMANN, diese Frage in einer äußerst wichtigen, aber infolge der Kriegsereignisse außerhalb Deutschlands nur wenig beachteten Schrift in aller Klarheit gestellt und zugleich auch eine sehr bestimmte Antwort auf

[1] K. BARTH, Der Römerbrief, Vorwort zur 2. Aufl. (5. Abdr. d. neuen Bearbeitung, 1929, S. XV).

diese Frage vorgelegt zu haben[2]. BULTMANNS Forderung einer „Entmythologisierung" des Neuen Testaments durch eine „anthropologische, besser existentiale" (S. 36) Interpretation des Mythos fand in Deutschland ein starkes, weitgehend negativ lautendes Echo[3]; in allen diesen Erörterungen ist aber die entscheidende Frage noch nicht wirklich grundsätzlich genug gestellt worden, wie sich BULTMANNS Forderung einer völligen Entmythologisierung des Neuen Testaments mit der Tatsache in Einklang bringen läßt, daß das Neue Testament doch zweifellos ein *göttliches* Handeln in der *Geschichte,* ein „Heilsgeschehen" verkündigt, wie BULTMANN selber formuliert. Denn will man BULTMANN das Recht zur Forderung auf eine „Entmythologisierung" des Neuen Testaments nicht überhaupt bestreiten, so muß sich an der Beantwortung *dieser* Frage das Urteil darüber entscheiden, ob bei der kritischen Eliminierung des Mythos überhaupt das eigentliche Anliegen der neutestamentlichen Verkündigung zur Geltung gebracht oder nicht doch aufgehoben wird. Auf diese wichtige Frage wollen die folgenden | Ausführungen eine grundsätzliche Antwort versuchen, indem an wenigen Beispielen die Notwendigkeit und die Grenze einer solchen „Entmythologisierung" aufgewiesen wird.

Man hat nun freilich das Recht zur Forderung einer „Entmythologisierung" des Neuen Testaments schon darum von vornherein abgelehnt, weil das Neue Testament keinen Mythos und auch keine mythischen Bestandteile enthalte[4]. Diese Ablehnung des Begriffs Mythos für das Neue Testament wäre allerdings dann auf keinen Fall möglich, wenn man den Begriff des Mythischen so weit faßt, wie BULTMANN es tut. Denn BULTMANN bezieht in den Begriff des Mythos das Weltbild des räumlichen Übereinanders von Unterwelt, Erde und Himmel ebenso mit ein wie jede Art von wunderhaftem Geschehen, so daß als „mythologisch" bezeichnet werden kann „die Vorstellungsweise, in der das Überweltliche, Göttliche als Weltliches, Menschliches, das Jenseitige als Diesseitiges erscheint"[5]. Diese Ausweitung des Begriffs Mythos empfiehlt sich nun schwerlich, obwohl der Begriff des Mythos ein sehr schillernder ist und die verschiedensten, auch sehr umfassenden Sinngebungen empfangen hat[6];

---

[2] R. BULTMANN, Offenbarung und Heilsgeschehen, 1941, S. 27 ff: „Neues Testament und Mythologie. Das Problem der Entmythologisierung der neutestamentlichen Verkündigung" (BEvTh, Bd. 7).

[3] Vgl. P. ALTHAUS, ThLZ 67, 1942, Sp. 337 ff; H. SASSE, Flucht vor dem Dogma. Bemerkungen zu Bultmanns Entmythologisierung des NT, Luthertum 1942, S. 161 ff; H. W. SCHMIDT. Christentum ohne Christus, ZSTh 20, 1943, S. 34 ff.

[4] G. STÄHLIN, Art. μῦθος, ThW IV, 1942, S. 769 ff (bes. 800 ff) stellt fest, daß der Mythus „auf biblischem Boden keine Stätte hat, weder 1. als direkte Mitteilung religiöser ‚Wahrheiten', noch 2. als Gleichnis, noch 3. als Symbol"; „demgegenüber steht in der Bibel von Anfang bis zu Ende der Bericht und die Voraussage von Tatsachen". – H. SASSE (s. Anm. 3) bestreitet, daß das neutestamentliche Weltbild mythisch sei, und folgert daraus: „Das NT braucht nicht entmythologisiert zu werden, weil es keinen Mythus enthält" (S. 172).

[5] So BULTMANNS letzte Definition (a. Anm. 2 aO, S. 36 Anm. 20). Früher hatte BULTMANN auch den Glauben an Gottes wunderbare Schöpfung in der Zukunft, ferner die Deutung von Christi Wirken in der Vergangenheit als ein wunderbares und gottgewirktes Geschehen oder den Glauben an die Schöpfung als „mythologisch" bezeichnet (Art. Mythus und Mythologie im NT, RGG IV², 1930, Sp. 390 ff). P. ALTHAUS (a. Anm. 3 aO, Sp. 340) hat bereits darauf hingewiesen, daß infolge dieser Erweiterung des Begriffes alles als mythologisch bezeichnet wird, „was man sonst farblos ‚zeitgebundene Vorstellungen' nannte".

[6] Vgl. die Übersicht bei G. STÄHLIN (a. Anm. 4 aO, S. 771 ff).

denn wollte man den Begriff des Mythos so weit fassen, daß er auch alle Vorstellungsformen des antiken Weltbildes in sich faßt, so müßte man die Äußerungen sämtlicher
antiken Schriftsteller, die wie die Verfasser der neutestamentlichen | Schriften im
antiken Weltbild leben, als „mythologisch" bezeichnen, womit der Begriff seinen
konkreten Sinn völlig verlieren würde. Es dürfte vielmehr einer klaren Problemstel-
lung besser dienen, wenn man bei der Erörterung der Bedeutung des Mythos für das
Neue Testament den Begriff des Mythos beschränkt auf „Geschichten…, die in
irgendeiner Weise beziehungsvolles Handeln von Göttern erzählen"[7]. Faßt man den
Begriff des Mythos in dieser Beschränkung, so liegt mythologische Redeweise und
Vorstellungsform überall dort vor, wo von einem in Zeit und Raum sich vollziehenden Handeln *göttlicher* Gestalten die Rede ist, das für die Existenz des Menschen
bestimmende Bedeutung hat. Ließ sich die Behauptung, das Neue Testament enthalte überhaupt keine mythischen Bestandteile, gegenüber dem ausgeweiteten
Mythosbegriff Bultmanns keinesfalls halten, so gilt das gleiche aber auch angesichts des in dieser Weise begrenzten Begriffes des Mythos. Denn das Neue Testament berichtet von einem *göttlichen* Handeln im Ablauf der irdischen Geschichte,
und einerseits wird dieses göttliche Handeln mit mythischen Einzelzügen beschrieben (Präexistenz Christi, Herabkunft, Höllen- und Himmelfahrt des Erlösers, endzeitliche Parusie auf den Wolken des Himmels usw.), andererseits erscheint die Gestalt des Erlösers überhaupt als göttliche Gestalt in fleischlicher Erniedrigung. Nun
sind diese mythischen Züge ganz gewiß durch die Beziehung auf die geschichtliche
Gestalt Jesu „historisiert" worden; aber trotzdem kann man doch keinesfalls einfach behaupten: „Bei den Aposteln wie den Evangelien selbst ist alles auf Geschichte
gegründet."[8] Denn z. B. sind weder die Präexistenz noch die Höllenfahrt, weder die
Geistbegabung Jesu in der Taufe noch die Himmelfahrt immanente Geschichts-
ereignisse, die nur eine religiöse *Deutung* erhalten; es sind vielmehr Vorgänge, die
zwar in Raum und Zeit sich abgespielt haben sollen, zugleich aber die Grenzen von
Raum und Zeit dieser Welt überschreiten und darum nicht als „geschichtliche"
Vorgänge | im gewöhnlichen Sinn bezeichnet werden können. Und erst recht sind
die Vorstellungen von der Menschwerdung des präexistenten Christus und von seiner
Wiederkunft in Herrlichkeit am Ende der Tage mythologische Aussagen, die nicht
einfach „auf Geschichte gegründet" sind. Läßt es sich also nicht bestreiten, daß das
Neue Testament nicht nur mythische Einzelvorstellungen verwendet, sondern in
weitem Umfang mythologische Aussagen zur Glaubensdeutung der Gestalt und
Geschichte Jesu macht, besteht andererseits die Bultmannsche Forderung einer
„Entmythologisierung" des Neuen Testaments wenigstens prinzipiell zu Recht, so
erhebt sich nun mit neuer Dringlichkeit die Frage, wie sich die geforderte Entmythologisierung mit der Tatsache in Einklang bringen läßt, daß das Neue Testament ein

---

[7] So M. Dibelius, Die Formgeschichte des Evangeliums, 1933², S. 265. Auch P. Tillich,
Art. Mythus, RGG IV², 1930, Sp. 363 definiert: „Mythus ist Göttergeschichte", wobei freilich angesichts der möglichen Einbeziehung rein anekdotischer Göttererzählungen der Begriff zu weit gefaßt erscheint.
[8] G. Stählin (a. Anm. 4 aO, S. 799).

„Heilsgeschehen", ein mit mythologischen Vorstellungen beschriebenes Handeln *Gottes* in der *Geschichte* verkündet. Sind die für die Deutung des Christusgeschehens verwerteten mythologischen Vorstellungen ohne Schaden für das Kerygma ablösbar, oder ist die mythologische Rede *notwendige* Ausdrucksform für die Glaubensaussage von dem göttlichen Handeln in der Christusgeschichte ?

Wollen wir auf diese entscheidende Frage eine Antwort geben, so ist zunächst Klarheit darüber zu gewinnen, warum überhaupt eine „Entmythologisierung" der neutestamentlichen Verkündigung nötig ist. BULTMANN begründet diese Notwendigkeit einerseits damit, daß alle mythologische Rede „für den Menschen von heute unglaubhaft" sei, „weil für ihn das mythische Weltbild vergangen ist", das er nicht mehr als wahr anerkennen *könne,* weil „unser aller Denken unwiderruflich durch die Wissenschaft geformt worden ist"; andererseits sieht BULTMANN die Notwendigkeit der Entmythologisierung dadurch begründet, daß der Mythus selber nicht ein objektives Weltbild, vielmehr ein Selbstverständnis des Menschen bieten und darum existential interpretiert werden wolle; und schließlich verlange das Neue Testament selber die Entmythologisierung, weil „innerhalb seiner Vorstellungswelt einzelne Vorstellungen gedanklich unausgeglichen, ja einander widersprechend nebeneinander stehen" [9]. Es ist deutlich, daß das treibende Motiv BULTMANNS bei seiner Forderung auf eine Eliminierung des | Mythos aus dem Neuen Testament also das Bestreben ist, die neutestamentliche Wahrheit dem modernen Menschen annehmbar zu machen, dem das mythische Weltbild unglaubhaft ist und den Zugang zum neutestamentlichen Kerygma versperrt. Diesem Motiv sind die beiden andern Begründungen, der existentielle Charakter des Mythus und die Widersprüche im Neuen Testament, durchaus untergeordnet [10]. Nun hat BULTMANN zweifellos recht mit seiner Feststellung, daß eine Repristination des neutestamentlichen Weltbildes unmöglich ist. Aber damit ist noch keineswegs gesagt, daß zu diesem neutestamentlichen Weltbild, das wir nicht nachvollziehen können, auch die mythischen Züge der Christusverkündigung im engeren Sinn, die Vorstellung vom zeitlichen Ablauf der Heilsgeschichte usw., hinzugehören, so daß man von vorneherein auch diese mythischen Züge als für den modernen Menschen unannehmbar hinstellen müßte. Vielmehr rächt sich hier, daß BULTMANN den Begriff des Mythus allzuweit gefaßt hat: es geht nicht an, die Elemente des neutestamentlichen Weltbildes und die mythischen Züge des Christuskerygmas unter dem gemeinsamen Begriff des „Mythus" zusammenzufassen, weil so von Anfang an die Möglichkeit verbaut wird, die dem zentralen neutestamentlichen Kerygma vielleicht unentbehrlichen mythischen Züge von den entbehrlichen oder mißverständlichen Zügen und von den bloßen zeitgeschichtlichen Schranken des Weltbildes zu sondern. Und darüber hinaus bringt

---

[9] A. Anm. 2 aO, S. 29, 35 f, 37.

[10] Es soll hier nicht entschieden werden, ob der Mythus selbst auf eine Kritik an seinen objektivierenden Vorstellungen hinführe; dagegen ist der dritte von BULTMANN angeführte Beweggrund für die Entmythologisierung zweifellos ein Trugschluß: die Widersprüche in der neutestamentlichen Vorstellungswelt können höchstens zu einer Eliminierung einer oder mehrerer der sich widersprechenden Vorstellungen Anlaß sein, niemals aber zu einer grundsätzlichen Kritik am mythischen Weltbild des NT.

das Ausgehen von dem intellektuellen Anstoß des modernen Menschen es mit sich, daß das subjektive Moment des „Unglaubhaften" als Kriterium für die „Entmythologisierung" dienen muß, wobei die Grenze des „Unglaubhaften" sehr verschieden weit gezogen werden kann. Und es wäre ja allererst zu fragen, ob nicht das gesamte neutestamentliche Kerygma als „unglaubhaft" zu bezeichnen wäre, so daß man dann dem modernen Menschen die Zustimmung zu dieser Botschaft | überhaupt nicht zumuten dürfte. Es kann darum nur als unhaltbar bezeichnet werden, wenn die Begründung und der Maßstab für die geforderte „Entmythologisierung" des Neuen Testaments von Bultmann bei den weltanschaulichen Bedenken des modernen Menschen genommen werden.

Wenn trotzdem die Forderung auf eine „Entmythologisierung" des Neuen Testamentes grundsätzlich berechtigt ist, so kann diese Notwendigkeit nicht vom modernen Menschen her (und auch nicht vom Wesen des Mythus her), sondern nur vom Zentrum der neutestamentlichen Verkündigung aus begründet werden. Und das besagt nichts anderes, als daß zu allererst die Frage geklärt werden muß, ob mythologisches Reden zum zentralen neutestamentlichen Kerygma notwendig hinzugehört oder ob nur bestimmte mythologische Vorstellungsformen dem neutestamentlichen Kerygma untrennbar zugehören, während andere sich als inadäquat oder zum mindesten als mißverständlich erweisen. Bultmann hat die Bedeutsamkeit dieser Frage selber erkannt, indem er zunächst die Frage stellt, ob die neutestamentliche Verkündigung „nichts als Mythologie ist", diese Frage aber dann schließlich auf die abschließende Frage zurückführt, ob das Christus*geschehen* nicht „ein mythologischer Rest ist, der eliminiert oder durch kritische Interpretation entmythologisiert werden muß"[11]. Und Bultmann sucht in Beantwortung dieser Frage zu zeigen, daß die mythologische Rede vom Christusgeschehen nur den Sinn habe, „die Bedeutsamkeit der historischen Gestalt Jesu und seiner Geschichte ... zum Ausdruck zu bringen", daß darum ihr objektivierender Vorstellungsgehalt preiszugeben sei. Auch die mythologische Rede von der Auferstehung Christi diene nur dazu, die Bedeutsamkeit des Kreuzes als Heilsereignis auszudrücken[12]. Bultmann stellt also fest, daß im Zentrum der neutestamentlichen Verkündigung das Heilsgeschehen, das Handeln Gottes in Christus, steht, er bestreitet aber, daß diese Verkündigung in Wirklichkeit ein mit mythischen Vorstellungsformen auszudrückendes objektives Geschehen meine. Wie kommt Bultmann dazu, von einem Heils*geschehen* zu reden, also von einem göttlichen Handeln im Ablauf des irdischen Geschehens, | in der Geschichte, und doch zu bestreiten, daß es sich dabei um ein objektives Geschehen, um einen Eingriff Gottes in die Geschichte, demnach um ein mit der Vorstellungsform des Mythus auszudrückendes Geschehen handelt? Es ist leicht zu erkennen, wie Bultmann zu dieser Bestreitung des *objektiven* Charakters des Heilsgeschehens in Christus kommt, wenn man seine Erklärung des Kreuzes näher betrachtet: das Kreuz als Heilsgeschehen wird als „eschatologisches Ereignis" bezeichnet; „es ist das eschatologische Ereignis in der Zeit und jenseits der Zeit, sofern es, in seiner Be-

[11] aaO, S. 35, 40, 47, 58.
[12] aaO, S. 60, 63, 66.

deutsamkeit verstanden und d. h. für den Glauben, *stets Gegenwart* ist"[13]. Es ist schon mehrfach darauf aufmerksam gemacht worden, daß BULTMANN den Begriff der „Eschatologie" hier in einem durchaus ungewöhnlichen und mißverständlichen Sinne gebraucht, indem damit nicht die wirkliche Endgeschichte, sondern die Deutung der Gegenwart als von Gott beanspruchter Entscheidungszeit bezeichnet wird[14]. Aber was sich schon aus dieser Kritik der Verwendung des Begriffes „Eschatologie" ergibt, wird aus BULTMANNS Beschreibung des Kreuzes als eines eschatologischen Ereignisses hier noch deutlicher: das Kreuz ist eschatologisch nicht darum, weil ein göttliches Handeln an einem bestimmten Punkte der geschichtlichen Endzeit in diese immanente Geschichte eingreift, sondern weil das Kreuz zwar zeitliches Ereignis, aber zugleich auch zeitlos („jenseits der Zeit") ist. Es ist also bei BULTMANN zwar von Heilsgeschehen die Rede; aber dieses Geschehen in Jesus Christus ist Heilsgeschehen nicht darum, weil *dieses* Stück der Geschichte zur wirklichen Endgeschichte gehört, sondern weil *diese* Geschichte trotz ihrer geschichtlichen Einmaligkeit eine zeitlose Bedeutung hat. Dadurch wird aber deutlich, daß BULTMANN die Behauptung, das „Heilsgeschehen" sei kein mythologischer Rest, der auch noch beseitigt werden müsse, nur darum aufrecht erhalten kann, weil er die Wirklichkeit der Zeit als des einmaligen Faktums der Vergangenheit aus dem Verständnis des Heilsgeschehens im neutestamentlichen Sinne eliminiert. Und damit verfällt BULTMANN gerade in den Fehler, den er der älteren liberalen Theologie vorhält, daß er | „das Kerygma als Kerygma eliminiert" (S. 39). Das läßt sich leicht erkennen, wenn man zwei klassische Darstellungen der „liberalen" Forschungsrichtung zum Vergleich heranzieht. W. BOUSSET anerkennt in seinem Jesusbuch[16] die Erwartung des nahen Gottesreiches durch Jesus, ersetzt aber ohne weiteres den nach seiner Meinung für uns nicht mehr gültigen Gedanken „eines endgültigen und abschließenden Weltzieles" durch die Nähe unseres individuellen Endes und unseren Eingang in das Dunkel des Jenseits; und was noch wichtiger ist, der Gott, der kommen soll, wird als unwesentlich bezeichnet neben dem Gott, der Jesus schon greifbar vor seiner Seele stand, das „Kommen" Gottes als Ereignis in der Zeit wird also eliminiert zugunsten des ewigen Gottes, der die Zukunft beherrscht, weil er in der Gegenwart schon spürbar ist. Ganz besonders aber übersieht BOUSSET völlig den Zusammenhang des persönlichen Anspruchs Jesu, zum Menschensohn bestimmt zu sein, mit der Verkündigung von der kommenden Gottesherrschaft, und darum wird weder die Gegenwart der kommenden Gottesherrschaft in der Person Jesu noch überhaupt die sachliche Notwendigkeit des Menschensohnanspruchs Jesu klar, und Messiasbewußtsein wie Menschensohnanspruch werden zu Ausdrucksformen eines Führerbewußtseins, unter denen Jesus litt und die er nur zögernd gebrauchte. Aus diesen Zügen des Jesusbildes BOUSSETS ergibt sich aber ganz deutlich, daß BOUSSET zwar eine

---

[13] aaO, S. 61.
[14] Vgl. etwa F. HOLMSTRÖM, Das eschatologische Denken der Gegenwart, 1936, S. 247 f und zuletzt P. ALTHAUS, a. Anm. 3 aO, Sp. 342 f.
[15] R. BULTMANN, aaO, S. 39.
[16] W. BOUSSET, Jesus (RV I, 2/3, 1906³), S. 45, 47, 76 ff.

Gottesverkündigung Jesu und eine individualistische Ethik kennt, nicht aber ein mit der Person Jesu gegebenes und mit der Erwartung der kommenden Gottesherrschaft in Beziehung stehendes Heilsgeschehen; und dieses Fehlen des Heils*geschehens* im Bilde BOUSSETS von der Verkündigung Jesu verrät nur, daß die Zeit als die Voraussetzung des göttlichen Handelns, als Wirklichkeit des auf das Ende zulaufenden göttlichen Geschehens *in* der Zeit, stillschweigend eliminiert worden ist. Und ganz ähnlich liegt es bei W. WREDES Paulusdarstellung[17]. Er hat zwar mit aller Deutlichkeit erkannt, daß Paulus nicht von Erlebnissen der einzelnen Seele, sondern von göttlichem Handeln gegenüber der gesamten Menschheit rede: „Alle seine Gedanken | über das Heil sind Gedanken über eine *Heilsgeschichte*... Alle Hauptbegriffe seiner Theologie tragen dieses geschichtliche Gepräge." WREDE hat also gesehen, daß Paulus von einem göttlichen Handeln in der Endzeit, also von einem „mythischen" Geschehen redet, und daß dieses „mythische" Geschehen im Mittelpunkt der paulinischen Verkündigung steht. WREDE hat freilich diese Erkenntnis nicht zu Ende geführt, indem er das durch das Heilsgeschehen bewirkte Heil als „eine naturhafte Veränderung der Menschheit" beschrieb statt als eine neue geschichtliche Heilssituation[18]; ganz besonders aber hat WREDE den „Mythus", den Paulus durch die Einführung der Heilstatsachen der Menschwerdung, des Todes und der Auferstehung Jesu zum Fundament der Religion gemacht habe, als eine verhängnisvolle Umbildung der Religion Jesu angesehen, der wir keinen Glauben schenken können. Und damit eliminiert auch WREDE die *zeitliche* Wirklichkeit der Heilsgeschichte aus dem, was von der Verkündigung des Paulus für uns haltbar ist.

Es dürfte deutlich geworden sein, daß die „Entmythologisierung" des Neuen Testaments, die BULTMANN vorschlägt, durch Eliminierung der zeitlichen Heilsgeschichte in der Tat einen „mythologischen Rest" eliminiert, den schon die ältere liberale Forschung streichen zu müssen meinte, damit aber das Zentrum der neutestamentlichen Verkündigung beseitigt. Denn das Neue Testament redet in der Tat in allen seinen Zeugen von einem göttlichen Handeln *in* der Zeit dieser Welt, das als *endzeitliches* Handeln gewertet und mit dem bevorstehenden Ende dieser Zeit in unauflöslichem Zusammenhang gesehen wird. Die neutestamentliche Heilsverkündigung ist darum nicht ablösbar von der Vorstellung der Zeit als einer von der Schöpfung bis zum Weltende führenden Linie, deren Mittelpunkt eben nach neutestamentlicher Verkündigung das Christusgeschehen bildet[19]. Das im Leben, Sterben und Auferstehen Jesu Christi | sich vollziehende Handeln Gottes ist also ein

---

[17] W. WREDE, Paulus (RV I, 5/6, 1907²), S. 67f, 103f.

[18] Genau den gleichen Fehler macht A. SCHWEITZER in seiner „Mystik des Apostels Paulus" (1930), vgl. meine Bemerkungen im Kirchenbl. f. d. ref. Schweiz 90, 1934, S. 98 ff; durch dieses naturhafte Verständnis des Heils trotz geschichtlichen Rahmens fällt die Rechtfertigungslehre als „Kampfeslehre" oder „Nebenkrater" bei WREDE wie bei SCHWEITZER aus dem Zentrum der paulinischen Heilsverkündigung heraus und wird unverständlich.

[19] Diesen Nachweis führte zuletzt und überzeugend O. CULLMANN, Christus und die Zeit, 1946. Vgl. auch P. S. MINEAR, Time and the Kingdom, JR 24, 1944, S. 77 ff und PH.-H. MENOUD, Théologie du Nouveau Testament et histoire du salut, RThPh, N. S. 34, 1946, S. 145 ff. Für die Verkündigung Jesu s. meine Arbeit „Verheißung und Erfüllung", 1945, bes. S. 86 ff.

göttliches Handeln, das sich *in* der Zeit abspielt; *diese* Aussage ist eine mythologische Aussage, und diese zentrale neutestamentliche Aussage kann man nicht von ihrer mythologischen Redeform befreien. Es geht darum nicht an, die mythologische Rede aus dem Neuen Testament *völlig* zu eliminieren, wenn man das neutestamentliche Kerygma erhalten will; und so wenig das Neue Testament einen Mythus verkündet, so wenig läßt es sich gerade in seinem Zentrum von der Denk- und Redeform des Mythus als der einzig möglichen Ausdrucksform für die Glaubensdeutung der Christus*geschichte* befreien[20]. Die Forderung, das Neue Testament völlig zu entmythologisieren, weil das mythische Weltbild vergangen sei und mythologische Aussagen dem modernen Menschen unglaubhaft erscheinen | müßten, ist daher unhaltbar, solange das neutestamentliche Kerygma in seinem Verkündigungsanspruch anerkannt bleiben soll. Nicht das antike Weltbild, wohl aber die in mythologischer Rede verkündigte Heilsgeschichte bildet das Zentrum der neutestamentlichen Verkündigung und kann nicht eliminiert werden.

Bleibt trotzdem die Forderung auf eine kritische Behandlung des Mythus im Neuen Testament zu Recht bestehen, so erhebt sich nun die entscheidende Frage, welches der richtige Ausgangspunkt bzw. Maßstab für die Durchführung dieser Kritik am Mythus sei. Da es sich keinesfalls um die Beseitigung der mythischen Rede überhaupt handeln kann, kann die Aufgabe nur sein, das mythische Denken oder die mythischen Vorstellungsformen dort als problematisch aufzuweisen oder auszuscheiden, wo sie dem einzigen legitimen Zweck nicht entsprechen, unentbehrliche, wenn auch Mißverständnissen ausgesetzte Vorstellungsform für die Verkündigung von Gottes *geschichtlichem* Heilshandeln in Christus zu sein. Die Aufgabe der Kritik am Mythus kann also nur den Sinn haben, diejenige mythologische Rede in ihrer Problematik aufzudecken, die diesem Zweck der Glaubensdeutung der Christus*geschichte* inadäquat ist. Und damit ergibt sich ohne weiteres, daß Ausgangspunkt und Maßstab für die Kritik am mythologischen Reden im Neuen Testament nur die

---

[20] H. Sasse (a. Anm. 3 aO) bezeichnet Bultmanns Entmythologisierung als „Flucht vor dem Dogma"; das ist nur bedingt richtig, weil die von Bultmann vollzogene Eliminierung des Zeitbegriffes übersehen und darum nicht bemerkt ist, daß von Bultmann durchaus nicht das *ganze* neutestamentliche Dogma eliminiert wird; auch ist es eine willkürliche Verwertung des Begriffes „Mythologie", wenn der Kirche verwehrt wird, „legendarische und mythologische Sätze als Inbegriff der Heilswahrheit" zu verkünden (S. 169); richtig ist dagegen beobachtet, daß die völlige Eliminierung des Mythus die Inkarnation leugnet. Ganz ähnlich stellt H. W. Schmidt (a. Anm. 3 aO) fest, daß Bultmann durch die Entmythologisierung die Christologie beseitigt. – Schon vor 20 Jahren hat E. Brunner richtig bemerkt: „Der christliche ‚Mythus' ist die Form der Aussage, die dem einmalig entscheidenden Geschehen entspricht", weil der christliche Mythus ein göttliches Handeln beschreibt, das „in einem bestimmten Punkt die geschichtliche Wirklichkeit berührt"; „echt zeithaft ist nicht der heidnische Mythus, sondern allein der christliche" (Der Mittler, 1927, S. 339f, 344). Hier ist die Unentbehrlichkeit des Zeitbegriffs für die neutestamentliche Heilsverkündigung klar betont (bes. S. 347f). Wenn Brunner neuerdings bestreitet, daß es einen christlichen Mythus gebe (Offenbarung und Vernunft, 1941, S. 392ff), so soll damit gerade die Gleichsetzung der neutestamentlichen Verkündigung mit dem zeitlosen heidnischen Mythus der *Götter*geschichten bestritten werden, während die Notwendigkeit der mythischen Redeform für die Verkündigung von der neutestamentlichen Heils*geschichte* ausdrücklich betont wird (S. 403, 407: „Der Glaube … nimmt uns das Vorurteil gegen jenes ‚mythische Element' in der biblischen Botschaft").

Übereinstimmung der einzelnen mythologischen Vorstellung mit dem zentralen neutestamentlichen Kerygma sein kann. Die Aufgabe der Kritik am Mythus im Neuen
Testament gehört damit hinein in die große und weitgehend noch ungelöste Aufgabe einer im besten Sinn „kritischen" Theologie des Neuen Testaments, die sich
zum Ziele setzen muß, die Abweichungen bestimmter neutestamentlicher Vorstellungen oder Texte von der dem übrigen Neuen Testament gemeinsamen Verkündigung aufzuweisen und damit die „innere Grenze" des neutestamentlichen Kanons
festzulegen und das Hereingreifen des Frühkatholizismus oder gar völlig unbiblischer Gedanken in das Neue Testament aufzudecken[21].

Diese Aufgabe der Kritik am inadäquaten Mythus kann nur | durch sorgfältige
Einzeluntersuchungen der einzelnen mythischen Vorstellungsformen gelöst werden,
indem jeweilen die Frage gestellt wird, wieweit die einzelne Vorstellung mit dem
zentralen neutestamentlichen Kerygma in einem klaren Zusammenhang steht oder
nicht. Zu welchen Resultaten solche Untersuchungen führen würden, soll hier nur
an je zwei Beispielen für die Unmöglichkeit oder Notwendigkeit der kritischen Eliminierung mythischer Vorstellungen gezeigt werden. Da sei zunächst hingewiesen
auf die Frage der futurischen Eschatologie. Nach BULTMANN ist „die mythische
Eschatologie im Grunde durch die einfache Tatsache erledigt, daß Christi Parusie
nicht, wie das Neue Testament erwartet, alsbald stattgefunden hat, sondern daß die
Weltgeschichte weiterlief"; die apokalyptische Eschatologie sei im Neuen Testament
im Grunde schon entmythologisiert, weil die Heilszeit für den Glaubenden schon
angebrochen ist[22]. Damit wäre gegeben, daß für das Neue Testament trotz seiner
mythischen Rede von der nahe bevorstehenden Parusie, dem Weltende usw. die
futurische Eschatologie unwesentlich ist, weil das Neue Testament die Gegenwart
bereits als „eschatologische" Heilszeit ansieht; dementsprechend gebraucht BULT
MANN, wie schon betont, den Begriff der „Eschatologie" in einem von der Zukunftserwartung völlig abgelösten Sinn, nämlich von der „Entscheidungszeit"[23]. Umgekehrt haben die Vertreter der „konsequenten Eschatologie" immer wieder betont,
daß der eigentliche Sinn der Verkündigung Jesu und des Paulus eben die Botschaft
vom *nahen* Weltende sei, daß mit dem Nichterfülltwerden dieser Erwartung aber
auch jeder Glaube an eine im Neuen Testament verkündete Heilsgeschichte hinfällig geworden sei[24]. Es läßt sich nun deutlich aufzeigen, daß für Jesus die entscheidende Bedeutung seiner Person und dadurch seiner | Gegenwart darin besteht, daß
die Gegenwart die letzte Zeit vor dem nahe bevorstehenden Ende ist, in der sich be

---

[21] Für das Gebiet der neutestamentlichen Anthropologie habe ich diese Aufgabe zu lösen
versucht in der Arbeit „Das Bild des Menschen im NT" (1948); dort Anm. 105 ein Hinweis
auf einige weitere in dieser Richtung weisende Arbeiten.

[22] R. BULTMANN (a. Anm. 2 aO), S. 31, 45.

[23] Noch weiter geht C. H. DODD in seinem Versuch, das Vorhandensein einer futurischen
Enderwartung in der Verkündigung Jesu exegetisch zu bestreiten (The Parables of the Kingdom, 1936³); vgl. dazu meine Anm. 19 genannte Arbeit (passim, bes. S. 88 ff).

[24] So zuletzt M. WERNER. Die Entstehung des christlichen Dogmas, 1941 und F. BURI,
Das Problem der ausgebliebenen Parusie, Schweiz. Theol. Umschau 16, 1946, S. 97 ff, der
jedes Festhalten an einer zeitlichen Heilsgeschichte oder zukünftigen Eschatologie als „Ausweichversuch" charakterisiert.

reits das kommende vollendete Heil vorauswirkend zeigt, daß die Gegenwart für
Jesus darum ihren heilsgeschichtlichen Sinn durch die unauflösliche Beziehung zur
erwarteten Zukunft hat[25]. Nicht anders liegt es in der Urgemeinde, wo das Bewußtsein, die gegenwärtige endzeitliche Messiasgemeinde zu sein, unablöslich mit der
futurischen Parusieerwartung zusammenhängt[26]. Auch die Heilsverkündigung des
Paulus sieht die Neuschöpfung des Menschen bedingt durch die neue heilsgeschichtliche Situation des Gläubigen, der noch im alten Äon lebend doch bereits versetzt
ist in das schon angebrochene Reich des geliebten Sohnes und wartet auf die bald
kommende Vollendung[27]. Und selbst die weitgehend präsentische Heilsverkündigung des Johannesevangeliums enthält unverkennbare futurisch-eschatologische
Züge, deren Vorhandensein die Trennung des himmlischen Gottessohnes von dem
geschichtlichen Heilsgeschehen in dem Menschen Jesus überhaupt erst verunmög-
licht[28]. Aus all diesen Einzelbeobachtungen ergibt sich aber zwingend, daß die Erwartung einer streng zeitlichen, zukünftigen Heilsvollendung zum zentralen neutestamentlichen Kerygma hinzugehört, daß die Eliminierung dieses „mythischen"
Bestandteils der neutestamentlichen Verkündigung darum eine Aufhebung des heils-
geschichtlichen Charakters dieser Verkündigung bedeuten würde. Aber mit dieser
Einsicht ist nicht zugleich gegeben, daß die gesamte apokalyptische Ausgestal-
tung dieser eschatologischen Verkündigung ebenfalls unablösbar zum zentralen neu-
testamentlichen Kerygma gerechnet werden müsse. Das ergibt | sich schon daraus,
daß das Johannesevangelium diese apokalyptischen Züge der Eschatologie völlig
vermissen läßt und daß in den apokalyptischen Einzelanschauungen zwischen
Jesus, Paulus und der Johannesapokalypse starke Unterschiede bestehen. Infolgedessen ist es durchaus falsch zu behaupten, der neutestamentliche Glaube an die
durch die Erwartung der zukünftigen Heilsvollendung in ihrem *zeitlichen* Charakter
geschützte Heils*geschichte* sei mit dem Hinfälligwerden der *Nah*erwartung infolge
des Ausbleibens der Parusie unhaltbar geworden[29]. Es ist aber ebenso unmöglich,
eine apokalyptische Sonderanschauung wie die Erwartung eines tausendjährigen
Messiasreiches vor dem Weltende, die Apk. 20 vertritt, als in engem sachlichem Zusammenhang mit der zentralen neutestamentlichen Verkündigung stehend nachzuweisen[30]; diese Vorstellung ist vielmehr wirklich isoliert, steht zu der Ablehnung
aller apokalyptischen Berechnung durch Jesus (Lk 17, 21) im Widerspruch und er-

---

[25] S. den Nachweis in meiner Anm. 19 genannten Arbeit.

[26] Vgl. W. G. Kümmel, Kirchenbegriff und Geschichtsbewußtsein in der Urgemeinde und
bei Jesus (Symbolae Biblicae Upsalienses 1, 1943).

[27] Vgl. dazu besonders H.-D. Wendland, Die Mitte der paulinischen Botschaft, 1935 und
Ders., Geschichtsanschauung und Geschichtsbewußtsein im NT, 1938, S. 23 ff, ferner meine
kurzen Bemerkungen in den ThBl 19, 1940, S. 219 ff.

[28] Vgl. W. G. Kümmel, Die Eschatologie der Evangelien, 1936, S. 21 ff; G. Stählin, Zum
Problem der johanneischen Eschatologie, ZNW 33, 1934, S. 225 ff; H. Pribnow, Die johanneische Anschauung vom Leben, 1934, S. 102 ff; Ph.-H. Menoud, L'originalité de la pensée
johannique, Rev. de théol. et de philos., N. S. 28, 1940, S. 245 ff.

[29] So die Vertreter der „konsequenten Eschatologie", zuletzt Fr. Buri (a. Anm. 24 aO).

[30] H.-D. Wendland, Geschichtsanschauung (s. Anm. 27), S. 66 ff sieht in dem Hinter-
einander zweier aufeinander folgender Reiche die Spannung ausgedrückt, „daß das Ende
zugleich ‚letzter Akt' der Geschichte und Vollendung sein muß, die die *Gesamt*geschichte

mangelt darüber hinaus eines klaren heilsgeschichtlichen Gehaltes, so daß diese mythologische Einzelvor|stellung als dem zentralen neutestamentlichen Kerygma inadäquat durchaus einer kritischen Eliminierung unterworfen werden muß.

Ähnlich steht es mit einer zweiten „mythologischen" Verkündigung, der Auferstehung Jesu Christi. Nach BULTMANN ist die Auferstehung Christi kein mythisches Ereignis, obwohl das Neue Testament selber sie vielfach als beglaubigendes Mirakel auffasse; „der Auferstehungsglaube ist nichts anderes als der Glaube an das Kreuz als Heilsereignis"; historisch sei nicht das Osterereignis, sondern nur der Osterglaube der ersten Jünger[31]. BULTMANN gibt also selber zu, daß etwa Paulus (1 Kor 15, 3ff) die Ostererfahrungen als Beglaubigung des Faktums der Auferstehung anführt, nennt diese Argumentation des Paulus aber „fatal" und behauptet, die Auferstehung Christi sei im Sinne des Neuen Testaments kein mit mythischen Begriffen beschriebenes historisches Ereignis, vielmehr sei der Glaube an die Auferstehung Christi nur der Ausdruck für die Anerkenntnis der neutestamentlichen Verkündigung vom Kreuz Jesu als dem Kreuz des Christus, vom Kreuz als Heilsereignis. Es ist mit Recht schon darauf hingewiesen worden, daß BULTMANN mit diesen Ausführungen das entscheidende Anliegen des Neuen Testaments eliminiert, nämlich die Auferstehung als das in den Auferstehungserfahrungen erfaßte göttliche *Geschehen,* das dem Kreuz erst a posteriori seinen göttlichen, heilsgeschichtlichen Sinn gibt[32]. Nach der Anschauung des gesamten Neuen Testaments ist die Auferstehung Christi ein wirkliches göttliches Eingreifen in diese Welt zu einem bestimmten geschichtlichen Zeitpunkt, und ein solches Eingreifen kann, gerade weil es nicht wirklich *beschrieben* werden kann, nur in mythischer Rede ausgedrückt werden. Es hieße also die neutestamentliche Verkündigung von der den Glauben begründenden Wirklichkeit der Auferstehung des Gekreuzigten und damit die Realität des *geschicht*lichen Heilshandeln Gottes aufheben, wollte man diesen neutestamentlichen Glauben an die Auferstehung als *Ereignis* in der Geschichte preisgeben. Und darüber hinaus leitet die älteste Christenheit seit den Tagen der Urgemeinde den Beginn der himmlischen Herrschaft des Auferstandenen ebenso wie den Beginn der endzeitlichen Gemeinde | des Auferstandenen von dem Zeitpunkt des *Ereignisses* der Auf-

von Welt und Menschheit in sich umfaßt und aufnimmt". – O. CULLMANN, Königsherrschaft Christi und Kirche im NT, 1941, S. 14f findet das Tausendjährige Reich auch bei Paulus (1 Kor 15, 23 ff) und bestimmt es als Schlußakt des regnum Christi, der zugleich in den Entstehungsakt des kommenden Äons hineinreiche. – H. BIETENHARD, Das tausendjährige Reich, Diss. Basel 1944, schließt sich CULLMANN an und sucht darüber hinaus nachzuweisen, daß bereits Paulus die doppelte Auferstehung, zuerst der Christen, dann der übrigen Menschheit, lehre und Raum lasse für die Lehre von einem endzeitlichen Reich Christi, ja daß schon Jesus (Mk 13, 27) die Sammlung der Erwählten bei der Parusie verheiße und damit die doppelte Auferstehung voraussetze. Apk 20 sei also mit dem ganzen NT verklammert, und darum sei die Lehre vom Tausendjährigen Reich auch für uns verbindlich: „Ist Gottes Wort wirklich souverän, dann auch da, wo es von einem tausendjährigen Reiche redet" (S. 174). Paulus kennt aber auch in 1 Kor 15 keine doppelte Auferstehung, und die Behauptung von dem Hereinragen des regnum Christi in den neuen Äon mittels des Tausendjährigen Reiches ist reine Konstruktion.

[31] R. BULTMANN, a. Anm. 2 aO, S. 63 ff.
[32] Vgl. P. ALTHAUS, (a. Anm. 3 aO), Sp. 341 f und H. SASSE (a. Anm. 3 aO), S. 180.

erstehung Christi ab[33]; die Bestreitung der Auferstehung Christi als eines Ereignisses in der Geschichte würde also mit sich bringen, daß auch die gesamte neutestamentliche Verkündigung von der seit der Auferstehung vorauswirkenden Endzeit hinfällig würde, womit wieder die Zukunftserwartung des Neuen Testaments ihren eigentlichen Sinn verlöre. Es kann also keine Frage sein, daß die „Entmythologisierung" des Neuen Testaments auch an diesem Punkte nicht möglich ist, ohne das neutestamentliche Kerygma preiszugeben, daß vielmehr die mythologische Rede auch hier als unaufgebbar anerkannt werden muß.

Gehört somit die Auferstehung Christi als in mythologischer Rede verkündetes göttliches Handeln innerhalb der Zeit zum unaufgebbaren Bestand des neutestamentlichen Kerygmas, so gilt dies wiederum nicht für die einzelnen mythologischen Züge, mit denen im Neuen Testament die Auferstehungsbotschaft beschrieben wird. P. Althaus hat behauptet, daß für die ersten Auferstehungszeugen mit den Auferstehungserscheinungen auch die Tatsache des leeren Grabes festgestanden habe, daß darum die Osterbotschaft in Jerusalem von Anfang an auf zwei Pfeilern geruht habe, auf den Erscheinungen und auf dem Leerfinden des Grabes; überhaupt könne von Verderbnis des ursprünglichen Osterglaubens im Neuen Testament nicht die Rede sein[34]. Auch W. Michaelis hat bestritten, daß im Neuen Testament eine Verderbnis des Osterglaubens zu einer materialisierenden Auffassung der Auferstehung hin vorliege[35]; und schließlich hat M. Barth nachweisen wollen, daß zum Kennzeichen des Apostels das leibliche Sehen und Betasten der Aufer|standenen hinzugehöre[36]. Nun kann aber keine Frage sein, daß Paulus die Auferstehung Christi nicht als ein Hervorgehen von $\sigma\acute{\alpha}\varrho\xi$ und $\alpha\tilde{\iota}\mu\alpha$ aus dem Grab angesehen hat und auch ein Betasten des Auferstandenen zum allermindesten für sich nicht in Anspruch nehmen konnte; ebenso wird man die Vorstellung von einer Himmelfahrt des in die irdische Existenzform zurückgekehrten Auferstandenen und vom Essen und Trinken des Auferstandenen mit den Jüngern als Verderbnis des ursprünglichen Osterglaubens bezeichnen müssen, der nur Erscheinungen des Auferstandenen aus seiner himmlischen Existenz her kannte; und schließlich ist es ein reines Postulat und widerspricht dem von Paulus in 1 Kor 15, 3 ff wiedergegebenen ältesten Kerygma, daß mit der Erfahrung der Auferstehung Christi die Tatsache des leeren Grabes selbstverständlich gegeben gewesen sei, da das Kerygma ja gerade die Erscheinungen vor Petrus und den Zwölf als völlig ausreichenden Beleg für die Tatsache der Auferstehung nennt. Es kann darum nicht bestritten werden, daß bereits das Neue

---

[33] Siehe den Nachweis bei O. Cullmann, a. Anm. 30 aO, S. 11 ff; Ders., a. Anm. 19 aO, S. 132 ff; W. G. Kümmel, a. Anm. 26 aO, S. 8 ff.

[34] P. Althaus, Die Wahrheit des kirchlichen Osterglaubens. Einspruch gegen E. Hirsch (BFChTh 42, 2), 1940. Über die Entstehung und Entwicklung des Osterglaubens ist in der neueren Zeit mehrfach ausführlich gehandelt worden (M. Goguel, E. Hirsch, P. Althaus, W. Michaelis); eine ausführliche Auseinandersetzung mit dieser Literatur, auf die für Einzelheiten verwiesen sei, habe ich gegeben im 3. Teil meines Berichtes über „Das Urchristentum", ThR, N.F. 17, 1948, S. 3 ff.).

[35] W. Michaelis, Die Erscheinungen des Auferstandenen, o. J. (1944), S. 73 ff.

[36] M. Barth, Der Augenzeuge. Eine Untersuchung über die Wahrnehmung des Menschensohnes durch die Apostel, 1946, passim.

Testament eine Entwicklung des Osterglaubens von der „mythologisch" formulierten Aussage über die in das zeitliche Geschehen eingreifende, aber nicht zu beschrei-
bende Gottestat hin zur Materialisierung dieser Botschaft kennt und darum bestimmte mythologische Züge mit der Auferstehungsbotschaft verbindet, die gerade
vom zentralen Auferstehungskerygma aus als problematisch erscheinen und darum
einer kritischen Infragestellung unterzogen werden müssen. Aber gerade eine solche
Kritik an der mythologischen Einzelvorstellung kann nur dazu dienen, die Unentbehrlichkeit des in mythologischer Rede verkündeten Auferstehungs*faktums* um so
klarer herauszustellen.

Die kurze Erörterung dieser beiden „mythischen" Vorstellungskreise, der futurischen Eschatologie und der Auferstehung Christi, dürfte gezeigt haben, daß es sich
bei der Forderung auf eine „Entmythologisierung" des Neuen Testaments nicht
darum handeln kann, das Neue Testament im Interesse der weltanschaulichen Bedenken des modernen Menschen von mythischen Zügen völlig zu befreien, sondern
daß es vielmehr die Aufgabe ist, unter ein|deutigem Festhalten der zentralen, in
mythischer Rede formulierten Tatsachen der Heilsgeschichte die einzelnen mythischen Vorstellungsformen daraufhin zu prüfen, ob sie wirklich mit dem zentralen
Kerygma in einer ausreichend engen Beziehung stehen und ob sie überhaupt geeig-
net sind, Ausdrucksform für die mythologische Rede vom geschichtlichen Heilshandeln Gottes in Christus zu sein. Die Notwendigkeit *dieser* Kritik am Mythus im
Neuen Testament sei nun noch kurz an zwei Vorstellungen aufgezeigt, die als ganze
problematisch erscheinen. Es ist bekannt, daß von der Geburt Jesu durch Maria
ohne Mitwirkung eines menschlichen Vaters im Neuen Testament nur Luk 1, 26 ff;
Mt 1, 18 ff die Rede ist. Nun dürfte feststehen, daß der ältere Bericht, die Verkündigungserzählung des Lukas, durchaus nicht in Analogie zu heidnischen Theogamien die
Erzeugung des Jesuskindes als göttlich-menschliche Verbindung beschreiben, sondern die Entstehung dieses Kindes direkt auf Gottes schöpferische Tat zurückführen
will[37]; trotzdem handelt es sich bei dieser Vorstellung zweifellos um einen mythologischen Zug der Überlieferung, der im übrigen Neuen Testament völlig isoliert ist.
Nicht nur weiß Markus nichts von dieser wunderbaren Erzeugung Jesu, berichtet
vielmehr von der ablehnenden Haltung der Familie Jesus gegenüber (3, 21. 31 f),
nicht nur spielen auch Matthäus und Lukas auf diesen geschichtlichen Sachverhalt
sonst nie mehr an und legen ihre Stammbäume als Nachweise der davidischen Ab-
kunft Jesu auf Joseph hin an. Sondern auch Paulus redet von Jesus, „geboren aus
einer Frau" (Gal 4, 4), und setzt Gal 4, 4f deutlich voraus, daß Jesus ein Mensch war
wie wir, da nur so die Gotteskindschaft der in gleicher Weise wie Jesus Geborenen
durch Jesus ermöglicht werden konnte[38]; auch Johannes erwähnt die Geburt durch
eine Jungfrau nicht, nennt vielmehr den Vater Jesu ganz unbefangen (Joh 1, 45;

---

[37] S. den Nachweis bei M. DIBELIUS, Jungfrauensohn und Krippenkind (SAH, Phil.-hist.
Kl. 1933/34, 4), S. 11 ff. Es ist unmöglich, aus der Verkündigungserzählung Lk 1, 26 ff die
Jungfrauengeburt wegzuinterpretieren, indem man in 1, 34 ἐπεὶ ἄνδρα οὐ γινώσκω streicht
und in 1, 31 συλλήμψη perfektisch deutet (so H. SAHLIN, Der Messias und das Gottesvolk,
Acta Semin. Neot. Upsal. XII, 1945, S. 104 ff, 328).

[38] M. DIBELIUS, a. Anm. 37 aO, S. 31.

6, 42) | und schließt durch seine Begründung der Gottessohnschaft in der Präexistenz die Begründung dieser Gottessohnschaft in der wunderbaren Geburt aus[39]; und der Hebräerbrief hält Jesus für einen Menschen, der in allem uns gleich war (2, 14 ff), dazu schließt der Zusammenhang der Christologie des Hebräerbriefs mit dem gnostischen Anthropos-Mythus[40] die Brauchbarkeit der mythischen Vorstellungsform der jungfräulichen Geburt zur Erklärung der Gottessohnschaft Christi aus, und Melchisedek, nicht Christus, wird ἀπάτωρ genannt (7, 3). Es ist darum unbestreitbar, daß die mythologische Vorstellungsform der Erzeugung Jesu ohne Mitwirkung eines menschlichen Vaters der zentralen neutestamentlichen Verkündigung in ihren wichtigsten Zeugen durchaus fremd ist[41] und darüber hinaus als ein Versuch bezeichnet werden muß, die himmlische Herkunft des eschatologischen Erlösers statt aus der ewigen Zugehörigkeit zu Gott vielmehr aus einem zeitlich fixierbaren Wunder zu erklären[42]. Nicht aus weltanschaulichen | Bedenken des modernen Menschen, sondern um der problematischen Beziehung zum zentralen neutestamentlichen Kerygma willen muß darum die mythologische Verkündigung von der Geburt Jesu ohne menschlichen Vater als inadäquater Mythus bezeichnet und kritisch in Frage gestellt werden.

Und noch eindeutiger zeigt sich dieser Sachverhalt bei dem letzten hier zu nennenden Beispiel, dem Mythus von der Höllenfahrt Christi, den 1 Petr 3, 19 f verkündigt. Bo REICKE hat in seiner wertvollen Arbeit über diesen Text[43] überzeugend nachgewiesen, daß hier eindeutig von einer Predigt Christi vor den gefallenen Engeln die Rede ist, die Christus zur Zeit seines Ganges durch das Kreuz zur Erhöhung in der Unterwelt aufsuchte; er hat ferner gezeigt, daß der Hinweis auf die Predigt vor den ungehorsamen Geistern im Zusammenhang von 3, 13 ff den Sinn hat, die furchtlose Verkündigung vor den Heiden durch den Hinweis auf die Predigt Christi vor *den*

---

[39] Daß in Joh 1, 13 die pluralische Lesart ursprünglich ist, Johannes also keinesfalls von der Geburt Christi redet, hat besonders C.H.CADBURY nachgewiesen (Expositor, 9th ser. 2, 1924, S. 430ff), vgl. auch G.SCHRENK, ThW III, 1938, S. 60. PH.-H.MENOUD, Le fils de Joseph, Rev. de théol. et de philos., N. S. 18, 1930, S. 275ff hat darauf hingewiesen, daß Johannes in 1, 45; 6, 42 eine alte Überlieferung verwende, schließt aber zu Unrecht weiter, daß diese Überlieferung älter sein müsse als die der Synoptiker, die Vater und Mutter Jesu nicht gleichstelle.

[40] Vgl. E.KÄSEMANN, Das wandernde Gottesvolk, 1938, S. 58ff.

[41] Man kann dem nicht ausweichen, indem man die Dünnheit der Überlieferung auf das Messiasgeheimnis zurückführt, so daß auch *dieses* Geheimnis nicht zu einem verfügbaren Ereignis werde (so K.L.SCHMIDT, Die jungfräuliche Geburt Jesu Christi, ThBl 14, 1935, Sp. 289ff), oder indem man die Aussagen von Lk 1 und Mt 1 als unbestrittene Voraussetzung aller neutestamentlichen Zeugen postuliert (so K.BARTH, Die kirchliche Dogmatik I, 2, 1938, S. 187ff); denn damit ist die Tatsache übergangen, daß sich die mythische Vorstellung von der Jungfrauengeburt der zentralen christologischen Vorstellung der Hauptzeugen des neutestamentlichen Kerygmas nicht einfügen läßt.

[42] E.BRUNNER stellt mit Recht fest, daß sich das göttliche Wunder der Menschwerdung nicht teilweise *erklären* lasse (Der Mittler, 1927, S. 288ff). E.STAUFFER, Die Theologie des Neuen Testaments, 1941, S. 98f, 264f betont, daß „die Idee der Parthenogenesis" sich in der Urkirche nicht durchgesetzt hat, weil dieser Gedanke „weder der vollen Gottheit und Gottessohnschaft (cf J 2, 4), noch der vollen Menschheit und Davidsohnschaft Jesu (R 1, 3) gerecht" wird.

[43] Bo REICKE, The Disobedient Spirits and Christian Baptism (Acta Sem. Neot. Upsal. XIII), 1946.

ungehorsamen Geistern zu stützen, die hinter allem Heidentum als dessen Urheber stehen. Es dürfte damit erwiesen sein, daß der Hinweis auf die Hadespredigt Christi im Zusammenhang von 1 Petr 3, 13 ff kein Exkurs, sondern ein notwendiger Bestandteil der Paränese ist, dessen Motiv sich in 4, 6 durch den Hinweis auf die Predigt vor den Toten im allgemeinen fortsetzt[44]. Auch die Annahme ist recht wahrscheinlich gemacht, daß der ganze paränetische Zusammenhang von 1 Petr 3, 13 ff, der seine Parallele in 1 Petr 2, 19 ff und Tit 3, 1 ff hat, einem vom Verfasser des 1. Petrusbriefes benutzten literarischen τόπος entnommen ist[45]. Aber Reicke geht noch einen Schritt weiter und | behauptet, daß die Predigt Christi an die Toten „was possibly a fact well known to all Christians", daß der Abstieg Christi in die Unterwelt „was presumably a special point of the Christ drama at the very beginning of the history of Christianity"[46]. Das ist aber sehr fraglich. Auch wenn wir im Neuen Testament vereinzelten Belegen für die Anschauung begegnen, daß Christus nach seinem Tode in der Unterwelt weilte (Mt 12, 40; Röm 10, 7; Eph 4, 9; Act 2, 27), so finden sich erst spät und nur ganz vereinzelt Anspielungen auf die Tatsache, daß dieses Weilen des gestorbenen Christus in der Unterwelt die Predigt an die dort Weilenden oder den Sieg über die Herrscher der Unterwelt zum Inhalt hatte (Joh 5, 25; 1 Tim 3, 16)[47]. Reicke hat selber feststellen müssen, daß in den Parallelen zu 1 Petr 3, 13 ff, in 1 Petr 2, 19 ff und Tit 3, 1 ff, das Motiv der Predigt Christi an die ungehorsamen Geister gerade fehlt[48]; und ebenso bezeichnend ist, daß an den sonstigen und besonders den älteren Stellen, wo von einem Sieg Christi auch über die Unterwelt die Rede ist (Phil 2, 10 f; Kol 2, 15; Eph 1, 20 f; Apk 1, 18), sich keinerlei Hinweis auf den Descensus Christi in die Unterwelt findet[49]. Daraus ergibt sich, daß die mythische Vorstellung von einer Tätigkeit des auferstandenen Christus in der Unterwelt erst spät und zögernd zu dem Gedanken hinzugewachsen ist, daß Christi Tod und Auferste-

---

[44] Reicke hat den temporalen Sinn von ἐν ᾧ 3, 19 überwiegend wahrscheinlich gemacht (doch ist ἐν ᾧ schwerlich mit Reicke, S. 113 nur auf den Tod Christi, sondern auf Leiden *und* Auferstehung Christi allgemein zu beziehen, so E. G. Selwyn, The First Epistle of St. Peter, 1946, S. 197, 315). Reicke hat ebenso nachgewiesen, daß Christus hier als neuer Henoch gesehen wird; sehr unwahrscheinlich sind dagegen seine Annahme einer Abhängigkeit des 1. Petrus vom griechischen Text der Henochapokalypse und die daraus gefolgerten Argumente für die Veranlassung der Erwähnung der Predigt Christi gerade gegenüber der Flutgeneration.

[45] Reicke verweist (S. 228) auf die Arbeiten von Ph. Carrington, The Primitive Christian Catechism, 1940, S. 31 ff und E. G. Selwyn (a. Anm. 44 aO), S. 365 ff.

[46] Reicke, aaO, S. 210, 233; vgl. die Besprechung der Belege auf S. 16 ff; 231 ff. Auch E. G. Selwyn, aaO, S. 320 ff behauptet, der Glaube, daß Christus unmittelbar nach seinem Tode in die Unterwelt ging und daß sein erlösendes Handeln auch die Unterwelt umfaßte, „is part of the current coin of New Testament teaching".

[47] Zu diesem Verständnis von ὤφθη ἀγγέλοις in 1 Tim 3, 16 vgl. M. Dibelius, Die Pastoralbriefe, 1931², S. 39 f und E. G. Selwyn (a. Anm. 44 aO), S. 325 f. Zu der nicht völlig zu sichernden Deutung von Joh 5, 25 auf die Hadespredigt Christi vgl. außer E. G. Selwyn, aaO, S. 349 f und Bo Reicke, aaO, S. 208 Anm. 5: M. Goguel, La foi à la résurrection de Jésus dans le christianisme primitif, 1933, S. 373 f.

[48] Bo Reicke, aaO, S. 221, 224.

[49] So mit Recht M. Goguel (a. Anm. 47 aO), S. 357 ff gegen J. Kroll, Gott und Hölle (Studien der Bibliothek Warburg, 20), 1932, S. 5 ff, der zu Unrecht noch weitere neutestamentliche Texte für den Descensus-Kampf heranzieht.

hung den Sieg auch über die Mächte der Unterwelt bedeuten. Und dieses Zögern ist auch sachlich durchaus begreiflich. Die Vorstellung verschiedener Stadien innerhalb der | Erhöhung des Gekreuzigten zur himmlischen Kyrioswürde bedeutet eine spekulative Ausschmückung und damit eine Vergröberung des ursprünglichen, in mythischer Rede ausgedrückten und ohne diese Sprache nicht wiederzugebenden Glaubens an die Erhöhung des Auferstandenen zu Gott. Darum gilt auch hier, daß nicht weltanschauliche Anstöße des modernen Menschen dazu zwingen, die mythische Vorstellung von der Hadespredigt Christi kritisch in Frage zu stellen, sondern vielmehr die Tatsache, daß *diese* mythische Vorstellung zu dem an sich ebenfalls mythisch formulierten Glauben an die Erhöhung des Auferstandenen und seinen Sieg über die gottfeindlichen Mächte nicht von vornherein hinzugehört hat und dazu in einem deutlichen Spannungsverhältnis steht.

Damit aber dürfte erwiesen sein, daß eine biblisch-theologische Forschung, die die Tatsache der Entwicklung und die Möglichkeit von Fehlentwicklungen innerhalb der neutestamentlichen Gedankenwelt ernst nimmt, die aber zugleich das biblische Kerygma in seinem Anspruch und seinem wirklichen Gehalt festhalten und verständlich machen möchte, sich außerstande sehen wird, die mythische Rede aus der Heilsverkündigung des Neuen Testaments völlig zu eliminieren, wohl aber nicht darum herum kommt, von diesem zentralen neutestamentlichen Kerygma aus die einzelnen mythischen Vorstellungsformen zu prüfen und gegebenenfalls anzuerkennen, daß diese oder jene Vorstellung sich als dem eigentlichen Anliegen des Neuen Testaments nicht adäquat erweist[50]. Hier liegt eine weitgehend unerledigte Aufgabe der neutestamentlichen Forschung, zu deren Bewältigung noch mancherlei sorgfältige Vorarbeiten werden geleistet werden müssen, wie wir deren eine Reihe den Arbeiten aus der Schule des verdienten Jubilars verdanken, den diese Zeilen grüßen sollen[51].

[50] Zu einer analogen Einsicht kommt E. BRUNNER: auch die theologische Lehre der Apostel von Jesus Christus unterliegt der kritischen Prüfung, die allein von der Christusoffenbarung selbst aus geschehen kann. Diese Kritik bewegt sich darum, scheinbar, in einem Zirkel: „Nur *durch* die Apostellehre kann *an* der Apostellehre Kritik geübt werden" (Die christliche Lehre von Gott. Dogmatik, Band I, 1946, S. 55).

[51] [Korrekturnachtrag]. Erst nachdem vorliegende Arbeit längst abgeschlossen war, wurde mir die wertvolle Untersuchung von R. PRENTER bekannt: Mythe et Évangile, RTh Ph, N. S. 35, 1947, S. 49 ff.

JESUS UND PAULUS

Zu Joseph Klausners Darstellung des Urchristentums

Seit es eine moderne jüdische Wissenschaft gibt, hat sie sich auch mit Jesus und dem Urchristentum befaßt; denn es kann ja keinem Zweifel unterliegen, daß Jesus und seine Jünger in der jüdischen Gedankenwelt und Religion aufgewachsen waren und daß das älteste Christentum seine Vorstellungsformen darum dem Judentum seiner Zeit entnommen hat. So ist es nur natürlich, daß die jüdischen Forscher aller Richtungen sich immer auch der Frage zugewandt haben, in welcher Weise das älteste Christentum geschichtlich mit dem damaligen Judentum zusammenhängt, und ganz besonders darüber Klarheit zu gewinnen suchten, warum das Judentum Jesus und die Botschaft der ersten Christengemeinden so scharf abgelehnt hat, obwohl diese neue Religion zunächst völlig auf dem Boden des Judentums gewachsen war. Daß dabei immer die Gestalt Jesu im Mittelpunkt des Interesses der jüdischen Forschung stand, erklärt sich leicht aus der geschichtlichen Bedeutung Jesu wie aus der Tatsache, daß sich an dem Urteil über Jesus und an der Stellung zu Jesus Juden und Christen immer geschieden haben. Diese jüdische Jesusforschung ist auf christlicher Seite lange wenig beachtet worden, doch erwiesen sich schon in den ersten Jahrzehnten unseres Jahrhunderts die durch ihre Beherrschung der spätjüdischen Quellen und ihren kritischen Sinn hervorragenden Arbeiten von ISRAEL ABRAHAMS und CLAUDE | MONTEFIORE auch den christlichen Erforschern des Urchristentums immer mehr als unentbehrliche Hilfsmittel[1]. Einer weiteren Öffentlichkeit wurde das Vorhandensein und die wissenschaftliche Bedeutung einer spezifisch jüdischen Jesusforschung aber erst bewußt, als JOSEPH KLAUSNER 1922 sein Buch „Jeschu han-Nozri" („Jesus von Nazareth") zuerst in hebräischer Sprache erscheinen ließ; denn dieses Buch war die erste *wissenschaftliche* Darstellung Jesu in hebräischer Sprache und erwies sich als so bedeutsam, daß bald mehrere Übersetzungen in moderne Sprachen erschienen (Englisch 1925, Deutsch 1930). Joseph KLAUSNER, Professor für neuhebräische Literatur an der hebräischen Universität in Jerusalem, hat außerdem eine Reihe historischer Werke in hebräischer Sprache verfaßt, die aber über die Kreise der Hebräisch lesenden Juden hinaus nicht bekannt geworden sind. Daß sein Jesusbuch so großes Aufsehen erregte[2], erklärt sich nicht daraus, daß hier

[1] Vgl. besonders C. G. MONTEFIORE, The Synoptic Gospels (I. II, 1909; 1927²); DERS., Judaism and St. Paul (1914); DERS., Rabbinic Literature and Gospel Teachings (1930); J. ABRAHAMS, Studies in Pharisaism and the Gospels (I. II, 1917, 1924).

[2] Nach KLAUSNERS eigener Angabe waren bis 1933 schon fast 400 kritische Aufsätze über sein Jesusbuch erschienen! (MGWJ 77, 1933, S. 17).

völlig neue Resultate erzielt worden wären; die Anschauungen KLAUSNERS decken
sich sogar weitgehend mit den schon früher geäußerten Anschauungen des liberalen
Judentums[3]. Das Neue und Aufsehenerregende an diesem Jesusbuch war vielmehr,
neben der großen Literaturkenntnis und kritischen Selbständigkeit KLAUSNERS,
die Tatsache, daß hier ein überzeugter Jude für jüdische Leser eine Darstellung
Jesu vom Standpunkt objektiver Wissenschaft aus geben wollte und dabei den Versuch machte, das Jüdische an Jesus herauszustellen, aber auch seine unjüdischen
Züge zu betonen. Denn es ist KLAUSNERS These, daß Jesus zwar durch und durch
Jude war, daß er aber durch seine Geringschätzung des Zeremonialgesetzes und
durch seine extreme Ethik | dem jüdischen Volk die Möglichkeit der Selbstbehaup-
tung unter den Völkern nahm und dadurch unjüdisch wurde; auch durch die alleinige Betonung der *Güte* Gottes durch Jesus werde die Voraussetzung *sozialer* Existenz aufgehoben; Jesus sei darum für das jüdische Volk „geradezu *der* Lehrer der
Sittlichkeit", aber „außer dieser ethischen Lehre gab Jesus seinem Volke nichts",
und darum ist er im tiefsten trotz aller Verwandtschaft mit den Lehren der Pharisäer
unjüdisch[4]. KLAUSNER betont dabei immer wieder, daß Jesus Jude und nicht Christ
gewesen sei, und erst ein anderer Jude, Paulus, das Christentum geschaffen habe.
Auch diese Anschauung KLAUSNERS ist nicht neu, sondern von jüdischen Forschern
oft vertreten worden[5]; aber wenn sie nicht einfach eine paradoxe Formulierung für
die Anschauung ist, daß Jesus die Verkündigung von der Heilsbedeutung seiner Person und seines Todes noch nicht vertreten habe[6], so liegt darin eine Behauptung, die
der wirklichen wissenschaftlichen Begründung erst noch bedurfte.

Diese Begründung hat nun KLAUSNER in einem neuen Werk gegeben, das in Wirklichkeit eine Darstellung der Geschichte des Urchristentums bis zum Tode des Paulus ist und darum eine lehrreiche Hilfe zur Beantwortung der Frage bedeutet, worin
ein heutiger, wissenschaftlich geschulter Jude den Grund dafür sieht, daß das älteste
Christentum sich vom Judentum lösen mußte und daß die damaligen Juden wie
ihre Nachfahren von heute das Christentum ablehnen mußten. Auch dieses Buch
KLAUSNERS ist ursprünglich in hebräischer Sprache erschienen[7] und dann von einem
christlichen Alttestamentler Amerikas ins Englische übersetzt worden[8]. Infolge der
Kriegsverhältnisse ist das Buch außerhalb des | englischen Sprachbereichs, wo es
lebhaftes Echo fand[9], noch kaum beachtet worden, dürfte aber so bedeutsam sein,

---

[3] Diese Tatsache zeigt GÖSTA LINDESKOG in seiner wertvollen Darstellung der modernen
jüdischen Jesusforschung (Die Jesusfrage im neuzeitlichen Judentum, Arbeiten und Mitteilungen aus d. neutest. Seminar zu Uppsala, VIII, 1938, S. 110ff).

[4] J. KLAUSNER, Jesus von Nazareth, 1930, S. 505ff, bes. S. 552, 573. Zu KLAUSNERS
Darstellung des Gottesbildes Jesu vgl. meine Bemerkungen in Judaica I, 1945, S. 59.

[5] Vgl. G. LINDESKOG (a. Anm. 3 aO), S. 310.

[6] So meint es wohl J. WELLHAUSEN, Einleitung in die drei ersten Evangelien, 1911[2],
S. 102: „Jesus war kein Christ, sondern Jude."

[7] Mijjeschu 'ad Paulos, I. II, 1939/40.

[8] J. KLAUSNER, From Jesus to Paul. Translated from the Hebrew by W. F. STINESPRING,
1943. Die Auflage ist bereits vergriffen, eine Neuauflage wäre zu wünschen.

[9] An ausführlicheren Besprechungen sind mir folgende bekannt geworden: S. ZEITLIN,
Jewish Quarterly Review, N. S. 31, 1940/41, S. 309ff; A. D. NOCK, JBL 63, 1944, S. 55ff;
W. F. HOWARD, JThSt 47, 1946, S. 79f.

daß eine ausführliche Auseinandersetzung mit ihm sich als sehr fruchtbar aufdrängt. KLAUSNER berichtet im Vorwort, daß persönliches Unglück im Zusammenhang mit Unruhen in Palästina ihn des in drei Jahrzehnten für dieses Werk gesammelten Materials beraubte; aber was er dann von neuem gesammelt hat, zeigt, daß KLAUSNER nicht nur mit den Quellen, sondern auch mit der modernen Literatur in vielen Sprachen wohl vertraut ist, so daß die manchen Kapiteln vorangestellten Bibliographien auch für den Fachmann von Nutzen sind. KLAUSNER erklärt ausdrücklich, daß er Jesus und Paulus nicht schildern wolle als jüdischer oder christlicher Theologe, „sondern vor allem als Historiker, für den Theologie nur eine Hilfswissenschaft ist" (S. 260 Anm. 7). Es fragt sich aber, ob sich KLAUSNER bei dieser Absicht nicht täuscht über die Möglichkeit einer sogenannten „vorurteilslosen" Geschichtsschreibung, zumal er selber zugibt, daß er „vom speziellen Gesichtspunkt eines Juden" die Beziehungen zwischen Judentum und Christentum untersuche und daß darum seine Schlußfolgerungen notwendigerweise (!) abweichen müßten von denen christlicher Erforscher des Urchristentums (S. XI). Denn gibt es schon überhaupt bei jeder Geschichtsbetrachtung, trotz aller Bemühung um Objektivität, unaufhebbare Voraussetzungen des Historikers, die sein Urteil bestimmen, so muß man einer Erscheinung wie Jesus und dem Urchristentum gegenüber sich persönlich entscheiden, und damit nimmt man unweigerlich einen theologischen Standpunkt ein, so daß sich hier die Theologie überhaupt nicht zur Hilfswissenschaft zurückdrängen läßt.

Dieser Sachverhalt wirkt sich freilich noch wenig in der ersten Hälfte von KLAUSNERS Buch aus, die als Hintergrund für die Entstehung des Christentums das zeitgenössische Judentum außerhalb Palästinas und den heidnischen Hellenismus schildert. Denn darin | hat KLAUSNER zweifellos recht, daß die rasche Ausbreitung des Christentums unter den Heiden nicht möglich gewesen wäre ohne das Vorhandensein einer zahlreichen jüdischen Diaspora und ohne die Verbindung jüdischer mit heidnischer Gedankenwelt, wie sie bereits im hellenischen Judentum vollzogen war. KLAUSNER betont aber nicht nur die große geschichtliche Rolle der jüdischen Diaspora und deren engen Zusammenhang mit dem palästinischen Judentum, sondern weist immer wieder darauf hin, daß die Diasporajuden „wurzellos und unsicher in ihren politischen und kulturellen Beziehungen waren" (S. 20) und daß ohne diese halbassimilierten Juden Paulus niemals einen so großen Erfolg außerhalb Palästinas gehabt hätte (S. 30). Ja, der Kompromiß zwischen Judentum und Heidentum, den der alexandrinische Jude Philo schloß, ist nach KLAUSNER (S. 202 ff) auch die Grundlage des Urchristentums, das darum Philo so hochschätzte. Mit dieser Charakterisierung hat jedoch KLAUSNER das Diasporajudentum ebenso verzeichnet, wie er die Abgeschlossenheit des palästinischen Judentums gegenüber der Kultur und den Gedanken des Hellenismus übertrieben hat. Denn das palästinische Judentum hat sich heidnischen Gedanken durchaus nicht völlig verschlossen, und auch in Palästina gab es zahlreiche Assimilationsjuden, die sich ohne Aufgabe ihrer Gesetzestreue den fremden Landesherrn so weit wie möglich anpaßten; und nicht nur der charakterlose, aber doch national jüdisch empfindende Josephus, sondern auch ein strenger Pharisäer wie Jochanan ben Zakkai konnte dem Vespasian das Kaisertum prophezeien, Josephus sogar ausdrücklich „als von Gott Gesandter"[10]. Das Diasporajudentum auf der andern Seite hat | zwar in Sprache und kulturellen Lebensformen sich weitgehend an seine heidnische Umgebung angeschlossen; aber es hat in allen seinen bewußten Vertretern nie aufgehört, Jerusalem als Mittelpunkt seines religiösen Lebens, das Gesetz als wörtlich zu befolgende Richtschnur der Frömmigkeit und die Erwählung des jüdischen Volkes durch den Gott der Geschichte als Grundlage des Glaubens anzusehen und jeden Kompromiß mit dem Polytheismus abzulehnen; und selbst der dem Hellenismus am stärksten zugewandte Jude, Philo, hat die Gesetzesreligion seines erwählten Volkes immer als auswählendes Prinzip seines religiösen Denkens beibehalten[11]. Es ist also zweifellos unberechtigt, wenn KLAUSNER das hellenistische Judentum als „geistlich zerrissen und schwankend zwischen Judentum und Heidentum" (S. 275) beschreibt und daraus folgert, daß diese Menschen das beste Objekt für die christliche Propaganda waren. Denn sowenig wir irgendwelche Beweise dafür haben, daß hellenistische Juden in größerem Umfang entwurzelt und darum für fremde Propaganda offen waren, so deutlich zeigen die Berichte der Apostelgeschichte (z. B. 13, 45f. 50; 17, 5ff; 18, 12ff; 28, 24), daß die Mehrzahl der von der Missionspredigt des Paulus erreichten Diasporajuden seine Christusverkündigung ablehnten; und die Paulusbriefe selber beweisen, | daß die Juden in der Diaspora nach wie vor die christliche Mission verfolgten (1Thess 2, 15) und daß die paulinischen Gemeinden in der Mehrzahl aus ehemaligen Heiden bestanden (Röm 1, 13; 11, 13; 1Kor 6, 11; Gal 4, 8; 1Thess 1, 9); auch der 1. Petrusbrief setzt in Kleinasien mehrheitlich heidenchristliche Gemeinden voraus (1, 18). Aus all dem ergibt sich einwandfrei, daß man den Erfolg der ersten christlichen Mission nicht aus dem haltlosen Zustand der Diasporajudenschaft ableiten kann. Dagegen betont KLAUSNER mit Recht, daß die große Zahl der den jüdischen Synagogen-

[10] Den Einfluß griechischer Anthropologie auf rabbinische Vorstellungen vom Menschen und die Tatsache der grundsätzlichen Aufgeschlossenheit vieler Rabbinen für hellenistisches Gedankengut weist überzeugend nach R. MEYER, Hellenistisches in der rabbinischen Anthropologie, 1937. S. LIEBERMANN, Greek in Jewish Palestine, 1942, zeigt eindrücklich die weite Verbreitung der Kenntnis griechischer Sprache bei den palästinischen Juden und die Aufnahme heidnischer Sitten und Redensarten. Über die Anpassung der palästinischen Juden an griechische und römische Kultur und Vorstellungen handelt A. SCHLATTER, Die Theologie des Judentums nach dem Bericht des Josephus, 1932, S. 180ff. – Die Weissagung des Josephus bei Jos., Bell, Jud. III, 8, 9, § 399ff, die des Jochanan ben Zakkai in Gittin 55b bei H.J.STRACK und P. BILLERBECK, Kommentar zum NT aus Talmud und Midrasch, I, 1922, S. 947 und dazu R. EISLER, Jesus Basileus ou basileusas II, 1930, S. 605f.

[11] Philo, In Flaccum, § 45f (S. 524 M.); Josephus, Ant. IV, 6, 4 (§ 114ff). Vgl. ferner etwa H. LIETZMANN, Geschichte der Alten Kirche I, 1932, S. 68ff; H. PREISKER, Neutest. Zeitgeschichte, 1937, S. 245ff; J. HEINEMANN, Philos griechische und jüdische Bildung, 1932, S. 557f. Zur jüdischen Begrenzung der Aufnahme heidnischer Kunstmotive in der hellenistisch-jüdischen Kunst vgl. meinen Aufsatz „Die älteste religiöse Kunst der Juden", Judaica II, 1946, S. 1ff. Die national-gesetzliche Frömmigkeit des Diasporajuden zeigt besonders schön die aus dem 2. Jh. nChr stammende Grabinschrift für eine römische Jüdin namens Regina, die in lateinischen Hexametern abgefaßt ist (N. MÜLLER-N. A. BEES, Die Inschriften der jüdischen Katakombe am Monteverde zu Rom, 1919, S. 133ff = J.-B. FREY, Corpus Inscriptionum Judaicarum I, 1936, Nr. 145, S. 133ff, auch abgedruckt bei A. DEISSMANN, Licht vom Osten, 1923[4], S. 387ff). Auch A. D. NOCK (a. Anm. 9 aO), S. 58ff betont gegen KLAUSNER den ans Judentum gebundenen Grundcharakter des hellenistischen Judentums und bietet dafür interessante Belege.

gemeinden mehr oder weniger eng angeschlossenen „Gottesfürchtigen", die sich
noch nicht zur vollen Eingliederung in die jüdische Religionsgemeinde entschlossen
hatten wie die richtigen Proselyten, für die paulinische Predigt besonders offen gewesen sein werden, wie ja schon die Apostelgeschichte berichtet (13, 43; 17, 4). Ob
man freilich aus späteren Klagen des Talmud über die Unzuverlässigkeit der Proselyten schließen darf, daß auch viele der voll zum Judentum übergetretenen Proselyten durch Paulus zum Abfall von ihrem neuen Glauben bewegt wurden (S. 47f),
ist doch sehr fraglich, da dafür keinerlei Quellenangaben angeführt werden können.
Wichtig ist auch, daß KLAUSNER bei der Besprechung der hellenistisch-jüdischen
Literatur darauf aufmerksam macht, daß sich hier z. B. in den jüdischen Sibyllinen
eine Darstellung der jüdischen Religion „in ihren ethischen Aspekten, ohne jede
besondere Erwähnung der Zeremonialgesetze" findet, die der Predigtmethode des
Urchristentums zur Zeit des Paulus entspricht (S. 162). Hier wird nämlich eine Tatsache berührt, die gewöhnlich übersehen wird, daß schon das hellenistische Judentum *in seiner Propaganda den Heiden gegenüber* (aber *nur* dort!) das Zeremonialgesetz stark zurückgedrängt hatte zugunsten der moralischen Forderungen des
Alten Testaments und daß diese Methode der hellenistisch-jüdischen Propaganda
sicherlich für das Urchristentum vorbildlich gewesen ist, obwohl wir das nur vermuten können. Doch kann hier auf diesen vorbereitenden Teil von KLAUSNERS Buch
nicht ausführlicher eingegangen werden, und ebenso kann nur hingewiesen werden
auf KLAUSNERS kurze Besprechung der Quellen für die Geschichte des ältesten
Christentums, die erstaunlich konservativ ist, insofern Lukas ohne weiteres als |
Verfasser der Apostelgeschichte angenommen und die Widersprüche der Apostelgeschichte zu den Paulusbriefen nur aus Sorglosigkeit erklärt werden und insofern
auch der Epheserbrief uneingeschränkt als paulinisch erscheint.

Die zweite, größere Hälfte seines Buches widmet KLAUSNER der Schilderung der
Entstehung der Urgemeinde, dem Leben und der Lehre des Paulus. Und angesichts
dieser Schilderung wird sich nun besonders die Frage erheben, ob nur objektiv historische Maßstäbe den Geschichtsschreiber bestimmt haben und bestimmen konnten.
KLAUSNER geht aus von der Frage, warum nur Jesus unter den vielen spätjüdischen
Messiasprätendenten auf die Jünger einen solchen Eindruck gemacht habe, daß er
nicht vergessen wurde, sondern daß sie ihn nach seinem Tode in voller Überzeugung
als den Auferstandenen sahen. Mit dieser Fragestellung ist gegeben, daß KLAUSNER
von vornherein als einzig mögliche Antwort auf die Frage nach der Entstehung des
Auferstehungsglaubens die Annahme einer psychischen Nachwirkung Jesu in seinen
Anhängern ansieht, also nur eine zweifelsfrei immanente Erklärung für die Entstehung des ältesten Auferstehungsglaubens anerkennen will. Es ist deutlich, daß
KLAUSNER damit eine Voraussetzung seiner Fragestellung zugrunde legt, die auch
viele christliche Forscher gemacht haben[12], die aber nichtsdestoweniger schon durch

---

[12] Vgl. etwa M. GOGUEL, La foi à la résurrection de Jésus dans le christianisme primitif,
1933, S. 394, der auf die Entstehung des Auferstehungsglaubens den Grundsatz anwendet,
daß die Natur keine Sprünge mache, und E. v. DOBSCHÜTZ, Der Historiker und das Neue
Testament, ZNW 32, 1933, S. 47f, der angesichts der Bekehrung des Paulus die Anerken-

die Fragestellung ausschließt, daß eine andere als eine rein immanente, psychologische Erklärung für die Entstehung des Auferstehungsglaubens gegeben werden könne, so daß die Möglichkeit einer andersartigen Antwort von vornherein abgeschnitten wird. Es ist aber durchaus bezeichnend, daß KLAUSNER diese Voraussetzung macht; denn es steht ihm ja von vorneherein fest, daß Jesus | trotz seiner ethisch hochstehenden Lehre eine Gefahr für den Bestand des Judentums bedeutet, und darum kann natürlich der urchristliche Glaube an die göttliche Bestätigung seiner Sendung, wie ihn die Auferstehungsbotschaft enthält, nur als psychologisch-genetisches Problem in seinen Gesichtskreis treten. Von dieser genannten Voraussetzung aus führt KLAUSNER nun folgendes aus: Die Jünger hatten eine Reihe von sicheren Tatsachen aus dem Leben und der Lehre Jesu im Gedächtnis behalten, wußten freilich auch, daß Jesus keine neue religiöse Gemeinschaft gründen wollte. Nach der Kreuzigung Jesu, die sie tief enttäuschte, flohen sie mit Petrus an der Spitze nach Galiläa. Trotz dieser Enttäuschung schauten Maria Magdalena in Jerusalem und Petrus auf einem Berge in Galiläa unabhängig voneinander den Gekreuzigten als Auferstandenen auf Grund ihrer Erinnerung an Jesus und auf Grund des jüdischen Glaubens an das Eintreten der Auferstehung in der Messsiaszeit. Daraufhin eilte Petrus mit den Jüngern nach Jerusalem zurück, und ohne die Neuerungen zugeneigte, unbeständige Art des Petrus wäre es nicht zur Gründung einer neuen religiösen Gruppe gekommen. Dieser Gruppe schlossen sich nun auch ,,einige nichtpalästinische Juden an, denen ausreichende jüdische Erziehung fehlte, die aber begierig nach Wundern waren" (S. 273). An Pfingsten überfiel alle diese Christen eine Ekstase, bei der die übrigen Anwesenden, unter denen viele Diasporajuden waren, ihre eigenen Sprachen zu hören meinten, und die dabei neubekehrten Diasporajuden schufen das Christentum als neue Religion. Die Bräuche, die die neue ,,Sekte" ausbildete (Taufe, Abendmahl, gemeinsames Gebet, gemeinsamer Besitz), entsprechen den Bräuchen der jüdischen Sekte der Essener und kamen in die Urgemeinde durch den Bruder Jesu, Jakobus, der asketisch wie die Essener lebte. Die neue Sekte wuchs rasch, ,,die Bekehrten kamen hauptsächlich aus hellenistischen Juden und Proselyten, die damals zahlreich in Jerusalem waren" (S. 283). Es ist unschwer zu sehen, daß bei dieser Schilderung der Entstehung der Urgemeinde methodisch sehr bedenkliche Vermutungen eine große Rolle spielen. Was zunächst die Entstehung des Auferstehungsglaubens anbetrifft, so stützt sich KLAUSNER hier grundlegend auf den Bericht des Johannesevangeliums von der Erscheinung Jesu vor Maria Magda|lena (Joh 20, 11ff) und auf die Nachricht des Paulus von der ersten Schau des Auferstandenen durch Petrus (1Kor 15, 5), die er mit der Erscheinung Jesu vor allen Jüngern auf dem Berge in Galiläa (Mt 28, 16) kombiniert. Nun ist die Heranziehung des johanneischen Berichts von der Erscheinung Jesu vor Maria Magdalena insofern eine Willkür, als auch KLAUSNER sonst der Meinung ist, daß das Johannesevangelium als Quelle für die Schilderung der Geschichte Jesu nicht benutzt

---

nung eines supranaturalen Wunders ablehnt zugunsten der Forderung, den Weg des Verstehens so weit zu gehen, als es der Forschung möglich ist.

werden könne[13]; aber die Tatsache, daß uns von Maria Magdalena berichtet wird,
Jesus habe aus ihr sieben Dämonen ausgetrieben (Lk 8, 2), veranlaßt KLAUSNER
zu der Annahme, diese Frau sei „hysterisch bis zum Wahnsinn" gewesen (S. 255),
und da KLAUSNER so eine einleuchtende Erklärung für ihre Schau des Auferstandenen zu finden glaubt, stellt er gegen seine sonstige Kritik an den Quellen diese
Erzählungen des Johannesevangeliums an den Anfang. Das ist ebenso willkürlich
wie die Kombination von 1Kor 15, 5 mit Mt 28, 16; denn nur durch diese Kombination gelingt es KLAUSNER, die Schauung des Auferstandenen durch Petrus sicher
in Galiläa zu lokalisieren, während in Wirklichkeit beide Texte gar nichts miteinander zu tun haben und wir durchaus nicht sicher wissen, wo Petrus seine erste
Schau des Auferstandenen hatte. Hier muß darum eine durchaus unkritische Behandlung der Quellen dazu dienen, eine psychologisch einleuchtende Erklärung der
Entstehung des Auferstehungsglaubens zu geben; freilich ist diese Erklärung so
wenig auf die Quellen begründet und so wenig überzeugend wie die zahlreichen ähnlichen Versuche, die bis in die neueste Zeit immer wieder vorgetragen worden sind[14].
Die Tatsache, daß Petrus als erster den Auferstandenen gesehen hat, ist aber ebenso
sichere Überlieferung wie die Tatsache, daß wir über die Umstände und den psychischen Verlauf dieser Erscheinung rein gar nichts wissen; nur das wissen wir, daß
durch entsprechende Erscheinungen auch bisherige Gegner Jesu, Paulus und Jako-
bus, der Bruder Jesu, von der himmlischen Sendung des | Gekreuzigten überzeugt
worden sind, daß darum keinerlei Berechtigung vorliegt, ein psychisches Nachwir-
ken der Persönlichkeit Jesu als Wurzel dieser Erscheinungen zu postulieren. Der
Historiker muß, wenn er seine Grenzen nicht überschreiten will, zugeben, daß er die
Entstehung dieser Schauungen des Auferstandenen und damit des Auferstehungsglaubens nicht erklären kann, und das müßte darum auch KLAUSNER feststellen;
daß hier ein Eingreifen Gottes stattgefunden hat, der den Auferstandenen wirklich
den Jüngern und einigen andern in einer durchaus unsinnlichen, aber realen Weise
sichtbar machte, kann nur der Glaube feststellen. Wie KLAUSNER hier die Grenzen
des dem Historiker Möglichen überschritten hat, so sind es ebenso reine Vermutungen, daß schon vor Pfingsten nichtpalästinensische Juden der Gruppe der Christusgläubigen sich angeschlossen hätten und daß auch nach Pfingsten die Bekehrten
hauptsächlich Diasporajuden und Proselyten gewesen seien. KLAUSNER knüpft hier
natürlich an seine schon besprochene Auffassung von den entwurzelten Diasporajuden an, die hier aber darum doppelt fehl am Platze ist, weil die Quellen nichts
davon berichten, daß in der ältesten Urgemeinde *hauptsächlich* Diasporajuden zu
den ursprünglichen Jüngern Jesu gestoßen seien; daß auch in den ersten Zeiten der
Urkirche die Predigt vom auferstandenen Christus von den traditionsgebundenen
Juden *durchweg* abgelehnt worden sei, läßt sich eben nur durch die Eintragung solcher grundloser Vermutungen behaupten. Und völlig aus der Luft gegriffen ist dann
die Behauptung, daß der Herrenbruder Jakobus der asketischen Sekte der Essener

[13] J. KLAUSNER, Jesus von Nazareth, 1930, S. 165f.
[14] Vgl. die kritische Beurteilung der neuesten Versuche dieser Art in meinem Bericht
über die Erforschung des Urchristentums, 3. Teil, ThR, N. F. 17, 1948, S. 3ff.

nahegestanden und deren Vorstellungen und Bräuche in die Urgemeinde eingeführt habe; dafür gibt es auch keine Spur eines Beweises, ganz abgesehen von der Frage, ob wir das Recht haben, einen so frühen Einfluß des Herrenbruders auf die Urgemeinde anzunehmen. Auch hier versucht KLAUSNER ohne Grund, die Entwicklung der Urgemeinde auf dem Boden des strengen palästinensischen Judentums wegzuerklären.

Durchaus richtig schildert dann KLAUSNER die Schwierigkeiten, die das Nebeneinander von palästinischen und Diaspora-Judenchristen in der Urgemeinde verursachte und die zur Einsetzung der Sieben | und dem Beginn der Mission unter den Samaritanern durch diese Diasporajudenchristen führte. Auch das ist durchaus richtig gesehen, daß bei der ersten Verfolgung der Urgemeinde nur diese Diasporajudenchristen fliehen mußten, während die gesetzestreuen Zwölf mit ihren Anhängern in Jerusalem bleiben konnten, und zwar darum, weil die jüdischen Behörden nicht an der messianischen Sonderlehre der neuen Sekte Anstoß nahmen, sondern nur an der kritischen Stellung der hellenistischen Judenchristen gegenüber der strengen Gesetzeserfüllung. KLAUSNER behauptet dann, daß bei der ersten Gewinnung von Nichtjuden durch Philippus (Apg 8, 26ff) Philippus selbstverständlich von den sich bekehrenden Heiden Beschneidung, rituelle Abwaschung und Erfüllung der kultischen Gesetze neben der Annahme der Taufe und des Glaubens an Jesus Christus verlangt habe; denn ,,in den ersten Jahren nach der Kreuzigung Jesu war das Christentum (genauer das Nazarenertum) nichts mehr als ein Zusatz zum pharisäisch-essenischen Judentum. Wer ein Christ wurde, war zuerst ein pharisäischer (essenischer) Jude" (S. 297). Mit dieser Feststellung ist die Annahme gegeben, daß die älteste Heidenmission der Urkirche von den gewonnenen Heiden den vollen Übertritt ins Judentum und erst auf diesem Hintergrund den Eintritt in die christliche Gemeinde durch die Taufe forderte[15]. Es ist klar, daß diese Annahme sich nicht auf ausdrückliche Angaben der Quellen stützen kann, aber KLAUSNER sieht hier ein Problem, das christliche Forscher gerne übersehen, weil ihnen die Frage der Gesetzeserfüllung nicht von Haus aus am Herzen liegt. Und an sich wäre ein solches Vorgehen, wie es KLAUSNER postuliert, bei der urgemeindlichen Heidenmission durchaus denkbar, und doch ist diese Annahme | unwahrscheinlich. Denn einmal hätten sich schwerlich Heiden, die sich schon nicht zum vollen Übertritt zum Judentum hatten entschließen können oder die gar dem Judentum noch völlig fern standen, zur Übernahme von Beschneidung, jüdischem Tauchbad und dann noch christlicher Taufe bewegen lassen; und dann sind ja gerade, auch nach der Meinung KLAUSNERS, die hellenistischen Judenchristen darum aus Jerusalem vertrieben worden, weil sie dem Gesetz zu frei gegenüberstanden, so daß sie schwerlich von Heiden eine volle Eingliederung ins Judentum verlangt hätten, wenn sie sie zu

---

[15] KLAUSNER behauptet in einem späteren Zusammenhang (S. 341) ganz entsprechend, daß auch Barnabas und Lukios von Kyrene, als sie außerhalb Palästinas die erste Heidenmission trieben (KLAUSNER vergleicht mit Grund Apg. 11, 20 mit 13, 1), ,,von den Heiden außer der Taufe auch die Beschneidung und Erfüllung der übrigen Zeremonialgesetze oder wenigstens der wichtigsten dieser Gesetze forderten". Auch diese Behauptung ist bloß erschlossen, und es gelten auch gegen sie die im folgenden genannten Gründe.

Christus bekehren wollten. Obwohl wir also nichts davon wissen, daß vor Paulus
eine *bewußte* Abkehr von *jeder* Art der Forderung auf Gesetzeserfüllung durch die
zu bekehrenden Heiden bestanden hat, ist doch zu vermuten, daß man von den zu
Christus bekehrten Heiden keinesfalls den Eintritt in die jüdische Religions- und
Volksgemeinschaft durch Übernahme der Beschneidung und des Tauchbades gefordert hat, und es ist durchaus *möglich,* daß man ihnen überhaupt keine Erfüllung
des jüdischen Ritualgesetzes zumutete. Denn sowenig die älteste Urgemeinde sich
schon *bewußt* vom Judentum als eine neue Religionsgemeinschaft abgesondert hat,
so sehr bedeutete doch die Taufe und das gemeinsame Herrenmahl faktisch die Anerkennung der Zugehörigkeit zu einer streng abgegrenzten religiösen Gemeinschaft,
die wohl mit dem jüdischen Gottesdienst in Zusammenhang blieb, aber nicht einfach „ein Zusatz zum pharisäisch-essenischen Judentum" war. Denn die Überzeugung, daß in Jesus Christus der erwartete Messias bereits erschienen sei und in
Bälde in Herrlichkeit wiederkehren werde, bedeutete einen absoluten Anspruch an
die *gesamte* Judenschaft: die Christengemeinde war das Gottesvolk der Heiligen und
Auserwählten, nicht mehr das den Christus verwerfende jüdische Volk[16]. Es ist klar,
daß man die Konsequenzen, die dieser Glaube in Hinsicht der Erfüllung des Gesetzes durch die Christusgläubigen hatte, zunächst noch nicht klar gesehen hat; und
die Auseinandersetzungen zwischen dem gesetzestreuen Teil der Urgemeinde und
den hellenistischen Judenchristen und dann ganz besonders mit Paulus zeigen ja
deutlich, daß es vielen Judenchristen schwer fiel, die Konsequenzen aus dem Er-
schienensein des erwarteten Messias und aus der Hin|zufügung von Heiden zur
Messiasgemeinde zu ziehen. Aber so wenig die ersten judenchristlichen Heidenmis-
sionare die Heiden zu einem Judentum bekehrt haben, das nur durch den Glauben
an den getöteten und auferstandenen Messias Jesus bereichert war, so grundlos ist
die Behauptung KLAUSNERS, die ersten Christen hätten sich zu den Heiden wenden
müssen, weil die Juden für den gekreuzigten Messias und seine extreme Ethik kein
Verständnis hatten; wollte man aber Heiden gewinnen, so mußte man „vom Nacken
der Heiden das Joch des Gesetzes und der zeremoniellen Forderungen, an die sie
nicht gewöhnt waren, abnehmen und an ihre Stelle etwas viel Leichteres stellen –
den Glauben an Jesus und seine ethische Lehre allein" (S. 229). Denn diese Behauptung besagt ja, daß die ersten Christen aus Nützlichkeitserwägungen eines Tages
beschlossen, von den zur christlichen Gemeinde sich bekehrenden Heiden die Übernahme der Beschneidung und der Erfüllung des jüdischen Zeremonialgesetzes nicht
mehr zu fordern. Aber diese Annahme ist schon darum falsch, weil es durchaus
unwahrscheinlich ist, daß die Christen von Anfang an immer die Forderung auf
Übernahme des ganzen jüdischen Gesetzes durch die Heidenchristen erhoben haben;
und diese Annahme ist erst recht darum unbegründet, weil die Verkündigung von
Jesus Christus, dem Gekreuzigten und Auferstandenen, nicht als Ausweichen vor
einer schwereren Last, die man nur den Juden zumuten konnte, sondern als Froh-

---

[16] Siehe die Nachweise für das Kirchenbewußtsein der Urgemeinde in meiner Arbeit
„Kirchenbegriff und Geschichtsbewußtsein in der Urgemeinde und bei Jesus" (Symbolae
Biblicae Upsalienses I, 1943), S. 7 ff.

botschaft der Befreiung von Sünde und Tod den Heiden verkündet worden ist. Daß Klausner zu solchen Annahmen greifen muß, um die Entstehung der gesetzesfreien Heidenmission zu erklären, zeigt nur, daß er die Kraft der durch den Auferstehungsglauben geschaffenen Heilserfahrung der ersten Christen völlig übersieht.

Die Frage, wie sich der nationaljüdische Standpunkt Klausners in seiner Darstellung der ältesten christlichen Geschichte auswirke, wird nun freilich erst wirklich brennend, wenn Klausner zur Schilderung des Lebens und der Lehre des Paulus übergeht[17]. Sahen | wir doch zu Beginn, daß Klausner in Übereinstimmung mit anderen jüdischen Forschern Jesus im Rahmen des Judentums verstehen möchte, während er von Paulus zu Beginn der zweiten Hälfte seines Buches sagt: ,,Dieser Saulus war der wirkliche Gründer des Christentums als einer neuen Religion und einer neuen Kirche, nachdem es einige Jahre allein als jüdische Sekte und israelitische Gemeinde existiert hatte" (S. 304 f). Daß dieses Urteil zum mindesten darin fragwürdig ist, daß die Urgemeinde vor Paulus nur als jüdische Sekte bezeichnet wird, haben wir bereits gesehen; aber ist die Behauptung, Paulus sei der eigentliche Begründer des Christentums, wirklich haltbar ? Klausner gibt eine sehr ausführliche kritische Darstellung der Wirksamkeit des Paulus von seiner Bekehrung bis zu seinem Tode in Rom, deren Einzelheiten uns hier nur insofern beschäftigen können, als daraus die grundsätzliche Haltung Klausners gegenüber Paulus erkennbar wird. Auch hier findet sich der Versuch, das gesetzestreue palästinensische Judentum vor jedem möglichen Vorwurf zu beschützen, indem die Behauptung aufgestellt wird, daß nur die Sadduzäer dem Chri|stentum feindlich gesinnt waren, nicht aber die Pharisäer, und indem gesagt wird: ,,Hier haben wir in der Tat einen der Hauptgründe oder vielleicht *den* Grund für die rasche Ausbreitung des Christentums" (S. 349). Nun dürfte stimmen, daß der Bruder Jesu, Jakobus, im Jahre 62 gegen den Willen der gesetzestreuen pharisäischen Mitglieder des Synedriums durch den sadduzäischen Hohepriester hingerichtet worden ist; aber die Angaben der Apostelgeschichte und des Paulus zeigen, daß doch die jüdische Bevölkerung Palästinas,

---

[17] Die ganze Darstellung der Wirksamkeit des Paulus ist reich an Vermutungen, die einer gesunden Begründung entbehren. Paulus soll Stephanus vor dem Synedrium angezeigt haben (S. 303); er soll Jesus mehrfach während seines Lebens gesehen haben und bei der Kreuzigung anwesend gewesen sein (S. 315f); Ananias soll Paulus nach seiner Bekehrung davon überzeugt haben, daß man auf die Forderung der Beschneidung verzichten müsse, wenn man männliche Heiden in größerer Zahl gewinnen wollte (S. 331). Völlig ohne Begründung wird der Zwischenfall zwischen Petrus und Paulus (Gal 2, 11 ff) *vor* das Apostelkonzil (Gal 2, 1 ff = Apg 15, 1 ff) gestellt, und die beiden Jerusalemreisen des Paulus nach Apg 11, 27 ff und 15, 1 ff, die man nicht ohne weiteres mit Gal 1 und 2 ausgleichen kann, werden ohne weiteres identifiziert; daraus ergibt sich dann die bedenkliche, in den Quellen durch nichts angedeutete Vermutung, die Urgemeinde sei durch die Überbringung der Gaben der antiochenischen Gemeinde durch Paulus und Barnabas *vor* dem Apostelkonzil unbewußt *für* Paulus und Barnabas eingenommen worden! Klausner hat auch die Nachricht, daß Paulus ein Schüler des Gamaliel war, *beweisen* wollen durch den Hinweis auf eine Haggada in Schabbath 30 b, die einen ,,unverschämten" Schüler des Gamaliel nennt, womit Paulus gemeint sei; aber S. Zeitlin (a. Anm. 9 aO, S. 310 ff) hat gezeigt, daß Klausner diese talmudische Stelle völlig mißverstanden hat. All das beweist, daß Klausner seiner Phantasie allzu wenig Zügel angelegt hat; doch ist dieser häufige Fehler nichts, was mit Klausners jüdischem Ausgangspunkt in Zusammenhang stünde.

die mehrheitlich pharisäisch gerichtet war, und nicht nur die sadduzäische Priester-
aristokratie gegen die christlichen Befürworter der Heidenmission feindlich vorging
(Apg 22, 22; 23, 12 ff; 1 Thess 2, 14), so daß keine Rede davon sein kann, daß die
pharisäischen Führer der palästinensischen Juden der Ausbreitung des Christentums keinen Widerstand entgegengesetzt hätten. Ist diese Behauptung also ein un-
tauglicher Versuch, das palästinische Judentum von der Entstehung der Todfeind-
schaft zwischen Juden und Christen im Laufe des ersten Jahrhunderts fernzuhalten,
so beweist KLAUSNERS Schilderung der Bekehrung des Paulus, daß KLAUSNER auch
hier die schon bei der Erklärung der Entstehung des Auferstehungsglaubens be-
obachtete Voraussetzung macht, daß diese Bekehrung durch psychologische Rekonstruktion verständlich gemacht werden müsse. Er erklärt ausdrücklich, daß die
Damaskusvision unmöglich gewesen wäre, wenn Paulus Jesus zu seinen Lebzeiten
nicht gekannt hätte; denn nur das schreckliche Bild des Gekreuzigten zusammen
mit der Erinnerung an die Steinigung des Stephanus brachte die Damaskusvision
hervor (S. 315 f). Freilich scheint KLAUSNER diese Annahme noch nicht zu genügen.
Er muß noch hinzunehmen, daß Paulus auf dem Wege nach Damaskus über die
Frage nachgrübelte, ob nicht im Interesse der Gewinnung männlicher Proselyten
für die *jüdische* Gemeinde eine ähnliche Haltung einzunehmen sei, wie sie die Heidenchristen mit ihrer Aufgabe der Forderung nach Erfüllung des Gesetzes den Heiden gegenüber einnahmen, und er muß in Rechnung stellen, daß Paulus Epileptiker
gewesen und vor Damaskus von einem epileptischen Anfall befallen worden sei.
Diese letzte Annahme, die sich auf spärliche Notizen über die Krankheit des Paulus
stützt (2 Kor 12, 7; Gal 4, 13 ff), ist | schon oft vertreten worden [18] und wird von
KLAUSNER durch zahlreiche Parallelen, besonders aus Dostojewski, zu begründen
versucht (S. 325 ff); aber diese Annahme ist keineswegs sicher, ja nicht einmal wahrscheinlich [19], und auf alle Fälle sind die Gedanken, die in Paulus auf Grund seiner
Anwesenheit bei dem Tode Jesu und des Stephanus und auf Grund seiner Beschäftigung mit der Frage des richtigen Weges zur Bekehrung möglichst vieler Heiden
zum Judentum aufgestiegen sein sollen, völlig aus der Luft gegriffen. Diese psychologische Rekonstruktion der Bekehrung des Paulus ist darum ebenso willkürlich
und unbeweisbar wie unzählige andere, die seit über 100 Jahren vorgetragen worden sind [20]. Und im Grunde wird diese ganze Konstruktion KLAUSNERS schon dadurch in ihrer Fragwürdigkeit bloßgestellt, daß nach KLAUSNER „die Vision auf dem
Weg nach Damaskus überhaupt nicht möglich gewesen wäre, wenn Paulus Jesus
nicht ein oder mehrere Male während dessen Lebzeiten gesehen hätte" (S. 315);
denn es ist völlig ungewiß, ob diese Voraussetzung wirklich zutrifft, und damit fällt
ja schon die Schlüssigkeit des ganzen Beweises dahin. Doch steht KLAUSNER bei

---

[18] Vgl. die Angabe der Literatur und die vorsichtigen Erörterungen bei H. WINDISCH,
Der 2. Korintherbrief, Kritisch-exegetischer Kommentar über das NT, begr. v. H. A. W.
MEYER, VI, 1924⁹, S. 385 ff und K. L. SCHMIDT, ThW III, 1938, S. 820 f.
[19] Siehe M. DIBELIUS, Paulus und die Mystik, 1941, S. 9 Anm. 10.
[20] Vgl. die Beispiele bei O. KIETZIG, Die Bekehrung des Paulus, 1932, S. 72 ff und E. PFAFF,
Die Bekehrung des hl. Paulus in der Exegese des 20. Jahrhunderts, 1942, bes. S. 3 ff, dazu
neuestens S. MacLEAN GILMOUR (a. u. Anm. 33 aO), S. 122 ff.

diesem Versuch, die Bekehrung des Paulus durch einen Denkprozeß und psychologisch faßbare Erinnerungsbilder verständlich zu machen, nur in der Reihe all der ähnlichen Versuche der neueren Zeit, und darin zeigt sich darum keineswegs im besonderen sein jüdischer Ausgangspunkt.

Dagegen ist es nun sehr bezeichnend, daß KLAUSNER an vielen Stellen seiner Darstellung der Wirksamkeit des Paulus eine ausgesprochen unfreundliche Wertung des Paulus durchblicken läßt. Das zeigt sich schon darin, daß die Bekehrung des Paulus nicht ganz ernst genommen wird. Nicht nur behauptet KLAUSNER, daß | sich Paulus selber nicht darüber klar gewesen sei, ob die Christusschau bei Damaskus ein ganz subjektiver Vorgang war oder einem äußeren Geschehen entsprach (S. 324f), wobei eine moderne Problematik an die klare Aussage des Paulus herangetragen wird, er habe den Auferstandenen in seinem Auferstehungsleibe gesehen (1Kor 15, 8 vgl. mit 15, 47ff). Sondern KLAUSNER vertritt auch die Anschauung, daß Paulus „nie völlig zuhause war weder in seiner ersten Religion noch in seiner zweiten nach seiner Bekehrung" (S. 312), wofür freilich auch nicht die Spur eines Beweises angeführt wird und werden kann. Aber noch auffälliger ist, daß KLAUSNER wiederholt und an sehr entscheidenden Punkten dem Paulus unlautere Motive zuschreibt. Das zeigt sich schon angesichts der Angabe des Paulus, seine Familie gehöre zum Stamme Benjamin (Röm 11, 1; Phil 3, 5); denn nach KLAUSNER konnte eine unbekannte Familie wie die des Paulus keinen derartigen Stammbaum besitzen, vielmehr habe Paulus diese Behauptung aufgestellt, weil er den gleichen Namen trug wie der König Saul, der aus dem Stamme Benjamin war (S. 304f). Es läßt sich aber einwandfrei nachweisen, daß nicht nur jüdische Priester, sondern auch Laien zur Zeit des Urchristentums anerkannte Traditionen über die Stammeszugehörigkeit ihrer Familie hatten[21], und darum besteht nicht der geringste Grund, diese Tatsache einer Stammestradition in der Familie des Paulus zu bestreiten und die Angabe des Paulus als einfache Erfindung hinzustellen. Auch darin zeigt sich weiterhin die Unterschiebung eines unlauteren Motivs, wenn KLAUSNER behauptet, Paulus und Barnabas hätten auf ihrer ersten Missionsreise als Hauptziel gehabt, „Heiden zu bekehren, die Autorität der Zeremonialgesetze zu schwächen und infolgedessen die besondere Bedeutung des jüdischen Volkes zu verringern" (S. 352); denn daß Paulus die Bedeutung des jüdischen Volkes habe schwächen *wollen*, sagen die Quellen nirgendwo und kann man nur behaupten, wenn man schon *von vornherein* den Verzicht auf die Eingliederung der für das Christentum gewonnenen Heiden in das *jüdische* Volk als Verrat an der Heilsbedeutung des jüdischen Volkes ansieht. Am auffälligsten zeigt | sich diese grundsätzlich unfreundliche Einstellung dem Paulus gegenüber aber, wenn dem Paulus bewußter Betrug zugeschrieben wird: Paulus habe das Aposteldekret, das nach dem Bericht der Apostelgeschichte (15, 28f) den Heidenchristen ein Minimum an Gesetzesforderungen auferlegte, darum in seinen Briefen nicht erwähnt, weil er für Heiden *und* Juden alle Gesetzesforderungen aufgegeben, also das Dekret seinerseits überhaupt außer Kraft gesetzt hatte; „warum sollte er in einem Briefe wie dem

---

[21] Die Belege gibt J. JEREMIAS, Jerusalem zur Zeit Jesu II B, 1937, S. 145ff.

Galaterbrief, der eine Polemik gegen die Judaisten ist, ein Dekret erwähnen, das ein
Zeichen seines unbilligen Verhaltens war, insofern er in einem gewissen Sinn dessen
wesentlichste Teile außer Kraft gesetzt hatte?" (S. 370). Nun ist keine Frage, daß
die Nichterwähnung des nach dem Bericht der Apostelgeschichte von Paulus mit-
beschlossenen Aposteldekrets durch Paulus in seinen Briefen eine historische
Schwierigkeit bedeutet, die man erklären kann entweder durch Angabe der Gründe,
deretwegen Paulus das Dekret in seinen Briefen nicht zu erwähnen brauchte, oder
durch die (wohl zutreffende) Annahme, daß der Verfasser der Apostelgeschichte zu
Unrecht eine Beteiligung des Paulus bei der Abfassung des Aposteldekrets berichtete.
Auf alle Fälle ist es aber völlig unbegründet, dem Paulus hier ein planmäßiges Verschweigen eines auch von ihm gebilligten Beschlusses aus Gründen der Opportuni-
tät zuzuschreiben, und nur auf Grund solcher Annahmen kommt KLAUSNER zu der
abschließenden Feststellung, Paulus sei durchweg ein Opportunist gewesen, ein
kluger Politiker und Mensch der Kompromisse. Dieses Urteil verrät, daß KLAUSNER
wirklich von vornherein eine ungünstige Meinung von Paulus hat, die seine Beurteilung des Paulus dann im einzelnen beeinflußt, und es bleibt zu fragen, wo die Wur-
zeln dieser ungünstigen Meinung von Paulus bei KLAUSNER liegen[22]. |

Der letzte Abschnitt in KLAUSNERS Buch behandelt die Lehre des Paulus. Mit
Recht wird hier zunächst betont, daß Paulus sich immer als Jude gefühlt hat, der
die Heiden ins Christentum als das wahre Judentum hineinbringen wollte, und daß
seine Schriftauslegungen typisch jüdische Methoden anwenden. Ja, KLAUSNER geht
so weit, daß er feststellt, „daß nichts in der Lehre des Paulus ist – nicht einmal die
am stärksten mystischen Elemente darin –, das ihm nicht vom authentischen Judentum zugekommen wäre" (S. 466). Man wundert sich über diese Feststellung, nachdem KLAUSNER wenige Seiten vorher gesagt hatte, daß Paulus gemäß seiner Herkunft *unvermeidlich*, wenn auch unbewußt, von heidnischer Lehre beeinflußt werden
mußte; und es kann ja kein Zweifel sein, daß Paulus in manchen seiner Vorstellungen
von mystischen Gedanken des umgebenden Heidentums formal abhängig ist, mag
er diese Gedanken auch inhaltlich noch so stark umgeprägt haben[23]. Daß Paulus in
seiner Lehre *nur* vom authentischen Judentum abhängig sei, ist darum schwerlich

[22] Daß der Althistoriker E. MEYER als Christ ebenfalls Paulus als „Politiker durch und
durch" hingestellt hat, wie KLAUSNER zu seiner Unterstützung anführt (S. 431 Anm. 43;
vgl. ED. MEYER, Ursprung und Anfänge des Christentums III, 1932, S. 71), beweist nur, daß
auch E. MEYER mit ungünstigen Vorurteilen an Paulus herangegangen ist, nicht aber, daß
KLAUSNERS Urteil wirklich begründet ist. KLAUSNER behauptet sogar, daß die neutestamentlichen Bücher die Verfolgung der Christen durch die Heiden bewußt verschweigen, um
beim römischen Staat nicht Anstoß zu erregen (S. 358f); das ist angesichts der Berichte der
Apostelgeschichte über die Übergriffe römischer Behörden gegenüber Paulus objektiv unrichtig. Und daß die Forderung der Anerkennung der staatlichen Autorität durch Paulus
in Röm 13, 1ff nur Schmeichelei gegenüber den Herrschenden und Nachgiebigkeit gegenüber den Mächtigen aus Angst vor Verfolgung sei (S. 565f), ist eine höchst auffällige Behauptung angesichts der Tatsache, daß Paulus mit dieser Forderung auf Gehorsam dem Staat
gegenüber ja ganz deutlich nur jüdischer Tradition folgt (siehe Belege bei O. ECK, Urgemeinde und Imperium, 1940, S. 74ff).
[23] Vgl. zu dieser religionsgeschichtlichen Frage etwa R. BULTMANN, ThR, N. F. 8, 1936,
S. 1ff und W. L. KNOX, St. Paul and the Church of the Gentiles, 1939.

zutreffend, aber KLAUSNER hat sicher recht, daß Paulus aufs stärkste vom palästinensischen und hellenistischen Judentum abhängig ist und immer jüdisch empfunden hat und Jude bleiben wollte[24]. Und auch darin hat KLAUSNER durchaus recht,
daß Paulus faktisch durch seine Lehre über die Grenzen des Judentums hinaus-
geführt hat und selber aus | den Grenzen des Judentums hinausgewachsen ist. Aber
nun stellt sich eben die entscheidende Frage, welches die Motive waren, die Paulus
zu einer Lehre führten, die vielen Juden seiner Zeit als blasphemisch erscheinen
mußte und die das seiner Tradition treu bleibende Judentum immer abgelehnt hat.
KLAUSNER stellt hier zunächst die Behauptung auf, daß die Christusanschauung
des Paulus aus einer Notwendigkeit seiner persönlichen Lage und aus seinem geistigen Erbe erwachsen sei. Paulus war nach KLAUSNER den ursprünglichen Aposteln
dadurch unterlegen, daß er kein Jünger des irdischen Jesus gewesen war; er sah sich
darum *gezwungen,* nicht den wirklichen, geschichtlichen Jesus zu betonen, sondern
den geistlichen, den er vor Damaskus gesehen hatte. Schon von hier aus mußte Paulus die politische Seite, die auch in Jesu *Messias*anspruch gelegen hatte, völlig aufgeben zugunsten eines ethischen Messias, der durch die Auferstehung gerechtfertigt
wurde. Dazu kam, daß Paulus als Diasporajude die politisch-nationale Seite der
jüdischen Messiaserwartung leicht zugunsten des universalistischen Bestandteils
des Messiasglaubens übersehen konnte, zumal nur so Heiden für diesen Glauben gewonnen werden konnten. Und schließlich war, wie KLAUSNER ausführt, Paulus
beherrscht von Furcht vor den bösen Geistern, die nur ein Messias, der selbst ein
Geistwesen war, überwinden konnte. Alle diese Ursachen brachten es mit sich, daß
Jesus für Paulus als himmlische Gestalt neben Gott trat, „und es ist nur ein Schritt
von diesem geistlichen und himmlischen Messias zu völliger Gleichheit mit der Gottheit wie in der späteren Lehre von der Trinität" (S. 479). Diese Umformung der jüdischen Messiasidee ins Geistige durch Paulus bedeutet: „Gott ist wie ein alter Vater,
der, als er das Alter eigener Zuständigkeit überschritten hat, alles seinem einzigen
Sohn übergibt, damit er es erbe und verwalte, auch wenn der Vater noch am Leben
ist" (S. 481). „Hier haben wir den wesentlichen und grundlegenden Unterschied im
Messiasglauben zwischen Juden und Christen, gerade paulinischen Christen" (S. 470).
KLAUSNER hat diesen Unterschied zwischen jüdischem und christlichem Messiasglauben noch allgemeiner formuliert in einem lesenswerten Beitrag zu einer hebrä-
ischen Festschrift, der vor einiger Zeit auch in deutscher Übersetzung ver|öffent-
licht wurde[25]. In diesem Aufsatz wird noch stärker als in der Geschichte der Urkirche die Tatsache betont, daß die Messiasidee für den jüdischen Glauben durchaus
nicht *notwendig* ist, da es mancherlei jüdische Schriften gibt, in denen vom Messias
nicht geredet wird, daß der jüdische Messias aber dort, wo er begegnet, immer ein
Mensch bleibt, der die politische Aufgabe der Befreiung des jüdischen Volkes von

---

[24] Siehe dazu H. WINDISCH, Paulus und das Judentum, 1935 und zuletzt D. W. RIDDLE,
The Jewishness of Paul, JR 23, 1943, S. 240 ff, der mit Recht zeigt, daß Paulus innerhalb
des Judentums blieb und *dem* Judentum ergeben war, *wie er es verstand,* und das heißt natürlich, wie er es als christlicher Apostel nur verstehen konnte.
[25] J. KLAUSNER, Der jüdische Messias und der christliche Messias, 1943.

der Fremdherrschaft hat. Der christliche Messias aber ist für den christlichen Glauben unentbehrlich, hat keine politische, sondern eine rein geistige Aufgabe, bei der er neben Gott tritt und den Menschen erlöst; im Judentum ist es darum letztlich das jüdische Volk selbst, dessen Handeln der Messias nur beispielhaft repräsentiert, das durch Umkehr und gute Werke die Erlösung hervorbringt, während im Christentum der Messias-Gott, der die Grenze eines Sterblichen überschritten hat, den Menschen bereits erlöst *hat*. Es ist dankenswert, daß KLAUSNER diesen Unterschied zwischen jüdischem und christlichem Messiasglauben so scharf formuliert hat; und es kann keine Frage sein, daß KLAUSNER nicht nur darin recht hat, daß der Messiasglaube im Zentrum des Christentums steht, für den Juden aber darum nicht unentbehrlich ist, weil der Messias nur ein Mensch im Dienste des Gottes ist, der selber die Erlösung Israels bewirkt. Auch darin ist KLAUSNER zuzustimmen, daß der jüdische Messiasglaube *immer* eine politische Komponente hat, weil es die Aufgabe des Messias ist, dem bedrückten jüdischen Volk in Gottes Auftrag am Ende der Tage zu seinem Recht zu verhelfen, während schon Jesus überzeugt war, daß nicht die politischen Feinde des jüdischen Volkes, sondern der Satan in der Messiaszeit überwunden wird (Mk 3, 27; Lk 10, 18). Darin hat also KLAUSNER sicherlich recht, daß der Christus des Paulus und ebenso des gesamten Urchristentums keinerlei Züge eines politischen Befreiers und damit eines nationalen Heros in sich trägt. Die Frage ist nur, ob KLAUSNER die Entstehung dieses paulinischen Christusbildes richtig gezeichnet, ob er die Motive für die Entstehung dieses Christusbildes sachgemäß bestimmt hat. Denn KLAUSNER | meint ja, zeigen zu können, daß den Paulus sein Bewußtsein der Unterlegenheit den ursprünglichen Jüngern Jesu gegenüber ebensosehr wie seine Furcht vor der Geisterwelt dazu veranlaßt haben, die Messiasvorstellung ihres nationalen Charakters zu entkleiden und den Messias zu einer gottähnlichen, himmlischen Gestalt zu vergeistigen. Aber einmal ist es völlig aus der Luft gegriffen, daß Paulus durch sein Bewußtsein der Unterlegenheit den ursprünglichen Jüngern Jesu gegenüber dazu veranlaßt worden sei, die Messiasvorstellung zu vergeistigen und ihres nationalen Charakters zu entkleiden. Paulus hat sich zwar als ehemaliger Verfolger der christlichen Gemeinde den Uraposteln unterlegen gefühlt (1 Kor 15, 9), nicht aber darum, weil er kein Schüler des irdischen Jesus gewesen war; so konnte für ihn gar nicht die Notwendigkeit bestehen, zur Behauptung seiner Apostelwürde die von ihm verkündete Messiasgestalt entsprechend zu vergeistigen. Und dazu kommt, daß weder bei Jesus noch in der Urgemeinde die Messiasvorstellung einen wirklich nationalen Charakter hatte, dessen sie dann entkleidet werden konnte. Ist von Jesus zweifellos zu sagen, daß er nicht die Wiederherstellung der nationalen Größe und Freiheit Israels, sondern die Vernichtung des Satans und der Dämonen als den Inhalt des schon geschehenden und in Vollendung bald erwarteten Anbruchs der Gottesherrschaft verkündete[26], so zeigen die ältesten Nachrichten aus der Urgemeinde ebenso, daß die ältesten Christen die Einsetzung Jesu zum himmlischen Herrn und

---

[26] Gegen meine Feststellung, daß Jesus keinerlei nationale Hoffnung mit dem Kommen der Gottesherrschaft verbunden hat, nicht von der Vernichtung der politischen Feinde, sondern von der Vernichtung Satans und der Dämonen redet (W. G. KÜMMEL, Die Eschato-

Messias verkündeten und seine Wiederkehr zum Gericht und zur Wiederherstellung
der göttlichen Weltordnung erwarteten, während von einer Erwartung der Erfüllung
der nationalen Hoffnun|gen durch den erscheinenden Christus nirgendwo die Rede
ist (Apg 2, 36; 3, 20f; 5, 31; 10, 42f)[27]. Paulus steht also nur in | der Linie Jesu und
der Urgemeinde, wenn er einen Messias verkündet, der nicht die Aufgabe der Erfüllung der Hoffnungen des jüdischen Volkes hat. Und auch das ist eine unrichtige Behauptung KLAUSNERS, daß Paulus die Gestalt Jesu Christi darum vergeistigen
mußte, weil Jesus nur als Geistwesen die bösen Geister überwinden konnte. Denn
der Christus ist für Paulus durchaus nicht ein Geistwesen, das mit „dem Geist"
gleichgesetzt wird, sondern „der Herr des Geistes" (2Kor 3, 18)[28], der *darum* die

logie der Evangelien, 1936, S. 8), hat C.J.CADOUX, The Historic Mission of Jesus, 1941,
S. 136ff, 163ff eingewandt, Jesu Predigt von der Gottesherrschaft habe zweifellos eine poli-
tische Bedeutung gehabt, insofern als Jesus mit dem Messiasanspruch auch eine nationale
Aufgabe sich habe zuschreiben *müssen,* als Jesus ferner seine Wirksamkeit auf die Juden beschränkt und die Vorzüge der Juden immer betont habe und als schließlich die Erwartung
der Gottesherrschaft auf Erden auch eine Erledigung der politischen Not des jüdischen
Volkes in sich schließen mußte. Aber dagegen ist einmal zu bemerken, daß hier lauter
Postulate statt beweisender Texte vorgebracht werden; und dann ist ja nicht das die Frage,
ob der Anbruch der Gottesherrschaft auch politische Folgen nach sich zieht, was freilich
auch nicht direkt von Jesus betont wird, sondern ob Jesus seinem messianischen Amt eine
politische Färbung gibt, ob er als der Messias die politischen Feinde des jüdischen Volkes
beseitigen und dem jüdischen Volk zu seinem Recht verhelfen soll; und davon ist zweifellos
bei Jesus nirgends die Rede. Vgl. dazu auch J. HEMPEL, Politische Absicht und politische
Wirkung im biblischen Schrifttum (Der Alte Orient 38, 1, 1938), S. 45f.

[27] Gegen diese Behauptung könnte nur sprechen Apg 1, 6, wo die Jünger den Auferstandenen fragen: „Herr, richtest du in dieser Zeit die Herrschaft für Israel auf?", woraus
KLAUSNER schloß, „daß Jesus das Königreich Israel wieder herstellen wollte" (a. Anm. 4
aO, S. 558f; ebenso a. Anm. 8 aO, S. 438). Man kann die Tatsache, daß in Apg. 1, 6 die
nationale Messiaserwartung die Formulierung der Frage bestimmt hat, nicht wegdeuten,
indem man „Israel" hier im Sinne des „geistlichen Israel" versteht (so O. BAUERNFEIND,
Die Apostelgeschichte, 1939, S. 21f; ähnlich J. GEWIESS, Die urapostolische Heilsverkündigung nach der Apostelgeschichte, 1939, S. 100ff); denn die Formulierung entspricht zu genau den alttestamentlich-jüdischen Erwartungen in ihrer politischen Färbung (vgl. A.
OEPKE, ThW I, 1933, S. 386ff und H.W. BEYER, Die Apostelgeschichte, Das NT Deutsch
5, 1932, S. 6). Und auch das ist nicht richtig, daß der Auferstandene in Apg 1, 7f diese politische Erwartung zugunsten einer rein geistigen zurückweise (gegen OEPKE und BEYER,
aaO), weil die Frage in 1, 6 in der Antwort 1, 7f durchaus nicht deutlich korrigiert wird.
Wohl aber ist einmal zu beachten, daß die den Aposteln in Apg 1, 6 in den Mund gelegte
Frage für die Anschauung Jesu schon überhaupt nichts beweist. Und weiter ist zu bedenken, daß Apg 1, 6 zu dem Abschnitt des Anfangs der Apostelgeschichte gehört (1, 1b–12),
der zerstört und vielleicht überhaupt eingeschoben ist (so auch H.W. BEYER, aaO, S. 10);
würde diese Annahme zutreffen, so würde es sich in Apg 1, 6 um eine Einfügung aus späterer
Zeit handeln, die keinen Quellenwert für die älteste Zeit besäße. Doch ist die Einschiebung
dieses Abschnitts nur eine, wenn auch gut begründete, Hypothese, so daß man sich darauf
nicht sicher stützen kann. Aber man wird nun doch auf alle Fälle sagen müssen, daß die in
Apg 1, 6 sich zeigende politisch-nationale eschatologische Hoffnung den sich in den übrigen
Quellen zeigenden Erwartungen der ersten Jünger *nach* den Auferstehungserfahrungen nicht
entspricht (auch Lk 24, 21 würde in die Zeit *vor* die Auferstehungserfahrungen fallen), so
daß in Apg 1, 6 entweder eine Sonderanschauung eines kleinen Kreises der Urgemeinde vorliegt, die sich nicht durchgesetzt hat, oder ein Mißverständnis eines späteren Berichterstat-
ters. Auf alle Fälle bietet Apg 1, 6 keine Möglichkeit, die Erwartung der Erfüllung der natio-
nalen Hoffnungen der Juden durch den wiederkehrenden Messias Jesus als Inhalt der urgemeindlichen Hoffnung auszugeben.

[28] Die von KLAUSNER vertretene Anschauung (S. 473f), daß Paulus Christus und den

Geisterwelt beherrscht, weil er sie durch seinen Tod und seine Auferstehung ent-
mächtigt hat (Kol 2, 14f). Die Gründe, die KLAUSNER angeführt hat, um die Entstehung der vergeistigten Christusauffassung des Paulus und damit der grundlegenden Abweichung des Christusbildes des Paulus von der jüdischen Messiaserwartung
zu erklären, sind also zweifellos falsch. Die Wurzeln dieses paulinischen Christusbildes, dessen Abweichung vom jüdischen Messiasbild KLAUSNER so richtig ge-
zeichnet und dessen *notwendige* Ablehnung durch das traditionsbewußte Judentum
er damit als unvermeidlich herausgestellt hat, müssen also anderswo liegen.

Wir kommen der Einsicht in die Wurzeln des paulinischen Christusbildes und da-
mit auch in die Wurzeln der von vorneherein | ungünstigen Beurteilung des Paulus
durch KLAUSNER nahe, wenn wir KLAUSNERS zusammenfassendes Urteil über die
Lehre des Paulus und das Verhältnis des Paulus zu Jesus ins Auge fassen. Selbstverständlich gibt KLAUSNER auch eine sorgfältige Darstellung der paulinischen Anschauungen über Mensch und Sünde, Gesetz und Glaube, Enderwartung und Ethik.
Doch kann auf die Einzelheiten dieser Darstellung hier nicht eingegangen werden,
sondern nur darauf verwiesen werden, daß KLAUSNER sich immer wieder bemüht,
die von ihm abgelehnten Gedanken des Paulus daraus zu erklären, daß Paulus durch
die Vermischung jüdischer Gedanken mit heidnischen die jüdischen Gedanken so
verfälschte, daß das Judentum sie nicht mehr annehmen konnte[29]. Aber darauf
müssen wir nun besonders achten, worin KLAUSNER den grundstürzenden Irrtum
des Paulus sieht und wie er auf diesem Hintergrund sein Verhältnis zu Jesus beurteilt. Wir sahen ja schon, daß KLAUSNER in der Erhöhung des vergeistigten Jesus
Christus zu einer Würde neben Gott eine Anschauung des Paulus sieht, die den
wesentlichen Unterschied zwischen jüdischem und christlichem Messiasbild kennzeichnet, und daß KLAUSNER hier zugleich einen deutlichen Gegensatz zwischen
Jesus und Paulus erkennt. Ganz ähnlich beurteilt nun KLAUSNER einen zweiten entscheidenden Punkt, den Universalismus der paulinischen Heilslehre. Er schildert

Geist gleichsetze, die sich besonders auf 2Kor 3, 17 stützen zu können meint, ist auch von
christlichen Forschern sehr häufig vertreten worden (vgl. aus neuester Zeit etwa W. GRUND-
MANN, Aufnahme und Deutung der Botschaft Jesu im Urchristentum, 1941, S. 65f und
S. HANSON, The Unity of the Church in the New Testament, Acta Seminarii Neotestamentici
Upsaliensis 14, 1946, S. 97); diese Anschauung ist aber zweifellos falsch, wie sich aus der
Beachtung der persönlichen Christusgestalt des Paulus und aus der genauen Auslegung von
2Kor 3, 17 im Textzusammenhang ergibt (vgl. dazu die bei W. G. KÜMMEL, a. Anm. 16 aO,
S. 46 Anm. 19a angegebene Literatur und dazu E. PERCY, Der Leib Christi in den paulini-
schen Homologumena und Antilegomena, Lunds Universitets Årsskrift, N. F. Avd. 1,
Bd. 38, Nr. 1, 1942, S. 34ff).

[29] KLAUSNER geht dabei so weit, daß er den paulinischen Gedanken, daß der Gläubige
„in Christus" lebt, daß also Christus nicht nur auferstanden ist, sondern den Gläubigen an
seinem himmlischen Sein Anteil nehmen läßt, als „eine Täuschung, die auf eine andere
Täuschung gegründet ist", bezeichnet (S. 495)! Und von dem Gedanken des Paulus, daß der
Tod Jesu erlösende Bedeutung für die ganze Welt hat, nicht nur für die Menschen, sagt
KLAUSNER: „Solch eine Anschauung gefällt der Phantasie und hat in sich etwas Poetisches
und Erhabenes. Aber in ihrem Wesen ist sie, obwohl auf jüdischen Grund gebaut, heidnisch,
und es geht ein Geruch der Mysterienreligionen der Griechen, der Ägypter, der Perser und
der kleinasiatischen Heiden ... davon aus". Man wird kaum bestreiten können, daß hier,
entgegen der erklärten Absicht KLAUSNERS, nicht der Historiker, sondern der jüdische
Theologe redet, dem Theologie nicht nur Hilfswissenschaft ist!

völlig richtig (S. 528 ff), daß für Paulus das Heil nicht an der Erfüllung des Gesetzes, sondern am Glauben hängt, und daß dieser Glaube Heiden wie Juden in gleicher Weise zugänglich ist. | Das bedeutet nun aber nach KLAUSNER „nicht nur die Abschaffung der Tora Israels, sondern auch die Abschaffung des jüdischen Nationalismus". Wenn aber „alle 70 Nationen der Heiden die Lehre des Paulus annehmen sollten, würde der Monotheismus dem Polytheismus angeglichen werden und nicht umgekehrt". „Indem Paulus die christlich gewordenen Juden in die heidnische Gemeinde aufnahm, löschte er die Zeichen der jüdischen Nationalität bei seinen jüdischen Bekehrten aus, während von der Nationalität der Heiden nichts weggenommen wurde; denn Judentum ist anders, in ihm sind Religion und Nationalität verflochten und vermischt: es gibt keine katholischen Juden, keine protestantischen Juden, keine mohammedanischen Juden". Es ist keine Frage, daß KLAUSNER hier die Konsequenzen der paulinischen Verkündigung von der alleinigen Bedeutung des Glaubens für das richtige Verhältnis des Menschen zu Gott richtig sieht: die Frage, ob ein Mensch Jude oder Heide war, ehe er Christ wurde, spielt keine Rolle mehr, und der Anspruch, daß allein dem Volke Israel Gottes Verheißung gelte, ist aufgehoben. Aber KLAUSNER erkennt nun in dieser paulinischen Anschauung einen Angriff auf das jüdische Volk, der seine Existenz ebenso wie den allein durch das jüdische Volk gehüteten Monotheismus in Frage stellt. Damit erscheint Paulus als derjenige Apostel, der durch seine Erhöhung des Geistchristus zu einer Stellung neben Gott den vom jüdischen Volk beschützten Monotheismus gefährdet und durch seine Aufhebung der Vorrechte der Juden innerhalb der christlichen Gemeinde den jüdischen Nationalismus aufgehoben hat, und weil Paulus der Urheber dieser geschichtlichen Entwicklungen ist, darum steht KLAUSNER von vorneherein dem Paulus mit einem ungünstigen Urteil gegenüber. Weil KLAUSNER von dem Grundsatz der jüdischen Religion ausgeht, daß „Religion und Nationalität verflochten und vermischt sind" (S. 535), darum gilt ihm die Lehre des Paulus als „Widerspruch gegen die jüdische Religion und Verwerfung der jüdischen Nation" (S. 591). Es ist also völlig deutlich, daß KLAUSNER in seinem Urteil über Paulus nicht als Historiker, wie er beansprucht, sondern als jüdischer Theologe redet, der von diesem theologischen Standpunkt aus nicht nur wertet, sondern auch mehrfach zu geschichtlich unrichtigen Feststellungen kommt. Läßt sich also an dem Urteil | KLAUSNERS über die Wirkung der paulinischen Predigt von der alleinigen Bedeutung des Glaubens für das Heil ablesen, wo die Wurzeln seines ungünstigen Urteils über Paulus liegen, so können wir jetzt auch eine Antwort auf die noch offene Frage geben, wie in Wirklichkeit die Entstehung des von KLAUSNER so angefochtenen paulinischen Christusbildes zu verstehen ist. Wir sahen, daß KLAUSNER die Wurzel dieses „vergeistigten" Christusbildes zu Unrecht in der für Paulus bestehenden Notwendigkeit sieht, den ihm überlieferten Messiasanspruch Jesu zu vergeistigen, um so mit den Uraposteln konkurrieren und die Überwindung der Geisterwelt durch Christus lehren zu können. Wir sahen auch, daß nach KLAUSNER infolge dieser Vergeistigung des Christusbildes Gott seine Tätigkeit größtenteils an Jesus abgeben muß, der dadurch in unzulässiger Weise neben Gott tritt. Dieser Darstellung der paulinischen Christusanschauung liegt aber ein

schweres Mißverständnis zugrunde. Es ist gar nicht so, daß für Paulus Gott seine
Funktionen an den über das Maß des Menschlichen erhöhten Menschen Jesus ab-
gibt, so daß die paulinische Christusverkündigung eine Stufe auf dem Weg zur kirchlichen Trinitätslehre wäre. Vielmehr ist es die Botschaft des Paulus, daß es Gott
selbst ist, der in dem Menschen Jesus ebenso wie in dem auferstandenen und erhöhten Herrn Jesus Christus handelt, daß darum von einem „Abdanken“ Gottes ebensowenig die Rede sein kann wie von einer Erhöhung des Menschen Jesus zu einer
Würde neben Gott (2Kor 5, 19; Röm 8, 32. 39; 3, 25f; 4, 24f usw.)[30]. Diese grundlegende Struktur der paulinischen Christusverkündigung aber übersieht KLAUSNER
deshalb, weil er, von der Überzeugung an die dem jüdischen Volke aufgetragene
Wahrung des Monotheismus ausgehend, sich von vornehrein die Möglichkeit ver-
schließt, die wirkliche Wurzel dieses Christusbildes des Paulus zu kennen, nämlich
die Erfahrung der *Wirklichkeit* des auferstandenen und erhöhten Herrn. Denn nicht
weil Paulus ein „geistliches“ Christusbild benötigte, verkündete er den himmlischen
Christus, in dem Gott *allen* Menschen in gleicher Weise als der rechtfertigende und
versöhnende begegnen will, sondern weil er von der Wirklichkeit | dieses himmlischen
Herrn aus seiner Bahn als überzeugter Pharisäer und Verfolger der Christengemeinden geworfen und in den Dienst gezwungen worden war (Gal 1, 15f; 1Kor 9, 16f;
15, 8–10). Weil KLAUSNER von seiner jüdischen Gleichsetzung von Religion und
Nation aus das nicht sieht, muß er notwendigerweise das Christusbild des Paulus
verzeichnen und dem Paulus eine Bekämpfung der jüdischen Nation zuschreiben,
die ihm völlig ferne lag.

Damit aber kommen wir zu der abschließenden Frage, wie KLAUSNER das Verhältnis des Paulus zu Jesus beurteilt. Denn KLAUSNERS Buch ist ja gerade darum
so interessant, weil es die wissenschaftliche Begründung der These sein will, daß
„nicht Jesus das Christentum schuf (oder genauer gründete), sondern Paulus. Jesus
wollte nicht eine Religion oder eine neue Kirche gründen … Nicht so Paulus. Er war
der deutlich selbstbewußte Schöpfer und Organisator des Christentums als einer
neuen religiösen Gemeinschaft. Er machte das Christentum zu einem religiösen
System, das vom Judentum und Heidentum verschieden war, einem System, das
zwischen Judentum und Heidentum vermittelte, aber mit einer deutlichen Hin-
neigung zum Heidentum“ (S. 581f). KLAUSNER betont immer wieder, daß an dieser
Wirkung der paulinischen Predigt weitgehend seine Herkunft aus der entwurzelten
Diaspora und die Notwendigkeit schuld seien, sich gegenüber den älteren Aposteln
zu behaupten. Aber diese folgenschwere Wirkung des Paulus ist nach KLAUSNER
auch dadurch bedingt, daß den Paulus die moralischen Fehler der Unduldsamkeit
und Gewalttätigkeit, die Jesus nicht hatte, erst dazu befähigten, eine neue Kirche
zu gründen. Indem nun Paulus das Gesetz für die Heiden als ungültig erklärte,
öffnete er allen Lastern die Türe zum jungen Christentum, band aber die vom Gesetz
befreiten Gläubigen an die viel härteren Dogmen seiner christlichen Verkündigung.
Ja, der verderbliche Einfluß des Paulus ging so weit, daß er sogar seine gesetzes-

---

[30] Zum Christusbild des Paulus vgl. etwa O. MICHEL, Der Christus des Paulus, ZNW 32,
1933, S. 6ff.

treuen christlichen Gegner, die Judaisten, zu Gesetzesübertretern machte; denn
KLAUSNER kann sich die Hinrichtung des gesetzestreuen Herrenbruders Jakobus
durch den im Jahre 62 amtierenden Hohepriester nur vorstellen, wenn die Judaisten
unter | dem Einfluß des Paulus auch bereits in so auffälliger Weise zu Gesetzesübertretern geworden waren, daß der jüdische oberste Gerichtshof deswegen ihren Repräsentanten Jakobus zum Tode verurteilen konnte. Diese letztgenannte These ist
nun freilich eine phantastische Konstruktion; denn der einzig brauchbare Bericht
über die Hinrichtung des Jakobus, der des Josephus[31], besagt nur, daß der sadduzäische Hohepriester Chanan den Jakobus und einige andere unter dem Vorwurf der
Gesetzesübertretung vor dem Synedrium anklagte und steinigen ließ; aber es ist
keineswegs deutlich gesagt, worin die Gesetzesübertretung des Jakobus und seiner
Genossen bestand, die man ihnen vorhielt, und es ist durchaus nicht notwendig, daß
der Anklage wirkliche Laxheit in der Gesetzeserfüllung auf seiten der angeklagten
Judenchristen entsprochen hat[32]. Dazu kommt, daß von einer Einwirkung der paulinischen Lehre von der Gesetzesfreiheit auf die bisher gesetzestreuen Judenchristen
sich in dem Bericht des Josephus auch nicht die geringste Andeutung findet, so daß
hier KLAUSNER zur Entlastung der jüdischen Behörden von der Schuld an der unbegründeten Hinrichtung des Jakobus die verderbliche Wirkung des Paulus auf die
strengen Judenchristen einfach erschlossen hat. Aber abgesehen davon – hat KLAUS
NER recht in seiner scharfen Entgegensetzung der das Judentum aufhebenden Haltung des Paulus und der im wesentlichen im Judentum verbleibenden Stellungnahme Jesu? KLAUSNER weiß genau und weist darauf hin, daß innerhalb der modernen christlichen Theologie eine lebhafte Dis|kussion über die Frage stattgefunden
hat, welches Verhältnis zwischen der Verkündigung Jesu und der Lehre des Paulus
besteht, und daß es ein heute weitgehend anerkanntes Resultat dieser Forschungsarbeit ist, daß Paulus nicht direkt von Jesus, sondern von der Urgemeinde abhängig
ist, daß er aber durch die Tradition der Urgemeinde auch mit der Überlieferung vom
Leben und der Lehre Jesu in Beziehung stand (S. 580f)[33]. Da KLAUSNER der Meinung ist, daß auch die älteste Urgemeinde sich noch völlig im Rahmen des Judentums bewegte und „nichts mehr als ein Zusatz zum pharisäisch-essenischen Judentum war" (S. 297), muß die Wendung, die die Entwicklung endgültig in Bahnen
leitete, die zum Bruch zwischen Judentum und Christentum führen *mußten,* jenseits der palästinischen Urgemeinde geschehen sein, und ihr entscheidender Förde-

[31] Jos., Ant. XX, 9, 1 (§ 200): „Ananos, im Glauben, die Gelegenheit sei günstig, weil
Festus gestorben war, Albinus sich aber noch auf der Reise befand, berief eine Synedriumssitzung ein und stellte unter Anklage den Bruder Jesu, des sogenannten Christus, mit Namen Jakobus, und einige andere, indem er den Vorwurf erhob, sie hätten das Gesetz übertreten, und ließ sie steinigen."

[32] G. KITTEL, Die Stellung des Jakobus zu Judentum und Heidentum, ZNW 30, 1931,
S. 146 hat mit Recht betont, daß „die Parteigegensätze der sechziger Jahre in Jerusalem
sicherlich den Vorwurf der Gesetzesübertretung unter sehr verschiedenen Gesichtspunkten
hervorgebracht haben. Der Vorwurf beweist also in keiner Weise, ja macht nicht einmal
wahrscheinlich, daß wirklich Jakobus ein Übertreter des Gesetzes war".

[33] Vgl. zu diesen Fragen meine Arbeit „Jesus und Paulus", ThBl 19, 1940, S. 209ff (dort
auch die ältere Literatur). Dazu neuestens S. MacLEAN GILMOUR, Paul and the Primitive
Church, JR 25, 1945, S. 119ff.

rer war eben der Diasporajude Paulus. Nun haben wir schon bei der Besprechung
von KLAUSNERS Darstellung der Urgemeinde gesehen, daß sich die Urgemeinde
durchaus nicht nur als einen Zusatz zum pharisäischen Judentum fühlte, daß vielmehr auch in der Urgemeinde bereits das klare Bewußtsein der Besonderheit der
christlichen Gemeinde gegenüber dem den Messias Jesus ablehnenden Judentum
bestanden hat, daß also die Urgemeinde nicht einfach als Bestandteil des Judentums
angesehen werden kann. Damit wird aber die entscheidende Frage die, ob KLAUS-
NER darin recht hat, daß Jesus in der Hauptsache innerhalb des Judentums verstanden werden muß und daß Paulus durch seine grundsätzliche Wendung zu den
Heiden und zur Gesetzesfreiheit gegenüber der Haltung der mit Jesus zusammen-
gehörigen Urgemeinde die entscheidende Wendung von der jüdischen Sekte zur neuen
christlichen Religion veranlaßt hat. Nun kann natürlich KLAUSNERS Jesusbild hier
im einzelnen nicht geprüft werden, aber es genügt auch, das Gesamturteil KLAUS-
NERS über Jesus ins Auge zu fassen: Jesus war kein Christ, sondern Jude, er war ein
Lehrer hoher Sittlichkeit, ja „geradezu *der* Lehrer der Sittlichkeit, die für ihn im
religiösen Bereiche alles bedeutete"; seine Ethik enthält gegenüber | dem Judentum
nichts Neues, doch nahm Jesus mehr unbewußt als bewußt den Zeremonialgesetzen
ihre Bedeutung zugunsten einer radikalen Ethik, die nicht verwirklicht werden kann;
dadurch wurde das Gesetz als Schutz der jüdischen Nation aufgehoben, und die
Ethik Jesu führte zu Unjudentum. Dazu kam Jesu Glaube an seine messianische
Mission, der an Selbstverherrlichung grenzt und den das jüdische Volk ablehnen
muß. Mit einem Wort: Jesus war ein Jude, nicht nur im religionsgeschichtlichen Sinn
der ausschließlichen Abhängigkeit seiner Lehre von den Vorstellungen des zeitgenössischen Judentums (darin hat KLAUSNER zweifellos recht), sondern auch darin, daß
er im Rahmen des Judentums bleiben wollte und nur durch seinen Radikalismus
wider sein Wollen darüber hinaus wuchs[34]. Diese Auffassung Jesu ist aber an einem
ganz entscheidenden Punkte völlig falsch. Man kann über die Frage, ob Jesu Lehre
mit der der Rabbinen im einzelnen übereinstimme oder nicht, ob Jesus Neues gegenüber der jüdischen Ethik und dem jüdischen Gottesbegriff gebracht habe oder nicht,
gelegentlich durchaus verschiedener Meinung sein, obwohl es kaum angehen wird,
Jesus die Verkündigung neuer, für einen jüdischen Lehrer durchaus unmöglicher
Anschauungen abzusprechen[35]. Und auch darüber sollte eigentlich kein Zweifel
herrschen, daß Jesus zwar einerseits das alttestamentliche Gesetz als Gottes Offenbarung anerkannt hat, daß er aber andererseits ebenso deutlich mit souveräner
Sicherheit Gebote des Alten Testaments als ungültig und die Zeit der unbedingten
Gültigkeit des Gesetzes als abgelaufen erklärt hat[36]. | Ist schon schwer zu begreifen,

[34] J. KLAUSNER (a. Anm. 4 aO), S. 573, 571, 515, 529 ff, 566.
[35] Vgl. zu dieser Frage G. KITTEL, Das Problem des palästinischen Spätjudentums und
das Urchristentum, 1926, S. 88 ff; C. G. MONTEFIORE, Rabbinic Literature and Gospel
Teachings, 1930; W. G. KÜMMEL, Jesus und die Rabbinen, Kirchenbl. f. d. ref. Schweiz
1933, S. 214 ff, 225 ff; W. GRUNDMANN, Jesus der Galiläer und das Judentum, 1940; J. LEI-
POLDT, Jesu Verhältnis zu Griechen und Juden, 1941; W. G. KÜMMEL, Die Gottesverkündigung Jesu und der Gottesgedanke des Spätjudentums, Judaica 1, 1945, S. 40 ff.
[36] Genaueres in meinem Aufsatz „Jesus und der jüdische Traditionsgedanke, ZNW 33,
1934, S. 105 ff. Vgl. ferner B. H. BRANSCOMB, Jesus and the Law of Moses, 1930; J. HEMPEL,

daß KLAUSNER diesen Tatbestand weitgehend übergeht, wesentlicher ist etwas anderes: die ganze Verkündigung Jesu von Gottes Willen erfolgt auf dem Hintergrund der Predigt Jesu von der Gottesherrschaft, die in Bälde in voller Herrlichkeit anbrechen wird und die sich jetzt schon vorauswirkend zeigt in Jesu Handeln und Lehren[37]. Und nur darum stellt Jesus souverän seine Lehre gegen das von der rabbinischen Tradition ausgelegte Alte Testament (Mt 5, 21 ff), weil in seiner Person Gott die endzeitliche Heilsvollendung jetzt schon anbrechen läßt. Nur weil Jesus sich zum Heilsbringer der Endzeit, zum Menschensohn-Messias bestimmt weiß, beansprucht er Autorität und fordert Anschluß an seine Person. Jesu persönlicher Anspruch, den KLAUSNER als Selbstverherrlichung bezeichnet und nur im Vorbeigehen erwähnt, steht also im Zusammenhang der Predigt von der Gottesherrschaft im Mittelpunkt der Verkündigung Jesu, durch diesen Anspruch aber tritt Jesus deutlich aus dem Judentum heraus. Nicht das ist die Frage, ob Jesus eine neue Religion neben dem Judentum gründen wollte; das ist sicher nicht der Fall, da Jesus schon durch die Einsetzung der Zwölf den Anspruch an sein ganzes Volk auf Gehorsam seiner Verkündigung gegenüber erhob (Mt 19, 28). Sondern das ist die Frage, ob die Verkündigung und Wirksamkeit Jesu, da Jesus nun aber von seinem Volke mehrheitlich abgelehnt wurde, nicht *notwendigerweise* zur Bildung einer eschatologischen Gemeinde *neben* dem Judentum führen mußte, ob nicht Jesus durch seinen persönlichen Anspruch auf alle Fälle aus dem Rahmen des Judentums seiner Zeit heraustrat. Und auf diese Frage kann man nur antworten, daß zweifellos schon Jesus selbst trotz aller religionsgeschichtlichen Zusammenhänge mit dem Judentum den Rahmen des traditionsgebundenen Judentums seiner Zeit klar und eindeutig sprengte, so daß man *nicht* sagen *kann:* „Jesus war Jude und blieb es bis zu seinem letzten Atemzug"[38], wenigstens dann nicht, wenn man wie KLAUSNER als Kennzeichen des Judentums die Verflechtung von Religion und Nation ansieht. |

Weil nun aber KLAUSNER die ethische Lehre Jesu in ihrer Hoheit doch im Rahmen des Judentums sehen möchte, übersieht er, bewußt oder unbewußt, diesen im tiefsten Grunde unjüdischen Charakter der Verkündigung Jesu, und von da aus ergibt sich ihm dann die Verzeichnung des Verhältnisses der Urgemeinde und des Paulus zu Jesus, die wir gesehen haben. Denn mag für die Urgemeinde auch durch den Glauben an Gottes wirkliches Handeln in der Auferweckung des Gekreuzigten eine entscheidend neue Lage bestanden haben und mag Paulus als Diasporajude und Heidenmissionar auch dieser urgemeindlichen Verkündigung an manchen Punkten wesentlich neue Formen verliehen haben, in einem Punkte stimmen die Urgemeinde und Paulus mit Jesus völlig überein, in dem Glauben an den Beginn der endzeitlichen Vollendung in der Geschichte Jesu und in der Hoffnung auf die baldige volle Verwirklichung dieses endzeitlichen Heils bei der Offenbarung des auferstandenen

Der synoptische Jesus und das AT, ZAW 1938, S. 1 ff; A. OEPKE, Jesus und das AT, 1938; E. LOHMEYER, Kultus und Evangelium, 1942.

[37] Vgl. den Nachweis für diese Feststellung in meinem Buch „Verheißung und Erfüllung", 1945.

[38] J. KLAUSNER (a. Anm. 4 aO), S. 512.

Jesus Christus[39]. Und durch diesen Glauben hängen die Urgemeinde und Paulus nicht nur mit Jesus zusammen, sondern trennen sich auch gemeinsam mit Jesus vom traditionstreuen Judentum. Und damit haben wir die tiefste Wurzel der Abneigung KLAUSNERS gegen Paulus und auch seiner Mißdeutung des Verhältnisses des Paulus zu Jesus und der Urgemeinde bloßgelegt: weil KLAUSNER diesen Anspruch Jesu, der endzeitliche Heilsbringer zu sein und damit das Ende der alttestamentlichen Heilsepoche zu bewirken (Lk 16, 16), nicht anerkennen *kann*, weil er einen Jesus zeichnen will, der ein großer Lehrer der Ethik *innerhalb* des Judentums war, nicht aber der messianische Prophet, der er doch sein wollte, darum muß er den Graben aufreißen zwischen Jesus und Paulus, darum muß ihm Paulus zum Feind des jüdischen Nationalismus werden. Und die Bedeutung, die KLAUSNER dem Paulus dann doch noch für das Judentum zuschreibt, kann daneben nicht mehr überzeugen. Denn nach KLAUSNER ist es das Verdienst des Paulus, das Alte Testament als Gotteswort festgehalten und den Heiden gebracht zu haben, wodurch die Heilige Schrift der Juden in den christlichen Kanon | kam und so jüdische Kultur einen mächtigen Einfluß auf die christliche Zivilisation gewann. Dadurch ist Paulus nach KLAUSNER ein „Wegbereiter für den König Messias", für die Ausbreitung des ethisch-prophetischen Monotheismus des Judentums über die ganze Welt. Dieses abschließende Urteil über die Wirkung und Bedeutung des Paulus schreibt dem Paulus einerseits eine zu große Wirkung zu, weil die Übernahme des Alten Testaments in den christlichen Kanon in Wirklichkeit begründet ist in der Anknüpfung Jesu an die alttestamentliche Heilsgeschichte. Aber ebenso ist andererseits zu sagen, daß Paulus, der Bote Jesu Christi, wirklich allzusehr vergewaltigt wird, wenn er zum Wegbereiter einer erwarteten Ausbreitung des jüdischen Monotheismus über die ganze Welt gestempelt wird.

Aber solche Fehlurteile bei einem Forscher, dessen ehrliches Bemühen es ist, den im Judentum vielgeschmähten Paulus seinen jüdischen Volksgenossen geschichtlich verständlich zu machen und in seiner Bedeutung herauszustellen, beweisen nur, daß auch hier wie bei jeder tiefergehenden Auseinandersetzung zwischen Judentum und Christentum die Stellung zu Jesus und seinem persönlichen Anspruch der entscheidende Trennungsstrich ist. Und die Auseinandersetzung mit KLAUSNERS zweifellos aus ehrlicher Liebe zur geschichtlichen Wahrheit geschriebener Darstellung des Urchristentums ist eben darum so lehrreich und förderlich, weil sie von neuem beweist, daß Jesus und damit das Urchristentum von der jüdischen Voraussetzung der Einheit von Nation und Religion im Judentum aus nicht wirklich verstanden werden können. Die Frage nach dem geschichtlichen Charakter des Paulus kann nicht richtig beantwortet werden, wo ein offenes Verständnis für die Gestalt und Forderung Jesu von vornehrein unmöglich ist. Und es gilt in anderem Sinn, als KLAUSNER es möchte[40]: Ohne Jesus keine Urkirche und kein Paulus; und wer Paulus ablehnt, dem muß auch Jesus verschlossen bleiben.

[39] Siehe dazu (außer meinen in Anm. 33 und 37 genannten Arbeiten) H. D. WENDLAND, Geschichtsanschauung und Geschichtsbewußtsein im NT, 1938 und O. CULLMANN, Christus und die Zeit, 1946.
[40] J. KLAUSNER (a. Anm. 8 aO), S. 590: „So kann es mit Endgültigkeit gesagt werden: Ohne Jesus kein Paulus und keine Nazarener; aber ohne Paulus kein Weltchristentum."

MARTIN DIBELIUS ALS THEOLOGE

Als MARTIN DIBELIUS am 11. November 1947 dem schweren Leiden erlag, das er sich in den Aufregungen und Entbehrungen der letzten Kriegszeit zugezogen hatte, verlor die theologische Wissenschaft und die evangelische Kirche Deutschlands einen ihrer einflußreichsten und bedeutendsten Männer. Weit über die Grenzen Deutschlands hinaus war der Name des Erforschers des Urchristentums bekannt geworden, und in Deutschland war die literarische und persönliche Mitarbeit des vielseitigen Theologen im Leben von Kirche, Universität und Öffentlichkeit weithin geschätzt und erwünscht. Freilich hatte sich der überzeugte Demokrat in den Zeiten des dritten Reiches völlig auf die wissenschaftliche Tätigkeit zurückziehen müssen, was seinem ins Weite strebenden Wesen so gar nicht entsprach. Doch hat er sofort nach dem Zusammenbruch beim Neubau der Heidelberger Universität und in der beginnenden politischen Aufbauarbeit wieder eine führende Rolle gespielt. Um so schwerer traf alle, die von dem Forscher wie von dem aufrechten Universitätslehrer noch viel erwarteten, sein allzu früher Tod. Im Rückblick auf das reiche Lebenswerk des Verstorbenen werden wir am besten die Aufgabe erkennen, die er lösen durfte, und was er uns zu weiterer Lösung hinterlassen mußte.

MARTIN DIBELIUS wurde am 14. September 1883 in Dresden als Sohn des damaligen Pfarrers an der Annenkirche und späteren Oberhofpredigers FRANZ DIBELIUS geboren. Im Hause eines konservativen, aber sehr weltoffenen Vaters wuchs er, wie er selber berichtet[1], wie selbstverständlich in dem Vorsatz auf, einmal Theologie zu studieren, während der Gedanke akademischer Tätigkeit erst im Laufe des Studiums Gestalt annahm. Nach einem aus gesundheitlichen Gründen in Neuchâtel verbrachten ersten Semester studierte DIBELIUS Theologie und Philosophie in Leipzig, Tübingen und Berlin, erwarb 1905 in Tübingen den philosophischen Doktor, 1908 den Berliner Lizentiat. Trotz des Widerstandes von BERNHARD WEISS habilitierte er sich 1910 in Berlin für neutestamentliche Wissenschaft und wurde 1915 als Nachfolger von JOH. WEISS auf den Heidelberger Lehrstuhl für Neues Testament berufen. Dieser Universität ist DIBELIUS treu geblieben, auch als ihn 1928 ein Ruf nach Bonn und 1947 den schon schwer Kranken ein Ruf nach Berlin erreichte. Obwohl er aus seiner politischen Gesinnung nie ein Hehl gemacht hat und darum vielerlei Verdächtigungen und Zurücksetzungen auf sich nehmen mußte, ist ihm sein Lehramt nie entzogen worden, und so hoffte er, ,,eine Neubelebung des alten Geistes der

---

[1] [129 1] Die Religionswissenschaft der Gegenwart in Selbstdarstellungen 5, 1929, S. 1 ff.

Universität noch als Professor zu erleben", wie er 1946 in einer zu amtlichen Zwek-
ken abgefaßten Lebensbeschreibung äußerte. Aber schon im Jahre 1944 hatte den
bis dahin immer Gesunden eine Lungenerkrankung befallen, von deren Folgen sich
der beim Einmarsch der Amerikaner zu vielerlei öffentlichen Diensten Herangezo-
gene nicht wieder ganz erholte, so daß er nur mit großer Energie seine Vorlesungs-
tätigkeit fortsetzen konnte. Der Versuch, dem aufs schwerste Gefährdeten einen
längeren Heilaufenthalt in der Schweiz zu ermöglichen, scheiterte an dem Unverständnis der zuständigen Stellen. Als DIBELIUS im Januar 1947 mit anderen Dozen-
ten der Heidelberger Universität auf Einladung der Zürcher Universität für kurze
Zeit in Zürich weilte, konnte man auf eine völlige Genesung des Rekonvaleszenten
hoffen, und DIBELIUS war voller literarischer Pläne. Aber das heimtückische Leiden
brach bald in verschlimmerter Form wieder aus, und so erlöste der Tod einen völlig
Entkräfteten.

Die treibenden Interessen, die das wissenschaftliche Schaffen von MARTIN DIBE-
LIUS beherrschten, zeigten sich schon | in seinen ersten Arbeiten[2]. Durch die per-
sönliche Berührung mit H. GUNKEL während seiner Berliner Studienzeit war DIBE-
LIUS, dem A. HARNACK den Sinn für geschichtliche Fragestellungen geöffnet hatte,

---

[2] [131 1] Eine das wissenschaftliche Schrifttum und die wissenschaftlichen Rezensionen
(diese nicht ohne Lücken) umfassende Zusammenstellung der Arbeiten von M. DIBELIUS
hat A. FRIDRICHSEN zum 60. Geburtstag von DIBELIUS veröffentlicht: Bibliographia Dibe-
liana atque Bultmanniana (Coniectanea Neotestamentica 8, 1944, S. 1–22). Hinzuzufügen
sind die seit 1944 erschienenen Arbeiten, die ich im Anschluß an die Bibliographie numeriere:
123. The Text of Acts, An Urgent Critical Task, JR 21, 1941, S. 421–431.
124. Der „psychologische Typus des Erlösers" bei Friedrich Nietzsche, DVfLG 22, 1944,
       S. 61–91.
125. Vier Worte des Römerbriefes (5, 5. 12; 8, 10; 11, 30f), Symbolae Biblicae Upsalienses
       3, 1944, S. 3–17.
126. Protestantismus und Politik, Die Wandlung 1947, S. 30–45.
127. Die Apostelgeschichte als Geschichtsquelle, FF 21–23, 1947, Nr. 7–9.
128. Das Apostelkonzil, ThLZ 1947, S. 193–198 (Festheft für W. BAUER zum 70. Geburts-
       tag).
129. Altes und Neues Testament als Quelle sozialer und politischer Lehre. Vervielfältigt als
       Studienbrief des ASTA Heidelberg, Referat Kriegsgefangenenbetreuung, Theologi-
       sche Reihe Brief 1, 1947.
130. Die Bekehrung des Cornelius. Coniectanea Neotestamentica 11, 1948, S. 50–65
       (A. FRIDRICHSEN zum 60. Geburtstag).
131. Der erste christliche Historiker, Schriften der Universität Heidelberg 3, 1948, S. 112
       bis 125.
132. Individualismus und Gemeindebewußtsein in J.S.Bachs Passionen, ARG 41, 1948,
       S. 132–154.
                   Wissenschaftliche Besprechungen:
253. MAURER, CHRISTIAN, Die Gesetzeslehre des Paulus, 1941. ThLZ 1943, S. 212f.
254. BLANKERT, S., Seneca (ep. 90) over Natuur en Cultuur en Posidonius als zijn bron,
       1941. ThLZ 1944, S. 26f.
255. KITTEL, GERHARD, Theol. Wörterbuch z. NT, Band III ab Liefg. 6, Band IV, 1938 bis
       1942. DLZ 1944, S. 65–69.
256. Coniectanea Neotestamentica VII. Contrib. G. BJÖRCK, A. FRIDRICHSEN, G. RUDBERG,
       1942. ThLZ 1944, S. 113.
257. VAN DER LOOS, HENDRIK, Jezus Messias-Koning, 1942. ThLZ 1947, S. 30.
258. KÜMMEL, WERNER GEORG, Verheißung und Erfüllung, 1945. DLZ 1947, S. 11–13.
259. BOLKESTEIN, HENDRIK, Wohltätigkeit und Armenpflege im vorchristlichen Altertum,
       1939. DLZ 1948, S. 85–87.

für die religionsgeschichtlichen Probleme biblischer Texte interessiert worden. So behandelte auf GUNKELS Anregung hin die philosophische Dissertation das Problem der „Lade Jahwes", die als von den Kanaanäern übernommener leerer Kastenthron aufgewiesen wurde. Aber in sein eigentliches Interessengebiet bei der religionsgeschichtlichen Fragestellung gelangte der junge Gelehrte erst mit seiner theologischen Dissertation³. Hier wurde an einem scheinbar abgelegenen Gegenstand, den paulinischen Vorstellungen von Geistern und Dämonen, in sorgfältiger Exegese und unter Heranziehung eines reichen, besonders jüdischen Vergleichsmaterials der Nachweis geführt, daß die Geistermächte als Herrscher und Repräsentanten der gottfeindlichen Welt eine durchaus wesentliche Rolle im paulinischen Denken spielen und daß sich darin die kosmische Weite der paulinischen Erlösungsbotschaft zeige. Auf diese Weise wurden nicht nur schwierige Einzeltexte verständlicher gemacht, sondern es eröffnete sich auch ein neues Verständnis der kosmischen Beziehungen der paulinischen Christologie, wie sie uns besonders im Kolosserbrief entgegentritt, dessen paulinische Herkunft dadurch mit wesentlichen Argumenten gesichert wurde. Die hier erarbeitete Methode, den uns schwer verständlichen Paulustext durch Hineinstellen in einen größeren religionsgeschichtlichen Zusammenhang verständlich und damit erst die Erhebung des *besonderen* Sinnes möglich zu machen, konnte DIBELIUS dann in vorbildlicher Weise anwenden bei der Abfassung seines Kommentars zu den kleinen Paulusbriefen im Rahmen des LIETZMANNschen Handbuchs zum Neuen Testament⁴. Hier gelang es einerseits, durch Hinweis auf religionsgeschichtliche Parallelen umstrittenen Texten einen neuen Sinn abzugewinnen (etwa bei den andeutenden Ausführungen des Paulus über den Antichrist und die ihn aufhaltende Macht 2Thess 2, 1ff oder bei der Deutung der kolossischen Irrlehre); die nie vergessene Frage nach dem spezifisch paulinischen Sinn der übernommenen Vorstellungen und damit nach der theologischen Bedeutung trat dabei in den| späteren Auflagen mit wachsender Deutlichkeit in den Vordergrund (so ganz besonders in der Auslegung des Hymnus Phil 2, 5ff in der dritten Auflage). Aber zu diesem religionsgeschichtlichen Interesse gesellte sich in diesen Kommentaren bei der Behandlung der mahnenden Teile nun andererseits eine ausgesprochene Vorliebe für die Aufhellung der Herkunft und des Sinnes der paränetischen Texte. Denn es war DIBELIUS nie fraglich, daß das an sich weltferne Evangelium sich mit der Welt auseinandersetzen und weltgestaltend auftreten müsse: „Ein Christentum, dem die Heiligkeit des eigenen abgeschlossenen Bezirks höher steht als die Verantwortung für die Welt, ist mir persönlich fremd geblieben, so sehr ich es geschichtlich verstehen konnte."⁵ Dieses Achten auf die Herkunft, die Umbildung und den Sinn des paränetischen Stoffes kam naturgemäß am meisten dem Kommentar zu den Pastoralbriefen zugute, und so gelang es DIBELIUS, bei der Auslegung dieser Schriften nicht nur wie üblich die kritischen Fragen zu erörtern, sondern ein anschauliches

---

³ [131 ²] Die Geisterwelt im Glauben des Paulus, 1909.
⁴ [131 ³] An die Thessalonicher I. II, An die Philipper, 1911, 1937³; An die Kolosser, Epheser, An Philemon, 1912, 1927²; An Timotheus I. II, An Titus, 1913, 1931².
⁵ [132 ¹] Autobiographie (s. Anm. 1), S. 4.

Bild von der „christlichen Bürgerlichkeit" und der Ferne dieses Christentums von
der eschatologischen Spannung der paulinischen Verkündigung zu zeichnen und
damit das Problem der Weltferne oder Weltförmigkeit des ältesten Christentums
anzufassen, das ihn dann immer wieder beschäftigt hat.

Ein drittes Interesse zeichnete sich ab in der Habilitationsschrift über „Die urchristliche Überlieferung von Johannes dem Täufer" (1911). Denn in dieser noch
heute nicht überholten Arbeit, von der H. LIETZMANN sagte, daß sie „in vorbildlicher Weise" zeige, was unter „historischer Methode" zu verstehen sei[6], hatte sich
DIBELIUS nicht das religionsgeschichtliche Problem der geschichtlichen Stellung der
Täuferbotschaft gestellt, sondern an einem Teilstück der synoptischen Überlieferung untersuchen wollen „die Geschichte der *Formen* von den Erzählungen wan-
dernder Missionare bis zu dem gewaltigen Werk des vierten Evangelisten und die
Geschichte der *Sache* auf ihrem Weg von Jerusalem nach dem Abendland" (Vorwort).
So taucht denn hier zum ersten Mal die Forderung auf, bei der Untersuchung ur-
christlicher Texte nicht zuerst die historische Frage zu stellen, sondern zu allererst
die literarischen Formen und damit die geschichtliche Herkunft jedes einzelnen
Textes zu untersuchen, weil erst auf dem Hintergrund solcher literarischer Vor-
arbeit der geschichtliche Zeugenwert des einzelnen Textes erkannt werden kann.
DIBELIUS wollte damit die Gattungsforschung, die er bei GUNKEL für das Alte
Testament vorbildlich geleistet sah, auch auf die ihrem Wesen nach unliterarische
urchristliche Überlieferung anwenden. Was in der Untersuchung über die Täufer-
überlieferung an einem Einzelstoff die Möglichkeit schuf, die wirklich alten Überlieferungen von den späteren Fortbildungen zu scheiden und damit, soweit möglich,
ein von christlicher Übermalung freies Bild des Täufers zu zeichnen, wurde dann
umfassender und grundsätzlicher ausgeführt in dem Werk, das DIBELIUS' Namen am
bekanntesten gemacht hat, in der „Formgeschichte des Evangeliums" (1919, 1933²).
Es waren äußere Hemmungen, die DIBELIUS veranlaßten, zunächst nur in program-
matischer Form eine Untersuchung des gesamten synoptischen Stoffes nach formalen Gesichtspunkten durchzuführen; erst die zweite Auflage ist zu einer allseitigen
Bearbeitung der Probleme ausgewachsen. DIBELIUS hatte sich in dieser Untersuchung die Aufgabe gestellt, den in den synoptischen Evangelien schriftlich fixier-
ten Überlieferungsstoff in seine vorliterarischen Formen zurückzuverfolgen und so
zu einer Entwicklungsgeschichte des synoptischen Stoffes in der mündlichen Überlieferung zu kommen. Als Hilfsmittel für diese Arbeit wurde eine Scheidung der
Texte nach literarischen und stilistischen Formen benutzt, weil in volkstümlicher
Überlieferung an der literarischen Form der „Sitz im Leben" und damit die das
einzelne Überlieferungsstück formende „geschichtlich-soziale Lage, in der gerade
derartige literarische Formen ausgebildet werden" (2. Aufl. S. 7), abgelesen werden
kann. DIBELIUS war nicht der einzige gewesen, der auf diese Methode geführt worden
war, fast zu gleicher Zeit erschienen die bekannten Arbeiten von K. L. SCHMIDT,
R. BULTMANN, M. ALBERTZ; aber die „Formgeschichte" hat mit Recht dieser For-

---

[6] [132²] ZNW 30, 1931, S. 315.

schungsrichtung den Namen gegeben, weil hier in besonders besonnener und literarisch feinfühliger Weise die Scheidung der literarischen Formen vollzogen wird, aus der erst dann geschichtliche Folgerungen gezogen werden. DIBELIUS war zu solcher stilkritischen Arbeit besonders gut vorbereitet, da er sich in seiner Berliner Zeit als Deutschlehrer an verschiedenen höheren Schulen eingehend mit stilistischen Problemen der muttersprachlichen Literatur befaßt hatte. Aber das Besondere seiner Arbeit war nun nicht nur, daß er in sehr überzeugender | Weise die älteren von den jüngeren Formen des Erzählungsstoffes schied und auch die formalen Gesetze der Wortüberlieferung aufzeigte, sondern daß er neben diese analytische die synthetische Methode stellte, die die soziologischen Voraussetzungen der Formung der einzelnen literarischen Größen in der Geschichte der ältesten Christenheit und ganz besonders in ihrer Predigt aufwies[7]. Schon daraus ergibt sich, daß die formgeschichtliche Untersuchung der neutestamentlichen Texte nicht eine literarisch-ästhetische Liebhaberei ist, sondern historische Zusammenhänge aufzuhellen sich bemüht, die für die literarkritische, auf die Zusammenhänge schriftlicher Quellen sich richtende Forschung nicht zugänglich sind; mit anderen Worten, die formgeschichtliche Forschung hat, wie DIBELIUS von Anfang an betonte, ein *historisches* Forschungsziel, ja sie dient darüber hinaus in erheblichem Maß theologischen Interessen. Dementsprechend hat diese Forschungsrichtung auf der einen Seite warme Anerkennung gefunden und ist in verschiedener Richtung aufgenommen und weitergeführt worden[8]; sie hat freilich andererseits auch äußerst scharfe und gelegentlich erstaunlich unverständige Kritik ausgelöst[9]. DIBELIUS selber hat die geschichtlichen und theologischen Folgerungen, die sich aus der formgeschichtlichen Betrachtung der synoptischen Evangelien ergeben, durchaus nicht übersehen. Er hat nicht nur mehrfach ein mangelndes Verständnis für die literarischen Vorfragen eines historischen Problems der Synoptiker bekämpft[10], er hat auch die Forschungen am synoptischen Stoff weitergeführt. So hat er sie einerseits in einem für Laien bestimmten Buch ,,Die Botschaft von Jesus Christus'' (1935) dargeboten, indem er die durch die formgeschichtliche Arbeit ermittelten ältesten Texte in vorzüglicher deutscher Übersetzung vorlegte und den Weg zu ihrer Gewinnung erklärte. Ganz besonders aber hat er in seiner Untersuchung

[7] [133 1] Vgl. die besonders klaren methodischen Ausführungen in dem Bericht ,,Zur Formgeschichte der Evangelien'', ThR 1929, S. 185 ff.

[8] [133 2] Hier wären, abgesehen von Arbeiten der übrigen genannten Vertreter dieser Forschungsrichtung, etwa zu nennen: V. TAYLOR, The Formation of the Gospel Tradition, 1933; K. GROBEL, Formgeschichte und synoptische Quellenanalyse, 1937; E. B. REDLICH, Form Criticism, 1939; H. W. BARTSCH, Die theologischen Konsequenzen der formgeschichtlichen Betrachtung der Evangelien, ThBl 1940, S. 302 ff; F. C. GRANT, The Earliest Gospel, 1943.

[9] [133 3] Vgl. neuestens etwa R. P. CASEY, Some Remarks on Formgeschichtliche Methode, ,,Quantulacumque'', 1937, S. 109 ff; F. BÜCHSEL, Die Hauptfragen der Synoptikerkritik, 1939; A. RICHARDSON, The Miracle-Stories of the Gospels, 1941; L. J. McGINLEY, Form Criticism of the Synoptic Healing Narratives, 1944; P. BENOIT, Réflexions sur la ,,Formgeschichtliche Methode'', Rev. Bibl. 1946, S. 481 ff (hier eine gute Bibliographie).

[10] [133 4] Etwa in den Aufsätzen ,,Das historische Problem der Leidensgeschichte (ZNW 1931, S. 193 ff gegen H. LIETZMANN) oder ,,Rabbinische und evangelische Erzählungen'' (ThBl 1932, S. 1 ff gegen P. FIEBIG) und in zahlreichen Rezensionen.

über „Jungfrauensohn und Krippenkind"[11] die Überlieferung der Vorgeschichten
des Lukas- und Matthäusevangeliums in überzeugender Weise analysiert und in Verbindung mit religionsgeschichtlichen Untersuchungen nachgewiesen, daß auch die
Überlieferung von Lk 2, 1 ff ursprünglich noch nichts von einem Jungfrauensohn
wußte, daß die Vorstellung von der jungfräulichen Geburt Jesu aber zunächst als
Theologumenon entstanden ist, ehe sie in Aufnahme hellenistisch-jüdischer Legen-
denmotive zu einer Erzählung gestaltet wurde. Werden hier an einem legendären
Stoff der Evangelienüberlieferung die treibenden theologischen Kräfte aufgezeigt,
so hat DIBELIUS die Frage nach den theologischen Konsequenzen dieser kritischen
Arbeit an den Evangelien ebenfalls ausdrücklich gestellt. In einem in Deutschland
kaum bekannt gewordenen Buch, das auf Vorlesungen am Londoner King's College
zurückgeht[12], zeigte er, daß nicht nur in „der zweiten Hälfte des Neuen Testaments"
die Christologie als Besinnung auf die Wirklichkeit Jesu Christi zentral ist, sondern
daß auch die ganze Evangelientradition (mit geringen Ausnahmen) aus der Predigt
vom Heiland entstanden ist, so daß diese Tradition nicht einen „historischen Jesus",
sondern den Herrn der Kirche schildert. Das schließt freilich nicht aus, sondern ein,
daß die älteste evangelische Tradition gerade um ihres Zusammenhangs mit der Mission willen geschichtsnah ist, so daß beide Hälften des Neuen Testaments eine Syn-
these zwischen geschichtlichen Tatsachen und der Besinnung über die Bedeutung
der Heilstat Jesu Christi für uns darstellen. Äußerst klar wird zum Schluß betont,
daß diese Doppelseitigkeit das wesentliche Charakteristikum der Theologie und der
Kirche bis heute geblieben ist und bleiben muß: „Gospel criticism and Christology
are therefore not enemies, but in true theology they belong together" | (S. 102). Es ist
sehr zu bedauern, daß diese klaren und warmen Ausführungen bis jetzt in deutscher
Sprache nicht zugänglich gemacht worden sind, sie könnten viel dazu beitragen, das
verhängnisvolle Mißtrauen zwischen historischer Forschung und gläubigem Hören
auf die Verkündigung des Neuen Testaments zu zerstreuen. DIBELIUS hat dann seine
Forschungen an den Synoptikern abgeschlossen in seinem kleinen, aber ungewöhn-
lich lehrreichen Jesusbuch[13]. Hier wird nicht nur in einer für Laien verständlichen
Form das geschichtliche Problem Jesu herausgestellt, hier wird auch mit der Tatsache Ernst gemacht, daß der Glaube an der Aufhellung der ihn begründenden Geschichte eminent interessiert ist, selber aber auf der Entscheidung beruht, „ob man
in der Radikalität des Evangeliums und in der Person seines Verkündigers das echte
Zeichen der Wirklichkeit Gottes erkennt" (S. 124f). Bei aller Vorsicht gegenüber
der Überlieferung (in der Frage des persönlichen Anspruchs Jesu geht diese
Vorsicht freilich doch wohl zu weit!) benutzt DIBELIUS die Grundzüge der
synoptischen Überlieferung durchaus zuversichtlich und gibt besonders der ethischen Forderung Jesu im Rahmen seiner Gottesreichspredigt eine überzeugende
und persönlich anredende Deutung, so daß diese Jesusdarstellung trotz ihres

---

[11] [133⁵] SAH, Phil.-hist. Kl. 1931/32, 4, 1932.
[12] [133⁶] Gospel Criticism and Christology, 1935.
[13] [134¹] Jesus (Sammlung Göschen, Bd. 1130), 1939. Vgl. die ausführliche Anzeige von
A. FRIDRICHSEN, ThLZ 1939, S. 446 ff.

populären Charakters zu den besten Jesusbüchern der Gegenwart gezählt werden darf.

DIBELIUS ist nun freilich bei seinem Bemühen um die Aufhellung des Werdens der literarischen Formen des Neuen Testaments und damit um die Geschichte der diese Formen gestaltenden geistigen Kräfte nicht bei den synoptischen Evangelien stehen geblieben. Ihm schwebte eine umfassende „urchristliche Literaturgeschichte" vor, und noch bis kurz vor seinem Tode sah er in der Vorbereitung dieses Werkes die wichtigste ihm bleibende Aufgabe. Einen ersten Entwurf dazu hatte er 1926 in seiner kleinen „Geschichte der urchristlichen Literatur"[14] vorgelegt, in der das Werden der altchristlichen Literatur (einschließlich der „Apostolischen Väter") nach literarischen Gruppen behandelt wurde (Evangelien, Apokalypsen, Briefe, Abhandlungen, Mahnungen, Kultisches, Apostelgeschichten), und in der dabei in völlig neuer Weise[15] gezeigt wurde, wie die uns überlieferten Schriften aus den literarischen Formen der Umwelt oder durch eigene Neubildung sich entwickelt haben. Daß die Darstellung eines so reichen Stoffes in so knappem Rahmen oft allzu kurz ausfallen mußte, ist selbstverständlich, zumal die an sich unvermeidliche Behandlung der im engeren Sinn literaturgeschichtlichen Fragen (Einleitungswissenschaft) bei der gebotenen Kürze einen zu breiten Raum einnehmen mußte. Man kann darum über die eigenen Forschungsergebnisse auf diesem Gebiet nur aus Einzeluntersuchungen genauere Kenntnis erlangen, die DIBELIUS einer Reihe von Teilproblemen gewidmet hat[16]. Hier ist zunächst sein epochemachender Kommentar zum Jakobusbrief zu nennen[17]. Denn hier wurde, ganz abgesehen von inhaltlichen Erkenntnissen, mit der Aufgabe Ernst gemacht, die literarische Art dieses Schriftstückes im Zusammenhang mit der hellenistisch-jüdischen Paränesenliteratur zu bestimmen, und es ergab sich von da aus die unausweichliche Einsicht, daß die einzelnen Mahnungen des „Briefes" nur in einem stichwortartigen, lockeren Zusammenhang stehen und daß darum die Auslegung sich auf die Bestimmung der literarischen Art des einzelnen paränetischen Abschnitts beschränken und eine weitergehende Zusammenhangsexegese unterlassen müsse. Diese Einsicht hat in den meisten seither erschienenen Kommentaren Zustimmung gefunden[18], obwohl A. MEYERS These von einem zusammenhängenden jüdischen Jakobstext, der der christlichen Jakobusschrift zugrunde liege, seltsamerweise daneben auch Anklang gefunden hat[19]. Diese Einsicht in die Zu|gehörigkeit

---

[14] [134²] Sammlung Göschen, Bd. 934 u. 935.

[15] [134³] Mit Recht ist die englische Übersetzung dieses Werkes unter dem Titel „A Fresh Approach to the New Testament and Early Christian Literature" (1936) erschienen.

[16] [134⁴] Eine Übersicht über die bisherige formgeschichtliche Arbeit an nicht evangelischen Texten veröffentlichte DIBELIUS in der ThR 3, 1931, S. 207 ff.

[17] [134⁵] Der Brief des Jakobus, Kritisch-exegetischer Kommentar über das NT, begründet von H. A. W. MEYER, XV, Göttingen, 1921⁷.

[18] [134⁶] F. HAUCK (1926), H. WINDISCH (1930²), J. MARTY (1935); abweichend noch A. SCHLATTER (1932).

[19] [134⁷] A. MEYER, Das Rätsel des Jakobusbriefes (1930). Zustimmend: H. SEESEMANN, ThLZ 1931, S. 318 ff; A. JÜLICHER-E. FASCHER, Einleitung in das NT 1931⁷, 211 f; H. WINDISCH, Die katholischen Briefe, 1930², S. 35 f; F. HAUCK, Das NT Deutsch 10, 1933, S. 4; F. SCHENKE, Das Christentum im 1. Jahrhundert, 1940, S. 142 f. – Dagegen: M. DIBELIUS, ThR 1931, S. 216 ff; W. G. KÜMMEL, Chr. Welt 1931, S. 743 f; G. KITTEL, DLZ 1932, S. 50 ff;

des Jakobusbriefs zum literarischen Genus der Paränese hat die Auslegung von einer
Fülle willkürlicher Zusammenhangskonstruktionen frei gemacht und damit ermöglicht, die einzelnen paränetischen Abschnitte in ihrem sachlichen Eigengehalt erst
richtig herauszustellen. Der Frage nach dem literarischen und religionsgeschichtlichen Charakter des Johannesevangeliums hat DIBELIUS außer einem vorzüglich
orientierenden Lexikonartikel[20] nur eine kurze Studie gewidmet[21], die den Nachweis zu führen sucht, daß der bekannte Spruch „Niemand hat größere Liebe als die,
daß er sein Leben hingibt für seine Freunde" sich im Textzusammenhang und durch
seine urchristliche Prägung des Liebesgedankens, die von der „gnostischen" Um-
gebung abweicht, als überlieferter Spruch erweist, den Johannes dem von ihm geschaffenen Redenzusammenhang eingefügt hat. DIBELIUS wollte damit zeigen, daß
man dem Rätsel der Entstehung des Johannesevangeliums nur auf die Spur kommen kann, wenn man die vom Evangelisten aufgenommenen und umgebildeten
Einzeltraditionen von dem vom Evangelisten geschaffenen Gesamttext des Evangeliums scheidet. Diese leider programmatisch gebliebenen Ausführungen richten sich
bewußt gegen die Quellenscheidungen und damit auch gegen die neuestens von
R. BULTMANN in seinem Kommentar vertretene Auffassung, daß der Evangelist für
den Großteil seiner Redekompositionen eine oder mehrere zusammenhängende
Quellen verwertet habe[22], und ich glaube, daß DIBELIUS hier durchaus richtig gesehen hat. Nur an *einem* Buch hat DIBELIUS seine literarischen Forschungen noch
etwas weiter ausführen können, an der Apostelgeschichte, deren Verständlichma-
chung ihm in der letzten Zeit, wie er immer wieder betonte, ganz besonders am Herzen lag. Schon 1923 hatte er eine Analyse der Apostelgeschichte veröffentlicht[23], die
unter bewußter Ablehnung der vielen Quellentheorien den Nachweis führte, daß der
Verfasser der Apostelgeschichte nur für den Mittelteil, die Paulusreisen, einen zusammenhängenden Faden in Form eines Itinerars besaß, während ihm für die Geschichte der vorpaulinischen hellenistischen Mission Erzählungszyklen, für die Geschichte der Urgemeinde und den Prozeß des Paulus aber nur Einzelberichte zur
Verfügung standen, die er selber zu einem literarischen Zusammenhang verbunden
hat. DIBELIUS hat die wichtigsten dieser vom Verfasser der Apostelgeschichte seinem Zusammenhang eingefügten „kleinen Einheiten" dann auch noch herauszulösen und auf ihre ursprüngliche Gestalt zurückzuführen versucht. Diese Scheidung
von Tradition und Redaktion in der Apostelgeschichte scheint mir auch gegenüber
den seither vertretenen Quellentheorien Recht zu behalten[24], so daß für die Geschichte des Urchristentums die Ausscheidung der vom Verfasser der Apostel-

J. MARTY, L'Epître de Jacques, 1935, S. 254f; W. MICHAELIS, Einleitung in das NT, 1946
S. 281 usw.
   [20] [135¹] Art. Johannesevangelium, RGG III, 1929², S. 349ff.
   [21] [135²] Joh. 15, 13, eine Studie zum Traditionsproblem des Johannesevangeliums, Festgabe für A. DEISSMANN, 1927, S. 168ff.
   [22] [135³] Siehe die Besprechung von BULTMANNS Kommentar in ThLZ 1942, S. 257ff,
bes. 260.
   [23] [135⁴] Stilkritisches zur Apostelgeschichte, Eucharisterion ... H. GUNKEL ... darge-
bracht II, 1923, S. 27ff.
   [24] [135⁵] S. meine Bemerkungen in der ThR, N. F. 14, 1942, S. 167ff.

geschichte verwerteten Einheiten und die Erkenntnis der literarischen Methode des Verfassers die eigentliche Aufgabe ist. Dieser Aufgabe hat sich Dibelius in mehreren erst nach seinem Tode veröffentlichten Arbeiten gewidmet[25]. Er hat dabei einerseits gezeigt, daß der Verfasser der Apostelgeschichte die ihm überlieferte Corneliusgeschichte in dem Sinn bearbeitet hat, daß sie Gottes Willen aufzeigt, die Heiden ohne gesetzliche Verpflichtung in die Kirche aufzunehmen, während die ursprüngliche Erzählung „eine schlichte Bekehrungslegende" war, die einen geschichtlichen Einzelfall im Legendenstil berichtet, wie er hin und wieder *vor* den Verhandlungen in Antiochia und Jerusalem stattgefunden haben wird. Auf die von ihm so gedeutete Corneliusgeschichte greift nun der Verfasser in den Reden des Petrus und Jakobus beim Apostelkonzil in einer Weise zurück, die von den Lesern des Buches, nicht aber von den angenommenen Hörern dieser Reden verstanden werden kann. Daraus ergibt sich, daß der Verfasser der Apostelgeschichte von den Verhandlungen auf dem Apostelkonzil nur weiß, daß dort über die Beschneidung der Heidenchristen verhandelt wurde, während er über die Einzelheiten keine Überlieferung besaß; das ihm überlieferte Aposteldekret hat er fälschlich mit diesen Verhandlungen verbunden. Die Darstellung Apg 15 ist also literarisch-theologisch bedingt, und man kann nicht durch Aus|scheidung von Quellen oder Einschüben einen ursprünglichen Bericht herausschälen, der dann mit den Nachrichten des Paulus in Gal 2 in Konkurrenz treten könnte. Durch diese sehr beachtlichen Analysen wird ein zentrales Problem der urchristlichen Geschichte von vielen unnötigen Schwierigkeiten befreit, und man bedauert angesichts dieser Proben besonders stark, daß es Dibelius nicht vergönnt war, eine vollständige Analyse der Apostelgeschichte zu veröffentlichen. Immerhin hat Dibelius andererseits seine Auffassung von der Apostelgeschichte als Geschichtsquelle noch skizziert und dabei mit Recht betont, daß der Verfasser von Luk.-Apg. bei der Abfassung der Apostelgeschichte mit seiner literarischen Tätigkeit viel stärker beteiligt ist als beim Lukasevangelium und daß er die von ihm übernommenen Einzelberichte und Nachrichten um den zentralen und historisch sehr wertvollen Reisebericht gruppiert hat, wobei seine missionarisch-evangelistische Absicht besonders aus den von ihm geschaffenen Reden[26] erkennbar wird. Daraus ergibt sich die geschichtlich wichtige Einsicht, daß die geschichtliche Zuverlässigkeit sich nicht aus der Person des Verfassers (Dibelius rechnet mit Lukas als Verfasser, was doch wohl problematisch bleibt) und nicht aus zugrunde liegenden umfangreichen Quellen, sondern aus dem von Fall zu Fall zu sichernden Wert der Einzelüberlieferungen ergibt. Und Dibelius hat weiter mit Recht betont, daß das, was den Verfasser der Apostelgeschichte als Historiker auszeichnet, die Herstellung

[25] [135⁶] S. die Literaturangaben in Anm 2. Der dort genannte Aufsatz über den Text der Apostelgeschichte macht auf die Tatsache aufmerksam, daß der Text dieser Schrift nicht in gleicher Weise geschützt war wie der des Lukasevangeliums, weil die Apostelgeschichte erst spätkirchlich rezipiert wurde, und folgert daraus, daß gegenüber *diesem* Text die Methode der Verbesserung unhaltbarer Überlieferung durch Konjektur angewandt werden müsse.

[26] [136¹] Eine Heidelberger Akademieabhandlung über „Die Reden der Apostelgeschichte und die antike Geschichtsschreibung" ist meines Wissens noch nicht im Druck erschienen. [jetzt: M. D., Aufs. z. Apg., hrg. v. H. Greeven, 1951, S. 120 ff].

von Zusammenhängen und die Ausrichtung des Stoffes auf ein Ziel, worin sich seine Funktion als Verkündiger und Evangelist erweist, historisch gerade am wenigsten zuverlässig ist, so daß die Erkenntnis der literarischen Eigenart dieses Schriftstellers zu wichtigen historischen Einsichten führt. Sind diese literarischen Untersuchungen auch fragmentarisch geblieben, so haben doch die wenigen fertiggestellten Beispiele zu unserer Erkenntnis des literarischen Charakters der behandelten urchristlichen Schriften nicht wenig beigetragen.

DIBELIUS ist aber, so sehr ihm diese literarischen Aufgaben gerade zuletzt am Herzen lagen, auch den beiden andern Tendenzen seiner frühesten Arbeiten in seinen weiteren Veröffentlichungen durchaus treu geblieben. Die religionsgeschichtliche Forschung hat er besonders in zwei Akademieabhandlungen fortgeführt. Durch eine selbständige, das kultische Geschehen ernst nehmende Interpretation der bekannten Schilderung des korinthischen Isismysteriums durch Apuleius[27], die durch neuere Untersuchungen nur teilweise überholt ist[28], gelang es ihm, die Bedeutung des Kultus der „Elemente" in der von Paulus bekämpften kolossischen Irrlehre besser verständlich zu machen, zugleich aber die Ausschließlichkeit als den Wall gegen die Synkretisierung des von mystischen Gedanken zweifellos beeinflußten Urchristentums nachzuweisen. Dieser Aufzeigung des grundlegenden sachlichen Unterschieds der urchristlichen Verkündigung von der hellenistischen Mystik trotz aller formalen Verwandtschaft und Abhängigkeit dienten dann auch zwei kürzere Arbeiten über die Mystik des Paulus[29]. Hatte die erste dieser Arbeiten bereits den im wesentlichen eschatologisch-geschichtlichen und darum unmystischen Charakter der paulinischen Frömmigkeit und Theologie aufgewiesen, dem die zweifellos vorhandenen „mystischen" Aussagen einzugliedern sind, so lehrte die zweite, meisterhaft klare Studie, daß Paulus zur Beschreibung des *erfahrenen* Heils Begriffe der Mystik verwendet, daß diese „Mystik" aber durch die Betonung ihrer Unvollkommenheit und durch ihre Kundwerdung im alltäglichen Leben des Christen so stark begrenzt wird, daß Paulus nicht als Mystiker bezeichnet werden kann. Diese Fähigkeit der klaren Scheidung verwandter und doch wesenhaft verschiedener religionsgeschichtlicher Tatbestände zeigte sich dann besonders in einer Arbeit über die Areopagrede der Apostelgeschichte[30]. Hier wurde nicht nur der Nachweis geführt, daß diese Rede als Probe einer christlichen Heidenverkündigung vom Verfasser der Apostelgeschichte stammt, sondern hier wurde auch mit zum Teil neuer Exegese gezeigt, daß die ganze Areopagrede mit Ausnahme des christlichen Schlusses (17, 26) „eine hellenistische Rede von der wahren Gotteserkenntnis" und damit ein stoisch-philosophischer Fremdkörper im Neuen Testament ist, der mit der Theologie der | Gnade und des Glaubens bei Paulus in starker Spannung steht. Obwohl dieser

---

[27] [136²] Die Isisweihe bei Apuleius und verwandte Initiations-Riten, SAH, Phil.-hist. Kl. 1917, 4.

[28] [136³] Vgl. ganz besonders W. WITTMANN, Das Isisbuch des Apuleius, 1938, und die Zustimmung von DIBELIUS, DLZ 1941, S. 1206ff.

[29] [136⁴] Glaube und Mystik bei Paulus, Neue Jahrbücher f. Wissenschaft und Jugendbildung 7, 1931, S. 683ff. – Paulus und die Mystik, 1941.

[30] [136⁵] Paulus auf dem Areopag, SAH, Phil.-hist. Kl. 1938/39, 2.

mit reichen religionsgeschichtlichen Belegen geführte Nachweis heftig angefochten worden ist[31], vielleicht auch manche exegetischen Einzelfragen offen geblieben sind, scheint mir kein Zweifel darüber herrschen zu können, daß mit diesem in der Hauptsache richtigen Nachweis der Fremdheit der Areopagrede innerhalb des Neuen Testaments gerade durch religionsgeschichtliche Forschung die Besonderheit der zentralen neutestamentlichen Verkündigung erst ganz klar heraustritt. Dieser grundsätzlichen Frage hat Dibelius einen an abgelegenem Orte veröffentlichten und darum wenig beachteten Aufsatz gewidmet[32], der einerseits die geschichtlichen Voraussetzungen für den notwendigen Zusammenhang des Urchristentums mit den in sich bereits verflochtenen Religionen des Vorderen Orients und des griechischen Hellenismus aufwies, andererseits besonders an den christologischen Würdeprädikaten und dem Mythos vom Himmelsmenschen zeigte, daß mit der Beziehung dieser religiösen Vorstellungen und Begriffe auf die geschichtliche Person Jesu alle diese Vorstellungen und Begriffe einen völlig neuen Sinn erhielten. Daß es die Aufgabe der religionsgeschichtlichen Arbeit des Neutestamentlers sei, gerade auf diesem Wege dem *besonderen* Charakter der neutestamentlichen Verkündigung gerecht zu werden, war eine oft ausgesprochene Grundanschauung von Dibelius.

Und damit sind wir zu dem Gegenstand gekommen, der neben der literarischen Untersuchung das theologische Interesse von Martin Dibelius dauernd beherrschte, die Erforschung der neutestamentlichen Paränese, der urchristlichen Ethik. Hatte ihn schon bei der Erklärung der kleineren Paulusbriefe ganz besonders das Verständnis der paränetischen Abschnitte beschäftigt, so unternahm er es in seinem Jakobuskommentar, einen rein paränetischen Text im Vergleich mit der paränetischen Tradition der Umwelt zu erklären und dabei für jeden einzelnen Abschnitt die Frage nach der Art der urchristlichen Bemühung um die Weltgestaltung zu stellen. Diese Arbeit hat Dibelius fortgesetzt in seinem umfangreichen Kommentar zum Hirten des Hermas[33]. In mühevoller Arbeit hat hier Dibelius nicht nur die religionsgeschichtlichen Fragen nach der Herkunft und Umgestaltung der biographischen Abschnitte und der Vorstellungen vom Offenbarungshirten, den apokalyptischen Tieren, der Christologie usw. zum ersten Mal sorgfältig untersucht, sondern ganz besonders die Stellung der Mahnungen dieses nachapostolischen Buches im Rahmen der Umbildung der urchristlichen zur frühkatholischen Ethik und damit auch das Eindringen fremdartigen paränetischen Stoffes in die altkirchliche Paränese aufgeklärt. Schon bei diesen streng exegetischen Untersuchungen zeigt sich als das beherrschende Interesse der ethischen Forschung von Dibelius die Frage, inwiefern das an sich weltferne Urchristentum zu einer Weltbearbeitung kommen konnte

---

[31] [137 1] Besonders von W. Schmid, Philologus 95, 1942, S. 79 ff. S. dagegen meine Bemerkungen in „Das Bild des Menschen im NT", 1948, S. 52 ff, wo ich gezeigt zu haben glaube, daß auch die Besonderheit der anthropologischen Anschauungen der Areopagrede die These von Dibelius als richtig erweist.

[32] [137 2] Le Nouveau Testament et l'Histoire des Religions, Études Théologiques et Religieuses 1930, S. 211 ff, 295 ff; 1931, S. 330 ff.

[33] [137 3] Der Hirt des Hermas, HNT, Ergänzungsband: Die Apostolischen Väter 4., 1923.

und mußte, ohne dabei sich selber aufzugeben und wesensfremden Einflüssen zu erliegen. Von diesem Gesichtspunkt aus hat DIBELIUS dann seine zusammenfassende Arbeit „Geschichtliche und übergeschichtliche Religion im Christentum" (Göttingen, 1925) geschrieben[34]. Sie ist ein aus „innerem Bedürfnis" entstandener Versuch, von den kritisch erarbeiteten Erkenntnissen über das Wesen der urchristlichen Botschaft aus die Probleme der Gegenwart zu beurteilen. DIBELIUS scheidet dabei die „geschichtliche Erscheinung" des Christentums von „seinem übergeschichtlichen Sinn", er will also die urchristliche Botschaft von ihren zeitgebundenen Begrenzungen lösen und so die bleibende Botschaft gewinnen, von der aus die Probleme der Gegenwart gemeistert werden können. Mit weitem Blick wird darum die Gegenwart als die Zeit der sich auflösenden Bindungen geschildert, aber es werden auch die dem entgegenwirkenden Kräfte (Jugendbewegung, Expressionismus, Irrationalismus) dagegen gestellt und das Urchristentum danach befragt, „ob die christliche Botschaft den Menschen unserer Zeit ihren Lebensglauben geben kann" (S. 171). In zahlreichen für Laien äußerst klar formulierten Untersuchungen historischer Einzelfragen ergibt sich dabei immer wieder, daß das Urchristentum von Haus aus kein Weltverhältnis hatte, sondern daß das eigentlich „Übergeschichtliche" ein neues Sein war, das Jesus brachte und in den Seinen weckte,| und darum auch ein neues Ethos, von dem aus dann die unausweichliche Weltwerdung des Christentums sich vollziehen konnte. Dieses neue Sein und dieses neue Ethos, das hinter den geschichtlichen Erscheinungen des Urchristentums glaubend zu ahnen ist, ist darum auch die einzige Kraft, von der aus als von einer zeitlosen Wirklichkeit die Gegenwart von einer Mitte her gestaltet werden kann, was an den Beispielen der Kirche, des Sexualethos, der sozialen Frage erörtert wird. Man kann diesen Ausführungen von DIBELIUS vorwerfen, daß das vorausgesetzte Nebeneinander von Geschichte und Übergeschichte die Geschichte ihres wirklichen Geschehenscharakters beraube und daß die Rede vom „neuen Sein" usw. romantisch sei, daß überhaupt die Terminologie des Buches nicht als glücklich bezeichnet werden könne[35]; in der Tat wird man statt vom Übergeschichtlichen vom zentralen Kerygma in der Geschichte reden müssen. Aber man wird bei aller Kritik im einzelnen doch auch heute noch anerkennen müssen, daß hier in äußerst wertvoller Weise von streng historischer Erkenntnis aus die Bedeutung der *geschichtlichen* Offenbarung für das konkrete Handeln des Christen in der Gegenwart erörtert worden ist, wobei mit aller Deutlichkeit die Notwendigkeit aufgezeigt wurde, das Handeln in der Gegenwart an dem von Jesus verkündeten und gebrachten Stehen vor Gott zu orientieren, aber nicht von gesetzlich verstandenen neutestamentlichen Aussagen aus *direkt* regiert sein zu lassen.

DIBELIUS hat diese Gedanken nur in Einzeluntersuchungen weiter ausführen können, da ihm die Abfassung der von ihm geplanten „Urchristlichen Ethik" versagt

---

[34] [137⁴] 2. unveränderte Auflage 1929 unter dem Titel „Evangelium und Welt".

[35] [138¹] So R. BULTMANN in einer lehrreichen, formal freilich allzu scharfen Kritik (Glauben und Verstehen, 1933, S. 65 ff). BULTMANN nimmt freilich selber die einmalige *vergangene* Heilsgeschichte schwerlich im urchristlichen Sinne ernst, wie sich aus seinem Programm der Entmythologisierung des NT erkennen läßt (s. dazu meine Ausführungen in den Coniectanea Neotestamentica XI in honorem A. FRIDRICHSEN, 1948, S. 109 ff).

blieb. In seiner Rektoratsrede[36] wies er darauf hin, wie die durch die Enderwartung und die sozial niedrige Herkunft der Mehrzahl der Christen verursachte Weltferne des Urchristentums sich nur langsam auf den Gebieten der Weltanschauung, der Sozialethik, der Kunst zu einer Kulturfreudigkeit wandelte, die sich überall in einer Annäherung an die *bestehenden* kulturellen Verhältnisse zeigt, die aber erst ansatzweise in der neutestamentlichen Epoche beginnt. Dabei wird wiederholt betont, daß „Kulturbereitschaft und Kulturkritik" im Urchristentum wie in der ganzen Geschichte des Christentums immer zusammengehören. Die Stellung des Urchristentums zu den sozialen Fragen hat DIBELIUS dann im Rahmen seiner Mitarbeit in der Forschungsarbeit der Ökumene noch ausführlicher behandelt[37]. Hier wird in leider allzu wenig bekannten Ausführungen gezeigt, daß das Neue Testament, ganz besonders die Forderung Jesu, keine gesetzlichen Gebote, sondern grundsätzliche Motive des christlichen Handelns lehrt, weil es die eschatologische Verwandlung der Welt verkündet. „Denn das Evangelium enthält nicht eine Gottesidee, sondern es verkündet der Menschheit einen Gott, der sich ihr fordernd und verheißend naht und dadurch den Menschen in die aktuelle Entscheidung stellt" (S. 7). Darum sind alle neutestamentlichen Forderungen „aktuelle Beispiele" für diejenigen, die in einer sündigen Welt als Sünder Gottes Anspruch hören wollen. „Diese Solidarität der Sünder ist die Basis, auf der alle christliche Sozialforderung steht"; „darum geht die christliche Liebe auch an Arbeit, die unter Menschen vergeblich erscheint … Es kommt auf den Anruf Gottes und nicht auf den Prozentsatz der Erfolgsmöglichkeit an, und in solcher Weise unterscheidet sich christliche Liebe von Humanität" (S. 14, 19). Hier ist mit einer seltenen Klarheit die Tatsache erkannt, daß gerade der eschatologische Radikalismus der neutestamentlichen Forderung den Christen in veränderten Verhältnissen nicht zur Passivität, sondern zur illusionslosen Aktivität veranlaßt: „Für alle christliche Sozialgestaltung kommt es also darauf an, daß diese aus der Eschatologie stammende Aktualität bewahrt wird: d. h. daß man die Welt nicht gehen läßt, sondern handelt; daß man sich aber nicht einbildet, mit diesem Handeln das Reich Gottes aufzubauen" (S. 24)[38]. DIBELIUS hat diesen Charakter der urchristlichen Ethik nur an einem Punkte noch genauer ausführen können, in der Entwicklung des Verhältnisses der Urchristenheit zum römischen Staat[39]. | In dieser sorgfältigen Untersuchung werden nicht nur die Zeugnisse für die erste Berührung des Christentums mit dem römischen Staat neu interpretiert[40], sondern es wird der m. E. gelungene Nachweis geführt, daß der „ironische Parallelismus", in dem Jesus in der Zinsgroschenperikope den Kaiser *neben* Gott stellt, von der ältesten Christenheit nicht wirklich beachtet wurde, weil die Äußerungen des Paulus und des 1. Petrusbriefes weitgehend aus der jüdischen Tradition stammen[41], weswegen es

---

[36] [138 2] Urchristentum und Kultur, Heidelberger Universitätsreden 2, 1928.

[37] [138 3] Das soziale Motiv im NT, in „Kirche, Bekenntnis und Sozialethos", 1933, S. 1 ff.

[38] [138 4] Unzugänglich blieb mir leider das auf Vorlesungen an der Yale University zurückgehende Buch „The Sermon on the Mount", 1940 (vergriffen).

[39] [138 5] Rom und die Christen im 1. Jahrhundert, SAH, Phil.-hist. Kl. 1941/42, 2.

[40] [139 1] S. dazu meine Bemerkungen in der ThR, N.F. 17, 1948, S. 37 ff, 140 ff.   [41] [139 2] Die Bestreitung dieser Behauptung durch G. KITTEL, ThLZ 1943, 68 ff ist nicht haltbar.

auch bei Beginn des grundsätzlichen Zusammenstoßes zwischen Kirche und Staat
unter Domitian nicht zu einer grundsätzlichen Staatsfeindschaft der Christen
kommt. Dieser Nachweis der Entwicklung und Traditionsgebundenheit des urchristlichen Staatsverhältnisses ist aber äußerst wichtig für die Tatsache, daß es
nicht möglich ist, die neutestamentlichen Äußerungen über das Verhalten des Christen zum Staat als *direkte* Gebote in der Gegenwart anzuwenden, sondern daß gerade
hier die Kenntnis der religionsgeschichtlichen und theologiegeschichtlichen Voraussetzungen der neutestamentlichen Texte notwendig ist, um das in den neutestamentlichen konkreten Forderungen enthaltene göttliche *Motiv* zu erkennen und von da
aus in der Gegenwart die sittlichen Entscheidungen *neu* zu treffen.

DIBELIUS hat von diesem Bewußtsein aus verantwortlich im öffentlichen Leben
und bei den Aufgaben von Universität und Akademie der Wissenschaften mitge-
arbeitet; er war nicht nur ein überzeugter, aktiver Demokrat, sondern auch ein
geschickter und eifriger Förderer der ökumenischen theologischen Zusammenarbeit,
der mehrfach zu Vorlesungen an verschiedenen ausländischen Universitäten weilen
durfte. In zahlreichen, von der wissenschaftlichen Bibliographie nur teilweise ver-
zeichneten Schriften und Artikeln hat er sich zu Tagesfragen politischer und kirchlicher Art sowie auch bis zuletzt zu literarischen und kulturellen Problemen geäußert.
Auf alle diese dem regen Geiste von DIBELIUS sehr am Herzen liegenden Arbeiten
kann hier nicht eingegangen werden[42]. Nur auf eine Schrift aus den|letzten Jahren
sei hier noch kurz hingewiesen, weil in ihr das Anliegen des Theologen DIBELIUS
besonders deutlich erkennbar wird[43]. Er war aufgefordert worden, angesichts der
steigenden Bekämpfung der Theologie durch den nationalsozialistischen Staat die
Arbeit der Theologischen Fakultäten an den deutschen Universitäten zu begründen
und zu verteidigen. Er machte sich, wie er mir damals schrieb, keinerlei Illusionen
über den Erfolg: ,,Es kam mir nur darauf an – und ohne Aufforderung des Verlegers
hätte ich auch das nicht getan –, sozusagen unmittelbar vor Toresschluß noch einmal festzustellen, was ist oder war und was sein könnte." So sind denn in dieser
Schrift auch nicht die Ausführungen von bleibendem Interesse, die die Theologie
gegen den Vorwurf verteidigen, im ,,neuen" Deutschland ein Fremdkörper und natio-
nal unzuverlässig zu sein; wohl aber bleiben die Gedanken von höchster Aktualität,
in denen DIBELIUS die Notwendigkeit theologischer Arbeit für die Kirche und die
,,gefährliche", aber unausweichlich notwendige Stellung einer lebensfähigen Theologie im Rahmen der Gesamtuniversität beschreibt. Hier wird nicht nur an dem Beispiel der Geschichte des Reich-Gottes-Verständnisses seit der Jahrhundertwende die
eminent theologische und damit kirchliche Wirkung streng historischer Bibelarbeit

---

[42] [139³] Erwähnt sei immerhin die wertvolle Untersuchung ,,Von Stellung und Dienst
der Frau im NT", in ,,Die Theologin" 1942, S. 33ff, wo die vielumstrittene Frage nach dem
Schweigegebot des Paulus endlich einmal auf dem Hintergrund der großen Bedeutung der
Mitwirkung der Frauen beim urchristlichen Gemeindeaufbau erörtert und daran anschlie-
ßend die Forderung begründet wird, die Berechtigung des Amtes der Vikarin ausschließlich von der Frage nach dem Nutzen für den inneren Aufbau der Gemeinde Jesu Christi
her zu entscheiden.

[43] [140¹] Wozu Theologie? Von Arbeit und Aufgabe theologischer Wissenschaft, 1941.
Vgl. den ausführlichen Bericht von L. FENDT, ThLZ 1942, S. 193ff.

aufgezeigt, hier werden besonders zwei Gefahren für die Theologie betont, deren Beachtung auch heute von größter Aktualität ist: ,,Die größte Gefahr der Theologie liegt in dem beziehungslosen Auseinandertreten ihrer historischen und systematisch-gedanklichen Arbeit. Beide gehören zusammen; nur wenn sie aufeinander bezogen werden, ist die theologische Forschung ernsthaft" und: ,,Im Grunde darf die Spannung zwischen Forschung und Glauben nicht verschwinden um der Sache willen" (S. 17, 60). Diese Notwendigkeit streng wissenschaftlicher Arbeit gerade für die Verkündigung der Kirche seinen Schülern einzuprägen, hat MARTIN DIBELIUS als seine vornehmste Pflicht als akademischer Lehrer angesehen, und er hat nie vergessen, daß die Arbeit des Theologen ,,sich am Rande der menschlichen Existenz vollzieht und daß er etwas zu tun hat, was vielen als unmöglich, andern als frevelhaft erscheinen muß. Er kann es nur tun, wenn er sich des Auftrags bewußt ist, der in seiner Sache liegt" (S. 16). Wir werden sein Erbe am besten wahren, wenn wir in diesem Bewußtsein die von ihm begonnene Arbeit fortführen.

DAS GLEICHNIS VON DEN BÖSEN WEINGÄRTNERN (Mk 12, 1–9)

Das Gleichnis von den Weinbergpächtern, die mit steigender Gewalt die Ablieferung der geschuldeten Pacht verweigern, bis sie die Strafe für diesen Rechtsbruch trifft, ist in doppelter Hinsicht in der neuesten Forschung wichtig geworden. Das Gleichnis mit seiner allegorisch anmutenden Erzählungsform hat immer wieder die Vermutung nahegelegt, daß wir es hier mit einer bildhaften Darstellung des Ablaufs der Heilsgeschichte zu tun haben: den früheren Gesandten Gottes wird offenbar die Sendung und Tötung des Gottessohnes gegenübergestellt, und es wird als Folge der Vernichtung des Sohnes verheißen, daß der Weinberg andern übergeben werden soll. Das Gleichnis ist darum immer wieder als wichtiger Beleg für das Bewußtsein Jesu beansprucht worden, der „Sohn Gottes" zu sein[1], und andererseits hat man darin einen Hinweis sehen wollen auf die Tatsache, daß Jesus nicht nur mit seinem Tod gerechnet hat, sondern auch einen kürzeren oder längeren zeitlichen Abstand zwischen seinem Tod und der nahe bevorstehenden Parusie erwartete[2]. Voraussetzung für diese Verwendung des Gleichnisses ist dabei die Annahme, daß wir es in dem Gleichnis mit einer bildhaften Schilderung der Heilsgeschichte durch Jesus selbst zu tun haben[3]. Diese Annahme ist | freilich seit der These A. Jülichers, daß es sich bei diesem Gleichnis um eine allegorisierende Erzählung handle, in der Jesus nicht das Wort führen könne, oftmals bestritten worden[4]; andere haben dieser These

---

[1] P. Feine, Theologie des NT, 1931[5], S. 53; J. Klausner, Jesus von Nazareth, 1930, S. 436; W. Grundmann, Die Gotteskindschaft in der Geschichte Jesu, 1938, S. 160; W. Michaelis, Es ging ein Sämann aus zu säen, 1938, S. 225f; V. Taylor, Jesus and His Sacrifice, 1937, S. 106f; L. Goppelt, Typos, 1939, S. 92f; C. J. Cadoux, The Historic Mission of Jesus, 1941, S. 30; J. Leipoldt, Jesu Verhältnis zu Griechen und Juden, 1941, S. 96f; W. A. Curtis, Jesus Christ the Teacher, 1943, S. 148; A. E. J. Rawlinson, Christ in the Gospels, 1944, S. 31; F. Büchsel, Jesus, 1947, S. 195; G. S. Duncan, Jesus, Son of Man, 1947, S. 107; A. Oepke, Der Herrenspruch über die Kirche Mt 16, 17–19 in der neuesten Forschung (soll erscheinen in den Studia Theologica II, 1948/50, S. 110ff und war mir durch die Freundlichkeit von A. Fridrichsen in Druckbogen zugänglich).

[2] W. Michaelis, Der Herr verzieht nicht die Verheißung, 1942, S. 26f.

[3] So auch M.-J. Lagrange, Évangile selon saint Marc, 1920[3], S. 291; E. Meyer, Ursprung und Anfänge des Christentums, I, 1921, S. 166ff („dem Kerne nach"); F. Hauck, Das Evangelium des Markus, 1931, S. 141; J. Schniewind, Das Evangelium nach Markus, 1933, S. 146; A. Schlatter, Der Evangelist Matthäus, 1933[2], S. 629ff; V. Taylor, The Formation of the Gospel Tradition, 1933, S. 103; W. Michaelis (s. Anm. 1), S. 215ff; E. Lohmeyer, ZSTh 1941, S. 243ff; M. Hermaniuk, La parabole évangélique, 1947, S. 47, 243; E. Stauffer, Die Theologie des NT 1948, S. 80f.

[4] A. Jülicher, Die Gleichnisreden Jesu, II, 1910, S. 406; C. Clemen, Religionsgeschichtliche Erklärung des NT, 1924[2], S. 76f; R. Bultmann, Die Geschichte der synoptischen Tradition, 1931[2], S. 191; J. Sundwall, Die Zusammensetzung des Markusevangeliums (Acta

grundsätzlich zugestimmt, aber durch die Annahme sekundärer Erweiterung eine für Jesus mögliche Urform rekonstruieren wollen[5]. Angesichts dieser so widerspruchsvollen Gesamtbeurteilung des Gleichnisses hat dann neuestens C. H. Dodd eine neue Auslegung vertreten, die das Gleichnis als Wiedergabe eines durchaus natürlichen Geschehens durch Jesus verstehen möchte und jegliche allegorische Redeform bestreitet, und J. Jeremias hat sich dieser Auslegung angeschlossen[6]. Da demnach einerseits weder über die Art der in diesem Gleichnis angewandten Bildrede noch über die geschichtlichen Wurzeln des Gleichnisses Klarheit herrscht und da andererseits die exegetische Beurteilung des Gleichnisses im Hinblick auf die genannten theologischen Probleme nicht gleichgültig ist, dürfte es angebracht sein, die Frage nach dem richtigen geschichtlichen Verständnis des Gleichnisses noch einmal aufzunehmen[7].

Das Gleichnis begegnet innerhalb der Sammlung von Streitgesprächen Mk 11, 27–12, 37 und ist wohl von Markus darein eingeschoben[8]; auch darüber kann kein Zweifel herrschen, daß durch das Zitat Mk 12, 10f der Sohn im Gleichnis eindeutig auf Jesus gedeutet wird und daß diese Deutung sekundär angefügt ist[9]. Das eigentliche Gleichnis (Mk 12, 1 b–9) schildert zunächst in deutlichem Anschluß an Jes 5, 2 die Anlage eines Weinbergs, wobei die Einzelheiten sich an Jesaja anschließen und für die Fortsetzung ohne Bedeutung sind. Auch die Abreise des Besitzers und die Verpachtung des Weinbergs an Winzer entspricht durchaus den palästinischen Gepflogenheiten, | ebenso die Bezahlung der Pacht in Naturalien oder deren Erlös[10]. Und es ist auch ein durchaus verständlicher Vorgang, daß die Pächter den Sklaven, der die Pacht einziehen soll, mit Schimpf und Schande davonjagen. Die Sendung eines zweiten Sklaven ist schon merkwürdiger; daß er denselben Empfang erhält wie

Academiae Aboensis, Humaniora, IX, 2), 1934, S. 73; E. Klostermann, Das Markusevangelium, 1936[3], S. 120f; E. Lohmeyer, Das Evangelium des Markus, 1937, S. 249.

   [5] B. T. D. Smith, The Parables of the Synoptic Gospels, 1937, S. 22f, 59, 222ff; R. Liechtenhan, Die urchristliche Mission, 1946, S. 36.

   [6] C. H. Dodd, The Parables of the Kingdom, 1936[3], S. 124ff; J. Jeremias, Die Gleichnisse Jesu, 1947, S. 45ff.

   [7] Ich führe dabei die kurzen Andeutungen fort, die ich in meiner Arbeit „Verheißung und Erfüllung", 1945, S. 45f gegeben habe.

   [8] S. etwa V. Taylor (s. Anm. 3), S. 179f.

   [9] Vgl. zuletzt J. Jeremias (s. Anm. 6), S. 47. Daß dieser Zusatz älter sei als Markus, für den „das Fehlen des Weissagungsbeweises charakteristisch ist" (ebd. Anm. 97a), dürfte freilich nicht sicher sein (auch Mk 1, 2f; 7, 6f; 14, 27 ist keineswegs erweisbar, daß Markus älterer Überlieferung folgt).

   [10] S. (H. Strack-) P. Billerbeck, Kommentar zum NT aus Talmud und Midrasch, I, 1922, S. 869ff. – Man erschließt gewöhnlich aus ἀπεδήμησεν, daß der Besitzer als ins Ausland abreisend gedacht sei; das liegt angesichts der Etymologie des Wortes nahe, ist aber keineswegs sicher. ἀποδημεῖν heißt an sich nur „weggehen", s. die Belege bei Liddell-Scott, Greek-English Lexicon, 1940, S. 196 (bes. Aristophanes, Nub. 371, dazu LXX Ez 19, 3, cod. A). In Mt 25, 14f und Mk 13, 34 ist durch nichts eine Reise ins Ausland anzunehmen veranlaßt; und während an fast allen neutestamentlichen Stellen die Lateiner *peregre profectus est* oder ähnlich übersetzen (Ausnahme g[1] l, Mt 25, 14 *proficiscens*), geben die Syrer das Verbum teilweise mit dem mehrdeutigen נְסַע wieder (Mk 12, 1, sy[s], Lk 20, 9[s·c]), meistens dagegen mit den völlig farblosen Ausdrücken אָזֵל (Mt 21, 33 sy[s·c]), אֲבַשׁ (Lk 20, 9 sy[p]), חֵזַק (Mt 25, 14 sy[s·p]; Mt 21, 33 sy[p]; Mk 12, 1 sy[p]). Es ist darum schwerlich feststellbar, ob ἀπεδήμησεν in Mk 12, 1 mehr bedeuten soll als „er ging fort".

der erste, ist freilich dann nicht anders zu erwarten[11]. Nach der volkstümlichen Stil-
regel der Dreiheit erwartet man nun eine dritte abschließende Forderung seitens des
Weinbergbesitzers, die dementsprechend auch mit der äußersten Gewalt, der Tötung
des Abgesandten, beantwortet wird. Schon das erscheint freilich als auffällig, weil
die Pächter mit der gewaltsamen Bestrafung solchen Übergriffes rechnen mußten,
und der Hörer fragt sich, ob sich der auffallende Zug nicht aus der beabsichtigten
Anwendung erkläre. Noch auffallender ist dann, daß nun noch von der Sendung vieler weiterer Sklaven die Rede ist, die nur teilweise getötet werden. Man hat darum
angenommen, Mk 12, 5b sei erst sekundär in das Markusevangelium eingefügt worden, zumal sich sprachliche Auffälligkeiten zeigten[12]; aber zwingende Argumente
lassen sich für | diese Annahme nicht anführen. Als vierte Stufe des Geschehens folgt
dann noch die Sendung des einzigen Sohnes, dessen Respektierung der Weinbergbesitzer erwartet. Die Sendung des Sohnes nach der Erfahrung, die der Besitzer mit
der Behandlung der letzten Sklaven machte, scheint psychologisch unverständlich
zu sein; und wenn Markus formuliert ἕνα εἶχεν, υἱὸν ἀγαπητόν (12, 6), so wird man
angesichts der Tatsache, daß Markus sonst ἀγαπητός nur 1, 11; 9, 7 in der Himmels-
stimme bei Taufe und Verklärung gebraucht, annehmen müssen, daß Markus auch
in 12, 6 ἀγαπητός in der den LXX wie dem Hellenismus geläufigen Bedeutung „einzig" verwendet und daß Markus oder die von ihm aufgenommene Tradition die
Parallele zwischen dem einzigen Sohn im Gleichnis und dem „einzigen Sohn" in
Taufe und Verklärung gezogen wissen will[13]. Schon hier wird also der Leser ganz
deutlich darauf verwiesen, daß hinter dem Sohn des Gleichnisses „der geliebte Sohn"
Gottes gesucht werden solle. Die Pächter hegen die Hoffnung, durch die Tötung des
Sohnes und Erben sich selbst in den Besitz des Weinbergs setzen zu können. Obwohl es Erbpacht in Palästina gegeben hat[14], so bedeutete sie natürlich nicht, daß
beim Tode des leiblichen Erben eines Grundstückbesitzers die Pächter automatisch

---

[11] ἐκεφαλαίωσαν (so A C D al.) ist in seiner Bedeutung noch immer unsicher. Neben der
Übersetzung der Lateiner *in capite vulneraverunt* kommt die Ableitung von κεφάλαιον im
Sinne von „den Garaus machen, erledigen" in Betracht (so zuletzt G. BJÖRCK, Coniectanea
Neotest. I, 1936, S. 1ff). Auf alle Fälle muß das Verbum weniger bezeichnen als „töten".

[12] So J. JEREMIAS, (s. Anm. 6), S. 46 und E. KLOSTERMANN (s. Anm. 4), F. HAUCK (s. Anm.
3) z. St.; JEREMIAS verweist auf die zweifellos gestörte Satzkonstruktion, die die Ergänzung
eines Verbums zu πολλοὺς ἄλλους fordert, und auf das bei Markus singuläre ἀποκτέννοντες.
Die Form ἀποκτέννοντες ist aber kein sicheres Zeichen für Einfügung von 12, 5b in Markus:
Markus hat sonst das Partizipium von ἀποκτείνω nicht, so daß sein Sprachgebrauch an diesem Punkte überhaupt nicht feststellbar ist; daß die Form ἀποκτεννόντων wahrscheinlich
in Mt 10, 28 par Lk 12, 4 ursprünglich ist (diese Form nur hier bei Matthäus und Lukas,
wenn Mt 23, 37, par Lk 13, 34 ἀποκτείνουσα zu lesen ist), beweist, daß auch Markus diese
offenbar für das Partizipium geläufige Form in 12,5 übernommen haben kann. Mk 12, 5b
begegnet außerdem noch das bei Markus seltene μὲν-δέ (J. SUNDWALL, s. Anm. 4), das auch
an den übrigen Stellen bei Markus (4, 4; 14, 21. 38, unsicher 9, 12) zweifellos übernommen
ist. Sprachlich läßt sich für die Annahme der Einfügung von Mk 12, 5b also nur der Bruch
in der Satzkonstruktion anführen.

[13] Zum Komma hinter εἶχεν vgl. M.-J. LAGRANGE (s. Anm. 3), z. St.; zum Sinn von
ἀγαπητός = einzig vgl. C. H. TURNER, JThSt 27, 1926, S. 113ff und A. SOUTER, ebd. 28,
1927, S. 59f. Auch Matthäus und Lukas verwenden ἀγαπητός außer parallel zu unserer
Stelle (nur Lk 20, 13) nur von Jesus.

[14] P. BILLERBECK (s. Anm. 10), S. 871f.

als Besitzer an dessen Stelle treten würden, schon gar nicht, solange der Besitzer noch am Leben war. Dieser Zug ist schwerlich juristisch korrekt, soll aber wohl auch nicht mehr bewirken, als das ruchlose Verhalten der Pächter zu motivieren. Die Pächter töten also den Sohn und werfen seinen Leichnam unbegraben auf das Feld, verweigern ihm also die einfachste menschliche Ehre; es liegt nicht die geringste Veranlassung vor, diesen Zug mit dem Ort des Sterbens Jesu in Zusammenhang zu bringen[15]. Mit dieser ruchlosen Tat ist der Höhepunkt des Geschehens erreicht. Jesus stellt nun die rhetorische Frage, was wohl die Reaktion des Besitzers sein werde, und gibt selber die Antwort: er wird sich nun selber zum Weinberg begeben und die Pächter „vernichten"; den Weinberg erhalten „andere", über deren Person das Gleichnis keine Auskunft mehr gibt. Man hat in dem ἐλεύσεται einen Hinweis auf das Kommen Gottes zum Gericht sehen wollen[16], aber die Rückkehr des Besitzers ist ein zu selbstverständlicher Bestandteil der Handlung, als daß diese Vermutung als gesichert angesehen werden könnte. Auch ἀπολέσει ist für die Bestrafung von Übeltätern nicht die übliche Bezeichnung, kommt jedoch vor (Mk 3, 6 par; Mt | 22, 7; 27, 20), so daß auch dieser Ausdruck als Bestandteil des Bildes verständlich ist. Das Gleichnis schließt völlig natürlich mit der Einsetzung neuer Pächter.

Es dürfte bei dieser kurzen Betrachtung der Gleichniserzählung deutlich geworden sein, daß wir es hier nicht mit einem aus sich selbst verständlichen Geschehen zu tun haben. I. Madsen hat denn auch mit Recht betont[17], daß die Bildhälfte eine ganze Reihe von Rissen zwischen den Vorstellungen aufweist (der Herr begnügt sich sanftmütig mit der Aussendung weiterer Sklaven, was durch die Wiederholung noch ungewöhnlicher wird; er riskiert das Leben seines Sohnes und rechnet mit der Respektierung dieses einzigen Erben; die Pächter meinen, durch Beseitigung des Erben selber in den Besitz des Erbes zu kommen), während die Sachhälfte einen durchaus zusammenhängenden Ablauf ergibt: wiederholte Aussendung von Knechten Gottes, die wiederholt und wechselnd bis hin zur Tötung mißhandelt werden; zuletzt Aussendung Jesu, der getötet wird; daraufhin Bestrafung der Pächter und Übergabe des Weinbergs an andere. Von diesem Ablauf der Sachhälfte aus scheint die Bildhälfte des Gleichnisses konstruiert, so daß sich die Auffälligkeit des erzählten Geschehens deutlich aus der Absicht erklärt, das Handeln Gottes den Menschen gegenüber in bildhafter Form zu schildern und diese Anwendung dem Hörer durch die Auffälligkeit des Erzählten von selber nahezulegen. Das heißt wir hätten es mit einer Allegorie zu tun, deren Vorhandensein man nicht mit dem Hinweis darauf bestreiten darf, daß durchaus nicht alle Züge der Erzählung allegorisch gedeutet werden sollen und können.

Man hat diesen Sachverhalt nun freilich dadurch abschwächen oder beseitigen

---

[15] Matthäus und Lukas haben demgegenüber stärker an die Leidensgeschichte angeglichen (so schon richtig A. Jülicher, s. Anm. 4, S. 393f).

[16] A. Jülicher, aaO, S. 394; E. Lohmeyer (s. Anm. 4) und M.-J. Lagrange (s. Anm. 3), z. St.

[17] I. K. Madsen, Die Parabeln der Evangelien und die heutige Psychologie, 1936, S. 70ff. Auch E. Lohmeyer (s. Anm. 3), S. 259, betont, daß die Erzählung von dem gemeinten Sinn aus entworfen ist.

wollen, daß man annahm, der Markustext des Gleichnisses sei erst sekundär durch Erweiterung zu der überlieferten allegorisierenden Form umgestaltet worden. B. T. D. Smith hält Mk 12, 5 b–8. 9 b für eine Erweiterung, nach deren Ausscheidung die Erzählung von der Sendung dreier Sklaven, ihrer Mißhandlung und der Bestrafung der Pächter übrigbleibt, die keinerlei allegorische Elemente mehr enthält; R. Liechtenhan hält die Gegenüberstellung von Jesus (als dem Sohn) und den Sklaven für Gemeinderedaktion[18]; C. H. Dodd möchte Mk 12, 5 streichen, wodurch nur noch den zwei Sklaven der Sohn gegenübergestellt wird, und ebenso 12, 9 b, wodurch der Hinweis auf die christlichen Apostel wegfällt; schließlich hat J. Jeremias (neben der Streichung von Mk 12, 5 b) angenommen, in der Einleitung gebe Lk 20, 10–12 gegenüber Mk 12, 2–5 das Ursprüngliche wieder, da bei Lukas eine nicht allegorische einfache Erzählung vorliege: drei Jahre wird je ein Sklave ausgesandt und | jedes Mal stärker mißhandelt und danach dann der Sohn[19]. Man sieht, daß alle diese Versuche, die allegorische Art des Gleichnisses zu bestreiten oder zu vermindern, in irgendeiner Weise eine ursprünglichere Form des Gleichnisses zu gewinnen sich bemühen. Solche Rekonstruktion einer Urform ist methodisch berechtigt, wenn sie von konkreten Beobachtungen am Text ausgeht, nicht aber von der vorgefaßten Meinung, es müsse eine von allegorischen Zügen freiere Form des Gleichnisses hergestellt werden können. Nun läßt sich durch sprachlich-stilistische Untersuchung wahrscheinlich machen, daß der Text von Markus übernommen und nicht von ihm selbständig geformt ist. Der Text enthält eine Reihe von Semitismen, von denen freilich kaum einer so auffällig ist, daß eine direkte Übersetzung aus dem Semitischen anzunehmen nötig wäre; diese Semitismen erstrecken sich über den ganzen Text, nur in V. 5 läßt sich (zufällig?) keine solche Beobachtung machen[20]. Ebenfalls zeigt der Text an einer Reihe von Stellen einen sonst bei Markus nicht oder selten begegnenden Sprachgebrauch; aber an keiner Stelle häufen sich diese Worte so, daß man auf eine sekundäre Erweiterung des Textes schließen könnte; und die für Markus besonders charakteristischen Sprachmerkmale sind im ganzen Text auffällig schwach vertreten[21]. Die sprachlich-stilistische Untersuchung des Textes führt also

---

[18] S. Anm. 5.

[19] S. Anm. 6.

[20] Mk 12, 3 und 8 ist das abundierende λαβόντες typisch semitisch (s. J. Jeremias, Die Abendmahlsworte Jesu, 1949², S. 88f; F. Blass-A. Debrunner, Grammatik des neutestamentlichen Griechisch, 1943⁷, § 419, 2); 6, ἀπέστειλεν, und 9, τί ποιήσει, liegt Asyndeton vor (s. M. Black, An Aramaic Approach to the Gospels and Acts, 1946, S. 40f); 7, ἐκεῖνοι οἱ γεωργοί, entspricht das überschüssige Demonstrativpronomen wohl semitischem Sprachgebrauch (s. J. Jeremias, aaO, S. 93f und E. Klostermann, s. Anm. 4, z. St.); 9, ἐλεύσεται, *kann* das „zurück" entsprechend semitischem Gebrauch weggelassen sein (s. dazu J. Jeremias, ThZ 5, 1949, S. 230). Die im Griechischen seltene Wortstellung „Verbum-Subjekt" (ebd., 228) findet sich nur 7 und 9; dagegen ist die Anreihung durch καί ziemlich häufig (V. 2. 3. 4. 8. 9, s. J. Jeremias, Abendmahlsworte, S. 88). Man kann also schwerlich sagen, daß irgendein Teil des Gleichnisses besonders deutlich Semitismen zeige oder fehlen lasse.

[21] 1 ἐξέδοτο (= Mt, Lk), 4 ἐκεφαλαίωσαν, 6 ἐντρέπομαι (= Mt, Lk) begegnen nur hier in den Synoptikern. 4, 5. κἀκεῖνον hat Markus sonst niemals (mehrfach Mt, Lk); 6 ἔσχατον adverbial begegnet in den Synoptikern nur noch Mk 12, 22. – Von den bei J. C. Hawkins, Horae Synopticae, 1909², S. 10 ff genannten „words and phrases characteristic of St. Mark's Gospel" findet sich nur 4 πάλιν, aber hier im griechischen Sinne von „ein zweites Mal".

an keinem Punkte darauf, daß irgendein Textbestandteil einen auffällig abweichenden Sprach- oder Stilcharakter trägt. Daraus folgt, daß die genannten Hypothesen, die eine sekundäre Erweiterung des Textes annehmen, nicht ausreichend begründet sind. Und wenn | J. JEREMIAS annehmen möchte, daß bei der Schilderung der Sendung der Sklaven Lukas die ursprünglichere Fassung biete, so spricht dagegen nicht nur die von JEREMIAS selbst beobachtete Tatsache, daß gerade Lk 20, 9–13 starke lukanische Spracheigentümlichkeiten aufweist, sondern besonders die Beobachtung, daß Markus die am wenigsten systematische Anordnung bei der Schilderung der Sendung der Sklaven bietet, was schwerlich sekundär ist[22]. Es läßt sich also auf keine Weise mit sicheren Argumenten ein Text des Gleichnisses rekonstruieren, der primitiver wäre als unser Markustext.

Nun haben freilich DODD und JEREMIAS bestritten, daß das Gleichnis überhaupt eine allegorische Schilderung biete, und sie haben dafür, von den genannten Streichungen abgesehen, zwei Argumente angeführt: der Haß der Pächter gegen den Weinbergbesitzer erkläre sich daraus, daß der Besitzer als „landesfremder Domänenbesitzer", „wahrscheinlich sogar als Ausländer" gedacht sei, wie es deren damals viele in Galiläa gab, so daß die Pächter nicht ernsthaft mit dem Kommen des Besitzers zu rechnen brauchten; und der auffällige Zug der Sendung und Tötung des einzigen Sohnes sei aus stilistischen Gründen zu erklären: die Steigerung des Geschehens über die drei bisherigen Stufen der Erzählung hinaus erforderte die Einführung des Sohnes gegenüber den Sklaven und des Mordes gegenüber den verschiedenen Arten der Mißhandlung. Nun ist freilich die ganze Annahme, das Gleichnis setze die Feindschaft der galiläischen Bauern gegen die ausländischen Grundbesitzer voraus, auf der Deutung von ἀπεδήμησεν (Mk 12, 1) im Sinne von „ins Ausland abreisen" aufgebaut; und wir haben bereits gesehen, daß diese Deutung durchaus nicht sicher ist[23]; auch enthält das Gleichnis keinerlei Andeutung dafür, daß der Besitzer sich im Ausland aufhält und darum schwer kommen kann, und die Verwendung von Jes 5, 2 zu Beginn des Gleichnisses legt diese Deutung keineswegs nahe. Sollte das Verhalten der Pächter als politisch bedingt geschildert werden, so müßte sich doch irgendein Hinweis auf diesen Tatbestand finden, der das Verhalten der Pächter als aus diesem Grunde psychologisch verständlicher erweisen würde. So ist die Annahme, das Gleichnis sei ein Bild aus den politisch-wirtschaftlichen Spannungen jener Zeit, kaum ausreichend begründet. Und daß die Einführung des Mordes am Sohn hauptsächlich aus stilistischen Gründen erfolgt sei, ist darum unwahrscheinlich, weil die Gefährdung des Sohnes durch den Vater doch in keiner Weise als menschlich mögliches Verhalten begreiflich gemacht werden kann und weil die Formulierung *υἱὸν*

[7] das reziproke πρὸς ἑαυτούς findet sich bei Markus noch 10, 26; 11, 31; 14, 4; 16, 3, bei Mt 21, 38 aus Markus übernommen, bei Lk 20, 5 aus Markus übernommen, Lk 7, 24; 22, 23 ohne Parallele; doch ist dieser Sprachgebrauch zu verbreitet (s. BLASS-DEBRUNNER, s. Anm. 20, § 287), als daß man eine spezifische Sprachgewohnheit des Markus annehmen dürfte.

[22] So mit Recht M.-J. LAGRANGE (s. Anm. 3), S. 287. W. MICHAELIS (s. Anm. 1), S. 221, meint, es sei unmöglich, hinter den Unterschieden der drei Synoptiker „die ursprüngliche, auf Jesus zurückgehende Fassung dieses Teils" wiederaufzufinden; aber es liegt kein Grund vor, die Markuspriorität an diesem Punkt zu bezweifeln.

[23] S. Anm. 10.

ἀγαπητόν, wie schon betont, allzu deutlich die Parallele zu dem „einzigen Sohn" von
Taufe und Verklärung heraushören läßt. Es ist darum | auf eine methodisch einwand-
freie und überzeugende Weise nicht möglich, das Gleichnis auf eine einfachere Urform zurückzuführen oder seinen wesenhaft allegorischen Charakter zu bestreiten.

Dann erhebt sich aber die entscheidende Frage nach dem Sinn und der geschichtlichen Stellung dieser allegorischen Gleichnisrede. Durch die unmißverständliche
Zitierung von Jes 5 wird der Hörer sofort in eine bestimmte Richtung gedrängt: es
muß auch hier vom Verhalten Gottes zu seinem Volk die Rede sein. Aber nicht der
Weinberg ist es hier, der schlechte Früchte bringt und dafür der Verödung preis-
gegeben wird, sondern die Winzer sind die Schuldigen, weil sie ihre Verpflichtung
gegenüber dem Weinbergbesitzer nicht erfüllen und dafür bestraft und durch „andere" ersetzt werden. Die allegorische Schilderung betrachtet also die Gegenwart als
heilsgeschichtliche Endzeit; die Tötung des letzten Abgesandten, des Sohnes, die im
Bild im Präteritum erzählt wird, liegt entweder wirklich in der Vergangenheit oder
wird als sicher vorausgesagt, die Übergabe des Weinbergs an „andere", von der im
Futurum die Rede ist, steht entweder wirklich noch aus oder ist nur aus stilistischen
Gründen als ausstehend geschildert. Dabei ist freilich bei näherem Zusehen völlig
unklar, was mit dem Weinberg gemeint ist und wer die „andern" sein sollen, denen
der Weinberg dann übergeben wird. Man hat angenommen, das jüdische Volk werde
hier überhaupt nicht angegriffen, es solle gemäß dem Gleichnis nur neue Leiter erhalten, weil die bisherigen Leiter Gottes Offenbarungen gegenüber versagt hätten[24].
Aber so sehr diese Deutung in der Konsequenz des Bildes zu liegen scheint, so unwahrscheinlich ist sie doch; daß nur die *Führer* des jüdischen Volkes an der Verwerfung der Propheten und des Sohnes schuld sein sollten, widerspricht der gesamten
Verkündigung Jesu und der Urkirche (vgl. Mt 23, 37; Apg 2, 23. 36; 3, 13f; 4, 10;
13, 27f; 1 Thess 2, 15; Mk 15, 11 ff)[25]; und daß nach der Verwerfung Jesu das jüdische
Volk das Heilsvolk geblieben sei und nur andere Führer erhalten habe oder solle,
widerspricht nicht nur der Deutung, die Mt 21, 43 durch Anfügung eines selbständigen Spruches vertritt (an die Stelle der Juden tritt ein anderes Volk, wohl die Heiden),
sondern ebenfalls der Anschauung Jesu wie der Urchristenheit, daß seit der Verwerfung des Messias Jesus nicht mehr das jüdische Volk, sondern die Messiasgläubigen
die Heilsgemeinde darstellen (Mt 8, 11f; 12, 41f; 19, 28; Lk 4, 25–27; Mk 13, 13;
Röm 2, 28f; 3, 29f; 1 Petr 2, 9f)[26]. Schon JÜLICHER hat darum in dem Weinberg nicht
das Gottesvolk dargestellt sehen wollen, sondern die dem jüdischen Volk gegebene |
göttliche Gabe, das Gottesreich, und in den „andern" nicht ein anderes „Volk", sondern „das Israel der Zukunft"[27]. Andere haben in Fortführung dieser Deutung betont, daß die Weingärtner sowohl die schlechten Führer des Volkes als auch das böse

---

[24] So E. KLOSTERMANN (s. Anm. 4), S. 122; F. HAUCK (s. Anm. 3), S. 142; M.-J. LAGRANGE
(s. Anm. 3), S. 292.
[25] S. dazu K. L. SCHMIDT, Der Todesprozeß des Messias Jesus, Judaica 1, 1945, S. 16ff.
[26] Vgl. N. A. DAHL, Das Volk Gottes (Skrifter utgitt av Det Norske Videnskaps-Akademi
i Oslo, II. Hist.-Filos. Klasse, 1941, 2) S. 146ff, 177f, 238ff.
[27] A. JÜLICHER (s. Anm. 4), S. 403f; ähnlich L. GOPPELT (s. Anm. 1).

Volk selbst repräsentierten[28]. Aber gerade die bei dieser Deutung sich zeigende Tatsache, daß die Metaphern des Weinbergs und der Pächter keine streng eindeutige Auflösung vertragen, läßt es als zweifelhaft erscheinen, ob wir das Gleichnis überhaupt so scharf interpretieren dürfen. Klar ist ja, daß das Gleichnis des Jesaja in dem Sinne fortgebildet ist, daß das gesamte Verhalten des jüdischen Volkes und seiner Führer gegenüber den wiederholten Boten Gottes geschildert und dem Glauben Ausdruck gegeben werden soll, daß das jüdische Volk sich durch seinen Widerstand gegen die Propheten und den Sohn Gottes den Zorn Gottes zugezogen und dadurch seine Erwählung verscherzt hat. Ein Gegensatz zwischen Volk und Führern darf also in das Gleichnis nicht hineingelesen werden, und die „andern", die den Weinberg dann erhalten, sind zweifellos alle diejenigen, die den Gottessohn nicht verwerfen, das „neue Gottesvolk", auf keinen Fall aber die Heiden im Gegensatz zu den Juden[29].

Und damit stehen wir vor der abschließenden Frage nach der geschichtlichen Stellung dieser Allegorie. Gerade die neueste Gleichnisforschung hat die Grundeinsicht A. Jülichers, daß Jesus Gleichnisse, nicht Allegorien geformt hat, von neuem bestätigt[30]; daneben wird man aber nicht bestreiten können, daß auch die Gleichnisse Jesu eine Reihe von Metaphern und gelegentlich unwahrscheinliche Züge enthalten, weil der an sich eigentlich gemeinte Vorgang im einzelnen von der Sachhälfte her konstruiert ist[31]. Man darf darum, obwohl wir sonst innerhalb der synoptischen Überlieferung keine zusammenhängende Allegorie finden, nicht a priori unser Gleichnis um seiner | allegorischen Form willen Jesus absprechen. Und Jesus hat nicht nur mehrfach die Juden wegen ihrer Verfolgung der Propheten angegriffen, sondern auch mit seiner Vernichtung durch die Juden gerechnet und einen zeitlichen Abstand zwischen seinem Tode und der Parusie erwartet[32]. Bestehen also von diesen Tatbeständen aus keine ernsthaften Bedenken gegen die Herleitung des Gleichnisses von Jesus, so sprechen dagegen doch zwei sehr gewichtige Argumente. *Einmal* ist die Bestrafung der Gott widerstrebenden Juden und der Übergang der Verheißung

[28] E. Lohmeyer (s. Anm. 4), S. 248f; W. Michaelis (s. Anm. 1), S. 229ff; vgl. auch W. Foerster, ThW III, 1938, S. 781f. – E. Lohmeyer hat später (s. Anm. 3, kürzer in „Kultus und Evangelium", 1942, S. 52ff) den Weinberg auf den Kultus im Tempel und die Pächter auf die Priester gedeutet, die die Usurpatoren des Heiligtums sind und durch die „Armen" als Priester ersetzt werden sollen; aber diese Deutung übersieht, daß die Assoziationen von Jes 5 im Gleichnis nicht deutlich *umgedeutet* werden und daß niemand bemerken kann, daß die Pächter nur auf die Priester zu deuten seien.

[29] So etwa A. Jülicher, L. Goppelt (s. Anm. 27). Falsch z. B. W. Michaelis (s. Anm. 2), der auf die Kirche aus den Heiden deutet. Die Deutung der ἄλλοι auf die πτωχοί (so J. Jeremias, s. Anm. 6, S. 49, ähnlich E. Lohmeyer, s. Anm. 3, S. 256) dürfte eine zu starke Beschränkung sein.

[30] S. besonders die Gleichnisbücher von B. T. D. Smith, C. H. Dodd, J. Jeremias (s. Anm. 5 und 6).

[31] Vgl. zu dieser Frage etwa P. Fiebig, Die Gleichnisreden Jesu im Lichte der rabbinischen Gleichnisse des neutestamentlichen Zeitalters, 1912, S. 253; W. Foerster, Herr ist Jesus, 1924, S. 268ff; M. Dibelius, Die Formgeschichte des Evangeliums, 1933², S. 255f und meine Bemerkungen a. Anm. 7 aO, S. 31f, 80f, dazu auch M. Hermaniuk (s. Anm. 3), S. 224ff (der freilich zu weit geht).

[32] Belege bei W. G. Kümmel, (s. Anm. 7), S. 39ff; R. Liechtenhan (s. Anm. 5), S. 13ff.

an diejenigen, die den Sohn Gottes aufnehmen, hier sehr deutlich als direkte Folge der *Ermordung* des Sohnes geschildert. Nun zeigen aber die schon genannten Worte Jesu, die von der Verwerfung der Juden und dem Übergang der Verheißung an das den Sohn anerkennende neue Gottesvolk reden (Mt 8, 11f; 12, 41f; 19, 28; 21, 43; 23, 29ff. 37ff)[33], nirgendwo den Gedanken, daß die *Tötung* Jesu als des messianischen Gesandten diese Strafe auslösen solle. Wohl aber ist es von Anfang an urkirchliche Überzeugung gewesen, daß sich die Juden gerade durch die Tötung Jesu den Zorn Gottes zugezogen haben, wenigstens solange sie nicht umkehren und an den Auferstandenen glauben (Mt 27, 25; Lk 23, 27–31; Act 5, 28; 7, 52f; 18, 6; 1Thess 2, 15f). Diese Wertung des Todes Jesu als des entscheidenden Wendepunktes in der Geschichte Gottes mit dem jüdischen Volk ist also zweifellos eine Anschauung der Urkirche, die die Gegenwart seit Tod und Auferstehung Jesu als eschatologische Erfüllungszeit vor dem Ende betrachtet[34] und von da aus auch die Verwerfung der ungläubigen Juden mit dem Tode Jesu in das entscheidende Stadium eingetreten sein läßt. Eine ganz ähnliche Einsicht gewinnen wir *zum andern,* wenn wir die Gestalt des „einzigen Sohnes" ins Auge fassen. Wir haben gesehen, daß das Gleichnis nicht aus Gründen stilistischer Steigerung, sondern aus sachlichen Gründen den „einzigen Sohn" in die Erzählung einführt und durch die Formulierung dem Hörer nahelegt, in diesem Sohn dieselbe Gestalt zu erkennen wie in dem Jesus, dem die Stimme in Taufe und Verklärung gilt. Aber auch außerhalb dieses Erzählungszusammenhangs des Markusevangeliums setzt das Gleichnis voraus, daß der Hörer sich durch die Nennung des Sohnes auf den eschatologischen Heilsbringer hingewiesen sieht, daß er also die Gestalt des Sohnes im Gleichnis ohne weiteres mit Jesus als dem eschatologischen Gesandten Gottes gleichsetzt und aus der Erzählung einen Hinweis auf den bevorstehenden Tod Jesu als des „Sohnes Gottes" entnimmt. Das kann der Hörer aber nur tun, wenn er den Begriff „Sohn Gottes" als Messiasnamen kennt. Es wird nun freilich immer wieder die Behaup|tung vertreten, daß „Sohn Gottes" ein geläufiger jüdischer Messiasname gewesen sei[35]. Dagegen ist aber entscheidend einzuwenden, daß wir nicht einen einzigen sicheren Beleg für diesen Messiastitel aus der urchristlichen oder frühtannaitischen Zeit haben[36]; wenn Ps 2 in messianischer

---

[33] S. dazu zuletzt A. OEPKE a. Anm. 1 aO, S. 136ff, 146f.
[34] Vgl. W. G. KÜMMEL, Kirchenbegriff und Geschichtsbewußtsein in der Urgemeinde und bei Jesus (Symb. Bibl. Upsalienses 1), 1943, S. 2ff.
[35] Vgl. etwa P. BILLERBECK (s. Anm. 10), III, S. 17, 19f; P. FEINE (s. Anm. 1), S. 47f; J. SCHNIEWIND (s. Anm. 3), S. 45, 146; V. TAYLOR (s. Anm. 1), S. 34; L. GOPPELT (s. Anm. 1), S. 92; K. G. GOETZ, Das antichristliche und das geschichtliche, christliche Jesusbild von heute, 1944, S. 113; G. S. DUNCAN (s. Anm. 1), S. 109f; H. RIESENFELD, Jésus transfiguré (Acta Seminarii Neotest. Upsal. XVI), 1947, S. 68f, 251f (mit Literaturangaben); E. STAUFFER (s. Anm. 3), S. 83f.
[36] Hen 105, 2 fehlt im neuen Fragment der griechischen Übersetzung des semitischen Originals (hrsg. v. C. BONNER, The Last Chapters of Enoch in Greek, 1937) und ist zweifellos eine christliche beeinflußte Interpolation; in 4Esra 7, 28f; 13, 32. 37. 52; 14, 9 beweisen die Abweichungen der verschiedenen Übersetzungen des ebenfalls verlorenen semitischen Originals, daß an keiner dieser Stellen „Sohn" im Urtext gestanden hat (s. den Nachweis bei B. VIOLET, Die Apokalypsen des Esra und Baruch in deutscher Gestalt, 1924, z. d. St. und H. GRESSMANN, Der Messias, 1929, S. 383f; auch L. GRY, Les dires prophétiques d'Esdras, 1938, nimmt an allen diesen Stellen עברא als Urtext an).

Deutung in dem vorchristlichen Ps Sal 17, 23 ff benutzt wird, so wird dabei gerade die Ps 2, 7 begegnende Anrede „Du bist mein Sohn" nicht reproduziert. Die messianische Deutung von Ps 2, 7 ist in der rabbinischen Literatur nicht nur erst spät bezeugt, sondern es begegnet auch dort nirgendwo der Titel „Gottes Sohn" außerhalb einer direkten Zitierung von Ps 2, 7[37]. Angesichts dieser Quellenlage ist es methodisch nicht erlaubt, das Vorhandensein des Messiastitels „Sohn Gottes" in frühchristlicher Zeit aufgrund des messianischen Verständnisses von Ps 2 in Ps Sal 17 einfach zu postulieren[38]. „Sohn Gottes" war vielmehr zweifellos kein übliches jüdisches Ehrenprädikat des eschatologischen Heilsbringers. Kein Jude konnte sich daher, wenn er in unserm Gleichnis von der Sendung und Tötung des „Sohnes" hörte, dadurch veranlaßt sehen, an die Sendung des Messias zu denken und eine Vorhersage der Tötung des Messias Jesus aus dem Gleichnis herauszuhören. Wollte man gegen diese Behauptung den Einwand erheben, daß Jesus sich ja auch sonst als „der Sohn" bezeichnet habe, daß er daher wenigstens bei seinen Jüngern ein Verständnis dieses Begriffes voraussetzen konnte, so ist dagegen zu sagen, daß die beiden einzigen Belege für diese Annahme, Mk 13, 32 und Mt 11, 27, in bezug auf ihre Herkunft aus der ältesten Jesusüberlieferung kaum überwindlichen Bedenken unterliegen[39]. Hätte Jesus selber das Gleichnis geformt, so hätte er sich | durch die Einführung der Gestalt des „Sohnes" schwerlich verständlich machen können. In der Urgemeinde dagegen ist der Titel „Sohn Gottes" für den auferstandenen Jesus schon früh im messianischen Sinn im Gebrauch gewesen und vermutlich im Zusammenhang mit der Beziehung von Ps 2, 7 auf Jesus aufgekommen (s. Mk 1, 11; 3, 11; 5, 7; 9, 7; Mt 4, 3. 6)[40]. Die Urgemeinde, die Jesus als den „einzigen Sohn" bekannte und verkündete, konnte darum im Rahmen der allegorischen Redeform unseres Gleichnisses und nach dem Tode Jesu ohne weiteres durch die Nennung des „einzigen Sohnes" den Gedanken an den von den Juden getöteten „Sohn Gottes" Jesus Christus wecken.

Damit dürfte deutlich geworden sein, daß das Gleichnis von den bösen Weingärtnern nicht aus der geschichtlichen Situation des Lebens Jesu, sondern aus der Situa-

---

[37] S. P. Billerbeck, a. Anm. 35 aO; ferner G. Dalman, Die Worte Jesu I, 1930², S. 219 ff; W. Bousset, Kyrios Christos, 1921², S. 53 f; C. Clemen (s. Anm. 4); E. Huntress, Son of God in Jewish Writings Prior to the Christian Era, JBL 54, 1935, S. 117 ff; W. Grundmann (s. Anm. 1), S. 40, 48 ff; W. Manson, Jesus the Messiah, 1943, S. 105 f.

[38] So zuletzt R. Bultmann, Theologie des NT, 1. Lief., 1948, S. 50 f; A. Oepke, a. Anm. 1 aO, S. 138 f.

[39] In Mk 13, 32 ist das absolute „der Sohn" im Aramäischen als Würdeprädikat dem Juden unverständlich, so daß zum mindesten die Frage offen bleiben muß, ob der Wortlaut des sicher alten Spruches unversehrt ist; und Mt 11, 27 unterliegt nicht nur denselben sprachlichen Bedenken, sondern auch noch der Schwierigkeit, daß die hier verwandte Begriffswelt religionsgeschichtlich nicht ins Judentum gehört (s. meine Andeutungen a. Anm. 7 aO, S. 22 f; ich hoffe, diese Frage in der in Vorbereitung befindlichen Neuauflage der genannten Arbeit ausführlicher behandeln zu können). Die oft wiederholte Behauptung, Jesu Messiasbewußtsein sei in seinem Sohnesbewußtsein begründet, ist daher schwerlich geschichtlich haltbar (anders zuletzt etwa V. Taylor, s. Anm. 1, S. 32 ff; W. Michaelis, s. Anm. 1, S. 226; G. S. Duncan, s. Anm. 1, S. 106 ff; A. Oepke, a. Anm. 1 aO; besonders vorsichtig W. Manson, s. Anm. 37, S. 103 ff).

[40] S. etwa C. H. Dodd, The Apostolic Preaching and its Developments, 1936, S. 47 f; R. Bultmann (s. Anm. 38), S. 51.

tion nach dem Tode Jesu und der Entstehung der Urkirche mit ihrem Bekenntnis zum erhöhten Gottessohn stammt. Das Gleichnis kann daher nicht dazu verwandt werden, das Selbstbewußtsein Jesu oder seine eschatologische Erwartung zu erhellen. Wohl aber ist es ein wertvolles Zeugnis für die Geschichtsanschauung der Urkirche, die ausgeht von der eschatologischen Heilstat Gottes in der Sendung, Hingabe und Auferweckung seines Sohnes und die mit diesem Ereignis die Gemeinde der Erwählten, Heiligen begründet sein läßt, die an die Stelle des durch seinen Unglauben verworfenen Heilsvolkes der Juden getreten ist. Und auch das zeigt unser Gleichnis, daß diese Urkirche ihre eschatologische Stellung nur begreifen kann von der Voraussetzung aus, daß Gottes Heilshandeln am Ende der Tage in Jesus Christus die Erfüllung des früheren Heilshandelns Gottes den „Vätern" gegenüber ist (Act 3, 13; 5, 30f; vgl. Hebr 1, 1f). Und damit stellt das Gleichnis die Christenheit vor die Frage, ob sie mit Recht den Anspruch erheben darf, an die Stelle des alten Gottesvolkes getreten zu sein, ob sie wirklich ihre Existenz vor Gott allein begründet weiß in dem lebendigen Glauben an die Sendung und Verherrlichung des Sohnes Gottes.

MYTHOS IM NEUEN TESTAMENT

Vortrag in der Theologenschaft der Universität Basel am 28. Juni 1950

I

Das Problem des Mythos im Neuen Testament ist in der heutigen theologischen Diskussion aktuell geworden durch RUDOLF BULTMANNS Forderung auf Entmythologisierung des Neuen Testaments, die er 1941 in seinem Aufsatz „Neues Testament und Mythologie" erhob. Dieser Aufsatz, zunächst fast nur in Deutschland bekanntgeworden, führte dort während des Krieges zu einer lebhaften, weitgehend in kleinem Kreise geführten Diskussion und ist erst jetzt auch weiteren Kreisen durch seine Veröffentlichung in dem diese Diskussion sammelnden Band „Kerygma und Mythos" bekanntgeworden[1]. Das Problem selber ist aber nicht neu. Seit D. F. STRAUSS hat man den Begriff des Mythos zur Erklärung der nicht einfach immanent geschichtlichen, übernatürlichen Züge der evangelischen Erzählung gebraucht, und mit fortschreitender religionsgeschichtlicher Arbeit hat man mehr und mehr erkannt, daß die neutestamentlichen Schriftsteller für die Darstellung ihrer Christusverkündigung die verschiedenartigsten mythischen Vor|stellungen ihrer Umwelt verwenden. Diese Erkenntnis von der Verwertung mythischer Stoffe und Vorstellungen in der Bibel und damit auch im Neuen Testament bildet ja nur einen Sonderfall der Einsicht, die sich seit der Wandlung des modernen Weltbildes durch Kopernikus und seit der historischen Kritik der Aufklärung durchgesetzt hat, daß die Bibel und damit auch das Neue Testament eine Fülle von Vorstellungen und Denkformen verwendet, die mit unserm Weltbild nicht übereinstimmen und uns darum unwahrscheinlich oder unmöglich vorkommen. Die *wissenschaftliche* Theologie aller Richtungen hat darum seit langem an diesen antiken Vorstellungsformen des Neuen Testaments Kritik geübt, meistens freilich in der Form, daß man Anstöße oder Un-

---

[1] R. BULTMANN, NT und Mythologie. Das Problem der Entmythologisierung der neutestamentlichen Verkündigung (= Offenbarung und Heilsgeschehen, BEvTh Bd. 7, 1941, S. 27 ff). Wiederabgedruckt in H. W. BARTSCH, Kerygma und Mythos, ein theologisches Gespräch mit Beiträgen von R. BULTMANN, G. HARBSMEIER, F. HOCHGREBE, E. LOHMEYER, P. OLIVIER, H. SAUTER, J. SCHNIEWIND, F. K. SCHUMANN, J. B. SOUČEK, H. THIELICKE, 1948, S. 15 ff (danach im Folgenden zitiert). BULTMANN hat seine Gedanken inzwischen weitergeführt in folgenden Arbeiten: Theologie des NTs, 1. Lief., 1948 (bes. § 33); Das Urchristentum im Rahmen der antiken Religionen, 1949, 200 ff; Das Problem der Hermeneutik, ZThK 47, 1950, S. 47 ff; Das Problem des Verhältnisses von Theologie und Verkündigung im NT, Aux Sources de la Tradition Chrétienne, Mélanges offerts à M. Goguel, 1950, S. 32 ff.

wahrscheinlichkeiten stillschweigend eliminierte, ohne sich darüber immer voll im klaren zu sein. Unterschiede bestanden freilich in der Frage, wie weit man bei dieser Eliminierung der Vorstellungen des antiken Weltbildes gehen dürfe; aber über die Notwendigkeit von Abstrichen an diesen Vorstellungen bestand ein Einverständnis, von den Vertretern des strengsten Biblizismus abgesehen. Weder die Exegeten noch die Dogmatiker haben dabei im allgemeinen die Frage ernsthaft gestellt, wie weit man bei dieser Eliminierung der Vorstellungsformen des antiken Weltbildes überhaupt gehen *dürfe,* ohne die Substanz der neutestamentlichen Verkündigung zu gefährden.

Inzwischen hatte die Neubesinnung der protestantischen Theologie seit dem ersten Weltkrieg weite Kreise von Theologen davon überzeugt, daß die Aufgabe der Exegese nicht mit der Aufdeckung zeitgeschichtlicher Zusammenhänge und der Feststellung historischer Gegebenheiten erledigt sei, sondern daß die Aufgabe vielmehr darin bestehe, den aus seiner Zeit erklärten Text in seinem *sachlichen* Sinn zu verstehen und diesen sachlichen Sinn dem Leser von heute verständlich nahezubringen. Man hatte gelernt, die Worte der neutestamentlichen Schriftsteller wieder als Gotteswort an uns anzusehen. Zugleich aber hatte die weitergehende religionsgeschichtliche Forschung, besonders durch den Nachweis der gnostischen Züge in einem wesentlichen Teil der neutestamentlichen Verkündigung, die Zeitbedingtheit der gesamten neutestamentlichen Vorstellungsformen noch wesentlich stärker zu erkennen gelehrt und eingesehen, daß die ältere religionsgeschichtliche Betrachtung des Neuen Testaments noch viel | zu wenig auf die zeitgebundenen Formen gerade auch der neutestamentlichen Erlösungsvorstellungen geachtet hatte. Und schließlich hatte die Erfahrung des Predigers und Seelsorgers viele Theologen darüber belehrt, daß der heutige Mensch mit der Verkündigung des Evangeliums nicht erreicht werden könne, wenn man ihm die Botschaft der Bibel in den biblischen Vorstellungsformen weitersagt, die er nicht kennt und um deren Verständnis er sich auch nicht bemühen will.

Auf diesem Hintergrund ist Bultmanns Forderung der völligen Entmythologisierung des Neuen Testaments zu begreifen. Bultmann weiß als sorgfältiger Exeget um die zeitgeschichtliche Bedingtheit der neutestamentlichen Vorstellungswelt und Sprache und will trotzdem die Botschaft des Neuen Testaments dem Menschen von heute verständlich machen. Er geht dabei aus von der Feststellung, daß dem Menschen von heute das mythische Weltbild der Antike mit der dreistöckigen Welt, der Annahme der Wirkung übernatürlicher Wesen, der Erwartung eines bevorstehenden Weltendes ebenso unverständlich sei wie die mythologische Rede von der Sendung des präexistenten Gottessohnes, der Sündensühne durch den Tod Jesu, der Auferstehung und Erhöhung des Gekreuzigten, der Erwartung des Weltgerichts. Diese für uns heutige Menschen durch unser abweichendes Weltbild erledigten mythischen Vorstellungen *dürfe* man dem Menschen von heute nicht zumuten. Will man ihm trotzdem die Verkündigung des Neuen Testaments als für ihn maßgebend nahebringen, so muß man das Neue Testament entmythologisieren. Bultmann behauptet nun, daß der Mythos seinem Wesen nach selber auf diese Aufgabe hinweise, weil er nicht ein objektives Weltbild geben wolle, vielmehr ausdrücken will, „wie der Mensch sich selbst in seiner Welt versteht"; und BULTMANN zieht daraus die Folgerung: „der Mythus will nicht kosmologisch, sondern anthropologisch – besser: existential interpretiert werden"[2]. Es ist darum nicht BULTMANNS Absicht, in der Weise der älteren liberalen Theologie das Neue Testament durch Ausscheidung uns anstößiger Stücke erträglich zu machen, es durch Abstriche zu modernisieren; sondern er will die mythologische Rede des Neuen Testaments durch Herausstellung ihres eigentlichen | Sinnes dem modernen Menschen in ihrer Intention zugänglich machen und fragt darum: „Kann es eine entmythologisierende Interpretation geben, die die Wahrheit des Kerygmas als Kerygmas für den nicht mythologisch denkenden Menschen aufdeckt?"[3] Und BULTMANNS weiteres Bemühen geht nun darum, den Nachweis zu führen, daß die Verkündigung des Neuen Testaments auch dort, wo vom Heilsgeschehen die Rede ist, als Aufdeckung der *wirklichen* Existenz des Menschen interpretiert werden kann und muß, ohne daß „ein mythologischer Rest" bleibt[4].

Um diese These hat sich nun eine heftige Diskussion entsponnen, bei der eigentümlicherweise die Systematiker (ALTHAUS, K. BARTH, E. BRUNNER in ihren Dogmatiken, THIELICKE und PRENTER in Aufsätzen) stärker eingegriffen haben als die Neutestamentler (von denen besonders zu nennen sind SCHNIEWIND, OEPKE, CULLMANN, E. SCHWEIZER)[5]. Übersieht man diese Auseinandersetzung, so kann keine Frage sein, daß man sehr oft aneinander vorbeigeredet hat, weil man ganz verschiedene Begriffe von Mythos und Mythologie verwandte. Es ist darum unumgänglich, daß man deutlich sagt, was man unter Mythos versteht, ehe man die Frage zu beantworten sucht, ob BULTMANNS Forderung einer völligen Entmythologisierung des Neuen Testaments berechtigt und durchführbar ist.

BULTMANN selber hat den Begriff des Mythos religionsgeschichtlich definiert und als mythologisch bezeichnet „die Vorstellungsweise, in der das Unweltliche, Göttliche als Weltliches, Menschliches, das Jenseitige als Diesseitiges erscheint"[6]. Es ergibt sich aus dieser Definition ebenso wie aus der Beschreibung dessen, was BULTMANN als mythologische Züge des | Neuen Testaments ansieht[7], daß BULTMANN den Begriff so weit faßt, daß er sowohl die Vorstellungsformen des antiken Weltbildes wie die im besonderen Sinne religiösen Heilsaussagen des Neuen Testaments umfaßt. Diese Ausweitung des Mythosbegriffs ist schon von Anfang der Auseinandersetzung

[2] Kerygma und Mythos, S. 23.
[3] AaO, S. 27.
[4] AaO, S. 52.
[5] P. ALTHAUS, Die christliche Wahrheit I, 1947, S. 208f; K. BARTH, Kirchliche Dogmatik III, 2, 1948, S. 531ff; E. BRUNNER, Dogmatik II, 1950, S. 211ff, 311ff; H. THIELICKE, Kerygma und Mythos, S. 171ff; R. PRENTER, Rev. de Théol. et de Philos., N. S. 35, 1947, S. 49ff; J. SCHNIEWIND, Kerygma und Mythos, S. 80ff; A. OEPKE, Geschichtliche und übergeschichtliche Schriftauslegung, 1947[2], S. 56ff; O. CULLMANN, Christus und die Zeit, 1946, S. 23ff; E. SCHWEIZER, Mélanges Goguel (s. Anm. 1), S. 228ff; A. N. WILDER, Mythology and the New Testament. A review of Kerygma and Mythos, JBL 69, 1950, S. 113ff. Vgl. auch meine früheren Ausführungen in den Coniectanea Neotestamentica XI, 1947, S. 109ff.
[6] Kerygma und Mythos, S. 23 Anm. 2.
[7] AaO, S. 15f.

an mit Recht kritisiert worden[8]; denn diese Ausweitung bringt es unausweichlich mit sich, daß unter das Urteil „der Mythos ist dem heutigen Menschen nicht zumutbar" schon *e definitione* nicht nur die Formen des antiken Weltbildes (dreistöckige Welt, Aufstieg zum Himmel, Herabkunft vom Himmel, Dämonenglaube usw.) fallen, sondern auch die Anwendung mythischer Vorstellungen vom Erlöser und dogmatische Aussagen wie die vom Sühnetod Christi usw. Damit aber sind von vorneherein zwei Dinge verknüpft, die zwar zusammengehören, aber nicht identisch sind, und E. BRUNNER hat mit Recht geurteilt: „Neu ist nun aber die Ausdehnung, die Bultmann dem Begriff des Mythischen gibt, neu ist vor allem – und das ist auch wohl der schwache Punkt des Bultmannschen Gedankens – die Verquickung der beiden Fragen: Mythos und Weltbild."[9] Daß die Vorstellungsformen des antiken Weltbildes für uns erledigt sind und nur noch in bildlicher Weise gebraucht werden können, ist ja unbezweifelbar. Und ebenso ist selbstverständlich, daß die mythologischen Aussagen des Neuen Testaments *auch* in den Vorstellungsformen des antiken Weltbildes ausgedrückt werden. Aber das Wesentliche an diesen mythologischen Aussagen ist, daß sie von dem Handeln Gottes oder göttlicher Gestalten im Rahmen der sichtbaren Welt, von Raum und Zeit *dieser* Welt reden, und zwar von einem Handeln, das für das Sein des Menschen wesentlich ist. Mythos ist also Götter*geschichte;* er berichtet vom Handeln und Leiden göttlicher Wesen in der den Sinnen zugänglichen oder wenigstens möglicherweise zugänglichen Welt von Raum und Zeit. Mythos ist daher seinem Wesen nach eine religiöse Aussage*form* und nicht eine ausgeführte Weltanschauung. Und die Frage, um die es bei der Auseinandersetzung um die Entmythologisierung des Neuen Testaments gehen muß, ist nicht, ob das Neue Testament einen Mythos verkündet, sondern ob und wieweit das Neue Testament | seine Botschaft von Gottes Heilshandeln in die Sprache des Mythos kleidet und ob und wieweit diese Sprache sachgemäß und notwendig oder ablösbar ist.

II

Wir stellen also zunächst die Frage: Gibt es Mythos im Neuen Testament? Das ist immer wieder bestritten worden, weil „in der Bibel von Anfang bis zu Ende der Bericht und die Voraussage von Tatsachen" steht[10]; und selbst SCHNIEWIND, der in der Auseinandersetzung mit BULTMANN durchaus den Begriff der Mythologie aufnimmt, behauptet, „daß überall, wo man fragt, was mit den Aussagen des Neuen Testaments eigentlich gemeint ist, der Schein des Mythologischen weithin schwindet"[11]. Demgegenüber ist aber leicht festzustellen, daß das Neue Testament an vielen einzelnen Punkten ebenso wie in ganzen Vorstellungsreihen mythologische Sprache spricht. Das soll zunächst beispielhaft an zwei verschiedenen Ausprägungen des christologischen Mythus nachgewiesen werden.

[8] P. ALTHAUS, ThLZ 67, 1942, S. 340.
[9] A. Anm. 5 aO, S. 312.
[10] G. STÄHLIN, ThW IV, 1942, S. 801.
[11] Kerygma und Mythos, S. 129.

a) Phil 2, 5 ff erzählt in hymnischer Form von einer Gestalt, die in göttlicher Erscheinungsform war, aber dieses Gottgleich-Sein nicht ausnützte, sondern diese Erscheinungsform aufgab und herabstieg bis zur Wirkungsform eines Menschen, ja noch weiter bis zum Erleiden des Kreuzestodes; dieses erniedrigte göttliche Wesen hat Gott in eine Würde erhöht, die über seine einstige Würde hinausgeht, und darum sind diesem Kyrios alle Geisterwesen in allen Teilen der Welt unterworfen oder sollen ihm noch unterworfen werden, was Gottes Herrlichkeit fördern muß. Die Einzelheiten der Auslegung dieses Christushymnus sind umstritten. Es ist unsicher, ob dieser Hymnus von Paulus formuliert oder mit geringen Zusätzen übernommen ist[12]; es ist unsicher, ob der seltene Ausdruck „er hielt es nicht für einen Raub" von einem Entscheidungskampf des in Gottes Erscheinungsform befindlichen Wesens redet, ob es sich das Gott-gleich-Sein erst aneignen solle, wie | es der Teufel oder Adam einst wollte, oder ob einfach davon gesprochen wird, daß der in göttlicher Gestalt Befindliche sich um diese Göttlichkeit nicht kümmerte und die Wirklichkeit der Erniedrigung ergriff[13]; man hat sogar die These vertreten, daß die Erniedrigung hier von der göttlichen Bedeutung dieser Gestalt gefordert sei, die „wie ein Mensch", das heißt als der Himmelsmensch oder „Menschensohn" bezeichnet werde[14], was freilich äußerst unwahrscheinlich ist. Es kann daher fraglich sein, ob der Mythos von einem vorgeschichtlichen Entscheidungskampfe des dann Mensch Gewordenen als Gegensatz zum mißglückten Gott-gleich-sein-Wollen des Teufels hier erwähnt oder vorausgesetzt werde und ob der Mythos vom „Himmelsmenschen" hier direkt genannt sei. Man kann also darüber streiten, ob mehr oder weniger an mythologischen Vorstellungen sich im Text findet, obwohl eine nüchterne geschichtliche Exegese schwerlich ein Interesse daran haben kann, möglichst viele mythologische Vorstellungen in den Text hineinzulesen. Aber es kann *keine* Frage sein, daß in dem Hymnus in mythologischer Sprache von dem Herabstieg eines himmlischen Wesens auf die Erde und von seiner folgenden Erhöhung in den höchsten Himmel und der Unterwerfung aller Mächte unter dieses höchste Himmelswesen durch Gott die Rede ist. Und diese mythologische Rede ist dadurch ausgezeichnet, daß ein Teil dieses in mythologischer Sprache geschilderten Geschehens, nämlich die Annahme der Menschengestalt und die Erniedrigung zum Kreuz, in der Geschichte, in Raum und Zeit *festgelegt* werden kann, da damit die Gestalt des Menschen Jesus und sein Tod gemeint sind. Was sonst von diesem Wesen berichtet wird, der Verzicht auf die göttliche Erscheinungsform und die Erhöhung zur höchsten göttlichen Würde, läßt sich dagegen in Raum und Zeit dieser Welt nicht festlegen, obwohl von einem Geschehen in Raum und Zeit die Rede ist, das mit dem geschichtlichen Geschehen untrennbar verbunden ist und nur mit ihm zusammen ein Ganzes bildet. |

---

[12] Für die erstgenannte (wohl richtigere) Anschauung vgl. M. DIBELIUS, An die Thessalonicher I II, An die Philipper, 1937³, S. 73; für die zweite Anschauung vgl. E. LOHMEYER, Kyrios Jesus, SAH, Phil.-hist. Kl. 1927/28, 4.
[13] Das zuerst genannte Verständnis wird z. B. vertreten von E. LOHMEYER, aaO, S. 24; J. HÉRING, Die biblischen Grundlagen des christlichen Humanismus, 1946, S. 6; E. STAUFFER, Theologie des NTs, 1948⁴, Anm. 369. Dagegen z. B. M. DIBELIUS, aaO, S. 75 ff; W. FOERSTER, ThW I, 1933, S. 473.   [14] E. LOHMEYER, aaO, S. 40 ff; J. HÉRING, aaO, S. 5 f, 34 f.

Diese mythologische Rede stellt also zweifellos eine Deutung der geschichtlichen
Person Jesu und ihres Todes dar, ist also durch die Übertragung auf den Menschen
Jesus zu einem Teil historisiert, bleibt aber trotzdem zweifellos Mythos. Und es ist
auch ganz zweifellos, daß diese mythologische Deutung der Person Jesu den im
Orient verbreiteten Mythos vom herabsteigenden Erlöser verwertet, den das Judentum bereits aufgenommen und eschatologisch umgebildet hatte und der besonders
in allen Formen der Gnosis eine zentrale Rolle spielt[15]. Ist es nun reine Willkür gewesen, daß die Urkirche diesen Mythos auf Jesus übertragen hat? Das wird man
schwerlich behaupten können, wenn man sieht, daß hinter dieser mythischen Schilderung zwei geschichtliche Voraussetzungen stehen, die schon ihrerseits mythischer
Art sind. Jesus selber hat sich als den kommenden Menschensohn bezeichnet und
den Anspruch erhoben, daß in seiner Person und seinem Handeln und Lehren die
erwartete endzeitliche Vollendung der Gottesherrschaft sich bereits in der Gegenwart verwirkliche. Jesus hat also zur Deutung seiner Person die mythischen Vorstellungen des Judentums vom Himmelsmenschen der Endzeit wie von der bevorstehenden Weltvollendung verwandt. Und das bedeutet doch, daß Jesus selber
mythische Vorstellungen seiner Zeit verwertet hat, um dadurch die Bedeutsamkeit
seiner Person für seine Hörer herauszustellen. Die Anwendung des Mythos vom
herabsteigenden Erlöser auf Jesus Christus durch Paulus in Phil 2, 5 ff führt also die
mythische Selbstdeutung Jesu fort. Und dazu kommt die Tatsache, daß die Jünger
nach der Kreuzigung Jesu die Erfahrung gemacht zu haben behaupteten, daß der
Gekreuzigte wirklich von Gott aus dem Tode auferweckt worden sei und nun als zu
Gott erhöhter himmlischer Herr der Gemeinde seiner Gläubigen gegenüberstehe.
Diese in den mythischen Vorstellungen der Auferweckung und Erhöhung ausge-
drückte Glaubensüberzeugung bestätigte den Jüngern den persönlichen Anspruch
Jesu und veranlaßte sie, den Tod des irdischen Jesus in seiner göttlichen Bedeutsamkeit durch eben diesen Mythos vom erhöhten Herrn auszudrücken. Der in Phil 2, 5 ff
ver|wertete Mythos hat also geschichtlich eine doppelte Wurzel. Und Paulus steht
mit der Verwertung dieses Mythos keineswegs allein im Neuen Testament. Mit demselben Mythos vom herabsteigenden und aufsteigenden Erlöser haben Johannes, der
Epheser- und der Hebräerbrief und die Pastoralbriefe die Gestalt Jesu gedeutet[16].
Es handelt sich hier also zweifellos um einen Mythos, dessen Wurzeln in die Grundlagen der neutestamentlichen Verkündigung zurückreichen und der auch infolge
seiner großen Verbreitung im Neuen Testament als zentral bezeichnet werden muß.

b) Dem möchte ich die andersartige mythologische Schilderung 1Petr 3, 18ff
gegenüberstellen. Auch hier ist die Auslegung im ganzen und einzelnen sehr umstritten; die neuesten Arbeiten (Reicke, Bieder, J.Jeremias) gehen im Wesent-
lichsten auseinander. Fest steht, daß der Verfasser mit traditionellem Formelmate-

---

[15] M.Dibelius, aaO, S. 80; R.Bultmann, Theologie des NTs, S. 174f.
[16] Für Johannes vgl. R.Bultmann, Das Evangelium des Johannes, 1941, passim; für
Epheser vgl. H.Schlier, Christus und die Kirche im Epheserbrief, 1930; für Hebräer vgl.
E.Käsemann, Das wandernde Gottesvolk, 1938, S. 61ff; für Pastoralbriefe vgl. H.Win-
disch, ZNW 34, 1935, S. 221ff.

rial arbeitet und daß er dieses Material im Rahmen der Paränese zum Widerstand
gegen Verfolgung und der homiletischen Ausdeutung der Tauferfahrung einordnet[17];
fest steht auch, daß von Christus Sterben für die Gottlosen und Auferstehung ausgesagt wird, ebenso zum Schluß des Abschnittes Erhöhung und Unterwerfung der
Geistermächte. Aber darüber hinaus ist nun von Christus berichtet, daß er im zeitlichen Zusammenhang mit Tod und Auferstehung[18] den Geistern im Gefängnis predigte, indem er zu ihnen ging; und von diesen Geistern wird weiter gesagt, daß sie
einst zur Zeit des Noah, als die Arche gebaut wurde, ungehorsam gewesen waren. Es
ist durchaus unklar, wer mit diesen Geistern gemeint ist, und es ist nur eine, freilich
sehr gut begründete Hypothese, daß mit den „Geistern" die gefallenen Engelmächte
und die Zeitgenossen des Noah gemeint sind, die durch diese | Engelmächte verführt worden waren; beide zusammen sind wohl genannt als die hinter allem dämonischen Geschehen auf Erden wirksamen Mächte[19]. Diesen dämonischsten aller
dämonischen Mächte hat Christus gepredigt. Nun ist nicht gesagt, *wo* sich diese
Geistermächte im Gefängnis befinden; aber der Gegensatz zur mythologischen Vorstellung von Henochs Gerichtspredigt gegenüber den Geistermächten läßt es kaum
zweifelhaft erscheinen, daß diese Mächte in der Unterwelt gedacht sind, daß Christus
also zu ihnen herabgestiegen ist[20]. Wir haben hier also ziemlich sicher einen Hinweis
auf den Herabstieg Christi in die Unterwelt; und es geht nicht an zu behaupten, der
Hadesaufenthalt Jesu habe hier „kein dogmatisches Eigengewicht", und darum
entbehre „die Höllenfahrt, von der das Symbol spricht, der biblischen Begründung"[21]. Die Hadesfahrt Christi mit einem bestimmten Ziel, nämlich der Predigt
an die „Geister", ist hier gewiß in paränetischem Zusammenhang, aber doch als betonter Sachverhalt erwähnt. Und es kann keine Frage sein, daß das wiederum eine
mythologische Vorstellung ist, die dem weit verbreiteten Vorstellungskreis der Hadesfahrten göttlicher Gestalten entspricht. Nun hat der 1. Petrusbrief freilich noch
keine genaue Angabe darüber gegeben, wo er sich zeitlich den Descensus eingeordnet
denkt; die im Apostolicum sich zeigende Einordnung zwischen Begräbnis und Auferstehung ist ja im 1. Petrusbrief keineswegs angedeutet. Und doch zeigt sich hier
deutlich eine starke Erweiterung des ältesten Kerygmas, das Tod und Begräbnis
Jesu einfach der Auferstehung und Erscheinung am 3. Tage gegenüberstellt (1Kor
15, 3f). Zwar begegnet schon früh die Vorstellung, daß Christus als der wirklich Gestorbene bei den Toten weilte (Röm 10, 7 „wer wird in die Unterwelt hinabsteigen?
das heißt Christus von den Toten heraufführen"); aber da bedeutet der Aufenthalt
in der Unterwelt nichts als die Realität des Todes. Der Mythos von der Hadesfahrt
konnte also an eine vorhandene Glaubensvorstellung anknüpfen, aber er erweiterte

---

[17] Den Nachweis der Verwendung traditioneller Formeln führte R. BULTMANN, Bekenntnis- und Liedfragmente im 1. Petrusbrief, Coniectanea Neotestamentica XI, 1947, S. 1ff;
gegen seine Rekonstruktion eines Hymnus aus 1Petr 3, 18ff vgl. J. JEREMIAS, Zwischen
Karfreitag und Ostern, ZNW 42, 1949, S. 194ff.

[18] Zu dieser Bedeutung von ἐν ᾧ s. Bo REICKE, The Disobedient Spirits and Christian
Baptism, 1946, S. 103ff.

[19] S. den Nachweis bei REICKE, aaO, S. 52ff.

[20] S. J. JEREMIAS, aaO, S. 196f.

[21] W. BIEDER, Die Vorstellung von der Höllenfahrt Jesu Christi, 1949, S. 113, 129.

sie spekulativ, ohne dafür einen Anhalt an einem | geschichtlichen Faktum zu haben,
wobei die Frage durchaus offenbleiben muß, was das ursprüngliche Motiv dieser Erweiterung gewesen ist. Parallelen hat dieser Mythos im Neuen Testament aber kaum,
wie BIEDER überzeugend nachgewiesen hat (am ehesten käme noch Joh 5, 25 in
Frage: „es wird die Stunde kommen und ist schon da, wenn die Toten die Stimme
des Gottessohnes hören werden und, wenn sie sie gehört haben, leben werden"; aber
auch das ist ganz unsicher).

III

Auf Grund dieser beiden Beispiele dürfte deutlich geworden sein, daß es nicht an-
geht, das Vorhandensein mythologischer Vorstellungen und mythologischen Denkens im Neuen Testament zu bestreiten. Ja es wäre leicht, solche mythologischen
Vorstellungen auf den verschiedensten Gebieten aufzuweisen. Nun entspricht ebenso zweifellos das Denken in mythologischen Vorstellungen nicht unseren weltanschaulichen Voraussetzungen, und darum erhebt sich unausweichlich die Frage, wie
wir uns gegenüber diesen mythologischen Vorstellungen zu verhalten haben. BULT-
MANNS Forderung geht dahin, daß das Neue Testament durch existentiale Interpretation seiner objektivierenden mythologischen Vorstellungen entmythologisiert werden müsse, und zwar darum, weil „die Kirche sich überhaupt erst wieder in eine
echte Diskussion mit dem Modernen bringen, ihn überhaupt erst wieder echt anreden kann, wenn sie entschlossen die Mythologie preisgibt"[22]. BULTMANN fordert
also die Entmythologisierung aus missionarischen Gründen. Und NEUENSCHWAN-
DER hat in seiner Dissertation über „Protestantische Dogmatik der Gegenwart und
das Problem der biblischen Mythologie"[23] behauptet, daß der Zusammenbruch der
eschatologischen Naherwartung des Urchristentums erwiesen habe, „daß die mythologische Deutung der Zeit unsachgemäß war" und daß darum mit der unvermeidlichen Enteschatologisierung die Theologie auch „das Vorstellungsmaterial der spätjüdischen Mythologie ohne Vorbehalte preiszugeben" habe.

Demgegenüber ist aber zu sagen, daß das Neue Testament von einem | Handeln
Gottes an einem bestimmten Punkt der Zeit redet, und zwar von einem Handeln
Gottes, das diese bestimmte geschichtliche Zeit mit der erwarteten Endzeit in eine
einmalige und unauflösliche Verbindung setzt. Die Behauptung, daß Gott an einem
bestimmten Orte und zu einer bestimmten Zeit, also im Rahmen von Zeit und Raum
dieser Welt, ein für allemal gehandelt hat, ist aber eine Behauptung, die ohne die
mythologische Vorstellungsform überhaupt nicht ausgesprochen werden *kann*.
BULTMANN bestreitet nun freilich den objektiven Charakter des Heilsgeschehens:
„So wird die Frage dringlich, ob *die mythologische Rede nicht einfach den Sinn hat,
die Bedeutsamkeit der historischen Gestalt Jesu und seiner Geschichte,* nämlich ihre
Bedeutung als Heilsgestalt und Heilsgeschehen *zum Ausdruck zu bringen.* Darin

[22] Kerygma und Mythos, S. 153.
[23] U. NEUENSCHWANDER, Diss. Bern, 1949, S. 171, 174.

hätte sie ihren Sinn, und ihr objektivierender Vorstellungsgehalt wäre preiszugeben."[24] BULTMANN kann das aber nur darum tun, weil er den Begriff der Heilsgeschichte ins Zeitlose umdeutet: das Kreuz als Heilsgeschehen „ist nicht ein Ereignis der Vergangenheit, auf das man zurückblickt; sondern es ist das eschatologische Ereignis in der Zeit und jenseits der Zeit, sofern es, in seiner Bedeutsamkeit
verstanden und das heißt für den Glauben, *stets Gegenwart* ist"[25]. Hier ist Eschatologie nicht Endgeschichte in der Zeit, sondern die Deutung der Gegenwart als Ent-
scheidungzeit im Zusammenhang mit der Deutung einer bestimmten Vergangenheit als von zeitloser Bedeutung. Und das heißt ja, daß das Heils*geschehen* als *zeit-
liches* Ereignis eliminiert wird: „Was sich in diesen Phänomenen [Christusgeschehen,
Kerygma, Glaube, Gemeinde] *νῦν*, das heißt jeweils in bestimmten Punkten des
Zeitverlaufs ereignet, das ist – im Glauben verstanden – kein Zeitgeschehen mehr,
weshalb denn auch alle einzelnen *νῦν* sub specie des Glaubens im Grunde *ein νῦν*
sind, das des *πλήρωμα τοῦ χρόνου*."[26] Mit dieser Beseitigung des *zeitlichen* Heils-
schehens ist aber das neutestamentliche Kerygma in seinem Kern getroffen. Es wird
ein „mythologischer Rest" eliminiert, der unaufgebbar ist. Das einmalige Handeln
Gottes in der Zeit, von dem der Glaube im Anschluß an das Neue Testament weiß,
wird auch durch die Verkündigung an den Men | schen von heute, die es als Tat Gottes
dem Menschen von heute bekennt, nicht zeitlos. E. BRUNNER sagt darum mit Recht:
„Daß es einen Punkt in diesem geschichtlichen Kontinuum gibt, von dem es gilt,
daß er *zugleich* historisches Faktum und Gottes personale Selbstoffenbarung ist –
das ist gerade die Torheit und das Ärgernis des Evangeliums und also das Entscheidende."[27] Von dem *end*zeitlichen Handeln Gottes *in* der Zeit kann man in der
Tat nicht ohne mythologische Redeform reden, weil die neutestamentliche Heilsverkündigung von der einmaligen, von der Schöpfung zur eschatologischen Vollendung
führenden Zeitlinie nicht ablösbar ist. Das Neue Testament behauptet wirklich,
daß das Ungegenständliche in dieser bestimmten Geschichte gegenständlich geworden ist, und diese Behauptung ist zwar die *Glaubens*deutung eines geschichtlichen
Sachverhalts, aber eine Glaubensdeutung, die die geschichtliche Einmaligkeit dieses
Sachverhalts voraussetzt und benötigt. Darum ist eine völlige Entmythologisierung
des Neuen Testaments nicht möglich, und es *muß* dem modernen Menschen das
Ärgernis der mythologischen Rede des Neuen Testaments zugemutet werden, wenn
er überhaupt der Offenbarung Gottes in Jesus Christus begegnen soll. Die Rede von
Gottes innerweltlichem Handeln in Raum und Zeit *muß* festgehalten werden, die
Gemeinde „denkt von den Heilsereignissen her zum Menschen hin, nicht umgekehrt"[28]. Nicht das antike Weltbild, aber die Rede von Gottes immanentem Handeln in Jesus Christus als von einem dem Glauben feststehenden wirklichen *Geschehen* kann nicht aufgegeben werden, und darum ist die mythologische Rede im
Neuen Testament zentral und unentbehrlich.

[24] Kerygma und Mythos, S. 44.
[25] AaO, S. 46.
[26] AaO, S. 146.
[27] A. Anm. 5 aO, S. 315.
[28] E. SCHWEIZER, a. Anm. 5 aO, S. 232.

IV

Aber wir müssen uns darüber klar sein, daß die mythologische Rede nicht nur in
den Voraussetzungen des antiken Weltbildes sich vollzieht, sondern wie *alles* menschliche Reden von Gottes Tun unvollkommen ist. Und darum müssen wir uns bei der
Weitergabe der neutestamentlichen Botschaft immer wieder darauf besinnen, ob
alle mythologischen Redeformen des Neuen Testaments sachgemäß und unentbehr-
lich sind. Solche Besinnung darf | aber nicht ausgehen von den weltanschaulichen
Anstößen des modernen Menschen, sondern muß ausgehen von der Besinnung auf
das neutestamentliche Kerygma selbst, wie THIELICKE richtig gefordert hat: „Es
muß unterschieden werden zwischen denjenigen Mythen, die unablösbare Ausdrucksform transzendenter Inhalte sind, und andererseits zwischen denjenigen, die nur
legendäre Ausschmückung oder religionsgeschichtliche Wucherung sind."[29] Mythen-
kritik ist darum die Aufgabe einer ihren Auftrag ernstnehmenden Exegese.

Von hier aus dürfte es einsichtig sein, daß der Mythos vom Herabstieg des Erlösers,
wie er uns Phil 2, 5ff begegnet, eine der für die Erscheinung Jesu Christi gebrauchten mythologischen Vorstellungsformen ist, die nicht aufgegeben werden können,
weil hier die zentrale Heilsverkündigung des Neuen Testaments in einer Form ausgedrückt wird, die vom Inhalt nicht getrennt werden kann und die den Inhalt auch
sachgemäß wiedergibt. Und ebenso einsichtig dürfte sein, daß der Mythos von der
Hadesfahrt in 1Petr 3, 18ff darum als unsachgemäß bezeichnet werden muß, weil
dieser Mythos nicht nur völlig isoliert ist innerhalb des Neuen Testaments und spekulativen Charakter trägt, sondern weil dieser Mythos nicht Gottes Heilshandeln
in der Geschichte vom Glauben her deutet, sondern eine Aussage darstellt, die ein
Geschehen völlig jenseits von Zeit und Raum betrifft, so daß dieser Mythos nicht
mehr an der Geschichte festgehalten ist.

Diese Aufgabe der Mythenkritik könnte befriedigend nur gelöst werden durch
eine Darstellung der gesamten neutestamentlichen Theologie. Da eine solche Darstellung hier nicht gegeben werden kann, soll die Aufgabe nur noch an zwei Beispielen illustriert werden.

a) Nach BULTMANN und NEUENSCHWANDER ist die mythische Eschatologie des
Neuen Testaments darum erledigt, weil die Naherwartung sich nicht erfüllt hat
und nach andern Aussagen des Neuen Testaments die Heilszeit bereits angebrochen
ist[30]. Demgegenüber ist der doppelte Sachverhalt zu betonen, daß das Neue Testa-
ment die Eschatologie trotz aller Gegenwartsaussagen wirklich als noch ausstehende|
Schlußgeschichte versteht und die eigene Gegenwart von dieser bevorstehenden
Schlußgeschichte her betrachtet und in sie einordnet. Diese Betrachtung der Gegenwart als Vorauswirken der zukünftigen Schlußgeschichte und nur darum als *Heils*-
gegenwart gilt für Jesus, Paulus, Johannes, den Hebräerbrief, den 1. Petrusbrief,
die Apokalypse in gleicher Weise[31]. Die Eliminierung der mythologischen Enderwar-

[29] Kerygma und Mythos, S. 209.
[30] AaO, S. 18f, 31; U. NEUENSCHWANDER, a. Anm. 23 aO, S. 171.
[31] Für Jesus vgl. W. G. KÜMMEL, Verheißung und Erfüllung, 1945 (2. Aufl. in Vorberei-

tung müßte darum die Aufhebung der für das neutestamentliche Heilsbewußtsein maßgebenden und unentbehrlichen Zeitlinie bedeuten; dadurch würde das Christusereignis aber zur bloßen Vergangenheit werden und seinen Charakter als Gottes Heilshandeln, das in der Vergangenheit begonnen hat und sich bis zur eschatologischen Vollendung fortsetzt, verlieren. Der eschatologische Mythos vom kommenden, aber in Jesus Christus in der Vergangenheit schon begonnenen Weltende ist darum unaufgebbar.

Das bedeutet aber nicht, daß wir die apokalyptische Ausmalung des Weltendes, wie sie sich in der „Synoptischen Apokalypse", bei Paulus, in der Apokalypse findet[32], ebenfalls als sachgemäß und unentbehrlich betrachten müßten. Gegen eine solche Behauptung spricht die Kritik an der Apokalyptik durch Jesus und implizit im Johannesevangelium[33]. Das bedeutet besonders nicht, daß die im Neuen Testament isolierte Vorstellung vom Tausendjährigen Reich als sachgemäß und unentbehrlich angesehen werden müßte. Gerade die Besinnung auf die Problematik der *Ausschmückung* des eschatologischen Mythos muß die Wesentlichkeit des *grundlegenden* eschatologischen Mythos herausstellen.

b) Nach BULTMANN ist die Auferstehung Christi Ausdruck der Bedeutsamkeit des Kreuzes; schon Paulus verstehe sie als beglaubigendes Mirakel falsch; vielmehr ist „der Auferste|hungsglaube nichts anderes als der Glaube an das Kreuz als Heilsereignis". „Das Osterereignis als die Auferstehung Christi ist kein historisches Ereignis; als historisches Ereignis ist *nur der Osterglaube der ersten Jünger faßbar.*"[34] K.BARTH und E.SCHWEIZER haben mit Recht betont, daß dabei das *Gegenüber* des Kreuzeshandelns Gottes für die Menschen aufgehoben wird[35]. BULTMANN eliminiert das Auferstehungs*geschehen* und ersetzt es durch den Auferstehungsglauben als eine Deutungskategorie des Kreuzesgeschehens, während für die neutestamentliche Botschaft das Kreuz durch das davon unterschiedene Ostergeschehen a posteriori erst seinen Heilscharakter erhält. Nun behauptet freilich das Neue Testament nicht, daß man die Auferstehung Christi als geschichtliches Faktum *schildern* könne (das hat bekanntlich erst das Petrusevangelium versucht); wohl aber behauptet das Neue Testament, daß Gott etwas Wirkliches *getan* habe, als er den Gekreuzigten auferweckte, und daß die Schauungen der Jünger ebenso wie die Auffindung des leeren Grabes nur Zeugnisse für dieses wirkliche Handeln Gottes seien. Dieses Faktum kann man also den Zeugen glauben oder nicht; aber daß es eine nur dem Glauben faßbare Wirklichkeit ist, ändert für das Bewußtsein der neutestamentlichen Zeugen nichts daran, daß es sich bei der Auferstehung Christi um ein wirkliches Geschehen handelt, das an der Grablegung des Gekreuzigten seinen *geschichtlichen* Ansatzpunkt

tung); für Paulus, Hebräer, Apokalypse vgl. H.D.WENDLAND, Geschichtsanschauung und Geschichtsbewußtsein im NT, 1938; für Johannes vgl. W.G.KÜMMEL, Die Eschatologie der Evangelien, 1936, S. 21ff; für 1. Petrusbrief vgl. die Hinweise bei H.LIETZMANN, SAB phil.-hist. Kl. 1936, XXIX, S. 10f.

[32] S. besonders Mk 13 u. par; 1Kor 15, 20ff; 1Thess 4, 15ff; 2Thess 2, 3ff; Apk passim.

[33] Für Jesus s. W.G.KÜMMEL, Verheißung und Erfüllung 1945, S. 51ff; für Johannes s. W.F.HOWARD, Christianity according to St. John, 1947², S. 106ff.

[34] Kerygma und Mythos, S. 50, 51.

[35] K.BARTH, a. Anm. 5 aO, S. 534; E.SCHWEIZER, a. Anm. 5 aO, S. 231.

hat. Von diesem *zeitlichen* Ereignis leitet der Glaube der ersten Christen die Heilsgegenwart ab; erst seit der Auferstehung gibt es die „Gemeinde" des Auferstandenen[36]. Bestreitet man aber die zeitliche Einmaligkeit und damit die *geschichtliche*
Wirklichkeit der Auferstehung, so beraubt man die neutestamentliche Verkündigung des Tatbestandes, der die Berechtigung zur Behauptung von der eschatologischen Heilsgegenwart erst gibt. Auch dieser Mythos ist darum unaufgebbar.

Aber nun zeigt sich schon im Neuen Testament, daß die Urchristenheit sich allmählich bemüht hat, die Tatsache der Auferstehung Christi zu einem nicht nur be-
zeugten, sondern nachweisbaren | Faktum zu machen. Man kann darüber streiten,
ob bereits Markus den Bericht vom leeren Grab im Sinne eines Auferstehungsbewei-
ses aufgenommen hat; und man kann auch darüber verschiedener Meinung sein, ob
der Bericht vom leeren Grab auf ein wirkliches Geschehen zurückgeht oder einer
Folgerung aus dem Auferstehungsglauben seine Entstehung verdankt. Sicher aber
ist, daß der Bericht von der Auffindung des leeren Grabes ursprünglich auch nur als
*Hin*weis erzählt worden ist, da nicht die Entdeckung des leeren Grabes, sondern
erst die Botschaft des Engels den Sinn des Entdeckten enthüllt. Zweifellos ist das
leere Grab aber bei Matthäus zu einem Beweis geworden, und zweifellos wird die
Auferstehung zu einem in irdischen Geschehnissen greifbaren Faktum bei Lukas
und im Johannesevangelium, ganz besonders aber im Himmelfahrtsbericht der
Apostelgeschichte[37]. Hier liegt deutlich eine Materialisierung und damit sekundäre
Mythologisierung des Auferstehungsglaubens vor, und man kann darum nicht
sagen, daß „die Annahme des neutestamentlichen Evangeliums jedenfalls nach
dem Selbstverständnis des Neuen Testaments mit der Annahme oder Nicht-Annah-
me des *evangelium quadraginta dierum* wohl oder übel identisch sein wird"[38]. Auch
hier muß die kritische Besinnung auf die Abweichung des späteren Mythos vom ursprünglichen Kerygma der Sicherung des ursprünglichen, unentbehrlichen Mythos
dienen.

Gilt es also, „daß es in bezug auf die mythologischen Vorstellungen der biblischen
Welt nur ein ja, ja, nein, nein gibt, und was dazwischen ist, ist vom Übel"[39]? Nein,
das gilt nicht, und dem Theologen ist nicht geboten, den Mythos aus der neutestamentlichen Verkündigung zu beseitigen, sondern auf seinen wesentlichen Gehalt zu
befragen und dann dieses zentrale Kerygma dem Menschen von heute zu sagen.

[36] S. W. G. Kümmel, Kirchenbegriff und Geschichtsbewußtsein in der Urgemeinde und
bei Jesus, 1943, S. 8 ff.
[37] Vgl. Mt 27, 62 ff; 28, 11 ff; Lk 24, 36 ff; Joh 20, 19 ff; Act 1, 3 ff. Dazu meine Bemerkungen ThR 17, 1948, S. 6 ff.
[38] K. Barth, a. Anm. aO, S. 531.
[39] U. Neuenschwander, a. Anm. 23 aO, S. 212.

NOTWENDIGKEIT UND GRENZE
DES NEUTESTAMENTLICHEN KANONS

I

Die Frage nach dem Wesen und der richtigen Bewertung des neutestamentlichen Kanons steht heute nicht im Mittelpunkt der theologischen Diskussion. Man nimmt in der Regel den Kanon als gegebene Größe hin, ohne sich über die Notwendigkeit des Vorhandenseins einer *abgegrenzten* Sammlung urchristlicher Schriften oder über Recht und Unrecht der geschehenen Abgrenzung klare Vorstellungen zu machen. Diese Unklarheit aber ist innerhalb einer Kirche, die ihre göttliche Botschaft allein aus dem im Kanon gesammelten urchristlichen Schrifttum (und erst in dessen Licht dann auch aus dem Alten Testament) empfängt, nicht wohl tragbar, und so hat H. STRATHMANN[1] diese Unklarheit mit Recht „eine schleichende Krankheit der evangelischen Theologie und damit der evangelischen Kirche" genannt. Erhebt nämlich innerhalb einer an das Evangelium allein gebundenen Kirche die theologische Lehre ebenso wie die praktische Verkündigung den Anspruch, dem Menschen rettende Botschaft und bindende Weisung nur darum verkünden zu sollen, weil *Gottes* Wort sie dazu ermächtigt, so darf gerade die Frage nicht unbeantwortet bleiben, wo dieses Wort sicher zu finden sei und wie man es in den biblischen Schriften sicher finden könne. Diese Frage schien ja so lange leicht zu beantworten zu sein, als die Überzeugung herrschte, „daß das Neue Testament seit unvordenklichen Zeiten der Kirche den Dienst leiste", welchen es den Vätern der Kirche am Ende des 2. Jahrhunderts geleistet hat, als man begann, sich über den Umfang des neutestamentlichen Kanons Gedanken zu machen[2]. Diese Überzeugung aber | wurde unhaltbar, als durch JOHANN SALOMO SEMLER und seine Nachfolger der Nachweis geführt worden war, daß der Kanon des Neuen Testaments sich erst im Laufe des 2. Jahrhunderts allmählich zu formen begonnen hat und daß seine Abgrenzung zu der uns geläufigen Form erst die Folge einer jahrhundertelangen Auseinandersetzung innerhalb der Kirche gewesen ist. Damit stand ja fest, daß Entstehung und Abgrenzung des Kanons innerhalb der kirchlichen Entwicklung vom 2. Jahrhundert an vor sich gegangen ist, daß der Kanon also zum mindesten in seiner endgültigen Form eine

---

[1] [277¹] H. STRATHMANN, Die Krisis des Kanons der Kirche. Joh. Gerhards und Joh. Sal. Semlers Erbe, ThBl 20, 1941, S. 295ff (295).

[2] [277²] So noch TH. ZAHN, Geschichte des Neutestamentlichen Kanons I, 1, 1888, S. 434; ähnlich auch M.-J. LAGRANGE, Histoire ancienne du canon du Nouveau Testament, 1933, S. 5f.

Schöpfung der Kirche und damit Resultat eines geschichtlichen Werdeprozesses ist. Eine die geschichtliche Wirklichkeit ernst nehmende Theologie und Verkündigung sieht sich also im Kanon einer geschichtlichen Größe gegenübergestellt, angesichts derer die Frage nach ihrer Entscheidung und nach der sachlichen Berechtigung ihrer Entwicklung unausweichlich gestellt werden muß. Und es gibt keine andere Möglichkeit, über Bedeutung und Umfang des neutestamentlichen Kanons für die Kirche von heute Klarheit zu gewinnen als auf dem Wege über die geschichtliche Frage nach dem Werden dieser Schriftensammlung.

Diese geschichtliche Frage nach dem Werden des neutestamentlichen Kanons, die Kanonsgeschichte, ist aber dann auch in doppelter Hinsicht von aktueller theologischer Bedeutsamkeit. 1. Die Untersuchung der Kanonsbildung darf ihr Augenmerk nicht bloß auf die wechselreichen Wandlungen in der Abgrenzung des Kanons richten, sondern muß vor allem fragen nach den Motiven, die überhaupt zur Bildung eines neuen Kanons und zur Ausschließung oder Einbeziehung der einzelnen Schriften in diesen Kanon führten. Denn der Kanon als geschichtlich gegebene Größe kann nur aus den bei seiner Bildung bestimmenden Vorstellungen begriffen werden, die *sachliche* Berechtigung oder Notwendigkeit gerade dieser Abgrenzung kann ohne Kenntnis der dabei einstmals treibenden Motive nicht nachgeprüft werden. Die bis heute umstrittene Frage, ob die Gesamtheit der von der Alten Kirche kanonisierten Schriften mit Recht zum Kanon gerechnet wird, kann man also nur unter Berücksichtigung des geschichtlichen Werdens dieser Abgrenzung zu beantworten versuchen. 2. Viel wichtiger ist aber, daß die Einsicht in das geschichtliche Werden und die geschichtliche Bedingtheit der Kanonsbildung die theologische Besinnung dazu zwingt, die Frage nach dem Recht, der Notwendigkeit und der bleibenden Bedeutung der Kanonsbildung überhaupt zu stellen und von da aus die Frage zu klären, in welchem Sinn dieser geschichtlich gewordene Kanon auch für uns heute normativen Charakter haben könne oder müsse. Denn es kann kein Zweifel sein, daß mit der Er|kenntnis vom geschichtlichen *Werden* und damit der *zufälligen* Gestalt des neutestamentlichen Kanons sich die Frage stellen mußte und immer wieder stellt, ob der geschichtlich so zufällig zustande gekommene Kanon überhaupt bleibende normative Bedeutung haben könne bzw. worin diese normative Bedeutung begründet sei. Die Einsicht in die geschichtliche Zufälligkeit der überlieferten Gestalt des neutestamentlichen Kanons hatte ja schon JOH. SAL. SEMLER dazu geführt, den Kanon praktisch aufzugeben, da für ihn nur noch das im Kanon als wertvoll bestehen bleibt, was der „moralischen Ausbesserung" dient[3]. Und die kritische Theologie neigte lange Zeit dazu, den Kanon nur noch als eine geschichtliche Gegebenheit zu werten, die durchaus zufälligen Charakter trage und dogmatisch keine maßgebende Bedeutung mehr haben dürfe[4]. Die Einsicht in die geschichtliche Bedingtheit und

---

[3] [279¹] Siehe den Nachweis bei H. STRATHMANN, ThBl 20, 1941, S. 298 ff.

[4] [279²] Vgl. z. B. H. J. HOLTZMANN, Lehrbuch der historisch-kritischen Einleitung in das NT, 1892³, S. 186: „Damit ist aber der Begriff des Kanons in seiner scharfen dogmatischen Umrissenheit überhaupt aufgegeben, und insofern hat die ‚Geschichte des Kanons' ihren unvermeidlichen Abschluß gefunden"; W. WREDE, Über Aufgabe und Methode der

Zufälligkeit des Kanons hatte also die Aufhebung seiner Anerkennung als einer wesentlichen Norm, die Bestreitung seiner Notwendigkeit zur Folge.

Aber so sehr die Einsicht in die geschichtliche Bedingtheit der Kanonsbildung und Kanonsabgrenzung davon befreien mußte, „daß dieser Kanon aus einer Stütze ein drückendes Joch werden – bleiben durfte"[5], so problematisch mußte doch die völlige Preisgabe des Kanonsbegriffes für eine Theologie sein, die wieder darum wußte, daß alle christliche Verkündigung ihre Begründung und Ermächtigung allein durch das einmalige Handeln Gottes in Jesus Christus und den Aposteln erhält, und der darum die Frage brennend ist, wo dieses einmalige Heilshandeln Gottes uns in unverfälschter Form faßbar sei. Wenn wir uns an die geschichtliche Offenbarung Gottes in Jesus Christus gebunden wissen, so müssen wir ernstlich fragen, ob der Kanon des Neuen Testaments nicht doch eine bleibende und unaufgebbare Bedeutung habe. Darum ist eine Neubesinnung auf Notwendigkeit und Grenze des neutestamentlichen Kanons eine unumgängliche Aufgabe einer an | das Evangelium gebundenen Theologie, eine Aufgabe, die freilich nur unter sorgfältiger Berücksichtigung der Geschichte dieses Kanons in befriedigender Weise gelöst werden kann. Es wird darum notwendig sein, der grundsätzlichen Besinnung über die bleibende Bedeutung des neutestamentlichen Kanons einen kurzen Überblick über die Entstehung und weitere Geschichte dieses Kanons vorauszuschicken[6], wobei besonders auf die in dieser Geschichte wirksamen Motive das Augenmerk gerichtet werden soll.

II

Jesus und die Urchristenheit haben das Alte Testament als Heilige Schrift gekannt und anerkannt. Es ist aber äußerst fraglich, ob der alttestamentliche Kanon zur Zeit Jesu in Palästina schon endgültig abgeschlossen war, da wir erst gegen Ende des ersten Jahrhunderts von der offiziellen Abgrenzung des palästinischen Kanons hören[7], so daß wir schwerlich das Recht haben, für die palästinische Urchristenheit die Vorstellung eines endgültig abgeschlossenen Kanons vorauszusetzen. Darüber hinaus steht Jesus der von ihm anerkannten Norm der „Schriften" im ein-

sogenannten Neutestamentlichen Theologie, 1897, S. 11: „Wo man die Inspirationslehre streicht, kann auch der dogmatische Begriff des Kanons nicht aufrecht erhalten werden … Wer also den Begriff des Kanons als feststehend betrachtet, unterwirft sich damit der Autorität der Bischöfe und Theologen jener Jahrhunderte. Wer diese Autorität in andern Dingen nicht anerkennt…, handelt folgerichtig, wenn er sie auch hier in Frage stellt." Siehe auch H. WEINEL, Biblische Theologie des Neuen Testaments, 1921³, S. 8f.
5 [279³] A. JÜLICHER -E. FASCHER, Einleitung in das Neue Testament, 1931⁷, S. 558.
6 [280¹] Für die Einzelheiten sei verwiesen auf die Darstellungen in den „Einleitungen in das NT" von A. JÜLICHER-E. FASCHER (1931⁷), P. FEINE-J. BEHM (1936⁸), W. MICHAELIS (1946), ferner auf J. LEIPOLDT, Geschichte des neutestamentlichen Kanons I. II, 1907/08. Die beste Quellensammlung ist noch immer E. PREUSCHEN, Analecta II: Zur Kanonsgeschichte, 1910² (eine Neuauflage ist dringend erwünscht); die kleinere Sammlung von F. W. GROSHEIDE, Some Early Lists of the Books of the New Testament, 1948, ist unzureichend.
7 [280²] O. EISSFELDT, Einleitung in das AT, 1934, S. 618ff.

zelnen durchaus frei gegenüber, weil er sich das Recht zuerkennt, als der eschatologische Ausleger der Gottesworte in eigener Vollmacht darüber zu entscheiden, was innerhalb der „Schriften" wirklich Gottes Wort ist[8]. Indem Jesus so der überlieferten Schriftnorm autoritativ gegenübersteht, wohnt der christlichen Stellung zur alttestamentlichen Schriftnorm von vorneherein eine kritische Komponente inne: oberste Norm ist sachlich die Person Jesu selbst. Das zeigt sich ganz ähnlich auch bei Paulus. Auch Paulus kennt die jüdische Bibel als Autorität und zitiert aus allen drei Teilen des hebräischen Kanons[9]. Da er das Alte Testament meistens nach der Septuaginta zitiert, jedenfalls nicht auf den Urtext zurückgreift, ist es äußerst wahrscheinlich, daß für ihn das Alte Testament den Umfang der Septuaginta hatte. Von einer Abgrenzung des jüdisch-hellenisti | schen Kanons hören wir aber aus jüdischen Quellen nirgendwo etwas, und als die ersten *christlichen* Kanonsverzeichnisse für das Alte Testament aufgestellt wurden, wichen sie in den einzelnen Kirchenprovinzen sehr stark voneinander ab[10]. Es ist darum sehr wahrscheinlich, daß auch Paulus als ehemaliger hellenistischer Jude keinen abgeschlossenen Kanon des Alten Testaments voraussetzt, und 1Kor 2, 9 zitiert er ja zweifellos einen apokryphen Text als Bestandteil der „Schrift"[11]. Aber auch Paulus steht dieser überlieferten Schriftnorm kritisch gegenüber. Nicht nur behauptet er, daß allein die Christen als Träger des Geistes Christi die Heilige Schrift der Juden richtig interpretieren können (2Kor 3, 6. 15–17; 1Kor 10, 11), sondern er beruft sich mehrfach als auf die abschließende Autorität auf ein Wort des Kyrios, der für ihn der irdische Jesus *und* der Auferstandene ist (1Thess 4, 15; 1Kor 7, 10; 9, 14). Neben diese dem Alten Testament übergeordnete Norm tritt die Autorität des vom Auferstandenen berufenen Apostels (1Kor 7, 25. 40; 14, 37f; Gal 1, 1ff), die ebenso wie die Worte des Kyrios noch eine lebendige und nirgendwo festgelegte Norm darstellt. Schon hier ist also die von den Juden übernommene Norm der jüdischen „Schrift" nicht mehr die einzige Norm, sondern es bildet sich daneben eine neue *sachliche* Norm; an die Stelle des irdischen Jesus ist dabei nach Ostern und Pfingsten der mit dem irdischen Jesus identische Auferstandene getreten, der nun dieselbe eschatologische Autorität beansprucht wie der eschatologische Lehrer der Bergpredigt (Mt 5, 21ff). Letzte Norm ist so von Beginn des Urchristentums an der auferstandene Herr, der in seinen eigenen Worten ebenso wie in der Verkündigung der von ihm berufenen Zeugen dem Hörer begegnet. Die Frage kann darum nicht sein, wie es überhaupt zu einer neuen Normbildung in der christlichen Kirche kommen konnte, sondern warum und in welchem Sinn diese Norm die Gestalt eines Schriftenkanons angenommen hat bzw. annehmen mußte.

Das spätere Urchristentum bestätigt diesen Sachverhalt. Auch hier gilt das Alte Testament als Heilige Schrift, ohne als Kanon scharf abgegrenzt zu sein, aber auch

---

[8] [280[3]] Siehe W. G. Kümmel, Jesus und der jüdische Traditionsgedanke, ZNW 33, 1934, S. 105ff; A. Oepke, Jesus und das AT, 1938; Ders., Studia Theologica II, 1948/50, S. 136.

[9] [280[4]] O. Michel, Paulus und seine Bibel, 1929.

[10] [281[1]] A. Jepsen, Kanon und Text des AT, ThLZ 74, 1949, S. 65ff (68f).

[11] [281[2]] Nach Origenes handelte es sich um *secreta Eliae prophetae*, s. H. Lietzmann-W. G. Kümmel, An die Korinther I. II, 1949[4], S. 13, 170.

hier weiß man, daß nur die Christen die Schrift richtig interpretieren können, weil die Christusoffenbarung dem alten Bund weit überlegen ist (Apg 17, 2f; Joh 5, 39ff; 2Tim 3, 15f; Hebr 8, 13; 10, 1 usw.). So tritt auch hier die Autorität des Kyrios über die alte Norm der „Schrift" (Apg 20, 35; Apk 2, 1ff), | und daneben beanspruchen die Anordnungen der christlichen Lehrer normative Geltung, ob man nun in der Rolle eines der ältesten Apostel redet (Eph 4, 1; 1Tim 6, 13ff; 1Petr 5, 1f) oder als zeitgenössischer christlicher Lehrer schreibt (Hebr 10, 26f; 3Joh 5ff; Apk 1, 1–3). Aber es ist die lebendige Stimme der Verfasser dieser Schriften und nicht eine „Heilige Schrift", die diese Autorität beansprucht[12]. So tritt denn auch weiterhin im frühen nachapostolischen Zeitalter neben die alttestamentliche Schrift das durch die Apostel vermittelte Gebot des Herrn (2Petr 3, 2), und dieser Kyrios ist der Gemeinde zugänglich in seinem eigenen Wort oder im Wort der Apostel (Ign. Magn. 7, 1)[13], und noch um die Mitte des 2. Jahrhunderts stellt 2Clem 14, 2 „die Apostel" neben „die Bücher" (Altes Testament). Das Wort des Herrn und der Apostel ist also nach wie vor die oberste Autorität, und es ist nicht in Büchern *fest*gelegt, oder zum mindesten nicht in Büchern, die den Heiligen Schriften zugerechnet werden. Sind so „die Apostel der älteren Periode *ein rein idealer Kanon*, ungreifbar, unkontrollierbar"[14], und sind sie ebenso wie der Kyrios nur in der noch ungefestigten mündlichen und schriftlichen Überlieferung zugänglich, so ergab sich doch aus dieser rein innerkirchlichen Entwicklung mit dem Abbrechen der mündlichen Tradition früher oder später unausweichlich die Notwendigkeit, die für die Kirche unentbehrliche Norm des Kyrios und der Apostel nur noch in *Schriften* aus der Apostelzeit zu suchen. Und sobald sich die Frage nach dem *sicheren* Zugang zur eschatologischen Offenbarung Gottes in Jesus Christus und den Aposteln stellte, mußte der Fundort ein *zweiteiliger* sein, weil die neue Norm sowohl den Kyrios wie die Apostel zum Reden bringen mußte.

Diese Entwicklung bahnt sich gegen das Ende des nachapostolischen Zeitalters an. Jetzt werden Jesusworte wie alttestamentliche Schriften zitiert (Barn 4, 14; 2Clem 2, 4), so daß ein Evangelienwort die gleiche normative Geltung erhält wie die Heilige Schrift des Alten Testaments, ohne daß freilich irgendwie angedeutet wäre, daß man sich schon über die Entstehung einer *neuen* schriftlichen Autorität bewußt | wäre. Für Apostelschriften können wir dagegen noch nicht zur gleichen Zeit die Anführung als „Schriften" beobachten[15]; doch nachdem einmal Evangelienschriften als „Schrift" eingeschätzt wurden, *mußten* früher oder später auch Apostelschriften ebenso gewertet werden.

[12] [282¹] Apk 22, 18f bildet keine Ausnahme, da die Verwünschungsformel das Buch als inspiriert deklariert, nicht aber eine Kanonisation vollziehen will (s. B. Olsson, ZNW 31, 1932, S. 84ff). Röm 16, 26 φανερωθέντος δὲ νῦν διά τε γραφῶν προφητικῶν mit seinem Hinweis auf christliche Offenbarungsschriften erweist sich auch von hier aus als nicht-paulinisch und spät-nachapostolisch (vgl. M. Goguel, Introduction au Nouveau Testament IV, 2, 1926, S. 251f).

[13] [282²] „Wie nun der Herr ohne den Vater nichts getan hat, mit dem er geeinigt ist, weder in eigener Person, noch durch die Apostel, so tut auch ihr nichts ohne den Bischof..."

[14] [282³] A. Jülicher-(E. Fascher), Einleitung in das NT, 1931⁷, S. 405; ähnlich J. Leipoldt, Geschichte des neutestamentlichen Kanons I, S. 190f.

[15] [283¹] Im Polykarpbrief 12,1 kann die Anführung von Eph 4, 26 als *scriptura* nur ein Fehler der Überlieferung oder ein Irrtum sein (s. J. Leipoldt, aaO I, S. 191).

Aber diese ausdrückliche Wertung von Evangelientexten als „Schrift" und dieses
Wissen um die unentbehrliche Autorität apostolischer Äußerungen bedeutet noch
nicht, daß damit bereits das Neue Testament, wenn auch nur im Keim, vorhanden
gewesen wäre. Ehe es zur bewußten Bildung und dann auch Abgrenzung einer neuen
normativen Schriften*sammlung* kommen konnte, mußten erst überhaupt Sammlungen urchristlicher Schriften geschaffen werden und mußten solche Sammlungen
zu einem größeren Ganzen vereinigt werden. Beide Voraussetzungen müssen aber
gegen die Mitte des 2. Jahrhunderts erfüllt gewesen sein, ohne daß wir diese Vorgänge im einzelnen sicher verfolgen könnten. Paulusbriefe sind schon zu Lebzeiten
des Paulus zwischen den Gemeinden ausgetauscht worden, und am Anfang des
2. Jahrhunderts muß eine Sammlung von Paulusbriefen bestanden haben, wie die
häufige Bezugnahme auf Paulusbriefe in den Schriften des nachapostolischen Zeitalters ebenso wie die Analogie der Sammlung der Ignatiusbriefe beweist[16]. Von einer
Sammlung sonstiger Apostelschriften hören wir vor der Zeit der eigentlichen Kanonsbildung in der zweiten Hälfte des 2. Jahrhunderts nichts, und wir können nur darauf
verweisen, daß einige dieser Schriften zweifellos schon im nachapostolischen Zeitalter benutzt worden sind[17]. Die andere Frage, seit wann es eine Zusammenstellung
mehrerer Evangelienschriften gegeben hat, ist noch schwieriger zu beantworten,
weil bei der Anführung evangelischer Texte bis gegen das Ende des 2. Jahrhunderts
nirgendwo eine *bestimmte* Evangelienschrift zitiert wird. Doch steht fest, daß Ignatius Johannes und Matthäus benutzt hat und daß Papias Matthäus, Markus und
Johannes kannte und miteinander verglich; Papias hat also zum min|desten diese
drei Evangelien als zusammengehörig, schwerlich aber schon als geschlossene Sammlung betrachtet, wie sein Suchen nach mündlicher Überlieferung der Herrnworte
beweist (Eus. h. e. III, 39, 3f)[18]. Tatian schließlich hat seine Evangelienharmonie
zwar vielleicht erst nach der Mitte des 2. Jahrhunderts abgefaßt[19], setzt aber bei
seiner Zusammenarbeit der vier Evangelien deutlich voraus, daß diese vier

---

[16] [283²] A. v. HARNACK, Die Briefsammlung des Apostels Paulus und die anderen vor-
konstantinischen christlichen Briefsammlungen, 1926, S. 6ff. Vgl. auch J. KNOX, Marcion
and the New Testament, 1942, S. 172f. – Daß erst Markion eine planmäßige Sammlung von
Paulusbriefen angelegt habe, ist eine unwahrscheinliche Vermutung (gg. W. BAUER, Rechtgläubigkeit und Ketzerei im ältesten Christentum, 1934, S. 224).

[17] [283³] 1. Clemens 36, 2f kennt den Hebräerbrief, Polykarp 7, 1 und 10, 2 den
1. Johannes- und 1. Petrusbrief; Papias hat nach Eus. h. e. III, 39, 17 den 1. Petrus- und
1. Johannesbrief zitiert und anerkannte die Zuverlässigkeit der Apokalypse des Johannes
(frgm. V Bihlmeyer, erhalten bei Andreas Caesar. praef. in Apc.).

[18] [284¹] Für die Kenntnis des Johannesevangeliums durch Ignatius vgl. C. MAURER,
Ignatius von Antiochien und das Johannesevangelium, 1949; für die Benutzung des Matthäusevangeliums durch Ignatius s. B. H. STREETER, The Four Gospels, 1936⁵, S. 504ff. Die
bekannten Äußerungen des Papias über Matthäus und Markus finden sich bei Eus. h. e.
III, 39, 15f; die Kenntnis des Johannesevangeliums durch Papias ergibt sich sehr wahrscheinlich aus dem antimarkionitischen Johannesprolog (Papias frgm. XIII Bihlmeyer;
s. dazu A. v. HARNACK, Die ältesten Evangelienprologe und die Bildung des NT, SAB,
Phil.-hist. Kl. 1928, S. 333f).

[19] [284²] Nach Eusebius (h. e. IV, 29, 6) hat Tatian die Evangelienharmonie erst als Sek-
tenhaupt, d. h. nach seiner Trennung von der Kirche ca. 170, verfaßt; aber die Geschichte
des Diatessarontextes spricht viel eher dafür, daß er das Werk schon früher in Rom geschaffen hat (s. C. PETERS, Das Diatessaron Tatians, 1939, S. 212f).

Evangelien bereits um die Mitte des 2. Jahrhunderts in Rom als Sammlung bekannt gewesen sind. Und noch einen Schritt weiter führt etwa zur gleichen Zeit Justin, der in seiner Apologie an Antonius Pius (ca. 155) berichtet, daß im sonntäglichen Gottesdienst die „Apostel-Memoiren" (d. h. Evangelien, s. ap. I, 66, 3) oder die Schriften der Propheten verlesen werden (ap. I, 67, 3). Hält man neben diese Nachricht die Tatsache, daß Justin mehrfach synoptische Texte als „geschrieben" zitiert[20] und darauf hinweist, diese „Memoiren" seien verfaßt „von seinen (d. h. Christi) Aposteln und deren Nachfolgern" (Dial. 103, 8), so kann kein Zweifel darüber herrschen, daß Justin eine Sammlung von Evangelienschriften kennt, die er auf Apostel und deren Schüler zurückführt, und daß er dieser Sammlung gleiche Autorität und gottesdienstliche Bedeutung zuerkennt wie den Schriften des Alten Testaments. Justin kennt also eine neue, dem Alten Testament gleichgestellte Heilige Schrift, die auf alle Fälle die Evangelien umfaßt; und wenn er einmal von „anderen Schriften" redet und dabei an die Apokalypse denkt (ap. I, 28, 1), so kann man mit guten Gründen fragen, ob ihm nicht auch schon diese Schrift kanonische Geltung hat[21]. Aber ob diese Vermutung zu Recht besteht oder nicht, fest steht | auf alle Fälle, daß wir bei Justin einem neuen Kanon begegnen, der im gottesdienstlichen Gebrauch noch einteilig zu sein scheint, der aber keineswegs abgeschlossen ist und deutlich die Tendenz hat, auch Apostelschriften aufzunehmen. Und auch das ist ganz deutlich, daß sich dieser neue Kanon völlig unreflektiert aus den Bedürfnissen des kirchlichen Lebens entwickelt hat: fehlte das mündliche Wort der Männer der Apostelzeit, so mußte man die Worte des Herrn ebenso wie die Verkündigung der Apostel aus Evangelien- und Apostel-Schriften entnehmen, die damit ganz von selber in die Würde einer dem Alten Testament überlegenen Norm einrückten, welche Würde vorher den Worten des Kyrios und den Anordnungen der apostolischen Zeugen eingeräumt worden war. Die *Bildung* eines neutestamentlichen Kanons hat sich also mit dem Ende des urchristlichen Zeitalters als notwendige Formwerdung innerhalb der Kirche vollzogen, und dieser Kanon hatte von Anfang an aus sachlichen Gründen die Tendenz, Evangelienschriften und Apostelschriften nebeneinander zu enthalten.

Nun war freilich etwa zur gleichen Zeit um die Mitte des 2. Jahrhunderts in Rom der Kleinasiate Markion aufgetreten und hatte nach seiner endgültigen Trennung von der römischen Gemeinde für seine Gemeinde unter völliger Verwerfung des Alten Testaments eine neue Heilige Schrift geschaffen, die aus εὐαγγέλιον und ἀπόστολος bestand, das heißt aus einem verkürzten Lukasevangelium und zehn ebenfalls verkürzten Paulusbriefen (ohne die Pastoralbriefe). Die Kirchenväter sind nun in ihrer Polemik gegen Markion von der Anschauung ausgegangen, Markion habe aus einem bereits bestehenden Vierevangelienkanon der Kirche ebenso wie aus einer umfang-

---

[20] [284³] Dial. 100, 1. 4; 101, 3; 102, 5; 103, 6. 8; 104, 1; 105, 1. 5. 6; 106, 1. 3. 4. Daß Justin auch das Johannesevangelium kannte, läßt sich nur wahrscheinlich machen (vgl. ap. I, 61, 3f; Dial. 88, 7); dagegen W. BAUER, Rechtgläubigkeit und Ketzerei, S. 208f.

[21] [284⁴] Bestätigend könnte sein, daß Dial. 81, 4 die Autorität des Apokalyptikers Johannes neben die des Kyrios gestellt wird. W. BAUER, aaO, S. 218 macht darauf aufmerksam, daß sich bei Justin aber keine Kenntnis der Paulusbriefe verrät.

reicheren kirchlichen Sammlung der Apostelschriften eine willkürliche Auswahl getroffen[22]. Demgegenüber hat A. HARNACK die Anschauung vertreten, Markion habe als erster nicht nur den Gedanken eines neuen Schriftenkanons, sondern auch die Zweiteiligkeit dieses Kanons erfunden, und die Kirche habe beides von Markion übernommen[23]; die Schaffung eines Neuen Testaments ebenso wie dessen Ausgestaltung in zweiteiliger Form wären demnach erst ein Gegenschlag der Kirche gegen Markions grundlegende Schöpfung gewesen. Noch einen Schritt weiter ist neuerdings J. KNOX gegangen mit seiner These, daß die Kirche durch Markions Kanon aus εὐαγγέλιον und ἀπόστολος *gezwungen* worden sei, dem Kanon Mar|kions einen umfangreicheren Kanon aus *vier* Evangelien und einem erweiterten Apostolos einschließlich der Apostelgeschichte gegenüberzustellen[24]. Nun kann ja keine Frage sein, daß Markion als erster einen *geschlossenen* Kanon geschaffen und an die Stelle des Alten Testaments gestellt hat; dagegen ist es keineswegs sicher, daß Markion sein *eines* Evangelium aus dem kirchlichen Vierevangelienkanon ausgesucht und daß er mehr als die zehn von ihm aufgenommenen Paulusbriefe gekannt hat[25]. Daß Markions Kanon eine Auswahl aus dem schon vorhandenen reicheren kirchlichen Kanon gewesen sei, wie es die Kirchenväter wollten, widerspricht in der Tat allem, was wir von der Stellung der Kirche zu den Schriften des späteren Neuen Testaments aus der Zeit Markions wissen. Aber ebensowenig gibt es ausreichende Beweise für die Annahme, erst Markions Kanon habe die Bildung eines zweiteiligen Neuen Testaments oder gar des Vierevangelienkanons veranlaßt. Wir hören ja von der Zusammenordnung mehrerer Evangelienschriften, wie wir sahen, schon vor der Mitte des 2. Jahrhunderts, und der *Vier*evangelienkanon hat sich gar nicht mit einem Schlag, sondern nur zögernd im Laufe der zweiten Hälfte des 2. Jahrhunderts in der Kirche durchgesetzt[26]. Und die schon vor Markion nachweisbare Anschauung von der normativen Bedeutung der Lehre der Apostel hat ebenfalls in der zweiten Hälfte des 2. Jahrhunderts nur langsam dazu geführt, daß Zitate aus Apostelschriften den

[22] [285¹] Siehe besonders Iren. adv. haer. III, 12, 15 (II, 67 ed. Harvey) und Epiph., haer. 42, 9 bei PREUSCHEN, Analecta II, S. 7f. Ähnlich noch M. MEINERTZ, Einleitung in das NT, 1933⁴, S. 334.

[23] [285²] A. v. HARNACK, Die Entstehung des NT und die wichtigsten Folgen der neuen Schöpfung, 1914, S. 40ff; DERS., Marcion: Das Evangelium vom fremden Gott, 1924², S. 72f, 210ff, 441*ff.

[24] [286¹] J. KNOX, Marcion and the New Testament. An Essay in the Early History of the Canon, 1942. KNOX behauptet sogar, Markions εὐαγγέλιον gehe auf eine frühere Form des Lukasevangeliums zurück als das kanonische Lukasevangelium, und das kanonische Doppelwerk Lukas-Apostelgeschichte sei erst im Gegensatz zu Markions Kanon nach 150 durch Erweiterung des ursprünglichen Lukasevangeliums geschaffen worden, um den Paulus kirchlich einzuordnen. Diese These, die für das Lukasevangelium nur durch sorgfältige textkritische Untersuchungen ausreichend widerlegt werden könnte, ist weder durch die vorgelegte Wortstatistik bewiesen noch in Übereinstimmung mit der Tatsache, daß die Apostelgeschichte die Sammlung der Paulusbriefe noch nicht kennt.

[25] [286²] Siehe W. BAUER, Rechtgläubigkeit und Ketzerei, S. 225ff.

[26] [286³] Noch Tatian konnte es wagen, die vier Evangelien in eines zusammenzuziehen; die von Epiphanius als „Aloger" bezeichneten Gegner des Montanismus konnten um 170 das Johannesevangelium und die Apokalypse als Werke des Gnostikers Kerinth verwerfen, ohne aus dem Rahmen der Kirche zu fallen (s. J. LEIPOLDT, Geschichte I, S. 43ff, 146ff; W. BAUER, aaO, S. 209f).

Evangelienzitaten gleichgestellt wurden[27]. Markions Kanonsbildung hat also weder die Entstehung eines | Neuen Testaments noch die Bildung eines Vierevangelienkanons noch gar die Nebeneinanderstellung von Evangelien und Apostelschriften erst veranlaßt. Die Gleichstellung von Evangelienschriften mit der Heiligen Schrift des Alten Testaments und das langsame Einrücken apostolischer Schriften in die gleiche Würde ergaben sich vielmehr aus dem schon im apostolischen und nachapostolischen Zeitalter sich zeigenden Bedürfnis der Kirche mit innerer Notwendigkeit. Aber das Vorhandensein des *abgeschlossenen* Kanons der Markioniten hat die schon im Gang befindliche Entwicklung zweifellos beschleunigt. Nun mußte die Entwicklung dahin gehen, eine *bestimmte* Zahl von Evangelien als allein maßgebend zu bezeichnen und die Sammlung der Paulusbriefe, die Markion schon vorgefunden hatte, zu einer Sammlung aller Zeugnisse der Apostel zu erweitern, wobei auch die Apostelgeschichte einbezogen[28] und der von Papias und Justin schon so hoch geschätzten Johannesapokalypse der Weg zur Anerkennung als „Schrift" bereitet wurde. Markion hat also schwerlich die Kanonsbildung der Kirche angeregt, wohl aber beschleunigt und in Nebenpunkten beeinflußt[29].

Wir sehen denn auch, daß sich die in der zweiten Hälfte des 2. Jahrhunderts fortgebildeten Ansätze zur Bildung des *Vier*evangelienkanons und zur Gleichstellung einer Sammlung von Apostelschriften mit diesem Evangelienkanon am Ende des 2. Jahrhunderts weitgehend konsolidiert haben. Den drei großen Theologen, die am Ende des 2. Jahrhunderts die Traditionen des Westens und Ägyptens repräsentieren, steht die Vierzahl der Evangelien ebenso fest wie die Wertung von 13 Paulusbriefen, der Apostelgeschichte und des 1. Petrusbriefes als Bestandteile der „Heiligen Schrift". Und doch bestehen noch erheb|liche Unterschiede. Irenäus, der die Vierzahl der Evangelien als providentiell nachzuweisen sucht[30], führt keine von ihm zitierten

[27] [286⁴] Tatian hat auch eine sprachliche Überarbeitung der Paulusbriefe vorgenommen (Eus. h. e. IV, 29, 6); Athenagoras führt ein zusammengesetztes Pauluszitat κατὰ τὸν ἀπόστολον an (de res. 18); Theophilus von Antiochien stellt τὸ εὐαγγέλιον und ἔτι μὴν καὶ ὁ θεῖος λόγος (zusammengesetztes Zitat aus Paulus) nebeneinander (s. R.M.GRANT, The Bible of Theophilus of Antioch, JBL 66, 1947, S. 173ff); der Gnostiker Ptolemäus (s. A.v.HARNACK, Ptolemäus, Brief an die Flora, 1912) zitiert den κύριος und Παῦλος ὁ ἀπόστολος in gleicher Weise (II, 4; III, 15; IV, 5). Andererseits stellen die Märtyrer von Scili (um 180, s. PREUSCHEN, Analecta II, S. 17) neben die *libri*, zu denen zweifellos auch die Evangelien zu rechnen sind, die *epistulae Pauli viri iusti*.

[28] [287¹] Die Apostelgeschichte wird vor dem letzten Drittel des 2. Jahrhunderts nirgendwo sicher zitiert (s. J.LEIPOLDT, Geschichte I, S. 195f; die Benutzung durch Ignatius hat W.L.KNOX, The Acts of the Apostles, 1948, S. 1f nicht wirklich bewiesen). Sie ist auch relativ lange nicht als kanonisch betrachtet worden, wie die große Breite der Varianten im 2. Jahrhundert beweist (s. M.DIBELIUS, The Text of Acts, JR 21, 1941, S. 421ff). Aber das beweist nicht, daß die Apostelgeschichte erst im Zusammenhang mit einer kirchlichen Bearbeitung des Lukasevangeliums im Gegensatz zu Markion verfaßt worden sei (so J.KNOX, Marcion, S. 126ff), sondern nur, daß die Apostelgeschichte erst spät im 2. Jahrhundert kanonisiert wurde, als man daran ging, auch über den Umfang des Apostelteils des neuen Kanons sich Gedanken zu machen.

[29] [287²] Die Kirche hat nicht nur die markionitischen Prologe zu den Paulusbriefen, sondern auch den markionitischen Laodizenerbrief, ja teilweise auch markionitische Textformen (Doxologie des Römerbriefs) unbemerkt übernommen (s. die Nachweise bei A.v. HARNACK, Marcion, S. 127*ff, 134*ff und Studien zum NT I, 1931, S. 184ff).

[30] [288¹] Die theologische Unmöglichkeit dieses Versuchs betont mit Recht O.CULLMANN,

Apostelschriften ausdrücklich als „Schrift" an[31]; Clemens von Alexandrien dagegen stellt noch apokryphe Schriften wie Barnabas und 1. Clemens den späteren kanonischen Schriften des Neuen Testaments gleich, verrät überhaupt noch kein Wissen um eine feste Grenze des Kanons[32]; und Tertullian, der als erster ausdrücklich vom Alten und Neuen Testament redet (de res. carn. 39), weiß, daß über die normative Geltung bestimmter Apostelschriften verschiedene Meinungen herrschen[33]. Man kennt also im Westen und in Ägypten am Ende des 2. Jahrhunderts einen *neuen* Kanon, der unbestrittenermaßen aus vier Evangelien und einem Apostelteil besteht, wobei der Apostelteil noch keineswegs einheitlich begrenzt wird. Dieser Sachverhalt wird bestätigt durch das älteste vorhandene Kanonsverzeichnis, das Muratorische Fragment, das zweifellos den römischen Kanon vom Ende des 2. Jahrhunderts wiedergibt[34]. Auch hier zeigt sich das Bewußtsein, daß die Christen einen neuen Kanon besitzen (vgl. den Gegensatz der nach der Zahl vollständigen Propheten zu den *apostoli in fine temporum*, Z. 79 f); auch hier zeigt sich die Tatsache, daß es neben den für den Verfasser unumstritten kanonischen Schriften noch solche gibt, die darum kämpfen, „in die katholische Kirche aufgenommen zu werden" (Z. 66), wozu der angebliche Laodizenerbrief des Paulus (aus der markionitischen Kirche stammend) und der Hirt des Hermas gehören, während an der Zugehörigkeit der Petrusapokalypse zum Kanon der Verfasser im Gegensatz zu anderen Christen nichts auszusetzen hat (Z. 71/3). Wichtiger aber ist, daß wir hier zum erstenmal in die Motive bewußter Kanons*abgrenzung* einen Einblick erhalten: als kanonisch werden nur Schriften anerkannt, die von einem Apostel stammen bzw. unter dessen Autorität geschrieben sind und die für die ganze *catholica ecclesia* | bestimmt sind. Damit ist von Anfang an als maßgebendes, aber nicht streng durchführbares Motiv für die Zulassung zum Kanon die Abfassung einer Schrift durch einen „Apostel" zur Anwendung gekommen, das Neue Testament ist also durch einen nach einem bestimmten Maßstab sich vollziehenden Ausleseprozeß abgegrenzt worden, ohne daß die Abgrenzung des Apostelteils Ende des 2. Jahrhunderts schon endgültig vollzogen gewesen wäre.

So ging denn in den beiden folgenden Jahrhunderten der Kampf weitgehend um die Frage der endgültigen Abgrenzung des Apostelteils des neuen Kanons; doch war auch die Vierzahl der Evangelien noch nicht endgültig überall anerkannt. Origenes hat noch das apokryphe Hebräerevangelium zu den in ihrer kanonischen Geltung

Die Pluralität der Evangelien als theologisches Problem im Altertum, ThZ 1, 1945, S. 23 ff (38 ff).

[31] [288²] Nur haer. III, 12, 12 (II, 65 Harvey) werden einmal die Paulusbriefe im Vorbeigehen zu den *scripturae* gerechnet.

[32] [288³] S. J. Ruwet, Clément d'Alexandrie, canon des Écritures et apocryphes, Biblica 29, 1948, S. 77 ff, 240 ff, 391 ff.

[33] [288⁴] Er nennt den von ihm auf Barnabas zurückgeführten Hebräerbrief nur *receptior apud ecclesias* im Verhältnis zum Hirten des Hermas (de pud. 20, 2); nennt er diese Apokalypse hier als Montanist *apocryphus pastor moechorum* und führt dieses Urteil auf Gemeindebeschlüsse zurück (de pud. 10, 12), so hatte er diese Schrift früher als kirchlicher Theologe zur *scriptura* gerechnet (de orat. 16, s. J. Leipoldt, Geschichte I, S. 36 f).

[34] [288⁵] M.-J. Lagrange hält mit guten Gründen Hippolyt für den Verfasser (Le canon d'Hippolyte et le fragment de Muratori, Rev. Bibl. 1933, S. 161 ff). Der Text des Fragments bei Preuschen, Analecta II, S. 27 ff.

von manchen umstrittenen Schriften gerechnet[35], und Ende des 2. Jahrhunderts
mußte der Bischof Serapion von Antiochien in seiner Diözese das Petrusevangelium
wegen seiner doketischen Ansichten verbieten, ohne daß das Buch darum aus dem
kirchlichen Gebrauch verschwunden wäre[36]; in der syrisch sprechenden Kirche hat
gar bis zum 5. Jahrhundert nur das Diatessaron Tatians in kirchlichem Gebrauch
gestanden, und die syrischen Bischöfe des 5. Jahrhunderts konnten auch dann nur
unter Schwierigkeiten das Diatessaron durch den Vierevangelienkanon verdrängen[37].
Doch sind das nur Einzelfälle, die zeigen, daß das Bewußtsein noch längere Zeit
nicht verlorenging, daß der Vierevangelienkanon nicht von jeher bestanden hat und
erst im Laufe einer, wenn auch relativ kurzen, Entwicklung Anerkennung gefunden
hatte. Dagegen blieb die Frage der Abgrenzung des Apostelteils des neuen Kanons
noch lange der eigentliche Gegenstand der Diskussion, auf deren Einzelheiten hier
nicht eingegangen zu werden braucht. Das Kriterium, mit dem die Auseinandersetzung in erster Linie um die kanonische Geltung des Hebräerbriefs, der Johannesapokalypse, des 2. Petrus-, 2. und 3. Johannes-, Judas- und Jakobusbriefes geführt
wurde, ist auch weiterhin die Anerkennung oder Bestreitung der Abfassung einer
Schrift durch einen Apostel (vgl. Origenes bei Eus. h. e. VI, 25, 10), aber man sieht
sich immer wieder zu dem Zugeständnis gezwungen, daß über diese Frage in manchen Fällen verschiedene Urteile möglich sind, und stellt darum letztlich auf das
Urteil der *Mehrheit* über diese Fragen ab (so besonders Euseb selber, z. B. h. e. III, |
25, 3 ff). Diese Unsicherheit in der Abgrenzung des Apostelteils des Kanons, die in
Syrien besonders groß gewesen zu sein scheint[38], war unvermeidlich, wenn als maß-
gebendes Kriterium für die kanonische Geltung einer Schrift die apostolische Abfassung angewandt wurde, eine Entscheidung über den Verfasser aber in manchen
Fällen (etwa beim Hebräerbrief oder der Apokalypse) nur durch dogmatische Überlegungen oder überhaupt nicht sicher möglich war. So bedurfte es denn eines autoritativen Entscheids, um hier eine endgültige Regelung zu treffen. Er geschah in der
griechischen Kirche durch den bekannten 39. Osterfestbrief des Athanasius von
367[39], der das Neue Testament in seinem heutigen Umfang festlegte und erreichte,
daß nur noch in ganz vereinzelten Fällen im griechischen Kirchengebiet an der Zahl
dieser 27 Schriften des Neuen Testaments gerüttelt wurde. Im Westen hat Papst
Innozenz I. 405 in einem Brief an einen französischen Bischof ebenfalls den Kanon

---

[35] [289¹] M.-J. LAGRANGE, Histoire ancienne du canon du Nouveau Testament, 1933,
S. 96f.
  [36] [289²] Eus. h. e. VI, 12, 2ff; über den weiteren Gebrauch des Buchs in Syrien s.
J. LEIPOLDT, Geschichte I, S. 177f.
  [37] [289³] S. J. LEIPOLDT, Geschichte I, S. 165ff und J. SCHÄFERS, Evangelienzitate in
Ephräms des Syrers Kommentar zu den paulinischen Schriften, 1917.
  [38] [290¹] Die antiochenischen Väter des 4. Jahrhunderts anerkannten teilweise nur drei,
teilweise gar keine katholischen Briefe als kanonisch und lehnten alle die Apokalypse ab
(s. J. LEIPOLDT, Geschichte I, S. 91 f, 247 f). In der nationalsyrischen Kirche finden sich vor
der Peschitta (Anfang des 5. Jahrhunderts) keine katholischen Briefe und keine Apokalypse im Kanon, und auch dort fehlten noch 2. Petr, 2. und 3. Joh, Jud, Apk, die erst in die
Philoxeniana (6. Jh.) zur Angleichung an den Kanon der Griechen eingefügt wurden (s. W.
BAUER, Der Apostolos der Syrer, 1903).
  [39] [290²] Abgedruckt bei PREUSCHEN, Analecta II, S. 42ff.

des Athanasius vertreten[40], und an dieser Entscheidung ist von amtlicher Seite nicht mehr gerüttelt worden, mochten auch vereinzelte Handschriften noch eine Zeitlang älteren Anschauungen folgen. Die endgültige Abgrenzung des Neuen Testaments in der Alten Kirche ist also durch einen nicht weiter begründeten autoritativen Entscheid vollzogen worden. Das Mittelalter hat sich einfach an diesen Entscheid gehalten, und erst durch den Humanismus wurden die von Hieronymus überlieferten Bedenken der Alten Kirche gegen die apostolische Herkunft der im 3. und 4. Jahrhundert umstrittenen Schriften wieder belebt. Cajetan ging so weit, einige dieser Schriften als nicht apostolisch und darum nicht im vollen Sinne kanonisch zu bezeichnen[41]. Dieser Kritik gegenüber verwarf das *Decretum de canonicis scripturis* des tridentinischen Konzils[42] jede Abstufung innerhalb des Kanons und bezeichnete ausdrücklich *alle* Schriften des Apostelteils des Kanons als Werke von Aposteln, stellte darüber hinaus aber die ungeschriebene Tradition den geschriebenen Büchern | gleich. Damit war nicht nur die Grenze des neutestamentlichen Kanons unwiderruflich gezogen, sondern auch diese Grenzziehung zugleich relativiert, weil die *veritas* ja nur zu einem Teil im Kanon enthalten ist. Es ist darum unvermeidlich gewesen, daß das Vaticanum noch weitergehend die Kirche der Schrift und der Tradition überordnete und die letzte Autorität dem *ex cathedra* lehrenden Papst zuschrieb[43]. Damit ist die Grenze des Kanons für die katholische Theologie letztlich unwesentlich geworden, und das Problem der *sachlich* richtigen Abgrenzung des Kanons kann sich gar nicht mehr stellen.

Dieses Problem dagegen mußte in der Reformation notwendigerweise aufbrechen. LUTHER war ausgegangen von der Überzeugung, daß die ganze Bibel einen einheitlichen Sinn habe, hatte aber schon bald bemerkt, daß nicht alles im Neuen Testament mit dem von ihm als zentral erkannten paulinischen Evangelium in Übereinstimmung sei[44]. Diese Einsicht fand ihren Niederschlag in den Vorreden zum Septembertestament von 1522[45]. Hier betont LUTHER einerseits, daß es nur *ein* Evangelium gibt, weil alle Schriften von Christus reden[46], unterscheidet aber andererseits die besten Bücher von denen, die weniger Predigt Christi enthalten, und stellt daneben dann noch die Bücher, die nicht zu den „rechten, gewissen Hauptbüchern des Neuen Testaments" gehören (Hebräerbrief, Jakobus- und Judasbrief, Apokalypse)[47], und die er darum ohne Numerierung ans Ende seiner Übersetzung stellte.

---

[40] [290³] S. J. LEIPOLDT, Geschichte I, S. 230 Anm. 3.

[41] [290⁴] S. J. LEIPOLDT, Geschichte II, S. 33 ff. Vom Hebräerbrief sagt Cajetan: *„quoniam nisi sit Pauli, non perspicuum est canonicam esse"!*

[42] [290⁵] C. MIRBT, Quellen zur Geschichte des Papsttums und des römischen Katholizismus, 1924⁴, S. 291f.

[43] [291¹] C. MIRBT, aaO, S. 458, 16ff; S. 465, 24ff. Vgl. dazu H. STRATHMANN, Heilige Schrift, Tradition und die Einheit der Kirche, ThBl 21, 1942, S. 33ff (36ff).

[44] [291²] K. HOLL, Gesammelte Aufsätze zur Kirchengeschichte I, 1923²,³, S. 549, 560f; G. EBELING, Evangelische Evangelienauslegung, 1942, S. 402ff.

[45] [291³] LUTHER, Weimarer Ausgabe (WA), Deutsche Bibel (DB), Bd. 6 und 7.

[46] [291⁴] „Vorrede an das NT", WA, DB 6, S. 2 und 6.

[47] [291⁵] „Welches die rechten und edelsten Bücher des NT sind" (WA, DB 6, S. 10f); „Vorrede auf die Epistel zu den Hebräern" (WA, DB 7, S. 344).

Die Anfechtung der vollen kanonischen Geltung dieser vier Schriften begründet
Luther einerseits mit der Bestreitung ihrer apostolischen Herkunft in der Alten
Kirche und führt selber Gründe gegen die Abfassung der Schriften durch einen Apostel an [48]; andererseits treibt Luther eine *sachliche* Kritik an Hebräer, Jakobus und
Apokalypse mit dem Hinweis darauf, daß sie mit Paulus in Widerspruch stehen, und
mit der Feststellung, daß sie nicht „Christum predigen und treiben"[49]. Luther ist
in der Verbindung dieser beiden Forderungen für die kanonische Geltung einer neu-
testamentlichen Schrift dabei so weit gegangen, | daß er apostolisch nennen möchte,
„was Christum predigt, wens gleych Judas, Annas, Pilatus und Herodes thett"[50].
Die konsequente Anwendung dieses Grundsatzes würde bedeuten, daß nicht die Abfassung durch einen Apostel, sondern die Übereinstimmung mit dem apostolischen
Christuszeugnis der entscheidende Maßstab für die Zugehörigkeit zum Kanon sei.
Aber Luther hat diesen zweifellos richtigen Grundsatz nicht konsequent durchführen können, weil ihm letztlich im Anschluß an die altkirchliche und humanistische
Fragestellung doch die Abfassung durch einen Apostel das entscheidende Kriterium
blieb. So bleibt sein Urteil über den kanonischen Charakter der von ihm angefochtenen Schriften doch unsicher[51], aber an dem unevangelischen Charakter des Jako-
bus- und Judasbriefes hat Luther immer festgehalten[52]. Diese kanonkritischen
Urteile Luthers haben freilich kaum weitergewirkt: die andern Reformatoren und
die spätere reformatorische Theologie haben keinen Zweifel an der vollen Kanonizität
der 27 neutestamentlichen Schriften zugelassen, und wenn z. B. J. Brenz die sieben
von der Alten Kirche umstrittenen Schriften zu den *libri apocryphi* zählte und nicht
zum dogmatischen Beweis zulassen wollte[53], so haben die späteren Dogmatiker diese
rein historisch gemeinte Unterscheidung als unnötig wieder aufgehoben[54] und darin
die richtige Einsicht gezeigt, daß die Frage nach dem dogmatischen Normcharakter
einer Schrift durch die unsichere Antwort auf die Frage nach ihrem Verfasser nicht
entschieden werden kann. Als dann die Theologie der Aufklärung den Nachweis
führte, daß der neutestamentliche Kanon eine geschichtlich gewordene Größe sei,
da löste sich dieser nur mit historischen Argumenten abgegrenzte Kanon als dogmatischer Begriff völlig auf, wie wir gesehen haben, und so kam es zu der Kanonskrise,
die bis heute andauert und eine Gefahr für eine biblisch begründete Theologie bedeu-

---

[48] [291⁶] Die altkirchlichen Bedenken gegen die apostolische Abfassung des 2. Petrusbriefes und des 2. und 3. Johannesbriefes scheint Luther nicht zu kennen oder übersieht sie,
obwohl Erasmus diese Nachrichten im Anschluß an Hieronymus weitergegeben hatte
(s. J. Leipoldt, Geschichte II, S. 17 f).
[49] [291⁷] Vorreden zu Hebr, Jak und Jud, Apk (WA, DB 7, S. 344, 384, 404).
[50] [292¹] „Vorrede auf die Episteln Sanct Jacobi und Judas" (WA, DB 7, S. 384).
[51] [292²] Einige der schärfsten Urteile über den Jakobusbrief und die Apokalypse hat
Luther in den späteren Ausgaben der deutschen Bibel gestrichen (s. J. Leipoldt, Geschichte II, S. 79 f).
[52] [292³] Zum Jakobusbrief vgl. bes. WA, Tischreden, Nr. 5443 (aus dem Jahr 1542); noch
1543 wies Luther eine Berufung auf Jakobus gegenüber der übrigen Schrift zurück (K.
Holl, Gesammelte Aufsätze I, 1923²⁻³, S. 561 Anm. 6). Zum Judasbrief vgl. die Zitate aus
WA 14, S. 75 ff bei J. Leipoldt, Geschichte II, S. 75 Anm. 1.
[53] [292⁴] S. J. Leipoldt, Geschichte II, S. 127 ff.
[54] [292⁵] Siehe K. Barth, Kirchliche Dogmatik, I, 2, 1938, S. 528 f.

tet. Es muß darum im folgenden unsere Aufgabe sein, unter voller Berücksichtigung der geschichtlichen Tatbestände die Frage nach der Notwendigkeit und der Grenze des neutestamentlichen Kanons zu beantworten. |

III

Nach katholischer Anschauung hat die Kirche die neutestamentlichen Bücher als von Gott inspirierte Schriften anvertraut bekommen und nur diese ihr anvertraute Wahrheit durch Aufstellung eines Verzeichnisses dieser Bücher autoritativ verkündet, so daß der treue Sohn der Kirche auf deren Autorität hin diese Wahrheit glauben kann[55]. Die Geschichte des Kanons beweist, daß diese Anschauung unrichtig ist. Der Gedanke einer *neuen* Schriftautorität ist erst im Laufe des 2. Jahrhunderts aufgekommen, und die Kirche hat nicht nur mit Hilfe der Tradition die später aufgekommenen Zweifel an der apostolischen Herkunft der neutestamentlichen Schriften widerlegt[56], sondern die Kirche hat nach langem Hin und Her *deklariert,* was allein als Bestandteil der Heiligen Schrift zu gelten und darum normative Bedeutung hat. Die Kirche hat bei dieser Deklaration in der Hauptsache die Abfassung der einzelnen Schriften durch einen Apostel als letztes Kriterium für die Zugehörigkeit zum neutestamentlichen Kanon angewandt; doch galt dieses Prinzip in der ältesten Zeit der Kanonsbildung noch nicht ausschließlich, andernfalls wären die Evangelien des Markus und Lukas und die Apostelgeschichte überhaupt nicht in den Kanon gekommen[57]. Der Kanon ist also in seiner *abgeschlossenen* Form zweifellos eine *bewußte* Schöpfung der Kirche; im Verhältnis zum Kanon als *geschlossener* Größe ist also die organisierte Kirche primär. Und als die Kirche durch autoritative Entscheide festlegte, welche Schriften endgültig zum Kanon gehören dürften und welche nicht, hat sie die in den Gemeinden da und dort herrschende kanonische Schätzung einer Schrift immer wieder außer Kraft gesetzt, sich aber auch da und dort überzeugen lassen, daß eine andere kirchliche Gruppe eine richtigere Anschauung über die apostolische Herkunft einer bestimmten Schrift vertrete[58]. Es ist also das Urteil der Kirche gewesen, das be|stimmte Schriften als kanonisch und damit als normativ

---

[55] [293¹] M.-J. LAGRANGE, Histoire ancienne du canon, S. 5. 171 (,,La vérité qu'elle [sc. die Kirche] a définie touchant les livres canoniques doit se trouver dans le dépôt de la révélation, scellé à la mort du dernier des Apôtres'').

[56] [293²] M.-J. LAGRANGE, aaO, S. 179.

[57] [293³] Schon Justin hat festgestellt, daß die ,,Memoiren'' verfaßt seien ὑπὸ τῶν ἀποστόλων αὐτοῦ καὶ τῶν ἐκείνους παρακολουθησάντων (Dial. 103, 8); Papias hat das Markusevangelium unter die Autorität des Petrus gestellt (Eus.h.e. III, 39, 15), und der antimarkionitische Lukasprolog (abgedruckt bei HUCK-LIETZMANN, Synopse der drei ersten Evangelien, 1936⁹, S. VIII) bezeichnet Lukas als Schüler der Apostel und des Paulus. Für die Apostelgeschichte betont schon das Muratorische Fragment, es handle sich um *acta omnium apostolorum,* und das Buch habe den gleichen Verfasser wie das Lukasevangelium. Man hat also die zweifellos nicht von ,,Aposteln'' verfaßten Schriften unter die Autorität von ,,Aposteln'' gestellt.

[58] [293⁴] So ist Ende des 4. Jahrhunderts der bis dahin im Westen nur gelegentlich als Barnabasbrief bekannte Hebräerbrief durch den Einfluß der östlichen Theologen als 14. Paulusbrief stufenweise in den Kanon aufgenommen worden; so hat man im Osten im Laufe

deklarierte, ohne daß diese Schriften selber auf solche Geltung Anspruch erhoben
hätten (vgl. nur den Jakobusbrief!); aber das bedeutet nicht, daß der Kanon des
Neuen Testaments überhaupt eine bewußte Schöpfung der Kirche gewesen sei. Vielmehr hatten sich die Worte des Kyrios und die apostolische Verkündigung schon im
apostolischen Zeitalter als neue Norm über das Alte Testament gestellt, und aus dieser zunächst nur im lebendigen Wort sich äußernden Norm mußte beim sich ver-
größernden Abstand von der Apostelzeit notwendigerweise vom Anfang des 2. Jahrhunderts an die Norm des geschriebenen Wortes des Kyrios und der geschriebenen
Apostelverkündigung werden. Daß es zur Bildung eines *neuen* Kanons überhaupt
kam, war darum die einfache Folge aus der Tatsache, daß die Kirche begründet ist
auf das durch die Apostel bezeugte Christusgeschehen und ohne dieses Zeugnis nicht
sein *kann.* Ist so die Entstehung eines neuen Kanons Teil der Formwerdung der
Kirche und nicht bewußte Schöpfung, so ist dieser Kanon doch durch die Jahrhunderte nur dadurch bewahrt worden, daß die Kirche ihm durch einen bewußten Akt
eine Begrenzung gab. Dieser Tatbestand, der sich aus der Kanongeschichte eindeutig ergibt, stellt uns nun vor die doppelte Frage, ob diese Bildung eines Kanons eine
auch für uns maßgebende Tatsache ist und ob die autoritative Abgrenzung dieses
Kanons durch die Alte Kirche berechtigt sei bzw. wie wir die Grenze des Kanons zu
beurteilen haben.

Wenden wir uns zunächst der Beantwortung der ersten Frage zu, so müssen wir
ausgehen von dem ganz einfachen Tatbestand, daß wir als Christen mit der für
unsern Glauben in irgendeiner Weise wesentlichen geschichtlichen Gestalt Jesu nur
dann in Berührung kommen und bleiben können, wenn uns von Jesus etwas überliefert wird, wenn uns ein irgendwie gearteter Bericht über ihn zugänglich ist. Eine
Überlieferung über die geschichtliche Gestalt Jesu ist uns aber erhalten fast ausschließlich in den Schriften des Neuen Testaments, und darum kann kein christlicher
Theologe bestreiten, daß die Evangelien des Neuen Testaments als grundlegende
Quelle für unsere Kenntnis der | geschichtlichen Gestalt Jesu für uns unentbehrlich
sind[59]. Aber diese Überlegung führt nicht weiter als bis zu der Feststellung, daß die
Christen ohne die geschichtlichen Nachrichten über Jesus in den Evangelien keine

des 4. und 5. Jahrhunderts die Apokalypse auch dort als kanonisch anerkannt, wo man sie
vorher völlig abgelehnt hatte. So stand andererseits die Petrusapokalypse nach dem Mura-
torischen Fragment am Ende des 2. Jahrhunderts im Kanon der römischen Gemeinde und
wurde von Clemens von Alexandrien ausgelegt (Eus. h. e. VI, 14, 1), geriet aber dann fast
völlig in Vergessenheit, während der Barnabasbrief und der 1. Clemensbrief, die von Clemens
von Alexandrien als kanonisch angesehen worden waren und in den Codex Sinaiticus bzw.
Alexandrinus des Neuen Testaments aufgenommen wurden, nie in ein Kanonsverzeichnis
gelangt sind.

[59] [295¹] Ob wir aus außerchristlichen Quellen etwas über die Person Jesu erfahren und
ob wir in späteren christlichen Schriften geschichtlich brauchbare Überlieferungen über
Worte und Taten Jesu finden, die nicht in den Schriften des Neuen Testaments enthalten
sind, darf in diesem Zusammenhang beiseite gelassen werden. Beides ist sehr wahrscheinlich der Fall (s. einerseits H. WINDISCH, Das Problem der Geschichtlichkeit Jesu: Die außerchristlichen Zeugnisse ThR N.F. 1, 1929, S. 266ff, andererseits J. JEREMIAS, Unbekannte
Jesusworte, 1948); aber die Frage nach der geschichtlichen Zuverlässigkeit dieser doch vereinzelten Nachrichten kann ja nur von den kanonischen Evangelien her beantwortet werden.

Jünger Jesu sein können, wie es keine Platoniker hätte geben können, bestünde keine Überlieferung über die Lehre Platos. Der Kanon des Neuen Testaments enthält aber nicht nur Worte Jesu und Berichte über Jesus, sondern ist seinem Werden wie seinem endgültigen Bestande nach eine Zusammenstellung von εὐαγγέλιον *und* ἀπόστολος. Und der Kanon ist nicht als Sammlung geschichtlicher Überlieferungen entstanden, sondern aus dem Bedürfnis, die Kunde von Jesus und das Zeugnis für Jesus als Norm für die christliche Verkündigung weiterhin zur Verfügung zu haben. Worin aber besteht diese normative Verkündigung des Neuen Testaments? Nicht in einer unbeteiligten oder doch in der Hauptsache einfach berichtenden Überlieferung von Jesus, da ja durch die formgeschichtliche Arbeit an den Evangelien klargestellt worden ist, daß auch die synoptischen Evangelien als ganze und in ihren wesentlichsten Bestandteilen kerygmatischen Charakter tragen[60]. Vielmehr besteht die grundlegende Verkündigung des Neuen Testaments in εὐαγγέλιον und ἀπόστολος in gleicher Weise in dem Zeugnis, daß der Mensch Jesus von Nazareth der Messias, der Menschensohn, der Gottessohn sei, *weil* Gott den ans Kreuz Geschlagenen von den Toten auferweckte und „sichtbar werden ließ nicht dem ganzen Volk, sondern den von Gott vorher ausgewählten Zeugen" (Apg 10, 40f). Und die Schriften des Neuen Testaments wollen im Leser diesen Glauben wecken und stärken. Der Kanon des Neuen Testaments ist darum seinem wesentlichen Inhalt nach nicht geschichtliche Mitteilung, sondern zeugnishafte Aussage über ein geschichtliches Faktum. Solche zeugnishafte Aussage über Gottes Tat in Jesus Christus ist aber auch das Wesen der Verkündigung der Apostel und ihrer | Schüler und Helfer gewesen, und nur auf Grund solcher zeugnishaften Aussagen ist die Kirche entstanden[61]. Diese Verkündigung der Apostel und ihrer Schüler war zunächst mündliche Verkündigung, aus dieser mündlichen Verkündigung erwuchs der Glaube der ersten Christengemeinden. Nur wo dieses Zeugnis gehört werden konnte, konnte Glaube und damit Kirche entstehen, der Glaube war gebunden an die Zuverlässigkeit der Verkündigung der apostolischen Zeugen. Nun konnte dieses Zeugnis *gehört* werden, solange es Christen der ersten und zweiten Generation gab, die am Christusgeschehen noch persönlich Anteil genommen oder direkt aus dem Munde der ersten Zeugen davon gehört hatten[62]. Dieses Zeugnis konnte aber nach dem Aussterben der Christen der ersten und zweiten Generation nur noch weiter gehört werden, wenn es in schriftlicher Form niedergelegt und weitergegeben wurde. So trat völlig notwendigerweise im Laufe des

---

[60] [295²] Siehe dazu M. DIBELIUS, Gospel Criticism and Christology, 1935; K. L. SCHMIDT, Fondement, but et limites de la méthode dite la „Formgeschichte" appliquée aux Evangiles (in „Le Problème du Christianisme primitif", 1938, S. 7ff); H. W. BARTSCH, Die theologischen Konsequenzen der formgeschichtlichen Betrachtung der Evangelien, ThBl 19, 1940, S. 301ff.

[61] [296¹] „Das Apostelwort gehört selbst in die Offenbarung Gottes durch Jesus Christus hinein. Der Akt der geschichtlichen Gottesoffenbarung ist erst dort vollendet, wo er im Apostel zum sprachlichen Wort ... und zum Glauben schaffenden Zeugnis wird" (E. BRUNNER, Offenbarung und Vernunft, 1941, S. 121).

[62] [296²] Vgl. noch Papias' Prooemium (bei Eus. h. e. III, 39, 4): „Wenn aber irgendwo ein Nachfolger der Ältesten kam, so forschte ich nach den Worten der Ältesten ... Denn ich glaubte nicht von dem, was aus Büchern stammt, so viel Nutzen zu haben als von dem, was aus lebendiger, bleibender Stimme (ertönt)."

2. Jahrhunderts an die Stelle des mündlichen Zeugnisses der ersten Christenheit das schriftliche Zeugnis aus der Apostelzeit als die Botschaft, an der allein der Glaube sich entzünden und auf die allein der Glaube sich mit guten Gründen stützen konnte, weil nur hier in *ursprünglicher* Weise von Jesus berichtet und von Jesus Christus Zeugnis abgelegt wurde. Dieses ursprüngliche Zeugnis aber mußte für die Kirche erhalten bleiben, weil der christliche Glaube nur möglich ist, wenn er Kunde hat von dem geschichtlichen Heilshandeln Gottes, das das Wirken Jesu Christi ebenso in sich befaßt wie die Schaffung der Gemeinde durch die Auferweckung Jesu Christi. Die Kunde von diesem Heilshandeln Gottes, die nie anders denn als *Zeugnis* von diesem Heilshandeln ausgesprochen werden konnte, war aber als menschliches Zeugnis Menschenwort und damit selbst eine *geschichtliche* Größe, die vor ständiger Umbildung und damit Auflösung des Ursprünglichen nur bewahrt werden konnte, wenn sie fixiert und dadurch vor Vermehrung, Verminderung oder Veränderung geschützt wurde. Weil die Heilstat Gottes sich in der Geschichte vollzog, war die Bildung einer neuen schriftlichen Norm notwendig, die die Berichte von Jesus und die Bezeugung der Wirklichkeit des Auferstandenen und seiner Gemeinde enthielt. Nicht deswegen mußten den Christen des 2. Jahrhunderts die schrift|lichen Zeugnisse der apostolischen Zeit maßgeblich sein, weil in diesen schriftlichen Zeugnissen die ursprüngliche Ergriffenheit und Glaubensstärke der neuen Bewegung zu spüren war, sondern weil die Männer der apostolischen Zeit die *ersten* Zeugen waren, die darum dem Heilsgeschehen zeitlich am nächsten standen, und weil so ihr Zeugnis der Verderbnis durch Mißverständnis oder Umbildung am wenigsten ausgesetzt war[63]. Weil die Apostel die Zeugen der ersten Zeit waren, die das Heilsgeschehen als einmaliges geschichtliches Ereignis in sich barg, ist das Amt und die Funktion der Apostel, wie immer man diesen Begriff begrenzen mochte, auch einmalig geblieben und in der späteren Kirche mit Recht nicht fortgeführt worden[64]. Darum konnte aber auch nur eine Sammlung der schriftlich niedergelegten Äußerungen der Männer der Apostelzeit in der Form eines nicht mehr abzuändernden Kanons die apostolische Botschaft von Gottes Heilstat späteren Generationen so unverfälscht wie möglich weitergeben und so in die Nachfolge der Apostel eintreten[65], damit auch die späteren Generationen die Möglichkeit hätten, ihren Glauben auf die ursprüngliche Kunde von Gottes Heilstat aufzubauen und ihre Glaubenserkenntnis an der apostolischen Botschaft zu messen. Die Schätzung bestimmter urchristlicher Schriften als der alttestamentlichen Norm gleichgestellt, ja übergeordnet, ist so notwendigerweise in der frühen Kirche entstanden, und die Abgrenzung gegen die Irrlehre, besonders gegen Markion, hat die Kirche nicht erst veranlaßt, einen Kanon zu schaffen, sondern nur das Bewußt-

---

[63] [297¹] „Der Vorrang des apostolischen Zeugnisses ist nicht ein inhaltlicher, sondern ein geschichtlicher, der der heilsgeschichtlichen Ordnung" (P. ALTHAUS, Die christliche Wahrheit I, 1947, S. 179).

[64] [297²] Siehe dazu besonders PH.-H. MENOUD, L'Eglise et les ministères selon le Nouveau Testament, 1949, S. 25 ff und H. v. CAMPENHAUSEN, Der urchristliche Apostelbegriff, Studia Theologica I, 1947, S. 96 ff (bes. 121 f).

[65] [297³] Vgl. die Bemerkungen von H. v. CAMPENHAUSEN, aaO, S. 127 ff und G. EBELING, Die Bedeutung der historisch-kritischen Methode für die protestantische Theologie und Kirche, ZThK 47, 1950, S. 1 ff (13 f).

werden der Kanonsbildung beschleunigt. Der Glaube, daß Gott sich in Jesus Christus einmalig offenbart hat, geht also der Einsicht in die Notwendigkeit und den normativen Charakter des neutestamentlichen Kanons von Anfang an voraus, zieht aber diese Einsicht notwendigerweise hinter sich her. Nur der Glaube, der im Zeugnis der im Kanon enthaltenen urchristlichen Schriften der Botschaft von Jesus Christus begegnet *ist*, kann darum die Berechtigung und Notwendigkeit eines neutestamentlichen Kanons für die christliche Kirche erkennen und bejahen; wo Jesus als Religionsstifter angesehen und das Urchristentum als eine Zeit besonders lebendiger Religiosität gewertet wird, muß die Notwendigkeit einer solchen Norm bestritten werden. |

Ist so mit dem Glauben an die Einmaligkeit und Geschichtlichkeit der Christusoffenbarung die Anerkennung der Notwendigkeit eines neutestamentlichen Kanons gegeben, so kann auch die Notwendigkeit nicht bestritten werden, daß dieser Kanon *abgegrenzt* sein muß. Es ist geschichtlich nicht ganz sicher zu erkennen, wann und aus welchen Motiven sich die Notwendigkeit einer genauen Begrenzung des neuen Kanons zuerst ergeben hat. Die älteste uns bekannte Kanonsliste, das Muratorische Fragment, erhebt den Anspruch, diejenigen Bücher aufzuzählen, die in der Gemeinde dem Volk sich kundtun dürfen (*se publicare in ecclesia populo … potest* Z. 77f), betrachtet also die als kanonisch anerkannten Bücher *allein* als diejenigen, die im Gottesdienst vorgelesen werden dürfen; und wenn dann weiter gesagt wird, daß ein nichtkanonisches Buch weder unter den zahlenmäßig abgeschlossenen Propheten noch unter den „Aposteln am Ende der Zeiten" vorgelesen werden dürfe (Z. 78/80), so zeigt sich hier deutlich das Bewußtsein, daß auch die Schriften der Apostel eine grundsätzlich geschlossene Größe darstellen, ohne daß über den Umfang dieser Größe schon allgemeine Übereinstimmung herrschte. In dieser Kanonsliste ist also am Ende des 2. Jahrhunderts die Vorstellung deutlich vorhanden, daß das Neue Testament eine klare Abgrenzung haben müsse. Und dieses Bewußtsein ist wohl auch schon etwas früher zu erschließen, wenn Melito von Sardes (um 180) eine Liste der alttestamentlichen Bücher aufstellt und sie bezeichnet als „die Bücher des Alten Bundes" (Eus. h. e. IV, 26, 13f), wobei der Liste der Bücher des Alten Bundes doch wohl eine aufzustellende Liste der Bücher des Neuen Bundes entspricht. Völlig eindeutig ist diese Vorstellung vom *geschlossenen* Kanon dann bei Tertullian vorhanden, der die ganze Bibel als „*totum instrumentum utriusque testamenti*" (adv. Prax. 20) bezeichnet. Vor Melito können wir dieses Bewußtsein, daß die neue Offenbarungsurkunde eine feste Grenze haben müsse, aber nicht sicher nachweisen [66]. Die Annahme, daß die Kanonsbildung Markions die Kirche mehr oder weniger gezwungen habe, den Kanon Markions durch einen umfangreicheren abgeschlossenen Kanon zu überbieten [67], hat sich uns als unwahrscheinlich erwiesen, weil die Kirche schon aus

---

[66] [298¹] Zwischen Melito und Tertullian ist das Zeugnis des antimarkionitischen Anonymus (Polykrates von Ephesus ?, so W. Kühnert, ThZ 5, 1949, S. 436ff) bei Eus, h. e. V, 16, 3 anzusetzen, der von der Gefahr der Zufügung zum „Wort des neuen Bundes des Evangeliums" redet, was zweifellos auf „Schriften des Neuen Bundes, und zwar nicht nur Evangelien führt" (so A. v. Harnack, Die Entstehung des NT, 1914, S. 27).

[67] [298²] So J. Knox, Marcion and the New Testament, S. 32ff.

inneren Gründen auf dem Weg war, mehrere Evangelienschriften und eine Samm-
lung von Apostelschriften | zu einer zweiteiligen schriftlichen Norm zusammenzu-
schließen, deren Sinn als Bewahrung der Stimme der apostolischen Verkündigung
notwendigerweise zur Ausschließung *späterer* Schriften und damit zu einer gewissen
Abschließung dieser Norm führen mußte. Markions Vorbild hat die innerkirchliche
Entwicklung aber zweifellos beschleunigt und bewußter gemacht. Wenn auf der
anderen Seite A. v. Harnack die These vertrat, daß der Kampf gegen die montani-
stische These vom Weitergehen der Offenbarung im Parakleten allererst die Kirche
veranlaßt habe, den Kanon als *instrumentum novum* ideell abzuschließen [68], so ist
auch diese Vermutung unwahrscheinlich, weil sich schon bei Justin die Tendenz zeigt,
neben die als Norm gewerteten Evangelien Apostelschriften zu stellen, und weil
man es andererseits zur Zeit des beginnenden Montanismus gerade noch nicht gewagt hat, den Apostelteil des neuen Kanons als wirklich abgeschlossen hinzustellen,
und sich über die Art der zu vollziehenden Abgrenzung noch keineswegs im klaren
war. Es spricht vielmehr alles dafür, daß die Notwendigkeit, den Kanon als Schutz
des *apostolischen* Kerygmas *grundsätzlich* als abgeschlossen zu denken, sich der
Kirche im Laufe der zweiten Hälfte des 2. Jahrhunderts aufdrängte, weil mit dem Fer-
nerrücken der apostolischen Zeit die Möglichkeit immer geringer wurde, daß noch unbekannte apostolische Schriften auftauchten, die Gefahr des Eindringens späterer
Fälschungen oder umfangreicher Veränderung des apostolischen Schrifttums aber
immer größer wurde. Freilich hat dieses Bewußtsein, daß die für den neuen Kanon
in Betracht kommenden Schriften grundsätzlich beschränkt sein müßten, zunächst
keineswegs zur Folge gehabt, daß man diese Schriften in ihrem Wortlaut als unantastbar ansah. Denn es kann keine Frage sein, daß zwar die Aufnahme einer Schrift
unter die kanonischen Schriften ihren Text vor der völligen Verwilderung schützte [69];
aber ebenso ist sicher, daß der große Variantenreichtum gerade auch der am frühesten zum Kanon gezählten Schriften (synoptische Evangelien, Paulusbriefe) zum
allergrößten Teil bis in die zweite Hälfte des 2. Jahrhunderts zurückverfolgt werden
kann, als diese Schriften bereits gottesdienstlich gebraucht und als Norm gewertet
wurden [70]. Die Anschauung, daß der Kanon grundsätzlich als | abgeschlossen zu
denken sei, hat also nicht zu einer sklavischen Fixierung des Textes der kanonischen
Bücher geführt.

    Damit ist aber auch schon gesagt, warum der Kanon des Neuen Testaments sei-

[68] [299¹] A. v. Harnack, aaO, S. 24 ff.

[69] [299²] Auffallend starke Variantenbreite zeigen die erst spät im 2. Jahrhundert kanoni-
sierte Apostelgeschichte (s. M. Dibelius, The Text of Acts, JR 21, 1941, S. 421 ff) und die
pericope adulterae (Joh 7, 53–8, 11), die erst im 4. Jahrhundert aus der apokryphen Überlieferung in den kanonischen Text eingedrungen ist (s. Th. Zahn, Das Evangelium des Johannes, 1921⁵·⁶, S. 723 ff).

[70] [299³] So sind z. B. die sachlich bedeutsamen Varianten Joh 1, 13 (ὅς ... ἐγεννήθη, s.
die Erörterung der Bezeugung bei F.-M. Braun, Qui ex deo natus est, Aux sources de la
tradition chrétienne, Mélanges offerts à M. Goguel, 1950, S. 11 ff), Mt 27, 16 f ('Ἰησοῦν Βαραβ-
βᾶν, s. A. Merx, Das Evangelium Matthaeus, 1902, S. 400 f und B. H. Streeter, The Four
Gospels, 1936⁵, S. 87, 101), Gal 2, 5 (Fehlen des οὐδέ, s. H. Schlier, Der Brief an die Galater,
1949, S. 40 Anm. 2) genauso sicher für das ausgehende 2. Jahrhundert bezeugt wie ihre
breiter bezeugten Gegenlesarten.

nem Wesen nach abgegrenzt sein *muß*, wenn er die Aufgabe erfüllen soll, um derent-
willen er geschaffen wurde. Begegnet die Kirche im Kanon dem Zeugnis der geschichtlichen Heilstat Gottes, wie es die Männer der apostolischen Zeit allein unverfälscht verkünden konnten, und kann dieses Zeugnis von späteren Generationen
nur gehört, nicht aber neu gegeben werden, so kann dieses Zeugnis gegen eine Ver-
derbnis nur dann geschützt werden, wenn es in seiner geschichtlichen Gegebenheit
erhalten und darum unverändert bleibt. Diese Erkenntnis zieht aber zwei wichtige
Folgerungen nach sich. 1. Enthält der Kanon die apostolische Botschaft, die die
Kirche begründet hat und auf die sich der Glaube allein immer wieder gründen
kann, so muß sich die im Kanon enthaltene Verkündigung selber als Wahrheit erweisen und kann nicht erst durch die Kirche als Wahrheit erwiesen werden. Die Kirche
übermittelt uns wohl den Kanon, aber sein Inhalt muß sich uns selbst in seinem
Sinn erkennbar machen[71], kann also seinen Sinn nicht von der Kirche vorgeschrie-
ben erhalten. *Jegliches* kirchliche Bekenntnis kann nur als *aktuelle* Interpretation
des Neuen Testaments berechtigt sein und muß sich immer vom Neuen Testament
her prüfen und korrigieren lassen. 2. Der Kanon kann der Kirche das unverfälschte
Kerygma der Apostelzeit und dadurch den Zugang zum geschichtlichen Heils-
ereignis nur dann sichern, wenn der geschlossene Kanon nicht dadurch überflüssig
gemacht wird, daß eine mündliche oder schriftliche Tradition sich neben oder über
ihn stellt[72]. Die Notwendigkeit, daß der Kanon grundsätzlich geschlossen sein müsse,
kann nur dort eingesehen und bejaht werden, wo die Einmaligkeit des geschichtlichen Heilshandelns Gottes nicht in Frage gestellt wird durch die Gleichstellung der
späteren Kirche mit dem apostolischen Zeugnis. | Diese Einsicht macht das Christen-
tum nicht zur Buchreligion[73], nimmt dagegen die Unwiederholbarkeit und den begründenden Charakter der christlichen Urgeschichte ernst. Das der Kirche verheißene Zeugnis des Geistes (Joh 14, 16 f; 16, 12 f) schafft nicht neue Offenbarung, sondern ermöglicht nur die immer neue lebendige Begegnung mit der geschichtlichen
Offenbarung.

IV

Ist so mit der Entstehung eines neuen Kanons das Wissen darum gegeben, daß
der Kanon auf das apostolische Zeugnis beschränkt und darum grundsätzlich geschlos-

---

[71] [300¹] „Da die Autorität des Neuen Testaments keine andere als die des Evangeliums
ist, beglaubigt sie sich auch nicht anders als so, daß das Evangelium sich mit seiner Wahr-
heitsmacht bezeugt, d. h. Jesus Christus durch das Zeugnis von ihm Glauben an sich wirkt.
Es kann nicht die Autorität der Schrift vor und unabhängig von der Autorität des Evangeliums begründet werden" (P. ALTHAUS, Die christliche Wahrheit I, 1947, S. 200).
[72] [300²] So schon eindeutig die *Professio fidei Tridentinae* von 1546 (s. C. MIRBT, Quellen
zur Geschichte des Papsttums ..., S. 339, 32 ff).
[73] [301¹] Wo die geschichtliche Einmaligkeit des Heilshandelns Gottes verkannt wird,
weil das Urchristentum nur als „Zeitalter des Enthusiasmus" angesehen wird, muß der Gedanke des Abgeschlossenseins des Kanons als bedauerliche Fehlentwicklung beurteilt werden: „Das Zeitalter des Enthusiasmus ist geschlossen und für die Gegenwart der Geist wirklich – um mit Tertullian zu reden (adv. Prax. 1) – verjagt; er ist in ein Buch gejagt!"
(A. v. HARNACK, Die Entstehung des NT, 1914, S. 25).

sen sein müßte, so stellt sich nun die letzte Frage nach der *richtigen* Abgrenzung des
Kanons und nach der Handhabung der Kanonsgrenze. Da der Kanon uns von der Alten Kirche überliefert, und zwar in einer durch autoritativen Entscheid der Kirche abgegrenzten Form überliefert ist, kann es nicht unsere Aufgabe sein, eine Grenze des
Kanons überhaupt erst zu ziehen. Wir finden uns vielmehr dem Kanon der Alten
Kirche gegenüber und stehen vor der Frage, ob dieser Kanon sachgemäß begrenzt
worden ist oder nicht bzw. ob wir diese Abgrenzung in dem Sinne beibehalten müssen und können, wie sie von der Alten Kirche gemeint war. Diese Frage ist aber
durchaus notwendig, ja ihre rechte Beantwortung für die Grundlegung einer wirklich biblisch begründeten Theologie unerläßlich. Wir sahen ja, daß die Entstehung
des Kanons ein notwendiger Vorgang beim Übergang von der Urkirche zur frühkatholischen Kirche war und daß der Kanon seine Funktion nur erfüllen kann, wenn
er grundsätzlich für jede spätere Erweiterung geschlossen ist. Nun hat die Kirche
zwar nicht den Kanon durch einen bewußten Akt geschaffen, wohl aber im 4. Jahrhundert nach zweihundertjährigem Schwanken eine endgültige Begrenzung des
Kanons dekretiert, die als Werk der Kirche notwendigerweise der immer erneuten
Nachprüfung bedarf. Hat doch die Betrachtung der zur endgültigen Kanonsabgrenzung führenden Auseinandersetzungen deutlich gezeigt, daß die Kirche bei der endgültigen Festlegung des Apostelteils des Kanons nicht einfach einen vorhandenen
Tatbestand festgestellt, sondern für bestimmte, nicht in allen Teilen der Kirche anerkannte Anschauungen über die Herkunft einzelner Schriften allgemeine Anerkennung gefordert und | durchgesetzt hat[74]. Das Motiv für die Ausschließung einiger
Schriften, die da und dort als normative angesehen worden waren (Petrusapokalypse, Barnabas- und 1. Clemensbrief, Hirt des Hermas usw.), ganz besonders aber
für die endgültige Aufnahme der längere Zeit umstrittenen Schriften (Hebräer-,
Jakobus-, Judas-, 2. und 3. Johannes-, 2. Petrusbrief, Apokalypse) war fast aus-

---

[74] [302¹] Wenn K. BARTH sagt: „Die Kirche konnte und kann sich den Kanon in keinem
Sinn dieses Begriffes selber geben... Sie kann ihn nur als schon geschaffenen und ihr gegebenen Kanon nachträglich nach bestem Wissen und Gewissen, im Wagnis und im Gehorsam
eines Glaubensurteils, aber auch in der ganzen Relativität einer menschlichen Erkenntnis
der dem Menschen von Gott eröffneten Wahrheit *feststellen* ... Irgend einmal und in irgendeinem Maß ... haben gerade *diese* Schriften kraft dessen, daß sie kanonisch *waren,* selbst
dafür gesorgt, daß gerade *sie* später als kanonisch auch *anerkannt* und *proklamiert* werden
konnten" (Kirchl. Dogmatik I, 2, 1938, S. 524f), so ist das angesichts des Verlaufs der Kanonsgeschichte in der Alten Kirche falsch. Die Kirche hat sich ganz gewiß den Kanon nicht
gegeben; aber sie hat bei der endgültigen Grenzziehung nicht einfach festgestellt, was kanonisch *war,* weil es sich schon als kanonisch erwiesen hatte, sondern sie hat die gegen die
apostolische Herkunft bestimmter Schriften bestehenden Bedenken ganzer Teile der Kirche
durch *autoritativen* Entscheid beiseite geschoben und damit diese Schriften für große Teile
der Christenheit erst kanonisch *gemacht.* K. BARTHS Behauptung entspricht zwar der katholischen Anschauung (s. S. 243), übersieht aber, daß der Kanon in seiner *endgültigen* Form
eine zufällige geschichtliche Größe ist und darum an der Kontingenz jeder geschichtlichen
Größe Anteil hat. *Wenn* die Kirche wirklich nur festgestellt hätte, was kanonisch schon
war, dürfte auch K. BARTH nicht nachher fordern, daß die Kirche „sich gegen weitere Belehrung auch hinsichtlich des Umfangs dessen, was ihr als Kanon tatsächlich anvertraut
ist, nicht zum vornherein verschließen" dürfe (aaO, S. 532, s. auch S. 526). Der *endgültig*
abgeschlossene Kanon muß vielmehr ohne Umschweife als der Nachprüfung bedürftiges
Werk der Kirche auf Grund des geschichtlichen Sachverhalts anerkannt werden.

schließlich die Frage, ob diese Schriften durch einen Apostel abgefaßt sein könnten;
bei dieser Diskussion über die apostolische Herkunft der einzelnen Schriften haben
dann in geringerem Maße auch sachliche Motive eine Rolle gespielt, freilich nur in
dem Sinn, daß die Erörterung *inhaltlicher* Fragen bei der Entscheidung über die
apostolische Abfassung mit zur Entscheidung beitrug[75]. Die Folge dieser Anschau-
ung, daß die kanonische Autorität | einer Schrift abhängig sei von ihrer Abfassung
durch einen Apostel, war zunächst in der Alten Kirche, daß mit der Anerkennung
der apostolischen Abfassung einer urchristlichen Schrift deren volle Zugehörigkeit
zum neutestamentlichen Kanon als gesichert erschien; wo sich eine solche Sicherheit nicht gewinnen ließ wie etwa beim Hebräerbrief[76], mußte die kanonische Geltung einer solchen Schrift unsicher bleiben. Und als man auf Grund der historischen
Fragestellung der Aufklärung die traditionellen Angaben über die Verfasser aller
neutestamentlichen Schriften grundsätzlich einer geschichtlichen Prüfung unter-
warf, da brachte die traditionelle Verkoppelung von apostolischer Abfassung und
kanonischer Geltung es mit sich, daß die Frage nach dem Verfasser einer neutestamentlichen Schrift aus einer rein geschichtlichen zu einer eminent theologischen Frage wurde: was „unecht" und darum nicht von einem „Apostel" geschrieben war,
konnte nicht kanonisch sein, und was kanonisch sein sollte, *mußte* als „echt" erwiesen werden[77]. Bei allen diesen Argumentationen wurde aber ein grundlegender Fehler gemacht: man arbeitete mit einem auf bestimmte Personen beschränkten Begriff des „Apostels", ohne zu beachten, daß dieser Begriff durchaus nicht streng faßbar ist. Denn der bei Paulus erkennbare älteste Apostelbegriff der Urkirche bezeichnet mit diesem Titel eine nicht genau begrenzte Zahl von Christus selbst berufener
Auferstehungszeugen und Missionare, zu denen auch Paulus sich rechnet; schon bei
Lukas dagegen wird der Begriff, freilich nicht ganz konsequent, auf die Zwölf beschränkt, während Paulus diesen Titel nicht erhält (Apg 14, 4 ist die Ausnahme, die

[75] [302²] So ist in der nationalsyrischen Kirche des 3. und 4. Jahrhunderts der Philemon-
brief als unerbaulich dem Paulus abgesprochen oder wenigstens als nicht inspiriert aus dem
Kanon ausgeschlossen worden (s. J. Leipoldt, Geschichte I, S. 209 ff); so hat Dionysius von
Alexandrien die Apokalypse dem Evangelisten Johannes hauptsächlich aus stilistisch-
sprachlichen Gründen abgesprochen, aber daneben auch die irdisch-ausmalende Eschatologie gegen die Herkunft vom Evangelisten angeführt (Eus. h. e. VII, 25, 3 f); und der
Bischof Serapion von Antiochien hat am Ende des 2. Jahrhunderts die zunächst gegebene
Erlaubnis zur gottesdienstlichen Verlesung des Petrusevangeliums zurückgezogen, nachdem
ihm der doketische Charakter der Schrift durch eigene Lektüre deutlich geworden war (Eus.
h. e. VI, 12, 3 ff). J. Leipoldt, Geschichte I, S. 267 hat darauf verwiesen, daß auch ganz
gelegentlich einmal Kanonizität trotz fehlender Apostolizität behauptet worden ist.
[76] [303¹] Origenes (bei Eus. h. e. VI, 25, 13 f) stellt fest, daß die Gedanken des Hebräerbriefs paulinisch seien, die Sprache aber nicht; er will darum zulassen, daß man den Brief
als Paulusbrief betrachte, wo man es bisher tat; „wer aber den Brief geschrieben hat, weiß
in Wahrheit Gott".
[77] [303²] Das hat schon F. C. Baur deutlich formuliert: „Die Einleitungswissenschaft hat
zu untersuchen, ob diese Schriften auch das an sich sind, was sie nach der dogmatischen Vorstellung, die man von ihnen hat, sein sollen... Ihre erste Aufgabe ist die Beantwortung der
Frage, mit welchem Recht sie sich für apostolische Schriften ausgeben"; er redet dementsprechend von „jeder mit den besten kritischen Gründen aus dem Kanon verwiesenen
Schrift" (Theol. Jahrbücher 1850, S. 478 und 472; auf diese Äußerungen verweist H. Strathmann, ThBl 20, 1946, S. 306 f).

die Regel bestätigt); und vom Ende des 1. Jahrhunderts an wird Paulus zwar fast ausnahmslos auch zu den Aposteln gerechnet, dagegen mehr oder weniger in Abhängigkeit von den Zwölfen = *den* Aposteln gesehen[78]. Wird so der Apostelbegriff im | Neuen Testament selber mehrdeutig gebraucht, so ist darüber hinaus nicht einmal sicher, daß das Neue Testament für die Verfasser des Jakobus- und Judasbriefes, die nach der ältesten Tradition von den Herrenbrüdern dieses Namens stammen sollen, überhaupt den Aposteltitel gebraucht hat[79]. Es ist also völlig unmöglich, den Begriff des „Apostels" geschichtlich scharf zu definieren, und schon darum ist die Anschauung, daß die Abfassung durch einen „Apostel" Vorbedingung für die kanonische Geltung einer neutestamentlichen Schrift sei, unhaltbar. Und wenn sich darüber hinaus aus den Diskussionen in der Alten Kirche ebenso wie aus der modernen Einleitungswissenschaft ergibt, daß in mehreren Fällen überhaupt nicht sicher festgestellt werden kann, wer eine bestimmte neutestamentliche Schrift geschrieben hat, so ist es erst recht unmöglich, die Entscheidung über die Zugehörigkeit einer urchristlichen Schrift zum Kanon von ihrer Abfassung durch einen „Apostel" abhängig zu machen. Die Abgrenzung des neutestamentlichen Kanons mit Hilfe der Rückführung jeder einzelnen Schrift auf einen Apostel als Verfasser muß darum völlig aufgegeben werden.

Muß man so die Verkoppelung der Fragen nach der apostolischen Abfassung und der Kanonizität einer neutestamentlichen Schrift aufgeben, so ergibt sich ebenso unausweichlich die Folgerung, daß die Frage nach der Grenze des neutestamentlichen Kanons nicht mehr unter Weiterführung der Diskussionen des 3. und 4. und des 16. Jahrhunderts gestellt werden kann. Denn dort ging es ja fast ausschließlich um die Frage, ob die sogenannten Antilegomena (Hebr, Jak, Jud, 2. Petr, 2. und 3. Joh, Apk) auch wie die 20 unbestrittenen Schriften des Neuen Testament als kanonisch anzusehen seien oder nicht, und die Entscheidung über diese Frage wurde, mit der einzigen Ausnahme Luthers, letztlich nur von der Frage nach der apostolischen Herkunft dieser Schriften her zu entscheiden gesucht. Im Anschluß an diese | altkirchlich-humanistische Fragestellung sucht auch heute noch die Dogmatik immer wieder die Richtigkeit der letzten altkirchlichen Kanonsbegrenzung zu begrün-

---

[78] [303[3]] Siehe W. G. Kümmel, Kirchenbegriff und Geschichtsbewußtsein in der Urgemeinde und bei Jesus, 1943, S. 5 ff und besonders H. v. Campenhausen, Der urchristliche Apostelbegriff, Studia Theologica I, 1947, S. 96 ff und für die spätere Zeit J. Wagenmann, Die Stellung des Paulus neben den Zwölf in den ersten drei Jahrhunderten, 1926, S. 55 ff.

[79] [304[1]] Die Zurückführung des Jakobusbriefes auf den Herrnbruder begegnet zum erstenmal bei Eus. h. e. II, 23, 24, aber schon Origenes hatte den Verfasser ὁ ἀπόστολος genannt, ohne über dessen Identität sich im klaren zu sein (s. A. Meyer, Das Rätsel des Jakobusbriefes, 1930, S. 31 ff); und so heißt der Verf. denn „Apostel" in den abschließenden Kanonsverzeichnissen der zweiten Hälfte des 4. Jahrhunderts (Athanasius, s. Preuschen, Analecta II, S. 44, und die römische Synode von 382, s. Th. Zahn, Grundriß der Geschichte des neutestamentlichen Kanons, 1904[2], S. 85). Es ist aber äußerst fraglich, ob Paulus den Jakobus zu den Aposteln gerechnet hat (s. W. G. Kümmel, aaO, S. 45 Anm. 13), und im übrigen Neuen Testament erhält Jakobus nirgendwo diesen Titel. – Der Judasbrief wird schon von Tertullian (de cult. fem. I, 3) auf einen Apostel, von Clemens von Alexandrien (adumbr. in epistula Judae, Werke hrsg. von O. Stählin III, 1909, S. 206) auf den Herrnbruder zurückgeführt; aber im Neuen Testament wird Judas nirgends Apostel genannt.

den oder in Frage zu stellen[80]. Sucht man aber von dieser Fragestellung aus die
Grenzen des neutestamentlichen Kanons zu bestimmen, so müßte sich die Folgerung
ergeben, daß die Entscheidung der Kirche des späteren 2. Jahrhunderts betreffs der
unbestritten kanonischen Schriften unantastbar sei, nicht aber die der Kirche des
4. Jahrhunderts betreffs der umstrittenen Bücher. Und überdies müßte man dann
zugeben, daß die Pastoralbriefe eine unanfechtbare kanonische Autorität besäßen,
nicht aber der Hebräerbrief. Diese theologisch unmöglichen Folgerungen beweisen,
daß die Frage nach der Grenze des neutestamentlichen Kanons nicht mehr von der
Fragestellung aus gelöst werden kann, ob auch die *letzte* Entscheidung der Alten
Kirche auf Grund ihrer Fragestellung nach der „apostolischen" Herkunft der noch
umstrittenen Schriften bindend sei oder nicht. Vielmehr müssen wir entschlossen von
dem Tatbestand ausgehen, daß der von der Alten Kirche uns überlieferte Kanon
uns nicht nur durch bestimmte seiner Schriften, die aus mehr zufälligen Gründen
länger umstritten waren als andere, sondern *als ganzer* vor die Frage stellt, ob er
sachgemäß abgegrenzt sei oder nicht.

Gehen wir bei der Antwort auf diese Frage von der grundlegenden Einsicht aus,
daß die Kirche einen neutestamentlichen Kanon darum haben muß, weil das Zeugnis der ersten Christenheit von der geschichtlichen Heilstat Gottes in Jesus Christus,
seiner Auferstehung und der Gründung seiner Gemeinde weitergegeben und vor Auf-
lösung und Um|bildung bewahrt werden mußte, so ist klar, daß Schriften, die nach
einem bestimmten Zeitpunkt, also etwa nach dem ersten Viertel des 2. Jahrhunderts,
abgefaßt worden sind, nicht mehr als ursprüngliche Zeugnisse angesehen und darum
auch nicht mehr zum Kanon gerechnet werden können. Insofern ist der Ausschluß
des Hirten des Hermas aus dem Kanon durch das Muratorische Fragment durchaus
richtig damit begründet worden, daß er erst neuestens geschrieben worden sei[81].

[80] [305¹] So redet E. BRUNNER, Offenbarung und Vernunft, 1941, S. 131 von einer „Ka-
nonsperipherie", „innerhalb deren etwa die 2. Petrusbrief, der Judasbrief, der Jakobusbrief
und die Apokalypse liegen". Und W. ELERT, Der christliche Glaube, 1940, S. 221 ff behauptet, die Theologie sei immer erneut vor die Frage nach der Geltung der Antilegomena gestellt,
und nennt für die Entscheidung der Kanonsfähigkeit zwei Kriterien: „erstens, ob sich in
ihrem Zeugnis die Verheißung erfüllt, die Christus an die Sendung des Pneumas knüpfte,
zweitens, ob es ursprüngliches oder, anders gesagt, ob es kein abgeleitetes Zeugnis ist". Nun
ist das erste Kriterium durchaus berechtigt, das zweite aber schwerlich durchführbar, da
literarische Abhängigkeit, auch wo sie sicher nachweisbar ist, kein Argument gegen kanonische Geltung zu sein braucht. ELERT will denn von hier aus nur den Judasbrief als „nicht
ursprüngliches Zeugnis" gelten lassen, weil sein Inhalt fast ganz im 2. Petrusbrief enthalten
sei. Aber wenn man schon dieses Kriterium der „Ursprünglichkeit" im literarischen Sinne
aufstellt, darf man nie die Frage der literarischen Priorität zwischen 2. Petrus und Judasbrief
nicht offen lassen, wie ELERT es tut, weil ja bei der wahrscheinlicheren Annahme der Abhängigkeit des 2. Petrusbriefes vom Judasbrief diese aus anderen Gründen so problematische Schrift gerade als „ursprünglich" und damit als in höherem Maße kanonisch erscheinen
müßte! Die Frage der literarischen Ursprünglichkeit kann ebensowenig kanonskritische
Bedeutung haben wie die Frage der „apostolischen" Abfassung der sogenannten Antilegomena.

[81] [306¹] „Den Hirten aber, den neuerdings zu unsern Zeiten Hermas in der Stadt Rom
verfaßte, als auf dem Stuhl der Stadt Rom sein Bruder Bischof Pius saß, soll man deshalb
zwar lesen, aber er kann nicht in der Gemeinde dem Volk öffentlich verkündigt werden,
weder unter den Propheten, die der Zahl nach vollständig sind, noch unter den Aposteln
am Ende der Zeiten" (Z. 73 ff).

Freilich läßt sich dieses chronologische Argument nicht als positives Kriterium verwenden, denn der 1. Clemensbrief z. B., der noch von Clemens von Alexandrien zu den kanonischen Schriften gerechnet wurde, liegt zeitlich schwerlich weit vom Johannesevangelium ab, müßte also nach diesem rein chronologischen Maßstab ebensogut in den Kanon aufgenommen werden wie das 4. Evangelium. Und von den Ignatiusbriefen, die zweifellos noch ins erste Viertel des 2. Jahrhunderts gehören, wohin etwa auch die Pastoralbriefe oder der 2. Petrusbrief zu verlegen sein werden, wissen wir nicht, daß sie je als kanonisch gewertet worden seien. Der chronologische Maßstab läßt sich also nur negativ anwenden, indem man feststellt, daß Schriften aus der Zeit der ältesten Apologeten (etwa Barnabasbrief, Papias, Polykarpbrief) nicht mehr zum Kanon gehören können.

Weitere *formale* Kriterien für die Zugehörigkeit einer urchristlichen Schrift zum neutestamentlichen Kanon gibt es aber nicht. Ist es der Sinn der Bildung und Abschließung des neutestamentlichen Kanons, das Zeugnis der ältesten Christen über das geschichtliche Heilshandeln Gottes gegenüber späteren Veränderungen und Zufügungen abzuschließen, so muß die Möglichkeit zugegeben werden, daß ein derartiges urchristliches Schriftstück heute noch auftaucht, und der Kirche muß das Recht zugestanden werden, ein solches erst jetzt gefundenes Dokument der Apostelzeit auch heute noch in den Kanon aufzunehmen, wenn es sich bei Prüfung nicht nur als urchristlich, sondern auch als in Übereinstimmung mit dem grundlegenden neutestamentlichen Kerygma erwiese[82]. Und umgekehrt muß die Kirche das Recht haben, ein | zum endgültigen Bestand des Neuen Testaments gehöriges Dokument aus dem Kanon wieder auszuscheiden, falls *sicher* erwiesen werden könnte, daß eine solche Schrift erst jenseits der chronologischen Grenzen des apostolischen Kerygmas entstanden ist. Aber dazu ist einschränkend doch einerseits zu sagen, daß ein solcher den altkirchlichen Kanon abändernder Akt nur dann mehr als ein weiteres historisch zufälliges Ereignis sein könnte, wenn die Gesamtheit der Christenheit sich dazu verstehen könnte, was kaum denkbar ist[83]. Und andererseits könnte, wie schon das Beispiel des 1. Clemensbriefes beweist, die Frage, ob eine neu gefundene Schrift aufzunehmen oder eine bisher als kanonisch angesehene auszuscheiden wäre, doch auf keinen Fall *nur* nach dem chronologischen Gesichtspunkt entschieden, sondern müßte

---

[82] [306²] Diese Frage wäre heute etwa zu stellen gegenüber der *pericope adulterae*, die nicht zum Johannestext gehörte, als das 4. Evangelium kanonisiert wurde, die aber wahrscheinlich in „apokrypher" Überlieferung bis in die Zeit des Urchristentums zu verfolgen ist; die Frage wäre auch zu stellen gegenüber einzelnen apokryph überlieferten Worten und Taten Jesu; doch läßt sich deren Alter weniger sicher erweisen (s. J. JEREMIAS, Unbekannte Jesusworte, 1948). Auf alle Fälle müßten dabei die kanonischen Evangelien der Maßstab sein.

[83] [307¹] „Es ist klar, daß eine solche Veränderung des Kanonbestandes … sinnvoll und legitim nur als ein *kirchlicher* Akt, d. h. in Form einer ordentlichen und verantwortlichen Entschließung eines verhandlungsfähigen Kirchenkörpers Ereignis werden könnte" (K. BARTH, Kirchliche Dogmatik I, 2, S. 530). Eine chronologische Umordnung und Ergänzung des Kanons durch Apokryphen, um dadurch „eine dem Stande der Wissenschaft entsprechende Neugruppierung und Ergänzung des Kanons zu erreichen" (das fordert E. PLATZHOFF-LEJEUNE, Schweiz. Theol. Umschau 19, 1949, S. 108ff), könnte nur Ausdruck subjektiver Willkür sein.

in entscheidender Weise durch Besinnung auf den sachlichen Gehalt der betreffenden Schrift geklärt werden.

Damit sind wir aber bei der Erkenntnis angelangt, daß wir den von der Alten Kirche durch autoritativen Entscheid abgeschlossenen Kanon als gegebene Tatsache anerkennen müssen, ohne seinen Umfang als notwendig begründen zu können. Damit ist nicht gesagt, daß der Entscheid der Alten Kirche über den Umfang des Kanons für uns den Charakter einer *bindenden* Norm haben könne, schon darum nicht, weil dieser Entscheid ja bis ins 16. Jahrhundert nicht allerseits anerkannt worden ist, ganz besonders aber darum nicht, weil wir wissen, daß dieser Entscheid mittels des sachlich unhaltbaren Maßstabs der „apostolischen" Herkunft der einzelnen Schriften gefällt worden ist[84]. Der Entscheid der Alten Kirche über den Umfang des Kanons ist vielmehr für uns der einzig mögliche *Ausgangspunkt* für die notwendige Besinnung über die Frage, was nun wirklich innerhalb des gegebenen Kanons Norm für den Glauben sein kann und muß. Denn der Kanon ist, | wie wir sahen, Norm ja nicht auf Grund einer kirchlichen Autorität, die uns seinen normativen Charakter garantiert, sondern er ist Norm auf Grund des uns aus dem Kanon selber entgegentönenden und unsern Glauben weckenden Zeugnisses von Gottes Heilshandeln in Jesus Christus. Und das kann ja nur heißen: der Kanon ist Norm für die Verkündigung der Kirche und damit für den Glauben, insoweit und nur insoweit er solches Christuszeugnis ist. Es kann also gar keine Frage sein, daß LUTHERS Grundsatz völlig richtig ist, daß kanonisch sei, „was Christum prediget und treibet"[85]. Nur bleibt die Frage zu beantworten, wie dieser Grundsatz konkret angewandt werden könne.

Suchen wir aber auf diese Frage eine wirklich zuverlässige Antwort, so müssen wir mit der schon genannten Erkenntnis Ernst machen, daß die Frage nach dem „apostolischen" Verfasser in diesem Zusammenhang völlig aus dem Spiele bleiben muß. Aber ganz genauso müssen wir uns darüber im klaren sein, daß es eine durchaus unberechtigte Voraussetzung ist, daß das Christuszeugnis in den *älteren* Schriften am unverfälschtesten zu finden sein *müsse,* so daß also etwa die Synoptiker infolge ihrer größeren Nähe zum geschichtlichen Jesus dem völlig vom Christusbekenntnis der Urkirche her redenden Johannesevangelium in jeder Hinsicht überlegen sein müßten. Wir haben ja das Zeugnis von Jesus Christus in *allen* Schriften des Neuen Testaments nur in menschlicher Form, und die menschliche Irrtumsfähigkeit und das menschliche Unverständnis der göttlichen Wahrheit gegenüber ist angesichts der älteren Schriften ebenso in Rechnung zu stellen wie angesichts der jüngeren. Es ist darum ganz gewiß möglich und sogar wahrscheinlich, daß der zeit-

---

[84] [307²] Es ist darum falsch, daß man die einst gefallenen Entscheidungen der Kirche „wie hinsichtlich des Dogmas so auch hinsichtlich des Kanons als in Kraft und Geltung stehend ansehen müssen" werde (so K. BARTH, aaO, S. 530). K. BARTH zitiert darum zustimmend die in der Confessio Gallicana von 1559 erfolgte Festlegung des Umfangs der Heiligen Schrift auf den altkirchlichen Kanon (aaO, S. 525), während die lutherischen Bekenntnisschriften mit Recht keine solche Festlegung vorgenommen haben (s. P. ALTHAUS, Die christliche Wahrheit I, S. 199 und W. ELERT, Der christliche Glaube, S. 221).

[85] [308¹] S. oben S. 242.

lich größere Abstand von der Geschichte Jesu auch eine sachliche Entfernung von
der ursprünglichen Offenbarung Gottes in Jesus Christus mit sich bringt; aber wenn
wir nicht bewußt im Gegensatz zum *ganzen* Neuen Testament die Offenbarung auf
den geschichtlichen Jesus vor Ostern und Pfingsten einschränken, so kann die frühere oder spätere Entstehung einer urchristlichen Schrift innerhalb der für den
Kanon in Betracht kommenden Zeit (sog. apostolisches und nachapostolisches Zeitalter) an sich noch nichts über ihr sachliches Verhältnis zum apostolischen Kerygma
aussagen[86]. Wir kommen zu einer nicht rein subjektiven, aber auch nicht rein histo-
risieren|den Bestimmung der Grenze des neutestamentlichen Kanons nur dann,
wenn wir den uns von der Alten Kirche überlieferten Kanon von dem Wissen her
prüfen, daß hier von der *geschichtlichen,* endgültigen Offenbarung Gottes die Rede
ist. Und das heißt ja nicht nur, daß die urchristliche Verkündigung der geschichtlichen Person Jesu und den geschichtlichen Ereignissen nach seinem Tode eine für
immer gültige göttliche Bedeutung beimißt, sondern daß diese Verkündigung selber
eine in der vergangenen Geschichte sich vollziehende und darum nicht zeitlose und
unwandelbare Verkündigung ist. Das Zeugnis des Neuen Testaments ist seinem
Wesen nach ein vielfältiges und sich entwickelndes, und gerade darum kann nur eine
Sammlung der verschiedenartigen Zeugnisse, d. h. der Kanon, uns in ausreichender
Weise mit dem urchristlichen Kerygma der Apostelzeit in Verbindung bringen[87].
Dieses vielgestaltige Zeugnis hat aber seine für alle Zeiten normative Bedeutung
nicht deswegen, weil es im Kanon steht, sondern darum, weil es in einem zeitlich
und sachlich nahen Verhältnis zur geschichtlichen Christusoffenbarung steht. Daraus
ergibt sich, daß eine Schrift des Neuen Testaments, aber ebenso auch nur ein Abschnitt einer neutestamentlichen Schrift, um so sicherer zum normativen Kanon
gerechnet werden muß, je eindeutiger der Text auf die geschichtliche Christusoffenbarung hinweist und je weniger er durch außerchristliche Gedanken oder durch
spätere christliche Fragestellungen verändert ist[88]. Was aber von dieser Christusoffenbarung und ihrer Bedeutung für den Glauben nicht redet, hat nur in einem beschränkten oder auch in gar keinem Maße Anteil am normativen Charakter des Kanons[89].

---

[86] [308²] Die Forderung von P. Althaus (Die christliche Wahrheit I, S. 195), „die Nähe
einer Schrift zur Offenbarungsgeschichte, zu dem ursprünglichen missionarischen Zeugnis
der Apostel" müsse durch historische Untersuchung festgestellt werden, ehe über die Kanonizität einer Schrift entschieden werden könne, ist nur dann richtig, wenn man sie auf die
historische Feststellung beschränkt, daß eine Schrift vor etwa dem zweiten Viertel des
2. Jahrhunderts entstanden sei.

[87] [309¹] O. Cullmann, Die Pluralität der Evangelien als theologisches Problem im Altertum, ThZ 1, 1945, S. 23 ff (40 ff) hat mit Recht die *Mehrzahl* der kanonischen Evangelien mit
der notwendigen Beschränktheit des einzelnen Christuszeugnisses begründet.

[88] [309²] „Ist Gegenstand des Glaubens das Evangelium, also die Gestalt Christi in ihrer
Heilsbedeutung, so wird die Autorität des einzelnen Bibelwortes oder -buches um so größer
sein, je näher es innerlich mit diesem Zentrum verbunden ist, und sie wird abnehmen, je
weniger das der Fall ist" (H. Strathmann, ThBl 21, 1942, S. 37).

[89] [309³] Auf die oft betonte Tatsache, daß historische Widersprüche oder Fehler den normativen Charakter des neutestamentlichen Kerygmas nicht in Frage stellen, daß aber um
des geschichtlichen Charakters der neutestamentlichen Schriften willen die historische Kritik unentbehrlich ist, soll hier nicht eingegangen werden. Siehe dazu zuletzt E. Dinkler,
Bibelautorität und Bibelkritik, ZThK 47, 1950, S. 70 ff.

Wie aber finden wir, ob eine Schrift oder Schriftstelle eindeutig auf die geschichtliche Christusoffenbarung hinweist oder nicht ? Wir haben diese Christusoffenbarung
ja nicht außerhalb ihrer Bezeugung im Neuen Testament, können das normative
Zeugnis über sie also nur durch kri|tische Zusammenschau der verschiedenen Formen der neutestamentlichen Verkündigung herausstellen[90]. Sowohl die Besinnung
auf die Geschichte des urchristlichen Denkens als auch die sachliche Besinnung auf
das in aller neutestamentlichen Verkündigung grundlegende Kerygma wird dabei
immer wieder zu dem Resultat kommen, daß wir bei solchem inneren Vergleich ausgehen müssen von der Botschaft und Gestalt Jesu, wie sie uns in der ältesten Form
der synoptischen Tradition begegnet, von dem das Leben und Sterben Jesu deutenden und die Auferstehung Christi bezeugenden ältesten Kerygma der Urgemeinde
und von der ersten theologischen Durchdenkung dieses Kerygmas in der Theologie
des Paulus. Die schon in sich sehr vielgestaltige älteste und grundlegende Verkündigung ist also nur zu gewinnen aus dem Zusammenklang mehrerer Stimmen, und besonders das sachliche Verhältnis von Jesus und Paulus herauszustellen, bleibt eine
unausweichliche Aufgabe jeglicher Besinnung auf das normative Zeugnis des Neuen
Testaments. Läßt sich nun gerade bei streng geschichtlich-theologischer Arbeit zeigen, daß aus der Zusammenschau dieser drei ältesten Formen des neutestamentlichen Kerygmas sich eine in den Grundzügen einheitliche Verkündigung ergibt[91],
so haben wir eine zentrale Verkündigung gewonnen, an der das übrige Zeugnis des
Neuen Testaments gemessen werden kann. Solches Messen bedeutet eine in historischer Arbeit sich vollziehende Aufgabe, die in vieler Hinsicht erst geleistet werden
muß. Es wird sich bei solcher Untersuchung auf der einen Seite herausstellen, daß
auch die geschichtlich späteren Schriften des Neuen Testaments zu einem erheblichen Teil eine sachlich berechtigte oder sogar notwendige Weiterbildung der zentralen Christusverkündigung enthalten (das gilt z. B. weitgehend für das Evangelium und die Briefe des Johannes, den Hebräer-, 1. Petrus- und Epheserbrief, die
Geschichtsanschauung der Johannesapokalypse); es wird sich auf der andern Seite
zeigen, daß auch Schriften, die an bestimmten Punkten in sachlichem Gegensatz zur
zentralen Christusverkündigung stehen (der Hebräerbrief mit seiner Lehre von der
Unmöglichkeit der 2. Buße; die Pastoralbriefe und der Judasbrief mit ihrem Glaubensbegriff; die Apokalypse mit ihrer Erwartung eines messianischen Zwischenreiches und der Ausmalung der sich folgenden eschato|logischen Ereignisse; der
2. Petrusbrief mit seiner hellenistischen Erlösungslehre und seiner Aufhebung der
eschatologischen Naherwartung), daneben durchaus an der allgemein neutestamentlichen Christusverkündigung Anteil haben (der Hebräerbrief durch seine ganz auf
die Einmaligkeit des Opfers Christi gebaute Sühnelehre; die Pastoralbriefe durch
ihre Betonung der Fleischwerdung und der rettenden Kraft des eschatologischen

---

[90] [310¹] P. ALTHAUS, Die christliche Wahrheit I, S. 195 prägt darum die Formel: *Scriptura
sacra sui ipsius critica.*

[91] [310²] Vgl. W. G. KÜMMEL, Jesus und Paulus, ThBl 19, 1940, S. 209 ff und meine Bemerkungen in M. DIBELIUS, Paulus, 1951, S. 141 ff; ferner C. H. DODD, The Apostolic Preaching and its Developments, 1936 (dazu ThR N. F. 14, 1942, S. 93 ff) und H.-D. WENDLAND,
Geschichtsanschauung und Geschichtsbewußtsein im NT, 1938, S. 10 ff, 23 ff, 69 ff.

Geistes; die Apokalypse mit ihrer Betonung der Folgerichtigkeit des eschatologischen Handelns Gottes und ihrer Betrachtung der Gegenwart als vorauswirkendem
Beginn der Endzeit; der 2. Petrusbrief mit seiner Betonung der bleibenden Bedeutung der Erwartung des eschatologischen „Tages" usw.; nur der kleine Judasbrief
enthält keinerlei zentrale Christusverkündigung). Es wäre also durchaus unsinnig,
diese in irgendeiner Hinsicht zur zentralen Verkündigung in Spannung stehenden
Schriften deswegen schon aus dem Kanon zu verweisen, zumal manche der genannten Anstöße ihre Parallelen auch in sonst durchaus der zentralen Verkündigung zu-
gehörigen Schriften haben[92]. Ja, es findet sich bei Vertretern des zentralen Kerygmas
durchaus auch „apokryphes" Einzelgut[93], und es finden sich dort sachliche Wider-
sprüche gegen das ursprüngliche Christuszeugnis[94]. Die eigent|liche Grenze des Ka-
nons läuft also durch den Kanon mitten hindurch, und nur wo dieser Sachverhalt
wirklich erkannt und anerkannt wird, kann die Berufung katholischer oder sektiere-
rischer Lehren auf bestimmte *Einzel*stellen des Kanons mit wirklich begründeten
Argumenten abgewehrt werden[95]. Diese „innere Grenze" des Kanons kann nur durch
ständig neue Besinnung auf die zentrale Christusverkündigung *und* durch Prüfung
des gesamten neutestamentlichen und außerkanonischen frühkirchlichen Schrift-

---

[92] [311¹] Die Lehre des Hebräerbriefs von der Unmöglichkeit der 2. Buße hat ihre Parallelen in 1Joh 5, 16f und in entfernterem Maß in Mk 3, 28–30; der Glaubensbegriff der Pastoralbriefe und des Judasbriefs begegnet ähnlich auch Hebr 11, 1–6 und Jak 2, 14ff (s. W.G.
KÜMMEL, Der Glaube im NT, seine katholische und reformatorische Deutung, ThBl 16,
1937, S. 209ff, bes. 216f); eine Ausmalung der eschatologischen Ereignisse im Sinne der
Apokalyptik ähnlich wie in der Apokalypse findet sich auch Mk 13 und par. und in ab-
geschwächtem Maße bei Paulus 1Kor 15 und 2Thess 2; die eschatologische Naherwartung
tritt auch im Johannesevangelium völlig zurück.
[93] [311²] K.L.SCHMIDT, Kanonische und apokryphe Evangelien und Apostelgeschichten,
1944, S. 33f hat darauf verwiesen, daß die Erzählung vom Tod des Täufers Mk 6, 17ff und
par. „innerhalb der kanonischen Evangelien ein eigentliches Apokryphon" ist; der Mythos
von der Hadespredigt Christi 1Petr 3, 19f hat im Neuen Testament keine Parallele und ist
eine sachlich problematische Erweiterung des ältesten Kerygmas (s. den Nachweis in Abschnitt II, b meines Aufsatzes „Mythos im NT", ThZ 6, 1950, Heft 5, S. 321–337 [329ff]);
Apg 20, 7ff und 28, 3ff finden sich völlig profane und ohne jede erkennbare Beziehung
zum Christuskerygma stehende Wundererzählungen (s. M.DIBELIUS, Stilkritisches zur
Apostelgeschichte, Eucharisterion für H.Gunkel II, 1923, S. 42f, 45).
[94] [311³] Die Vorstellung von der religiösen Unterlegenheit der Frau dem Mann gegenüber (1Kor 11, 2ff) widerspricht der christlichen Einsicht des Paulus (Gal 3, 28; s. meine
Bemerkungen in der 4. Aufl. von H.LIETZMANN, An die Korinther I, II, 1949, S. 183f);
in der Apostelgeschichte findet sich (17, 28f) die dem Menschenbild des ganzen Neuen Testaments widersprechende Vorstellung von der Gottverwandtschaft des Menschen (s. W.G.
KÜMMEL, Das Bild des Menschen im NT, 1948, S. 51ff); die Vorstellung von der *Nachweis-
barkeit* der Auferstehung Christi durch die Tatsache des Essens des Auferstandenen mit den
Jüngern (Lk 24, 36ff) und durch die Wirklichkeit des leeren Grabes (Mt 27, 62ff; 28, 11ff)
widerspricht der ursprünglichen Verkündigung, die nur eine *Bezeugung* der Auferstehung
Christi kennt (s. meinen in der vorigen Anmerkung genannten Aufsatz und ThR N.F. 17,
1948/49, S. 6ff).
[95] [312¹] Siehe dazu meinen Aufsatz ThBl 16, 1937, S. 209ff und die Bemerkung von
P.ALTHAUS, Die christliche Wahrheit I, S. 213: „Die evangelische Kritik an Rom läßt sich
nicht ohne Kritik innerhalb der Schrift vom Evangelium her vollziehen." Vgl. auch LU-
THERS oft zitierte These von 1535 (WA 39, 1, S. 47): „*Scriptura est, non contra, sed pro Christo
intelligenda, ideo vel ad eum referenda, vel pro vera Scriptura non habenda... Quod si adversarii
scripturam urserint contra Christum, urgemus Christum contra scripturam*" (von ALTHAUS,
S. 211 angeführt).

tums an dieser zentralen Verkündigung erkannt und gesichert werden[96]. Von solcher
Besinnung aus gewinnen wir die Freiheit, die zentrale Christusverkündigung des
Neuen Testaments in ihren verschiedenen Formen wirklich als *Norm* zu begreifen[97],
von der der Christ jeder späteren Zeit als der Hörende sich abhängig weiß, ohne in
Versuchung geraten zu müssen, *jedes* Wort des Neuen Testaments nur darum als nor-
mativ anzusehen, weil es in die kirchliche *Sammlung* der apostolischen Schriften
aufgenommen worden ist.

Die Grenze des neutestamentlichen Kanons ist darum historisch geschlossen,
sachlich aber immer von neuem zu bestimmen[98]. Und darin | hat der Kanon nur
Anteil an der geschichtlichen Zufälligkeit und Ungesichertheit, aber ebenso an der
einmaligen und unbedingten Bedeutsamkeit des rettenden Handelns Gottes in Christus. Und sowenig wir das Christusgeschehen in eindeutige Formeln fassen können,
sowenig können wir den das Zeugnis von diesem Geschehen bewahrenden Kanon
eindeutig begrenzen. Das mag für den Theologen eine Not sein, der er sich aber nicht
entziehen darf. Für den Glaubenden ist die Unsicherheit der Grenze des neutestamentlichen Kanons ein Hinweis auf die *Fleisch*werdung des Logos.

[96] [312²] Es fehlen z. B. fast völlig Arbeiten, die den sachlich berechtigten Ausschluß
der „nachapostolischen" Literatur aus dem Neuen Testament nachweisen, etwa an Hand
des Moralismus und der Traditionslehre des 1. Clemensbriefes oder der willkürlichen Typo-
logie des Barnabasbriefes. Ein wichtiger Vorstoß in dieser Richtung ist von K.L.SCHMIDT
durch seinen Vergleich des Petrusevangeliums mit den kanonischen Evangelien vorgenommen worden (Kanonische und apokryphe Evangelien und Apostelgeschichten, 1944, S. 37ff);
und für Ignatius liegen wichtige Untersuchungen in dieser Richtung vor, besonders PH.-H.
MENOUD, L'originalité de la pensée johannique, Rev. de théol. et de philos. 1940, S. 233ff
und C.MAURER, Ignatius von Antiochien und das Johannesevangelium, 1949.

[97] [312³] Zum Wortsinn von κανών vgl. H.W.BEYER, ThW III, 1938, S. 600ff.

[98] [312⁴] Wo man die Grenze des neutestamentlichen Kanons nach der Alten Kirche hin
grundsätzlich offenläßt, wie es E.STAUFFER tut (Die Theologie des NT, 1948⁴), muß
unvermeidlicherweise die urchristliche Botschaft von der frühkatholischen Fortbildung
des Urchristentums her uminterpretiert werden, und der Kanon verliert seinen Charakter als Maßstab für die kirchliche Verkündigung (s. meine Bemerkungen ThLZ 75,
1950, S. 424ff). Wo umgekehrt die „Einheitlichkeit" der neutestamentlichen Aussagen als
zu erstrebendes Ziel vorausgesetzt wird, wie etwa bei M.BARTH (Der Augenzeuge, 1946),
da müssen nicht nur sich widersprechende Aussagen gewaltsam zur Einheit geführt werden,
sondern da wird auch die Wirklichkeit nicht ernst genommen, daß der Kanon Zeugnis einer
Entwicklung des Christuszeugnisses ist, und die geschichtliche Wirklichkeit des sich wandelnden Urzeugnisses muß ersetzt werden durch eine ungeschichtliche Konstruktion (s. dazu
E.KÄSEMANN, ThLZ 73, 1948, S. 665ff). Die Gleichwertigkeit des *ganzen* Kanons ist zum
Prinzip erhoben von J.-L.LEUBA, L'institution et l'événement, Diss. Neuchâtel 1950, S. 6
(„Mais ce à quoi l'Eglise et le théologien se refuseront, c'est à se confier à l'étude historique
pour déterminer ce qui est canonique et ce qui ne l'est plus. La décision a été prise une fois
pour toutes. L'Eglise réformée, si fière, à juste titre, du fondement scripturaire de sa théologie, fera bien de s'en souvenir, la toute première!"). Dagegen betont mit Recht im Sinne
des oben Ausgeführten E.KÄSEMANN, Verkündigung und Forschung, 1950, S. 209f, die Gefahr eines „massiven und primitiven Kanonbegriffs" für die „sachliche Autorität des refor-
matorisch verstandenen Evangeliums".

Πάρεσις und *ἔνδειξις*

Ein Beitrag zum Verständnis der paulinischen Rechtfertigungslehre

Aus der Festschrift für Walter Bauer
zum 75. Geburtstag am 8. August 1952

Die Frage nach dem inneren Zusammenhang von Gottes Heilstat in Jesus Christus und der Rechtfertigung des Glaubenden in der Verkündigung des Paulus ist auch darum noch immer stark umstritten, weil das grammatische Verständnis der grundlegenden Aussage Röm 3, 25f weit auseinander geht. Die von der Mehrzahl der Übersetzer und Ausleger vertretene Auffassung tritt besonders deutlich hervor in einer neueren Paraphrase: „In ihm (Christus) hat Gott die Sühne dargestellt, die | der Glaube erlangt und die sein Blut verbürgt. Sühne aber war nötig, wenn Gott seine Gerechtigkeit beweisen wollte angesichts der Sünden, die früher, unter Gottes Langmut, geschehen waren. Nun ist er frei, seine Gerechtigkeit zu erweisen in der jetzt gekommenen Zeit. So ist er beides: gerechter Gott und einer, der Gerechtigkeit schenkt, – und das jedem, der aus Glauben an Jesus zu ihm kommt.''[1] Nach dieser Deutung des Textes nimmt Paulus an, daß Gott die sündigen Menschen ohne Gegenleistung gerechtsprechen wollte, daß er das aber nur *konnte*, ohne seine Gerechtigkeit zu gefährden, wenn er die Sünden durch Christus sühnen ließ und so seine Gerechtigkeit bewies. Man nimmt bei dieser Deutung in der Regel an, daß *πάρεσις* „das Hingehenlassen'' und *ἔνδειξις* „die Beweisführung'' bezeichne, setzt damit aber zugleich eine nicht geringe Anzahl von Vorstellungen voraus, die dem Paulus sonst

---

[1] [155¹] Das ewige Wort. Die Bibel in neuer Auswahl und Ordnung für jedermann, 1941, S. 394. Dasselbe Verständnis vertreten z. B. TH. ZAHN, Der Brief des Paulus an die Römer, 1910, S. 183 ff; P. ALTHAUS, Der Brief an die Römer, 1932, S. 26 ff; C. H. DODD, The Epistle of Paul to the Romans, 1932 (= 1949¹²), S. 55 ff; TH. HAERING, Der Römerbrief des Apostels Paulus, 1926, S. 45; O. BARDENHEWER, Der Römerbrief des heiligen Paulus, 1926, S. 57 ff; E. BRUNNER, Der Römerbrief, o. J. (1938), S. 22 ff; E. GAUGLER, Der Römerbrief 1. Teil, 1945, S. 82, 88 ff; Übersetzungen von WEIZSÄCKER und L. ALBRECHT, z. St.; Zürcher Bibel 1931; MOFFATT's Translation (abgedruckt bei C. A. A. SCOTT, Christianity according to St. Paul, 1927, S. 61); H. J. HOLTZMANN, Lehrbuch der Neutestamentlichen Theologie II, 1911², S. 108, 118; P. FEINE, Theologie des NT, 1931⁵, S. 197; R. BULTMANN, Theologie des NT, 1. Lief. 1948, S. 47, 290; W. BAUER, Griechisch-deutsches Wörterbuch zu den Schriften des NT..., 1952⁴, S. 328, 475; R. STEIGER, Die Dialektik der paulinischen Existenz, 1931, S. 199; K. KARNER, Rechtfertigung, Sündenvergebung und neues Leben bei Paulus, ZSTh 16, 1939, S. 550; V. TAYLOR, Great Texts Reconsidered, Expository Times 50, 1938/39, S. 295 ff usw. – Unzugänglich blieb mir S. LYONNET, De Justitia Dei in Epistula ad Romanos, 1947.

durchaus fremd sind (Gott muß seine Gerechtigkeit *beweisen;* Gott hat die Sünden
bisher ungestraft hingehen lassen; δικαιοσύνη θεοῦ bezeichnet hier die Eigenschaft
des Gerechtseins Gottes, Gott gibt seine Gerechtigkeit als einen zu erkennenden Tatbestand kund). Weil diese Vorstellungen im Rahmen der paulinischen Theologie als
Fremdkörper wirken, vertreten manche Ausleger eine völlig andere Übersetzung,
die schon LUTHER beabsichtigt zu haben scheint[2] und die C. A. A. SCOTT besonders
klar zum Ausdruck bringt: „Whom God publicly set forth | dying a bloody death
as one exercising reconciling power through man's faith in Him, with a view to conferring a righteousness of His own, through the overlooking of past sins by the for-
bearance of God, with a view, I say, to conferring His righteousness at this very
moment, and to His being righteous and at the same time declaring righteous him
who founds on faith in Jesus."[3] Nach diesem Verständnis des Textes ist von einem
wirkenden Kundwerden der göttlichen Gerechtigkeit die Rede, nicht von einer Beweisführung Gottes, und dieses Kundwerden vollzieht sich durch die Vergebung, die
Gott mittels des Todes Christi wirkt; Voraussetzung dieses Verständnisses ist aber,
daß πάρεσις „Erlaß" bezeichnet und ἔνδειξις das „Kundwerden". Gegen diese Übersetzung haben sich freilich neuerdings gewichtige Stimmen erhoben, die mit lexiko-
graphischen Gründen die Unhaltbarkeit dieser Übersetzung nachweisen und damit
die von der Mehrzahl der Forscher vertretene Deutung auf sprachlichem Wege
sichern wollen[4]. Soll darum die Frage nach dem richtigen Verständnis von Röm 3,
25f befriedigend beantwortet und geklärt werden, ob die aus sachlichen Gründen
problematische Auslegung der Mehrzahl der Forscher wirklich die einzig haltbare
ist, so muß man von einer genauen Prüfung der Bedeutung der beiden umstrittenen
Begriffe πάρεσις und ἔνδειξις ausgehen und versuchen, von da aus die richtige Übersetzung und damit die richtige Auslegung des Textes zu gewinnen[5].

Das offenbar nicht häufige Wort πάρεσις begegnet in der gesamten griechischen
Bibel nur an unserer Stelle, so daß sein Sinn nur durch die Heranziehung außerbibli-
scher Belege festgestellt werden kann[6]. Während LIDDELL-SCOTT (neben den Son-

---

[2] [155²] LUTHERS Werke, Weim. Ausg. Deutsche Bibel 7, S. 39 (= Deutsche Bibel von
1546): „Welchen Gott hat furgestellt zu einem Gnadenstuel, durch den glauben in seinem
Blut, da mit er die Gerechtigkeit, die für ihm gilt, darbiete, in dem, das er Sünde vergibt,
welche bis an her blieben war, unter göttlicher gedult, auff das er zu diesen zeiten darböte
die Gerechtigkeit, die für ihm gilt, Auff das er allein Gerecht sey, und gerecht mache den,
der da ist des Glaubens an Jhesu". Von 1522 bis 1527 hatte LUTHER noch statt „darbiete"
und „darböte" geschrieben: „beweyse" und „beweysete", was weniger eindeutig ist.

[3] [156¹] C. A. A. SCOTT, a. Anm. 1 aO, S. 72. Vgl. ferner H. LIETZMANN, An die Römer, 1933⁴, S. 48ff; K. BARTH, Der Römerbrief, 1929⁵, S. 79ff; W. MUNDLE, Der Glaubensbegriff des Paulus, 1932, S. 86ff; H.-D. WENDLAND, Die Mitte der paulinischen Botschaft, 1935, S. 31; E. STAUFFER, Die Theologie des NT, 1948⁴, S. 125; A. NYGREN, Der
Römerbrief, 1951, S. 118ff.

[4] [156²] V. TAYLOR, a. Anm. 1 aO; J. M. CREED, *ΠΑΡΕΣΙΣ* in Dionysius of Halicarnas-
sus and in St. Paul, JThS 41, 1940, S. 28ff.

[5] [156³] Die folgende Untersuchung soll in meinem Aufsatz „Jesus und Paulus",
ThBl 19, 1940, S. 227f gegebenen Andeutungen fortführen (vgl. auch M. DIBELIUS-W. G.
KÜMMEL, Paulus, 1951, S. 105f).

[6] [156⁴] Die Vulgata übersetzt: *ad ostensionem iustitiae suae propter remissionem prae-
cedentium delictorum in sustentione Dei.* Die Übersetzung der Peschitta מטל חטהין דמן
קדים חטין באתרא דיהב לן אלהא במגרת רוחה = „wegen unserer Sünden, die wir vorher begin-

derbedeutungen „Lähmung" und „Vernachlässigung") die beiden Bedeutungen „Entlassung, Befreiung" und „Schulderlaß" anführen, nennt W. BAUER nur „das Hingehenlassen, | Ungestraftlassen" [7]. Nun kann nicht zweifelhaft sein, daß die Bedeutung „Laufenlassen, Freilassung" einmal gelegentlich begegnet (Plutarch, Comp.Dion.Brut.2 *Δίωνα δ' ἡ Διονυσίου πάρεσις ἐκ Συρακουσιῶν καὶ τὸ μὴ κατασκάψαι τοῦ προτέρου τυράννου τὸν τάφον ἐπαίτιον μάλιστα πρὸς τοὺς π ολίτας ἐποίησεν*). Aber an sämtlichen übrigen Stellen ist die Bedeutung „Erlaß" völlig sicher. Das gilt dort, wo *πάρεσις* ausdrücklich den Schulderlaß bezeichnet [8], das gilt aber auch für die seit J. J. WETTSTEIN zu Röm 3, 25 angeführte Stelle Dionysius Halic. Antiqu. Romanae VII, 37, 2 (S. 1393 ed. REISKE; vol. III, 56 ed. C. JACOBY): *παρὰ δὲ τῶν δημάρχων πολλὰ λιπαρήσαντες τὴν μὲν ὁλοσχερῆ πάρεσιν οὐχ εὕροντο τὴν δ' εἰς χρόνον ὅσον ἠξίουν ἀναβολὴν ἔλαβον* [9]. Freilich hat J. M. CREED [10] nachweisen wollen, daß *πάρεσις* hier nicht Äquivalent zu *ἄφεσις* sei, da Dionysius für die Lossprechung sonst *ἄφεσις* gebrauche (VII, 34, 2 S. 51, 2; VII, 46, 2 S. 69, 12); vielmehr bezeichne *πάρεσις* hier die Niederschlagung eines Prozesses, die zugunsten seiner Verschiebung nicht erreicht wurde. Aber so richtig es ist, daß *πάρεσις* in der zitierten Stelle nicht „Schulderlaß" bezeichnet, so eindeutig bezeichnet es doch das Fallenlassen eines geplanten Prozesses [11], und der Sinn von „passing over" ergibt sich aus dem Sprachgebrauch des Dionysius darum keineswegs. Vielmehr hat *πάρεσις* an allen genannten Stellen zweifellos den Sinn „Erlaß, Fallenlassen", den auch bereits die Vulgata in Röm 3, 25 vorausgesetzt. Und dieser Sinn von *πάρεσις* wird auch durch den Sprachgebrauch von *παριέναι* nahegelegt. Das Verbum hat einerseits die Bedeutung „übergehen, nicht beachten", aber ebenso eindeutig bezeichnet es „erlassen, aufgeben" [12]. Die lexikographi|sche Untersuchung zeigt also, daß *πάρεσις* weitaus am häufigsten im Sinne

gen in der Frist, die uns Gott gab in seiner Langmut" läßt *εἰς ἔνδειξιν τῆς δικαιοσύνης αὐτοῦ* aus und gibt *διὰ τὴν πάρεσιν* überhaupt nicht wieder oder am Ende durch „in seiner Langmut".

[7] [157¹] H. G. LIDDELL-R. SCOTT-H. S. JONES, A Greek-English Lexicon, 1940, S. 1337; W. BAUER, Griechisch-deutsches Wörterbuch zu den Schriften des NT..., 1952⁴, S. 1140.

[8] [157²] *Χρημάτων πάρεσις* Phalaris, Ep. 81, 1 (nach LIDDELL-SCOTT, s. Anm. 7) und Berl. Griech. Urk. 624, 21 (nach W. BAUER, Wörterbuch⁴, S. 1140) (beide Texte waren mir im Original nicht zugänglich).

[9] [157³] Auch in dem in der 4. Aufl. des Wörterbuchs von W. BAUER neu mitgeteilten Text Dio Chrysost. 30 (80), 19 (ed. J. DE ARNIM II, S. 299) hat *πάρεσις* zweifellos den Sinn „Erlaß, Erleichterung" *(τινὰς μέντοι καὶ λίαν ὀλίγους πάρεσίν τινα ἔχειν ἐκ τοῦ θεοῦ καὶ δεδέσθαι μέν, ἐλαφρῶς δὲ πάνυ δι' ἐπιείκειαν)*.

[10] [157⁴] A. Anm. 4 aO.

[11] [157⁵] R. BULTMANN, ThW I, S. 508 macht darauf aufmerksam, daß der gleiche Gegensatz von Erlaß und Aufschub von Philo, in Flacc. 84 durch *ἄφεσις παντελής* und *ὑπέρθεσις* wiedergegeben wird.

[12] [157⁶] Dionysius Halicarn. II, 35, 4 ed. JACOBY *παρίεμεν αὐτοῖς τὴν ἁμαρτάδα ταύτην ἀζήμιον* und nehmen ihnen nichts vom Besitz usw. weg; Lykurg, c. Leocr. 9 ed. BLASS *παρεῖσθαι δὲ τὴν ὑπὲρ τῶν τοιούτων τιμωρίαν συμβέβηκεν, ὦ ἄνδρες*; Xenophon, Hipparch 7,10 *τὰ οὖν τοιαῦτα ἁμαρτήματα οὐ χρὴ παριέναι ἀκόλαστα;* Josephus, Ant. XV, 3, 2 § 48 ed. NIESE *ὁ δὲ τὴν μὲν ... ἐπ' αὐτοφώρῳ τοῦ δρομοῦ συνέλαβεν, παρῆκεν δὲ τὴν ἁμαρτίαν;* Aristophanes, ran. 699 *(εἰκὸς ὑμᾶς ...) τὴν μίαν ταύτην παρεῖν ξυμφορὰν αἰτουμένοις;* W. DITTENBERGER, Orientis Graeci inscriptiones selectae 669, 50 *παρέντες αὐτῶν τὴν ἀπαίτησιν;* ebenda, 444, 16 *τῶν προγεγενημένων ἐτῶν παρεῖσθαι τὰς πόλεις πάσας τῶν τόκων;* 1 Makk 11, 35 hat für *πάντα ἐπαρκέσομεν αὐτοῖς* der Codices א und A (wir verzichten auf die Abgabe zu ihren Gunsten)

von „Erlaß" belegt ist und daß dieser Sinn durch den Gebrauch des Verbums *παριέναι* im Sinn von „erlassen" auch noch als üblich erwiesen wird, wenn der Gebrauch des Verbums auch die Möglichkeit nicht ausschließt, daß das Substantiv im Sinne von „Hingehenlassen" gebraucht worden sein *kann*. Nur der Kontext kann darum über die Frage entscheiden, welche dieser beiden Bedeutungen in Röm 3, 25 vorliegt.

Für das zweite in unserm Text verschieden übersetzbare Wort *ἔνδειξις* geben LIDDELL-SCOTT[13] neben den Bedeutungen „Hinweis" und „Beweis" noch die Bedeutung „Erweis des guten Willens" an und zitieren als Beleg Aeschines, Orat. c. Ctesiph. 3, 219 (S. 271 ed. BLASS): *ἀπενέχθη γὰρ ἡ κατὰ τοῦδε τοῦ ψηφίσματος γραφή, ἣν οὐχ ὑπὲρ τῆς πόλεως, ἀλλ' ὑπὲρ τῆς πρὸς Ἀλέξανδρον ἐνδείξεώς με φὴς ἀπενεγκεῖν. πῶς ἂν οὖν ἐγὼ προενδεικνύμην Ἀλεξάνδρῳ;* die bei diesem Sprachgebrauch vorausgesetzte Bedeutung „Erweis, Erweisung" fehlt in BAUERS Wörterbuch[14], ist aber zweifellos 2Kor 8, 24 die nächstliegende; denn hier wird ja nicht gefordert, daß die Korinther beweisen sollen, daß sie Liebe haben, sondern daß sie ihre Liebe wirksam werden lassen sollen[15]. Daß dieser selten bezeugte Sprachgebrauch[16] jedoch häufiger gewesen sein wird, beweist auch hier das Verbum. Denn *ἐνδεικνύναι* heißt zwar häufig „aufzeigen, beweisen", aber ebenso häufig „erweisen, antun, bezeugen". Das gilt für alle Schichten der griechischen Sprache[17], ganz besonders aber für die Septuaginta[18] und das Neue Testament, wo diese Bedeutung Eph 2, 7; 1Tim 1, 16; 2Tim 4, 14; Tit 2, 10; 3, 2; Hebr 6, 10f unzweifelhaft ist. | Es ist daher unbestreitbar, daß *ἔνδειξις* sowohl „Beweis" wie „Erweis" bezeichnen kann[19], und auch hier kann nur der Kontext zeigen, welche Bedeutung jeweils vorliegt.

Wenden wir uns nun Röm 3, 25f zu, so ist klar, daß hier Paulus zu einem relativisch angeknüpften Hauptsatz *(ὅν-αἵματι)* zwei parallel gebaute finale Bestimmungen hinzufügt, um dann mit einem konsekutiven Infinitivsatz *(εἰς τὸ...)* zu schließen. Der Hauptsatz stellt eine weitere Ausführung zu der in 3, 24 verkündeten Erlösung in Christus Jesus dar, die auf Grund von Gottes Gnade zu einer ohne Gegenleistung geschenkten Rechtfertigung des Sünders führt. Diese Erlösung kommt nach

die Rezension Lukians *ἐπαρχῶς παρίεμεν αὐτοῖς*. In diesem Zusammenhang häufig genannte Stelle Sir 23, 2 läßt sich nicht sicher erklären und bleibt darum besser außer Betracht.

[13] [158¹] A. Anm. 7 aO, S. 558.

[14] [158²] A. Anm. 7 aO, S. 4475. – Phil 1, 28 liegt zweifellos die Bedeutung „Hinweis" vor. Paulus gebraucht aber das verwandte Wort *ἀπόδειξις* 1Kor 2, 4 deutlich im Sinn von „Darbietung" (s. C. A. A. SCOTT, a. Anm. 1 aO, S. 71).

[15] [158³] S. A. SCHLATTER, Paulus, der Bote Jesu, 1934, S. 603.

[16] [158⁴] Das Wort fehlt in Septuaginta und Papyri (nach F. PREISIGKE, Wörterbuch der griechischen Papyrusurkunden, 1925/31). Philo gebraucht es nur im Sinne von „Beweis".

[17] [158⁵] Thukyd. 4, 126 *τὸ εὔψυχον* (= den Mut) *ἐν τῷ ἀσφαλεῖ ὀξεῖς ἐνδείκνυνται;* Aristoph., Plutos 785 *ἐνδεικνύμενος ἕκαστος εὔνοιάν τινα;* Demosthenes 21, 145 *τῷ σώματι τὴν εὔνοιαν, οὐ χρήμασι οὐδὲ λόγοις ἐνεδείξατο τῇ πατρίδι;* Herodianus, ab excessu divi Marci (ed. L. MENDELSSOHN) II, 10, 9 (S. 63) *πᾶσαν ἐνεδείκνυντο προθυμίαν καὶ σπουδήν;* Papyr. Oxyrh. III, 494, 9 *εὐνοούσῃ μοι καὶ πᾶσαν πίστιν μοι ἐνδεικνυμένῃ* (zitiert nach J. H. MOULTON and G. MILLIGAN, The Vocabulary of the Greek Testament, 1914/1929, S. 211).

[18] [158⁶] Gen 50, 15. 17; Dan 3, 44 *Θ οἱ ἐνδεικνύμενοι τοῖς δούλοις σου κακά;* 2Makk 13, 9; vgl. Test. Seb. 3, 8.

[19] [159¹] Es ist also falsch, wenn V. TAYLOR, a Anm. 1 aO, S. 297 für *ἔνδειξις* nur die Bedeutung „demonstration" oder „proof" zugestehen will.

3, 25 dadurch zustande, daß Gott Christus προέθετο ἱλαστήριον ἐν τῷ αὐτοῦ αἵματι. Während heute kaum noch bestritten wird, daß ἐν τῷ αὐτοῦ αἵματι entweder zu προέθετο[20] oder zu ἱλαστήριον[21] zu ziehen ist[22], bleiben προέθετο und ἱλαστήριον umstritten. προτίθεσθαι kommt im Neuen Testament sonst nur im Sinn von „sich vornehmen, vorherbestimmen zu etwas" vor (Röm 1, 13; Eph 1, 9); das Wort hat aber zweifellos auch die Bedeutungen „aufstellen, festsetzen" und „öffentlich kundtun"[23]. Und da seit Röm 3, 21 von einem eschatologischen Handeln Gottes die Rede war, das mit πεφανέρωται und δικαιούμενοι als gegenwärtiges Geschehen beschrieben wird, kann auch προέθετο hier nicht einen Plan Gottes, sondern nur eben dieses eschatologische Handeln Gottes in der Gegenwart beschreiben, muß also durch „hat öffentlich hingestellt" wiedergegeben werden[24]. Paulus redet also davon, daß Gott Jesus dadurch, daß er am Kreuze starb, öffentlich als ἱλαστήριον hingestellt hat für den Glaubenden. ἱλαστήριον kann an sich sowohl das Versöhnungsmittel wie das Sühnemittel bezeichnen[25]; aber da die Sep|tuaginta mit diesem Wort niemals ein Einwirken des Menschen auf Gott, sondern immer das sühnende Handeln Gottes beschreibt[26], ist es äußerst wahrscheinlich, daß Paulus dem Wort den Sinn „Sühnemittel" oder auch „Mittel des versöhnenden Handelns Gottes" geben wollte. Wenn man immer wieder dafür eingetreten ist, daß ἱλαστήριον entsprechend dem technischen Sprachgebrauch der Septuaginta auch in Röm 3, 25 den Deckel der Bundeslade bezeichnen müsse (LUTHER: Gnadenstuhl)[27], so ist dagegen einzuwenden, daß

[20] [159²] TH. ZAHN, a. Anm. 1 aO, S. 188.
[21] [159³] H. LIETZMANN, a. Anm. 3 aO, S. 50.
[22] [159⁴] E. STAUFFER, a. Anm. 3 aO, S. 125 übersetzt wieder „durch den Glauben an sein Blut", gibt aber keine Begründung dafür. Dagegen schon Th. ZAHN, aaO.
[23] [159⁵] S. Belege bei LIDDELL-SCOTT, a. Anm. 7 aO, S. 1536 u. Nr. I, 3–5 und II, 3.
[24] [159⁶] Schon J. J. WETTSTEIN, Novum Testamentum Graecum, 1751/52, z. St. zitierte mit Recht als Parallele für den Sprachgebrauch Thukydides II, 34 τὰ μὲν ὀστᾶ προτίθενται τῶν ἀπογ'ενομένων = „die Leichen der Verstorbenen wurden öffentlich ausgestellt"; so wohl auch die Vulgata (*proposuit*). Die Übersetzung „vorherbestimmen" (so die Peschitta קרם שמה) wird von H. J. SCHOEPS, Aus frühchristlicher Zeit, 1950, S. 235 f in dem Sinne verteidigt, daß Paulus hier der Aussage „Gott wird sich das Lamm ersehen" von Gen 22, 8 entgegenstellt: „ihn *hat* Gott zum Sühnopfer ersehen"; der doppelte Akkusativ sei nach der Analogie von προορίζειν möglich, und die Kirchenväter stützten diese Auslegung. Aber diese Übersetzung ist darum höchst unwahrscheinlich, weil die Erfüllung dieser πρόθεσις Gottes ja gar nicht berichtet wäre und weil der Leser *im Zusammenhang* schwerlich an einen *vorläufigen* Akt Gottes denkt.
[25] [159⁷] A. DEISSMANN, *ΙΛΑΣΤΗΡΙΟΣ* und *ΙΛΑΣΤΗΡΙΟΝ*, ZNW 4, 1903, S. 193ff.
[26] [160¹] Der Nachweis von C. H. DODD, The Bible and the Greeks, 1935, S. 82ff ist überzeugend, daß ἱλαστήριον und Verwandte in der griechischen Bibel mit ganz geringen Ausnahmen nicht eine Einwirkung des Menschen auf Gott, sondern die Befreiung des Menschen von der Schuld oder Befleckung ausdrücken, so daß die Übersetzung „propitiation" in Röm 3, 25 aufgegeben werden muß zugunsten von „expiation". Und L. MORRIS, The Use of ἱλάσκεσθαι etc. in Biblical Greek, Expository Times 62, 1950/51, S. 227 ff kann demgegenüber auch nur nachweisen, daß die Wortgruppe ἱλάσκεσθαι immer die Beseitigung des göttlichen Zorns im Auge hat, jedoch so, daß Gott dabei die Initiative in Händen behält.
[27] [160²] Diese Übersetzung vertreten noch A. SCHLATTER, Gottes Gerechtigkeit, 1935, S. 146; E. BRUNNER, a. Anm. 1 aO, S. 24; E. GAUGLER, a. Anm. 1 aO, S. 82, 89; K. BARTH, a. Anm. 3 aO, S. 79 („Versöhnungsdecke"); F. BÜCHSEL, ThW III, S. 322; A. NYGREN, a. Anm. 3 aO, S. 118f. – A. NYGREN, Christus der Gnadenstuhl, In memoriam E. Loh-

der Parallelismus zwischen dem Geschehen an der כַּפֹּרֶת und dem Geschehen beim Tode Christi nur sehr gewaltsam hergestellt werden kann (etwa NYGREN: Gott offenbarte früher seine Gnadengegenwart am Gnadenstuhl, er hat sie jetzt in Jesus Christus geoffenbart) und daß die heidenchristlichen Leser des Briefes auch bei guter Kenntnis des Alten Testaments schwerlich bemerken konnten, daß sie dem ihnen aus der Kultsprache geläufigen Wort *ἱλαστήριον* einen technischen Sprachgebrauch der Septuaginta beilegen sollten. Gott hat demnach nach der Aussage von Röm 3, 25 im Tode Jesu als die Sünden Sühnender gehandelt, und dieses Handeln Gottes ergreift der Glaube[28]. Sachlich muß also 3, 25a eine genauere Ausführung des 3, 21f ausgesprochenen Gedankens *δικαιοσύνη θεοῦ πεφανέρωται . . . διὰ πίστεως εἰς πάντας τοὺς πιστεύοντας* und ebenso von|3, 24 *δικαιούμενοι δωρεὰν τῇ αὐτοῦ χάριτι διὰ τῆς ἀπολυτρώσεως ἐν Χριστῷ Ἰησοῦ* sein: Gott hat seine Gerechtigkeit kundgetan, indem er durch die Erlösung in Christus die Rechtfertigung des Sünders wirksam werden ließ, d. h. indem er Christus durch seinen Tod die Sünden sühnen ließ und dadurch den Glaubenden von der Schuld befreite. Bis hierher zeigt 3, 21ff also einen einheitlichen Gedankengang, der noch dazu in Röm 5, 8–10 seine Parallele hat. Denn auch da ist das Sterben Christi, das dem Zorn Gottes von Gott her ein Ende setzt, als sühnend verstanden, und der sündige Mensch wird durch Christi stellvertretenden Tod von der Notwendigkeit des eigenen Sterbens befreit. Warum Gott so gehandelt hat, wird dabei zunächst nicht gesagt, deutlich ist nur, daß die Wirksamkeit dieses göttlichen Handelns „für uns" an den Glauben gebunden ist, der im Tode Jesu Gott sühnend wirksam sieht.

Aber nun folgen ja zwei parallel gebaute Finalbestimmungen, die das Motiv dieses göttlichen Handelns anzeigen. Da die Übersetzung und Deutung des ersten dieser Finalsätze umstritten ist, wird man sich zweckmäßig zuerst dem zweiten zuwenden: Gott wollte durch den Sühnetod Christi seine Gerechtigkeit in der Gegenwart aufzeigen, und die Folge dieses Aufzeigens war, daß sich Gott als gerecht Handelnder zeigte und zugleich den Glaubenden gerecht sprach. *δικαιοσύνη θεοῦ* hatte bisher im Römerbrief Gottes rechtfertigendes, Gerechtigkeit schaffendes, den Menschen gerecht sprechendes Handeln beschrieben (1, 17; 3, 21f), hatte also Gottes Gerechtigkeit im Sinne der Gerechtigkeit, die Gott hat und gibt, bezeichnet[29]. Deutet man nun *ἔνδειξις* im Sinne von „Beweis", so muß hier gesagt sein, daß Gott seine Ge-

meyer, 1951, S. 89ff hat diese Übersetzung damit gerechtfertigt, daß dieser technische Sprachgebrauch sich an der zweiten Stelle findet, wo das Wort im Neuen Testament vorkommt, Hebr 9, 5, und daß im Gegensatz zum verborgenen „Gnadenstuhl" des alttestamentlichen Kultus hier davon die Rede ist, daß der Gnadenstuhl „offen hingestellt" worden ist. – T. W. MANSON, *ΙΛΑΣΤΗΡΙΟΝ*, JThS 46, 1945, S. 1ff möchte die Bedeutung „Sühneplatz" annehmen und dann auch eine Beziehung auf das Besprengen der Bundeslade durch den Hohepriester am Versöhnungstag heraushören. Aber *ἱλαστήριον* heißt nicht „Sühneplatz", und die Beziehung des Ausdrucks auf das hohepriesterliche Handeln am Versöhnungstag konnten die Leser unmöglich heraushören (W. D. DAVIES, Paul and Rabbinic Judaism, 1948, S. 239ff will im Gegensatz zu MANSON nur an einer allgemeinen Beziehung auf den Versöhnungstag festhalten). – Die Übersetzung „Sühnealtar" (so E. STAUFFER, a. Anm. 3 aO) ist ohne Parallele.

[28] [160³] Zu diesem Gebrauch von *διὰ πίστεως* vgl. Röm 3, 22. 28.
[29] [161¹] S. G. SCHRENK, ThW II, S. 205f.

rechtigkeit beweisen wollte, und διϰαιοσύνη ϑεοῦ muß dann im Gegensatz zum Bisherigen Gottes Eigenschaft des Gerechtseins ausdrücken. Schon dieser Wechsel in der Bedeutung von διϰαιοσύνη ϑεοῦ im Verlaufe weniger Verse wäre auffällig. Dazu kommt, daß im Zusammenhang, der von einer Gnadentat Gottes und von Gottes rechtfertigendem Handeln sprach, der Gedanke einer Beweisführung durch Gott höchst auffällig wäre, zumal ja keineswegs deutlich gesagt wäre, wem gegenüber Gott diesen Beweis führen wollte. Und schließlich wäre ἐν τῷ νῦν ϰαιρῷ bei dieser Übersetzung schwer verständlich. Denn wenn auch ὁ νῦν ϰαιρός nichtWechselausdruck für „dieser Aeon" sein kann [30], weil ja Paulus mit νυνί 3, 21, das durch ἐν τῷ νῦν ϰαιρῷ aufgenommen wird, nicht den gesamten vergehenden gegenwärtigen Äon, sondern gerade den eschatologischen ϰαιρός der Gegenwart bezeichnet (Gal 4, 4), so ist gerade dann unverständlich, | warum Gott in der Gegenwart seine Gerechtigkeit *beweisen* wollte, man schöbe denn den Gedanken ein, daß diese Gerechtigkeit gerade jetzt besonders angezweifelt worden sei, wovon der Text aber nichts sagt. Ist die Übersetzung von ἔνδειξις mit „Beweis" hier darum unwahrscheinlich, so ergibt andererseits die Deutung „Erweis, Erzeigung" hier einen guten Sinn: Gott hat durch Jesu Tod für die Glaubenden die Sünden gesühnt, weil er in der Gegenwart, in der er aus freien Stükken (εὐδόϰησεν 1Kor 1, 21) seine Gnade erzeigen wollte, seine Gerechtigkeit sich auswirken lassen wollte, und die Folge dieses rechtfertigenden Handelns Gottes in der Gegenwart ist nun, daß Gott gerecht ist als die Sünden Sühnender und darin seine Gnade Erweisender und daß er Gerechtigkeit spendet als der, der den Glaubenden δωρεάν rechtfertigt. Voraussetzung dieses Verständnisses ist freilich, daß Paulus mit διϰαιοσύνη ϑεοῦ das den Sünder rettende Handeln des gerechten Gottes bezeichnet, doch trifft diese Voraussetzung zweifellos zu [31]. Der zweite Finalsatz gibt also als Ziel des sühnenden Erlösungshandelns Gottes in Christus Gottes Willen an, seine Gerechtigkeit zur Tat werden zu lassen und so den Glaubenden in diese Gerechtigkeit hineinzuziehen.

Mußte diese Auslegung noch unsicher bleiben, weil der Sinn von ἔνδειξις nur als wahrscheinlich erschlossen werden konnte, so muß sich angesichts des ersten Finalsatzes endgültig erweisen, ob dieses vorläufige Verständnis richtig oder falsch ist. Denn auch in diesem ersten Satz *(εἰς ἔνδειξιν ...)* kann je nach der Übersetzung von ἔνδειξις entweder davon die Rede sein, daß Gott seine Gerechtigkeit nachweisen oder daß er sie erzeigen wollte. Doch läßt sich diese Frage beantworten, sobald das richtige Verständnis von διὰ τὴν πάρεσιν festgestellt worden ist. Deutet man πάρεσις mit der Mehrzahl der Forscher als „Hingehenlassen", so muß der Satz besagen: Gott wollte seine Gerechtigkeit beweisen wegen des Hingehenlassens der früher zur Zeit der ἀνοχή Gottes begangenen Sünden. Diese Deutung hat zwei Konse-

[30] [161²] Gegen H.Sasse, ThW I, S. 206; richtig W. Bauer,Wörterbuch⁴ (s. Anm. 7), S. 715.
[31] [162¹] Röm 1, 16. 17 εὐαγγέλιον δύναμις εἰς σωτηρίαν, διϰαιοσύνη γὰρ ϑεοῦ ἐν αὐτῷ ἀποϰαλύπτεται; Röm 3, 24 διϰαιούμενοι δωρεάν τῇ αὐτοῦ χάριτι; Röm 5, 9 διϰαιωϑέντες νῦν (!) ἐν τῷ αὐτοῦ αἵματι σωϑησόμεϑα; ganz besonders Röm 5, 8 συνίστησιν τὴν ἑαυτοῦ ἀγάπην εἰς ἡμᾶς ὁ ϑεὸς ὅτι Χριστὸς ὑπὲρ ἡμῶν ἀπέϑανεν vgl. mit 3, 24. 25! Vgl. dazu R. Bultmann, Theologie des NT, 1. Lieferung 1948, S. 277ff.

quenzen: 1. Gott hat als Sühnender gehandelt, weil seine Gerechtigkeit angezweifelt war, so daß er sie beweisen wollte oder mußte; 2. Gott mußte auf diese Anzweiflung eingehen, weil er bisher die Sünden hatte hingehen lassen. Beide Konsequenzen sind aber im Rahmen der paulinischen Theologie äußerst problematisch. Denn 1. befremdet angesichts von Röm 9, 19f der Gedanke sehr, daß irgendein Mensch Gottes Handeln in Zweifel ziehen dürfe und | daß Gott sich durch solche Zweifel veranlaßt sehen könnte, die Unbegründetheit solchen Zweifels zu „beweisen". Dazu kommt, daß dann auch hier wie in V. 26 δικαιοσύνη ϑεοῦ die göttliche Eigenschaft des Gerechtseins bezeichnen müßte, was dem Kontext widerspräche. 2. Es ist nicht die Anschauung des Paulus, daß Gott bisher die Sünde hat hingehen lassen. Welche ἁμαρτήματα Paulus meint, ergibt sich aus der Zufügung ἐν τῇ ἀνοχῇ τοῦ ϑεοῦ. ἀνοχή begegnet bei Paulus (und im ganzen Neuen Testament) nur noch Röm 2, 4, wo es eindeutig „Geduld" bezeichnet. Von dieser Bedeutung aus kann man versuchen, die „früher begangenen Sünden" auf die Sünden des einzelnen Menschen vor der Taufe zu beziehen[32]; aber dagegen spricht einerseits, daß Paulus im ganzen Zusammenhang 3, 19ff von der Wirklichkeit vor und nach Christus und nicht von der Wende im einzelnen Christenleben redet, und andererseits ganz besonders, daß ἐν τῇ ἀνοχῇ τοῦ ϑεοῦ durch den Parallelismus mit ἐν τῷ νῦν καιρῷ V. 26 zur Periodenbezeichnung wird, also die *Zeit* der ἀνοχή Gottes bezeichnen muß[33]. Die gleiche Periodisierung der Menschheitsgeschichte findet sich 1 Kor 1, 21 *(ἐν τῇ σοφίᾳ τοῦ ϑεοῦ ... εὐδόκησεν ὁ ϑεὸς διὰ τῆς μωρίας σῶσαι)* und Gal 4, 3f *(ὑπὸ τὰ στοιχεῖα τοῦ κόσμου ἦμεϑα δεδουλωμένοι ... ὅτε ἦλϑεν τὸ πλήρωμα τοῦ χρόνου ἐξαπέστειλεν ὁ ϑεὸς τὸν υἱὸν αὐτοῦ)*. Es ist nun aber keineswegs die Meinung des Paulus, daß Gott zur Zeit der ἀνοχή die Sünden habe hingehen lassen; denn er betont Röm 1, 24ff deutlich, daß Gott die Menschen immer tiefer in die Folgen ihres Ungehorsams versinken ließ[34], und weist ebenso deutlich darauf hin, daß die Väter, an denen Gott kein Wohlgefallen hatte, „hingestreckt" wurden (1 Kor 10, 5. 8. 10), setzt schließlich auch voraus, daß alle Menschen sterben mußten infolge ihrer Sünden (Röm 5, 12–14) und daß alle Menschen unter dem Gesetz durch die Sünde dem Tod als dem Sold der Sünde ausgeliefert wurden (Röm 7, 13; 6, 23). Die ἀνοχή Gottes in der Zeit vor der Sendung Christi besteht so nicht in einem Übersehen der Sünden, sondern in einer Strafe, die nicht vernichtet, sondern zur Umkehr leiten will (Röm 2, 4), in einem geduldigen Tragen, das die Möglichkeit zur Annahme des Rufes Gottes in sich schließt (Röm 9, 22ff). So sehr Paulus mit der Vergeltung Gottes in der vorchristlichen Zeit rechnet, so sehr läßt er das endgültige Schicksal dieser Menschen noch offen[35]. Pau|lus kann darum πάρεσις in Röm 3, 25 nicht im Sinne von „Hingehenlassen" gebraucht haben, sondern muß die geläufigste Wortbedeutung anwenden, nämlich „Erlaß". Man

---

[32] [163[1]] A. SCHWEITZER, Die Mystik des Apostels Paulus, 1930, S. 215; W. MUNDLE, a. Anm. 3 aO, S. 88; C. A. A. SCOTT, a. Anm. 1 aO, S. 67. Vgl. auch schon die Übersetzung der Peschitta (s. Anm. 6).

[33] [163[2]] So auch W. BAUER, Wörterbuch[4] (s. Anm. 7), S. 132.

[34] [163[3]] Vgl. dazu E. KLOSTERMANN, Die adäquate Vergeltung in Röm 1, 22–31, ZNW 32, 1933, S. 1ff.

[35] [163[4]] S. F. V. FILSON, St. Paul's Conception of Recompense, 1931, S. 19ff.

kann für oder gegen diese Übersetzung nicht argumentieren mit dem Hinweis auf den sonstigen Sprachgebrauch des Paulus; denn Paulus redet von Gottes Vergebung sonst nur zweimal, und wenn er an diesen beiden Stellen _ἄφεσις_ bzw. _ἀφιέναι_ gebraucht (Kol 1, 14; Röm 4, 4 = Ps 32, 1!), so ergibt sich daraus kein fester Sprachgebrauch. Zudem ist wahrscheinlich, daß hier Paulus überhaupt eine überlieferte Formel verwendet[36], die er freilich in seinem Sinn interpretiert haben muß. Hat aber _πάρεσις_ hier die Bedeutung „Erlaß", so ergibt sich nur ein Sinn, wenn man _διὰ τὴν πάρεσιν_ mit „durch den Erlaß" wiedergibt. Es steht ja außer Zweifel, daß _διά_ c. acc. im Hellenismus vielfach diesen instrumentalen Sinn erhalten hat[37], und auch das Neue Testament kennt eindeutig diesen Sprachgebrauch (Joh 6, 57; Apk 12, 11; 13, 14). So gebraucht auch Paulus _διά_ in diesem Sinne Röm 8, 20 _τῇ ματαιότητι ἡ κτίσις ὑπετάγη ... διὰ τὸν ὑποτάξαντα_[38] und wohl auch Röm 8, 10 _τὸ σῶμα νεκρὸν διὰ ἁμαρτίαν, τὸ δὲ πνεῦμα ζωὴ διὰ δικαιοσύνην_[39]. Es besteht daher kein Bedenken, in Röm 3, 25 zu übersetzen: „durch den Erlaß der zur Zeit der Geduld Gottes früher begangenen Sünden". Von hier aus entscheidet sich aber nun auch endgültig, daß _εἰς ἔνδειξιν_ heißen muß „zum Erweis". Denn der Gedanke wäre unsinnig, daß Gott durch Schulderlaß seine Gerechtigkeit bewiesen | habe; wohl aber ergibt es einen guten Sinn, daß Gott seine den Sünder rettende Gerechtigkeit sich auswirken lassen wollte dadurch, daß er die nicht endgültig bestraften Sünden der Zeit vor der Sendung Christi vergab. Es wäre also zu übersetzen: „Ihn (Christus) hat Gott als Sühnemittel durch sein Blut öffentlich hingestellt für den Glauben, und dadurch wollte er seine Gerechtigkeit erzeigen, indem er die zur Zeit der Geduld Gottes begangenen Sünden erließ, und er wollte dadurch seine Gerechtigkeit in der Gegenwart erzeigen, um selber gerecht zu sein und den an Jesus Glaubenden gerecht zu sprechen."

---

[36] [164¹] Vgl. R. BULTMANN, a. Anm. 31 aO, S. 47, 290f; E. KÄSEMANN, ThLZ 75, 1950, S. 226; G. BORNKAMM, Das Ende des Gesetzes, 1952, S. 12 Anm. 10; J. JEREMIAS, ThW V, S. 704, Anm. 399.

[37] [164²] S. die Belege bei W. BAUER, Wörterbuch⁴ (s. Anm. 7), S. 328 unter 4a und b; H. LIETZMANN, a. Anm. 3 aO, S. 51; F. BLASS und A. DEBRUNNER, Grammatik des neutestamentlichen Griechisch, 1943⁷, § 222; MOULTON and MILLIGAN, a. Anm. 17 aO, S. 146. Vgl. z. B. Dionysius Halicarn. VIII, 33, 3 S. 1579 _ὥσπερ ἐκ ταπεινοῦ μέγας διὰ τοὺς θεοὺς ἐγενόμην;_ Aelius Aristides 24, 1 ed. KEIL _ὑπὲρ τῶν κατ᾽ ἐμαυτὸν τοῖς θεοῖς ἐπιτρέπω δι᾽ οὓς καὶ τοῦτον ἐσώθην τὸν χρόνον;_ Sir 15, 11 _Μὴ εἴπῃς ὅτι Διὰ κύριον ἀπέστην_ (= מאז פשׁע) usw. – Schon CALVIN merkt im Commentarius in Epistolam ad Romanos (Corp. Ref. 77, Op. Calv. 49, Sp. 62 Anm. 2) zu unserer Stelle an: „_Istud διά, si liceat, malim resolvere in per: frigidum enim sensum habebis si causaliter accipias_".

[38] [164³] Mit dem _ὑποτάξας_ kann nur Gott gemeint sein, da dieser Ausdruck für Adam unmöglich wäre, und dann kann Gott nur als Urheber der Unterwerfung unter die Vergänglichkeit gemeint sein (s. etwa H. LIETZMANN, a. Anm. 3 aO, z. St.).

[39] [164⁴] Wenn _σῶμα_ und _πνεῦμα_ hier nach dem Zusammenhang den irdischen Menschenleib und die durch Gottes Geist geschaffene pneumatische Wesenheit des Christen bezeichnen, so muß _διὰ ἁμαρτίαν_ wiedergegeben werden mit „durch die Sünde", während _διὰ δικαιοσύνην_ entweder das Gerechtfertigtsein des Christen als Ursache des ihm geschenkten Lebens bezeichnet = „durch" (s. R. BULTMANN, a. Anm. 31 aO, S. 271) oder, weniger wahrscheinlich, die gerechte Tat des Christen als Zeichen des durch den Geist geschenkten Lebens = „im Hinblick auf die Gerechtigkeit" (so M. DIBELIUS, Vier Worte des Römerbriefs, Symbolae Bibl. Upsal. 3, 1944, S. 8 ff).

Diese Auslegung wird nun von zwei Seiten her bestätigt. Einmal entspricht dieses
Verständnis von ἔνδειξις dem Offenbarungsbegriff des Paulus. Wo Paulus von
Offenbarung redet, redet er nicht von einer Mitteilung von Tatsachen oder von einer
Aufklärung, sondern immer von einem Geschehen[40]. Das zeigt sich schon an dem
Röm 3, 21 begegnenden Begriff πεφανέρωται; denn da ist nicht von einer Mitteilung
über die Gerechtigkeit Gottes die Rede, sondern von dem In-Erscheinung-Treten
dieser Gottesgerechtigkeit, das sich eben in der ἀπολύτρωσις und dem Herausstellen
des Sühnemittels (3, 24f) vollzog. Und dazu paßt auch der sonstige Gebrauch dieses
Verbums bei Paulus (2Kor 2, 14 neben 2, 15f; 2Kor 4, 10f ἵνα ἡ ζωὴ ... φανερωθῇ;
Kol 3, 4). Nicht anders verhält es sich mit ἀποκαλύπτεσθαι, das Röm 1, 17 ebenso das
Wirksamwerden der Gottesgerechtigkeit beschreibt wie 1, 18ff die Auswirkung des
Zornes Gottes über die Ungerechten und das im übrigen ebenso für die eschatolo-
gische Vollendung gebraucht wird (Röm 8, 18; 1Kor 3, 13; 2Thess 2, 3. 6. 8), wie für
die Verwirklichung der Glaubensrettung durch die Erscheinung Christi (Gal 3, 23).
Dementsprechend bezeichnet ἀποκάλυψις eschatologische Ereignisse (Röm 2, 5;
8, 19; 1Kor 1, 7; 2Thess 1, 7). Daß die genannten Offenbarungsbegriffe daneben
auch die Mitteilung des Offenbarungsgeschehens bezeichnen können (2Kor 2, 14;
Kol 1, 26; 4, 4; 1Kor 2, 10; Gal 1, 16; Phil 3, 15; 1Kor 14, 6. 26), widerspricht dieser
Tatsache nicht, da auch diese Mitteilung nicht eine Übermittlung von Wissen, sondern Teil des Vollzugs des Offenbarungs*geschehens* ist (vgl. 2Kor 2, 14 neben 2, 16;
Kol 1, 26 neben 1, 28b; Gal 4, 4f neben 1, 16a). Wenn Paulus darum Röm 3, 25f
von Gottes Erlösungstat redet, so würde diese Aussage aus dem Rahmen des pauli-
nischen Offenbarungsbegriffs herausfallen, wenn εἰς ἔνδειξιν bzw. πρὸς τὴν ἔν-
δειξιν von einer göttlichen Beweisführung und rationalen Demonstration redeten.
Völlig dagegen fügt sich dieser Text in das paulinische Denken ein, wenn hier von
dem Offenbarungs*geschehen* als dem Sinn des göttlichen Handelns | in Christus die
Rede ist, so daß sich von hier aus ebenfalls die Deutung von ἔνδειξις im Sinne von
„Erweisung" aufdrängt.

Eine letzte Bestätigung des hier vertretenen Verständnisses von Röm 3, 25f bietet
der Vergleich mit Röm 5, 8ff und Kol 1, 19ff. Es sind die einzigen Stellen, an denen
Paulus αἷμα im Sinne des Opfertodes für den Tod Christi sonst noch gebraucht
(sonst begegnet αἷμα als Bezeichnung des Todes Christi nur noch 1Kor 10, 16; 11, 27
im Zusammenhang mit dem Abendmahl), und an den beiden Stellen Röm 5, 8ff
und Kol 1, 19ff ist ebenfalls von Gottes Handeln in diesem Opfertod die Rede[41].
Nun besagt Röm 5, 8ff, daß Gott in dem Tod Christi seine Liebe erweist, daß durch
diesen Tod unsere Rechtfertigung sich vollzieht und Gottes Feindschaft zu uns Sündern aufgehoben wird. Und Kol 1, 19ff wird betont, daß Christus durch seinen Tod
Frieden geschaffen und die Feindschaft der Menschen gegen Gott aufgehoben hat,
so daß der Tod Christi die Versöhnung der Glaubenden bewirkte. An beiden Stellen
ist also auch davon die Rede, daß Gott die Initiative ergriff, um die Feindschaft zu

---

[40] [165¹] Vgl. R. BULTMANN, Der Begriff der Offenbarung im NT, 1929, S. 22 und a.
Anm. 31 aO, S. 271.
[41] [166¹] S. G. WIENCKE, Paulus über Jesu Tod, 1939, S. 57ff.

beseitigen, und daß er es tat, indem Christus für uns Sünder starb; in diesem die Feindschaft Gottes aufhebenden Tod erwies Gott seine Liebe, die dem freien Entschluß Gottes (εὐδόκησεν Kol 1, 19) entsprang, doch kann nur der Glaube dieses rettende Handeln Gottes ergreifen (Kol 1, 23!). Während der *Begriff* der Sühne an den beiden andern Stellen fehlt, setzen sie diesen Tatbestand aber deutlich voraus und beschreiben das erlösende Handeln Gottes als Sühnehandeln, das der Liebe Gottes und seinem freien Rettungswillen Ausdruck gibt. Darin aber treffen beide Texte mit Röm 3, 24–26 völlig zusammen. Es darf darum als erwiesen gelten, daß Paulus in Röm 3, 25f sehr wohl den Tod Jesu als Sühneopfer betrachtet und gerade darin Gottes rettende Gerechtigkeit sich auswirken sieht. Aber es ist ein freies, ,,törichtes'' Handeln Gottes (1Kor 1, 21), und Paulus liegt es völlig fern, dieses Handeln Gottes in irgendeiner Weise als ein notwendiges Handeln zu beschreiben, dessen Notwendigkeit erklärbar wäre und dem Gott sich unterziehen *müßte*[42]. Die ANSELMsche Satisfaktionstheorie hat darum bei Paulus nicht einmal einen Ansatzpunkt[43], und Röm 3, 25f fügt sich in jeder Hinsicht in die paulinische Verkündigung ein. Paulus will auch in die|sem Text Gottes Handeln nicht erklären oder seines törichten Charakters durch Sinngebung entkleiden, Paulus will vielmehr auch hier nur verkündigen und bezeugen, was Gott getan *hat*, was Gott zu dieser Tat trieb. In den überlieferten Begriffen der Rechtfertigung und Sühne bezeugt Paulus das *eine* Evangelium: der gerechte Gott *hat* die Schuld der sündigen Menschheit gesühnt und *schenkt* darum den Glaubenden seine Gerechtigkeit. ,,Denn das Wort vom Kreuz ist uns, die gerettet werden, Kraft Gottes'' (1Kor 1, 18).

[42] [166²] Gegen eine Auslegung, die Gott ,,in eine Zwangslage geraten'' läßt, ,,in der er sich selbst behaupten mußte'', wenden sich A. SCHLATTER, a. Anm. 27 aO, S. 149, G. WIENCKE, s. vor. Anm., S. 82ff; vgl, aber auch schon W. WREDE, Paulus, 1907², S. 77.
[43] [166³] Gegen H. LIETZMANN, a. Anm. 3 aO, S. 50. Auch E. BRUNNER, Die christliche Lehre von der Schöpfung und Erlösung (Dogmatik II), 1950 bekämpft das ,,muß'' ANSELMS, behauptet dann aber doch ein aposteriorisches ,,muß'', das aber auch mehr sagt, als der Text des Paulus erlaubt (S. 342ff).

DER BEGRIFF DES EIGENTUMS IM NEUEN TESTAMENT

1. Die Antwort des Christen auf die Frage nach der gottgewollten Stellung zum Besitz muß weitgehend bestimmt sein durch eine Besinnung auf die Botschaft des Neuen Testaments zu dieser Frage, ganz besonders auf die Weisungen Jesu und die erkennbare Wirklichkeit urkirchlichen Lebens. Wenden wir uns aber dem Neuen Testament mit der Frage zu, was es über das Eigentum, d. h. das Privateigentum, sagt, so begegnen wir der unbestreitbaren Tatsache, daß das Neue Testament weder über das Wesen noch über das Recht des Privateigentums irgendwelche grundsätzlichen Aussagen macht. Schon das ist bezeichnend genug: Die Frage nach dem Eigentum ist weder ein zentrales noch ein sehr brennendes Problem, und was über das Eigentum gesagt wird, geschieht im Zusammenhang anderer Ausführungen. Selbstverständlich kennt aber das Neue Testament den Begriff des Eigentums, setzt das Bestehen von Privateigentum überall voraus und benutzt dafür eine Reihe der verschiedensten Begriffe. Doch begegnet die Mehrzahl dieser Begriffe nur unbetont im Zusammenhang der Erzählung. Am häufigsten begegnet τὰ ὑπάρχοντα (Mt 19, 21; Mt 24, 17 par; Lk 12, 44; Mt 25, 14; Lk 8, 3; 11, 21; 12, 15. 33; 14, 33; 16, 1; 19, 8; Act 4, 32; 1Kor 13, 3; Hebr 10, 34), einige Male ὁ βίος = das zum Lebensunterhalt notwendige Besitztum (Mk 12, 44 par Lk 21, 4; Lk 8, 43; 15, 12. 30; 1Joh 2, 16; 3, 17); vereinzelt begegnen κτήματα (Mt 19, 22 par Mk 10, 22; Act 2, 45; 5, 1), χρήματα (Mk 10, 23 par Lk 18, 24; Act 4, 37; 8, 18. 20; 24, 26), οὐσία (Lk 15, 12f); sehr oft wird das Eigentumsverhältnis umschrieben: ὅσα ἔχεις (Mk 10, 21 par Lk 18, 22; Mk 12, 44; Mt 13, 44. 46; 18, 25), τὰ ἴδια (Lk 18, 28), ἴδιον εἶναι (Act 4, 32), τὸ ἐμόν, τὸ σόν, τὸ ἡμέτερον, τὰ παρ᾽ αὐτῆς (Mt 25, 27; Lk 15, 31; Mt 20, 14; 25, 25; Lk 6, 30; 16, 12; Mk 5, 26), τὸ ἔχειν (2Kor 8, 11), ἔχειν πολλά, ἀγαθὰ κείμενα (Lk 12, 19), ὁ μὴ ἔχων (1Kor 11, 22). Die Fülle der verwerteten Begriffe zeigt deutlicher als irgend etwas anderes, daß Besitz als vorhanden überall vorausgesetzt wird, und daß man eine ungleichmäßige Verteilung dieses Besitzes überall kennt, zeigen die genannten Stellen ebenfalls.

Daraus ergibt sich aber nun die Fragestellung, die sich für die neutestamentlichen Schriftsteller dem Tatbestand des Eigentums gegenüber ergibt: Problematisch ist nicht das Vorhandensein des Privateigentums (auch nicht in der Urgemeinde!); durchaus problematisch ist aber von Anfang an die rechte Stellung des Jüngers Jesu bzw. des Christen zum Privateigentum und besonders zur ungenügenden Versorgung mancher Menschen mit Privateigentum. Diese Problematik kommt aber (außer bei Jesus selber) nur vereinzelt in ausdrücklichen Diskussionen über

Recht und Unrecht des Privateigentums zum Vorschein, sondern meistens in Zusammenhang der Besinnung über die Stellung des Christen in der Welt überhaupt. Wir können also zweifellos die Stellung des Neuen Testaments zum Eigentum nur auf dem Hintergrund der Botschaft von der Stellung des Christen in der Heilsgeschichte erkennen. Und außerdem geht es auch bei dieser Frage nicht an, das Neue Testament von vornherein als Einheit zu sehen; wir müssen uns vielmehr darüber klar sein, daß sich die Gedanken des Neuen Testaments entwickelt haben, so daß wir ein Gesamtbild nur dann geben können, wenn wir zunächst die einzelnen Hauptstufen der neutestamentlichen Gedankenentwicklung verfolgt haben (Jesus, Urgemeinde, Paulus, Juden-Christentum, hellenistisches Christentum).

Dieses Vorgehen ist um so notwendiger, als die vorhandene Literatur nicht befriedigen kann. Die beiden letzten umfassenderen Darstellungen sind theologisch ungenügend:

F. Hauck, Die Stellung des Urchristentums zu Arbeit und Geld[1], beurteilt nicht nur die Stellung des Urchristentums zum Besitz als mehr oder weniger positiv, weil das letzte Ziel der Arbeit die Bekämpfung der These Kautskys von der proletarischen Art des Urchristentums ist, sondern arbeitet auch mit dem völlig ungeklärten Begriff „religiös"; und H. Greeven, Das Hauptproblem der Sozialethik in der neueren Stoa und im Urchristentum[2], kennt zwar die Bedeutung der Eschatologie, läßt aber eine Besinnung auf die umfassende Geschichtsanschauung des Urchristentums vermissen.

Theologisch förderlicher sind nur eine Reihe von kürzeren Darstellungen: M. Dibelius, Das soziale Motiv im Neuen Testament[3], und Urchristentum und Kultur[4], besonders aber H. Preisker, Das Ethos des Urchristentums[5], und H. von Campenhausen, Die Askese im Urchristentum[6]. Das Quellenmaterial bietet auch M. Goguel, L'Eglise primitive[7].

2. Wenden wir uns der *Predigt Jesu* zu, so kommt es darauf an, daß wir die Forderung Jesu auch an diesem Punkte in ihren theologischen Zusammenhang hineinstellen. Jesus ist aufgetreten als der Verkünder und Bringer der kommenden Gottesherrschaft. Wenn er Gottes Willen verkündet, so weder, um durch Gesetzeserklärung dem Menschen den richtigen Weg zur Selbstrechtfertigung zu zeigen, noch darum, weil der Mensch wissen muß, wie er sich in der Welt am richtigsten und Gott gemäßesten einrichten soll. Angesichts der Nähe des Endes gilt es weder, sich vor Gott zu behaupten noch die Welt zu gestalten, sondern so zu werden und zu handeln, wie es beim nahen Anbruch der Gottesherrschaft gefordert ist. Es gilt darum, zuerst nach dem Gottesreich und nach Gottes Gerechtigkeit zu trachten (Mt 6, 33), und von da aus wird alles andere sekundär, sowohl die Frage nach dem *Wert* von Hab

---

[1] 1921 (BFChTh, 2. Reihe, 3. Band).
[2] 1935, S. 62 ff (Neutestamentliche Forschungen, 3. Reihe, 4. Heft).
[3] = Kirche, Bekenntnis und Sozialethos, 1933, S. 11 ff.
[4] Heidelberger Universitätsreden 2, 1928, S. 19 f.
[5] 1949, S. 102 ff.
[6] 1949, S. 5 ff.
[7] 1947, S. 579 ff.

und Gut als auch die Frage nach der *Freiheit* von Hab und Gut. Nur eines ist klar: Dienst Gott gegenüber schließt Dienst dem Mammon gegenüber aus (Mt 6, 24 und par). Damit aber ist schon gegeben, daß Jesus offensichtlich Hab und Gut als $\mu\alpha\mu\omega\nu\tilde{\alpha}\varsigma$ bezeichnet und damit als Konkurrent zu Gott und darum als dämonisch bewertet. Von hier aus scheint es eigentlich nicht erstaunlich, daß Jesus vom $\mu\alpha\mu\omega\nu\tilde{\alpha}\ \tau\tilde{\eta}\varsigma$ $\mathring{\alpha}\delta\iota\varkappa\iota\alpha\varsigma$ (Lk 16, 9) redet und „*die* Reichen" (Lk 6, 24) als verloren hinstellt, so daß nur noch ein Wunder sie retten könnte (Mk 10, 25ff). Verlangt nicht darum Jesus von allen, die gerettet werden wollen, daß sie ihre Habe verkaufen, um einen Schatz im Himmel zu erwerben (Lk 12, 33), und stellt fest, daß nur *der* ein Jünger Jesu sein kann, der *alle* Habe aufgibt (Lk 14, 33)? Es ist durchaus begreiflich, wenn man seit den Tagen des Antonius im 4. Jahrhundert aus solchen Worten den Schluß gezogen hat, Jesus habe von jedem wirklichen Jünger die Aufgabe allen Besitzes gefordert.

Aber gegen einen solchen Schluß macht nun sofort stutzig, daß Jesus durchaus voraussetzt, daß seine Jünger ebenso wie andere Menschen Privateigentum haben: Er läßt sich von Anhängerinnen unterstützen (Lk 10, 38f; 19, 2), gibt seinen Jüngern Anweisungen für das Verhalten bei Gastmählern, bei denen sie die Gastgeber sind (Lk 14, 12f), rechnet damit, daß man den Eltern aus seinem Hab und Gut helfen kann (Mk 7, 9ff par). Ja, Jesus mahnt immer wieder dazu, daß man mit Hilfe seines Besitzes dem Notleidenden helfen solle (Lk 10, 30–37; Mk 12, 41ff; Mt 25, 40; 6, 2), und erwartet Ausleihen des Geldes ohne Rücksicht auf sichere Rückgabe, verlangt jedoch keineswegs Herschenken auf jeden Fall (Lk 6, 34f). Und auch der Hinweis des Zachäus auf seine Wohltätigkeit wird nicht als falsch abgelehnt (Lk 19, 8). Wir sehen also gerade auch bei Lukas, der die vorher genannten reichtumsfeindlichen Äußerungen bringt, daß Jesus mit Privatbesitz rechnet und auch seine Jünger aus diesem Zustand nicht grundsätzlich herausruft. Ist also Jesus der Meinung, daß es nur darauf ankomme, daß man ein treuer Verwalter des Mammons sei (Lk. 16, 11)[8]?

Gegen einen solchen „bürgerlichen" Schluß spricht nun andererseits doch auch wieder, daß Jesus selber besitzlos war (Mt 8, 20), daß er zum mindesten *einem* Reichen gegenüber die Aufgabe seines Besitzes verlangt hat (Mk 10, 17ff par), daß er von seinen zur Mission ausgesandten Jüngern Aufgabe aller nicht völlig unentbehrlichen Dinge verlangte (Mk 6, 8f; die Fassung der Quelle Q, Mt 10, 10 par Lk 9, 3; 10, 4, die auch Sandalen und Wanderstab verbietet, ist wohl sekundäre Verschärfung, da sie auch die für den Wander-Missionar *notwendige* Ausrüstung beschneidet). Und den Jüngern gegenüber betont Jesus, daß ihr Verzicht auf Besitz von Gott anerkannt werden wird (Mk 10, 28ff par; der Text ist in der Ausmalung der Belohnung verdorben). Dazu kommen die schon genannten Worte, die von der Gefahr des Besitzes reden, und es kommt dazu der unbestreitbare Tatbestand, daß Jesus die Armen als die eigentlich von Gott Gesegneten hingestellt hat (Mt 11, 5 par; 5, 3 par; in der Seligpreisung ist die Fassung Lk 6, 20 *literarisch* die ursprünglichere, aber sachlich meint auch Mt 5, 3 nichts anderes).

[8] So HAUCK, aaO, S. 78, 92.

Wie ist durch diese Widersprüche ein Weg zu finden ? Zwei Tatsachen müssen anerkannt werden:

a) Lukas bietet an einer Reihe von Stellen eine Verschärfung der Anschauung Jesu, indem sich bei ihm deutlich die Tendenz zeigt, den völligen Verzicht auf Hab und Gut als die eigentliche Meinung Jesu herauszustellen (z. B. Lk 14, 33; Lk 14, 21 vgl. mit Mt 22, 9; Lk 6, 24 ff; 14, 13). Es kann keine Frage sein, daß Lukas hier die Stellung Jesu von einer reichtumsfeindlichen Einstellung aus nicht nur verschärft, sondern vergesetzlicht hat[9]. Lukas darf also in diesem Zusammenhang nur dort herangezogen werden, wo seine Nachrichten mit denen der anderen Synoptiker übereinstimmen.

b) Jesus unterscheidet zwischen Forderungen für die Jünger im engeren Sinne und Forderungen für die Jünger im weiteren Sinne. Nur von den an seiner Missionstätigkeit Beteiligten hat Jesus Aufgabe von Beruf und Hab und Gut gefordert; aber auch von ihnen nicht in dem Sinne, daß nicht Petrus später noch seine Frau hätte (1 Kor 9, 5) und Jesus auch als Jünger im engeren Sinne noch in sein Haus aufnehmen könnte (Mk 1, 29). Jesus hat also zweifellos nicht das Privateigentum als solches verworfen.

Hat Jesus also, wir fragen noch einmal, nichts anderes gefordert als treue Haushalterschaft dem Besitz gegenüber ? Das ist darum unmöglich, weil er den Besitz als dämonische Gefahr gesehen hat – mit einem Dämon kann man nicht treuhänderisch umgehen – und weil er die ,,Armen‘‘ als die vor Gott Wohlgefälligen hingestellt hat. Aber ebensowenig geht es an, Jesu Stellung dahin zu beschreiben, daß er den Besitz nur als Gefahr für die Seligkeit des Menschen betrachtet habe, weil der Besitz den Menschen versklaven *kann*. Jesus hat von dieser Gefahr des Reichtums durchaus gewußt (Lk 12, 15 ff: der törichte Reiche; ebenso ist wohl auch zu erklären Lk 16, 13 ff: der reiche Mann und der arme Lazarus, wo der mißverständliche Eindruck, hier werde der Reiche als solcher als verloren hingestellt, nur aus dem übernommenen ägyptisch-jüdischen Erzählungsstoff entsteht; dagegen ist schwerlich Lk 16, 1 ff als Hinweis auf die den Menschen immer tiefer ins Verderben ziehende Gefahr des Besitzes zu erklären[10]; das Gleichnis redet überhaupt nicht vom Verhalten gegenüber dem Besitz). Aber Jesus hat ebenso deutlich erklärt, daß er mit Vermögensfragen nichts zu tun haben wolle (Lk 12, 13 f). Wenn Jesus Gottes Willen verkündet gegenüber dem irdischen Besitz, so tut er es als der, der den Menschen angesichts der kommenden Gottesherrschaft vor das Doppelgebot der Liebe stellt. Jesus betrachtet darum den irdischen Besitz vom Gesichtspunkt der Liebe zum Nächsten her. Hab und Gut sind gefährlich, ja widergöttlich, wenn sie den Menschen zum Mammonsdienst veranlassen oder wenn Hab und Gut allein für den *persönlichen* Gebrauch des Menschen da sind statt zum Dienst am Nächsten. Das Problem des Besitzes ist darum ein Problem der Sozialethik und nicht der Individualethik wie in der Stoa. Eigentum ist selbstverständlich, aber nur als Mittel zur Existenz (Mt 6, 11) und zur Hilfe dem Bedürftigen gegenüber (Lk 10, 30 ff). Die Frage nach dem Recht des

---

[9] Vgl. den genaueren Nachweis bei Greeven, aaO, S. 78 ff.

[10] Gegen H. Preisker, ThLZ, 1949, S. 85 ff.

Eigentums erscheint darum als Sonderfall in der Stellung des Christen in der Welt, die vom alleinigen Trachten nach der Gottesherrschaft beherrscht sein soll. Die Möglichkeit *großen* Reichtums kommt dabei im Jüngerkreis freilich nicht ins Gesichtsfeld, während völlige Armut innerhalb der Jüngerschaft nicht bestehen bleiben darf.

3. In der *Urgemeinde* hat diese eschatologische Distanz von der Welt zu einer Haltung geführt, die sich offensichtlich nicht zu einer eindeutigen Situation entwickeln konnte. Freilich sind die Berichte der Acta widerspruchsvoll. Act 2, 44f; 4, 32ff zeichnen das ideale Bild völliger Besitzlosigkeit, den sogenannten Liebeskommunismus; Act 3, 6; 4, 36f; 6, 1 sind Einzelnachrichten, die sich in dieses Bild einfügen lassen, obwohl 4, 36f kaum erzählt zu werden brauchte, wenn allgemeiner Verzicht auf allen Privatbesitz üblich war; Act 5, 1ff paßt dagegen nicht dazu, da hier ausdrücklich betont wird, daß die beiden sündigen Mitglieder der Gemeinde nicht ihr ganzes Vermögen herzugeben *brauchten* (das gilt ganz unabhängig davon, inwieweit dieser Bericht eine geschichtlich treue Überlieferung wiedergibt; die Vermutung von Ph. Menoud[11], die Erzählung vom unerwarteten Tod zweier Gemeindeglieder sei sekundär mit dem Grund für diesen Tod, eben der Verheimlichung zurückgehaltenen Vermögens, erweitert worden, ist ja nur eine Vermutung; und auch wenn sie recht hätte, würde sie beweisen, daß nach dieser Anschauung keine Aufgabe des gesamten Vermögens als unumgänglich angesehen wird). Die Kollekte, die Paulus auf dem Apostelkonzil übernahm, zeigt auf alle Fälle die Verarmung der Urgemeinde. Nun zeigen die beiden Sammelberichte Act 2, 44f; 4, 32ff deutlich eine Beeinflussung durch Vorstellungen des Hellenismus und stehen im Widerspruch zu den Einzelnachrichten, so daß man mit Sicherheit annehmen kann, daß es in der Urgemeinde kein *Gesetz* der Besitzlosigkeit gab. Deutlich aber ist, daß die Urgemeinde *weitgehenden* Verzicht auf Privatbesitz als Ideal angesehen und praktiziert hat und daß sie darin nicht nur von der Stellungnahme Jesu abhängig ist, sondern auch von dem spätjüdischen Ideal der „armen Frommen" (dieses Ideal hat bei den Essenern zum gesetzlichen Kommunismus geführt; es hat aber auch Gruppen gegeben, die einen weitgehenden freiwilligen Verzicht auf Privatbesitz kannten, wie sich schon jetzt aus dem in der Wüste Juda neu gefundenen „Sektenbuch" aus vorchristlicher Zeit entnehmen läßt[12]). Ist so in der Urgemeinde Armut als solche zu einem religiösen Gut geworden, so entsteht die Gefahr, daß Jesu eschatologische Begründung der Freiheit vom Besitz zugunsten einer gesetzlichen Haltung vergessen wird.

4. Diese Einstellung wirkt weiter in der von Lukas aufgenommenen reichtumsfeindlichen Tradition, und dieselbe Anschauung zeigt sich später wieder in dem aus der zweiten Hälfte des 1. Jahrhunderts stammenden Jakobusbrief, der die Einstellung eines großkirchlichen Judenchristentums in Palästina in nachpaulinischer Zeit wiedergeben dürfte[13]. Hier erscheint einerseits der Reiche ohne weitere Begründung als der vor Gott Geringe (1, 10; 5, 1ff); hier wird andererseits die Wohltätigkeit und

---

[11] Mélanges Goguel, 1950, S. 146ff.
[12] Vgl. K.G. Kuhn, ThLZ 1950, S. 84f.
[13] Vgl. H.J. Schoeps, Theologie und Geschichte des Judenchristentums, 1949, S. 343ff.

damit das Privateigentum vorausgesetzt (1, 27; 2, 13 ff), und überdies besteht in der
Gemeinde die Gefahr der ungerechtfertigten Bevorzugung des Wohlhabenden, wenn
er in die Gemeinde kommt (2, 1 ff). Hier ist also der Reichtum in seiner Gefahr besonders stark gesehen, und der Reiche wird wegen seiner gottlosen Haltung angegriffen; das Privateigentum ist so zwar anerkannt, aber beargwöhnt. Doch hat diese
Haltung in der Großkirche keine Wirkung gehabt, wohl aber im häretischen Juden-
christentum, und es muß angesichts dieser Haltung gefragt werden, ob hier nicht
eine soziale Situation statt einer persönlichen Haltung vor Gott als entscheidend
angesehen wird.

5. In den *paulinischen Gemeinden* scheint das soziale Problem nicht eigentlich
brennend gewesen zu sein. 1 Kor 1, 26 ff zeigt, daß die Glieder der Gemeinde in Korinth nur vereinzelt wohlhabend waren; aber andererseits zeigen sich in der Gemeinde Spannungen beim Mahlgottesdienst (11, 20 ff) infolge der rücksichtslosen
Haltung mancher Wohlhabenden. Paulus selber ist besitzlos und darum abhängig
von der eigenen Arbeit oder von Gaben der Gemeinde; er betrachtet diese Besitzlosigkeit als notwendig für sein Apostelamt (Phil 4, 11 ff). Aber er anerkennt nicht
bloß das Vorhandensein von Besitzunterschieden, sondern sieht darin auch eine
wertvolle Möglichkeit zur Betätigung der Bruderliebe (2 Kor 8, 14 f), und mahnt vielfach zur Wohltätigkeit (Röm 12, 13; 15, 27; 2 Kor 9, 6 f); ja, er ist überzeugt, daß
durch Wohltätigkeit der Gott gebührende Dank vermehrt wird (2 Kor 9, 12 f).

Aber es entsteht auch bei Paulus keine positive Bewertung des Besitzes als eines
Gutes an sich. Zwar spielen die Reichen in seinen Gemeinden eine so geringe Rolle,
daß πλούσιος in seinen Briefen überhaupt nicht begegnet, πτωχός nur einmal auf
Paulus bezogen (2 Kor 6, 10), wohl aber einmal πτωχεία von den makedonischen Gemeinden (2 Kor 8, 2). Die Warnungen vor Habsucht finden sich auch mehrheitlich in
allgemeinen Lasterkatalogen (Röm 1, 29; 1 Kor 5, 10 f; 6, 10; 1 Thess 4, 6; nur 1 Kor
6, 7 f spielt auf konkrete Fälle in der Gemeinde an). Aber Paulus weiß doch auch
davon, daß die Habsucht mit der Gottfeindschaft εἰδωλολατρία eng verbunden ist
(Kol 3, 5), und er weiß ganz besonders davon, daß der Christ alle Dinge dieser Welt
nur besitzen darf ὡς μή, weil die Gestalt dieser Welt vergeht (1 Kor 7, 30 f). Der Reichtum ist also nicht nur aus soziologischen Gründen kein brennendes Problem, sondern weil angesichts der Nähe des Endes die Christen sich in dieser Welt nicht einrichten sollen. So entsteht die Umwertung der dem natürlichen Menschen, auch der
Mehrzahl der Juden selbstverständlichen Werte, so daß als der eigentliche Reichtum
die Verkündigung des Evangeliums erscheint, die gerade der arme Apostel weitergeben darf (2 Kor 6, 10). Das Problem der Weltgestaltung ist angesichts der eschatologischen Erwartung außer Betracht, die Frage des Eigentums ist eine Frage der
brüderlichen Liebe, genau wie bei Jesus.

6. Diese eschatologisch begründete und damit auf Gottes Heilshandeln bezogene
Stellung zum Eigentum tritt im nachpaulinischen hellenistischen Christentum allmählich in den Hintergrund. Im johanneischen Schrifttum tritt die Frage fast völlig
zurück, nur einmal wird das Prahlen mit dem Vermögen als typisch kosmisches Verhalten erwähnt (1 Joh 2, 16). Relativ häufig ist in dem ganzen nachpaulinischen

Schrifttum die Warnung vor der Habsucht (Eph 5, 3. 5; 1 Tim 6, 17; Hebr 13, 5; 1 Petr 5, 2; Mk 7, 22), und man weiß auch noch von der dämonischen Gefahr des Besitzes (1 Tim 6, 9 ff; Eph 4, 19; Mk 4, 19 par). Dem entspricht die häufige Mahnung, den Besitz durch Wohltätigkeit gottgemäß anzuwenden (Eph 4, 28; 1 Tim 6, 17 ff; Hebr 13, 16; 1 Joh 3, 17 f). Aber daneben ist doch der Reichtum schon etwas Selbstverständliches (1 Tim 6, 17 ff), und die Gleichgültigkeit gegenüber dem Verlust des Besitzes wird als *besonderes* Zeichen von Frömmigkeit gewertet (Hebr 10, 34). Damit ist die Problematik des Besitzes und besonders des großen Besitzes nicht mehr gesehen, und das Eigentum wird wie die ganze Welt zu einer Selbstverständlichkeit.

7. Es ergibt sich aus all dem, daß es die absolute Forderung Gottes, die sich in der Form der eschatologischen Verkündigung äußert, ist, die im Neuen Testament den Besitz zu einem Problem, aber nicht zu einer unlösbaren Not werden läßt. Die völlige Besitzlosigkeit erscheint nur am Rande als Ziel, und „die radikal asketische Lösung der Besitzfrage wird einstweilen weder von Klemens (v. Alex.) noch von irgendeinem Schriftsteller des 2. Jahrhunderts überhaupt erwogen"[14]. Aber von Jesus bis ins frühe nachapostolische Zeitalter ist das Freisein vom Besitz im Sinne des Wissens um die *weltliche* Gefahr des Besitzes und die Verpflichtung zur Benutzung des Besitzes *in Liebe* nicht die Frage eines eigenen Entschlusses, sondern die Frage des erfahrenen Rufes in die Gottesherrschaft und der *erfahrenen* Heilswirklichkeit. Darum gibt es für das Neue Testament nur die *Verkündigung* von der dämonischen Wirklichkeit des Mammons und den Ruf zur gehorsamen Freiheit vom Eigentum in der Welt, die ohne Eigentum nicht leben kann. Was das Neue Testament über das Eigentum zu sagen hat, ist Teil der Botschaft des Evangeliums, aber keine für alle Zeiten und alle Verhältnisse gültige und in Lehrsätze faßbare Lehre. Die Haltung des ὡς μή ist die Haltung des Christen, solange und sofern er wirklich aus der Heilstat Gottes lebt.

[14] v. Campenhausen, aaO, S. 20.

DIE ÄLTESTE FORM DES APOSTELDEKRETS

Nach dem Bericht der Apostelgeschichte wurde auf dem sogenannten „Apostelkonzil" die Frage, welche Forderungen von den Judenchristen an die in die Kirche aufzunehmenden Heidenchristen zu richten seien, nach einem Vorschlag des Petrus dahin entschieden, daß in einem Brief der „Apostel und Ältesten" an die Heidenchristen in Antiochia, Syrien und Kilikien den Heidenchristen nur das Notwendigste auferlegt werden solle, nämlich die Enthaltung von „Götzenopfer und Blut und Ersticktem und Unzucht" (Act 15, 20. 29)[1]. Dieser Beschluß mit seinen Klauseln wird dann noch einmal wiederholt, als Jakobus ihn dem Paulus mitteilt, als dieser zum letzten Mal nach Jerusalem zurückkehrt (21, 25). Es ist bekannt, daß sich an dieses „Aposteldekret" eine Fülle von geschichtlichen Fragen knüpft, die unlösbar verbunden sind mit dem textkritischen Problem, welchen Umfang und Wortlaut dieses Dekret ursprünglich im Bericht der Apostelgeschichte hatte. Ja, die textkritischen und geschichtlichen Fragen sind hier so eng miteinander verknüpft, daß das Urteil über den geschichtlichen Zusammenhang zwischen Apostelkonzil und Aposteldekret ebenso wie die Feststellung des Sinnes des Aposteldekrets nur aufgrund der textkritischen Entscheidung gefällt werden kann. Nun sollen hier die beiden geschichtlichen Hauptfragen, ob Paulus in Gal 2, 1 ff und die Apostelgeschichte in 15, 1 ff dasselbe Ereignis beschreiben und ob das Aposteldekret mit dem von Paulus beschriebenen Ereignis vereinbar ist oder nicht, nicht von neuem erörtert werden[2]. Wohl aber | soll gefragt werden, welches der ursprüngliche Text des Aposteldekrets nach dem Bericht der Apostelgeschichte war. Denn diese Frage, die üblicherweise nur in dem Sinne gestellt wurde, ob der Text der Mehrzahl der Handschriften mit seinem eindeutig kultischen Sinn oder nicht vielmehr der dreigliedrige Text „westlicher" Zeugen mit seinem „moralischen" Sinn ursprünglich sei, ist neuerdings dadurch in ein neues Licht gestellt worden, daß Ph. H. Menoud[3] versucht hat, durch die Heranziehung zweier schwächer bezeugter Lesarten hinter sämtliche überliefer-

---

[1] So nach dem von Nestle gebotenen Text aller griechischen Handschriften außer D und $\mathfrak{P}^{45}$.

[2] Es scheint mir nach wie vor die wahrscheinlichste Annahme zu sein, daß Act 15 und Gal 2 dasselbe Ereignis beschreiben, daß aber das Aposteldekret damit nichts zu tun hat und aus späterer Zeit ohne Beteiligtsein des Paulus stammt (s. meine Bemerkungen ThR N.F. 17, 1948/9, S. 28 ff; 18, 1950, S. 26 ff und zuletzt etwa O. Cullmann, Petrus, Jünger-Apostel-Märtyrer, 1952, S. 47 ff).

[3] Ph. H. Menoud, The Western Text and the Theology of Acts, *Studiorum Novi Testamenti Societas*, Bulletin II, 1951, S. 19 ff.

ten Texte vorzudringen und so die Entstehung aller Lesarten verständlich zu machen. Er geht dabei von der Voraussetzung aus, daß das Aposteldekret nur die Anordnung treffen wollte, daß die Heidenchristen ausschließlich rituell geschlachtetes Fleisch essen dürften, wenn eine Tischgemeinschaft mit den Judenchristen ermöglicht werden solle; dagegen sei das Verbot von Götzendienst, Mord und Unzucht nichts, was man Christen gegenüber erst beschließen müsse. Nun sind nach MENOUD vier Formen des Textes überliefert, denen nur die beiden Verbote der Befleckung mit den Götzen und des Blutes gemeinsam sind. Diese allen Texten gemeinsame zweigliedrige Form sei der ursprüngliche Text des Aposteldekrets, und die Zufügungen in allen vier erhaltenen Texten seien entweder eine nachträgliche Spezifizierung (Einfügung der Enthaltung von Ersticktem) oder eine moralische Umdeutung des Textes (Zufügung der Enthaltung von Unzucht und der Goldenen Regel). Besonders die Zufügung der Goldenen Regel will das Aposteldekret zu einer für alle Christen geltenden, die Christen von den Juden abgrenzenden allgemeinen Regel umgestalten. Nur der Rückgang hinter alle überlieferten Formen des Dekrets führt demnach zum ursprünglichen Text und damit zur geschichtlichen Wirklichkeit zurück.

Es ist ein methodischer Vorzug dieser beachtlichen These, daß sie ohne einen Seitenblick auf Gal 2, 1ff und ohne die vorschnelle Frage nach der geschichtlichen Wirklichkeit des Berichteten zunächst einmal nur danach fragt, was der Schrift-| steller geschrieben habe. Und daß von dieser Fragestellung her innerhalb des Kontextes von Act 15, 19f und 15, 28f das Aposteldekret nur den Sinn einer kultischen Mindestforderung mit dem Ziel der Ermöglichung einer Gemeinschaft zwischen Heidenchristen und Judenchristen gehabt haben könne, ist MENOUD ebenfalls selbstverständlich und darf darum hier als sicher vorausgesetzt werden[4]. Aber nun erhebt sich die Frage, ob MENOUD darüber hinaus auch recht hat mit der Annahme,

---

[4] Die Annahme, daß die moralische Fassung des Dekrets, wie sie D Irenaeus Cyprian und andere Lateiner bieten (unter Weglassung von καὶ πνικτοῦ), den ältesten Text biete, ist neuerdings noch vertreten worden von A. HARNACK, Beiträge zur Einleitung in das NT III, 1908, S. 188ff; IV, 1911, S. 22f; G. RESCH, Das Aposteldekret nach seiner außerkanonischen Textgestalt, TU, N.F. 13, 3, 1905; A. C. CLARK, The Acts of the Apostles, 1933, S. 95, 97, 360f; E. G. SELWYN, The First Epistle of St. Peter, 1946, S. 372 Anm. 1; P. FEINE-J. BEHM, Einleitung in das NT, 1950⁹, S. 83f. – Dagegen betonen den kultischen Sinn der Klauseln (bei verschiedener Beurteilung des ursprünglichen Umfangs): A. HARNACK, Das Aposteldekret und die Blass'sche Hypothese (erschienen 1899), Studien zur Geschichte des NT und der Alten Kirche I, 1931, S. 1ff; H. DIEHL, Das sogenannte Aposteldekret, ZNW 10, 1909, S. 277ff; E. PREUSCHEN, Untersuchungen zur Apostelgeschichte I, ZNW 14, 1913, S. 1ff; J. WEISS, Das Urchristentum, 1917, S. 235f; M. GOGUEL, Introduction au Nouveau Testament III, 1922, S. 94ff; Ed. MEYER, Ursprung und Anfänge des Christentums III, 1923, S. 187f; J. H. ROPES, The Beginnings of Christianity I, 3, 1926, S. 265ff; H. W. BEYER, Die Apostelgeschichte, Das NT Deutsch 5, 1932, S. 93f; O. BAUERNFEIND, Die Apostelgeschichte, 1939, S. 194ff; J. W. HUNKIN, The Prohibitions of the Council at Jerusalem, JThS 1926, S. 272ff; H. LIETZMANN, Der Sinn des Aposteldekrets und seine Textwandlung, *Amicitiae Corolla*, 1933, S. 203ff; H. WAITZ, Das Problem des sog. Aposteldekrets, ZKG, 3. F. 6, 1936, S. 227ff; L. CERFAUX, Le chapitre XVᵉ du livre des Actes à la lumière de la littérature ancienne, *Miscellanea G. Mercati* (Studi e testi 121), I, 1946, S. 107ff; A. F. J. KLIJN, A Survey of the Researches into the Western Text of the Gospels and Acts, Diss. Utrecht 1949, S. 19f; K. TH. SCHÄFER, Reallexikon für Antike und Christentum I, 1950, S. 555ff.

daß diese kultische Mindestforderung ursprünglich nur den Verzicht auf die Befleckung mit Götzen und auf Blut (genuß) umfaßte. Will man auf diese Frage eine methodisch sichere Antwort geben, so muß man sich zunächst über die Bezeugung der Lesarten eine allseitige Klarheit verschaffen. Unbestritten ist das Vorhandensein der beiden Hauptlesarten.

1. An allen drei Stellen, wo das Dekret begegnet (15, 20. 29; 21, 25) werden vier Glieder *(ἀλισγήματα τῶν εἰδώλων* bzw. *εἰδωλόθυτα, πορνεία, πνικτόν, αἷμα)*, freilich nicht immer in gleicher Reihenfolge und gleichem Wortlaut, bezeugt von sämt- | lichen griechischen Handschriften (außer D und 𝔓⁴⁵ in 15, 20), der Vulgata, Peschitta und den syrischen Übersetzungen.

2. An allen drei Stellen fehlt *καὶ πνικτοῦ* in D, bei Irenaeus und Ephraem in 15, 20. 29, in der altlateinischen Handschrift Gigas in 15, 20; 21, 25[5]. Außerdem bieten D und Irenaeus in 15, 20. 29 und Cyprian Ephraem nur in 15, 29 hinter den drei Klauseln die negative „Goldene Regel", und schließlich folgt bei D Irenaeus Ephraem hinter *εὖ πράξετε* in 15, 29 noch *φερόμενοι ἐν τῷ ἁγίῳ πνεύματι*.

Neben diesen Hauptlesarten finden sich nun aber noch folgende schwächer bezeugte Varianten:

3. Der Chester Beatty-Papyrus (𝔓⁴⁵) läßt in 15, 20, wo er allein erhalten ist, *καὶ τῆς πορνείας* aus; denselben Text bieten ein Teil der äthiopischen Übersetzung und ein Zitat des Origenes *(c. Cels. VIII, 29)*.

4. Tertullian *de pudicitia* 12, 4 bietet folgenden Text: ... *abstineri a sacrificiis et a fornicationibus et sanguine a quibus observando recte agetis rectante vos spiritu sancto*. Hier fehlt also *καὶ πνικτοῦ*, aber auch die Goldene Regel, dagegen findet sich der Hinweis auf das Geleitetsein durch den Heiligen Geist.

5. *καὶ τοῦ αἵματος* fehlt je in einem Zitat des Origenes *(Comment. in Mt 23)* und Methodius (Über die Unterscheidung der Speisen, ed. Bonwetsch, S. 297) und in einer Handschrift der sahidischen Übersetzung[6].

Übersieht man diese Liste der Lesarten, bei der die zweifellosen Mischlesarten[7] weggelassen sind, so wird es sofort fraglich, ob die Lesarten 3–5 als selbständige Zeugen betrachtet | werden können. Das gilt sicherlich angesichts der Weglassung von *καὶ τοῦ αἵματος* (Lesart 5), die Menoud nicht erwähnt; denn es ist ja nicht zu bezweifeln, daß die Erwähnung des Blutes in diesen Zitaten bzw. dem einen Abschreiber der sahidischen Übersetzung versehentlich unterblieb, zumal Origenes ein anderes Mal die Erwähnung der *πορνεία* ausläßt (Lesart 3) und die sahidische Handschrift vereinzelt ist. Wenn diese Auslassung also einem bloßen Versehen entsprungen sein wird, so besteht kein triftiger Grund, die Lesart 3 anders zu beurteilen. Das

---

[5] *καὶ πνικτοῦ* fehlt außerdem in 15, 29 bei Cyprian, Ambrosiaster, Hieronymus, Augustin, Pacian, Fulgentius, in 21, 25 bei Augustin.

[6] S. die Angaben bei G. Resch, a. Anm. 4 aO, S. 9 und J. H. Ropes, a. Anm. 4 aO, S. 268, 342.

[7] Hierher gehören alle Zeugen, die die kultische Form des Dekrets mit der Goldenen Regel verbinden, s. die von G. Resch, a. Anm. 4 aO, S. 15ff angeführten Texte und die bei Nestle, *Novum Testamentum Graece,* 1950²⁰, zu Act 15, 20. 29 genannten Minuskeln und Übersetzungen.

Zitat des Origenes ist als Zeuge für einen dem Origenes vorliegenden Text so wenig brauchbar wie das eben besprochene für die Auslassung von καὶ τοῦ αἵματος; und der Papyrus hat eine große Zahl von Sonderlesarten[8], muß darum vorsichtig benutzt werden, wo er als Zeuge allein (oder praktisch allein) steht; und die äthiopische Übersetzung ist ja auch geteilt. Die Annahme, daß 𝔓45 den Urtext biete[9], ist darum auf alle Fälle von seiten der Bezeugung allzu ungesichert, und es bleibt zu fragen, ob andere Gründe die Annahme nahelegen, daß hier eine selbständige Textüberlieferung vorliege.

Am schwierigsten ist in diesem Zusammenhang die Lesart Tertullians (Nr. 4) zu beurteilen. Hier ist zunächst einmal festzustellen, daß Tertullian mit seiner Wiedergabe von Act 15, 28f völlig allein steht. Zwar hat J. H. Ropes nachweisen wollen[10], daß Tertullians Text, der der Urtext sei, auch in einer Reihe weiterer Zeugen sich finde, und Menoud hat sich dieser Annahme angeschlossen. Aber es ist so gut wie ausgeschlossen, daß irgendeiner dieser Zeugen mit Recht in diesem Zusammenhang genannt wird[11], da ihnen sämtlich | die gerade für Tertullians Zitat bezeichnende Eigenheit fehlt. Tertullian bietet nämlich nach den drei Klauseln zwar nicht die Goldene Regel, wohl aber hinter dem in allen Textformen vorhandenen Schlußsatz ἐξ ὧν διατηροῦντες ἑαυτοὺς εὖ πράξετε, die „christianisierende" Zufügung φερόμενοι ἐν τῷ ἁγίῳ πνεύματι, die zusammen mit der Goldenen Regel auch D Irenaeus Ephraem bieten. Dadurch aber berührt sich Tertullian aufs stärkste mit der ausgesprochen „westlichen" Lesart 2, und es wird fraglich, ob Tertullian wirklich einen Text kannte, der zwar den Zusatz φερόμενοι ἐν τῷ ἁγίῳ πνεύματι, nicht aber die Goldene Regel enthielt. Tertullian, der das Zitat von Act 15, 29 in *de pudicitia* deswegen bringt, um die Gleichartigkeit der *moechia* und

---

[8] S. F. G. Kenyon, The Beatty Biblical Papyri II, 1933, S. XIV.

[9] So M.-J. Lagrange, Le papyrus Beatty des Actes des Apôtres, RB 43, 1934, S. 168; T. W. Manson, St. Paul in Ephesus: (2) The Problem of the Epistle to the Galatians, Bull. of the John Rylands Library 24, 1940, S. 75f. – Ph. H. Menoud, aaO, S. 24 möchte den Text von 𝔓45 als Urtext ansehen, wenn der von ihm konjizierte Urtext abgelehnt werden sollte.

[10] A. Anm. 4 aO, S. 265f.

[11] Pacian von Barcelona, *Paraenesis* 4 (bei G. Resch, a. Anm. 4 aO, S. 14) läßt wie die übrigen in Anm. 5 genannten Kirchenväter καὶ πνικτοῦ weg, bietet aber den für Tertullian bezeichnenden Zusatz *rectante vos spiritu sancto* gerade nicht; das gleiche gilt für Ambrosiaster zu Gal 2, 2 (bei G. Resch, aaO, S. 150) und Augustin, *Speculum 28* (bei G. Resch, aaO, S. 12) und *contra Faustum* 32, 13 (bei G. Resch, S. 14). Die altlateinische Handschrift Gigas hat in 15, 29 *et suffocato*, dagegen in 15, 20 und 21, 25 nicht und an keiner der drei Stellen die Goldene Regel; daraus ist wohl mit Recht zu schließen, daß in 15, 29 *et suffocato* aus der Vulgata eingedrungen ist (so Ropes), aber den Text Tertullians bietet auch Gigas nicht. Ephraem schließlich (s. die lateinische Übersetzung des Kommentars bei Ropes, S. 426) zeigt in 15, 29 deutlich den Text ohne καὶ πνικτοῦ, aber mit Goldener Regel *und* φερόμενοι ἐν τῷ ἁγίῳ πνεύματι, bietet also wenigstens an dieser allein sicher erhaltenen Stelle den Text von D Irenaeus, ist daher kein Zeuge für den Text Tertullians. Erst recht ist nicht D darum ein Zeuge für den Text Tertullians, weil in 15, 20 die Goldene Regel in der 2. Person dort nicht passe; denn in 15, 29 hat eben D wie Irenaeus und Ephraem noch den Zusatz φερόμενοι κτλ … und wenn die Goldene Regel in diesen Zeugen eine Erweiterung des Urtextes darstellt, wie auch Ropes annimmt, kann sie sehr wohl zuerst in 15, 29 und dann sekundär in 15, 20 (aber niemals in 21, 25) eingedrungen sein.

fornicatio mit *idololatria* und *homicidium* nachzuweisen, also nur auf das Vermeiden der Unzucht hier den Ton gelegt wissen wollte, konnte sehr wohl aus dem ihm bekannten „westlichen" Text die Goldene Regel zufällig oder absichtlich auslassen, ohne dabei den Sinn des Zitats zu entstellen. So wenig das freilich sicher ist, so wenig kann man Tertullian als Zeugen für eine besondere Textform anführen, die nur drei Klauseln (ohne τοῦ πνικτοῦ), aber auch keine Goldene Regel enthielt[12]. Es zeigt sich also schon | von seiten der Bezeugung, daß Menouds Annahme fraglich ist, man könnte aufgrund der Textformen 1–4 erschließen, daß im Urtext des Aposteldekrets nur von Götzenopferfleisch und Blut, also nur von Nahrungsenthaltung die Rede gewesen sei. Denn als sicher bezeugte Textform kennen wir nach wie vor nur den vierteiligen Text der Mehrzahl der Handschriften (Text 1) und den dreiteiligen Text mit Zufügung der Goldenen Regel und der christianisierenden Schlußformel in 15, 29 bei „westlichen" Zeugen (Text 2). Und will man die Texte 3 und 4 als selbständige Überlieferung anerkennen, so muß man es auch mit Text 5 so halten, woraus folgen würde, daß auch καὶ τοῦ αἵματος aus der allen Textformen gemeinsamen Überlieferung ausfällt.

Natürlich bleibt die Annahme unsicher, daß die Texte 3–5 keine selbständige Textüberlieferung bieten. Aber auch wenn diese Annahme nicht zutreffen sollte, bleiben gegen Menouds These von einer hinter den überlieferten Texten zu suchenden ältesten Textform des Dekrets entscheidende Einwände. Menoud stellt ja fest, daß den vier von ihm angeführten Textformen nur die beiden Glieder τῶν ἀλισγημάτων τῶν εἰδώλων und τοῦ αἵματος gemeinsam seien, und er erklärt *alle* überlieferten Textformen als Erweiterung dieser zu vermutenden Urform des Textes. Diese Argumentation erinnert auffällig an die literarkritische Methode, die einst A. Harnack[13] auf das Vaterunser anwandte mit dem Resultat, hinter den bei Matthäus und Lukas bezeugten Texten eine Urform zu gewinnen, die außer der Anrede nur die 4.–6. Bitte | des Matthäus enthielt. Diese literarkritische Methode war darum verfehlt, weil sie mechanisch subtrahierte, während bei einer lebendigen Überlieferung Wachsen *und* Abnehmen des Textes in Rechnung gestellt werden müssen[14]. Ganz entsprechend ist es eine unberechtigte mechanische Voraussetzung, daß die Entwicklung des Aposteldekrets in der Textgeschichte darum nur in der Richtung verschiedenartiger Erweiterungen sich vollzogen haben könne, weil das Dekret ja zweifellos

---

[12] Auch A.C. Clark, a. Anm. 4 aO, S. 361 sagt: „I do not feel convinced by Ropes's contention that it (die Goldene Regel) formed no part of Tertullian's text." Daß Tertullian auch in *Apologeticum 9, 13 (qui ne animalium … sanguinem in epulis esculentis habemus, qui propterea suffocatis quoque et morticinis abstinemus, ne quo modo sanguine contaminemur vel intra viscera sepulto)* keinen Text des Aposteldekrets mit Einschluß von καὶ πνικτοῦ voraussetzt, sondern nur vom christlichen Usus redet, ist mit Recht oft betont worden (s. Th. Zahn, Einleitung in das NT II, 1899, S. 353f; J.H. Ropes, a. Anm. 4 aO, S. 265 Anm. 1; Ph.H. Menoud, aaO, S. 25, der dann freilich nicht S. 27 dieselbe Stelle als Beweis dafür anführen dürfte, daß Tertullian „the original ritual meaning" des Aposteldekrets festhalte).

[13] A. Harnack, Über einige Worte Jesu, die nicht in den kanonischen Evangelien stehen, nebst einem Anhang über die ursprüngliche Gestalt des Vaterunsers, SAB 1904, Philos.-hist. Kl., S. 195 ff.

[14] Vgl. E. Lohmeyer, Das Vater-unser, 1947², S. 207 f.

erweitert worden *ist*, wie die „westliche" Textform beweist. Es besteht vielmehr durchaus die Möglichkeit, daß Streichungen und Erweiterungen miteinander oder unabhängig von einander aus verschiedenen Motiven vorgenommen wurden. Und man kann diese Möglichkeit nicht mit der Bemerkung ausschließen, daß für die Kürzung eines ursprünglich vierteiligen Dekrets keine überzeugenden Gründe namhaft gemacht werden könnten.

Gerade das ist vielmehr die Frage, ob die Zufügung oder Weglassung einzelner Teile des Dekrets sich leichter erklären läßt. Geht man von der Annahme MENOUDS aus, daß ursprünglich nur Befleckung mit Götzen und Blut(genuß) verboten waren, so würde es sich beim Aposteldekret in der Tat nur um die Anordnung handeln, „that Gentile Christians should observe the Jewish rule of eating only *kosher* meat" (MENOUD, S. 23). Aber *einmal* ist die Voraussetzung durchaus unbewiesen, daß es sich beim Aposteldekret gemäß der Absicht des Verfassers der Apostelgeschichte oder auch gemäß des ihm überlieferten Textes *nur* um die Frage des Genusses von rituell unanstößigem Fleisch durch die Heidenchristen gehandelt haben könne. Bei dieser Voraussetzung spielt unbewußt die Erinnerung an Gal 2, 11 ff mit, wo es *nach* dem Apostelkonzil um die Frage der Aufrechterhaltung der Tischgemeinschaft zwischen Judenchristen und Heidenchristen ging. Eine Analyse des Berichtes über das Apostelkonzil Act 15, 1 ff zeigt aber, daß der Verfasser der Apostelgeschichte in seinem Bericht nicht die Frage der Tischgemeinschaft zwischen Heidenchristen und Judenchristen, sondern die von Gott gewollte Aufnahme der Heiden in die christliche Gemeinde als geregelt schildern will, und daß in diesem Zusammenhang das Aposteldekret den Sinn hat, die Punkte zu regeln, auf deren Befolgung durch die Heidenchristen die Jerusalemer nicht ver|zichten zu können erklären, wenn sie der von Gott gewirkten Aufnahme der Heidenchristen in die Gemeinde zustimmen sollen[15]. Die Annahme ist also durchaus unberechtigt, daß nur ein Text des Aposteldekrets in die Darstellung der Apostelgeschichte passe, der ausschließlich Speiseregeln enthielte. Und *andererseits* ist das Vorhandensein der vierteiligen Formel durchaus im Rahmen der Darstellung Act 15, 1 ff verständlich und passend. Man hat oft darüber verhandelt, ob καὶ πνικτοῦ neben καὶ τοῦ αἵματος nicht überflüssig sei[16]. Demgegenüber ist zunächst festzustellen, daß τὸ πνικτόν neben τὸ αἷμα durchaus einen besonderen Sinn hat: das im profanen, biblischen und jüdisch-hellenistischen Sprachgebrauch in diesem Sinn nicht begegnende[17] Wort τὸ πνικτόν bezeichnet zweifellos neben τὸ αἷμα Fleisch, aus dem das Blut nicht ausgeflossen ist[18], also

---

[15] Vgl. M. DIBELIUS, Das Apostelkonzil, ThLZ 72, 1947, S. 193 ff.

[16] G. RESCH, a. Anm. 4 aO, S. 23 ff wollte sogar nachweisen, daß das Verbot des πνικτόν, d. h. ohne äußere Wunden getöteter Tiere, nicht einmal für die Juden gegolten habe und erst einer christlichen Sitte vom Anfang des 3. Jahrhunderts an entspreche.

[17] S. W. BAUER, Griechisch-deutsches Wörterbuch zu den Schriften des NT und der übrigen urchristlichen Literatur, 1952⁴, S. 1238.

[18] Daß die Juden solchen Fleischgenuß verabscheuten, zeigt PHILO *de spec. leg. IV = de concup.* § 122 ἔνιοι δὲ Σαρδανάπαλλοι... καινὰς ἐπινοοῦντες ἡδονάς, ἄθυτα παρασκευάζουσιν, ἄγχοντες καὶ ἀποπνίγοντες καὶ τὴν οὐσίαν τῆς ψυχῆς, ἣν ἐλεύθερον καὶ ἄφετον ἐχρῆν ἐᾶν, τυμβεύοντες τῷ σώματι τὸ αἷμα. σαρκῶν γὰρ αὐτὸ μόνον ἀπολαύειν αὔταρκες ἦν, μηδενὸς ἐφαπτομένος τῶν συγγένειαν πρὸς ψυχὴν ἐχόντων.

eigentliche „blutige" *Fleisch*speisen im Unterschied von Gerichten *aus* Blut. Solches πνικτόν kann entweder nach Lev 17, 15f *nebēlā* und *terēphā* = von selbst verendete oder von Raubtieren zerrissene Tiere bezeichnen, deren Genuß freilich in Lev 17, 15f nicht völlig untersagt wird; dann wäre also das Fleisch von Tieren gemeint, die nicht gejagt, sondern auf andere Weise umgekommen waren[19]. Oder τὸ πνικτόν bezeichnet alles nicht | rituell geschlachtete Fleisch, so wie *nebēlā* im rabbinischen Sprachgebrauch *alles* nicht geschächtete Fleisch als verboten kennzeichnet[20]. Diese zweite Deutung ist darum wahrscheinlicher, weil der Wortlaut τὸ πνικτόν zu *zerrissenen* Tieren eigentlich nicht paßt und weil das Nebeneinander von τὸ πνικτόν und τὸ αἷμα offensichtlich alle Arten von Blutgenuß ausschließen will. Ist so dieses Nebeneinander durchaus verständlich, so hat man die sekundäre Zufügung von καὶ πνικτοῦ noch nie wirklich verständlich machen können. Denn daß man das καὶ πνικτοῦ an den Rand geschrieben habe, um die (sekundäre) Deutung von τοῦ αἵματος auf Blutgenuß zu erreichen[21], ist ebensowenig einleuchtend wie die Annahme, man habe durch diesen Zusatz die Beziehung des Dekrets auf *alles* unvorschriftsmäßig geschlachtete Fleisch sichern wollen (MENOUD, S. 24). Gegen die Annahme, καὶ πνικτοῦ sei ein sekundärer Zusatz, spricht aber ganz besonders, daß das Fehlen von καὶ πνικτοῦ in den wichtigsten Zeugen des „westlichen" Textes, D IRENAEUS EPHRAEM, in 15, 29 zusammengeht mit der zweifellos sekundären Einschiebung der Goldenen Regel und des christianisierenden Zusatzes φερόμενοι ἐν τῷ ἁγίῳ πνεύματι. Es ist methodisch völlig unmöglich, diese drei textlichen Tatbestände auseinanderzureißen[22], sie sind vielmehr ein *einheitliches* Zeugnis derselben den Text umgestaltenden Tendenz[23]. Daß die Goldene Regel nun aber | in 15, 29 nicht paßt, da durch sie ἐξ ὧν διατηροῦντες ἑαυτοὺς εὖ πράξετε von den Klauseln des Dekrets losgerissen wird, ist unbestreitbar. Die Zufügung dieser Heiden wie Juden bekannten Sittenregel[24] zusammen mit dem Hinweise auf den Heiligen Geist als Triebkraft des christlichen Handelns aber bedeutet, wie MENOUD richtig ausführt, eine grundsätzliche

---

[19] So deutet STRACK-BILLERBECK, Kommentar zum NT aus Talmud und Midrasch II, 1924, S. 730, 733. Noch weiter in dieser Richtung haben die Pseudoklementinen spezialisiert (hom. 7, 8; 8, 19): μὴ μεταλαμβάνειν εἰδωλοθύτων, νεκρῶν, πνικτῶν, θηριαλώτων, αἵματος bzw. σαρκῶν νεκρῶν γενόμενος ἢ θηρίου λειψάνου ἢ τμητοῦ ἢ πνικτοῦ (s. A. HARNACK, Studien, a. Anm. 4 aO, S. 13 Anm. 1 und H. J. SCHOEPS, Theologie und Geschichte des Judenchristentums, 1949, S. 303).

[20] So deuten O. BAUERNFEIND, a. Anm. 4 aO, S. 196f; W. BAUER, a. Anm. 17 aO; PH. H. MENOUD, aaO, S. 24; H. W. BEYER, a. Anm. 4 aO, S. 93 will nach griechischem Sprachgebrauch πνικτόν auf geschmortes, zubereitetes, nicht geschächtetes Fleisch beziehen. – Zur rabbinischen Bedeutung von *nebēlā* vgl. STRACK-BILLERBECK, a. Anm. 19 aO, S. 730f.

[21] So G. RESCH, a. Anm. 4. aO, S. 153ff und A. HARNACK, Beiträge III, a. Anm. 4 aO, S. 196f; ähnlich A. C. CLARK, a. Anm. 4 aO, S. 360.

[22] So wieder PH. H. MENOUD, aaO, S. 25 in der Annahme, der Urheber des „westlichen" Textes sei konservativ in der Weglassung des ihm als sekundär bekannten Zusatzes καὶ πνικτοῦ und ein Neuerer in der Zufügung der Goldenen Regel.

[23] Das hat schon A. HARNACK, Studien, a. Anm. 4 aO, S. 7ff überzeugend nachgewiesen. Vgl. auch M. GOGUEL, a. Anm. 4 aO, S. 96.

[24] Vgl. die Parallelensammlungen von G. RESCH, a. Anm. 4 aO, S. 132ff; G. KITTEL, Die Probleme des palästinischen Spätjudentums und das Urchristentum, 1926, S. 108ff; G. B. KING, The „Negative" Golden Rule, JR 8, 1928, S. 268ff; L. J. PHILIPPIDIS, Die „Goldene Regel" religionsgeschichtlich untersucht, Diss. Leipzig, 1929.

Umdeutung des Dekrets: aus einer für eine bestimmte geschichtliche Situation geschaffenen Anordnung entsteht „a timeless principle of Christian conduct", und dadurch wird das Aposteldekret der ihm vom Verfasser der Apostelgeschichte zugedachten Bedeutung völlig entkleidet[25]. Wenn das unbestreitbar der Fall ist, dann besteht aber auch keine Berechtigung, die Streichung des καὶ πνικτοῦ nicht auf denselben Urheber und dieselbe Tendenz zurückzuführen; denn durch diese Streichung ergibt sich die Möglichkeit, das Dekret in eine für alle Christen zu allen Zeiten gültige Forderung umzudeuten. Auch von hier aus ergibt sich also, daß das ursprüngliche Nebeneinander des Verbots von Blut und Ersticktem sich als ältester Text erweist.

Dann bleibt nur noch zu fragen, ob auch das ursprüngliche Vorhandensein des Verbots der πορνεία im Aposteldekret sich begründen läßt. Man hat das Vorhandensein dieses Verbots einerseits nur dann verstehen zu können erklärt, wenn das Dekret ausschließlich ethische Forderungen enthalten habe[26]; man | hat andererseits das Verbot der Unzucht Christen gegenüber als ebenso unwahrscheinlich empfunden wie das von Götzendienst und Mord (bei der „westlichen" Lesart des Dekrets) und darum angenommen, das Verbot der Unzucht habe ursprünglich gefehlt und sei hinzugefügt worden, um die Autorität des Dekrets auf einen weiteren Gegenstand auszudehnen (MENOUD, S. 24). Ist nun freilich die Begründung dieser angenommenen Zufügung äußerst vage, so läßt sich das ursprüngliche Vorhandensein dieses Verbots im Text des Aposteldekrets durchaus verstehen. Bezieht man das Verbot allerdings auf die Untersagung der in Lev 18, 6ff verbotenen Verwandtenehen[27], so wäre der Ausdruck πορνεία dafür nicht nur sehr allgemein, sondern auch reichlich unverständlich, und diese stark kasuistische Forderung würde sich schlecht im Sinne des Verfassers der Apostelgeschichte als Zugeständnis der Jerusalemer an die Heidenchristen interpretieren lassen. Nun wird aber das Dekret eingeleitet durch das Verbot der ἀλισγήματα τῶν εἰδώλων (15, 20), und diese Befleckungen geschehen nach der Meinung des Verfassers der Apostelgeschichte durch das Essen von εἰδωλόθυντα (15, 29; 21, 25). Schon hier handelt es sich also eindeutig darum, daß die Heidenchristen den Judenchristen dann tragbar erscheinen, wenn sie keine Befleckung durch Dämonen an sich tragen[28]. Aber auch das Verbot des Blutes und des „blutigen"

[25] MENOUD, S. 25ff, der aber unberechtigterweise der Einfügung der Goldenen Regel die Absicht zuschreibt, „the new principle of Christian thought and life" darzubieten; das ist trotz des Hinweises auf den Heiligen Geist im Schlußsatz unwahrscheinlich, weil die Juden wie Heiden bekannte Formel schwerlich von irgendeinem Leser so verstanden werden konnte.

[26] „Die Zusammenstellung von Speiseverboten und Hurerei ... hat noch niemand befriedigend zu erklären verstanden. Dagegen ist die Zusammenstellung von Götzendienst, Mord und Hurerei ganz verständlich..." (A. HARNACK, Beiträge III, a. Anm. 4 aO, S. 193f).

[27] S. STRACK-BILLERBECK, a. Anm. 19 aO, II, S. 729f; O. BAUERNFEIND, a. Anm. 4 aO, S. 197; H. WAITZ, a. Anm. 4 aO; C. T. CRAIG, The Beginning of Christianity, 1943, S. 173; M. GOGUEL, La naissance du Christianisme, 1946, S. 328.

[28] Man kann fragen, ob ἀλισγήματα τῶν εἰδώλων nicht ursprünglich *jede* Art von Verunreinigung durch den heidnischen Gottesdienst bezeichnet hat, so daß das dafür in 15, 29; 21, 25 eintretende εἰδωλόθυτα eine Einschränkung von seiten des Verfassers der Apostelgeschichte wäre. Aber diese Vermutung würde nur für eine *vor* dem Text der Apostelge-

Fleisches hat wahrscheinlich eine Beziehung zu den Dämonen. Man kann natürlich das Interesse am Verbot jeglichen Blutgenusses auch einfach auf die jüdische Abscheu vor Blutgenuß zurückführen [29]; aber spätere Zeug|nisse legen die Annahme nahe, daß die Jerusalemer Urkirche das Verbot des völligen Blutgenusses darum als unerläßlich betrachtete, weil die Dämonen das Blut besonders schätzen und die Heidenchristen durch Blutgenuß mit den Dämonen in Beziehung treten würden [30]. Es ist darum eine wohl begründete Vermutung, daß das Verbot des Genusses von Blut und Ersticktem ebenso wie das Verbot des Genusses von Götzenopferfleisch die dämonische Befleckung der Heidenchristen verhindern will [31]. In diesem Zusammenhang wird dann aber auch das Verbot der πορνεία sinnvoll. Es ist schwerlich sicher zu entscheiden, ob dabei nur an die Tatsache gedacht ist, daß man im Heidentum den freien Geschlechtsverkehr sehr leicht nahm [32], oder ob besonders die Gefahr der kultischen Unzucht vorschwebt [33]. Da aber auch Apk 2, 14. 20 φαγεῖν εἰδωλόθυτα καὶ πορνεῦσαι als die typisch heidnischen Laster erscheinen und da die Juden die Hurerei als Folge oder Begleiterscheinung des heidnischen Götzendienstes ansahen [34], wird man auch das Verbot der πορνεία darum in das Aposteldekret aufgenommen haben, weil die bei den Heiden befürchtete πορνεία ebenfalls als dämonische Befleckung angesehen wurde.

Bestehen diese Annahmen zu Recht, so hat das ursprüngliche Aposteldekret in allen seinen vier Gliedern den Sinn, die Heidenchristen als gottgewollte Brüder anzuerkennen, *wenn* sie sich durch Meidung von Götzenopferfleisch, Blutgenuß und Unzucht der weiteren Befleckung durch die heidnischen | Gottheiten entziehen [35]. Hinwendung von den toten Götzen zum lebendigen Gott ist ja in der Tat auch sonst die entscheidende Forderung an die Heiden, die der Verfasser der Apostelgeschichte erhebt (14, 15; 17, 29f; 26, 20). Und damit ergibt sich endgültig, daß die vierteilige Formel, wie sie die Mehrzahl der Textzeugen bietet, als ältester Text im Rahmen des Berichts der Apostelgeschichte vom Apostelkonzil angenommen werden muß: diese Form des Aposteldekrets entspricht der Darstellung, die der Verfasser von den Verhandlungen in Jerusalem gibt; von ihr aus läßt sich die „westliche" Textform als bewußte Änderung verständlich machen; die sekundäre Zufügung von καὶ πνικτοῦ

schichte liegende Überlieferungsstufe gelten und darf darum in unserm textkritischen Zusammenhang nicht in Rechnung gestellt werden; außerdem sollte man vermuten, daß eher 15, 29 als 15, 20 dem Verfasser überliefert war.

[29] In der Uneingeschränktheit des Blutverbots berührt sich das Aposteldekret mit dem Jubiläenbuch, vgl CH. ALBECK, Das Buch der Jubilaeen und die Halacha, 1930, S. 24 f.

[30] Die Pseudoklementinen begründen das erweiterte Aposteldekret (s. Anm. 19) als ganzes mit der Dämonenabwehr und betonen, daß Blut die Nahrung der Dämonen sei (s. H.J. SCHOEPS, Aus frühchristlicher Zeit, 1950, S. 74, 78f und a. Anm. 19 aO); und ORIGENES, c. Cels. VIII, 30 (ed. KOETSCHAU, S. 245, 5f) begründet das Verbot des πνικτόν damit, das πνικτόν sei τροφὴ δαιμόνων.

[31] So auch L. CERFAUX, a. Anm. 4 aO, S. 118 ff.

[32] Vgl. ED. MEYER, a. Anm. 4 aO, S. 188 f; J.W. HUNKIN, a. Anm. 4 aO, S. 281 ff.

[33] So E. PREUSCHEN, a. Anm. 4 aO, S. 8 ff.

[34] S. die Belege bei STRACK-BILLERBECK, a. Anm. 19 aO, III, S. 62 ff. Z.B. Sap. 14, 12 ἀρχὴ γὰρ πορνείας ἐπίνοια εἰδώλων, εὕρεσις δὲ αὐτῶν φθορὰ ζωῆς und Orac. Sib. III, 584 ff.

[35] Das hat mit Recht J. WEISS, a. Anm. 4 aO, S. 235 betont.

ist ebensowenig überzeugend erklärbar[36] wie die von καὶ τῆς πορνείας oder καὶ τοῦ αἵματος, während der zufällige Ausfall dieser Glieder ebenso verständlich gemacht werden kann wie ihre absichtliche Streichung. Und die Annahme, daß nur ein hinter den überlieferten Textformen liegender, erst zu erschließender zweiteiliger Text die überlieferten Textformen erkläre, hat sich damit als unnötig und nicht überzeugend erwiesen. So sehr methodisch MENOUDS Grundsatz im Rechte ist, „that both the B text and the D text must be regarded as two different recensions of a lost primitive text" (S. 20)[37], so wenig zwingen irgendwelche Tatbestände dazu, in dem konkreten Fall des Aposteldekrets hinter die überlieferten Texte zurückzugehen, da einer der überlieferten Texte durchaus alle anderen zwanglos erklärt und alle Bestandteile des Urtextes sich ohne Schwierigkeit verstehen lassen. Auf textkritischem Wege dürfte damit die | Ursprünglichkeit des vierteiligen Aposteldekrets als erwiesen gelten.

Erst jetzt darf die geschichtliche Frage gestellt werden, ob dieses Dekret auch an seinem geschichtlichen Ort diesen von der Apostelgeschichte überlieferten Umfang gehabt hat. Auf diese geschichtliche Frage läßt sich nun freilich weit weniger sicher eine Antwort geben. Wenn die Annahme zu Recht besteht[38], daß das Aposteldekret nichts mit dem Gal 2, 1ff und Act 15, 1ff beschriebenen Apostelkonzil zu tun hat, sondern in späterer Zeit ohne Beteiligung des Paulus entstanden sein muß, so wissen wir ja über die Umstände seiner Entstehung nichts Sicheres. Auch die Vermutung, das Aposteldekret wolle die in Antiochia entstandenen Schwierigkeiten des Zusammenlebens von Judenchristen und Heidenchristen innerhalb der christlichen Gemeinden regeln, ist zwar durchaus einleuchtend[39], aber doch nur eine Hypothese. Infolgedessen wissen wir nicht sicher, welches Problem dieser vom Verfasser der Apostelgeschichte übernommene Beschluß lösen wollte. Aber daran kann ja schwerlich ein Zweifel sein, daß die Klauseln des Aposteldekrets auch in ihrem ursprünglichen historischen Zusammenhang kultische Mindestforderungen sein wollten, um den gesetzesstrengen Judenchristen das Zusammentreffen mit den Heidenchristen in derselben Gemeinde zu ermöglichen. Und daß diese kultischen Mindestforderungen auch von vorneherein den Zweck hatten, die dämonische Befleckung der Heidenchristen zu verunmöglichen, ist äußerst wahrscheinlich. Obwohl die Beschränkung der Klauseln auf die Enthaltung von Götzenopferfleisch und Blutgenuß daher geschichtlich durchaus denkbar wäre, besteht nicht die geringste Schwierigkeit, die

[36] Die Entstehung des vierteiligen Textes aus einer Konflation der Texte 3 und 4 (so MENOUD, S. 25) ist erst recht unwahrscheinlich.

[37] S. die von MENOUD, S. 20 Anm. 6 und 7 angeführten Arbeiten, dazu F. G. KENYON, The Western Text in the Gospels and Acts, Proceedings of the British Academy XXIV, 1938, S. 30f; L. CERFAUX, Citations scripturaires et tradition textuelle dans le Livre des Actes, Aux Sources de la tradition Chrétienne, Mélanges M. Goguel, 1950, S. 51; G. ZUNTZ, A Textual Criticism of Some Passages of the Acts of the Apostles, *Classica et Mediaevalia* 3, 1940, S. 20ff, 45f (betont mit Recht, daß „in cases of variation the true form must as a rule be expected to be among those recorded. Only in the rarest cases can conjectural emendation of the text ascertained by *recensio* be indicated...").

[38] S. Anm. 2.

[39] Die Vertreter dieser Anschauung s. ThR N. F. 17, 1948/49, S. 33; ferner G. DEHN, Gesetz oder Evangelium, 1934, S. 69; C. T. CRAIG, a. Anm. 27 aO, S. 176.

vierteilige Form des Dekrets sich in diesem geschichtlichen Zusammenhang als ursprünglich zu denken. Da nun aber textkritisch sich diese Form als die älteste erwiesen hat, muß eine methodisch vorgehende Untersuchung zugestehen, daß auch von seiten geschichtlicher Überlegung nichts gegen die Annahme spricht, daß die vier Klauseln des Aposteldekrets, wie der Text der Mehrzahl der Zeugen sie | überliefert, die älteste uns erreichbare Fassung des Aposteldekrets darstellen. Die geschichtliche Überlegung stützt demnach die textkritische Entscheidung, die in diesem Fall das letzte Wort in der Klärung einer geschichtlichen Frage behalten muß.

JESUS UND DIE ANFÄNGE DER KIRCHE

I

Die neuere Arbeit am Kirchengedanken des Urchristentums[1] hat in *einer* Hinsicht zu einer fast allgemein geteilten Anschauung bei den protestantischen Forschern geführt: Seit sich Menschen im Glauben an die Auferstehung des gekreuzigten Jesus von Nazareth zusammenfanden und gemeinsam auf den Anbruch der verheißenen Gottesherrschaft und die Erscheinung des Auferstandenen in Herrlichkeit warteten, also vom ersten Anfang des Auferstehungsglaubens an, ist die Kirche Jesu Christi vorhanden gewesen. Und diese Kirche ist von Anfang an als *Gottes* Setzung verstanden worden, die als göttliche Schöpfung eine von allen andern menschlichen Gruppenbildungen wesenhaft verschiedene und damit deutlich abgegrenzte Gestalt annehmen mußte[2]. Die zu Beginn unseres Jahrhunderts oft vertretene Anschauung, | daß auf eine ursprünglich kirchenlose, enthusiastische Zeit erst allmählich die Zeit der sich begrenzenden und streng organisierenden Kirche gefolgt sei, wird damit als Irrtum abgelehnt. Besteht in dieser Hinsicht weitgehende Übereinstimmung, so hat sich in einer zweiten Frage noch keineswegs eine auch nur grundsätzliche Einheit der Anschauung herausgebildet, nämlich in der Frage nach dem Zusammenhang der Urgemeinde und ihres Kirchendenkens mit der Verkündigung und Wirklichkeit der Geschichte Jesu. Anläßlich einer Untersuchung über den Zusammenhang des urgemeindlichen Kirchenbegriffs mit dem Bewußtsein, in dem durch Jesu Tod und Auferstehung eingeleiteten neuen Äon zu leben, war ich zu der Erkenntnis gekom-

---

[1] [1[1]] S. meinen Literaturbericht in der ThR N.F. 17, 1948, S. 123ff. Dazu ist seither gekommen: R.N. FLEW, Jesus and His Church. A Study of the Idea of the Ecclesia in the New Testament, 1943[2]; PH.-H.MENOUD, L'unité de l'Église selon le Nouveau Testament, Études théologiques et religieuses 21, 1946, S. 265ff; M. GOGUEL, L'Église primitive, 1947, S. 7ff; J.Y.CAMPBELL, The Origin and Meaning of the Christian Use of the Word *EKKΛH-ΣIA*, JThS 49, 1948, S. 130ff; T.W.MANSON, The New Testament Basis of the Doctrine of the Church, Journ. of Eccles. History 1, 1950, S. 1ff; J.-L.LEUBA, L'institution et l'événement, Diss. Neuchâtel, 1950, S. 81ff; W.F.HOWARD, The Church in the New Testament, Expos. Times 62, 1950/51, S. 207ff; A.OEPKE, Das neue Gottesvolk in Schrifttum, bildender Kunst und Weltgestaltung, 1950; O.MOE, Urchristentum und Kirche, ThLZ 76, 1951, S. 705ff; A.FRIDRICHSEN, „Messias und Kirche" und „Die neutestamentliche Gemeinde" in „Ein Buch von der Kirche", 1951, S. 29ff, 51ff; G.LINDESKOG, Gottesreich und Kirche im NT, ebd, S. 145ff; E.BRUNNER, Das Mißverständnis der Kirche, 1951, S. 21ff.

Unerreichbar blieben mir: G.JOHNSTON, The Doctrine of the Church in the New Testament, 1943; L.G.CHAMPION, The Church of the New Testament, 1951.

[2] [1[2]] Vgl. etwa O.MOE, a. Anm. 1 aO.

men, daß der Kirchenbegriff der Urgemeinde nicht direkt auf die Predigt und Wirksamkeit Jesu zurückgehe und daß sich in der als alt zu sichernden Verkündigung Jesu die Vorstellung von einer neuen endzeitlichen, abgegrenzten Gemeinde nicht nachweisen lasse[3]. Und bei einer umfassenderen Überschau über die eschatologische Verkündigung Jesu[4] hatte sich mir die Tatsache bestätigt, daß Jesus eine Gegenwart der verheißenen Gottesherrschaft nur in seiner Person und seinem Wirken, nicht aber in einer um ihn gescharten oder für die Zeit nach seiner Auferstehung vorausgesagten Gemeinde gesehen habe. Gegen diese Anschauung hat sich dann aber neben anderen besonders A. OEPKE[5] gewandt und in einer kritischen Überschau über die neueste Literatur zu dem Kirchenwort an Petrus Mt 16, 17-19 nachzuweisen gesucht, daß der Kirchengedanke zur Verkündigung des irdischen Jesus notwendig hinzugehöre und daß darum auch gegen die Zurückführung von Mt 16, 17 ff auf Jesus keine ernsthaften Bedenken bestünden. OEPKE weist dabei besonders hin auf Jesu Anschluß an den Gottesvolkgedanken, der das Weiterbestehen des Gottesvolkes trotz des Versagens des alten Gottesvolkes fordere, und auf den Messiasanspruch Jesu, der das Vorhandensein einer „Kirche" voraussetze. Das Petruswort Mt 16, 17 ff aber gehöre stilistisch mit anderen | sicher überlieferten Jesusworten zusammen und passe in die Situation des Erdenlebens Jesu vorzüglich hinein[6]. Da in dieser Diskussion m. E. der geschichtliche Sachverhalt noch nicht zu seinem vollen Recht gekommen ist, scheint es mir notwendig, die Frage in der hier gebotenen Kürze noch einmal aufzunehmen.

II

Folgende beiden Tatsachen scheinen mir unbestreitbar: 1. Jesus hat von einer Gegenwart der für die nahe Zukunft verheißenen Gottesherrschaft geredet und hat diese Gegenwart in seiner Person und seinem Tun wirksam gesehen; 2. Jesus erwartet mit dem Anbruch der Gottesherrschaft auch das In-Erscheinung-Treten des Messiasvolkes und verheißt denen, die zu seinen Lebzeiten seine Anhänger waren, daß sie zu diesem messianischen Volke gehören sollen[7]. Aber gerade wenn das fest-

---

[3] [2¹] W. G. KÜMMEL, Kirchenbegriff und Geschichtsbewußtsein in der Urgemeinde und bei Jesus, Symbolae Biblicae Upsalienses I, 1943 (im Folgenden abgekürzt „Kirchenbegriff").

[4] [2²] W. G. KÜMMEL, Verheißung und Erfüllung. Untersuchungen zur eschatologischen Verkündigung Jesu, 1945, 1953² (ich zitiere die 2. Auflage, abgekürzt „Verheißung").

[5] [2³] A. OEPKE, Der Herrnspruch über die Kirche Mt 16, 17–19 in der neuesten Forschung. Ein kritischer Bericht, StTh II, 1948/9, S. 110 ff. Die Hauptgedanken dieser Abhandlung sind auch in das Anm. 1 genannte Werk OEPKES (S. 155 ff) übernommen. Meine Anm. 4 genannte Arbeit hat OEPKE dabei leider in beiden Werken nicht benutzen können.

[6] [3¹] Ähnliche Gedanken vertraten ferner folgende Arbeiten: P. NEPPER-CHRISTENSEN, Wer hat die Kirche gestiftet?, Symbolae Biblicae Upsalienses 12, 1950, S. 23 ff; R. LIECHTENHAN, Die urchristliche Mission, 1946, S. 7 ff; N. A. DAHL, The Parables of Growth, St Th V, 1951, S. 159 ff; O. CULLMANN, Petrus. Jünger – Apostel – Märtyrer, 1952, S. 172 ff. – Vgl. auch T. F. GLASSON, The Second Advent, 1947², S. 139 ff; G. S. DUNCAN, Jesus, Son of Man, 1948, S. 223 ff.

[7] [3²] S. die Nachweise in meiner Anm. 4 genannten Arbeit.

steht, erhebt sich die doppelte Frage, in welchem Verhältnis die Jüngerschar zu der
in Jesus gegenwärtig wirksamen Gottesherrschaft gedacht sei, und ob Jesus das In-
Erscheinung-Treten des Messiasvolkes nur und ausschließlich für die eschatologische
Zukunft im strengsten Sinne oder nicht doch auch für die Zeit bis zu diesem Eschaton erwartete. Wenden wir uns zunächst der ersten dieser beiden Fragen zu, so darf
ebenfalls als sicher vorausgesetzt werden, daß Jesus um sich außer der streng begrenzten Zahl der Zwölf noch eine größere Zahl von Jüngern geschart hatte, die
seine persönliche Lebensgemeinschaft teilten[8]. Freilich setzt die Unsicherheit ein,
sobald wir nach dem genaueren Charakter dieser Jüngergruppe fragen. Wir wissen
ja, daß Jesus nicht nur die Zwölf in seine persönliche Nachfolge berufen hat, sondern
daß er auch andere Menschen zur Nachfolge aufforderte oder auf ihr Angebot ant-
wortete, in seine Nachfolge einzutreten[9]. Und die Evangelisten verraten auch noch
die Kennt|nis der Tatsache, daß die Zwölf nur ein Teil der ἀκολουϑοῦντες (Mk 10,
32; Mk 4, 10) bzw. aus den μαϑηταί ausgewählt waren (Lk 6, 13)[10]. Aber daneben
zeigt sich doch auch, daß man zur Zeit der Abfassung der Evangelien nicht mehr
sicher wußte, ob jeder μαϑητής auch in Jesu Nachfolge eingetreten ist (Mt 8, 21f),
und Lukas redet direkt vom ὄχλος der μαϑηταί (6, 17, vgl. 19, 37 ἅπαν τὸ πλῆϑος
τῶν μαϑητῶν). Daraus ergibt sich, daß wir nicht mehr sicher erkennen können, ob
die um Jesus gescharte Gruppe der μαϑηταί jemals eine irgendwie *abgeschlossene*
Größe gewesen ist, und auf alle Fälle läßt sich nicht verkennen, daß Jesus die Zugehörigkeit zur zukünftigen Gottesherrschaft auch Menschen verheißen hat, die
nach der Überlieferung nicht zur Schar der ἀκολουϑοῦντες oder μαϑηταί gehörten
(Mk 10, 15; 12, 34; Lk 6, 20; Mt 7, 21). Darüber hinaus ist deutlich, daß Jesus nirgendwo die Gottesherrschaft als gegenwärtig wirksam im Kreise seiner Jünger oder
Nachfolger geschildert hat, da die Zusage des Eingehens in die Gottesherrschaft, des
Besitzes des Lebens usw. niemals einer abgegrenzten Gruppe von Anhängern gegeben wird[11].

Freilich hat man auf einige Texte hingewiesen, die zeigen sollen, daß Jesus doch
in den Jüngern das messianische Geschehen habe beginnen sehen. Das Wort von den
„Freunden des Bräutigams" (Mk 2, 18—20) weist allerdings keineswegs darauf hin,
daß die Jünger „schon im Gottesreich als das neue Gottesvolk um seinen König und
Heiland geschart" sind[12]; denn so sehr hier von der Gegenwart der kommenden
Gottesherrschaft in der Person des messianischen Bräutigams die Rede ist, so wenig

---

[8] [3³] Zur Geschichtlichkeit der Zwölf s. „Kirchenbegriff", S. 30f; zu μαϑητής vgl. K. H.
Rengstorf, ThW IV, S. 444ff.

[9] [3⁴] Mt 8, 19 par Lk 9, 57; Mt 8, 22 par Lk 9, 59; Lk 9, 61; Mk 2, 14 par Lk 5, 27f;
Mk 10, 21 par; Mt 10, 38 par Lk 14, 27; Mk 8, 34 par; Mk 15, 41 par; Mk 9, 38 par.

[10] [4¹] Daß „Mk, wo er von den μαϑηταί als Gruppe redet, offenbar immer an die Zwölf"
denkt, (R. Bultmann, Gesch. d. syn. Trad., 1931², S. 369), gilt angesichts von Mk 4, 10
neben 4, 34 und 3, 7. 9. 13 neben 3, 14 zweifellos nicht für das ganze Markusevangelium;
dagegen sind innerhalb der Leidensgeschichte des Markusevangeliums (11, 11 neben 11, 14;
14, 12 neben 14, 17), die Zwölf wohl mit den Jüngern gleichgesetzt. Lukas dagegen gebraucht μαϑητής abwechselnd für einen größeren Kreis und für die Zwölf (s. R. Bultmann,
aaO, S. 390f).

[11] [4²] „Verheißung", S. 46. 117f.

[12] [4³] P. Nepper-Christensen, a. Anm. 6 aO; vgl. „Verheißung", S. 68ff.

weist das Bild von den „Freunden des Bräutigams" auf eine *geschlossene* Gruppe, und die Teilhabe dieser „Freunde des Bräutigams" an der messianischen Freude ist nicht gleichbedeutend damit, daß sie schon an dem sich auswirkenden Gottesreich Anteil haben. Eher könnte man fragen, ob nach Lk 12, 32 („Fürchte dich nicht, du kleine Herde, denn es hat euerm Vater gefallen, euch die Herrschaft zu geben") „das Bestehen der kleinen Herde ... doch als ein Zeichen der anbrechenden Gottesherrschaft angesehen werden" | dürfe[13]. Aber einerseits ist ja die Beziehung auf die Gottesherrschaft deutlich streng eschatologisch; das vereinzelte Bild von der Herde setzt auch keineswegs eine abgeschlossene Gruppe voraus, wie Mk 14, 27 („Ihr werdet alle Anstoß nehmen, denn es steht geschrieben: ich werde den Hirten schlagen, und die Schafe werden sich zerstreuen") bestätigt, da hier gerade nicht von einer geschlossenen Herde die Rede ist. Ganz besonders aber ist von einem Vorauswirken der Gottesherrschaft in der mit dem Bild von der Herde gekennzeichneten Jüngerschar in keiner Weise die Rede. Die Vorstellung eines gegenwärtigen neuen Gottesvolkes ist daher mit Bezug auf den weiteren Kreis der Anhänger Jesu aus den Quellen nicht belegbar[14].

Dagegen ist zu fragen, ob es sich nicht mit dem Kreis der Zwölf anders verhalte, von dem immer wieder gesagt wird, daß „die Zwölf schon zu Lebzeiten Jesu sich als zentrale Gestalten des Gottesreiches – nicht nur des kommenden – empfanden und als solche von der Jüngerschaft anerkannt waren"[15]. Wir wissen, daß Jesus gerade 12 Jünger mit einer besonderen Absicht ausgewählt hat: sie sollen einst beim Endgericht die 12 Stämme Israels richten (Mt 19, 28)[16]. Das bedeutet selbstverständlich schon in der Gegenwart, daß die Zwölf Jesu Bußruf und Heilsverkündigung an das ganze Zwölfstämmevolk repräsentieren[17]. Aber bedeutet das auch, daß die Zwölf als Träger dieser | Würde bereits die irdische Verwirklichung des endzeitlichen

[13] [5¹] R. LIECHTENHAN, a. Anm. 6 aO, S. 26; O. CULLMANN, a. ebd. aO, S. 221; vgl. dazu „Kirchenbegriff", S. 28f und „Verheißung", S. 46, ferner R. BULTMANN, ThBl 20, 1941, S. 268f.

[14] [5²] N. A. DAHL, a. Anm. 6 aO, S. 160 erklärt auf der einen Seite, daß die von den „Wachstumsgleichnissen" gemeinten gegenwärtigen Wirklichkeiten „*must* (meine Sperrung) be not only the person of Jesus, but also the humble community of the disciples, tax-collectors and sinners gathered around him", spricht aber dann doch von der Berufung von Menschen, „who *are to enter* (meine Sperrung) the Kingdom of God".

[15] [5³] P. NEPPER-CHRISTENSEN, a. Anm. 6 aO, S. 32f; ähnlich N. A. DAHL, a. ebd. aO, S. 163; R. N. FLEW, a. Anm. 1 aO, S. 43; A. FRIDRICHSEN, a. ebd. aO, S. 34. Frühere Vertreter dieser Anschauung „Kirchenbegriff", S. 57 Anm. 103.

[16] [5⁴] Das Logion ist Mt 19, 28 auf eine Frage des Petrus hin gerichtet an ὑμεῖς οἱ ἀκολουθήσαντές μοι, Lk 22, 28 in der Situation des letzten Mahles an ὑμεῖς οἱ ... διαμεμενηκότες μετ᾽ ἐμοῦ ἐν τοῖς πειρασμοῖς μου; die Zwölfzahl begegnet innerhalb des Spruches nur Mt 19, 28 „ihr werdet sitzen auf zwölf Thronen". Das ist aber zweifellos das Ursprünglichere, wie überhaupt Mt 19, 28 in allen wesentlichen Punkten den ursprünglichen Wortlaut besser bewahrt hat als Lk 22, 29f (s. „Kirchenbegriff", S. 31; „Verheißung", S. 40f). Es kann darum kein Zweifel sein, daß in diesem Logion eine Verheißung gerade und nur an die Zwölf vorliegt.

[17] [5⁵] So K. H. RENGSTORF, ThW II, S. 326. Die „sehr enge Beziehung" der Jünger zum eschatologischen Heilsvolk (LIECHTENHAN, a. Anm. 6 aO, S. 28) ist aber nur eine streng eschatologische: als den persönlichen Nachfolgern Jesu ist den Zwölf die führende Stellung in der eschatologischen Heilsgemeinde verheißen. Richtig E. LICHTENSTEIN, Die älteste christliche Glaubensformel, ZKG 63, 1950/51, S. 55.

Gottesvolkes darstellen, also das eschatologische Gottesvolk in der Gegenwart vorausbilden ? Man hat diese Behauptung darum aufgestellt, weil Jesus ja den Zwölf auch *in seiner Gegenwart* einen doppelten Auftrag gegeben hat: die Zwölf werden von Jesus zur Mission ausgesandt, die sich ganz ausdrücklich nur an Israel richtet, und die Zwölf erhalten den Auftrag zur Dämonenaustreibung (Mk 3, 14f; 6, 7ff; Mt 10, 5f). Die Jünger erhalten also den Auftrag zu derselben Verkündigung, wie sie Jesus betreibt, und sie sollen dieselben Taten tun, die Jesus tut. Bedeutet das nicht wirklich, daß Jesus die Zwölf an seinem messianischen Amte teilnehmen läßt, daß er „seine Person vervielfacht“, daß darum „schon das Wirken der Jüngergruppe messianisches Wirken ist“[18] ? O. CULLMANN hat zur Bestärkung dieser Anschauung noch besonders darauf hingewiesen, daß Jesus seine Taten, die das Hereinbrechen der Gottesherrschaft anzeigen (Mt 11, 4f), in ganz ähnlicher Weise beschreibe wie die Taten, die den ausgesandten Jüngern aufgetragen werden (Mt 10, 7f), so daß demnach in dem Wirken der Jünger in gleicher Weise wie in dem Jesu die kommende Gottesherrschaft als angebrochen gedacht werde[19]. Nun wird man die Tatsache nicht anzuzweifeln brauchen, daß Jesus seinen Jüngern den Auftrag zur Mithilfe bei der Missionstätigkeit gegeben hat[20], und auch ihre Beteiligung an der exorzistischen Tätigkeit Jesu ist sicher bezeugt (Mt 10, 23b; Lk 10, 20). Aber einmal ist durchaus fraglich, ob nur die Zwölf diesen Auftrag von Jesus erhalten haben; auch wenn man die Aussendung von 70 Jüngern nicht für geschichtlich halten kann, weil wir von dieser Gruppe gar nichts hören, so ist bezeichnend, daß Lukas die Missionsanweisung sowohl an die Zwölf wie an die 70 gerichtet sein lassen kann (Lk 9, 1ff; 10, 1ff) und daß Lk 10, 20 den 70 gegenüber gesprochen sein soll, obwohl von einer Übergabe der Vollmacht über die Dämonen nur Lk 9, 1 angesichts der Zwölf die Rede gewesen war. Auch beweist die Bitte um die Erweckung weiterer Erntearbeiter durch Gott (Mt 9, 37f par Lk 10, 2f), daß Jesus den Mis|sionsauftrag nicht auf die Zwölf beschränkt wissen will, und die Abweisung des fremden Exorzisten durch einen der Zwölf (Mk 9, 38f) zeigt, daß es durchaus denkbar war, daß man im Namen Jesu Dämonen austrieb, ohne zur Schar der ἀκολουθοῦντες oder gar zu den Zwölf zu gehören. Andererseits hat man wohl nicht ohne Grund darauf verwiesen, daß sich der urgemeindliche Sprachgebrauch, der den Aposteltitel nicht auf die Zwölf beschränkte, am besten verstehen lasse, wenn Jesus nicht nur die Zwölf mit einem Auftrag ausgesandt hat[21]. Hat Jesus aber einen größeren Kreis von Nachfolgern als die Zwölf an seiner Verkündigung und seiner Heiltätigkeit teilnehmen lassen, so kann man nicht aus der Beteiligung der Zwölf an der irdischen Wirksamkeit Jesu auf die Tatsache zurückschließen, daß sie wie in der eschatologischen Vollendung so auch schon in der Gegenwart das eschatologische Gottesvolk darstellen[22]. Vielmehr haben die

---

[18] [6¹] T. W. MANSON, a Anm. 1 aO, S. 5; A. OEPKE, a. Anm. 5 aO, S 123; O. CULLMANN a. Anm. 6 aO, S. 220.

[19] [6²] O. CULLMANN, a. Anm. 6 aO, S. 219f.

[20] [6³] S. dazu zuletzt H. MOSBECH, Apostolos in the New Testament, StTh II, 1949/50, S. 185f.

[21] [7¹] S. R. N. FLEW, a. Anm. 1 aO, S. 82, 85.

[22] [7²] Während R. N. FLEW, aaO, S. 38 davon redet, daß Jesus bei der Berufung der

Zwölf ebenso wie alle anderen Jünger, denen Jesus den Auftrag zur Mithilfe an seiner eschatologischen Wirksamkeit gegeben hat, durch diesen Auftrag Anteil an den mit Jesus in diesen vergehenden Äon eingebrochenen Kräften des nahenden Gottesreichs, und insofern ist auch im Kreise dieser Jünger Jesu die kommende Gottesherrschaft schon wirksam. Aber da dieser Kreis durchaus nicht abgeschlossen ist und da von einem *neuen* Gottesvolk im Kreise dieser Jünger oder der durch sie Gewonnenen durchaus nicht die Rede ist, kann man nicht sagen, daß der Kreis der Zwölf der Kern des neuen Gottesvolkes sei.

III

Widerspricht der Behauptung, Jesus habe die kommende Gottesherrschaft nur in seiner Person und dem mit seiner Person verbundenen Geschehen wirksam gesehen, aber nicht die Tatsache, daß Jesus sich als den Heilsbringer der Endzeit gewußt hat? Gehört nicht zum Heilsbringer die Heilsgemeinde notwendig hinzu? F. KATTENBUSCH hat die These aufgestellt, daß Jesus, *wenn* er sich an Dan 7 anschloß und sich als den „Menschen" bekannte, auch das zu diesem „Menschen" | gehörige Volk der Heiligen des Höchsten sammeln *mußte*[23]. Diese oft wiederholte These ist auch in der neuesten Diskussion immer wieder aufgenommen worden, indem man feststellte, daß ein Messias ohne sein Volk eine absurde Vorstellung sei und daß Jesus das Gottesvolk der Endzeit aus Israel herausrufen und um sich sammeln und organisieren *mußte,* wenn er der Messias „im Vollsinn des Wortes" sein wollte[24]. O. CULLMANN hat sogar behauptet, wir müßten bei Jesus, wenn wir sein messianisches Selbstbewußtsein festhielten, „das zu ihm gehörende Gottesvolk der Endzeit gerade zu postulieren, selbst wenn wir keinen Text darüber hätten", und A. OEPKE hat zur Stützung der Behauptung, daß Jesus als Messias eine „Kirche" gewollt haben müsse, darauf verwiesen, „daß eine Kirche bereits da war, als Jesus auftrat"[25]. Nun ist freilich der Hinweis auf den aus dem Anschluß an Dan 7 sich ergebenden Zwang für Jesus, ein Volk der Heiligen des Höchsten zu schaffen, nicht überzeugend, wie ich schon früher betont habe[26], weil Jesus sich offensichtlich an die zeitgeschichtliche jüdische Exegese anschloß, die den „Menschen" von Dan 7

Zwölf als des inneren Kreises an ein „neues Israel" dachte, ist A. OEPKE, a. Anm. 1 aO, S. 165 vorsichtiger und sagt: „Die Aussendung an das empirische Israel ... läßt ... erkennen, daß es sich nicht, mindestens noch nicht, um eine Neugründung ... handelt, sondern um die Zurüstung des bereits vorhandenen, aber seiner Bestimmung untreu gewordenen Gottesvolkes".

[23] [8 1] F. KATTENBUCH, Der Quellort der Kirchenidee, Festgabe für A. v. Harnack 1921, S. 160. Weitere Vertreter dieser Anschauung „Kirchenbegriff", S. 57 Anm. 105.

[24] A. OEPKE, a. Anm. 5 aO, S. 140; P. NEPPER-CHRISTENSEN, a. Anm. 6 aO, S. 30; ferner N. A. DAHL, a. ebd. aO, S. 164; R. N. FLEW, a. Anm. 1 aO, S. 55ff; J. HORST, Der Kirchengedanke bei Mt 16, 18, ZSTh 20, 1943, S. 134; E. STAUFFER, Die Theologie des Neuen Testaments, 1948[4], S. 15; O. CULLMANN, a. Anm. 6 aO, S. 211f; G. DELLING, Der Gottesdienst im NT, 1952, S. 28.

[25] [8 3] S. Anm. 24.

[26] [8 4] „Kirchenbegriff", S. 33f.

auf den Messias deutete, dann aber diesen „Menschen" nicht auch zugleich auf das
Gottesvolk der Endzeit beziehen konnte. Weiter ist zu fragen, was man unter „Kir-
che" versteht, wenn man feststellt, daß eine Kirche bereits vorhanden war, als
Jesus auftrat. Es ist ja völlig unbestreitbar, daß Jesus im Rahmen des jüdischen
Volkes aufgetreten ist und seinen Ruf an dieses ganze Volk gerichtet hat. Das be-
weist nicht nur die den Zwölf zugedachte Rolle, sondern auch die Tatsache, daß
Jesus ausdrücklich betont, daß er Jerusalem gerufen habe, das aber nicht wollte,
und daß angesichts der Unwilligkeit der Juden, auf die Botschaft von der nahenden
Gottesherrschaft zu hören, in der Gottesherrschaft Heiden anstelle der ungläubigen
Glieder des Gottesvolkes mit Abraham, Isaak und Jakob zu Tische liegen sollten
(Mt 23, 37; 8, 11 f). So tritt an die Stelle des Jesus verwerfenden alten Gottesvolkes
das die glaubenden Glieder des alten Volkes mit umfassende neue Gottesvolk, aber
erst in der eschatologischen Vollendung, und | dieses neue eschatologische Gottes-
volk wird in dem Wort von dem neuen Tempel vorausgesagt, der nach der endzeitlichen Zerstörung des irdischen Tempels entstehen soll (Mk 14, 58)[27]. Bis zuletzt
wendet sich Jesus an das ganze alte Gottesvolk, dessen Endzeitherrscher er sein
will (Mk 11, 1 ff). Nirgendwo aber findet sich ein Anzeichen dafür, daß Jesus an den
prophetischen Gedanken des Restes angeknüpft und zu seinen Lebzeiten einen
Heiligen Rest als Vorausbildung des eschatologischen Gottesvolkes ausgesondert
habe[28]. Damit ist aber gegeben, daß in der Tat schon zu Jesu Lebzeiten das Gottesvolk da ist, an das Jesus sich gesandt weiß; aber es ist mißverständlich, dieses alte
Gottesvolk, das Jesus zur Umkehr ruft, „Kirche" zu nennen. Denn Kirche ist, wie
noch zu zeigen sein wird, für das Urchristentum (und auch für Mt 16, 18!) immer das
neue Gottesvolk, das die eschatologische Fortsetzung des alten Gottesvolkes bildet
und seine Existenz ausschließlich durch die Zugehörigkeit zu dem (gekreuzigten und
auferstandenen) Messias Jesus hat. Und in diesem Sinne ist die „kleine Herde" keine
„Kirche", weil Jesus bis zuletzt das ganze alte Gottesvolk rufen wollte und keine
Sondergruppe ausgesondert hat. Ganz gewiß wollte Jesus „Kirche", aber gerade
nicht *seine* Kirche, die notwendigerweise von *dem* Gottesvolk getrennt sein mußte.

Ganz besonders aber ist in diesem Zusammenhang zu fragen, ob die Behauptung
zu Recht besteht, daß Jesus eine neue Gemeinde sammeln *mußte*, wenn er den Anspruch auf die Messiaswürde erhob. Nun ist freilich aufs äußerste umstritten, ob und
in welchem Sinn Jesus einen persönlichen Messiasanspruch erhoben habe. Doch
scheint mir, ohne daß die Frage hier in ihrer ganzen Breite aufgerollt werden könnte,
völlig sicher nachweisbar, daß Jesus die Messiaswürde für seine Person beansprucht

---

[27] [9¹] Zum Alter und streng eschatologischen Sinn von Mk 14, 58 vgl. „Verheißung",
S. 93 f.

[28] [9²] Gegen den Jesus immer wieder zugeschriebenen Gedanken des „Heiligen Restes"
(R. N. Flew, a.Anm 1 aO, S. 39; O. Cullmann, a. Anm. 6 aO, S. 212; P. Nepper-Christen-
sen, a. ebd. aO, S. 30, 32; J. L. Klink, Het Petrustype in het Nieuwe Testament en de Oud-
Christelijke Letterkunde, Diss. Leiden, 1947, S. 103; J. W. Bowman, The Religion of Matu-
rity, 1948, S. 257) haben sich mit Recht gewandt R. Bultmann, ThBl 20, 1941, S. 274;
A. Oepke, a, Anm. 5 aO, S. 140; a. Anm. 1 aO, S. 165 und ganz besonders J. Jeremias, Der
Gedanke des „Heiligen Restes" im Spätjudentum und in der Verkündigung Jesu, ZNW 42,
1949, S. 184 ff.

hat. Das ergibt sich einmal aus indirekten Zeugnissen: die römisch formulierte Kreuzesinschrift (Mk 15, 26) weist darauf hin, daß Jesus unter der Anklage verurteilt worden ist, er wolle der Endzeitkönig des jüdischen Volkes sein; und wir haben keinen Grund zu der Annahme, daß diese Anklage im Verhalten Jesu | ohne Anhaltspunkt gewesen sei[29]. Ebenso indirekte Zeugnisse sind die Worte Jesu, in denen er als *messianisches* Geschehen in der Gegenwart deutet, wenn er Dämonen austreibt, Kranke heilt, den Armen das Evangelium verkündet (Mt 13, 16f; Mt 12, 28 par Lk 11, 20; Mt 11, 2ff par Lk 7, 18ff)[30]. Schon etwas deutlicher sind die beiden Handlungen der letzten Jerusalemer Tage Jesu: der Einzug nach Jerusalem und die Tempelreinigung (Mk 11, 1ff par; Mk 11, 15ff par); denn hier haben zwar wohl nicht die Teilnehmer jener Geschehnisse den Sinn dessen verstanden, was Jesus beabsichtigte, aber es ist deutlich, daß diese Handlungen der Absicht Jesu entsprangen, sich als den Erfüller messianischer Verheißung zu zeigen[31]. Freilich, und das ist sehr wichtig zu beachten, hat Jesus diese Absicht in durchaus verdeckter Form ausgeführt, also in keiner Weise gegenüber jedermann oder auch nur gegenüber seinen Vertrauten seinen messianischen Anspruch deutlich erkennbar kundgetan. Andererseits ist aber nun auch nicht zu übersehen, daß die Messiasfrage wirklich an Jesus herangetragen worden ist und daß er sich ihr nicht entzogen hat. Das zeigt sich einmal in der Frage des Täufers (Mt 11, 2ff par Lk 7, 18ff), ob Jesus „der Kommende" sei[32]. Auf die Frage, die einen seltenen jüdischen Messiastitel zu verwenden scheint, der den streng eschatologischen Charakter der Messiaserwartung des Täufers deutlich kennzeichnet, gibt Jesus mit überlieferten Formeln eine versteckte Antwort, nach der seine Taten messianischen Charakter tragen und dadurch ein Hinweis darauf sind, daß die verheißene Messiaszeit sich in seinen Taten auswirkt. Auch hier erhebt Jesus klar den Anspruch, messianische Taten zu tun; aber auch hier wird dieser Anspruch so verhüllt vorgebracht, daß ihn nicht jedermann bemerken kann; von einem Anspruch, in der Gegenwart die messianische Würde in irgendeinem umfassenden Sinne zu besitzen und auszuüben, verrät der Text aber nichts. Und ganz ähnlich ist auch über das Messiasbekenntnis von Caesarea Philippi zu urteilen (Mk 8, 27ff par). Dieser viel umstrittene Text ist trotz der gegenteiligen Behauptung von R. BULTMANN |und anderen[33] durch die Ortsangabe ebenso wie durch das sekundäre Abbrechen des Schlusses als alte Überlieferung erwiesen. Der ursprüngliche Schluß des Berichts ist

---

[29] [10 1] J. HÉRING, Messie juif et messie chrétien, Rev. d'hist. et de philos. rel. 18, 1938, S. 425f nimmt an, Jesus sei aus reiner Bosheit als Messiasprätendent von den Juden bei Pilatus angeklagt worden, dieser habe dann aber den jüdischen Messianismus ironisieren wollen, indem er die Kreuzesinschrift anbrachte, die daher keinen historischen Grund hatte. Diese Annahme ist aber völlig willkürlich, da die übrigen Zeugnisse beweisen, daß die Messiasfrage an Jesus herangetreten ist.

[30] [10 2] S. zu allen diesen Texten „Verheißung", S. 98ff.

[31] [10 3] Genauerer Nachweis „Verheißung", S. 107ff.

[32] [10 4] S. „Verheißung", S. 102ff.

[33] [11 1] R. BULTMANN, Die Frage nach dem messianischen Selbstbewußtsein Jesu und das Petrusbekenntnis, ZNW 19, 1919/20, S. 165ff; M.S. ENSLIN, The Date of Peter's Confession, Quantulacumque, presented to K. Lake, 1937, S. 117ff; H.J. EBELING, Das Messiasgeheimnis und die Botschaft des Marcus-Evangelisten, 1939, S. 204ff.

durch Markus oder schon vor ihm[34] abgebrochen, und Markus hat das Schweigegebot Mk 8, 30 aufgrund seiner Theorie vom Messiasgeheimnis angefügt; alle Versuche aber, den ursprünglichen Schluß an einer späteren Stelle des Markusevangeliums aufzufinden, sind unhaltbar[35]. Auf keinen Fall kann man durch eine solche literarkritische Hypothese die Behauptung begründen, daß der Tadel des Petrus als Satan (Mk 8, 33) die ursprüngliche Fortsetzung von Mk 8, 27–29 sei und daher beweise, daß Jesus das ihm von Petrus im Namen der Jünger entgegengebrachte Bekenntnis zu seiner Messiaswürde als satanisch verworfen habe[36]. Wir kennen die Stellungnahme Jesu zu dem Bekenntnis des Petrus daher nicht und könnten sie höchstens erraten. Aber ein Doppeltes ist aus diesem Bericht sicher zu erkennen: die Messiasfrage ist an Jesus tatsächlich herangetragen worden, und er hat sie auch aufgenommen; und ebenso sicher ist, daß das Bekenntnis des Petrus auf dem Hintergrund der verschiedenen Urteile über die religiöse Bedeutung der Person Jesu nur den Sinn haben kann, daß Jesus der von Gott für die Würde des endzeitlichen Herrschers *Bestimmte* ist. Nicht das bekennt Petrus, und nicht das hatte Jesus den Jüngern verhüllt bekannt, daß er bereits jetzt die Würde des Endzeitherrschers trage und darum in irgendeiner Form das endzeitliche Gottesvolk bereits um sich schare; sondern das allein kann Petrus bekennen, daß Jesus diese Würde von Gott erhalten werde, wenn Gottes Herrschaft in Bälde kommen wird, und daß dann das endzeitliche Gottesvolk um ihn geschart sein werde. | Denn für einen Juden kann der Messias ja nur daran erkannt werden, daß er als endzeitlicher Herrscher auftritt, in welcher Form man dieses Auftreten auch immer sich vorstellen mochte[37]. Das Bekenntnis von Caesarea Philippi zeigt also, daß Jesus sich, zum mindesten zeitweilig, dem Glauben seiner Jünger gegenüber sah, er werde von Gott in die Würde des „Gesalbten" am Ende der Tage eingesetzt werden[38], und es ist keine Frage, daß die Bekenner solchen Glaubens durch ihren Anschluß an Jesus auch zu der kommenden Gottesherrschaft bereits in eine klare Beziehung getreten zu sein glaubten (Lk 12, 32;

---

[34] [11 2] So M. DIBELIUS, Theologie des Neuen Testaments, Heidelberger Skripten, Theol. Reihe, 1. Heft (1948), S. 24.

[35] [11 3] S. das Referat bei H. J. EBELING, aaO, S. 206 f. – O. CULLMANN, a. Anm. 6 aO, S. 193 ff betrachtet Mk 8, 26–33 als ein ursprüngliches Ganzes, unterläßt aber jede literarische Analyse des Textes.

[36] [11 4] A. MEYER, Die Entstehung des Markusevangeliums, Festgabe für A. Jülicher, 1927, S. 44; ähnlich A. MERX, Die Evangelien des Markus und Lukas, 1905, S. 90; J. HÉRING, Le royaume de Dieu et sa venue, 1937, S. 122 ff; W. GRUNDMANN, Die Gotteskindschaft in der Geschichte Jesu und ihre religionsgeschichtlichen Voraussetzungen, 1938, S. 144 f. – K. G. GOETZ, Hat sich Jesus selbst für den Messias gehalten und ausgegeben ?, ThStKr 105, 1933, S. 123 will in Mk 8, 30 die Bedrohung der Jünger wegen des Messiasbekenntnisses finden.

[37] [12 1] Wo man dieses Bekenntnis zu Jesus als dem Messias *designatus* bestreitet, weil Jesus als der messianisch Handelnde schon der Messias praesens sei (H.-D. WENDLAND, Die Eschatologie des Reiches Gottes bei Jesus, 1931, S. 230 f; vgl. auch H. J. EBELING, a. Anm. 33 aO, S. 208 und C. K. BARRETT, The Holy Spirit and the Gospel Tradition, 1947, S. 118 f), läßt man nicht nur das spätere Verhalten der Jünger, sondern besonders den religionsgeschichtlichen Hintergrund völlig außer acht.

[38] [12 2] Diese zum mindesten zeitweilige Erwartung mancher Jünger beweist auch die Zebedaidenbitte (Mk 10, 35–40), die freilich gerade von einer gegenwärtigen messianischen Gemeinde gar nichts spüren läßt. S. „Verheißung", S. 62 f.

Mk 8, 38). Dabei von einer *ecclesia designata* zu sprechen[39], dürfte freilich nicht angebracht sein, da diese Gruppe der Jesu messianische Zukunft Bekennenden weder eine irgendwie deutlich abgegrenzte Schar noch eine sich dadurch eindeutig aus dem alten Gottesvolk ausgliedernde Gemeinschaft war.

Am unzweifelhaftesten ist der Sinn des messianischen Anspruchs Jesu aber in der Verhandlung vor dem Synedrium erkennbar (Mk 14, 61f). Bestehen gute Gründe für die Annahme, daß nicht nur der Bericht über diese Verhandlung einen geschichtlichen Sachverhalt wiedergibt, sondern daß auch die Antwort Jesu auf die Frage des Hohepriesters zuverlässig überliefert ist[40], so bleibt nur zu fragen, welchen Sinn diese Antwort gehabt hat. Man hat das ἐγώ εἰμι bei Markus als sekundäre Umbildung gegenüber dem σὺ εἶπας in Mt 26, 64 angesehen und dann behauptet, Jesus habe die Frage des Hohepriesters nach seiner Messiaswürde ausweichend beantwortet und an die Stelle einer Bejahung den Hinweis auf das Kommen des Menschensohns auf den Wolken des Himmels gestellt[41]. Aber einmal kann nie|mand ohne Gewaltsamkeit erklären, wie das eindeutige ἐγώ εἰμι in Mk 14, 62 entstanden sein soll, wenn der von Markus abhängige Matthäus eine ursprünglichere, und zwar ausweichende Antwort Jesu enthielt; und dann ist es auch durchaus fraglich, ob das σὺ εἶπας in Mt 26, 64 einen ausweichenden Sinn haben kann, da Mt 26, 25 diesen Ausdruck in eindeutig bejahendem Sinne gebraucht und da auch in Mt 27, 11 (= Mk 15, 2; Lk 23, 3) schwerlich die Antwort auf die Frage des Pilatus: „Bist du der Juden König?" dem Pilatus selber zugeschoben werden soll[42]. Jesus hat also auf die Frage des Hohepriesters eindeutig zugestanden, daß er auf die Würde des „Gesalbten" Anspruch erhebe, aber er hat ebenso eindeutig den Sinn dieses Anspruchs durch den angefügten Satz erläutert: „und ihr werdet den ‚Menschen' sitzen sehen zur Rechten der Kraft und kommen mit den Wolken des Himmels". Nun ist freilich auch *die* Frage sehr kontrovers, ob Jesus den Titel „Mensch" gebraucht und ob er ihn auf seine Person bezogen habe. Aber es darf doch, ohne hier diese ganze Frage aufzurollen, gesagt werden, daß alles dafür spricht, daß Jesus den apokalyptischen „Menschen"-Titel auf sich bezogen hat und daß gerade die streng eschatologischen „Menschen"-Worte nur eine persönliche, nicht eine kollektive Deutung zulassen[43]. Dann besagt aber die Antwort Jesu vor dem Hohepriester, daß

[39] [12³] So Å.V. Ström, Vetekornet, 1944, S. 435f (English Summary) und N.A. Dahl, a. Anm. 6 aO, S. 164.
[40] [12⁴] „Verheißung", S. 43f.
[41] [12⁵] A. Merx, Das Evangelium Matthaeus, 1902, S. 382ff; A. Merx, a. Anm. 36 aO, S. 161; K.G. Goetz, a. ebd. aO, S. 123ff; J. Héring, a. ebd. aO, S. 111ff (Mt und Lk haben nach Héring in ihrem Exemplar des Mk ἐγώ εἰμι nicht gelesen!). W. Grundmann, a. ebd. aO, S. 154 Anm. 1 erklärt Mk 14, 62 einfach für einen „literarischen Einschub der Gemeinde".
[42] [13¹] Wo Mk 15, 2 par in diesem Sinne erklärt wird (I. Abrahams, Studies in Pharisaism and the Gospels, 2nd Series, 1924, S. 1ff; E. Klostermann, Das Markusevangelium, 1950⁴, S. 159; F. Hauck, Das Evangelium des Markus, 1931, S. 181; J. Finegan, Die Überlieferung der Leidens- und Auferstehungsgeschichte Jesu, 1937, S. 74; J.H. Moulton, Einleitung in die Sprache des Neuen Testaments, 1911, S. 137), fehlen durchweg überzeugende Parallelen. Richtig R. Bultmann, Das Evangelium des Johannes, 1941, S. 506 Anm. 7.
[43] [13²] Weiteres mit Literaturangaben „Verheißung", S. 39f.

Jesus seine Würde als eine streng auf die für bald erwartete Endzeit bezogene ansieht und daß von einer durch die Gegenwart Jesu als des kommenden „Menschen" bedingten Gemeinde der Gegenwart in keiner Weise die Rede sein kann. Die Behauptung, daß zu Jesus als Messias-„Menschen" die gegenwärtige Heilsgemeinde notwendig hinzugehöre, läßt sich aufgrund der Quellen nicht halten.

IV

Nun haben freilich viele Forscher, die die Herleitung des urgemeindlichen Kirchenbegriffs aus der Predigt Jesu vertreten, diese Ansicht dahin gewandt, daß für Jesus die Zeit der Kirche erst jenseits seines Todes und seiner Auferstehung beginnen solle, weil erst | mit diesen Ereignissen die entscheidenden Voraussetzungen für die Bildung der von Jesus gestifteten neuen Gemeinde gegeben sein würden, und diese Forscher haben darum Mt 16, 17–19 erst auf die Zeit nach der Auferstehung Jesu gedeutet[44]. Diese Anschauung hat darum Anspruch auf besondere Beachtung, weil dieser Kirchenbegriff Jesu mit dem gesamt-urchristlichen Kirchenbegriff an einem entscheidenden Punkte zusammentreffen würde. Gilt es schon für die Urgemeinde, daß nach ihrem Selbstbewußtsein die Kirche als Gemeinde der zwischen Auferstehung und Parusie Jesu Lebenden bedingt ist durch die geschehene Auferstehung Jesu Christi[45], so ist auch für alle übrigen neutestamentlichen Zeugen die Kirche in ihrer Existenz bedingt durch Tod und Auferstehung Jesu Christi[46]. Es bestünde darum zweifellos ein Bruch im urchristlichen Kirchendenken, wenn nach Jesu Willen die Kirche zu seinen Lebzeiten begonnen hätte, während die gesamte Urchristenheit von Kirche erst redet, seit Jesus von den Toten auferstanden ist. Dieser Bruch in der Entwicklung des urchristlichen Denkens läge dagegen nicht vor, wenn Jesus gemäß der eben genannten Anschauung die Entstehung der Kirche erst jenseits von Tod und Auferstehung erwartet hätte. Und es leidet auch keinen Zweifel, daß das Kirchenwort Mt 16, 18f seinem Wortlaut nach sich solcher Deutung durchaus einfügen ließe.

Aber ehe wir die Frage endgültig beantworten, ob dieses Wort wirklich in den Rahmen der Verkündigung Jesu hineinpaßt, müssen wir die Vorfrage erörtern, wie sich Jesus sonst über die Zeit nach seinem Tode geäußert hat. Zweierlei scheint mir hier sicher zu sein. 1. Jesus hat unzweifelhaft damit gerechnet, daß zwischen seinem Tode und der innerhalb seiner Generation erwarteten Parusie einige Zeit verstrichen werde, und die in verschiedener Form vertretene Anschauung, daß Jesus Auf-

---

[44] [14¹] S. die Vertreter dieser Anschauung „Verheißung", S. 131 Anm. 122; ferner W. Bieder, Die Vorstellung von der Höllenfahrt Jesu Christi, 1949, S. 47 (unter Voraussetzung der „Existenz einer vorösterlichen Ekklesia"); A. Fridrichsen, a. Anm. 1 aO, S. 34f; N.B. Stonehouse, The Witness of Matthew and Mark to Christ, 1944, S. 235ff.

[45] [14²] S. den Nachweis „Kirchenbegriff", S. 9ff.

[46] [14³] Vgl. Röm 4, 24f; 10, 9 neben 1Kor 1, 2; Kol 2, 12f neben 1, 18; Joh 10, 14–18; 15, 11ff; 13, 1; Hebr 9, 11–15; 1Petr 1, 18–21 neben 2, 7–9; Apk 1, 17f neben 3, 12 und zum Ganzen O. Cullmann, Königsherrschaft Christi und Kirche im NT, 1941, S. 19ff; C. K. Barrett, a. Anm. 37 aO, S. 137 (wohl auch G. Johnston, a. Anm. 1 aO, nach der Angabe von J. R. Nelson, The Realm of Redemption, 1950, S. 35).

erstehung und Parusie in zeitlich ganz großer Nähe zueinander gesehen oder als gleichzeitig erwartet habe, scheitert | an zahlreichen eindeutigen Äußerungen Jesu[47]. Wenn aber die Auferstehung Jesu nicht nur die vorläufige Trennung Jesu von den Jüngern, sondern auch die Gewißheit der göttlichen Bestätigung der Sendung des Gekreuzigten und damit die Verstärkung der Parusieerwartung bedeutete (Mk 2, 19; 14, 28; Lk 17, 22; 18, 7 b. 8 a), so leidet es ja keinen Zweifel, daß Jesus erwarten mußte, diese Zwischenzeit zwischen Auferstehung und Parusie werde für die Jünger eine neue heilsgeschichtliche Situation bedeuten: Jesus war dann zwar nicht mehr als Mensch unter ihnen, aber ihre Hoffnung auf das Kommen Jesu als des „Menschen" mußte dadurch in ihrer Sicherheit verstärkt sein, daß man aufgrund der Auferstehungserfahrung an Jesus als den schon zu Gott Erhöhten glauben durfte. Man wird also nicht daran zweifeln dürfen, daß Jesus eine zweite Form des Geschichtsbewußtseins kannte, nach der das *Vorauswirken* der erwarteten Gottesherrschaft und der Erscheinung des Messias-„Menschen" sich mit Jesu Tod und Auferstehung entscheidend verstärken mußte[48]. *Von hier aus* wäre es grundsätzlich durchaus denkbar, daß Jesus von der Gründung „seiner Kirche" nach der Auferstehung gesprochen hätte.

2. So sicher diese Erwartung einer Zwischenzeit zwischen Auferstehung und Parusie durch Jesus auch ist, so eindeutig ist es aber auch, daß Jesus für diese Zwischenzeit keinerlei Vorsorge getroffen hat. Gewiß hat Jesus damit gerechnet, daß die Jünger sich auch ohne ihn zum gemeinsamen Mahle versammeln würden (Mk 14, 25); gewiß hat Jesus damit gerechnet, daß seine verlassenen Jünger verfolgt | würden und leiden müßten (Lk 17, 22; Mt 10, 28; Mk 8, 34); und ganz gewiß erwartet Jesus, daß die Jünger auf sein Kommen werden warten müssen (Mk 13, 33–36; Lk 12, 36–38). Aber das alles bedeutet ja keineswegs, daß Jesus mit einem irgendwie gestalteten Zusammenschluß der Jünger zu einer *Sondergemeinde* rechnete. Nun hat freilich besonders A. Oepke mit großem Nachdruck darauf hingewiesen, daß man nicht unter der Hand an „organisierte Kirche" denken dürfe, wenn man die Frage erörtert, ob Jesus die Kirche für die Zeit nach seinem Tode vorausgesagt habe[49].

---

[47] [15¹] Diesen Tatbestand glaube ich „Verheißung", S. 58 ff, bes. S. 68 ff ausreichend erwiesen zu haben. Vgl. besonders Mk 2, 19; 14, 25. 28; Mt 23, 38 f par Lk 13, 35. N. A. Dahl, a. Anm. 6 aO, S. 165 f behauptet wieder, daß Jesus Auferstehung und Parusie vermutlich nicht als getrennte Ereignisse betrachtet habe und daß es „hardly any sense" habe zu fragen, ob Jesus mit einer Zwischenzeit zwischen Auferstehung und Parusie rechnete. Aber die eben genannten Stellen werden von ihm nicht berücksichtigt.

[48] [15²] In „Kirchenbegriff", S. 38 f hatte ich das Nebeneinander zweier verwandter Formen des Geschichtsbewußtseins Jesu als äußerst unwahrscheinlich bezeichnet. A. Oepke, a. Anm. 5 aO, S. 127 hat dagegen mit Recht eingewandt, daß diese verwandten Formen des Geschichtsbewußtseins Jesu unter der Voraussetzung der durch die Auferstehung Jesu wechselnden Situation gerade notwendig zusammengehören; und N. A. Dahl, a. Anm. 6 aO, S. 165 Anm. 3 fragt mit Recht, wie es möglich sein soll, daß nach Jesu Anschauung die Auferstehung Jesu für die Jünger keine neue Situation schaffen solle. Es ist beiden Kritikern darum durchaus zuzugeben, daß gegen Jesu Voraussage einer „Kirche" nach der Auferstehung mit dem Hinweis auf die Unmöglichkeit eines doppelten Geschichtsbewußtseins Jesu nicht argumentiert werden kann.

[49] [16¹] A. Oepke, a. Anm. 5 aO, S. 115 f. 127 f. 158. Ähnlich R. Liechtenhan, a. Anm. 6 aO, S. 23 und O. Cullmann, a. ebd. aO, S. 209 f.

Das ist an sich zweifellos richtig[50], trifft jedoch das Problem nicht wirklich. Denn nicht das steht in Frage, ob Jesus eine wenn auch noch so primitiv *organisierte* Kirche ins Auge faßte – das hat er zweifellos nicht getan –, sondern das ist das geschichtliche Problem, ob Jesus damit gerechnet und dafür gesorgt hat, daß die Jünger sich zu einer nach außen deutlich *abgeschlossenen* und vom Volksganzen eindeutig *getrennten* Gruppe zusammenschlossen. Und davon wissen wir in der Tat (von Mt 16, 17–19; 18, 17f abgesehen) nichts, und auch die älteste Urgemeinde hat zunächst keinen solchen Zusammenschluß gezeigt. Wenn man, wie OEPKE, mit Recht bestreitet, daß Jesus an eine „Sondersynagoge" gedacht habe[51], kann man nicht zu gleicher Zeit annehmen, daß er für die Zeit zwischen Auferstehung und Parusie ein vom alten Gottesvolk klar geschiedenes neues Gottesvolk ins Auge gefaßt habe. Und dieser klaren Tatsache kann man auch nicht ausweichen, indem man darauf verweist, daß Jesus den Gottesvolkgedanken nicht aufheben *konnte,* als ihn das alte Gottesvolk verwarf, sondern mit der Entstehung eines neuen Qahal rechnen *mußte*[52]. Denn es gibt keinen Beleg dafür, daß Jesus mit einem *irdischen* Ersatz für das versagende alte Gottesvolk rechnen mußte, und erst recht wissen wir nichts davon, daß Jesus mit einem *irdischen* Hinzukommen der Völker zu den glaubenden Juden gerechnet habe[53]. So wenig die Gemeinschaft der durch Jesus zum Eingang in die Gottesherrschaft Bereiteten eine abgeschlossene Größe bildete, so wenig | wissen wir etwas davon, daß Jesus mit einer solchen geschlossenen Gruppe nach seinem Tode rechnete[54].

Widerspricht solcher Behauptung aber nun nicht doch das Wort Jesu an Petrus Mt 16, 17–19? Ist dieses Wort, in dem allein innerhalb der Jesusüberlieferung der Gedanke einer zu gründenden ἐκκλησία begegnet, bisher bewußt zurückgestellt worden, so muß nun abschließend nach dem geschichtlichen Charakter und Sinn dieses viel diskutierten Textes gefragt werden[55]. Natürlich sind auch die Stimmen nicht verstummt, die eine Zurückführung des Textes auf Jesus für unmöglich hal-

---

[50] [16²] P. NEPPER-CHRISTENSEN, a. ebd. aO, S. 30 behauptet mit Unrecht, daß es Jesu Aufgabe war, „das Gottesvolk der Endzeit ... um sich zu sammeln und zu organisieren".

[51] [16³] A. Anm. 5 aO, S. 112f.

[52] [16⁴] A. OEPKE, a. Anm. 5 aO, S. 142f; a. Anm. 1 aO, S. 170; vgl. auch A. FRIDRICHSEN, a. ebd. aO, S. 38. 49f.

[53] [16⁵] S. dazu „Verheißung", S. 78f.

[54] [17¹] Daß Jesus durch den Hinweis auf den „Neuen Bund" im Kelchwort des Abendmahls „implizit auch die Gabe des Heiligen Geistes ... den Seinen verheißen" habe (A. OEPKE, a. Anm. 5 aO, S. 125f), ist eine unerlaubte Folgerung, der die Tatsache widerspricht, daß wir für die Verheißung der Gabe des Geistes an die Jüngerschaft keine haltbaren Belege haben (s. die ausgezeichneten Ausführungen von C.K. BARRETT, The Holy Spirit and the Gospel Tradition, 1947, S. 135ff).

[55] [17²] Zu der „Kirchenbegriff" S. 50, Anm. 63 genannten Literatur ist seither hinzugekommen: die Anm. 5 und Anm. 6 genannten Arbeiten; R.N. FLEW, a. Anm. 1 aO, S. 89ff; A. FRIDRICHSEN, a. ebd. aO, S. 34f; G. DELLING, a Anm. 24 aO, S. 28f; J. HORST, a. ebd. aO, S. 123ff; J.L. KLINK, a. Anm. 28 aO, S. 95ff; W. BIEDER, a. Anm. 44 aO, S. 43ff; N.B. STONEHOUSE, a. ebd. aO; J.R. NELSON, a. Anm. 46 aO, S. 29ff (Literaturübersicht); C.K. BARRETT, a. Anm. 54 aO; E. HIRSCH, Frühgeschichte des Evangeliums II, 1941, S. 306ff; E.F. SCOTT, The Nature of the Early Church, 1941, S. 25f; C.J. CADOUX, The Historic Mission of Jesus, 1941, S. 133, 305ff; H. STRATHMANN, Die Stellung des Petrus in der Urkirche, ZSTh 20, 1943, S. 223ff; E. STAUFFER, Zur Vor- und Frühgeschichte des Primats

ten[56]; doch sind deren Argumente[57], soweit sie nicht einfach die traditionellen Einwände wiederholen, nicht immer metho|disch einwandfrei oder überzeugend. Wesentlicher ist schon, daß manche Verfechter der Herkunft von Mt 16, 17–19 von Jesus sich auch weiterhin veranlaßt sehen, an dem Text irgendwelche Abstriche oder Umdeutungen vorzunehmen[58]. So hält R. LIECHTENHAN[59] die Übertragung der Bindegewalt an Petrus (16, 19) im Munde Jesu für ebenso unmöglich wie die Seligpreisung des Petrus nach dem Messiasbekenntnis (16, 17); dagegen sei in Lk 22, 31 f („Simon, Simon, siehe der Satan hat darum gebeten, euch sichten zu dürfen wie das Getreide. Ich aber habe für dich gebeten, daß dein Glaube nicht versagen möge; und du, wenn du dich einst bekehrt hast, stärke deine Brüder") die ursprünglichere Form des Petruswortes Mt 16, 18 erhalten, das ursprünglich ein Abschiedswort war[60]. Dagegen spricht aber schon, daß die ursprüngliche Zusammengehörigkeit von Mt 16, 17–19 mit ganz unzureichenden Gründen in Frage gestellt wird[61], ganz besonders aber die Tatsache, daß Lk 22, 31 f ein Abschiedswort Jesu an Petrus ist, dessen Zurückführung auf Jesus fraglich bleibt[62], das aber auf alle Fälle die entscheidenden

des Petrus, ZKG 62, 1943/44, S. 22 ff; M. GOGUEL, L'Église primitive, 1947, S. 184 ff; W. MICHAELIS, Das Evangelium nach Matthäus II, 1949, S. 339 ff; J. HALLER, Das Papsttum I, 1950², S. 4 ff; O. J. F. SEITZ, Upon This Rock: A Critical Reexamination of Mt 16, 17–19, JBL 69, 1950, S. 329 ff; R. BOHREN, Das Problem der Kirchenzucht im NT, 1952, S. 30 ff; H. LEHMANN, „Du bist Petrus...", EvTh 1953/54, S. 44 ff.

[56] [17³] Von den Anm. 55 Genannten wären hier anzuführen: C. K. BARRETT, E. HIRSCH, E. F. SCOTT, C. J. CADOUX, H. STRATHMANN, E. STAUFFER, M. GOGUEL, J. HALLER, O. J. F. SEITZ, H. LEHMANN, ferner S. E. JOHNSON, The Gospel according to St. Matthew, The Interpreter's Bible VII, 1951, S. 448 ff; E. BRUNNER, a. Anm. 1 aO, S. 139 f will die Frage der Echtheit offenlassen. S. den Nachtrag S. 308.

[57] [17⁴] J. HALLER nennt die üblichen Argumente: das Fehlen anderer Belege für ἐκκλησία im Munde Jesu, den Widerspruch zur Naherwartung Jesu, das Fehlen des Textes bei Markus und Lukas. Daneben behauptet er dann aber, das Bild vom Felsen sei eine Anspielung auf den Tempel zu Jerusalem und habe erst entstehen können, als man wußte, daß der Tempel die in dem Petruswort verheißene Festigkeit nicht bewiesen hatte; die Stelle könne also erst nach 70 nChr entstanden sein. Das ist aber völlig willkürlich. – E. HIRSCH deutet Mt 16, 18 dahin, daß die durch den Tod Jesu fast verschlungene Gemeinde durch die Auferstehungserscheinung vor Petrus wieder zu neuem Leben kommt; es handle sich um eine einheitliche Osterlegende der palästinischen Gemeinde (auch M. GOGUEL, S. 202 f will in dem Petruswort das Echo der Rolle sehen, die Petrus infolge seiner Christophanie gespielt hat, und E. STAUFFER nimmt als Quelle des Berichts galiläische Auferstehungsgeschichten an). Aber der Text verrät gar keine Beziehung zur Auferstehungserfahrung des Petrus. – O. J. F. SEITZ hält „Du bist Petrus" für eine sekundäre Interpolation in die ursprüngliche Auferstehungsgeschichte, wodurch 16, 18 auf Petrus statt ursprünglich auf Jesus bezogen wurde; Mt 16, 17 ff sei darum eine späte, unsichere Erfindung. Das ist freilich völlig phantastisch.

[58] [18¹] Ältere Anschauungen dieser Art bei W. G. KÜMMEL, Die Eschatologie der Evangelien, 1936, S. 16 Anm. 1.

[59] [18²] A. Anm. 6 aO, S. 7 ff.

[60] [18³] O. CULLMANN, a. ebd. aO, S. 203 ff möchte Mt 16, 17–19 ebenfalls ursprünglich wie Lk 22, 31, also im Zusammenhang der Leidensgeschichte beheimatet annehmen, so daß die Einordnung bei Matthäus sekundär wäre.

[61] [18⁴] Zur formalen Zusammengehörigkeit von 16, 17–19 s. „Kirchenbegriff", S. 21 und die dort angegebene Literatur.

[62] [18⁵] Wenn man in dem ποτὲ ἐπιστρέψας einen Hinweis auf die dem Petrus zuteil gewordene erste Auferstehungserscheinung sieht (so etwa F. HAUCK, Das Evangelium des Lukas, 1934, S. 266; K. H. RENGSTORF, Das Evangelium nach Lukas, 1952⁶, S. 247; E. KLO-

Aussagen von Mt 16, 18 (das Bauen der Kirche Jesu; die Kirche wird vom Hades nicht überwältigt werden; Petrus | das Fundament der Kirche) nicht enthält, so daß gar keine wirkliche Parallelität zwischen beiden Texten besteht. Auch J. L. KLINK [63] sieht in Mt 16, 17–19 eine Zusammenfügung der ursprünglichen Tradition der Namensgebung an Petrus durch Jesus mit alttestamentlicher Bildersprache und juden-christlicher Beurteilung des Petrus; die Tradition von der Betrauung des Petrus mit einer führenden Stellung durch Jesus finde sich auch in den andern Evangelien, und vom Bauen des neuen Hauses, d. h. des Gottesvolkes, sei auch sonst im Urchristentum die Rede; außerdem habe Matthäus für die Gestaltung von Mt 16, 18f die Bilder aus Jes 28, 16–19 verwertet; der Ausdruck $\dot{\epsilon}\varkappa\varkappa\lambda\eta\sigma\dot{\iota}\alpha$ im Munde Jesu sei auf alle Fälle ein Anachronismus. Es bleibt freilich bei dieser Analyse letztlich völlig unklar, was Jesus gedacht oder auch nur gesagt hat, und die *entscheidenden* Gedanken des Textes werden Jesus ja auf diese Weise doch abgesprochen. Schließlich hat auch J. HORST [64] Mt 16, 18 „ein in seiner genauen Urform selbstverständlich nicht mehr zu ermittelndes Jesuswort" genannt und nachzuweisen gesucht, daß Jesus als Steinhandwerker sein Werk unter dem Bild des Bauens gesehen haben müsse und daß Petrus als lebendiger Mensch nicht als Fundament, sondern als erster Baustein des neuen Tempels genannt werde; nur das sei wichtig, daß Jesus seinen Willen geäußert habe zu bauen. Aber es ist nicht nur sehr fraglich, ob man $\pi\dot{\epsilon}\tau\varrho\alpha$ und כיפא mit „Baustein" wiedergeben darf [65], sondern es ist auch klar, daß auch durch diese Deutung die entscheidenden Züge des Textes (die grundlegende Bedeutung des Petrus für den Bau und seine Fortführung; die *Jesus*gemeinde; die entscheidende Beziehung zwischen der durch Petrus geordneten $\dot{\epsilon}\varkappa\varkappa\lambda\eta\sigma\dot{\iota}\alpha$ und der Gottesherrschaft) verschwinden und es völlig offenbleibt, wieweit man den Text als Wiedergabe der Meinung Jesu überhaupt ernst nehmen darf. Die verschiedenen Versuche, den Text auf einen Urbestand zu reduzieren [66], beweisen so nur, daß offenbar die Verfechter der geschichtlichen Zuverlässigkeit dieser Überlieferung auch das Gefühl nicht loswerden, der Text könne, wie er da stehe, Jesu Meinung nicht wiedergeben.

Haben so weder die neueren Bestreitungen der geschichtlichen Zuverlässigkeit von Mt 16, 17–19 noch die verschiedenartigen Versuche, diese Spruchgruppe auf einen geschichtlichen Urbestand zurückzufüh|ren, das Problem der Herkunft des Textes wirklich gefördert, so bleiben für unsere Fragestellung besonders *die* Argu-

---

STERMANN, Das Lukasevangelium, 1929², S. 210; H. STRATHMANN, a. Anm. 55 aO, S. 232f; E. STAUFFER, a. ebd. aO, S. 20f), kann es sich nur um ein vaticinium ex eventu handeln. Aber die Möglichkeit ist durchaus nicht auszuschließen, daß die Voraussage allgemeinen Charakter trägt und darum auf Jesus zurückgehen könnte (vgl. T. W. MANSON in H. D. A. MAJOR, T. W. MANSON, C. J. WRIGHT, The Mission and Message of Jesus, 1937, S. 631f; O. CULLMANN, a. Anm. 6 aO, S. 21f; H. VON CAMPENHAUSEN, Der Ablauf der Osterereignisse und das leere Grab, SAH, Phil.-hist. Kl. 1952, 4, S. 44). Die Frage wird sich kaum sicher entscheiden lassen.

[63] [19¹] A. Anm. 28 aO, S. 106ff.

[64] [19²] A. Anm. 26 aO, S. 123ff.

[65] [19³] S. dazu A. OEPKE, a. Anm. 5 aO, S. 158, Anm. 1.

[66] [19⁴] Selbst A. OEPKE, a. Anm. 5 aO, S. 158 sagt: „An der Formulierung mögen Spätere beteiligt sein".

mente von Wichtigkeit, mit denen man die Herleitung des Textes aus der Verkündigung Jesu gegenüber den vorgebrachten Einwänden sichern zu können glaubte. A. OEPKE hat zunächst einmal darauf verwiesen, daß der Text in seiner Gesamtanlage aus drei Strophen zu je drei Zeilen bestehe; einen völlig verwandten Aufbau zeigten nun Mt 11, 7–9 par Lk 7, 24–26 und Mt 11, 25–30 par Lk 10, 21 f; diese metrischen Spruchreihen gehörten sämtlich zur gleichen Überlieferungsschicht, nämlich zu der Redenquelle Q; daraus wird das „zweifellos paradoxe Ergebnis" abgeleitet, „daß Mt 16, 17–19 dem Augenschein entgegen gar nicht Mt-S (= Matthäussondergut) sein dürften, sondern einmal in Q gestanden haben"; die „überlieferungsgeschichtlichen Argumente" müßten daher stärker berücksichtigt werden[67]. Schon der Ausgangspunkt dieser Argumentation ist äußerst anfechtbar. Mt 11, 7–9 par wird die Frage an die Menge: „Warum seid ihr hinausgegangen? Um einen Propheten zu sehen?" durch die vorhergehende Ablehnung zweier absurder Fragen stärker betont[68] und dann durch den Antwortsatz überboten: „Ja, ich sage euch, sogar mehr als einen Propheten". Man kann diese Spruchgruppe gemäß der Verseinteilung in 2+3+3 Zeilen gliedern[69]; man kann aber auf keinen Fall zu einer Komposition von drei mal drei Zeilen kommen, indem man wie OEPKE eine dritte Zeile am Ende von V. 7 durch die Annahme einer Pause ergänzt! Und darüber hinaus ist es durchaus fraglich, ob nicht Mt 11, 11 a den ursprünglichen Abschluß der Spruchgruppe 11, 7 bis 11 a bildet, in die das Zitat 11, 10 sekundär eingefügt wurde[70]. Der Text besteht also in keinem Falle aus drei Dreizeilern und wäre darin eine stilistische Parallele zu Mt 16, 17–19. Mt 11, 25–30 dagegen ist nach OEPKE eine Spruchgruppe von drei Strophen zu je vier Zeilen. Diese Annahme beruht auf der doppelten Voraussetzung, daß Lk 10, 21 f die dritte Strophe (= Mt 11, 28–30) sekundär ausgelassen hat, wofür es keine ausreichende Begründung gibt, und daß der Matthäustext eine ursprüngliche Einheit aus drei | Strophen bilde, wogegen der völlig verschiedene literarische Charakter der drei Sprüche Mt 11, 25f. 27. 28–30 spricht[71]. Auch hier liegt also keine ursprünglich dreiteilige Spruchgruppe vor, die mit Mt 16, 17–19 stilistisch verwandt wäre. So wenig daher der strophische Aufbau von Mt 16, 17–19 gegen die

---

[67] [20¹] A. OEPKE, a. Anm. 5 aO, S. 150 ff unter Zustimmung von O. CULLMANN, a. Anm. 6 aO, S. 208.

[68] [20²] A. FRIDRICHSEN, La priamèle dans l'enseignement de Jésus, Coniectanea Neotestamentica IV, 1940, S. 13 ff zeigt, daß Jesus hier die rhetorische Figur der Priamel verwendet, die einen Schlußsatz durch mehrere vorbereitende Tatsachen verstärkt.

[69] [20³] So M. DIBELIUS, Die urchristliche Überlieferung von Johannes dem Täufer, 1911, S. 11. Die beiden Zeilen ἀλλὰ τί ἐξήλθατε; προφήτην ἰδεῖν; in Mt 11, 9 a.b sind freilich bei dieser Annahme unnatürlich kurz.

[70] [20⁴] So M. DIBELIUS, aaO, S. 11 f; R. BULTMANN, a Anm. 10 aO, S. 178. Zum sekundären Charakter von Mt 11, 11 b s. „Verheißung", S. 117 Anm. 75.

[71] [21¹] S. die Literaturangaben in „Verheißung", S. 34. Auch zwischen 11, 27 und 11, 28–30 besteht kein ursprünglicher Zusammenhang; während 11, 27 religionsgeschichtlich in die hellenistische Mystik weist und darum aus der alten Überlieferung der Jesusworte herausfällt, gehört 11, 28–30 in den Zusammenhang der palästinischen Weisheitsliteratur und kann darum durchaus auf Jesus zurückgehen (vgl. R. BULTMANN, a Anm. 10 aO, S. 172; W. MANSON, Bist du, der da kommen soll?, 1952, S. 91). Es ist übrigens auch äußerst fraglich, ob man in 11, 28 bloß 2 Sinnzeilen annehmen darf, da man die sich dann ergebende Überlänge der Zeilen nicht „aus der erdrückenden Fülle der Gedanken" begründen kann.

Herkunft des Textes von Jesus spricht, so wenig kann doch auch nachgewiesen werden, daß gerade diese Stilform für Jesus charakteristisch sei; und erst recht ist auf diesem Wege nicht der Nachweis erbracht, daß Mt 16, 17–19 aus der alten Quelle Q stamme. „Überlieferungsgeschichtlich" läßt sich darum für die Herkunft des Textes von Jesus gar nichts feststellen.

Man hat weiter darauf hingewiesen, daß die Benennung des Petrus mit dem Beinamen Kepha – Fels schwerlich schon bei der Berufung des Petrus in den Zwölferkreis erfolgt, daß vielmehr ein würdigerer Anlaß als das Bekenntnis von Caesarea schwerlich zu finden sei, so daß dadurch Mt 16, 17–19 als ursprünglich mit dem Caesarea-Bekenntnis zusammengehörig sich erweise[72]. Nun wird der Beiname des Simon, Kepha, in Mk 3, 16 bei der Berufung der Zwölf so eingeführt, als sei er bei dieser Gelegenheit dem Simon gegeben worden *(καὶ ἐπέθηκεν ὄνομα τῷ Σίμωνι Πέτρον)*[73]; Joh 1, 42 dagegen berichtet ausdrücklich, daß Jesus dem Petrus bei der Berufung diesen Beinamen beigelegt habe *(σὺ κληθήσῃ Κηφᾶς)*. Angesichts dieser sich widersprechenden Angaben wird man es als wahrscheinlich ansehen, daß auch Mt 16, 18 annimmt, daß Simon seinen Beinamen erst bei dieser Gelegenheit von Jesus erhielt[74]. Ist sich so die Überlieferung über den Zeitpunkt nicht | mehr im klaren, zu dem Jesus dem Petrus den Beinamen „Kepha" erteilte[75], so kann man Mt 16, 18 nur dann als den allein geschichtlich richtigen Ort dieser Namensgebung erklären, wenn man zu erkennen meint, daß die nur an dieser Stelle gebotene Deutung des Namens sich als überzeugend und darum als geschichtlich zuverlässig erweise. Diese Annahme vertritt nun A. OEPKE mit dem Hinweis darauf, daß Simon darum als Fels bezeichnet werde, auf den Jesus seine Gemeinde gründen kann, weil er das Bekenntnis zur Messianität Jesu abgelegt hat; das bedeute nicht, daß *ἐπὶ ταύτῃ τῇ πέτρᾳ* „geradezu auf den Glauben des Petrus zu beziehen" sei, vielmehr habe Petrus sein Bekenntnis im Namen aller Jünger abgelegt, die darum die gleichen Rechte wie Petrus haben (Mt 18, 18)[76]. Die mit dieser Deutung gegebene Nivellierung der Person des Petrus ist freilich völlig unmöglich, sie erweist sich aber als unumgänglich, wenn der Glaube des Petrus an die Stelle der Person des Petrus ge-

---

[72] [21²] A. OEPKE, a. Anm. 5 aO, S. 113 und a. Anm. 1 aO, S. 167; W. MICHAELIS, a. Anm. 55 aO, S. 340f.

[73] [21³] Mt 10, 2 formuliert in der Parallele *Σίμων ὁ λεγόμενος Πέτρος*, wodurch über die Gelegenheit der Beilegung des Beinamens nichts ausgesagt ist; Lk 6, 14 dagegen folgt Markus in der Erwähnung der Beilegung des Namens *(Σίμωνα ὃν καὶ ὠνόμασεν Πέτρον)*.

[74] [21⁴] So auch O. CULLMANN, a. Anm. 6 aO, S. 15f, 197f. Man kann aber schwerlich *nur* in Mt 16, 18 „den Bericht über die eigentliche Namensgebung" finden und Mk 3, 17; Joh 1, 42 nur als Verweise auf eine spätere Namensgebung deuten (gegen W. MICHAELIS, a. Anm. 55 aO, S. 341).

[75] [22¹] Die Annahme, daß der Beiname Kepha dem Simon erst von der Urgemeinde beigelegt wurde (s. K. G. GOETZ, Petrus als Gründer und Oberhaupt der Kirche und Schauer von Gesichten nach den altchristlichen Berichten und Legenden, 1927, S. 67f; E. DINKLER, Die ersten Petrusdarstellungen, Marburger Jahrbuch für Kunstwissenschaft 11/12 [1938/1939], 1941, S. 2), kann durch den Hinweis darauf, daß Jesus außer Mt 16, 18 den Simon immer nur als „Simon" anrede, nicht begründet werden, da die Voraussetzung durchaus fraglich ist, daß der Beiname von jeher auch als Anrede gebraucht worden sei. Es besteht kein wirklicher Grund, die Herkunft des Beinamens von Jesus zu bestreiten.

[76] [22²] A. OEPKE, a. Anm. 5 aO, S. 157.

stellt wird, weil nur so Mt 16, 18 als Sinndeutung des Beinamens Kepha verständlich gemacht werden kann; denn daß der Glaube des Petrus eine Bedeutung hat, die ihn so sehr über den Glauben aller übrigen Anhänger Jesu hinaushebt, daß allein *dieser* Glaube zum Fundament der Kirche werden kann, ist eben nicht begründbar. In Wirklichkeit ist es die Person des Petrus, gewiß des glaubenden Petrus, aber eben nur *diese* Person, die in Mt 16, 17f als Fundament der Gemeinde Jesu erscheint[77].

Gerade hier erhebt sich nun aber eine Schwierigkeit, die schon oft gesehen worden ist: wie kann Jesus *einem* Menschen eine solch ent|scheidende Rolle für die Begründung seiner Kirche und zugleich damit für die Zugehörigkeit zur Gottesherrschaft zuschreiben, zumal wir nichts davon hören, daß die Urgemeinde diese kirchengründende Stellung des Petrus unangefochten anerkannt hat?[78] Diese Schwierigkeit hat man freilich durch zwei Argumente aus dem Wege zu schaffen gesucht. Man weist einerseits darauf hin, daß die dem Petrus zugeschriebene Vollmacht zu binden und zu lösen letztlich nichts anderes bedeute als das Recht, unter Menschen die Sündenvergebung wie Jesus wirksam zu verkündigen und andere zu der geistlichen Einsicht zu führen, die den Eingang in die Gottesherrschaft ermöglicht; diese Vollmacht stehe freilich dem Petrus zusammen mit allen Jüngern zu (Mt 18, 18), die Ablehnung der Bitte der Zebedaiden um Ehrenplätze in der Gottesherrschaft durch Jesus (Mk 10, 35ff) spreche auch keineswegs gegen eine solche Bevollmächtigung des Petrus[79]. Man hat andererseits betont, daß die Herkunft von Mt 16, 17–19 von Jesus nicht dadurch in Frage gestellt werde, daß Petrus später die hier vorausgesagte führende Rolle in der Urgemeinde nicht gespielt hat[80]. Es ist nun allerdings, um auf das zuerst genannte Argument zunächst einzugehen, kaum möglich, das Begriffspaar „binden und lösen" auf *eine* Bedeutung festzulegen, weil es im jüdischen Sprachgebrauch sowohl im Sinne von „erlaubt und verboten erklären" wie von „Sünden erlassen und Sünden behalten" begegnet[81]. Aber gerade darum geht es nicht an, Mt 16, 19 den Sinn zu bestreiten, daß Petrus durch seine Entscheidungen die Zugehörigkeit zur Gemeinde bestimmen und dadurch über den Eingang in die Gottesherrschaft in einer Weise Verfügungen treffen soll, die Gott anerkennen wird. Man kann also die Schlüsselgewalt und die Vollmacht, zu binden und zu lösen, nicht auf die Fähigkeit, zur Erkenntnis der Gottessohnschaft zu führen, und auf die vollmäch-

---

[77] [22³] Ich übergehe das weitere Argument Oepkes (S. 155), daß in den in Mk 8, 27–33 erkennbaren Zusammenhang von Kundwerdung des Messiasglaubens der Jünger, Einführung in das Leidensgeheimnis und Mißverständnis des Petrus dieser Botschaft vom eidenden Messias gegenüber „das Logion von der Gemeinde in geradezu einzigartiger Weise" hineinpasse. Denn gerade wenn man diesen genannten Markuszusammenhang als ursprünglich anerkennt, was literarisch außerordentlich fraglich ist, erscheint ja der Glaube des Petrus in einem so fragwürdigen Licht, daß es erst recht unbegreiflich anmutet, daß Jesus gerade auf *diesen* Glaubenden seine Gemeinde gründen will.

[78] [23¹] S. zu diesen Argumenten „Kirchenbegriff", S. 40f.

[79] [23²] R.N.Flew, a. Anm. 1 aO, S. 95ff; A.Oepke, a. Anm. 5 aO, S. 160ff; O.Cullmann, a. Anm. 6 aO, S. 230.

[80] [23³] A.Oepke, aaO, S. 148; R.N.Flew, aaO, S. 91; W.Michaelis, a. Anm. 55 aO, S. 353f.

[81] [23⁴] S. die Belege bei (H.Strack und) P.Billerbeck, Kommentar zum NT aus Talmud und Midrasch I, 1922, S. 738ff.

tige Verkündigung oder Verweigerung der Sündenvergebung beschränken, sondern muß anerkennen, daß Petrus als der für die Gründung der Jesusgemeinde entscheidende Jünger durch seine Entscheidungen für den Eingang in die Gottesherrschaft göttlich anerkannte Urteile zu fällen hat. Und erst recht kann man nicht die so | abgeschwächte Funktion des Petrus als eine allen Jüngern zustehende Funktion hinstellen, zumal Mt 18, 18 als Teil einer „Kirchenordnung" auf keinen Fall für die Meinung Jesu in Anspruch genommen werden darf[82]. Der Hinweis aber auf Mk 10, 35 ff kann nicht dadurch unwirksam gemacht werden, wie OEPKE will, daß man betont, ohne die Vollmacht Jesu zur Vergebung der Sünden werde „das ganze evangelische Jesusbild eine einzige kolossale Geschichtsfälschung". Denn hier werden zwei Dinge in unzulässiger Weise vermischt, die die Überlieferung streng auseinander gehalten hat: so sehr Jesus das Recht in Anspruch nahm, in besonderen Fällen Gottes Vergebung einem Menschen autoritativ zuzusprechen (Mk 2, 1 ff; Lk 7, 47 ff), so sehr hat er die Verfügung über das eschatologische Handeln Gottes auch für seine Person abgelehnt (Mk 10, 35 ff; 13, 32) und den Jüngern solche Verfügung erst recht untersagt (Mt 13, 24 ff)[83]. Um die Tatsache, daß Mt 16, 17–19 dem Petrus eine eschatologisch gültige Vollmacht zuschreibt, die in der Predigt Jesu ohne Parallele ist, ja zu ihr im Widerspruch steht, kommt man nicht herum.

Was aber das zweite der genannten Argumente anbetrifft, daß nämlich Petrus in der Urgemeinde gar nicht die ihm in Mt 16, 17–19 vorausgesagte Rolle gespielt habe, so möchte W. MICHAELIS diese Voraussage auf „*die Anfänge* der Gemeindebildung" beschränken, so daß sich die Rolle des Petrus in der Urkirche später durchaus verändert haben könnte, ohne daß sich daraus ein Grund zur Anzweiflung der Herkunft dieser Voraussage von Jesus ableiten ließe. Doch ist dagegen zunächst einmal einzuwenden, daß Mt 16, 19 auch nicht durch den Hinweis auf den Begriff des Bauens (16, 18) auf die *Anfänge* der Urkirche beschränkt werden kann, sondern eine unbegrenzte Aussage über die Vollmacht des Petrus macht. Ganz besonders aber ist der Tatbestand nicht zu bestreiten, daß auf alle Fälle ein Teil der Urgemeinde diese von Jesus dem Petrus zugesprochene Vollmacht nicht anerkannt hätte[84], da ja Petrus nach Act 11, 1 ff die Anerkennung der von ihm vollzogenen Heidentaufe sich erst unter Hinweis auf den „Tatsachenbeweis" erkämpfen muß, und daß der gesamte Bericht der Apostelgeschichte über die älteste Zeit der Urkirche von einer *durch* | *Jesus eindeutig autorisierten* Vorrangstellung des Petrus nichts weiß. Wenn wirklich Mt 16, 17 ff ein Jesuswort wäre, so wäre es völlig unbegreiflich, daß sich nirgendwo sonst eine Begründung der Stellung des Petrus in der Urgemeinde auf diese Anordnung Jesu erhalten hätte.

Aus der bisherigen Erörterung ist deutlich geworden, daß sich der Schluß nicht umgehen läßt, daß Mt 16, 17–19 eine „organisierte" Kirche im Auge hat. Denn die

---

[82] [24 1] S. „Kirchenbegriff", S. 57 Anm. 104.
[83] [24 2] Vgl. R. LIECHTENHAN, a. Anm. 6 aO, S. 7 f.
[84] [24 3] H. STRATHMANN, a. Anm. 55 aO, hat überzeugend nachgewiesen, daß weder Markus noch die Lukasschriften noch das 4. Evangelium die in Mt 16, 17–19 vorausgesetzte, durch Jesus angeordnete Lehr- und Ordnungsgewalt des Petrus und damit dieses Jesuswort kennen, von Paulus ganz zu schweigen.

hier genannte Gemeinde ist nicht nur eine Gruppe von Menschen, die sich um den gegenwärtig noch verborgen wirksamen, in Herrlichkeit erwarteten Messias Jesus schart, wie die Schar der Jünger Jesu zu seinen Lebzeiten; diese Gemeinde ist auch nicht eine Gruppe von Menschen, die (gemäß der angenommenen Voraussage Jesu) in dem Bewußtsein sich zusammenschließt, daß der erwartete Messias Jesus sich bereits als der Auferstandene in Herrlichkeit bei Gott befinde, und die darum mit aller Sehnsucht sich nach seinem Kommen in Bälde ausstreckt. Eine solche Voraussage wäre, was den Kirchengedanken anbetrifft, im Zusammenhang der Predigt Jesu *denkbar*[85]. Diese Gemeinde ist vielmehr die geschlossene Gruppe *der* Menschen, die durch ihre Zugehörigkeit zur ἐκκλησία des Messias Jesus nicht nur sicher auf die zukünftige Teilhabe an der Gottesherrschaft hoffen, denen vielmehr auch durch Petrus als den Verwalter der Gemeinde des Messias Jesus die Zugehörigkeit zu dieser ἐκκλησία so eindeutig zuerkannt wird, daß damit Gottes endgültiges Urteil als sicher bezeichnet werden kann. Diese Voraussage aber steht mit allem, was wir über Jesu Erwartungen für die Zwischenzeit zwischen Auferstehung und Parusie erkennen konnten, in einem unauflösbaren Widerspruch. Es muß darum bei dem Urteil bleiben, daß Mt 16, 17–19 erst in der Urgemeinde entstanden ist[86], wo Petrus zum mindesten zeitweise diese führende Rolle gespielt hat und wo mit dem Glauben an die Auferstehung Jesu auch das Bewußtsein entstand, das auserwählte Gottesvolk der Endzeit zu sein, das eben | dadurch von dem noch ungläubigen alten Gottesvolk eindeutig und erkennbar geschieden war, dem aber der Eingang in die Gottesherrschaft sicher bevorstand. Auch Mt 16, 17–19 kann daher die Annahme nicht stützen, daß Jesus mit einer geschlossenen Gruppe seiner Jünger als dem „neuen Gottesvolk" nach seinem Tode gerechnet habe.

V

Man hat oft die Frage gestellt, ob Jesus die Kirche gegründet habe oder nicht, und man hat ebenso oft diese Frage als falsch gestellt zurückgewiesen[87]. Und man

---

[85] [25 1] S. oben Anm. 48.

[86] [25 2] Die Annahme von H. STRATHMANN, a. Anm. 55 aO, S. 248 ff, 281 f, das Wort Mt 16, 17–19 stamme wie das Matthäusevangelium aus der antiochenischen Gemeinde, wo Petrus nach seiner Entfernung aus Jerusalem die in diesem Wort vorausgesetzte Rolle bis ins 6. Jahrzehnt des 1. Jahrhunderts gespielt habe, ist darum unwahrscheinlich, weil das Wort zweifellos in aramäischem Sprachboden entstanden ist, daher nicht in der Griechisch sprechenden Gemeinde Antiochias, ganz abgesehen von der durchaus offenen Frage, ob das Matthäusevangelium und die Wirksamkeit des Petrus wirklich nach Antiochia zu versetzen sind (s. W. MICHAELIS, a. Anm. 55 aO, S. 353; O. CULLMANN, a. Anm. 6 aO, S. 208; A. OEPKE, a. Anm. 5 aO, S. 132).

[87] [26 1] Vgl. zuletzt etwa auf der einen Seite P. NEPPER-CHRISTENSEN, a. Anm. 6 aO, auf der anderen Seite E. BRUNNER, a. Anm. 1 aO, S. 25.

Korrekturnachtrag zu Anm. 56: Hierher ist auch zu stellen: H. v. CAMPENHAUSEN, Kirchliches Amt und geistliche Vollmacht in den ersten drei Jahrhunderten, 1953, S. 137 Anm. 2, S. 140 f. –

Nicht mehr verwerten konnte ich E. PERCY, Die Botschaft Jesu (Lunds Universitets Årsskrift. N. F. Avd. 1. Bd. 49, Nr. 5), 1953.

hat, wie wir sahen, entweder angenommen, daß Jesus diese Gründung zu seinen
Lebzeiten anläßlich der Beauftragung des Petrus oder wenigstens beim letzten Mahl
vollzogen habe, oder man hat aus dem Verhalten Jesu und besonders aus der Voraussage Mt 16, 17 ff entnommen, daß Jesus die Gründung seiner Gemeinde für die Zeit
zwischen seiner Auferstehung und Parusie vorausgesagt habe. Daß beide Annahmen
angesichts der alten Jesusüberlieferung sich nicht halten lassen, dürften die vor-
stehenden Ausführungen gezeigt haben. Trotzdem wäre es falsch, daraus den Schluß
zu ziehen, daß die Entstehung der Kirche mit dem Wirken Jesu in keinem direkten
Zusammenhang stehe. Es ist ja keine Frage, daß Jesus damit gerechnet hat, daß
seine Jünger sich nach seinem Tode und seiner Auferstehung wieder sammeln und
am gemeinsamen Mahl teilnehmen würden, daß sie als Wartende und Verfolgte der
großen Masse der ungläubigen Glieder des Gottesvolkes gegenüberstehen würden.
Das gemeinsame Erleben der persönlichen Gemeinschaft mit dem irdischen Jesus,
besonders anläßlich der gemeinsamen Mahlzeiten, mußte ebenso wie die gemeinsame Erfahrung der Auferstehung selbstverständlich zu einem neuen Zusammen-
schluß der Jünger führen. Es war die persönliche Bindung an Jesus, den jetzt noch
verborgenen, aber bald sich in Herrlichkeit offenbarenden „Menschen", die nach
Jesu Erwartung für die Jünger auch über seinen Tod hinaus bestehen bleiben und
die Jünger auch weiterhin miteinander verbinden sollte. Daß dieser Jesus dann
nicht mehr als irdischer Mensch unter ihnen weilen würde, daß sie aber würden glauben dürfen, er sei durch die Auferstehung bereits in Gottes Herrlichkeit eingegangen, das mußte nicht nur das Warten auf die Parusie, sondern auch die Gewißheit
verstärken, daß | die kommende Endvollendung in der Person Jesu in die Gegen-
wart eingebrochen sei.

Wenn dann aus dieser Gruppe der gemeinsam an den auferstandenen Jesus Glaubenden die Gemeinde derer wurde, die im Gegensatz zum ungläubigen alten Gottesvolk das neue Gottesvolk der Endzeit zu sein beanspruchte, so geht dieses Geschehen nicht auf Wort und Weisung des irdischen Jesus zurück, sondern auf Gottes Wirken in der Auferweckung des Gekreuzigten und in der endzeitlichen Geistesgabe.
Nicht die Lehre Jesu, sondern die Person Jesu als des verborgenen Messias-„Menschen" und als des Auferstandenen ist geschichtlich die Wurzel der Kirche gewesen.
Und nicht dadurch kann die göttliche Setzung der Urkirche und damit der welt-
weiten Kirche Jesu Christi begründet werden, daß man auf die Absicht und den
Auftrag des irdischen Jesus verweist. Die Kirche hat ihren Ursprung vielmehr in
dem ganzen Handeln Gottes in Jesus Christus von Jesu Geburt, Jesu Wirken und
Jüngerberufung an bis zur Gabe des Geistes an die Zeugen der Auferstehung.

VERLOBUNG UND HEIRAT BEI PAULUS (1Kor 7, 36–38)

Im Zusammenhang der Erörterung von Ehefragen handelt Paulus im ersten Korintherbrief (7, 25ff) auch vom rechten Verhalten der παρθένοι. Am Ende dieser Ausführungen, die sich zu allgemeinen Aussagen über die Wünschbarkeit der Beibehaltung des verheirateten oder unverheirateten Standes ausgeweitet hatten, wird offensichtlich ein besonderer Fall ins Auge gefaßt: ein Mann steht „seiner Jungfrau" unsicher gegenüber und weiß nicht, ob er der Heirat dieser Jungfrau zustimmen oder sie ablehnen soll (7, 36–38). Der Sinn dieser andeutenden Ausführung ist seit den Tagen der Alten Kirche umstritten[1]. Doch haben sich bis gegen das Ende des

[1] Ausführlicher haben sich in den letzten 80 Jahren mit 1Kor 7, 36–38 folgende Arbeiten beschäftigt, die im weiteren nur mit dem Verfassernamen angeführt werden: J.W.Straatman, Bijdragen tot de kritiek en exegese des N. Testaments, Theol. Tijdschrift 8, 1874, S. 400ff; W.C.vanManen, De verloofden te Korinthe (1Kor VII: 36–38), ebd., S. 607ff; C.Holsten, Das Evangelium des Paulus I, 1, 1880, S. 305ff; J.M.S.Baljon, De tekst der brieven van Paulus aan de Romeinen, de Corinthiërs en de Galatiërs als voorwerp van de conjecturaalkritiek beschouwd, Diss. Utrecht 1884, S. 65f; P.W.Schmiedel, Die Briefe an die Thessalonicher und an die Korinther (Handcommentar zum NT II, 1), 1891, S. 106f; C.Weizsäcker, Das apostolische Zeitalter der christlichen Kirche, 1892², S. 651; C.F.G. Heinrici, Der erste Brief an die Korinther (Meyers Kommentar 5), 1896⁸, S. 244ff; E.Grafe, Geistliche Verlöbnisse bei Paulus, Theol. Arbeiten aus dem rheinischen wissenschaftlichen Prediger-Verein, NF 1, 1897, S. 57ff; H.Achelis, Virgines subintroductae. Ein Beitrag zu 1Kor VII, 1902; A.Jülicher, Die geistlichen Ehen in der Alten Kirche, Arch. f. Rel.Wiss. 7, 1904, S. 372ff; J.Sickenberger, Syneisaktentum im ersten Korintherbrief?, BZ 3, 1905, S. 44ff; H.Koch, Vater und Tochter im ersten Korintherbrief, ebd., S. 401ff; A. van Veldhuizen, De raadselachtige παρθένοι in 1Kor 7, 36–38, Theol. Studiën 24, 1906, S. 185ff (der Aufsatz desselben Verf. über „Vrouwen van Korinthe", Nieuwe Theol. Studiën 2, 1919, S. 297ff enthält nur einen Rückverweis auf den Aufsatz von 1906); C.Weyman, Zu 1Kor 7, 36ff, BZ 6, 1908, S. 377; J.Weiss, Der erste Korintherbrief (Meyers Kommentar 5), 1910⁹·¹⁰ (= 1925), S. 206ff; A.Robertson and A.Plummer, A Critical and Exegetical Commentary on the First Epistle of St. Paul to the Corinthians (The Intern. Crit. Commentary), 1911, S. 158ff; F.Fahnenbruch, Zu 1Kor 7, 36–38, BZ 12, 1914, S. 391ff; R.Steck, Geistliche Ehen bei Paulus? (1Kor 7, 36–38), SThZ 34, 1917, S. 177ff; F.Herklotz, Zu 1Kor 7, 36ff, BZ 14, 1917, S. 344f; W.Bousset, Die Schriften des Neuen Testaments neu übersetzt und für die Gegenwart erklärt, II, 1917³, S. 108; A.Jülicher, Die Jungfrauen im ersten Korintherbrief, PrM 22, 1918, S. 97ff; A.Juncker, Die Ethik des Apostels Paulus II, 1919, S. 191ff; Ph.Bachmann, Der erste Brief des Paulus an die Korinther (Zahns Kommentar 7), 1921³, S. 287ff (die Nachträge von E.Stauffer in der 4. Aufl., 1936, bieten zur Stelle nur Literaturnachträge); K.Müller, Die Forderung der Ehelosigkeit für alle Getauften in der Alten Kirche, 1927, S. 8; H.Preisker, Christentum und Ehe in den ersten drei Jahrhunderten, 1927, S. 133f; St.Schiwietz, Eine neue Auslegung von 1Kor 7, 36–38, Theologie und Glaube 19, 1927, S. 1ff; K.Holzhey, Zur Exegese von I Co 36–37 (sic!), ebd., S. 307f; M.S.Enslin, The Ethics of Paul, 1930, S. 176ff; G.Delling, Paulus' Stellung zu Frau und Ehe, 1931, S. 86ff; H.Lietzmann, An die Korinther I. II (HNT 9), 1931³, S. 35ff (die in der 4. Aufl., 1949, von mir beigefügten Nachträge

19. Jahrhunderts nur | zwei Auslegungen gegenübergestanden. Die traditionelle
Auslegung, die auch von der Mehrzahl der altkirchlichen Väter vertreten wird[2],
bezieht die Ausführung auf einen Vater oder Vormund, der seine Tochter oder ein
Mündel verheiraten oder vor der Ehe bewahren will[3]. Weil bei dieser Erklärung die
Hochschätzung der Jungfräulich|keit nicht genügend zum Ausdruck kam, haben
Methodius[4] und einige lateinische Väter[5] die Anweisung auf die Pflicht zur Bewahrung der eigenen Jungfräulichkeit bezogen, und diese allegorisierende Auslegung
hat seltsamerweise in neuerer Zeit noch einen Verteidiger gefunden[6]. Von diesen
wenigen Ausnahmen abgesehen, herrschte die traditionelle Auslegung aber fast unbestritten, bis W. C. VAN MANEN 1874 in einem Aufsatz erklärte, der Text weise für
den unbefangenen Leser durch nichts auf einen Vater und seine Tochter hin, es sei
vielmehr von zwei Verlobten die Rede, die ihre Ehe noch nicht begonnen hatten,
und denen Paulus anrate, zu heiraten oder besser Verlobte zu bleiben[7]. Gegen dieses
Verständnis wandte aber dann E. GRAFE ein, daß selbst innerhalb der christlichen

werden im Folgenden mit verwertet); H. D. WENDLAND, Die Briefe an die Korinther (Das
NT Deutsch 7), 1932, S. 39 f; A. SCHLATTER, Paulus der Bote Jesu, 1934, S. 246 f; E.-B.
ALLO, Saint Paul. Première épître aux Corinthiens (Études Bibliques), 1934, S. 184 ff;
S. BELKIN, The Problem of Paul's Background: Marrying One's Virgin, J BL 54, 1935,
S. 49 ff; J. MOFFATT, The First Epistle of Paul to the Corinthians (The Moffatt New Testa-
ment Commentary), 1938, S. 98 ff; G. SCHRENK, θέλημα, ThW III, 1938, S. 60 f; O. KUSS,
Die Briefe an die Römer, Korinther und Galater (Das NT übersetzt und kurz erklärt 6),
1940, z. St.; P. KETTER, Syneisakten in Korinth? Zu 1Kor 7, 36–38, Trierer Theol. Ztschr.
56, 1947, S. 175 ff; W. MEYER, Der erste Brief an die Korinther (Prophezei) I, 1947, S. 288 ff;
J. HÉRING, La première épître de Saint Paul aux Corinthiens (Commentaire du Nouveau
Testament VII), 1949, S. 60 ff; L.-A. RICHARD, Sur 1 Corinthiens (VII, 36–38). Cas de Con-
science d'un père Chrétien ou „mariage ascétique" ? Un essai d'interprétation, Mémorial
J. Chaine (Bibliothèque de la Faculté catholique de théologie de Lyon 5), 1950, S. 309 ff;
E. ALZAS, L'apôtre Paul et le célibat, RThPh, N. S. 38, 1950, S. 226 ff; A. OEPKE, Irrwege
in der neueren Paulusforschung, ThLZ 77, 1952, S. 449 ff; F. W. GROSHEIDE, Commentary
on the First Epistle to the Corinthians (The New Internat. Comm. on the NT), 1953, S. 182 ff;
H. D. WENDLAND, Die Briefe an die Korinther (Das NT Deutsch 7), 1954[6], S. 57 f.

[2] J. SICKENBERGER, S. 49 ff nennt Chrysostomus, Theodoret, Epiphanius, Ps.-Basilius
De virginitate, Ambrosius, Augustin, Ambrosiaster, Pelagius (bestätigt durch die Ausgabe
von A. SOUTER, Pelagius' Expositions of Thirteen Epistles of St. Paul II, 1926, S. 169 f).
A. JÜLICHER (1918), S. 10 ff fügt Severianus und Clemens Alexandrinus hinzu. Dazu kommen jetzt Theodor v. Mopsuestia, Oecumenius und Photius bei K. STAAB, Pauluskom-
mentare aus der griechischen Kirche, 1933, S. 183, 438, 516.

[3] P. W. SCHMIEDEL, C. F. G. HEINRICI, J. SICKENBERGER, H. KOCH, A. ROBERTSON,
A. PLUMMER, A. JUNCKER, PH. BACHMANN, ST. SCHIWIETZ (nur für V. 38), H. D. WENDLAND
(1932), A. SCHLATTER, E.-B. ALLO, O. KUSS, P. KETTER, W. MEYER (zögernd), E. ALZAS,
A. OEPKE, F. W. GROSHEIDE; ferner W. GUTBROD, Die paulinische Anthropologie, 1934,
S. 68; H.-W. JENSEN, Christliche und nichtchristliche Eheauffassung, Diss. Tübingen 1939,
S. 65 f; R. LIECHTENHAN, Gottes Gebot im NT, 1942, S. 101 Anm. 17; ST. LÖSCH, Christliche
Frauen in Korinth, ThQ 127, 1947, S. 224.

[4] Methodius, Symposion III, 14; ed. N. BONWETSCH (Griech. Christl. Schriftsteller),
1917, S. 44.

[5] Hieronymus, Gegner des Augustinus, Gaudentius (nach A. SICKENBERGER und A. JÜ-
LICHER, siehe Anm. 2).

[6] C. HOLSTEN, der zwischen den Möglichkeiten schwankt, V. 37 als Einschiebung anzusehen oder eine kürzere Form des Verses als ursprünglich zu postulieren.

[7] W. C. VAN MANEN setzt sich in dieser Arbeit mit dem vorausgegangenen Aufsatz von
J. W. STRAATMAN auseinander, der unter der Voraussetzung, Paulus rede von einem Vater
und seiner bereits zur Ehe *versprochenen* Tochter, in V. 36 ὑπέγγυος (= verpfändet) statt

Gemeinde die Entstehung naher Beziehungen zwischen den beiden Geschlechtern nur schwerlich möglich war, daß bei dieser Deutung die Übersetzung von ὑπέρακμος als „über die Reife hinaus" keine überzeugende Begründung für das Verhalten des Mannes darstelle und daß παρθένος als Bezeichnung der Braut sehr seltsam sei. Er schlug darum im Anschluß an eine Andeutung C. WEIZSÄCKERS[8] vor, die Ausführungen des Paulus auf eine „geistliche" Ehe zu beziehen, wie sie vom 3. Jahrhundert an zweifellos bezeugt ist, wie sie aber vielleicht schon Hermas voraussetzt[9]. H. ACHE-LIS ging noch einen Schritt weiter und postulierte für die korinthische | Gemeinde die Sitte der *virgines subintroductae* in ihrer vollen Ausbildung, also das Gelübde der Jungfräulichkeit von seiten der eine geistliche Ehe eingehenden Männer und Mäd-chen, wollte dann freilich die Anweisung des Paulus in 7, 38 dahin deuten, daß der geschlechtlich überreizte Mann das Mädchen einem andern Christen als Gattin zu-führen solle. Während diese sonderbare Deutung von 7, 38 keine Anhänger gefun-den hat[10], hat sich die Anschauung weitgehend durchgesetzt, daß Paulus in 1Kor 7, 36–38 die Sitte des ungeschlechtlichen Zusammenlebens eines Mädchens mit einem Mann voraussetze und als das zu empfehlende, wenn auch nicht immer auf-recht zu erhaltende Verhalten billige[11]. |

ὑπέρακμος und ὀφείλει statt ὀφείλει γίνεσθαι lesen wollte. VAN MANEN fand Zustimmung bei P. D. CHANTEPIE DE LA SAUSSAYE, Studiën 4, 1878, S. 86 f; J. M. S. BALJON, A. VAN VELD-HUIZEN, G. SCHRENK, H. D. WENDLAND (1954), während S. BELKIN unabhängig davon die gleiche Deutung vertrat. – Schon A. L. C. HEYDENREICH, Commentarius in priorem Divi Pauli ad Corinthios epistulam I, 1825, S. 494 polemisiert gegen *Alii*, die „παρθένον V. 36. 37 *sponsam* significare existimant" und erklärt dazu: „Aperte omnes istae interpretationes sunt mirum in modum coactae". Es ist mir nicht möglich gewesen festzustellen, wer die hier bekämpften *Alii* sind.

[8] „Es scheint … eine Art von geistlicher Angelobung der Jungfrau an einen Mann statt-gefunden zu haben, welche ihm das Schutzrecht und die Aufsichtspflicht gewährte, aber … auch eine Quelle von Gefahren bildete."

[9] Die Schilderung eines Liebesspiels zwischen Hermas und 12 Jungfrauen ὡς ἀδελφὸς καὶ οὐχ ὡς ἀνήρ in Herm sim 9, 10, 6 ff hat mit dem Syneisaktentum nur die Tatsache einer un-geschlechtlichen engen Gemeinschaft zwischen Menschen beiderlei Geschlechts gemein, ist im übrigen aber zweifellos von einer profanen erotischen Vorlage abhängig (siehe M. DIBE-LIUS, Der Hirt des Hermas, 1923, S. 618f; A. VAN VELDHUIZEN, S. 192 hält den Text für reine Phantasie, die den Geschmack des Verfassers verrate). Der Text beweist darum nicht sicher das Vorhandensein der Sitte der *virgines subintroductae,* aber weist deutlich auf die Hochschätzung eines ungeschlechtlichen Verkehrs zwischen Christen beiderlei Geschlechts hin. Ob Did 11, 11 προφήτης … ποιῶν εἰς μυστήριον κοσμικὸν ἐκκλησίας „sich auf ‚geistliche Ehen' von Propheten bezieht" (H. v. CAMPENHAUSEN, Die Askese im Urchristentum, 1949, S. 41 Anm. 19; vgl. auch R. KNOPF, Die Lehre der zwölf Apostel, Die zwei Clemensbriefe, 1920, S. 32 f und H. PREISKER, S. 158f), ist schwerlich sicher zu entscheiden (A. BROEK-UTNE, ZKG 3, F. 5, 1935, S. 576 ff vermutet mit guten Gründen, es sei von einem prophe-tischen Handeln auf Grund eines geschauten Gottesgeheimnisses die Rede).

[10] In der Alten Kirche hat freilich Ephräm in seinem armenisch erhaltenen Kommentar zu den Paulusbriefen die gleiche Lösung vertreten, wie F. HERKLOTZ nachgewiesen hat.

[11] J. WEISS, F. FAHNENBRUCH, R. STECK (der um dieser Deutung willen den ganzen 1. Ko-rintherbrief dem Paulus abspricht), W. BOUSSET, A. JÜLICHER (1904 hatte J. noch von einem Liebespaar gesprochen, das ursprünglich heiraten, jetzt aber auf Vorschlag des Mannes die Jungfräulichkeit wahren wollte; und auch 1918 betont J., man dürfe „den Gegensatz zwi-schen der Braut im gewöhnlichen Sinne und der Jungfrau, die einer sich zur Lebensgefähr-tin in gemeinsamer Jungfräulichkeit erwählt hat", nicht zu stark unterstreichen), K. MÜL-LER, H. PREISKER, K. HOLZHEY (denkt in V. 38 im Gegensatz zu V. 36. 37 an eine Störung des Verhältnisses, die von der Jungfrau ausgeht; Paulus empfehle in diesem Falle eine Ver-

So stehen sich heute in der Deutung von 1Kor 7, 36–38 zwei Auffassungen gegenüber, die beide sehr zahlreiche Anhänger haben, die freilich beide recht erheblichen Bedenken unterliegen. Man hat nun aber bei der exegetischen Erörterung dieses Textes meistens unterlassen, die von seiten der Korinther und des Paulus vorausgesetzten kulturellen und rechtlichen Tatbestände ernstlich ins Auge zu fassen, und die Folge davon ist, daß beide Auslegungen geschichtlich nicht ausreichend begründet sind, darum aber ohne wirkliche Überzeugungskraft sich gegenseitig ausschließen. Es soll darum im Folgenden versucht werden, unter Heranziehung zeitgeschichtlichen Materials zu einem sichereren Verständnis des Textes zu gelangen.

I

Der ohne ernstlich in Frage kommende Varianten überlieferte Text, wie ihn alle modernen Ausgaben bieten, sieht einen nicht näher gekennzeichneten τίς (bzw. ὅς) einem Mädchen gegenüberstehen, das als „ἡ παρθένος αὐτοῦ" bezeichnet wird. Der Mann kann nach Paulus zwei verschiedene Haltungen dem Mädchen gegenüber einnehmen: entweder er glaubt „schamlos" ihr gegenüber zu handeln, weil er oder sie ὑπέρακμος ist; in dieser Zwangssituation *(εἰ οὕτως ὀφείλει γίνεσθαι)* empfiehlt Paulus die Heirat des Mädchens, ohne daß deutlich gesagt würde, mit wem die Heirat stattfinden soll. Oder der Mann fühlt sich durch nichts in eine Zwangssituation versetzt *(μὴ ἔχων ἀνάγκην)* und hat schon beschlossen, „seine Jungfrau zu bewahren"; das hält Paulus für den besseren Weg. Beide Möglichkeiten werden in V. 38 dahin zusammengefaßt, daß ὁ γαμίζων τὴν ἑαυτοῦ παρθένον gut und ὁ μὴ γαμίζων besser handle. Die *traditionelle Auslegung* geht von diesem Abschlußvers aus, der von einem „Verheiraten" zu reden scheint, und deutet von da aus die beiden vorhergehenden Verse auf den Mann, der über ein Mädchen die Verfügungsgewalt hat, den Vater oder auch Vormund gegenüber der Tochter oder dem Mündel.

Bei dieser Auslegung ist dreierlei vorausgesetzt: 1. ἡ παρθένος αὐτοῦ kann „die Tochter" (oder auch „das Mündel") bezeichnen; 2. die Begriffe ἀσχημονεῖν, ὑπέρακμος, ἐξουσίαν ἔχει περὶ τοῦ ἰδίου θελήματος passen zum Verhältnis von Vater und Tochter; 3. der Vater kann frei über die Verheiratung seiner Tochter oder die Verweigerung ihrer Verheiratung entscheiden. Die erste Voraussetzung trifft rein sprachlich zu: ἡ παρθένος μου u. dgl. wird mehrfach im Sinne von „meine Tochter" gebraucht[12]; |

heiratung des Mädchens an einen anderen Mann); M.S.ENSLIN, G.DELLING (ebenso ThW V,1954, S. 835), H.LIETZMANN, J.MOFFATT, J.HÉRING, L.-A.RICHARD (gibt die Meinung von J.CHAINE wieder, nach dem der Fall vorausgesetzt ist, daß eine junge Christin sich durch eine fiktive Ehe unter den Schutz eines Glaubensbruders stellte, was aber nicht immer durchführbar blieb); ferner R.KNOPF, Das nachapostolische Zeitalter, 1905, S. 410; T.W. MANSON, The Corinthian Correspondence, Bull. of the John Rylands Library 16, 1941/2, S. 110; E.STAUFFER, ThW I, 1933, S. 650; M.GOGUEL, La naissance du Christianisme, 1946, S. 294; H.SCHLIER, Über das Hauptanliegen des 1. Korintherbriefs, EvTh 1949/50, S. 469; W.BAUER, Griechisch-deutsches Wörterbuch zu den Schriften des NT, 1952⁴, S. 273; M.ALBERTZ, Die Botschaft des NT, I, 2, 1952, S. 302; R.BOHREN, Das Problem der Kirchenzucht im NT, 1952, S. 40 Anm. 49; R.BULTMANN, Theologie des NT, 1953, S. 102, 564.

[12] So SOPHOKLES, Oedipus Tyrannos, 1464 ταῖν δ᾽ ἀθλίαιν οἰκτραῖν τε παρθένοιν ἐμαῖν; ein Papyrusbeleg bei F.PREISIGKE, Wörterbuch der griechischen Papyrusurkunden… II,

freilich ergibt sich dieser Sinn dann immer aus dem Zusammenhang, und der Zusammenhang weist in 1Kor 7, 36–38 nicht auf einen Vater und seine Tochter hin. Vielmehr ist παρθένος in 1Kor 7, 25. 28. 34 zweifellos im Sinn des noch unverheirateten und, neben ἡ γυνὴ ἡ ἄγαμος, wohl auch des unberührten Mädchens gebraucht, und es liegt darum auf alle Fälle wesentlich näher, auch in 7, 36 ff an die Beziehung eines Mannes zu einem unverheirateten Mädchen zu denken, das durch αὐτοῦ als ihm irgendwie nahestehend gekennzeichnet ist. Andernfalls müßte Paulus innerhalb des sachlichen Zusammenhangs von Kap. 7 von παρθένος = unverheiratetes Mädchen zu παρθένος = unverheiratete Tochter übergehen, was durchaus unwahrscheinlich ist[13]. Doch läßt sich von hier aus keine sichere exegetische Entscheidung fällen.

Dagegen ist schon die zweite oben genannte Voraussetzung äußerst fraglich. Ἀσχημονεῖν ἐπὶ τὴν παρθένον αὐτοῦ kann nur aktivisch ein sittenwidriges Verhalten gegen die Jungfrau bezeichnen, also ein Verhalten, das der Jungfrau Schande bereitet. Man kann nun darauf hinweisen, daß 1Kor 7, 35 als das Ziel der gesamten Ratschläge des Paulus angegeben war πρὸς τὸ εὔσχημον καὶ εὐπάρεδρον τῷ κυρίῳ ἀπερισπάστως, und daraus folgern, daß ἀσχημονεῖν ganz allgemein gebraucht sein müsse und nicht auf das geschlechtliche Verhalten eingeschränkt werden dürfe[14]. Aber dagegen ist einmal zu bemerken, daß es sehr auffällig wäre, wenn Paulus die Verhinderung einer Heirat der Tochter durch den Vater und damit das „Sitzenbleiben" des Mädchens als eine Schande bezeichnete, die ein christlicher Vater ernstlich zum Motiv seines Handelns machen dürfte, nachdem Paulus 7, 8. 26 das Unverheiratetbleiben als das wünschenswerteste Verhalten bezeichnet hatte. Daß die Schande aber dadurch zustande käme, daß das am Heiraten gehinderte Mädchen sich der Unzucht hingäbe, könnte Paulus schwerlich durch ἀσχημονεῖν … ἐπί ausdrücken. Andererseits aber spricht gegen die allgemeine Deutung von ἀσχημονεῖν, daß Paulus Röm 1, 27 ἀσχημοσύνη und 1Kor 12, 23 τὰ ἀσχήμονα (μέλη) deutlich im geschlechtlichen Sinn verwendet[15] und daß ἀσχημονεῖν auch sonst häufig für geschlechtliche Fehltritte gebraucht wird[16]. Wäre demnach bereits | ἀσχημονεῖν ἐπὶ τὴν παρθένον

1927, S. 269; einen späten Beleg bietet W. BAUER (s. Anm. 11), S. 1142: Theodoros Prodromos, Κατὰ ῾Ροδάνθην καὶ Δοσικλέα I, 292 ff (= Erotici Scriptores Graeci, ed. R. HERCHER, II, 1859, S. 298):ʺ Ὤμοι, πάτερ … ἐγὼ τὸ σὸν γέννημα, τὴν σὴν παρθένον ζωῆς ἀπεστέρησα …ʹ Ἐπεγκάλει μοι τῆς θυγατρὸς τὸν φόνον. – C. WEYMAN weist nach, daß *virgo* mehrfach „Tochter" heißt, und PH. BACHMANN, S. 289 Anm. 2 zitiert Corn. Nepos, Epam. 3, 51, wo die Tochter eines Freundes als *virgo amici nubilis* bezeichnet wird. Es stimmt daher nicht, daß παρθένος niemals ce sens de „fille" habe (gegen L.-A. RICHARD, S. 311 f).

[13] Die Annahme von J. WEISS, S. 193 ff, Paulus handle von 7, 25 an von παρθένοι, die dauernde Jungfräulichkeit gelobt haben, und es seien auch Männer in diesem Begriff mitgemeint (so dann auch R. STECK, und M. S. ENSLIN), ist von A. JÜLICHER (1918), S. 110 ff mit Recht als unhaltbar abgelehnt worden.

[14] J. SICKENBERGER, S. 64. Belege für diesen allgemeinen Sprachgebrauch bei PH. BACHMANN, S. 290.

[15] 1Kor 13, 5 steht ferner in fast allen Handschriften ἡ ἀγάπη … οὐκ ἀσχημονεῖ. Der genauere Sinn ist aber hier nicht feststellbar, wenn nicht überhaupt mit 𝔭⁴⁶ zu lesen sein sollte οὐκ εὐσχημονεῖ, wie A. DEBRUNNER, Coniectanea Neotestamentica XI, 1947, S. 37 ff annimmt.

[16] DIONYSIUS HALIC., Ant. Rom. (ed JACOBY II, 1888, S. 109), IV, 65: wenn du Wider-

αὐτοῦ für das Verhalten eines christlichen Vaters gegen seine Tochter, der er die Eheschließung untersagt, nur schwer verständlich, so gilt das erst recht für ἐὰν ᾖ ὑπέρακμος. Ist der τίς der Vater der παρθένος, so kann ὑπέρακμος sich nur auf das Mädchen beziehen; man deutet dann ὑπέρακμος als „vollerblüht" oder „über die Jahre hinaus"[17], wobei sich sprachlich nur die zweite Übersetzung verteidigen läßt[18]. Bezeichnet aber ὑπέρακμος ein Übermaß, so ist die sprachlich an sich mögliche Deutung auf die zeitliche Überschreitung des Höhepunktes geschlechtlicher Entwicklung bei dem Mädchen im Zusammenhang sinnlos. Denn „there would be no point in marrying off a woman after she had reached a certain age of maturity"[19], und es bleibt neben ἀσχημονεῖν ἐπὶ τὴν παρθένον αὐτοῦ νομίζει nur die Möglichkeit, das ὑπέρακμον εἶναι als die Ursache dieses möglichen ἀσχημονεῖν auf zu großen geschlechtlichen Anreiz zu beziehen. Dafür spricht auch, daß nicht nur einer der | profanen Belege ὑπέρακμος in diesem Sinne gebraucht[20], sondern daß auch andere Wörter des Stammes ἀκμή starke geschlechtliche Erregtheit ausdrücken[21]. Kann demnach auch ὑπέρακμος in diesem Zusammenhang nur auf ein Verhältnis bezogen

stand zu leisten versuchst, um den Anstand zu wahren, werde ich dich töten und einen deiner Sklaven und die Leichen zusammen legen καὶ φήσω κατειληφὼς ἀσχημονοῦσάν σε μετὰ τοῦ δούλου. – PLUTARCH, Vitae parallelae, Κάτων 24, 6 (ed. LINDSKOG-ZIEGLER II, 1, 1932, S. 74): τὸ δ᾽ αἴσχιστον, οὐδ᾽ ἡ γυνὴ τοῦ Κάτωνος᾽Ατιλία τοιούτων ἐκαθάρευσεν ἁμαρτημάτων, ἀλλὰ καίπερ ἐξ αὐτῆς δύο παιδία πεποιημένος, ἀνάγκην ἔσχεν ἐκβαλεῖν ἀσχημονοῦσαν. Vgl. auch Philo, de Cher., § 94 und Methodius, a. Anm. 4 aO, 44, 5, dazu die Tatsache, daß Chrysostomus immer von ἀσχημονεῖν der Syneisakten und ihrer Patrone gegeneinander redet (H. ACHELIS, S. 23).

[17] Die erste Übersetzung etwa bei ST. SCHIWIETZ, der auf die sahidische Übersetzung verweist („wenn sie erwachsen oder groß geworden ist"), E.–B. ALLO, A. OEPKE; die zweite Übersetzung etwa bei A. VAN VELDHUIZEN: „De dagen der jeugd gaan voor het meisje langzamerhand voorbij", ähnlich Viele.

[18] SORANUS, Γυναικεία, I, 22 (Corp. Med. Graec. IV, 1927, S. 15, 8): der Blutfluß ist zunächst bei den Frauen nur schwach, ὀλίγαις γὰρ παντελῶς καὶ ταύταις ὑπεράκμοις (= über die Reife hinaus) πρὸ τῆς διακορήσεως ἀθρόον ἐπιφαίνεται. – EUSTATHIUS, Manuelis Comneni laudatio funebris, Kap. 32 (= Opuscula, ed. T. L. F. TAFEL, 1832, S. 203, 53): ᾽Εσφράγιστο ... ἐν τοῖς ψυχικοῖς θησαυροῖς θειότερον· τὰ πολλὰ δὲ καὶ ἐκ παιδὸς μέχρι καὶ εἰς τὸ ὑπέρακμον (= bis ins hohe Alter) διεσώζετο. – EUSTATHIUS, Comm. in Hom. Odyss., zu Od. 21, 407, p. 1915, 20f (ed. Leipzig II, 1826, S. 267): οἵπερ εἰσιν οἱ, ὡς ἐρρέθη, ἀκολασταίνοντες ὑπέρακμα (= über die Reife hinaus ausschweifend; es ist von Päderastie die Rede). – Suidae Lexicon, ed. A. ADLER, IV, 1935, S. 650: ῾Υπέρακμος· ὑπεκδραμὼν τὴν ὥραν. – Vgl. auch die bohairische Übersetzung zu 1Kor 7, 36 „falls er die Blüte gemacht hat" und die armenische Übersetzung „wenn sie über das Maß hinausgekommen ist" (nach ST. SCHIWIETZ, S. 13). – Ebenso hat auch ὑπερακμάζω immer den Sinn des Übermäßigseins: MYRON VON PRIENE (Fragm. d. griech. Historiker, ed. F. JACOBY, II B, 1929, Fragm. 2, S. 510, 11f: εἴ τινες ὑπερακμάζοιεν τὴν οἰκετικὴν ἐπιφάνειαν, ἐπέθηκαν ζημίαν θάνατον. – Papiri Greci e Latini 6, 1920, Nr. 666, 18 (3. Jh. nChr): γίνωσκε δὲ ὅτι (ἤ?)δη τὰ οἰνάρια ὑπερήκμακεν. – Demgegenüber kann es nicht als Beweis für wirklich vorhandene Bedeutung „ausgewachsen sein" gelten, wenn HESYCHIUS (Lexicon ... ed. M. SCHMIDT IV, 1862, S. 203) angibt: ὑπέρακμος; μέγας, und wenn (nach der Mitteilung von ST. SCHIWIETZ, S. 13) die äthiopische Übersetzung ἐὰν ὑπέρακμος ᾖ durch „falls er zum Mann herangewachsen ist" wiedergibt.

[19] J. MOFFATT, vgl. auch ST. SCHIWIETZ, S. 4 Anm. 6 und J. HÉRING.

[20] EUSTATHIUS, Comm. in Hom. Od. 21, 407 (s. Anm. 18).

[21] Belege für ἀκμή = höchste sinnliche Erregtheit bei G. DELLING, 88 Anm. 194, dazu Methodius, a. Anm. 4 aO, S. 44, 4. – Clementina, ed. P. LAGARDE, 8, 17 (= Brief des Clemens an Jakobus, Kap. 7): auch die schon Älteren sollen die Ehe nicht vernachlässigen; ἐνίοις γὰρ καὶ γηράσασιν ἀκμαία ἔνεστιν ἐπιθυμία. – Syntipas (Mémoires de l'Acad. impér.

werden, das durch eine geschlechtliche Spannung gekennzeichnet ist, so bleibt die Frage relativ unwichtig und kann auch kaum sicher beantwortet werden, ob Subjekt dieses Sätzchens ἐὰν ᾖ ὑπέρακμος der τίς oder die παρθένος ist, da dem Sinn nach beide Deutungen gleich gut passen. Freilich wird man doch eher an den τίς zu denken haben, weil dadurch ein unnötiger Subjektswechsel vermieden wird[22].

Noch ein dritter Ausdruck läßt sich bei der Deutung auf das Verhältnis eines Vaters zu seiner Tochter nur schwer verstehen: ἐξουσίαν ἔχει περὶ τοῦ ἰδίου θελήματος. Schon das wäre ja äußerst auffällig, daß so stark betont wäre, daß der Vater die freie Verfügungsgewalt über seinen eigenen Willen hat, ohne in einer Zwangssituation zu stehen[23]. Denn dem Tatbestand, daß nach der Formulierung des Paulus bei dieser Deutung der Vater seltsamerweise auch *nicht* die Verfügungsgewalt über seinen Willen haben *könnte*, die Tochter unverheiratet zu lassen, kann man nicht durch die Behauptung entgehen, der V. 37 erwähnte Vater befinde sich eben in der glücklichen Lage, daß der Wille der Tochter seinen Willen nicht kreuzt[24]. Denn das ist ja doch gerade die Lage des Mannes in V. 37, daß er ἐν τῇ ἰδίᾳ καρδίᾳ sich völlig frei fühlt und über sein θέλημα frei verfügen kann, und das kann man doch schwerlich von einem Vater sagen, der nicht schwankt, ob er seine Tochter verheiraten dürfe und solle oder nicht. Dazu kommt aber, daß Paulus das Wort θέλημα sonst ausschließlich für *Gottes* Willen gebraucht, also nur 1Kor 7, 37 von diesem biblischen Sprachgebrauch abweicht. Dann fällt aber ins Gewicht, daß im profanen Sprachgebrauch das sehr seltene Wort θέλημα besonders für das geschlecht|liche Begehren des Mannes gebraucht wird[25], und Joh 1, 13 liegt dieser Sprachgebrauch ebenfalls sicher vor[26]. In dem 1Kor 7, 36f vorliegenden Zusammenhang, der von dem Verhältnis eines Mannes zu einer παρθένος redet, das durch geschlechtliche Spannung gekennzeichnet ist, bleibt dann aber keine andere Möglichkeit, als ἐξουσίαν ἔχει περὶ τοῦ ἰδίου θελήματος zu verstehen als „er hat Verfügungsgewalt über

---

des sciences hist.-phil., t. XI, 8me sér., Pétersbourg 1912, 10, 14): dein Vater ist schon durch Alter verbraucht und seine ganze Kraft ist verfallen, σὺ δὲ σφριγᾷς τῇ ῥώμῃ καὶ ἀκμάζεις τῇ νεότητι. – Constitutiones Apostolorum 3, 2, 1 (ed. F.X.FUNK, I, 1905, S. 185): αἱ νεώτεροι χῆραι ... μήποτε προφάσει τοῦ μὴ δύνασθαι κρατεῖν τῆς ἀκμῆς ἐπὶ δευτερογαμίαν ἐλθοῦσαι ἐν πράγματι γένωνται.

[22] So die Mehrzahl der Anm. 11 genannten Exegeten. Der Einwand von A.JUNCKER, S. 197, daß Paulus in diesem Falle „wohl seiner Gewohnheit gemäß (vgl. z. B. gleich V. 37 oder 8, 7; 9, 19. 20; 11, 4. 7) ὑπέρακμος ὤν geschrieben hätte", ist falsch, wie etwa Röm 7, 3a; 1Kor 7, 40; 2Kor 9, 4 beweisen.

[23] Die Verbindung ἐξουσία περί τινος scheint selten zu sein, als Parallele wird nur genannt 4Makk 4, 5 λαβὼν τὴν περὶ αὐτῶν ἐξουσίαν = Vollmacht über eine Sache erhalten (siehe W.FOERSTER, ThW II, S. 563).

[24] H.KOCH, S. 405.

[25] Siehe die Nachweise bei G.SCHRENK, ThW III, S. 53, 10ff; S. 54, 17ff; S. 60, 22ff. Vgl. Papyri Graecae Magicae, hrsg. von K.PREISENDANZ I, 1928, Nr. 4, 1521f (Liebeszauber): ἐμὲ μόνον στεργέτω, τὰ ἐμὰ θελήματα πάντα ποιείτω ... ἕως ἔλθῃ πρὸς ἐμὲ ... φιλοῦσά με καὶ ποιήσῃ πάντα τὰ θελήματά μου und Corp. Herm. XIII, 1/2. 4 (Corp. Herm. ed. A.D.NOCK – A.-J.FESTUGIÈRE II, 1945, S. 200f): ἀγνοῶ ... ἐξ οἵας μήτρας ἄνθρωπος ἐγεννήθη, σπορᾶς δὲ ποίας. Ὦ τέκνον, σοφία νοερὰ ἐν σιγῇ καὶ ἡ σπορὰ τὸ ἀληθινὸν ἀγαθόν. Τίνος σπείραντος, ὦ πάτερ; ... Τοῦ θελήματος τοῦ θεοῦ, ὦ τέκνον. – τίς ἐστι γενεσιουργὸς τῆς παλιγγενεσίας; Ὁ τοῦ θεοῦ παῖς, ἄνθρωπος εἷς, θελήματι θεοῦ.

[26] S. W.BAUER, Das Johannesevangelium, 1933, S. 22.

seinen eigenen Trieb". Und dazu paßt κέκρικεν . . . τηρεῖν τὴν ἑαυτοῦ παρθένον vorzüglich, wenn auch dieser Ausdruck nichts Sicheres für die Deutung des Kontextes ergibt[27].

Die Beziehung von 1Kor 7, 36–38 auf das Verhalten eines Vaters seiner Tochter gegenüber ist somit schon durch die Besprechung der beiden sprachlichen Voraussetzungen dieser Beziehung als kaum haltbar erwiesen. Das gilt aber erst recht und abschließend, wenn wir die dritte Voraussetzung dieser Beziehung ins Auge fassen. Immer wieder wird nämlich behauptet, die *patria potestas* sei so uneingeschränkt gewesen, daß ein Vater völlig frei entscheiden konnte, ob er seine Tochter verheiraten wolle oder nicht; auch sei der Verkehr der unverheirateten Mädchen so beschränkt gewesen, daß für sie keine Möglichkeit bestand, mit einem jungen Mann Bekanntschaft als Voraussetzung einer Eheschließung zu machen[28]. Und diese Annahme ist ja auch unumgänglich, wenn hier dem Vater die alleinige Entscheidung über Heirat oder Nicht-Heirat der Tochter zugeschrieben sein soll.

Nun wäre es ja schon sehr auffällig, wenn Paulus dem Vater eine solch unbeschränkte Verfügungsgewalt über seine Tochter in einer Angelegen|heit zuschriebe, die ja in erster Linie das persönliche Leben der Tochter betraf, wo Paulus ja sonst doch so deutlich die Forderung aufstellt, daß die Väter ihre Kinder nicht „erbittern" sollen, damit sie nicht mutlos werden (Kol 3, 21). Und man kann dem nicht mit der Annahme ausweichen, daß nach V. 37 der Mann seine Meinung erst bilde, „wenn er des weiblichen Teils völlig sicher geworden ist"[29]; denn in V. 37 ist allzu deutlich davon die Rede, daß der Mann ἑδραῖος in seinem Herzen ist und über seinen Willen Gewalt hat. Aber es trifft ja schon nicht zu, daß der Vater in der Zeit des Urchristentums nach griechisch-hellenistischer Sitte und Anschauung allein über die Heirat seiner Tochter entschied. Zwar fehlen uns offensichtlich für Recht und Sitte des hellenistischen Griechenland wirklich ausreichende Quellen, doch kann man die allgemeinen Züge der Zeitanschauung durchaus erkennen. Für das klassische Griechenland galt wie für das klassische Rom, daß der Vater das Mädchen in jungen Jahren aus freien Stücken verheiratete[30], und dasselbe zeigen noch zahlreiche griechische Eheverträge auf Papyrus[31]. Aber zwei Tatbestände lassen es schon ganz allgemein

---

[27] Eine genaue Parallele wäre Achilles Tatius (= Erotici Scriptores Graeci, ed. R. HERCHER I, 1858, S. 212), VIII, 18, 2: παρθένον γὰρ τὴν κόρην μέχρι τούτου τετήρηκα (es spricht der Liebhaber), während Heracliti Quaest. Homericae 19 (ed. Soc. Phil. Bonn, 1910, S. 30, 3f) διὸ δὴ καὶ παρθένον αὐτὴν ἐτήρησαν (sc. die Athene) wohl zu übersetzen ist: „Sie ließen sie eine Jungfrau bleiben". Der Einwand von G. DELLING, S. 87, Anm. 193, τηρεῖν heiße „*selbst* bewachen" ist gegenstandslos, da τηρεῖν in diesem Falle ja tatsächlich „*selbst* behüten" bedeutet.

[28] Vgl. etwa J.W. STRAATMAN, S. 409; C.F.G. HEINRICI, S. 245; A. JUNCKER, S. 199 („der *patria potestas* eignete nach griechischem wie jüdischem Bewußtsein der Charakter voller Unbedingtheit"); ST. SCHIWIETZ, S. 2 („die Brautleute lernten sich in der Regel erst am Hochzeitstage kennen") usw.

[29] A. JÜLICHER (1918), S. 106, ähnlich E.–B. ALLO, S. 186.

[30] K.F. HERMANN, Lehrbuch der griech. Privataltertümer, 3. Aufl. von H. BLÜMNER, 1882, S. 261; W. ERDMANN, Die Ehe im alten Griechenland, 1934, S. 225f; L. FRIEDLÄNDER, Darstellungen aus der Sittengeschichte Roms I, 1922[10], S. 273.

[31] L. MITTEIS und U. WILCKEN, Grundzüge und Chrestomathie der Papyruskunde II, 1,

als fraglich erscheinen, ob dieses Recht und diese Sitte auch für das Griechenland des 1Jh.s nChr und damit für die korinthischen Christen jener Zeit galten. Einmal hatte sich seit dem 1 Jh. vChr von der römischen Sitte aus im römischen Reich eine immer größere Gleichstellung der Frau mit dem Mann durchgesetzt, was eine freiere Stellung der Frau und im Rahmen des Rechts in vielen Fällen einen Verzicht des Vaters auf die *patria potestas* auch der Tochter gegenüber bedeutete[32]. Andererseits wissen wir ja gerade für die korinthische Gemeinde, daß ihre Glieder zum größten Teil aus sozial niederen Klassen stammten (1Kor 1, 26ff), und es gilt nur „in höheren Kreisen und im guten Mittelstand" als Regel, daß die Ehe von den Eltern der Beteiligten geschlossen wird[33]. Aber noch stärker gegen die Annahme eines freien Entscheidungsrechts des Vaters über die Eheschließung der Tochter zur Zeit des Paulus sprechen zwei Beobachtungen. 1. Hatte schon Aischylos es als „unheilig" bezeichnet, wenn eine Ehe gegen den Willen der Ehepartner geschlossen wurde[34], so war in der hellenistischen Zeit durch Sitte und dann seit Tiberius auch durch das | Recht festgelegt, daß der Vater auf die Tochter bei der Heirat keinen Zwang ausüben dürfe, wenn sie den Gatten (und dann natürlich auch die Verheiratung überhaupt) ablehnt[35]. 2. Schon seit dem 2 Jh. vChr begegnen in rein griechischen Eheverträgen auf Papyrus Ehen, die durch den *consensus* der beiden Ehepartner geschlossen werden, ganz unabhängig davon, welche Rechtsform die betreffende Ehe hatte[36]. In all diesen Fällen ist also die Braut ebenso wie der Bräutigam selbstän-

---

1911, S. 215; R. TAUBENSCHLAG, Die *patria potestas* im Recht der Papyri, Ztschr. der Savigny-Stiftung f. Rechtsgesch. 37, Rom. Abt., 1916, S. 187.

[32] J. v. MÜLLER-A. BAUER, Die griechischen Privat- und Kriegsaltertümer, 1893[2], S. 153f; W. SCHUBART, Die Frau im griechisch-römischen Ägypten, Intern. Monatsschr. f. Wissenschaft, Kunst und Technik 10, 1916, S. 1523; B. FÖRTSCH, Die politische Rolle der Frau in der römischen Republik, 1935, S. 25ff; J. CARCOPINO, Das Alltagsleben im alten Rom zur Blütezeit des Kaisertums, 1950, S. 127ff.

[33] U. KAHRSTEDT, Kulturgeschichte der römischen Kaiserzeit, 1944, S. 285.

[34] AISCHYLOS, Hiketiden 227f πῶς δ᾽ ἂν γαμῶν ἄκουσαν ἄκοντος πάρα | ἁγνὸς γένοιτ᾽ ἄν; (siehe L. SCHMIDT, Die Ethik der alten Griechen II, 1882, S. 203).

[35] U. KAHRSTEDT (s. Anm. 33), S. 64; W. ERDMANN (s. Anm. 30), S. 227. S. Ps.-Plutarch, ᾿Ερωτικαὶ Διηγήσεις 1, p. 772 A (Moralia IV, ed. C. HUBERT, 1938, S. 397): ein Mädchen hat zwei Bewerber; auf Veranlassung des einen τῆς παιδὸς ὁ Θεοφάνης (d. h. der Vater) ἐπυνθάνετο ἐν ὄψει πάντων, ἡ δὲ τὸν Καλλισθένην προὔκρινεν. J. CARCOPINO (siehe Anm. 32), S. 138 verweist auf den unter Hadrian lebenden Juristen Salvius Julianus (Dig. XXIII, 1, 11): *Nuptiae consensu contrahentium fiunt, nuptiis filiam familias consentire opportet.*

[36] Vgl. besonders ST. G. HUWARDAS, Beiträge zum griechischen und graeko-ägyptischen Eherecht der Ptolemäer- und frühen Kaiserzeit, 1931, S. 22f, 47ff, aber auch L. MITTEIS-U. WILCKEN (s. Anm. 31), S. 216; W. SCHUBART (s. Anm. 32), S. 1525 und P. M. MEYER, Juristische Papyri, 1920, S. 42. An sicheren Belegen für eine (teilweise in Anwesenheit des Vaters oder Bruders der Braut) durch Braut und Bräutigam selber geschlossene Ehe sind mir die folgenden bekannt geworden: Griechische Papyri im Museum des oberhessischen Geschichtsvereins zu Gießen (hrsg. von E. KORNEMANN und O. EGER) I, 1, 1910, Nr. 2, 8 ff: ἐξέδοτο ἑαυτὴν ᾿Ολυ(μ)πιὰς Διονυσίου ... μετὰ κυρίου τοῦ ἑαυτῆς πατρὸς Διονυσίου Μακεδόνος ...᾿Ανταίωι ᾿Αθηναίωι ... γυναῖκα γαμετήν (E. KORNEMANN, aaO, S. 6 und ST. G. HUWARDAS, aaO, S. 5 Anm. 3 nehmen hier ägyptische Beeinflussung an, L. MITTEIS, aaO und R. TAUBENSCHLAG, a. Anm. 31 aO, S. 187f dagegen makedonische); Ägyptische Urkunden aus den königlichen Museen zu Berlin, Griechische Urkunden IV, 1912, Nr. 1050, 5f (Zeit des Augustus): Συγχωροῦσιν ᾿Ισίδωρα καὶ Διονύσιος συνεληλυθέναι ἀλλήλοις πρὸς γάμον; ebd. Nr. 1051, 7f (Zeit des Augustus): Συγχωρ(οῦσι Λύ)καινα καὶ ᾿Ιέραξ συνεληλυθέναι ἀλλ(ήλοις)

diger Partner der Eheschließung, und von einer freien Verfügung des Vaters ist nicht
mehr die Rede. Nehmen wir alle diese Tatbestände zusammen, so kann es keinem
Zweifel unterliegen, daß zur Zeit des Paulus auch in Griechenland, zum mindesten
in den Kreisen, denen die Christen entstammten, keine unfreiwilligen Verheiratun-
gen christlicher Mädchen (und dementsprechend auch keine Eheverhinderungen)
von seiten der Väter stattgefunden haben können.

Und dem entspricht die positive Tatsache, daß in der Zeit des Hellenismus die
Mädchen keineswegs mehr ohne die Möglichkeit einer Berührung mit dem andern
Geschlecht in den *γυναικάρια* ein|geschlossen lebten. Schon Plato hatte für den
idealen Staat gefordert, daß bei den monatlichen Götterfesten Mädchen und Jüng-
linge sich durch Tanz kennenlernen sollten im Hinblick auf die Eheschließung, und
Menander berichtet von solchem Kennenlernen bei einem Dionysosfest [37]. Den gleichen Sachverhalt bezeugen hellenistische Schriftsteller [38], und für die Freiheit des
Verkehrs der Geschlechter in jener Zeit sprechen weiterhin die Notwendigkeit der
Aufstellung einer sittenpolizeilichen Behörde in Athen [39] und die Beteiligung der
Frauen an den kultischen Begehungen der Mysterienreligionen [40]. Es kann darum
kein Zweifel sein, daß zur Zeit des Paulus die Möglichkeit reichlich bestand, daß
junge Männer und Mädchen sich kennenlernten, und von Liebesheiraten hören wir
darum auch mehrfach [41]. Und wenn *παρθένοι* zu den Christengemeinden gehörten
(1Kor 7, 25–38), so besteht nicht der geringste Grund zu der Annahme, daß sie nicht
in gleicher Weise wie die verheirateten Frauen und Männer an den Gemeindever-
sammlungen und Gemeindemahlen teilgenommen haben. Aus allen diesen Gründen

πρὸς βίου κοινωνίαν; dieselbe Formulierung ebd. 1052, 5ff (Zeit des Augustus); ebd. 1099,
5ff (Zeit des Augustus): *συγχωροῦμεν (συνεληλυ) θέναι ἀλλήλοις πρὸς βίου κοιν(ωνίαν);* ebd.
1084, 7ff (Zeit des Alexander Severus): *Θέων ... καὶ ἡ τούτου γυνὴ Σαραπιὰς ... φάμενοι
συνεῖναι ἑαυτοῖς ἀγράφως;* dieselbe Formulierung bei F. Preisigke-F. Bilabel, Sammelbuch
griechischer Urkunden aus Ägypten III, 2, 1927, Nr. 7239 (140/41 nChr) und Papiri Greci
e Latini VII, 1925, Nr. 777 (1./2. Jh. nChr). Auch der *γάμος ἄγραφος* war eine wirkliche Ehe,
vgl. R. G. Huwardas aaO, S. 49.
    [37] Plato, Leges, VI, p. 777 D/E: die Zusammenkünfte sollen erstens wegen der Götter,
zweitens wegen des gegenseitigen Kennenlernens stattfinden. *πρὸς γὰρ δὴ τὴν τῶν γάμων κοινωνίαν καὶ ξύμμιξιν ἀναγκαίως ἔχει τὴν ἄγνοιαν ἐξαιρεῖν.* – Menander, Fragm. 558 (Com. Att.
Fragm. ed. Th. Kock III, 1888, S. 170): *Διονυσίων μὲν ἦν πομπή ... ὁ δὲ μ' ἠκολούθησεν μέχρι
τοῦ πρὸς τὴν θύραν· ἔπειτα φοιτῶν καὶ κολακεύων ἐμέ τε καὶ τὴν μητέρα ἔγνω μ'* (übernommen
von Plautus, Cistellaria I, 1, 89ff = Plauti Comediae ed. G. Goetz et F. Schoell III, 8).
Vgl. dazu L. Schmidt (siehe Anm. 34), S. 168f.
    [38] Plutarch, Mulierum virtutes 12 p. 249 D (= Moralia ed. W. Nachstädt, W. Sieve-
king, J. B. Titchener II, 1935, S. 241): *Ταῖς Κίων παρθένοις ἔθος ἦν εἰς ἱερὰ δημόσια συμ-
πορεύεσθαι καὶ διημερεύειν μετ' ἀλλήλων, οἱ δὲ μνηστῆρες ἐθεῶντο παιζούσας καὶ χορευούσας.* –
Xenophon von Ephesus, Ephesiaca (ed. G. Dalmeyda, 1926) I, 2, 2f: *Ἤγετο δὲ τῆς Ἀρ-
τέμιδος ἐπιχώριος ἑορτή· ἀπὸ τῆς πόλεως ἐπὶ τὸ ἱερὸν ... πολὺ δὲ πλῆθος ἐπὶ τὴν θέαν ... καὶ
γὰρ ἔθος ἦν ἐκείνῃ τῇ πανηγυρίᾳ καὶ νυμφίους ταῖς παρθένοις εὑρίσκεσθαι καὶ γυναῖκας
τοῖς ἐφήβοις.*
    [39] J. v. Müller-A. Bauer, a. Anm. 32 aO.
    [40] Apuleius, Metamorph. XI, 9. 10 (ed. R. Helm, 1913, S. 272f); die vatikanische Isis-
prozession (abgebildet z. B. bei J. Leipoldt, Bilderatlas z. Religionsgeschichte 9–11,
1926, Nr. 56); die Niinionpinax (ebd., Nr. 193); Neapler Satyrspielvase (Abb. z. B. bei
M. Bieber, Jahrb. d. Deutsch. Arch. Inst. 43, 1928, S. 307); ägypt. Kulttanz aus Ariccia
(Abb. bei J. Leipoldt, aaO, Nr. 17).
    [41] Belege bei G. Delling, S. 37 Anm. 347.

ist es darum unrichtig, daß 1Kor 7, 36–38 von einem Vater die Rede sein könne, der seine Tochter verheiratet oder nicht, vielmehr schließen Wortlaut wie Sitte der Zeit diese Deutung völlig aus.

II

Man hat deswegen, wie gezeigt, häufig die Annahme vertreten, Paulus setze hier die Sitte der „*geistlichen Ehe*" voraus und emp|fehle sie grundsätzlich. Bei dieser Auslegung lassen sich alle sprachlichen Anstöße in V. 36 und 37 beheben; in V. 36 bleibt der τίς Subjekt bis γαμείτωσαν, wo die παρθένος leicht in den Plural hinzuzudenken ist. Und daß dabei vorausgesetzt ist, daß die παρθένος mit dem Beschluß des seinen Trieben verfallenen oder standhaltenden männlichen Partners einverstanden ist, kann man ohne weiteres voraussetzen.

Eine sprachliche Schwierigkeit bildet dagegen γαμίζων in V. 38, und um dieser Schwierigkeit willen ist oft genug behauptet worden, daß keine andere Deutung in Frage komme als die auf das Verhalten eines Vaters gegenüber seiner Tochter, die er *verheiratet oder nicht verheiratet*[42]. Man beruft sich dabei auf eine Bemerkung des alexandrinischen Grammatikers Apollonius Dyscolus (2. Jh. nChr)[43], der γαμίζω als Kausativum von γαμέω unterscheidet. Nun handelt es sich freilich bei γαμίζω offensichtlich um ein sehr seltenes Verbum, das außerhalb des Neuen Testaments und der von ihm abhängigen Väterliteratur nur bei diesem Grammatiker begegnet[44], und die alten Übersetzungen von 1Kor 7, 38 gehen selbstverständlich von der Gesamtdeutung des Textes aus und sind darum keine selbständigen sprachlichen Zeugen. Infolgedessen muß gefragt werden, ob sich über den Sinn des Wortes aus anderen neutestamentlichen Stellen oder aus Analogien sonst etwas entnehmen läßt. Vergleicht man das Vorkommen des Wortes in den Evangelien, wo es allein sonst noch im Neuen Testament begegnet (Mt 22, 30 par Mk 12, 25 par Lk 20, 35; Mt 24, 38 par Lk 17, 27), so ist auch da die Bedeutung nicht eindeutig. Zwar wird man in Mk 12, 25 und par (bei der Auferstehung οὔτε γαμοῦσιν οὔτε γαμίζονται) übersetzen müssen „sie heiraten nicht und sie lassen sich nicht heiraten", weil im Zusammenhang von Mk 12, 18 ff und par ja nur von dem Heiraten der sieben Brüder und dem Geheiratetwerden der einen Frau die Rede sein kann[45]. Und auch Lk 17, 27 *(ἤσθιον, ἔπινον,*

---

[42] So sämtliche Anm. 3 genannten Ausleger, aber auch H. ACHELIS, S. 24 und ST. SCHIWIETZ, S. 10.

[43] Apollonius Dyscolus, de Syntaxi III, § 153 p. 280b (= Grammatici Graeci III, 2, 1910, ed. G. UHLIG, S. 399 f): ἀριστῶ unterscheidet sich von ἀριστίζω so, daß ἀριστῶ am Frühstück teilnehmen, ἀριστίζω jemand Frühstück darreichen bedeutet ... τὴν αὐτὴν διαφορὰν καὶ τὸ γαμῶ πρὸς τὸ γαμίζω· ἔστι γὰρ τὸ μὲν πρότερον γάμον μεταλαμβάνω, τὸ δὲ γαμίζω γάμου τινὶ μεταδίδωμι. τό γε μὴν γαμῶ παθητικῶς κλίνεται (= wird auch passivisch gebraucht), weil es sich auf ein lebendiges Wesen bezieht. – Auch sämtliche alten Übersetzungen geben diesen Sinn wieder.

[44] Auch die seit PREISIGKES Papyruswörterbuch veröffentlichten Papyrustexte bieten das Wort nicht, wie mir freundlicherweise Herr Prof. E. KIESSLING, der Leiter des Marburger Instituts für Papyrusforschung, mitteilte.

[45] So mit Recht W. C. VAN MANEN, S. 612; J. M. S. BALJON; A. VAN VELDHUIZEN, S. 197. Vgl. auch E. GRAFE, S. 69.

ἐγάμουν, ἐγαμίζοντο) liegt dieser Sinn sehr nahe, während in der Parallelstelle Mt 24, 38 τρώγοντες καὶ πίνοντες, γαμοῦντες καὶ γαμίζοντες die Übersetzung „heiraten und verheiraten" näher liegt. Man kann darum durchaus sagen, daß das Neue Testament die Bedeutung von γαμίζομαι = „geheiratet werden" neben der von γαμίζω = „verheiraten" kennt, und der Sinn des seltenen Wortes in 1Kor 7, 38 kann darum | auf diesem Wege nicht eindeutig festgestellt werden. Nun hat aber schon H. LIETZMANN darauf verwiesen, daß die Regel des Apollonius Dyscolus mit der Praxis nicht übereinstimmt, doch läßt sich das Material stark vermehren[46]. Daß im späteren Griechisch die Verben auf -ίζω eine starke Tendenz zur Vermehrung zeigen[47], würde nicht viel besagen, wenn nicht zugleich zu beobachten wäre, daß Bildungen auf -ίζω in völlig gleichem Sinn neben andere Bildungen desselben Stammes treten[48]. So ist es nur natürlich, daß auch Verben auf -έω und -ίζω miteinander wechseln[49]. Man kann darum nicht auf Grund der Regel des Apollonius Dyscolus bestreiten, daß Paulus γαμίζω im Sinne von „heiraten" gebraucht haben könne. Vielmehr war offensichtlich dieses Verbum in seinem Sinn nicht eindeutig festgelegt, und es ist darum methodisch allein gerechtfertigt, den Sinn von γαμίζων in 1Kor 7, 38 von V. 36 und 37 aus zu bestimmen, weil auch die Leser diesen Sinn nur in dieser Reihenfolge erkennen | konnten[50]. Sprachlich ist infolgedessen gegen die Beziehung von

[46] Vgl. A. VAN VELDHUIZEN, S. 197; L.-A. RICHARD, S. 316 f; J. H. MOULTON and G. MILLIGAN, The Vocabulary of the Greek New Testament II, 1915, S. 121.

[47] E. MAYSER, Grammatik der griechischen Papyri aus der Ptolemäerzeit I, 1906, S. 83 f; G. N. HATZIDAKIS, Einleitung in die neugriechische Grammatik, 1892, S. 394 f; S. B. PSALTES, Grammatik der Byzantinischen Chroniken, 1913, S. 325 ff; E. SCHWYZER, Griechische Grammatik I, 2, 1939, S. 736.

[48] Paulus verwendet neben dem häufigen γινώσκω das Verbum γνωρίζω im Sinne von „wissen" in Phil 1, 22, obwohl bei ihm sonst γνωρίζω immer „bekannt machen" bedeutet (ebenso JOSEPHUS, Ant. II, § 97 neben VI, § 102); βάπτω und βαπτίζω heißen in gleicher Weise „eintauchen" (AISCHYLOS, Prometheus 863: Δίθηκτον ἐν σφαγαῖσι βάψασα ξίφος neben JOSEPHUS, Bell. Jud. II § 476 ὅλον εἰς τὴν ἑαυτοῦ σφαγὴν ἐβάπτισεν τὸ ξίφος); καθαίρειν (Joh 15, 2) begegnet neben καθαρίζειν (häufig im NT) ohne Bedeutungsunterschied, ebenso ῥιπίζεσθαι (Jak 1, 6) neben ῥίπτεσθαι (Mt 9, 36). ῥεραντισμένος (Hebr 10, 22) neben ἐρραμμένος (Apk 19, 13 v. l.), αἱρετίζω (Mt 12, 18) neben αἱρέομαι (Phil 1, 22); vgl. auch ἀμφιάζειν (Lk 12, 28) parallel zu ἀμφιεννύναι (Mt 6, 30), wobei derselbe Matthäus 11, 8 in Übereinstimmung mit Lk 7, 25 ἠμφιεσμένος schreibt; θυσιάζειν τὴν θυσίαν (2Chr 7, 5) neben θύματα θύειν (PLATO, Polit. 290 E).

[49] Vgl. εἴ τι αὖ δέοι φθάνειν, ἧττον ἂν ὑστερίζειν (XENOPHON, Anab. VI, 1. 18) neben οἱ δ᾽ ὑστερήσαντες (die zu spät Gekommenen; XENOPHON, Hell. V, 1, 3). – ἀπολογέομαι und ἀπολογίζομαι begegnen nebeneinander (so G. N. HATZIDAKIS, siehe Anm. 47), aber nicht im gleichen Sinn. – Die Angabe von E. MAYSER (s. Anm. 47), daß ἀργέω und ἀργίζω in Pap. Lond. I, Nr. 131 in gleichem Sinn nebeneinander begegnen, ist falsch, da die Endung dort gerade ergänzt ist. Diese falsche Angabe hat ARTH. MÜLLER, Zur Geschichte der Verba auf -ίζω im Griechischen, Diss. Freiburg 1915, S. 57 übernommen. Die weitere Angabe MÜLLERS, daß αὐθεντίζω als Neubildung zu αὐθεντέω begegne (LIDDELL-SCOTT, A Greek-English Lexicon I, 1940, S. 275 nennen dann als Beleg dieses Verbum Berl. Griech. Urk. 103, 3), ist ebenfalls fraglich, da in diesem späten Papyrus (abgedruckt bei MITTEIS-WILCKEN, a. Anm. 36 aO, I, 2, Nr. 134) αὐθεντίσεις neben αὐθεντὶς im Sinne von „in die Hand nehmen" wohl Itazismus von αὐθεντέω ist (beachte die erste Form!). Dagegen hat MÜLLER, S. 82 nachgewiesen, daß die Verba auf -ίζω *im subjektiven Sinn* zunehmen wegen des Absterbens anderer Denominativklassen mit speziell subjektiver Bedeutung, wie z. B. der Verba auf -έω.

[50] Auch METHODIUS, s. o. Anm. 4 aO, 44, 21 ὁ δὲ μὴ δυνάμενος, γαμίζων δὲ νομίμως καὶ μὴ

1Kor 7, 36–38 auf eine „geistliche Ehe" nichts einzuwenden, sie ist vielmehr sprachlich völlig sicher begründet.

Dagegen erheben sich erhebliche sachliche Einwendungen gegen diese Auslegung. Schon das wäre sehr auffällig, daß eine so extrem asketische Sitte so früh entstanden wäre, ohne daß sie bis zum Anfang des 3. Jahrhunderts wesentliche oder auch nur sichere Weiterwirkungen aufzuweisen gehabt hätte[51]. Denn so deutlich 1Kor 7, 1. 5. 25f beweist, daß in Korinth die Neigung zur Meidung oder Beschränkung der Ehe bestanden hat, so weit ist von da der Weg zu einer Einrichtung, die die Ehe durch ein asketisches und dazu *grundsätzlich* ungeschlechtliches Zusammenleben ersetzt. Und dazu kommt, daß in der späteren Auseinandersetzung über Recht oder Unrecht des Syneisaktentums 1Kor 7, 36–38 von keiner Seite erwähnt wird, also offensichtlich kaum in diesem Sinne verstanden worden ist[52]. Noch wesentlicher ist ein Zweites: Paulus warnt 1Kor 7, 2. 5 b. 9 vor jedem Verhältnis zwischen Mann und Frau, das der Versuchung zur ἀϰρασία eine Handhabe bietet, und lehnt 1Kor 10, 8. 11f ausdrücklich das Sich-in Versuchung-Begeben gegenüber der πορνεία ab. Und er vertritt zwar das Ideal der Ehelosigkeit διὰ τὴν ἐνεστῶσαν ἀνάγϰην (1Kor7, 26), zur Befreiung von weltlicher Sorge und mit dem Ziele der ungeteilten Hingabe an den Herrn (1Kor 7, 32ff). Aber er sieht in der geschlechtlichen Verbindung an sich nichts Sündhaftes (1Kor 7, 28. 36), und so sehr er den ehelosen Stand vorzieht (1Kor 7, 1), so wenig sieht er in der ἐγϰράτεια eine *Leistung,* die der Mensch sich abringen sollte *trotz* entgegenstehenden Triebes (1Kor 7, 7. 9). Eine solche asketische Leistung aber gegenüber einer dem asketisch gesinnten Christen *persönlich* nahestehenden παρθένος würde in 1Kor 7, 37 vorausgesetzt, wenn hier an eine „geistliche Ehe" gedacht wäre.

III

Schließen schon die genannten beiden Gründe die Beziehung von 1Kor 7, 36–38 auf eine Frühform der *„virgines subintroductae"* aus[53], so zeigt sich die Unmöglichkeit dieses Verständnisses in dem | Augenblick ganz, wo wir die Frage stellen, ob

λαθροφθορῶν, ϰαλῶς (sc. ποιεῖ) gebraucht das aus 1Kor 7, 38 übernommene Wort eindeutig im Sinne von „heiraten" (J. SICKENBERGER, S. 53, Anm. 1 ergänzt, um diesem Schluß auszuweichen, unbegründeterweise zu γαμίζων: τὴν ἑαυτοῦ σάρϰα).

[51] Vgl. Anm. 9.

[52] J. SICKENBERGER, S. 57f; A. JUNCKER, S. 197f, Das Gegenargument von H. ACHELIS, S. 28 Anm. 3, daß die kirchliche Entwicklung ein richtiges Verständnis der Stelle ausschloß, ist nicht überzeugend.

[53] L.-A. RICHARD, S. 317f möchte lieber daran denken, daß die christlichen Mädchen, die sich der Jungfräulichkeit gewidmet hatten, angesichts der Gefahren der verdorbenen Großstadt sich „par un mariage tout fictif" unter den Schutz eines Bruders stellten, der sie vor Zudringlichkeiten bewahrte, aber ihre Jungfräulichkeit zu respektieren sich verpflichtete, was sich nicht immer durchführen ließ. Aber der Gedanke des männlichen *Schutzes* ist hier völlig eingetragen, und das von Paulus so eindeutig abgelehnte Sich-in-Gefahr-Begeben läge in diesem Falle genauso vor. – Beachtlich ist übrigens, daß H. ACHELIS, S. 26 Anm. 1 und A. JÜLICHER, (1918), S. 103 die Deutung auf die Syneisakten als keineswegs unbedenklich hinstellen.

nicht von den Voraussetzungen des paulinischen Denkens aus die Beziehung des Textes auf ein *Brautpaar* am überzeugendsten ist[54].

Zwei Einwände gegen diese Annahme sind leicht zu widerlegen. Man weist darauf hin, daß es in Griechenland keine Verlobung und damit auch kein bräutliches Verhältnis gegeben habe[55]. Das stimmt zweifellos für die klassische Zeit, doch kann man immerhin fragen, ob die zur Zeit des Plinius in Rom bereits üblich gewordene Sitte der feierlichen Verlobung nicht auch schon an andern Orten im römischen Reich üblich geworden war[56]. Aber auch wenn dieser Schluß nicht berechtigt sein sollte, so ist die Voraussetzung ja keineswegs notwendig, daß es sich bei dem Verhältnis eines Korinthers zu seiner παρθένος um eine formal vollzogene Verlobung gehandelt haben müsse, über deren Existenz in Korinth zu jener Zeit wir eben nichts Sicheres wissen. Aber deswegen ist auf alle Fälle der 2. Einwand hinfällig, daß Paulus in diesem Falle nicht παρθένος αὐτοῦ gesagt haben könne, sondern νύμφη, ἡρμοσμένη oder μνηστευθεῖσα gesagt haben müsse[57]. *Νύμφη* bezeichnet, wenn diese Sonderbedeutung überhaupt vorliegt, im nichtbiblischen Griechisch[58] immer die zur Hochzeit sich bereitende Jungfrau, hat also den Sinn des englischen Wortes „*bride*“; und die beiden Partizipialausdrücke sind weder geprägte Begriffe noch begegnen sie überhaupt im griechischen Kulturbereich als Bezeichnungen für „Verlobte“. Andererseits ist es natürlich richtig, daß παρθένος so wenig „Braut“ wie „Tochter“ *heißt*. Aber es ist durchaus leicht zu denken, daß παρθένος im Sinn von „unverheiratetes Mädchen“[59] zur Bezeichnung *des* Mädchens werden konnte, das einen Mann heiraten will oder soll, und so | begegnet denn auch παρθένος gelegentlich im Sinn von „Geliebte“[60]. Infolgedessen bildet die Ausdrucksweise des Paulus τὴν παρθένον αὐτοῦ kein Hindernis für die Annahme, Paulus denke hier an ein „Brautpaar“.

---

[54] Siehe Anm. 7. Gegen die Annahme von St. Schiwietz, Paulus handle von der Frage, ob ein christlicher κύριος seine Sklavin heiraten solle oder nicht, spricht nicht nur, daß ein solches Verhältnis durch nichts angedeutet ist, sondern auch die Beobachtung, daß man nicht voraussetzen darf, daß ein κύριος nur *eine* Sklavin hat (siehe K. Holzhey).

[55] E. Grafe, S. 60; vgl. L. Friedländer (siehe Anm. 30), S. 275; W. Erdmann (s. Anm. 30), S. 239f.

[56] S. J. Carcopino (s. Anm. 32), S. 133; er verweist auf Plinius d. J., ep. I, 9, der den Besuch von *sponsalia aut nuptiae* zum nichtigen Alltagsgeschehen zählt, und zeigt, daß eine solche Verlobung in einem gegenseitigen Versprechen der Brautleute unter Zustimmung ihrer Väter bestand, wobei die Braut einen Verlobungsring erhielt.

[57] G. Delling, S. 87 Amn. 193.

[58] Vgl. außer G. Delling, aaO noch Liddell-Scott (siehe Anm. 49) II, S. 1184 s. v. Nr. 1.

[59] Belege bei G. Delling, ThW V, 1954, 825, S. 6ff und Liddell-Scott II, 1339 s. v. Nr. 1 und 2.

[60] Ps.-Plutarch, Ἐρωτικαὶ διηγήσεις I, p. 772 C (= Moralia ed. C. Hubert IV, 1938, S. 397): ὁ δὲ Στράτων φανερῶς ἐπικατέσφαζεν ἑαυτὸν τῇ παρθένῳ–Theodoros Prodromos (siehe Anm. 12) III, 331ff (331): der Liebhaber schmeichelt dem Δοσικλῆς, dem Bruder τῆς κόρης, um durch ihn τῆς ἐρωμένης zu erlangen.’ Ω παμμάταιος καὶ παράφρων καρδία, | ἂν εἰ προδοῦναι τὴν ἑαυτοῦ παρθένον | ὁ σατράπης ἤλπιζε τὸν Δοσικλέα. – Wie es zu diesem Sprachgebrauch kommen kann, zeigt schön der Ehevertrag von 190 nChr (Catalogus Papyrorum Raineri, Ser. Graec. I, 1921 = Studien zur Paläographie und Papyruskunde 20, Nr. 15, 6): Θαϊσ]αρίῳ [Ἡρ]ακλείδου παρ[θ]ένῳ οὔσῃ συνερχομ[ένῃ αὐ]τῷ πρὸς γάμον (wiederholt Z. 24f). Ich verdanke diesen Beleg aus dem Material zur Fortsetzung des Papyruswörterbuchs der Freundlichkeit von E. Kiessling.

Ein anderer Einwand gegen diese Annahme spricht im Gegenteil sehr entscheidend *dafür*, daß Paulus ein solches Verhältnis im Auge habe. Man weist darauf hin, daß diese Deutung „dem Apostel zumutet, er lobe den, der seinen Brautstand zu einem lebenslänglichen macht"[61]. Man hat sich dabei aber nicht überlegt, von welcher Grundanschauung aus Paulus dieses Verhältnis betrachtet, über das er durch die Korinther angefragt worden war. Denn das muß und darf man natürlich voraussetzen, daß Paulus davon weiß, daß in Korinth solche Männer und Mädchen in der Gemeinde vorhanden waren, die zu heiraten vorhatten, denen dieses Vorhaben aber angesichts der Haltung des Paulus zur Ehe in seiner Erlaubtheit fraglich geworden war[62]. Nun pflegt Paulus aber in allen Fällen, wo die christliche Überlieferung ihm keine neuen ethischen Grundsätze darbot (wie beim Verbot der Ehescheidung 1 Kor 7, 10 oder des Redens der Frauen im Gottesdienst 1 Kor 14, 33f), die ethische Entscheidung im einzelnen von den ihm selbstverständlich jüdischen Voraussetzungen aus zu fällen. Das gilt, um nur einige besonders eindeutige Beispiele zu nennen, für die Vorschrift, daß die Frauen beim Beten eine Kopfbedeckung tragen sollen (1 Kor 11, 2ff); denn hier liegt nicht die Ablehnung einer Emanzipationsbewegung der korinthischen Frauen vor, sondern das Bestreben, eine jüdisch-orientalische Sitte auch für die korinthische Gemeinde als maßgeblich zu erklären[63]. Es gilt ebenso für die Forderung, das Pro|zessieren vor nichtchristlichen Gerichtsbehörden zu unterlassen (1 Kor 6, 1ff), da die gleiche Forderung für die Diasporajuden galt[64]. Es gilt in besonders auffälliger Form für die ohne Einschränkung formulierte Anweisung, jeder ἐξουσία als einem von Gott eingesetzten Machtträger Gehorsam zu leisten (Röm 13, 1ff), da diese Haltung seit Daniel im Judentum im wesentlichen unbestritten war[65]. So ist es von vornherein wahrscheinlich, daß Paulus auch bei dieser von den Korinthern ihm vorgelegten Frage von den ihm selbstverständlichen jüdischen Voraussetzungen ausgeht, soweit seine christlichen Anschauungen nicht dagegen stehen. Nach jüdischer Anschauung[66] geht (im Gegensatz jedenfalls zum älteren

---

[61] E. GRAFE, S. 68; F. W. GROSHEIDE, S. 182. Umgekehrt meint G. DELLING, S. 88, τηρεῖν τὴν ἑαυτοῦ παρθένον schließe ein Brautpaar aus: „wäre eine definitive Trennung gemeint, dann müßte ein anderes Verbum gebraucht werden, das mehr das Von-sich-lassen zum Ausdruck brächte".

[62] Ob das Paar schon als verlobtes Paar Christ wurde (A. van VELDHUIZEN, S. 201; S. BELKIN, S. 52) oder ob das Mädchen „noch keine νύμφη oder μνηστευθεῖσα" war (G. SCHRENK, S. 61, 31), kann man selbstverständlich nicht entscheiden, ist aber für das Verständnis des Textes ohne Bedeutung.

[63] Siehe die Nachweise in meinen Nachträgen zur 4. Auflage von H. LIETZMANNS Kommentar zu den Korintherbriefen, 1949, S. 183f.

[64] S. E. DINKLER, Zum Problem der Ethik des Paulus, ZThK 49, 1952, S. 176 (mit Literaturangaben).

[65] Vgl. E. STAUFFER, Gott und Kaiser im NT (Bonner Reden und Aufsätze, 2), 1935, S. 7ff, 26ff; O. ECK, Urgemeinde und Imperium, 1940, S. 81ff; M. DIBELIUS, Rom und die Christen im ersten Jahrhundert, SAH, Phil.-hist. Kl. 1941/42, 2, S. 7ff; E. GAUGLER, Der Christ und die staatlichen Gewalten nach dem NT, Int. Kirchl. Ztschr. 1950, S. 139ff.

[66] Vgl. J. NEUBAUER, Beiträge zur Geschichte des biblisch-talmudischen Eheschließungsrechts (= Mitt. d. Vorderas. Ges. 24/25), 1919/20, S. 24, 56, 143, 164f, 184; (H. STRACK)-P. BILLERBECK, Kommentar z. NT aus Talmud u. Midrasch II, 1924, S. 375, 393ff; S. BELKIN. Dort die Belege.

griechischen Recht) der Eheschließung eine Verlobung voraus, die direkt zwischen Bräutigam und Braut geschlossen wird; der Vater handelt dabei nur für die *unmündige* Tochter. Die Verlobung aber stellt eine Verpflichtung dar, die einer Ehe rechtlich völlig gleichwertig ist mit dem einzigen Unterschiede, daß der Ehevollzug noch aussteht. Eine Verlobung kann darum nur durch Scheidung aufgelöst werden. Die jüdische Braut war daher rechtlich einer Ehefrau völlig gleichgestellt (sie wurde auch als אִשָּׁה bezeichnet), aber vor dem Beginn des eigentlichen ehelichen Zusammenlebens war sie noch eine „Jungfrau"[67]. Nun darf man selbstverständlich nicht voraussetzen, daß die korinthischen Christen ihrerseits diese jüdischen Anschauungen über Verlobung und Eheschließung geteilt hätten; die oben als wahrscheinlich erwiesene Annahme, daß die korinthischen Verlobten auf Grund persönlicher Zuneigung die Absicht hatten zu heiraten, genügt vollständig. *Paulus* aber, der wegen der etwaigen Eheschließung solcher Paare angefragt worden war, entscheidet einerseits von seiner Höherschätzung des Unverheiratetbleibens, andererseits von den ihm selbstverständlichen jüdischen Voraussetzungen aus. Daß die Eheschließung eines solchen | Paares keine Sünde ist, entspricht der schon 7, 28 ausgesprochenen Anschauung; und daß sie geschehen soll, wenn die sexuelle Notlage dazu Veranlassung gibt, entspricht genau 7, 2. Dazu kommt aber nun, daß für Paulus gemäß seiner jüdischen Tradition eine Verlobung keine bloß persönliche Abmachung, sondern ein rechtlich bindender Akt ist. Er kann gar nicht anders, als darauf aufmerksam machen, daß eine *Verpflichtung (ὀφείλει γίνεσθαι)* für die Verlobten zum Vollzug der Eheschließung besteht, wenn die Situation es erfordert. Von einer Übergehung des Willens des Mädchens kann darum im Sinn des Paulus bei erfolgender Eheschließung überhaupt nicht die Rede sein, da sie sich ja nach seiner Voraussetzung als Verlobte zur Eingehung der Ehe mit dem betreffenden Mann *verpflichtet* hat. Liegt aber keine solche Notwendigkeit vor, ist vielmehr der Bräutigam Herr seiner Triebe, so hält Paulus es nach der 7, 1. 8. 27 ausgesprochenen Anschauung für besser, wenn die Heirat unterbleibt. Weil offensichtlich die Triebhaftigkeit des Bräutigams die eigentliche Zwangssituation hervorrufen kann, wird in V. 37 auch nur von der Triebbeherrschung des Mannes geredet, und man wird kaum fremde Gedanken eintragen, wenn man voraussetzt, daß das Mädchen auch in diesem Fall als mit dem Verzicht auf die Heirat einverstanden gedacht ist[68]. Da für Paulus die Verlobung ein rechtlich bindender Akt ist, der nur durch Scheidung aufgehoben werden könnte, da Paulus aber die Ehescheidung nach Jesu Gebot ablehnt (7, 10f), kann er in diesem zweiten Fall nicht anraten, daß der Mann und „seine Jungfrau" sich einfach trennen

---

[67] Bei der von der Verlobung zeitlich getrennten Eheschließung durch den Eingang der Verlobten unter die חֻפָּה wird die Jungfräulichkeit der Braut durch den Brautführer kontrolliert: Tos. Keth. 1, 4 S. 261 ed. M. ZUCKERMANDEL; übersetzt bei (STRACK)-BILLERBECK I, S. 46.

[68] Wenn PH. BACHMANN, S. 288 behauptet, „die Beziehung (von 7, 36) auf den Bräutigam würde einen vollen Widerspruch zu 27 bedeuten, da ja alsdann 37 den Verzicht des schon Gebundenen auf die Verehelichung empfehlen würde", so liegt dem eine Mißdeutung von 7, 27 zugrunde. δέδεσαι bezeichnet im Parallelismus zu λέλυσαι zweifellos das Verheiratetsein und nicht die Verlobung.

sollen; er fordert vielmehr, daß der bestehende Zustand des Verlobtseins aufrecht-
erhalten bleibe, natürlich unter Aufgabe der Absicht der Eheschließung. Da nun
nach jüdischem Recht der Bräutigam seine Braut auch dann zu unterhalten hat,
wenn er keine Ehe mit ihr eingeht[69] (der Ausweg der Scheidung kommt ja für Paulus nicht in Frage), wollte S. BELKIN aus der Formulierung *κέκρικεν τηρεῖν τὴν
ἑαυτοῦ παρθένον* entnehmen, daß Paulus dem die Eheschließung unterlassenden
Bräutigam auferlegte „to ‚keep‘ her"[70]. Aber *τηρεῖν τὴν παρθένον ἑαυτοῦ* kann
nicht heißen „seine Jungfrau unterhalten", | hat vielmehr den Sinn „seine Jungfrau
(als solche) erhalten"[71]. Paulus vertritt also tatsächlich gemäß seinen jüdischen Voraussetzungen die Anschauung, daß die Verlobung für die kurze noch bevorstehende
Zeit *(ὁ καιρὸς συνεσταλμένος ἐστίν)* bestehen bleiben solle, und es ist durchaus
denkbar, wenn auch sprachlich nicht erweisbar, daß er dem Bräutigam die Pflicht
der Fürsorge für das Mädchen zuspricht. Diese Aufrechterhaltung der Verlobung
kann aber gerade nach jüdischen Voraussetzungen nicht bedeuten, daß der Bräutigam das Mädchen als seine Braut bei sich behält[72], sondern nur, daß der Bräutigam,
ohne an dem bestehenden Zustand des Verlobtseins etwas zu ändern, das Mädchen
unberührt läßt und sich selber in Zucht hält, um so dem Mädchen und sich selbst
das *μεριμνᾶν τὰ τοῦ κυρίου*, den Dienst *τῷ κυρίῳ ἀπερισπάστως* (7, 33–35) zu ermöglichen[73]. Und weil solches Verhalten eben diese Möglichkeit schafft, darum gilt
davon: *κρεῖσσον ποιήσει*.

Mit dieser Deutung des umstrittenen Textes sind aber nicht nur alle sprachlichen
Probleme befriedigend gelöst, ordnet sich der Text nicht nur den geschichtlichen
Verhältnissen der frühen Christengemeinden mühelos ein, sondern entspricht er auch
völlig dem paulinischen Gesamtdenken. Paulus fordert ja unbedingt das *μεριμνᾶν
τὰ τοῦ κυρίου* (1Kor 7, 32. 34), und das bedeutet natürlich, daß jedes Verhalten ausgeschlossen sein muß, das den Christen unnötig an den *κόσμος* bindet. Die Ehe wird
darum als ein Wert an sich von ihm abgelehnt, und so kann Paulus den Rat zur Eheschließung der beiden Verlobten nicht uneingeschränkt geben. Aber so sehr Paulus
es um der ungeteilten Hingabe an den Herrn willen empfiehlt, daß die Verlobten
keine Ehe schließen sollten, so wenig will dieser Rat die Wirklichkeit der irdischen
Existenz *ἐν σαρκί* übergehen. Darum könnte Paulus auch nicht zu einem Verhältnis
zwischen Männern und Mädchen zuraten, das diese Wirklichkeit überfliegen und dadurch ein *ἐκ τοῦ κόσμου ἐξελθεῖν* (1Kor 5, 10) bedeuten würde. Und erst recht kann
er nicht zu einer Beziehung zwischen einem Mann und einem Mädchen raten, die als
ἀφειδία σώματος (Kol 2, 23) und in der Haltung der *τὴν ἰδίαν (δικαιοσύνην)*

---

[69] Keth. 5, 2: „Man gibt einer Jungfrau, sobald der Mann sie aufgefordert hat (sc. zur
Eheschließung), 12 Monate, um sich auszustatten ... Wenn die Zeit herangekommen ist
und sie nicht geheiratet wurden, so erhalten sie aus seinem Besitz den Unterhalt" נותניו
לבתולה שנים עשר חדש משתבעה הבעל לפרנס את עצמה. ... הגיע זמן ולא נשאו ולא איכלות משלו
[70] S. BELKIN, S. 52.
[71] Siehe Anm. 27 und W. BAUER, Wörterbuch (siehe Anm. 11), S. 1480.
[72] „haar maagd te laten en als zijn meisje steeds bij zich te houden" (W.C. VAN MANEN,
S. 616).
[73] So auch G. SCHRENK, S. 61, 34 ff.

ζητοῦντες στῆσαι (Röm 10, 3) durch eine besonders anerkennenswerte Enthaltsamkeitsleistung sich vor Gott hervortun möchte. Die asketische Unternehmung einer „geistlichen Ehe", welche Begründung sie bei ihren Vertretern auch immer finden mochte, kann daher von Paulus nicht gebilligt worden sein[74], vielmehr ist es auch in dieser Frage die ἀγάπη, die das letzte Wort zu reden hat. |

Wollte Paulus freilich sagen, daß ein Vater auf Grund der freien Verfügung über seinen eigenen Willen seine Tochter unverheiratet lassen kann, so wäre ein solches Verhalten des Vaters wirklich ein ζητεῖν τὰ ἑαυτῆς, also ein Verhalten, das Paulus der ἀγάπη abspricht (1Kor 13, 5); denn Paulus betrachtet ja die Ehe und die mit ihr gegebene fleischliche Verbindung nicht als sündig und darum ihre Meidung als *auf alle Fälle* erstrebenswert, und die Zustimmung der Tochter zu der Verweigerung der Ehe durch den Vater darf man, wie wir sahen, nicht einfach eintragen. Wohl aber ist die ἀγάπη die richtunggebende Macht, wenn Paulus hier einem Verlobten anrät, die Ehe zu schließen, wenn die irdischen Triebe es nahelegen, und sie zu meiden, wenn kein solcher Zwang vorliegt. Denn die durch den Zwang der Triebe geforderte Eheschließung von seiten des Verlobten geschieht in der Absicht, ἵνα μὴ πειράζῃ ὑμᾶς ὁ σατανᾶς διὰ τὴν ἀκρασίαν ὑμῶν (1Kor 7, 5), und erreicht der Verlobten gegenüber τὸ μὴ τιθέναι πρόσκομμα τῷ ἀδελφῷ ἢ σκάνδαλον (Röm 14, 13). Die Aufrechterhaltung des Verlöbnisses und der Verzicht auf die Eheschließung durch den Verlobten aber geschieht unter Vermeidung der Freiheit εἰς ἀφορμὴν τῇ σαρκί und erfüllt die Forderung: διὰ τῆς ἀγάπης δουλεύετε ἀλλήλοις (Gal 5, 13). So zeigt bei richtiger Deutung auch die Anweisung von 1Kor 7, 36–38: „Die christliche Freiheit ist die Freiheit von allen menschlichen Konventionen und Wertmaßstäben", weil die christliche Freiheit ihre Richtung erhält durch das einander in der Liebe *Dienen*[75]. Denn auch die Liebe der christlichen Verlobten in Korinth soll nach dem Rate des Paulus dem Nächsten nichts Böses antun (Röm 13, 10), sondern danach streben, daß „ein jeder von uns dem Nächsten gefalle zum Guten, zur Auferbauung" (Röm 15, 2).

---

[74] Es ist mir darum fraglich, ob man Paulus in seinem Verhalten gegenüber der Ehe und dem Geschlechtsleben als „Asketen" ansprechen kann, wie es H. von CAMPENHAUSEN (s. Anm. 10), S. 30ff tut. Richtiger W. JENTSCH, Urchristl. Erziehungsdenken, 1951, S. 222 „eschatologisch bedingte Hochschätzung des Jungfräulichen an sich").

[75] R. BULTMANN (siehe Anm. 11), S. 339.

DIE „KONSEQUENTE ESCHATOLOGIE" ALBERT SCHWEITZERS IM URTEIL DER ZEITGENOSSEN

In der ALBERT SCHWEITZER zu seinem 80. Geburtstag dargebrachten Festschrift hat JEAN HÉRING in einer Studie über ALBERT SCHWEITZERS wissenschaftliches Verhältnis zu seinem Lehrer H. J. HOLTZMANN darauf hingewiesen, daß die Mehrzahl der Thesen aus SCHWEITZERS „Geschichte der Leben-Jesu-Forschung" heute zum theologischen Gemeingut gehöre und daß man ein halbes Jahrhundert zurückgehen müsse, um zu begreifen, daß sie Aufsehen erregten[1]. Diese Bemerkung hat zweifellos insoweit recht, als auf alle Fälle in der protestantischen Theologie des europäischen Kontinents die von A. SCHWEITZER aufgezeigte zentrale Bedeutung der Enderwartung für die Verkündigung Jesu und des Paulus nicht mehr ernstlich in Frage gestellt wird. Aber andererseits muß doch auch festgestellt werden, daß SCHWEITZERS spezifische These einer konsequenten, d. h. ausschließlich futurischen Eschatologie bei Jesus und Paulus ebenso wie die Besonderheiten seines Verständnisses der Verkündigung bei Jesus und Paulus bis heute nur wenige Anhänger gefunden haben; und darüber hinaus sollte nicht vergessen werden, was SCHWEITZER selber immer betont hat, daß die grundlegende Erkenntnis SCHWEITZERS von der Zugehörigkeit Jesu und des Paulus zur spätjüdischen Apokalyptik schon vor ihm ausgesprochen worden war. Es dürfte daher für das Verständnis unserer heutigen theologischen Situation ebenso wie für die Beurteilung der bleibenden Bedeutung von SCHWEITZERS Jesus- und Paulus-Deutung wertvoll sein, den Blick erneut auf die Entstehung der konsequent-eschatologischen Deutung des Urchristentums und auf die zeitgenössische Beurteilung dieser Deutung zurückzulenken.

Das Bestreben, das Neue Testament streng geschichtlich im Zusammenhang mit seiner Zeit zu erforschen, hatte im letzten Drittel des 19. Jahrhunderts dazu geführt, daß sich das Interesse dem Spätjudentum und besonders der spätjüdischen Apokalyptik zuwandte (A. HILGENFELD, E. SCHÜRER). Veranlaßt durch diese Forschungen untersuchte der elsässische Pfarrer WILHELM BALDENSPERGER ausdrücklich „Das Selbstbewußtsein Jesu im Lichte der messianischen Hoffnung seiner Zeit" (1888) und wies nach, daß uns in der jüdischen Apokalyptik „der Boden, auf welchem das Christenthum Wurzel faßte, bekannt geworden" ist, denn die Reichspredigt Jesu „hat unleugbar eine messianisch-eschatologische Färbung", und auch Paulus hat

---

[1] J. HÉRING, De H. J. Holtzmann à Albert Schweitzer, Ehrfurcht vor dem Leben. Albert Schweitzer. Eine Freundesgabe zu seinem 80. Geburtstag, 1955, S. 25.

„seine Auffassung vom Sündenfall aus seiner jüdischen Erziehung mitgebracht"[2].
Im gleichen Jahre wiesen OTTO EVERLING und HERMANN GUNKEL den Zusammenhang der Engel- und Geistvorstellungen des Paulus mit der Gedankenwelt des Spätjudentums nach[3], wogegen sofort protestiert wurde unter Hinweis auf „die weite
Kluft, welche sich dem ernsten Forscher zwischen der Denkungsart der apokryphi-
schen Schriften und dem Sinn und Geist der neutestamentlichen Bücher auf Schritt
und Tritt aufthut"[4]. Doch ließen sich unvoreingenommene Forscher nicht abhalten,
auf dem durch BALDENSPERGER, EVERLING und GUNKEL eingeschlagenen Wege
fortzuschreiten. Zwar bezog sich JOHANNES WEISS nur gelegentlich auf spätjüdische
Apokalypsen, als er „Die Predigt Jesu vom Reiche Gottes" (1892) mit der ausdrücklichen Absicht darstellte, „den ursprünglichen geschichtlichen Sinn, den Jesus mit
den Worten „Reich Gottes" verband, noch einmal festzustellen". Er sieht sich bei
solcher Absicht dazu veranlaßt festzustellen, daß für Jesus das Reich Gottes nahe,
aber noch nicht da ist, und daß Jesus, der Prophet, nur den Anspruch hat, der Menschensohn zu *werden*. Daneben stellte WEISS nun aber auch bereits die Annahme,
daß „unter dem Druck bestimmter Verhältnisse im Bewußtsein Jesu eine Hinaus-
schiebung des Termins" eingetreten sei, daß vielmehr die Verschuldung des Volkes
erst aus dem Wege geräumt werden müsse und daß Jesus den kühnen Gedanken gefaßt habe, „daß gerade sein Tod das Lösegeld sein solle für das der Vernichtung ver-
fallene Volk". Ja, auch davon ist bereits die Rede, daß „die Nähe des Reiches das
Motiv der neuen Sittlichkeit"[5] ist. J. WEISS hat also nicht nur den eschatologisch-
zukünftigen Charakter der Gottesreichserwartung Jesu klar erkannt, sondern auch
bereits damit die Annahme einer durch die Parusieverzögerung veranlaßten Wandlung in der Erwartung Jesu verbunden und die Bedingtheit der ethischen Forderung
Jesu durch die Naherwartung beobachtet, ist also in diesen drei wichtigen Punkten
ein direkter Vorläufer A. SCHWEITZERS.

Es ist nun freilich erstaunlich zu beobachten, daß die weithin einfach auf exege-
tischen Beobachtungen begründeten Ausführungen von J. WEISS zunächst auf allen
Seiten auf völliges Unverständnis stießen. Konservative Forscher stellten fest, daß
WEISS „das Moment des Eschatologischen überspannt" habe[6], oder übergehen
WEISS überhaupt mit Stillschweigen[7]. Liberale Forscher mahnten zur „größten
Vorsicht gegenüber dem von J. WEISS so stark verwertheten Gedanken an die un-
mittelbare Nähe des Endes"[8] oder leugneten den Zusammenhang der Reich-Gottes-

---

[2] W. BALDENSPERGER, Das Selbstbewußtsein Jesu im Lichte der messianischen Hoffnung seiner Zeit, 1888, S. 80, 108, 96.
[3] O. EVERLING, Die paulinische Angelologie und Dämonologie, 1888; H. GUNKEL, Die
Wirkungen des Heiligen Geistes nach der populären Anschauung der apostolischen Zeit
und nach der Lehre des Apostels Paulus, 1888.
[4] K. F. NÖSGEN, Das Neue Testament und die pseudepigraphische Literatur, ThLBl 11,
1890, S. 457.
[5] J. WEISS, Die Predigt Jesu vom Reich Gottes, 1892, S. 7, 27f, 43.
[6] G. SCHNEDERMANN, ThLBl 15, 1894, S. 388.
[7] Etwa W. LÜTGERT, Das Reich Gottes nach den synoptischen Evangelien, 1895.
[8] A. TITIUS, Die neutestamentliche Lehre von der Seligkeit und ihre Bedeutung für die
Gegenwart I, 1895, S. 17.

Predigt Jesu mit der Apokalyptik mehr oder weniger[9]. Ja sogar die ausgesprochen religionsgeschichtlich arbeitenden Theologen wiesen die Anschauung von J. WEISS zurück. H. GUNKEL, der selber den Zusammenhang der paulinischen Geistlehre mit jüdischen Vorstellungen herausgestellt hatte, erklärte, „daß auch ihm die überkühnen Thesen WEISS' die Nuance, in der die Wahrheit liegt, verfehlt zu haben scheinen", weil die Vorstellung erweckt werde, „als ob die Eschatologie die Predigt Jesu ausfülle"[10]. Und WILHELM BOUSSET schrieb eine eigene Schrift über „Jesu Predigt in ihrem Gegensatz zum Judentum" (1892), um nachzuweisen, daß Jesu Frömmigkeit zwar „in der äußeren Form, der Erwartung des nahen Weltendes, der Frömmigkeit des Spätjudentums verwandt" sei, daß aber „die Gesammtgestalt Jesu auch hiermit nicht im Bannkreis des Judentums" stehe (S. 69f).

Stieß so die eschatologische Deutung Jesu durch J. WEISS bei ihrem ersten Hervortreten sofort auf allseitige Ablehnung, so erging es RICHARD KABISCH nicht viel besser, als er „die Eschatologie des Paulus in ihren Zusammenhängen mit dem Gesamtbegriff des Paulinismus" (1893) darstellte. Paulus erscheint hier als der Vertreter eines einheitlichen realistischen Zukunftsbildes, für das das höchste Gut das physisch verstandene Leben und die Gegenwart bereits ein Stück der letzten Dinge ist. Auch KABISCH hat nicht nur den Hinweis auf die grundlegende Bedeutung der Eschatologie für Paulus vor SCHWEITZER vertreten, sondern auch die Auffassung von der Einheitlichkeit des paulinischen Zukunftsbildes und die Auffassung, daß „vielleicht kein Trieb größer und gottgewollter ist als der wollende Trieb zum Leben" (S. 136). Auch KABISCH aber fand von konservativer Seite Ablehnung, weil er übertreibe „in der vollkommenen Gleichstellung der paulinischen Gedanken mit denen des späteren Judentums bis zu dessen abgeschmacktesten Phantasien"[11], und W. WREDE, der in seinem „Paulus" von 1904 ein Wegbereiter des SCHWEITZER-schen Paulusbildes werden sollte, erklärte das von KABISCH gezeichnete Bild „für ein völliges Zerrbild"[12]. Der eschatologische Paulus war den Theologen aller Richtungen ebenso fremd wie der eschatologische Jesus.

Wenige Jahre später veröffentlichte nun ALBERT SCHWEITZER seine Schrift: „Das Messianitäts- und Leidensgeheimnis. Eine Skizze des Lebens Jesu" (1901). Hier war von der Alternative „Jesus hat entweder eschatologisch oder uneschatologisch gedacht, aber nicht beides zugleich" aus ein Jesus geschildert, der als Prediger der bald kommenden Gottesherrschaft und seiner zukünftigen Erhöhung zum Menschensohn und einer darin begründeten „Interimsethik" Mißerfolg hatte und der dann nach der Rückkehr der Jünger ohne Anbruch des Gottesreiches den Entschluß faßte, durch eigenes Leiden das Reich Gottes heraufzuführen. SCHWEITZER hatte in dieser ersten Veröffentlichung seines Geschichtsbildes weder darauf hingewiesen, daß J. WEISS wesentliche Gedanken schon vorher geäußert hatte, noch hatte er erkennen lassen, daß er als Student während des Militärdienstes durch die Lektüre

[9] Z. B. J. WELLHAUSEN, Israelitische und jüdische Geschichte, 1894, S. 314.
[10] H. GUNKEL, ThLZ 18, 1893, S. 43.
[11] R. KÜBEL, ThLBl 14, 1893, S. 340.
[12] W. WREDE, ThLZ 19, 1894, S. 133.

des Matthäusevangeliums zu der Erkenntnis gekommen war, daß die Reden in Mt
10 und 11, als geschichtlich zuverlässige Berichte verstanden, erst den Schlüssel
zum Verständnis des Markusevangeliums böten[13], das die bisherige liberale Jesusforschung allein als Grundriß für die Darstellung des Lebens Jesu benutzt hatte.
Andererseits suchte SCHWEITZER nachzuweisen, daß der Bericht von der Verklärung
vor das Messiasbekenntnis von Caesarea Philippi fallen müsse, daß alle Menschen-
sohntexte vor diesem Bekenntnis ebenso unhistorisch seien wie die synoptische
Apokalypse, ohne diese kritischen Urteile anders als durch den sachlichen Zusammenhang der konsequenten Eschatologie Jesu zu begründen. Das im Vorwort der
Schrift angekündigte ausgearbeitete „Leben Jesu" aber erschien nicht.

Es ist daher begreiflich, daß diese Schrift zunächst in ihrer skizzenhaften Form
wenig beachtet wurde[14], und es ist nach dem Echo, das J. WEISS und KABISCH gefunden hatten, auch nicht erstaunlich, daß SCHWEITZERS Jesusbild fast völlig abgelehnt wurde. Der konservative P. FEINE stellte fest, daß mit dieser Arbeit der
Nachweis erbracht sei, „daß die Eschatologie nicht den rechten Schlüssel zum Verständnis Jesu liefert", weil man nicht begreife, „wie ein solcher Apokalyptiker der
Stifter der christlichen Kirche und der geworden ist, von dem noch heute die Kraft
der Erlösung von Sünde und Tod ausgeht"[15]. Der Religionsgeschichtler H. WEINEL
erklärte noch schärfer, daß „wie das letzte Machtwort, so auch alles andere in dieser
Konstruktion falsch ist, mit wie großer Zuversicht und hohem Selbstbewußtsein
auch alles vorgetragen wird", macht aber auch auf ein zweifellos vorhandenes Problem aufmerksam: „Quellenkritik gibt es fast gar nicht. Alles ist echt, was paßt, mit
einigen Umstellungen wird weiteres, so gut es geht, zurechtgerückt."[16] G. HOLL-
MANN aber, selbst ein liberaler Kenner des Spätjudentums, der SCHWEITZER darin
zustimmt, daß „von Anfang an für die Predigt Jesu die eschatologische Realisie-
rung des Reiches das Bestimmende" ist, macht doch die wichtige Feststellung, daß
„die geheimnisvolle causale Verbindung, die nach dem Verf. zwischen Eschatologie
und Leidensgedanken besteht, in den Texten nicht angedeutet" ist, daß aber überhaupt „der Systematiker den Historiker übertrifft"[17]. So war vorläufig weder für
die Erkenntnis der grundlegenden Bedeutung der eschatologischen Naherwartung
für Jesu Verkündigung noch gar für die besondere Wendung dieser Erkenntnis bei
A. SCHWEITZER eine Zustimmung der Fachkollegen zu erlangen.

A. SCHWEITZER aber gab seiner Jesusdeutung eine solidere Grundlage, indem er die
„konsequente Eschatologie" in seiner „Geschichte der Leben-Jesu-Forschung" als
die Antwort auf alle Fragen hinstellte, die die gesamte bisherige Jesusforschung
offengelassen hatte. Trug die erste Auflage dieses in 6 Auflagen erschienenen und bis
heute in seinem geschichtlichen Teil nicht überholten Buches den Titel „Von Reimarus zu Wrede", so zeigte sich darin SCHWEITZERS Auffassung, daß der rationalisti-

---

[13] A. SCHWEITZER, Aus meinem Leben und Denken, 1931, S. 5 ff.
[14] So A. SCHWEITZER selbst, Selbstdarstellung, 1929, S. 14.
[15] P. FEINE, ThLBl 24, 1903, S. 440.
[16] H. WEINEL, ThR 5, 1902, S. 244.
[17] G. HOLLMANN, ThLZ 27, 1902, S. 467 f.

sche Skeptiker Reimarus „zuerst die Vorstellungswelt Jesu historisch, d. h. als
eschatologische Weltanschauung erfaßt" hat und daß der „konsequente Skeptizis-
mus" W. Wredes in seinem Buch „Das Messiasgeheimnis in den Evangelien" (1901)
„und die konsequente Eschatologie in ihrer Vereinigung" das uneschatologische
Jesusbild des Liberalismus gemeinsam als unhaltbar erweisen können. Gegen die
Haltbarkeit dieses Titels hat damals sofort P. Wernle den richtigen Einwand erhoben, daß der Leser keinen Begriff davon erhalte, „wie stark der englische Deismus
Reimarus vorgearbeitet hat", und daß der Titel des Buches lauten müsse: „Von
Reimarus zu Albert Schweitzer, denn auch Wrede gehört in das ungeheure Leichen-
feld der großen Leben-Jesu-Schlacht, als deren einzig Überlebender Schweitzer
dasteht"[18]. Im übrigen darf ich hier als bekannt voraussetzen, daß Schweitzer
wirkliche Förderung der geschichtlichen Erkenntnis Jesu nur bei D. F. Strauss
durch die Erkämpfung der streng geschichtlichen Methode der Jesusforschung, bei
F. C. Baur und H. J. Holtzmann durch die Ausschaltung des Johannesevangeliums
als einer Quelle für den geschichtlichen Jesus und dann ganz besonders bei J. Weiss'
eschatologischer Jesusdeutung anerkannte. Und ebenso ist bekannt, daß Schweitzer im Vorwort seines Buches erklärte, daß „dieses Buch nicht anders kann, als dem
Irrewerden an dem historischen Jesus, wie ihn die moderne Theologie zeichnet, Ausdruck zu geben, weil dieses Irrewerden ein Resultat des Einblicks in den gesamten
Verlauf der Leben-Jesu-Forschung ist".

Es war zu erwarten, daß die konservative Forschung, die den „historischen Jesus"
der liberalen Theologie immer abgelehnt hatte, mit Genugtuung von diesem Todes-
urteil Schweitzers Kenntnis nahm und feststellte: „Die Bedeutung der Erkenntnis
A. Schweitzers liegt darin, daß den Rationalisten einer der ihrigen den Bankerott
ihrer Untersuchungen über den historischen Jesus ankündigt. Den wirklichen Jesus
Christus ergreift man nicht durch historische Untersuchungen, sondern durch den
religiösen Glauben"[19]. Andere Konservative schwiegen Schweitzers Buch einfach
tot[20] oder erklärten, daß „ein Wort der Kritik an diesem Resultat der konsequenten
Eschatologie überflüssig" sei: „Und die Freunde und Genossen dieser religionsgeschichtlichen kritischen Theologenschule verlangen zu gleicher Zeit stürmisch
nach Gleichberechtigung mit den Vertretern der reformatorischen Theologie in den
evangelischen Landeskirchen!!" Wie man protestiert hatte gegen die Heranziehung
der pseudepigraphischen Literatur zur Aufhellung des Sinnes des Neuen Testaments,
so protestiert man jetzt gegen die Darstellung Jesu als eines „eschatologischen
Träumers, dem samt dem Täufer und dem Apostel Paulus nur eine Stelle in der Reihe
jener Pseudo-Apokalyptiker wie die Verfasser des Buches Henoch und des Buches
Baruch und Esra angewiesen wird"[21].

---

[18] P. Wernle, ThLZ 31, 1906, S. 502; ähnlich H. Stephan, LZ 57, 1906, S. 1545f; zur
Abhängigkeit des R. vom Deismus vgl. A. C. Lundsteen, H. S. Reimarus, 1939, S. 108ff,
137ff.

[19] L. Lemme, Jesu Wissen und Weisheit, 1907, S. 19f; ähnlich R. H. Grützmacher, Ist das
liberale Jesusbild modern?, 1907, S. 23f.

[20] Etwa E. Kühl, Das Selbstbewußtsein Jesu, 1907 und K. Thieme, Jesus und seine
Predigt, 1908.   [21] K. F. Nösgen, ThLBl 27, 1906, S. 511.

Und nicht viel anders urteilten auch liberale Forscher. H. STEPHAN wendet nur ein, daß SCHWEITZER „aufs naivste mit demselben romanhaften, psychologisierenden Verfahren" arbeite, „das er bei den 'Liberalen' so trefflich zu verdammen weiß"[22] und weist damit zweifellos auf eine Schwäche der Konstruktion SCHWEITZERS hin, die nur wenigen erlaubt hat, sich seinen Anschauungen völlig anzuschließen. Auf eine andere Schwäche weist SCHWEITZERS Lehrer H. J. HOLTZMANN hin: „die Gesetze literarischer Kritik sind bei SCHWEITZER Nebensache". Und darum beruht nach HOLTZMANNS Meinung das ganze Bild von „der schwülen Atmosphäre, unter deren Druck der hier gemalte Messias das Enddrama in Gang zu setzen und damit das Himmelreich herbeizuzwingen unternimmt", auf literarisch unhaltbaren Annahmen; „damit aber fällt das ganze verunglückte Abenteuer, das ihn SCHWEITZERS phantasievolle Eschatologie riskieren läßt, dahin"[23]. Die von SCHWEITZER angenommene Wendung in der Erwartung des Gottesreiches nach der Rückkehr der Jünger, ohne daß das Reich angebrochen gewesen wäre, ergibt sich für HOLTZMANN also als unkritischer Phantasie entsprungen, und man wird diese Kritik nicht als unbegründet abweisen können.

Andere Liberale urteilen aber viel schärfer. M. RADE, der Herausgeber der „Christlichen Welt", erklärt im Vorbeigehen[24] über SCHWEITZERS Buch: „Ich habe das Buch mit Vergnügen und Gewinn gelesen, aber mich immer wieder nicht entschließen können, es den Lesern vorzustellen: es kann den, der es nicht zu kontrollieren vermag, nur verwirren". Der scharfsinnige Kritiker der Evangelien, J. WELLHAUSEN, spricht davon, daß „Ignoranten sich zu behaupten erdreistet haben", „Jesus habe die Moral für eine provisorische Ascese gegolten, die nur in Erwartung des nahen Endes zu ertragen war und nur bis dahin ertragen werden mußte"[25]. Sind solche Ablehnungen allzu summarisch und unbestimmt, so wendet sich A. JÜLICHER gegen den Ersatz der Quellenkritik durch die „verblüffende Originalität" des „Romans, den uns SCHWEITZER in seinem 19. Kapitel als das Resultat seiner Leben-Jesu-Studien anbietet": „Nur als Erzeugnis einer lodernden Phantasie und eines starken Willens erweckt diese Konstruktion Interesse". Denn „die Vergewaltigung von Gesetz und Regel geschichtlichen Untersuchens kann kaum ärger getrieben werden". Und der wesentlichste Einwand JÜLICHERS ist, daß „eine Kritik, die über Ereignisse aus fernster Vergangenheit ein Urteil fällen will, ohne zuvor alles getan zu haben, um die Überlieferung über die Ereignisse genau kennen zu lernen, ... keinen

[22] H. STEPHAN, LZ 57, 1906, S. 1545f; ganz ähnlich H. WINDISCH, ThR 12, 1909, S. 148: „Aber ich muß betonen, daß diese Auffassung ein Konstruktionsversuch ist genau wie die anderen, mit ähnlichen Mitteln, literarischen Operationen und psychologischen Eindeutungen ausgebaut."
[23] H. J. HOLTZMANN, DLZ 27, 1906, S. 2419, 2477, 2422; vgl. auch H. J. HOLTZMANN, Das messianische Bewußtsein Jesu, 1907, S. 45 („das souveräne Schaffen von nirgends angedeuteten Zusammenhängen").
[24] M. RADE, Die christliche Welt 21, 1907, S. 337 Anm. 1.
[25] J. WELLHAUSEN, Einleitung in die drei ersten Evangelien, 1905, S. 107 (bezieht sich auf SCHWEITZERS erste Schrift, aber auf einen in das Leben-Jesu-Buch übernommenen Gedanken; daß WELLHAUSEN hier SCHWEITZER meint, zeigt P. WERNLE, ThLZ 31, 1906, S. 505).

Anspruch auf Widerlegung hat, sie ist dogmatische, nicht historische Kritik". Und angesichts dieser Mißachtung der Quellenkritik durch Schweitzer hält Jülicher, und zwar zweifellos mit Recht, die Reklamation Wredes als Bundesgenossen durch Schweitzer für unberechtigt: „Das Zwillingspaar Wrede-Schweitzer existiert nur in den Visionen des historisierenden Dichters."[26]

Die scharfe Ablehnung von seiten der Konservativen ist ebensowenig erstaunlich wie die von seiten der Liberalen, weil die Konservativen auch hier die von ihnen abgelehnte Suche nach dem „geschichtlichen Jesus" statt nach dem „biblischen Christus" (Kähler) fanden und weil die Liberalen hier einem Jesus begegneten, der sich in die Vorstellung einer großen religiösen Persönlichkeit nicht einordnen ließ und mit seinem messianischen Anspruch apokalyptischer Färbung einen Schritt hin zum „psychiatrischen Jesus" (H. J. Holtzmann) bedeutete. Erstaunlich aber war schon, daß trotz der im übrigen gleichen Reaktion der englischen Theologen zwei führende englische Neutestamentler, W. Sanday und F. C. Burkitt, sich Schweitzers konsequent eschatologischer Jesusdeutung anschlossen, weil ihnen die konservative Haltung Schweitzers gegenüber den Quellen zusagte, aber auch, weil sie sich von Schweitzers Argumenten überzeugt fühlten[27].

Am erstaunlichsten aber war, daß auch die Vertreter der religionsgeschichtlichen Methode, die die Forderung erhoben hatten, die Gedankenwelt des Neuen Testaments in seine jüdische Umwelt hineinzustellen, und die selber mit dieser Arbeit begonnen hatten, den allerschärfsten Protest erhoben. P. Wernle kritisiert nicht nur die Einseitigkeit der geschichtlichen Darstellung, „Interesse hat für Schweitzer eigentlich nur die Eschatologie und daraufhin wird jedes Werk geprüft und zensuriert"; er stellt nicht nur fest, daß Schweitzer „einfach die psychologische Konstruktion mit der dogmatisch-eschatologischen vertauscht". Wernle betont vor allem, daß hier „in Wahrheit mit grauenhafter Verwüstung und Vergewaltigung der Quellen" gearbeitet werde, „wie wir sie seit Jahrzehnten nicht erlebten". „Hier fehlt selbst das ABC in Kenntnis der traditionsgeschichtlichen Gesetze. Und darum ist die ganze Schweitzersche Kritik der Leben-Jesuforschung fundamentlos." Das aber wird von Wernle nicht bloß behauptet, sondern es wird darauf verwiesen, daß nicht die moderne Theologie, sondern Lukas uns darauf führt, daß die Reden in Mt 10 und 11, auf denen Schweitzers Konstruktion beruht, Kompositionen des Evangelisten sind, und er weist auch auf den in der Tat entscheidenden methodischen Fehler der Konstruktion Schweitzers hin: „Der einzig sichere Ausgangspunkt müßte sein, daß wir ein directes Wissen über Jesus überhaupt nicht besitzen, daß uns bekannt bloß Glaube und Überlieferung der Urgemeinde 30–40 Jahre nach seinem Tod sind, daß alle Jesusworte aus diesem Glauben und dieser Situation zuerst müssen verstanden werden und daß es keinen andern Weg gibt, an Jesus heranzukommen, als vorsichtige Rückschlüsse von dieser Tradition."[28] Es ist damit aber

---

[26] A. Jülicher, Neue Linien in der Kritik der evangelischen Überlieferung, 1906, S. 3 ff.
[27] S. E. v. Dobschütz, The Eschatology of the Gospels, The Expositor, 7th ser., vol. 9, 1910, S. 106 und A. Schweitzer, Geschichte der Leben-Jesu-Forschung, 1913², S. 592 f.
[28] P. Wernle, ThLZ 31, 1906, S. 501 ff.

deutlich, daß WERNLE ernsthafte theologische Einwände erhebt, indem er dem Verständnis der Evangelien als der sachlichen Wiedergabe geschichtlicher Tatbestände die Einsicht in den Zeugnischarakter dieser Quellen und die dadurch erforderte kritische Aufgabe entgegenstellt.

Solcher sachlichen Kritik gegenüber erscheint H. WEINELS gereizter Hinweis auf das „trotz seiner Dicke und Gelehrsamkeit doch wie ein Pamphlet wirkende Buch von Albert Schweitzer" sehr unsachlich. Und nur dort geht WEINEL zu einem sachlichen Einwand über, wo er auf die Charakterisierung der Ethik Jesu durch SCHWEITZER eingeht: „Das Schlimmste hat freilich Schweitzer geleistet, der endlich das ganze sittliche Ideal Jesu für eine bloße Interimsethik erklärt hat." Denn hier wird die berechtigte Forderung nach *Unterscheidung* bei der religionsgeschichtlichen Forschung gestellt: „Die Bewertung der apokalyptischen Aussagen Jesu hat davon auszugehen, daß man fragt: Ist es wirklich so, daß der Nachdruck auf den Zukunftsbildern liegt, daß es sich nur darum handelt, den Himmel zu erwerben, *einerlei, was* man dafür auch tun mag? Oder hat Jesus ein eigenes sittliches Ideal gehabt?"[29] Aber ein Verständnis dafür, daß gerade die Hereinstellung Jesu in das apokalyptische Spätjudentum durch SCHWEITZER den theozentrischen Charakter der Predigt Jesu erkennbar macht, bringt diese religionsgeschichtliche Kritik nicht auf.

Die im wesentlichen ablehnende Haltung der Kritik aller Richtungen SCHWEITZERS Jesusbild gegenüber wiederholt sich, als SCHWEITZER die Richtigkeit dieses Jesusbildes dadurch zu sichern suchte, daß er „den Weg in die Dogmengeschichte" ging, um „die Entwicklung der Lehre Jesu zum altgriechischen Dogma ... verständlich zu machen". In seiner „Geschichte der paulinischen Forschung" (1911) stellt SCHWEITZER nämlich fest: „Die theologische Wissenschaft ist von dem Bestreben beherrscht, das Jüdisch-Apokalyptische in Jesus und Paulus möglichst zu mildern und die Hellenisierung des Evangeliums so viel wie angängig schon bei ihnen irgendwie vorbereitet sein zu lassen." Ist aber SCHWEITZERS Anschauung richtig, daß „die Lehre des Herrn in keiner Anschauung aus der jüdischen in eine nichtjüdische Welt hineinragt", so ergibt sich als zu lösende Aufgabe eine Antwort auf die Frage: „Ist Paulus der Beginn der Hellenisierung oder ist auch sein System rein jüdisch-eschatologisch zu begreifen?" Auch diese Forschungsgeschichte ist darum von einem biblisch-theologischen Impuls getragen: SCHWEITZER sucht an dem Versagen der bisherigen Paulusforschung zu zeigen, worin er nur bei R. KABISCH und in W. WREDES „Paulus" (1904) Vorgänger aufzeigen kann, daß auch die Theologie des Paulus auf dem Boden des apokalyptischen Judentums gewachsen und ganz streng systematisch von der Enderwartung des nahen Endes aus entworfen ist, während die Hellenisierung des Christentums erst nach Paulus einsetzt und besonders im Johannesevangelium spürbar ist. SCHWEITZER betont daher immer wieder, daß die Anwendung der den Hellenismus als geistige Quelle in Betracht ziehenden „religionsgeschichtlichen Methode" auf Paulus verkehrt sei, daß vielmehr „die religionsgeschichtliche Methode, auf Paulus angewandt, nichts anderes bedeuten würde, als

[29] H. WEINEL, Unsere Verkündigung von Jesus unhaltbar? ZThK 20, 1910, S. 18, 99f.

daß man ihn aus dem Spätjudentum zu verstehen suchte" und daß die Mystik des Paulus „sich auf historisch-eschatologische Tatsachen gründet". „Aus dem Dilemma: entweder urchristlich oder griechisch gibt es keinen Ausweg, mag man sich noch so viel drehen und wenden"[30]. Auch hier wird also „konsequent eschatologisch" erklärt, auf diese Weise aber der „geschichtliche" Grundcharakter der paulinischen „Mystik" erkannt, freilich zugleich das Postulat aufgestellt, daß die Eschatologie des Paulus widerspruchslos gewesen sein *müsse*. Doch wird das alles nicht näher ausgeführt, da SCHWEITZER diese Forschungsgeschichte ausdrücklich nur als Einleitung zu einer geplanten Arbeit über „Die Mystik des Apostels Paulus" gedacht hatte.

Das Echo auf dieses neue Buch SCHWEITZERS war schwach[31], doch im ganzen dem Urteil über die Geschichte der Leben-Jesu-Forschung entsprechend. Der konservativ denkende F. KROPATSCHEK bedauert, daß „der Verfasser mit fast allen maßgebenden Paulusforschern in Konflikt geraten ist", und stellt fest, daß „die Eschatologie stark überschätzt wird"[32]. Der Liberale E. VISCHER, der SCHWEITZER durchaus das Recht zugesteht, zu probieren, „ob und wieweit sich Paulus vom Judentum aus erklären lasse", stellt doch dann fest," daß Schweitzer weder die Berechtigung seiner abschätzigen Kritik der bisherigen Forschung noch die Durchführbarkeit seiner These, von der aus er sich dazu verpflichtet glaubt, wirklich bewiesen hat". Er weist demgegenüber mit Recht darauf hin, daß die jüdischen Zukunftserwartungen völlig synkretistisch sind und daß selbst die Glieder eines einheitlichen Systems aus sehr verschiednen Quellen stammen können[33]. Der Religionsgeschichtler H. WINDISCH aber wirft SCHWEITZER Willkürlichkeit in der Auswahl des geschichtlichen Stoffes vor, gesteht die Richtigkeit des Verständnisses des Paulus von der Eschatologie her zu, betont aber auch, daß der jüdisch erklärte Paulus damit keineswegs aus dem Synkretismus herausgenommen sei[34]. Doch hat man bei keinem dieser Kritiker den Eindruck, daß ihm SCHWEITZERS Buch als wirklich wegweisend erscheine. Und nur R. REITZENSTEIN, der am heftigsten von SCHWEITZER angegriffene „Religionsgeschichtler", hat auf Bitten SCHWEITZERS in einem umfangreichen Aufsatz[35] den von SCHWEITZER gebrauchten Gegensatz von „jüdisch" und „hellenistisch" als religionsgeschichtlich unhaltbar aufgezeigt und besonders bestritten, daß mit der Übernahme griechischer religiöser Termini nicht auch die damit gegebene religiöse Vorstellungswelt anklinge. Er wagt auch nicht zu glauben, daß die Eschatologie „den Ausgangspunkt für das ganze Denken und Empfinden des Paulus bildet", und sieht in der logischen Konsequenz SCHWEITZERS ein allzu großes Zurückdrängen der Persönlichkeit des Paulus. Hier ist die religionsgeschichtliche Frage mit vorbildlicher Sorgfalt als eine viel kompliziertere erwiesen, als SCHWEITZER zu-

[30] A. SCHWEITZER, Geschichte der paulinischen Forschung von der Reformation bis auf die Gegenwart, 1911, S. V, VIIIf, 139, 176, 180.
[31] Die ThLZ und das ThLBl brachten überhaupt keine Besprechung!
[32] F. KROPATSCHEK, ZKG 33, 1912, S. 588f.
[33] E. VISCHER, ThR 16, 1913, S. 252f.
[34] H. WINDISCH, ZWTh 55, 1914, S. 173f.
[35] R. REITZENSTEIN, Religionsgeschichte und Eschatologie, ZNW 13, 1912, S. 1ff.

gestehen wollte, aber doch auch das Wesentliche der Erklärung des paulinischen Denkens aus dem geschichtlichen Sein zwischen Auferstehung und Parusie nicht erkannt. So blieb die paulinische Forschungsgeschichte SCHWEITZERS weitgehend wirkungslos.

Es ist bekannt, daß die persönlichen Umstände es SCHWEITZER erst nach 20 Jahren ermöglicht haben, den damals angekündigten Band über „Die Mystik des Apostels Paulus" zu veröffentlichen (1930). Hier wird nun die „Mystik des Seins in Christo" als eine „rein eschatologische" im Zusammenhang der systematisch durchdachten eschatologischen Lehre des Paulus dargestellt und diese eschatologische Mystik als Hinführung zu Jesus verstanden im Gegensatz zu der *nach* Paulus sich vollziehenden Hellenisierung dieser Mystik. Obwohl SCHWEITZER mancherlei nach 1911 erschienene Literatur zitiert, ist doch die wissenschaftliche Front, gegen die seine Argumentation sich richtet, die seiner Straßburger Dozentenzeit und nicht die der Zeit zwischen den beiden Weltkriegen. Aber nun zeigt sich das Merkwürdige, daß trotz dieses von vornherein „unmodernen" Charakters dieses Buches seine Wirkung ungleich tiefgreifender, seine Beurteilung wesentlich einheitlicher war. Jetzt bezeichnet der konservative Forscher H. E. WEBER die Paulusdarstellung SCHWEITZERS trotz aller Einwände als einen „genialen Entwurf", begrüßt SCHWEITZERS „Bekenntnis zu Paulus, dem rechten Zeugen Jesu", weist freilich auch auf die Spannungen hin, die dieses Paulusbild infolge seiner Zurückdrängung des Glaubensbegriffes zeigt und setzt ein Fragezeichen zu der Annahme einer *naturhaften* Erlösung, und das alles sicher mit Recht. Auch das Bestreben, den Paulus als einen einheitlichen Denker zu sehen, wird als ernsthafte Problematik anerkannt und doch zugleich gegen SCHWEITZER die „Mystik" als Denken, darum als „Gnosis" definiert[36]. In dem allen berührt sich diese Kritik stark mit der R. BULTMANNS, der von der Religionsgeschichte zu einer existentialen Interpretation fortgeschritten war. Auch hier wird die Geschlossenheit der Darstellung gerühmt, „eschatologische Gnosis" als die richtigere Bezeichnung für die Gedankenwelt des Paulus hingestellt und als besonderer Vorzug herausgestellt, daß Paulus als Denker verstanden ist, der das Sein des Christen aus der Existenz in der eschatologischen Gegenwart erklärt. Und auch hier wird Kritik geübt an dem „naturhaften" Verständnis der Erlösung, während Paulus das menschliche Sein als ein geschichtliches sehe[37]. Nicht viel anders lautet das Urteil von M. DIBELIUS[38]: SCHWEITZER hat „in der Tat die entscheidende Frage zur Diskussion gestellt. Denn die Frömmigkeit des Paulus wird dadurch charakterisiert, daß sie zugleich ein Haben und ein Noch-nicht-Haben ist". Und M. GOGUEL erklärte: „Pour l'essentiel, nous croyons que Schweitzer a admirablement saisi l'esprit du paulinisme"[39].

[36] H. E. WEBER, ThLBl 51, 1930, S. 403ff.
[37] R. BULTMANN, DLZ 3. Folge, 2. Jahrg., 1931, S. 1153f.
[38] M. DIBELIUS, Glaube und Mystik bei Paulus, Neue Jahrbücher für Wissenschaft und Jugendbildung 7, 1931, S. 683ff. (=Botschaft und Geschichte, Gesammelte Aufsätze von Martin Dibelius II, 1956, S. 94ff).
[39] M. GOGUEL, La mystique paulinienne d'après Albert Schweitzer, Revue d'Histoire et de Philosophie religieuses 11, 1931, S. 185ff (S. 198).

Daß Paulus nur eschatologisch richtig verstanden werden kann und daß Schweitzer die Zugehörigkeit des Paulus zu diesem eschatologischen Geschichtsdenken des
Urchristentums überzeugend erwiesen hat, darin sind sich jetzt alle Beurteiler
einig[40]. Wie ist dieser Wandel in der Betrachtung zu erklären? Die Kritik an der
systematisierenden Konstruktion der paulinischen Theologie durch Schweitzer
ist ja ebensowenig verstummt wie die Bestreitung seiner naturhaften Deutung der
Erlösung bei Paulus. Und ebensowenig hat sich die weiterschreitende Forschung
davon überzeugen können, daß bei Berücksichtigung aller Quellenbestandteile für
Jesus *nur* die Erwartung des in seiner Generation bevorstehenden Kommens der
Gottesherrschaft als geschichtlich bezeugt gelten darf[41]. Es ist darum falsch, wenn
M. Werner behauptet, daß nur die von Albert Schweitzer „entwickelte" konse-
quent-eschatologische „Auffassung des historischen Jesus … die klare und folge-
richtige Durchführung" des Programms Schweitzers sei, „alle wesentlichen Angaben der beiden ältesten Evangelien verständlich zu machen von der Tatsache aus,
daß in der synoptisch bezeugten Lehre Jesu die wesentlich spätjüdisch-apokalyp-
tisch geartete Eschatologie als Inhalt der Naherwartung auftritt"[42]. Auch Albert
Schweitzers Geschichtsbild kann ja keine kanonische Geltung beanspruchen, sondern muß einer „immanenten Kritik" unterworfen werden, weil „es sich in dem
konsequent-eschatologischen Jesusbild um eine Hypothese handelt – gewiß um
eine … sehr gut ausgewiesene Hypothese, aber eben doch nur um eine Hypothese"[43].
Aber so sehr solche immanente Kritik an Schweitzers Bild des Urchristentums
unumgänglich ist, so sehr gilt doch auch, daß die heutige neutestamentliche Forschung ganz anders bejahend zu Schweitzers Jesus- und Paulus-Deutung steht als
die Zeitgenossen seiner Privatdozentenzeit. Die Ursachen dafür liegen tiefer als nur
in der Durchsetzung der Forderung auf kompromißlos religionsgeschichtliche Betrachtung des Neuen Testaments und in der mit dieser religionsgeschichtlichen Betrachtung gegebenen Einsicht in den kosmisch-universalen Charakter der Erlösungsbotschaft des Neuen Testaments. Wesentlicher ist einerseits, daß der Zusammenbruch des liberalen Weltoptimismus ebenso wie des konservativen Geschichtsposi-
tivismus unmittelbar nach dem ersten Weltkrieg ein neues Verständnis für die auch
den heutigen Menschen anredende Bedeutung der Enderwartung der Bibel entstehen ließ, das es dem heutigen Theologen nahelegt, nach der „existentiellen" Gültigkeit solcher End- und Naherwartung zu fragen, gleichgültig, ob man sich dabei
vor dem Zugeständnis einer Täuschung Jesu und der Urchristenheit in der Naherwartung scheut oder solches Zugeständis für unumgänglich, ja für eine Anerkennung
der Knechtsgestalt des Gotteswortes hält. Und ebenso wesentlich für die Wandlung

[40] Vgl. W. G. Kümmel, Die Bedeutung der Enderwartung für die Lehre des Paulus, Kirchenblatt für die reformierte Schweiz 90, 1934, S. 98 ff.
[41] S. den Nachweis bei W. G. Kümmel, Verheißung und Erfüllung, 1956³.
[42] So M. Werner, Albert Schweitzers Antwort auf die Frage nach dem historischen Jesus,
in Ehrfurcht vor dem Leben. Albert Schweitzer. Eine Freundesgabe zu seinem 80. Geburtstag, 1955, S. 19.
[43] F. Buri, Albert Schweitzer als Theologe heute, 1955, S. 18; vgl. auch H. Beintker,
Albert Schweitzers theologische Bedeutung, WZ der Ernst-Moritz-Arndt-Universität
Greifswald IV, 1954/55, Gesellschafts- und sprachwissenschaftliche Reihe Nr. 3, S. 233 ff.

in der Stellung der heutigen Forschung zu SCHWEITZERS Bild vom Urchristentum ist andererseits, daß mit dem Abrücken des modernen Bewußtseins vom Naturalismus und mit dem Wachsen des Wissens um die „Geschichtlichkeit" der menschlichen Existenz die Botschaft von der in einer Heilsgeschichte sich vollziehenden Rettungstat Gottes neu verständlich und darum die Eschatologie als Deutungsform solcher heilsgeschichtlichen Botschaft wieder wesentlich geworden ist. Es ist darum für den heutigen Erforscher des Urchristentums kein Zugang zur geschichtlichen Wirklichkeit mehr möglich, der nicht durch ALBERT SCHWEITZERS Erkenntnisse hindurchgeht, aber auch kein Zugang, der nicht über ALBERT SCHWEITZER fortschreitet, weil „die Ehrfurcht vor der Wahrheit als solcher, die in unserm Glauben sein muß, wenn er nicht zum Kleinglauben werden soll, auch die Achtung vor der historischen Wahrheit in sich begreift" [44].

[44] ALBERT SCHWEITZER, Die Mystik des Apostels Paulus, 1930, S. X.

„EINLEITUNG IN DAS NEUE TESTAMENT"
ALS THEOLOGISCHE AUFGABE

Die unter dem Sammelnamen „Einleitung in das Neue Testament" herkömmlicherweise zusammengefaßten Untersuchungen über die Entstehung der Schriften des Neuen Testaments und ihrer Sammlung und über die textliche Entwicklung dieser Sammlung werden heute im allgemeinen betrieben, ohne daß man sich die Frage stellt: „Hat denn die ganze historische Arbeit, welche unter dem Namen der ‚Einleitung in das Neue Testament' und der Kanonsgeschichte geschieht, keine theologische, keine dogmatische Bedeutung ?"[1] Und doch ist eine sachgemäße Antwort auf diese Frage, deren Bejahung man wohl für selbstverständlich hält, keineswegs so einfach. Denn gerade wenn es heute weitgehend als selbstverständlich empfunden wird, daß die Untersuchung der Entstehung und Wandlung der Schriften des Neuen Testaments und ihrer Sammlung als geschichtliche Aufgabe streng mit den Mitteln historisch-philologischer Wissenschaft zu geschehen habe, so erhebt sich die Frage, ob eine solche Untersuchung für das Verständnis dieser Schriften als Träger göttlicher Offenbarung überhaupt von Bedeutung ist. Und wenn man bei der Bejahung dieser Frage zögern möchte, so stellt sich erst recht die umgekehrte Frage, ob solche geschichtlichen Untersuchungen nicht besser unterblieben, weil sie das Interesse des theologischen Exegeten von der allein wesentlichen theologischen Aufgabe, der Herausstellung der Verkündigung, ablenken. Die Frage nach dem theologischen Sinn der „Einleitung in das Neue Testament" muß daher gestellt und beantwortet werden, wenn diese Arbeit sachgemäß betrieben werden soll. Da diese Frage zu Beginn der Arbeit an den Einleitungsfragen besonders eindringlich gestellt worden ist, wird es hilfreich sein, sich dieser früheren Erörterungen zu erinnern.

Es ist bekannt, daß seit den Zeiten der Alten Kirche mancherlei Werke geschrieben wurden, die unter dem Titel „Einführung in die Heiligen Schriften" oder ähnlichen Bezeichnungen allerlei Wissen zusammenstellten, das für das Verständnis oder die Methode der | Auslegung der Bibel wertvoll schien[2], daß aber als erster JOH. DAV. MICHAELIS eine „Einleitung in die Göttlichen Schriften des neuen Bundes" herausgab, die sich die geschichtliche Untersuchung der Überlieferung und Entstehung des Neuen Testaments und seiner Schriften bewußt zur Aufgabe machte. Zwar hatte auf dem Gebiet der geschichtlichen Untersuchung der Textüberlieferung

---

[1] P. ALTHAUS, Das sogenannte Kerygma und der historische Jesus, 1958, S. 30.
[2] S. dazu K. A. CREDNER, Einleitung in das Neue Testament I, 1836, S. 9ff und TH. ZAHN, Realenzyklopädie für protestantische Theologie und Kirche 5, 1898³, S. 261ff.

des Neuen Testaments der Oratorianer RICH. SIMON in seinen drei umfangreichen Werken über die „Histoire critique" des Textes des Neuen Testaments, seiner Übersetzung und seiner Auslegung (1689/93) eine sehr wesentliche Vorarbeit geleistet, von der MICHAELIS zunächst aufs stärkste abhängig blieb. Aber SIMONS Werke dienten trotz ihrer Herausstellung geschichtlicher Sachverhalte letztlich dem Nachweis, daß die Bibel infolge ihrer unsicheren Überlieferung und ihrer Mehrdeutigkeit ohne das Lehramt der katholischen Kirche dogmatisch unbrauchbar sei[3], und wandten sich der Frage nach der Entstehung der einzelnen neutestamentlichen Schriften überhaupt noch nicht zu. MICHAELIS dagegen will in seiner 1750 zuerst erschienenen „Einleitung" nicht nur als Hilfe zum besseren Verständnis der neutestamentlichen Schriften zu „dem, was in den gewöhnlichen Schrift-Erklärungen gesaget wird", „einige allgemeinere Nachrichten von der Geschichte und Absichten dieses göttlichen Buches" hinzufügen, sondern er bietet auch eine „Einleitung in die einzelnen Bücher des Neuen Testaments, die ich so kurtz und nützlich einzurichten gesuchet habe, als es mir möglich war". Darüber hinaus aber wendet sich MICHAELIS der Frage zu, „warum wir die Bücher, die sich in unsern Ausgaben des NT befinden, für göttlich halten: und die andern verwerfen", und es besteht für ihn kein Zweifel, daß „alle Schriften der Apostel göttlich" seien, also „die Göttlichkeit des Evangelii Matthäi und Johannis, und der sämmtlichen Briefe der Apostel erwiesen" sei. „Werden einige dieser Briefe ihren wahren Urhebern abgesprochen, so haben wir nur zu untersuchen, ob dieses mit Recht geschehe: sobald wir aber erwiesen haben, daß der Brief Pauli an die Hebräer, der Brief Judä, und die letzten Briefe Petri und Johannis von der Hand dieser Männer sind: so bald ist auch ihre Göttlichkeit erwiesen." Obwohl MICHAELIS nun freilich Ausführungen über die apostolische Herkunft dieser schon in der Alten Kirche umstrittenen Schriften „lieber auf eine eigene Gelegenheit versparen" will, ergibt sich doch aus verstreuten Bemerkungen, daß er alle Schriften des Neuen Testaments für göttlich hält, freilich ebenso, daß dieses Urteil von *geschichtlichen* Erwägungen abhängt, so daß z. B. nur die als wahrscheinlicher bezeichnete Frühdatierung | der Offenbarung des Johannes in die Zeit des Claudius MICHAELIS die Folgerung für diese Schrift ermöglicht, daß „wir sie mit der größten Ehrfurcht als ein göttliches Buch anzunehmen haben"[4]. Es soll also die theologische Frage, ob eine zum neutestamentlichen Kanon gehörige Schrift mit Recht dem Gotteswort zugerechnet wird, durch eine geschichtliche Untersuchung entschieden werden.

Daß damit der „Einleitung in das Neue Testament" von vornherein eine unmögliche Aufgabe zugemutet wurde, zeigt aber erst die vierte Auflage des Werkes von MICHAELIS (1788) eindeutig[5]. MICHAELIS erklärt hier, daß nach seiner Meinung die Frage nach der Inspiration der neutestamentlichen Schriften „nicht ganz in die

---

[3] Nachweise bei W. G. KÜMMEL, Das Neue Testament. Geschichte der Erforschung seiner Probleme, 1958, S. 41ff.

[4] J. D. MICHAELIS, Einleitung in die Göttlichen Schriften des Neuen Bundes, 1750, Vorrede 2a. 5b, S. 291, 296 (Rand), 300, 602, 317.

[5] S. darüber W. G. KÜMMEL, a. Anm. 3 aO, S. 82ff.

Gränzen, die ich mir bey einer Einleitung in das N. T. vorschreiben muß", gehöre, während die Frage nach der Echtheit dieser Schriften in diesem Zusammenhang eine Antwort erfordere. Er will also in seiner „Einleitung" geschichtliche Fragen beantworten und „einen Einfall in die Dogmatik" vermeiden. Von diesen Voraussetzungen aus ist es durchaus sachgemäß, daß MICHAELIS den „Verdacht, die sämmtlichen Bücher des N. T. könnten untergeschoben seyn", durch den Hinweis auf die frühe Bezeugung und auf chronologische Argumente abzuwehren sucht. Und auch die Behauptung ist nicht anfechtbar, daß „die Wahrheit der christlichen Religion … schlechterdings falsch wäre, so bald man erweisen könnte, die sämmtlichen Schriften des Neuen Testaments seyn untergeschoben".

Aber MICHAELIS geht noch zwei wesentliche Schritte weiter. Er sagt einerseits: „Sind die Schriften des N. T. alt, und gehören den Verfassern zu, deren Nahmen sie tragen, so ist auch, nicht zwar gleich unmittelbar die göttliche Eingebung dieser Schriften selbst, aber doch die Wahrheit und Göttlichkeit der christlichen Religion bewiesen." Damit erhält der geschichtliche Nachweis des Alters der neutestamentlichen Schriften die Aufgabe, den Glauben an die Offenbarung Gottes in Christus, von der das Neue Testament redet, als richtig zu erweisen. MICHAELIS wendet sich dann andererseits nun doch der Frage nach der Inspiration des Neuen Testamentes zu und stellt fest, daß die Inspiration der neutestamentlichen Schriften nicht „zum Daseyn der christlichen Religion" notwendig sei, „wol aber zur Güte, Brauchbarkeit, oder gar Unschädlichkeit derselben". Soll aber diese Frage nach der Inspiration der neutestamentlichen Schriften entschieden werden, so „muß man zum voraus die für canonisch angesehenen Bücher des N. T. in zwey Classen abtheilen … Die meisten tragen den Nahmen eines Apostels…; andere hingegen sind von keinem Apostel sondern bloß von Gehülfen der Apostel geschrieben, als, die Evangelia Marci und Lucä, und die Apostel | geschichte". Bei den von einem Apostel hergeleiteten Schriften kommt aber alles darauf an, ob sie von einem Apostel geschrieben sind. „Ist das, so nimmt man sie zuverlässig als von Gott inspiriert an; ist es nicht, so fällt auch alle Prätension an göttliche Eingebung weg." Über die nicht von einem Apostel hergeleiteten Schriften aber urteilt MICHAELIS: „Ich muß gestehen, daß … mir ihre Inspiration, je länger ich untersuche, auch je öfter ich ihre Schriften lese und mit Matthäo und Johanne vergleiche, desto zweifelhafter wird." Bei der sorgfältigen Untersuchung der apostolischen Herkunft der einzelnen Apostelschriften aber ergibt sich z. B. hinsichtlich des Hebräerbriefs: die „göttliche Eingabe" des Briefs „steht und fällt mit der zweifelhaft bleibenden Frage, ob Paulus, oder ein anderer ihn geschrieben hat"[6].

Mit diesen methodischen Grundsätzen aber hat MICHAELIS der Einleitungswissenschaft außer der geschichtlichen eine eindeutig theologische Aufgabe gestellt, die sie freilich auf diesem Wege nicht lösen kann. Die geschichtliche Untersuchung, ob die

---

[6] J. D. MICHAELIS, Einleitung in die Göttlichen Schriften des Neuen Bundes I, 1788[4], S. 73, 23, 21, 14, 78, 82, 92; II, 1788[4], S. 1403. Nur für den Jakobusbrief und den Judasbrief bestreitet MICHAELIS die apostolische Abfassung eindeutig, für den Hebräerbrief und die Apokalypse läßt er die Entscheidung offen.

Zurückführung der meisten neutestamentlichen Schriften auf einen Apostel durch die Alte Kirche zu Recht geschehen sei, soll nicht nur nachprüfen, ob diese altkirchlichen Annahmen oder auch die deutlichen Angaben der Schriften selbst zutreffen, sondern zugleich entscheiden, ob diese Schriften mit Recht im Kanon stehen und darum inspiriert und göttlich sind. Die Unmöglichkeit des Nachweises apostolischer Verfasserschaft bei Markus und Lukas-Apostelgeschichte scheidet diese Schriften schon von vornherein aus dem Kanon aus, und bei anderen Schriften wie dem Hebräerbrief und der Johannesoffenbarung vermag MICHAELIS die geschichtliche Frage nach dem apostolischen Verfasser nicht eindeutig zu beantworten, damit bleibt aber auch die Frage nach der Inspiration und Göttlichkeit dieser Schriften in der Schwebe. Die Folge davon ist, daß einerseits die geschichtliche Untersuchung nicht geschehen kann, ohne daß ihr Resultat erwünschte oder unerwünschte theologische Folgen hat, daß andererseits aber das theologische Interesse an diesem Resultat die Bereitschaft zu wirklich kritischer Untersuchung der geschichtlichen Fragen mindert oder aus apologetischen Gründen überhaupt aufhebt. MICHAELIS erkennt also, daß angesichts der Besonderheit *dieser* Schriften die von der Einleitungswissenschaft betriebene geschichtliche Untersuchung auch eine theologische Zielsetzung haben muß; aber indem er im Anschluß an die Fragestellung der Alten Kirche Verfasserfrage und Kanonszugehörigkeit aneinander bindet und von hier aus die theologische Aufgabe der Einleitungswissenschaft angreift, wird | die geschichtliche *und* die theologische Aufgabe dieser Wissenschaft verdorben. Die Frage nach der apostolischen „Echtheit" der neutestamentlichen Schriften, also die Untersuchung nach dem Verfasser jeder Schrift, erhält so ein dogmatisches Gewicht, das unsachgemäß ist und eine unvoreingenommene Beantwortung der Frage nach der geschichtlichen Herkunft der neutestamentlichen Schriften und nach der Entstehung ihrer Sammlung unmöglich macht.

MICHAELIS hat mit diesen methodischen Voraussetzungen der von ihm begonnenen Arbeit an der „Einleitung in das Neue Testament" von vornherein ein verhängnisvolles Erbe mitgegeben, dessen Auswirkung sich auch in den weiteren Arbeiten der nächsten Jahrzehnte spüren läßt. Sein Schüler JOH. GOTTFR. EICHHORN ging zwar in seiner fünfbändigen „Einleitung in das Neue Testament" (1804/27) „mit einer Unbefangenheit, Freimütigkeit, Rücksichtslosigkeit" vor, die vor ihm noch kein biblischer Kritiker angewandt hatte[7], und erklärte ausdrücklich: „Die Schriften des N. T. wollen menschlich gelesen und menschlich geprüft sein ... Je kritisch-genauer, je richterlich-strenger, desto besser." Ja, er ringt sich zu der Erkenntnis durch, daß zwar „von den Aposteln der reinste christliche Lehrbegriff zu erwarten sey", „aber dazu waren nicht gerade Schriften unumgänglich notwendig, die von ihnen selbst geschrieben waren". Er erkennt also, daß nicht die Abfassung durch einen Apostel, sondern die Nähe zur apostolischen Botschaft darüber entscheidet, welche Bücher „zur regula fidei dienen können". Aber dann stellt er doch einen „doppelten Rang unter den Religionsurkunden" heraus und erklärt, daß „die apo-

---

[7] So urteilt F. C. BAUR, Theol. Jahrbücher, hrsg. v. F. C. BAUR und E. ZELLER, 9, 1850, S. 543.

stolischen Schriften ... als Glaubensquellen einen höheren Rang einnehmen", die
Schriften der „apostolischen Männer" aber einen niedrigeren, und folgert daraus,
daß die mit Recht auf einen Apostel zurückzuführenden Schriften „die strengste
Prüfung der Kritik als ächte christliche Religionsurkunden" bestehen, während die
Kirche „ohne allen Nachteil die wenigen Schriften entbehren kann, deren Kanonicität die Kritik gegen alle Zweifel zu rechtfertigen nicht imstande ist"[8]. Und ähnlich
widerspruchsvoll äußert sich FRIEDR. SCHLEIERMACHER. Er hatte schon in der ersten
Auflage seiner „Kurzen Darstellung des theologischen Studiums" (1811) erklärt,
daß es wichtiger sei „zu entscheiden, ob eine Schrift kanonisch ist oder nicht, als ob
sie diesem oder einem anderen Verfasser angehört, wobei sie immer noch kanonisch
sein kann"[9]. Und ganz entsprechend äußert er sich in seiner (posthum | veröffent-
lichten) Vorlesung über „Einleitung in das Neue Testament": „Die Frage, ob einzelne
Bücher den Verfassern angehören, denen sie beigelegt werden, muß man wohl von
der andern unterscheiden, ob sie in den Canon auf gleiche oder ungleiche Weise gehören. Die *canonische* Beschaffenheit der Schrift bleibt dieselbe, ungeachtet nachgewiesen wird, daß sie nicht von dem Verfasser ist, dem man sie zuschrieb." Aber
dann hört man später angesichts der als unecht erkannten kleinen Johannesbriefe:
„Wir müssen also bei diesen beiden Briefen auf den Begriff des Deuterocanonischen
zurückgehen und können solchen Äußerungen, wie 2. Joh. 10, 11, für die christliche
Sittenlehre kein canonisches Ansehn einräumen." Und noch grundsätzlicher erklärt
SCHLEIERMACHER, daß „aus deuterocanonischen Schriften keine Glaubensartikel zu
begründen" seien, „welche nicht auch in den protocanonischen Schriften enthalten
sind"[10]. So siegt bei EICHHORN wie bei SCHLEIERMACHER zuletzt doch die Anschauung, daß der Erweis der Unrichtigkeit der traditionellen Verfasserangaben durch die
historische Kritik die kanonische Geltung der betreffenden Schriften aufhebe oder
zum mindesten beschränke.

Es ist dann nur konsequent, wenn FRIEDR. LÜCKE in seiner Vorrede zu SCHLEIER-
MACHERS „Einleitung" „die wissenschaftliche Form" dieser Untersuchungen „nicht
in dem Begriff der *Geschichte,* sondern der *Kritik*" findet und feststellt: „So kann
man die Wissenschaft [von der Einleitung in das Neue Testament] schlechthin die
Kritik des Kanons (critica sacra) nennen", deren „besonderer theologischer Charakter in der Idee des heiligen Schriftkanons liegt."[11] Und es ist ebenso konsequent,

[8] J. G. EICHHORN, Einleitung in das Neue Testament 4, 1827, S. 9, 67f, 70.
[9] SCHLEIERMACHERS Kurze Darstellung des theologischen Studiums, Kritische Ausgabe
von H. SCHOLZ, 1910, S. 46 (§ 110). Vgl. schon früher SCHLEIERMACHERS Urteil über den als
unecht erwiesenen 1. Timotheusbrief: „Wer ... nur auf den Inhalt Achtung gibt, der könnte
ihm (dem 1. Timotheusbrief) ja wohl seine Stelle (im Kanon) lassen" (F. SCHLEIERMACHER,
Über den sogenannten ersten Brief des Paulos an den Timotheus. Ein kritisches Sendschrei-
ben an J. C. GASS, 1807 = Sämtliche Werke I, 2, 1836, S. 318).
[10] F. SCHLEIERMACHER, Einleitung in das Neue Testament = Sämtliche Werke I, 3, 1845,
S. 30. 400. 431.
[11] F. LÜCKE, a. Anm. 10 aO, S. XIIf. – LÜCKE hatte schon vorher in einer Rezension die
Einleitungswissenschaft definiert als „eine ausübende Kritik, welche auf dem Grunde der
Geschichte über den canonischen Charakter der einzelnen Schriften des Neuen Testaments
und die Sicherheit und Wahrheit des Kanons im ganzen entscheidet" (Gött. Gelehrte Anz.
1832, III, S. 1791f).

wenn FERD. CHRIST. BAUR in seinem bedeutenden Aufsatz über „Die Einleitung in das Neue Testament als theologische Wissenschaft" (1850/51) diese Definition dahin fortführt, daß Gegenstand der Kritik des Kanons „die wahre und unwahre Elemente noch ungesondert enthaltende" Geschichte des Kanons sei und erklärt: „Der Gegenstand der Einleitungswissenschaft sind die kanonischen Schriften, aber nicht, wie sie an sich sind, sondern mit allen jenen Vorstellungen und Vor|aussetzungen, die sie zu kanonischen machen ... Das eigentliche Objekt der Kritik ist eben dieses dogmatische an ihnen, das Prinzip ihrer kanonischen Auctorität." Die Aufgabe der „Einleitung" ist daher nach BAUR die Lösung der Frage, ob diese Schriften „auch wirklich von den apostolischen Verfassern herrühren, welchen sie als kanonische Schriften zugeschrieben werden", und damit auch die Entscheidung der Frage, „welche Schriften des Kanon's kanonisch sind oder nicht, mit welchem Recht jedes Buch des Kanon's seine Stelle in demselben einnimmt, und ob sich alle Begriffe, die man mit dem Kanon zu verbinden gewohnt ist, auch geschichtlich rechtfertigen lassen". Während bei MICHAELIS die Aufgabe der geschichtlichen Untersuchung der Entstehung der neutestamentlichen Schriften und ihrer Sammlung die Sicherung der Inspiration einer möglichst großen Zahl von Schriften des neutestamentlichen Kanons war, so ist nun ihre Aufgabe die weitgehende Kritik dieses Kanonbegriffes geworden. Aber auch damit ist der geschichtlichen Untersuchung eine unlösbare Aufgabe übertragen und die geschichtliche Fragestellung einer negativ-dogmatischen Tendenz unterworfen, die eine rein vom Gegenstand bestimmte sachliche Feststellung des Gewesenen nicht gestattet und die Erörterung über die Verfasserschaft und literarische Entstehung neutestamentlicher Schriften vergiftet.

Nun hat freilich F.C.BAUR in demselben Aufsatz ausdrücklich gefordert, daß der Kritiker des Kanons nicht „durch irgend eine Rücksicht gebunden sein" darf, und hinzugefügt, „daß das Wort Gottes völlig dasselbe bleibt, wer auch diese Bücher geschrieben haben mag"[12]. BAUR hat also erkannt, daß die literarisch-historische Untersuchung nicht *direkt* über den Wort-Gottes-Charakter der neutestamentlichen Schriften entscheiden kann, sondern nur als völlig freie Ermittlung geschichtlicher Sachverhalte als echte Wissenschaft bezeichnet werden kann. Das entspricht nur der schon einige Zeit vorher vertretenen Ansicht, daß die „Einleitung in das Neue Testament" eine streng geschichtliche Wissenschaft und darum „Geschichte der hl. Schriften des Neuen Testaments" sein müsse[13]. | Versteht man die „Einleitung"

---

[12] F.C.BAUR, Die Einleitung in das Neue Testament als theologische Wissenschaft. Ihr Begriff und ihre Aufgabe, ihr Entwicklungsgang und ihr innerer Organismus, Theol. Jahrbücher 9, 1850, S. 475, 478, 472, 466f, 508. – Daß BAUR in diesem Aufsatz auch die äußerst wichtige Einsicht vertreten hat, daß man nach den einen Verfasser einer Schrift „innerlich bestimmenden Motiven" fragen muß (S. 482), kann hier nur erwähnt werden.

[13] Schon 1823 definierte W.GESENIUS: „Biblische Einleitung ist eine Wissenschaft..., welche sich damit beschäftigt, *geschichtliche* Verhältnisse der einzelnen biblischen Bücher sowol, als der ganzen Sammlung *kritisch* zu untersuchen und zu erörtern, daher auch häufig *historisch-kritische* Einleitung genannt" (Allgemeine Enzyklopädie der Wissenschaften und Künste, hrsg. v. J.S.ERSCH und J.G.GRUBER, 10, 1823, S. 81). Vgl. dann K.A.CREDNER, Einleitung in das Neue Testament, 1836, S. 2; E.REUSS, Die Geschichte der Heiligen Schriften Neuen Testaments, 1842, S. 1f („Diese Geschichte ist eine *kritische,* in so fern sie die

so als ältesten Teil der Geschichte der christlichen Literatur[14], so ist der rein geschichtliche Charakter dieser Untersuchung richtig bestimmt, aber es ist im Grunde nicht mehr einsichtig zu machen, warum man die erst vom späteren 2. Jahrhundert an in einem Kanon gesammelten Schriften des Neuen Testaments überhaupt gesondert behandelt und nicht einfach mit allen Schriften der ältesten Zeit zu einer urchristlichen Literaturgeschichte zusammenfaßt. So hat 1896 GUSTAV KRÜGER die Berechtigung bestritten, „mit dem Begriff ‚Neues Testament‘ in irgend einer Form bei der geschichtlichen Betrachtung einer Zeit zu operiren, *die noch kein Neues Testament kennt*", und „an die Stelle der ‚Einleitung‘ eine Geschichte der urchristlichen Literatur" gestellt wissen wollen[15]. Und etwa zur gleichen Zeit hat WILLIAM WREDE festgestellt, daß mit dem Hinfallen der Inspirationslehre „auch der dogmatische Begriff des Kanons nicht aufrecht erhalten werden" könne und daß „das geschichtliche Interesse verlangt, *alles das* aus der Gesamtheit der urchristlichen Schriften *zusammen zu betrachten, was geschichtlich zusammengehört* … Die Frage ist lediglich, welche Schriften den *Anschauungen und Gedanken* nach überwiegend verwandt sind, oder von wo an die Gedanken ein merklich neues Gepräge zeigen"[16]. Gibt es von dieser Voraussetzung aus keine Berechtigung mehr, die Schriften des Neuen Testaments als die von der Alten Kirche begrenzte Norm der kirchlichen Verkündigung gesondert auf ihren geschichtlichen Charakter hin zu befragen, so erscheint es dann als willkürlich, wenn WREDE trotzdem „Einleitungen in der üblichen Art für unentbehrlich" hält im Interesse „des Studiums, das eben noch überall durch die spezifische Schätzung der neutestamentlichen Schriften bedingt ist"[17]. Ein solches Stehenbleiben bei der gesonderten geschichtlichen Untersuchung gerade dieser Schriften läßt sich aus pädagogischen Gründen ebensowenig vertei|digen wie mit der Feststellung, daß „dieses Stück Weltliteratur das einflußreichste Buch ist, das je existiert hat", und daß es darum „Pflicht des Historikers" sei, „es zum Objekt einer eigenen wissenschaftlichen Disziplin zu erheben"[18]. Hat man zugestanden, daß „die Einleitungswissenschaft ihre Aufgabe um so besser erfüllt, je mehr sie … ihre Aufgabe rein historisch auffaßt"[19], so kann die Beschränkung dieser Aufgabe auf die im Neuen Testament gesammelten Schriften sachlich nur begründet werden mit der Existenz des neutestamentlichen Kanons, der diesen Schriften sekundär ihren *besonderen* Charakter verleiht[20]. Dieses Urteil aber ist ein theologisches Urteil, und

vorgetragenen Thatsachen auf eine zureichende Weise begründet und unparteiisch beurteilt"); H. HUPFELD, Über Begriff und Methode der sogenannten biblischen Einleitung, 1844, S. 12 f; ANONYMUS (nach H. J. HOLTZMANN, Lehrbuch der historisch-kritischen Einleitung in das Neue Testament, 1892[3], S. 9 ist der Verfasser FRANZ DELITZSCH), Über Begriff und Methode der sogenannten biblischen und insbesondere alttestamentlichen Einleitung, Ztschr. f. Protestantismus u. Kirche, N. F. 28, 1845, S. 143 und oft in späteren Werken.

[14] F. BLEEK, Einleitung in das Neue Testament, 1862, S. 6.

[15] G. KRÜGER, Das Dogma vom Neuen Testament, Programm Gießen 1896, S. 10. 37.

[16] W. WREDE, Über Aufgabe und Methode der sogenannten Neutestamentlichen Theologie, 1897, S. 11 f.

[17] W. WREDE, Göttingische Gelehrte Anzeigen 158, 2, 1896, S. 529.

[18] A. JÜLICHER, Einleitung in das Neue Testament, 1894, S. 2.

[19] F. BARTH, Einleitung in das Neue Testament, 1908, S. 11.

[20] H. J. HOLTZMANN schrieb schon in der Einleitung zu seinem Buch über „Die synopti-

damit erhält die geschichtliche Untersuchung der im Kanon gesammelten Bücher und dieser Sammlung selbst eine theologische Bedeutung. Daß diese theologische Aufgabe der historischen Einleitungswissenschaft weder in der Verteidigung noch in der Kritik des Kanons oder der überlieferten Verfasserangaben bestehen kann, hat sich aus den bisherigen Ausführungen ergeben. Dann bleibt aber die Frage zu beantworten, wie denn diese theologische Aufgabe wirklich sachgemäß erfüllt werden kann, ohne daß der rein geschichtliche Charakter dieser Untersuchungen gefährdet wird.

Eine zweifache theologische Aufgabe der „Einleitung in das Neue Testament" ergibt sich aus dem geschichtlichen Charakter der einzelnen neutestamentlichen Schriften und aus dem Glaubensanspruch der sie zusammenfassenden Sammlung.

1. Die „Einleitung in das Neue Testament" hat Anteil an der Aufgabe der geschichtlichen Erforschung der im Neuen Testament gesammelten urchristlichen Schriften, deren Sinn auf keine andere Weise ermittelt werden kann als auf dem Wege streng geschichtlicher Feststellung des Sinnes dieser Texte für ihre ersten Leser. Für diese Aufgabe geschichtlicher Erklärung, über deren Notwendigkeit und Ausschließlichkeit hier nicht gehandelt zu werden braucht[21], benötigt der Ausleger Kenntnisse über die Entstehung, | Überlieferung, Abfassung, Unversehrtheit usw. der von ihm auszulegenden Schriften, und diese Kenntnisse erarbeitet die Einleitungswissenschaft. Sie liefert also, wie man mit Recht schon früh gesagt hat, die Prolegomena, die „den gegenwärtigen Leser in die Stellung des ursprünglichen bringen" wollen und darum „die geschichtlichen Einzelheiten zusammenstellen, welche man zum Verständnis haben muß"[22]. Natürlich besteht zwischen Auslegung und Untersuchung der Entstehungsverhältnisse usw. eine Wechselwirkung, die unumgänglich ist. Aber die Einleitungswissenschaft beschäftigt sich doch primär mit den geschichtlichen Voraussetzungen und nicht mit den sachlichen Aussagen der Texte, und ihre theologische Aufgabe liegt, von hier aus gesehen, ausschließlich darin, für die Feststellung des geschichtlichen Sinnes der Texte den sicheren Boden zu bereiten. Als geschichtliche Untersuchung muß die Einleitungswissenschaft natürlich völlig frei und für jedes Resultat offen sein, „die Kirche hat kein Zeugnis des Geistes über die noch unerledigten historischen und kritischen Fragen und darf also darüber auch nichts symbolisch festsetzen"[23]. Die Untersuchung der geschichtlichen Verhältnisse der neutestamentlichen Schriften und ihrer Sammlung ist eine „profane" Beschäftigung; „Theologie ist die neutestamentliche Einleitung mithin allein durch ihr *Objekt*, d. h. durch das Neue Testament selbst"[24].

schen Evangelien", 1863, S. IX: „Daß das, unsere Disciplin aufrecht erhaltende, Interesse gerade auf *diese* Auswahl urchristlicher Schriften, wie sie zwischen dem ersten und letzten Buchstaben des Neuen Testaments steht, sich concentriert hat, das ist nun einmal schlechterdings nicht ohne Herbeiziehung des Begriffs der Kanonicität begreiflich zu machen."

[21] Vgl. dazu etwa R. BULTMANN, Das Problem der Hermeneutik, ZThK 47, 1950, S. 47 ff (bes. S. 65 ff); O. CULLMANN, La nécessité et la fonction de l'exégèse philologique et historique de la Bible, Verbum Caro 3, 1949, S. 2 ff; G. SCHRENK, Der heutige Geisteskampf in der Frage um die heilige Schrift, 1952.

[22] So F. SCHLEIERMACHER, a. Anm. 10 aO, S. 8; ähnlich E. REUSS, a. Anm. 13 aO, S. 2 und F. BLEEK, a. Anm. 14 aO, S. 1 f.

[23] ANONYMUS (F. DELITZSCH?), a. Anm. 13 aO, S. 184.

[24] J. DE ZWAAN, Inleiding tot het Nieuwe Testament 3, 1948², S. 9.

2. Dieses Neue Testament aber ist als ganzes eine Sammlung urchristlicher Schriften, die von der Kirche als Norm der Verkündigung im 4. Jahrhundert endgültig abgegrenzt worden ist. Die Entstehung dieser Sammlung und die dabei wirksamen Motive sind geschichtliche Vorgänge, deren Erforschung genau so wie die Erforschung der Entstehung der einzelnen Schriften eine geschichtliche Aufgabe ist, die mit rein geschichtlichen Mitteln gelöst werden muß und von jeher ein wesentlicher Bestandteil der Arbeit an der „Einleitung in das Neue Testament" gewesen ist[25]. Nun war es freilich gerade die Frage, ob die Abgrenzung des neutestamentlichen Kanons durch die Alte Kirche richtig vollzogen worden sei, die die Einleitungswissenschaft zu der irrigen Anschauung führte, man könne durch die Sicherung oder Bestreitung der Abfassung einer neutestamentlichen Schrift durch einen Apostel das Recht der Zurechnung dieser Schrift zum neutestamentlichen Kanon sichern oder bestreiten. Dieser Irrweg mußte völlig verlassen werden, und man darf nicht heute die Einsicht, daß „Echtheitsfragen als Verfasserfragen | ... nun einmal Exponenten des Problems der Geschichtlichkeit auf dem Felde des Literarischen" sind[26], dadurch wieder unwirksam machen, daß man für urchristliche Verfasser angesichts der Möglichkeit pseudonymer Schriften im Neuen Testament die Prüfung „der Frage der Wahrhaftigkeit nur nach den strengsten Maßstäben" fordert und erklärt, daß man sich daher „keineswegs leichthin dazu verstehen dürfe, eine Schrift, als deren Verfasser Paulus angegeben ist, als deuteropaulinisch zu kennzeichnen"[27]. Die Frage der Richtigkeit der eigenen Verfasserangaben der neutestamentlichen Schriften ist mit derselben Sorgfalt, aber auch mit derselben Offenheit für jedes Resultat zu prüfen wie jede andere Verfasserangabe.

So wenig also die geschichtswissenschaftliche Entscheidung der Verfasserfrage als solche die theologische Frage nach der kanonischen Geltung einer neutestamentlichen Schrift entscheiden kann, so wenig ist doch eine solche geschichtliche Entscheidung theologisch ohne Gewicht. Denn da die Alte Kirche die Kanonsabgrenzung fast ausschließlich auf Grund der Entscheidung über die apostolische Abfassung einer urchristlichen Schrift vollzogen hat, dieser Maßstab sich aber als unhaltbar erwies[28], bleibt die Frage der Kanonsabgrenzung eine wichtige Aufgabe theologischer Besinnung[29]. Und es handelt sich dabei durchaus nicht nur um die Fest-

[25] Vgl. hierzu und zum Folgenden meinen Aufsatz über „Notwendigkeit und Grenze des Neutestamentlichen Kanons", ZThK 47, 1950, S. 277 ff.

[26] W. MICHAELIS, Notwendigkeit und Grenze der Erörterung von Echtheitsfragen innerhalb des Neuen Testaments, ThLZ 77, 1952, S. 400.

[27] W. MICHAELIS, Einleitung in das Neue Testament, 1954², S. 3.

[28] S. a. Anm. 25 aO, S. 302 ff.

[29] Man kann dieser Frage nicht ausweichen, indem man erklärt: „Indem die Kirche uns den Kanon gab, steht sie dafür ein, daß die ganze Schrift sich predigen läßt" (H. DIEM, Die Einheit der Schrift, EvTh 13, 1953, S. 391; ähnlich DERS., Das Problem des Schriftkanons, ThSt 32, 1952, S. 13) und unter richtiger Beiseiteschiebung der Frage nach der Abfassung durch einen Apostel behauptet, „daß ... gerade die Aufnahme in den Kanon über die apostolische Autorität des Verfassers entscheidet" (DERS., Theologie als kirchliche Wissenschaft I, 1951, S. 85). Es ist historisch einfach falsch, daß „der Kanon der Schrift in der schließlich erfolgten Abgrenzung sich einfach selbst durchgesetzt hat" (DERS., Theologie als kirchliche Wissenschaft II: Dogmatik, 1955, S. 179), da die schließliche Abgrenzung des Kanons sich

stellung, ob einzelne Schriften des Neuen Testaments zu Recht oder Unrecht in den Kanon gelangt sind, sondern auch um die sachliche Zugehörigkeit | einzelner Vorstellungen und Aussagenbereiche zur normativen neutestamentlichen Botschaft. Diese Besinnung aber kann nur so geschehen, daß wir für ganze Schriften ebenso wie für einzelne Aussagen nach der sachlichen Nähe zur zentralen neutestamentlichen Heilsverkündigung fragen. Um auf diese theologischen Fragen aber eine wirklich begründete Antwort geben zu können, benötigt die neutestamentliche Theologie genaue Kenntnisse über die Entstehung und geschichtliche Situation der einzelnen Schriften und Texte, über ihr Verhältnis zueinander, über die Unversehrtheit und u. U. die ursprüngliche Gestalt der Schriften. Denn sowenig z. B. die geschichtliche Feststellung, daß die Pastoralbriefe nicht von Paulus stammen, über den normativen Charakter ihrer Aussagen für den Christen von heute ohne weiteres etwas entscheidet, so sehr ist doch ihre Entstehungszeit wichtig für die Frage ihrer Zugehörigkeit zum Zeugnis der Apostelzeit, und so sehr nötigt doch die Feststellung ihrer späteren Entstehung dazu, das sachliche Verhältnis dieser Schriften zur zentralen paulinischen Verkündigung zu prüfen. Und sowenig etwa die geschichtlichen Feststellung, daß das Johannesevangelium und die Johannesbriefe einerseits, die Johannesoffenbarung andererseits nicht vom selben Verfasser stammen können und verschiedenen geographischen und religionsgeschichtlichen Bereichen angehören, über die kanonische Geltung und dogmatische Bedeutung dieser Schriften an und für sich etwas aussagt, so wichtig ist diese Feststellung doch für die Notwendigkeit ihrer getrennten Auslegung und ihrer sachlichen Vergleichung und theologischen Auswertung. Natürlich kann die Einleitungswissenschaft solche geschichtlichen Feststellungen nicht treffen, ohne in die „Biblische Theologie" überzugreifen[30]; und gerade wenn sie die Aufgabe ernst nimmt, der biblischen Theologie durch ihre Feststellungen unentbehrliche Grundlagen zu bieten, wird sie die biblisch-theologischen Tatbestände stärker berücksichtigen müssen, als sie es oftmals getan hat.

Aber umgekehrt gilt nun auch, daß nicht nur die Exegese die geschichtliche Feststellung der Entstehungsverhältnisse der zu erklärenden Schriften kennen muß, sondern daß auch die Biblische Theologie für ihre Zusammenschau der exegetischen Resultate erst recht die geschichtlichen Voraussetzungen der neutestamentlichen Texte zu kennen braucht und ohne diese Kenntnis auch ihre kanonskritische Aufgabe nicht zu lösen vermag. Es ist zwar durchaus nicht richtig, daß die der Einleitungswissenschaft aufgegebene Untersuchung der Entstehungsverhältnisse der neutestamentlichen Schrift|ten und ihrer Sammlung verlange, „daß der, der sie betreibt, ein inneres bejahendes Verhältnis zur Gedankenwelt des Neuen Testaments haben

in einem Kompromiß zwischen den Anschauungen der verschiedenen Kirchenprovinzen vollzog. Die normative Autorität können nur die Verfasser der einzelnen neutestamentlichen Schriften haben, nicht aber die Jahrhunderte nach der Abfassung dieser Schriften diesen normativen Charakter definierende Kirche („Wer sich auf den Kanon zurückzieht, gibt den geschichtlichen Apostel preis" sagt W. Marxsen, Exegese und Verkündigung, Theol. Existenz heute, N. F. 59, 1957, S. 43 mit Recht gegen H. Diem).

[30] So richtig schon F. C. Baur, Theol. Jahrbücher 10, 1851, S. 319: „Die Einleitung wird sich daher öfters veranlaßt sehen, zur festern Begründung ihrer Resultate in das Gebiet der neutestamentlichen Theologie, deren Grundlage sie ist, hinüberzugreifen."

muß"[31]; denn diese Untersuchung gehört „zu jenem durchaus profanen Dienst, der
historische Wissenschaft heißt"[32] und den der Glaubende nur nach denselben Methoden leisten kann wie der, der der Verkündigung des Neuen Testaments unsicher oder
ablehnend gegenüber steht. Wohl aber gilt, daß dieses besondere historische Dokument, das Neue Testament, in seiner Besonderheit nicht wirklich erkannt wird, wo
der Anspruch der Kirche, daß in diesen Schriften das Zeugnis von Gottes geschichtlichem Heilshandeln uns anreden wolle, als unwesentlich beiseite geschoben oder
klar abgelehnt wird. Und darum kann nur derjenige die *theologische* Aufgabe der
„Einleitung in das Neue Testament" wirklich erkennen und sachgemäß in Angriff
nehmen, der darum weiß, daß uns in diesen menschlichen Worten Gottes ewige Anrede begegnen will, die wir freilich nur hören können, wenn wir das Menschenwort
des Neuen Testaments in seiner geschichtlichen Bedingtheit mit den dafür unerläß-
lichen Mitteln geschichtlicher Forschung uns hörbar machen.

[31] W. MICHAELIS, a. Anm. 27 aO, S. 7.
[32] E. KÄSEMANN, Neutestamentliche Fragen von heute, ZThK 54, 1957, S. 7. – Vgl. den
analogen Sachverhalt, den F. HESSE, Die Erforschung der Geschichte Israels als theologische Aufgabe, Kerygma und Dogma 4, 1958, S. 1 ff (bes. S. 19) herausgestellt hat.

FUTURISCHE UND PRÄSENTISCHE ESCHATOLOGIE
IM ÄLTESTEN URCHRISTENTUM

I

1. Eines der folgenreichsten und wichtigsten Ergebnisse der geschichtlichen Erforschung des Neuen Testaments war die gegen Ende des 19. Jahrhunderts gewonnene Erkenntnis, daß die Erwartung des baldigen Kommens der Gottesherrschaft und des Weltendes eine grundlegende Bedeutung für das Denken des frühen Christentums gehabt habe. Mit dieser Feststellung soll natürlich nicht gesagt sein, daß bis zu jenem Zeitpunkt niemand auf das Vorhandensein einer eschatologischen Naherwartung im Neuen Testament aufmerksam geworden wäre; zahlreiche neutestamentliche Texte sprechen ja zu deutlich von den bevorstehenden Endereignissen, als daß ihre Aussagen hätten unbeachtet bleiben können. So hat schon HUGO GROTIUS darauf hingewiesen, daß Paulus davon überzeugt war, er könne das letzte Gericht noch zu seinen Lebzeiten erleben[1], hat aus dieser exegetischen Beobachtung freilich nur chronologische Konsequenzen gezogen. Hundert Jahre später aber hat der englische Deist MATTHEW TINDAL in seinem Werk ,,Christianity as Old as the Creation: or the Gospel a Republication of the Religion of Nature" (1730) die umfassendere Beobachtung gemacht, daß in fast allen Schriften des Neuen Testaments die Überzeugung herrsche, das Ende der Welt sei nahe, und daß die Urchristen auf diesen Glauben ihre ethischen Mahnungen gegründet hätten. ,,But, if most of the Apostles ... were mistaken in a matter of this consequence, how can we be certain, that any one of them may not be mistaken in any other matter?"[2] TINDAL hat also die eschatologische Naherwartung als Grundanschauung fast der ganzen Urchristenheit erkannt, darüber hinaus aber auch darauf hingewiesen, daß die Nichterfüllung dieser Erwartung zu der Konsequenz führen müsse, daß die Apostel auch in anderen Punkten im Irrtum gewesen sein können. Als nun G. E. LESSING aus der unveröffentlichten ,,Apologie oder Schutzschrift für die vernünftigen Verehrer Gottes" des Hamburger Gymnasialprofessors H. S. REIMARUS auch das Fragment ,,Von dem Zwecke Jesu und seiner Jünger" veröffentlichte (1778), in dem REIMARUS die Anschauung vertrat, Jesus habe die Nähe des messianischen Reiches der Juden gepredigt, wurde

---

[1] [113 1] HUGO GROTIUS, Annotationes in Novum Testamentum, II, 1646, S. 448, 474, 664, 672.
[2] [113 2] MATTHEW TINDAL, Christianity as Old as the Creation: or the Gospel a Republication of the Religion of Nature, 1731², S. 234 f.

diese deistische Beobachtung im deut|schen Sprachbereich weithin bekannt[3]. Doch hatte REIMARUS diese Erkenntnis in den Zusammenhang einer allzu phantastischen Geschichtskonstruktion gestellt, auch widersprach diese Einsicht zu sehr der herkömmlichen Anschauung von der für alle Zeiten bestimmten Verkündigung Jesu, als daß der Hinweis auf die eschatologische Naherwartung Jesu die Zeitgenossen des REIMARUS hätte überzeugen können. So hielt auch D. F. STRAUSS die Erwartung seiner eigenen Wiederkunft durch Jesus nur für wahrscheinlich[4], und daß A. SCHWEGLER in seiner Darstellung des Nachapostolischen Zeitalters (1846) auf die „allgemeine, die ganze älteste Kirche beseelende Erwartung der unmittelbar bevorstehenden Wiederkunft Christi" hinwies, hat sogar A. SCHWEITZER nicht bemerkt[5]. Alle diese Hinweise auf die eschatologische Naherwartung im Neuen Testament haben die Forschung nicht stärker beeinflußt.

Es war daher in der Tat eine Neuentdeckung, als 1892/93 J. WEISS und R. KABISCH die beherrschende Rolle der Erwartung des nahen Kommens der Gottesherrschaft und des neuen Äons für das Denken Jesu und des Paulus nachwiesen. Nachdem kurz zuvor von verschiedenen Forschern auf die Bedeutung der Kenntnis der spätjüdischen Apokalyptik für das Verständnis des Urchristentums hingewiesen worden war[6], gelangte J. WEISS durch den Vergleich der Verkündigung Jesu mit den Anschauungen des Spätjudentums und durch vorurteilslose Betrachtung der neutestamentlichen Texte zu der Einsicht, daß für Jesus „die Wiederkunft nur denkbar ist zu Lebzeiten der Generation, unter welcher Jesus gewirkt hat"[7]. Und ganz entsprechend wies R. KABISCH nach, daß Paulus „in diesem lebendigen Bewußtsein, einer von denen zu sein, die bis ans Weltende gekommen, ... den Messias, Christus und sein Reich, d. h. Eschatologie" predige[8]. Und WEISS wie KABISCH betonten, daß für Jesus und Paulus die Auffassung vom verheißenen Heil ebenso wie die ethische Forderung von dieser eschatologischen Grundanschauung bestimmt worden seien. Damit war nicht nur im Vorbeigehen das Vorhandensein der eschatologischen Naherwartung im ältesten Urchristentum beobachtet, sondern diese Naherwartung überzeugend als der beherrschende Mittelpunkt der ältesten christlichen Verkündigung aufgewiesen. Und so sehr die Behauptung zunächst auf Unglauben stieß[9], so

---

[3] [114 1] G. E. LESSING, Von dem Zwecke Jesu und seiner Jünger. Noch ein Fragment des Wolfenbüttelschen Ungenannten, 1, § 29 = Lessings Werke, hrsg. von J. PETERSEN und W. v. OLSHAUSEN, 12, S. 256 („Wenn Jesus also allenthalben predigte und predigen ließ vom Reiche Gottes und vom Himmelreich, daß es nahe herbeigekommen wäre, so verstanden die Juden wohl, was er damit sagen wollte, nämlich daß der Messias bald erscheinen und sein Reich anfangen würde").

[4] [114 2] D. F. STRAUSS, Das Leben Jesu, II, 1836, S. 373.

[5] [114 3] A. SCHWEGLER, Das nachapostolische Zeitalter in den Hauptmomenten seiner Entwicklung, 1, 1846, S. 109.

[6] [114 4] S. dazu W. G. KÜMMEL, Das Neue Testament. Geschichte der Erforschung seiner Probleme, 1958, S. 274 ff.

[7] J. [114 5] WEISS, Die Predigt Jesu vom Reiche Gottes, 1892, S. 31.

[8] [114 6] R. KABISCH, Die Eschatologie des Paulus in ihren Zusammenhängen mit dem Gesamtbegriff des Paulinismus, 1893, S. 12.

[9] [114 7] S. W. G. KÜMMEL, am Anm. 6 aO, S. 290 ff, und Rev. d'histoire et de philosophie religieuses, 37, 1957, S. 58 ff.

sehr hat sie sich mit der Zeit durchgesetzt und schien nicht mehr in Frage gestellt werden zu können. |

2. Heute aber ist die Anschauung, daß die Verkündigung vom baldigen Kommen der Gottesherrschaft die grundlegende Verkündigung Jesu und der Urchristenheit gewesen sei, wieder stark in Zweifel gezogen. Dabei sind nicht die verschiedenen Annahmen bedeutsam, nach denen die Zukunftsaussagen Jesu und der Urchristenheit gar nicht im zeitlichen Sinn gemeint sein könnten, weil das göttliche Handeln nicht endzeitlich, sondern nur überzeitlich sein könne[10]. Denn der Tatbestand, daß sowohl Jesus wie die ersten Christen mit einer in der Zeit sich vollziehenden Zukunft rechneten, ergibt sich aus der unvoreingenommenen Betrachtung der Texte so eindeutig, daß diese völlige Eliminierung der zeitlichen Zukunftserwartung sich nicht durchsetzen konnte. Bedeutsam dagegen ist die ebenfalls in verschiedener Form vertretene Annahme, daß am Anfang der urchristlichen Verkündigung die Überzeugung gestanden habe, Gottes eschatologisches Vollendungshandeln vollziehe sich in der Gegenwart Jesu und den unmittelbar bevorstehenden geschichtlichen Ereignissen, während die bei Paulus zuerst deutlich erkennbare Erwartung eines baldigen apokalyptischen Endgeschehens auf das Wiedereindringen jüdischer Vorstellungen zurückgehe. C. H. Dodd hat schon 1936 die These vertreten, daß die älteste Christenheit im Anschluß an Jesus verkündigte, das Eschaton sei bereits in die Geschichte eingetreten, so daß der Auferstandene nur noch vollenden kann, was bereits im Vollzuge ist: „The more we try to penetrate in imagination to the state of mind of the first Christians in the earliest days, the more are we driven to think of resurrection, exaltation and second advent as being, in their belief, inseparable parts of a single divine advent". Innerhalb weniger Jahre aber brach diese Einheit auseinander, und „the second advent of the Lord ... came to appear as a second crisis yet in the future"[11]. Die damit gegebene Anschauung, daß die eschatologische Naherwartung nicht am Anfang der urchristlichen Gedankenwelt stehe, sondern erst das Produkt einer Entwicklung des urchristlichen Glaubens und Hoffens sei, hat nun vor kurzem in zwei fast gleichzeitig und unabhängig voneinander erschienenen Arbeiten besonders auffällige Form angenommen. E. Stauffer hat in einem Beitrag zu der 1956 erschienenen Festschrift für C. H. Dodd und in seinem Jesusbuch (1957) die weithin anerkannte Anschauung von dem ursprünglicheren Charakter der synoptischen Eschatologie ausdrücklich in Frage gestellt: Jesus hat niemals die Botschaft vom nahen Weltende verkündet und die jüdische Messiaserwartung der Jünger ihm gegenüber scharf abgelehnt. Er beanspruchte nur, der unbekannte Christus zu sein, „der vierte Evangelist korrigiert die Synoptiker mit dem Anspruch des Augenzeugen, der Jesus und seine Geschichte besser kennt als die älteren Evangelisten, die aus zweiter | Hand schöpfen mußten". Unmittelbar nach dem Tode Jesu aber

---

[10] [115¹] S. die Belege bei W. G. Kümmel, Verheißung und Erfüllung, 1956³, S. 12 Anm. 4, S. 135 (Engl. Transl. p. 16 n. 4, p. 143).

[11] [115²] C. H. Dodd, The Apostolic Preaching and its Developments, 1936, S. 66 ff. Andere Vertreter dieser Anschauung sind aufgezählt am Anm. 10 aO, S. 11, Anm. 3 (Engl. Transl. p. 16 n. 3). Vgl. ferner F. Flückiger, Der Ursprung des christlichen Dogmas, 1955, S. 94 ff.

„kommt das eschatologische Fieber zu hemmungslosem Ausbruch und ergreift immer weitere Kreise", auch die Urapostel und Paulus; in diesem Zusammenhang sind die Wiederkunftsworte in die Jesus-Überlieferung eingedrungen[12]. Sieht STAUFFER die Entstehung der Erwartung der baldigen Ankunft des Messias schon in den ersten Anfängen der Kirche, so bestreitet auch J. A. T. ROBINSON in seinem Buch „Jesus and His Coming" (1957), daß Jesus mit seiner baldigen Wiederkunft oder dem baldigen Weltende rechnete, erklärt aber die spätere Entstehung der Erwartung der baldigen Parusie Jesu aus innerchristlichen Voraussetzungen. Jesus erwartete seine Verherrlichung in unmittelbarem Zusammenhang mit seinem Tode und sah in der *unmittelbaren* geschichtlichen Zukunft die entscheidende Krisis, „but what fails is the evidence that Jesus thought of the messianic act as taking place in two stages, the first of which was now shortly to be accomplished, the second of which would follow after an interval and must in the meantime be the focus of every eye and thought". Aber auch der älteste Glaube der Kirche und die ältesten Schichten der synoptischen Tradition wissen nichts von einem erwarteten zweiten Kommen Jesu, diese Erwartung ist erst vor Paulus entstanden, als man unsicher wurde, ob schon das irdische Leben Jesu als messianisch betrachtet werden könne, und so bildete sich die mythologische Erwartung eines baldigen zweiten Kommens Jesu, während Johannes eine Tradition der Lehre Jesu wiedergibt, die der zerstörenden Wirkung der Apokalyptik nicht ausgesetzt gewesen ist[13]. In diesen Thesen von STAUFFER und ROBINSON ist nicht nur das seit J. WEISS und A. SCHWEITZER gültig gewordene Geschichtsbild negiert, das die Predigt von der nahen Gottesherrschaft an den Anfang der urchristlichen Gedankenentwicklung stellte, sondern auch die seit D. F. STRAUSS und F. C. BAUR weitgehend geteilte Annahme, daß die Verkündigung Jesu im Johannesevangelium in einer späteren Umbildung vorliegt.

3. Nun ist die heute wieder energisch verfochtene These vom sekundären Charakter der eschatologischen Naherwartung freilich nicht so neu, wie man meinen möchte. Der deistische Arzt THOMAS MORGAN vertrat in seinem 1737–40 anonym erschienenen Werk „The Moral Philosopher" wohl zum ersten Mal die Anschauung, daß die Jünger alles mißverstanden hätten, was Jesus ihnen über das Gottesreich gesagt hatte: als die Jünger zum Glauben an Jesu Auferstehung gekommen waren, erwarteten sie sehr bald seine zweite Ankunft, bei der er sein zeitliches Königreich aufrichten sollte, während Jesus von einem geistlichen Königtum gesprochen hatte[14]. MORGAN hat also | deutlich die Ansicht vertreten, daß die älteste Urgemeinde Jesu eschatologische Predigt jüdisch mißverstanden habe, ohne daß freilich das Problem der *Nah*erwartung bei ihm bereits eine Rolle spielte. Als aber dann H. S. REIMARUS

---

[12] [116[1]] E. STAUFFER, „Agnostos Christos. Joh 2, 24 und die Eschatologie des vierten Evangeliums", The Background of the New Testament and its Eschatology … in honour of C. H. Dodd, 1956, S. 281 ff; E. STAUFFER, Jesus, Gestalt und Geschichte, 1957, S. 11, 117 ff.

[13] [116[2]] J. A. T. ROBINSON, Jesus and His Coming, The Emergence of a Doctrine, 1957, S. 81.

[14] [116[3]] (TH. MORGAN), The Moral Philosopher, III, 1740, S. 180 ff („What he intended of a spiritual Kingdom, and the Deliverance of Mankind in general from the Power and Captivity of Sin and Satan, they understood of a temporal Kindom to be set up at Jerusalem … and of the Deliverance of that Nation from their Captivity to the Romans").

Jesus die Erwartung des baldigen Messiasreiches zugeschrieben hatte, erhob der
Göttinger Professor C.F. STÄUDLIN (1814) den Einwand: „Ein solcher Jesus wäre
ein Schwärmer mit einem … zerrütteten Verstande gewesen, und so ist er mir in den
heiligen Urkunden seiner Lehre und seines Lebens nicht erschienen. Er wollte eine
allgemeine und ewig dauernde Religion einführen"[15]. Die eschatologische Naherwartung wird also hier deutlich aus weltanschaulichen und nicht aus exegetischen
Gründen Jesus abgesprochen, und klingt dabei ein wesentlicher Gedanke der oben
genannten neuesten Geschichtskonstruktion an, so zeigt sich nicht viel später auch
schon der Verweis auf das Johannesevangelium als den zuverlässigeren Zeugen der
eschatologischen Anschauung Jesu: KARL HASE hat in dem ersten Lehrbuch des
Lebens Jesu (1829) ebenfalls die Notwendigkeit hervorgehoben, Jesu Zukunftsver-
heißung angesichts der Besonnenheit Jesu sinnbildlich zu verstehen und verweist
für das Recht solcher Deutung auf Johannes: „Nur Johannes … scheint die symbo-
lische Ansicht der Wiederkunft Christi als Sieg des Christentums rein bewahrt zu
haben"[16]. Die liberale Forschung aber hat die These wiederholt, daß die Urgemeinde
die Predigt Jesu von der Gottesherrschaft in den Herzen der Menschen verfälscht
habe zu der Erwartung eines zukünftigen Gottesreichs, wofür A. HARNACKS Vorlesungen über das Wesen des Christentums wohl die bekannteste Ausdrucksform
gewesen sind[17].
   Wird so die Anschauung, daß die futurische Naherwartung erst ein sekundärer
Zuwachs zu der urchristlichen Heilsverkündigung gewesen und besonders von Jesus
selbst nicht geteilt worden sei, heute wieder mit besonderem Nachdruck vertreten,
so ist daneben freilich die Tatsache zu stellen, daß nicht nur die Vertreter der „Konsequenten Eschatologie", sondern auch zahlreiche andere Forscher daran festhalten,
daß die Erwartung des baldigen Kommens der Gottesherrschaft für Jesus und das
älteste Urchristentum zentrale Bedeutung gehabt habe, und von dieser Voraussetzung aus ist dann nur strittig, ob Jesus nur die Zukunft des Eschaton verheißen
und höchstens Zeichen dieses Kommenden in der Gegenwart gesehen[18] oder in glei-
cher Weise von der Zukunft wie von der Gegenwart des | Gottesreichs gesprochen
habe[19]; und je nach der Antwort auf diese Frage muß natürlich auch darüber verschieden geurteilt werden, ob die älteste Urgemeinde wie Jesus die eschatologische
Heilsvollendung nur erwartet oder auch schon als gegenwärtig erfahren habe.
   Mit diesen Beobachtungen ist aber das methodische Problem sichtbar geworden

---

[15] [117[1]] C.F. STÄUDLIN, „Über die blos historische Auslegung der Bücher des Neuen
Testaments", Kritisches Journal der neuesten theologischen Literatur, hrsg. von F. AMMON
und L. BERTHOLDT, II, 1914, S. 17.
   [16] [117[2]] K. HASE, Das Leben Jesu. Ein Lehrbuch, 1829, S. 159f.
   [17] [117[3]] A. HARNACK, Das Wesen des Christentums, 1901[4], S. 35f, 40.
   [18] [117[4]] R. BULTMANN, Theologie des Neuen Testaments, 1953, S. 2ff; E. DINKLER,
„Earliest Christianity", in The Idea of History in the Ancient Near East, 1955, S. 173ff;
E. GRÄSSER, Das Problem der Parusieverzögerung in den synoptischen Evangelien und in
der Apostelgeschichte, 1957, S. 3ff; H. CONZELMANN, „Eschatologie im Urchristentum",
RGG II, 1958[3], S. 665ff; R.H. FULLER, The Mission and Achievement of Jesus, 1956[2],
S. 20ff.
   [19] [118[1]] W.G. KÜMMEL, a. Anm. 10 aO; H. ROBERTS, Jesus and the Kingdom of God
1955, S. 29ff; G. BORNKAMM, Jesus von Nazareth, 1956, S. 82ff.

vor das sich die neutestamentliche Wissenschaft an diesem Punkte heute gestellt
sieht: auf der einen Seite wird die Erwartung der nahen Parusie als eine sekundäre
Entwicklung im ältesten urchristlichen Denken dargestellt, auf der anderen Seite
wird gerade in dieser Erwartung die zentrale Verkündigung des ältesten Urchristentums gesehen. Und beide Seiten suchen ihre Anschauung mit exegetischer Sorgfalt
zu begründen. Die Schwierigkeit einer alle überzeugenden Lösung liegt aber darin,
daß nicht nur das „Zwischengelände" zwischen Jesus auf der einen und Paulus und
Johannes auf der anderen Seite allein durch Rekonstruktion aufgehellt werden
kann, sondern daß gerade auch der Ausgangspunkt der Entwicklung, die Eschatologie Jesu, sich keineswegs so „hinreichend klar heraushebt", wie vor kurzem
H. CONZELMANN [20] behauptet hat. Wollen wir hier nicht unaufhörlich aneinander
vorbeireden, so muß *methodische* Besinnung zu klären versuchen, wie die Frage nach
dem Verhältnis von Gegenwart und Zukunft in der ältesten urchristlichen Eschatologie sachgemäß, d. h. den Quellen gemäß, beantwortet werden kann.

II

1. Die beiden Forscher, die zuletzt eine eschatologische Naherwartung in der Verkündigung Jesu bestritten haben, STAUFFER und ROBINSON, sind sich bei allen sonstigen Differenzen darin einig, daß die Eschatologie Jesu bei Johannes zuverlässiger
wiedergegeben werde als bei den Synoptikern, bei denen man das Ursprüngliche
erst unter der Übermalung durch den Glauben der Urkirche wieder herauslösen
müsse. Das Problem wird also gelöst durch Rückgriff auf die zu Beginn des 19. Jahrhunderts aufgestellte Alternative „Johannes oder die Synoptiker", und dabei wird
ohne Zögern Johannes der Vorzug gegeben. Diese Methode ist aber nicht haltbar.
Ganz gewiß dürfen wir an sich hinter die durch D. F. STRAUSS und F. C. BAUR aufgestellte Alternative „Johannes oder die Synoptiker" für die Quellenfrage betreffs
der Erkenntnis des geschichtlichen Jesus grundsätzlich nicht zurückgehen; das verbietet die Einsicht in den traditions- und religionsgeschichtlich späteren Charakter
des Johannesevangeliums, und so sehr grundsätzlich immer die Frage offen bleiben
muß, inwieweit im Johannesevangelium alte Jesus-Traditionen verwertet sind, so
wenig kann man das Johannesevangelium bei der Rekonstruktion des Lebens oder
der Lehre Jesu zugrunde legen und | durch die Synoptiker ergänzen [21]. Bleibt so die
Bestimmung des geschichtlichen Verhältnisses der synoptischen und der johanneischen Form der Verkündigung Jesu eine noch weithin ungelöste Aufgabe, so kann
aber die Frage nach der Rolle der futurischen Naherwartung bei Jesus und im
ältesten Urchristentum auf keinen Fall von der Voraussetzung aus beantwortet
werden, daß man den geschichtlichen Wert der synoptischen Tradition durch den
Vergleich mit den Grundanschauungen des Johannesevangeliums *prüfen* könne.

[20] [118 2] H. CONZELMANN, „Gegenwart und Zukunft in der synoptischen Tradition",
ZThK 54, 1957, 277 ff (bes. S. 277 und 288).
[21] [119 1] So E. STAUFFER, Jesus, Gestalt und Geschichte, 1957.

Wenn daher die johanneische Eschatologie nicht der Maßstab für die älteste Überlieferung sein kann, so läßt sich diese älteste Überlieferung aber erst recht nicht gewinnen, indem man einfach auf die Nachrichten in dem Bericht über die Urgemeinde
in Apg 1–12 verweist[22]. Denn trotz aller Bemühungen ist es bisher nicht gelungen,
die alten Traditionen in der Apostelgeschichte, die zweifellos vorhanden sind, sicher
herauszulösen, und darum dürfen die Nachrichten der Apostelgeschichte erst dann
als Quelle für die Urgemeinde benutzt werden, wenn sich das hohe Alter einer Überlieferung auf andere Weise sichern läßt. Die Frage nach der Rolle der futurischen
Naherwartung in den Anfängen der Kirche läßt sich methodisch sicher nur beantworten durch den Versuch, die ältesten Traditionen der Urkirche aufzudecken.

2. Es ist nun üblich geworden, die ältesten Traditionen dadurch zu bestimmen,
daß man die *Entwicklung* der Vorstellungen als geistesgeschichtlichen Vorgang nachzuweisen sucht. So wird auf der einen Seite die fraglos richtige Beobachtung, daß im
Laufe der Überlieferung des Evangelienstoffes jüdisch-apokalyptisches Material eingedrungen ist und Jesusworte einer apokalyptischen Präzisierung unterworfen wurden[23], zum Ausgangspunkt einer Konstruktion gemacht, nach der die gesamten
apokalyptischen und damit auch die gesamten aktuell-futurischen Vorstellungsformen erst die Folge einer Umbildung der ursprünglich rein präsentischen Eschatologie Jesu gewesen sind. Auf der andern Seite aber schließt man aus der Tatsache, daß
in den synoptischen Jesusworten die Zukunftsaussagen zahlenmäßig überwiegen
und daß die Urgemeinde auf das Kommen des Auferstandenen in Herrlichkeit ausschaute *(μαράνα θά)*[24], daß die Vorstellung von einer Gegenwart des Eschaton erst
die Folge einer Entwicklung aus einer rein auf die Zukunft ausgerichteten Eschatologie Jesu und der Gemeinde war. In beiden Fällen hat man aus bestimmten exege-
tischen Beobachtungen, deren | Richtigkeit nicht angefochten werden soll, geschlos-
sen, daß sich die Entwicklung der eschatologischen Gedankenformen in *einer* bestimmten Richtung vollzogen habe. Aber gerade hier liegt der Fehler: die Frage ist
ja erst zu beantworten, welches die *Richtung* der geistesgeschichtlichen Entwicklung
gewesen ist, und die Voraussetzung ist durchaus unsicher, daß diese Entwicklung
sich nur in *einer* Richtung folgerichtig vollzogen habe.

Zu einer sicheren Bestimmung des ältesten Traditionsbestandes ist nur zu kommen, wenn man einerseits durch literarische und formgeschichtliche Analyse innerhalb der *gesamten* synoptischen Tradition und aus den Reden im ersten Teil der
Apostelgeschichte den ursprünglichen Überlieferungsbestand auszusondern versucht, und wenn man andererseits die Frage stellt, inwieweit diese älteste Überlieferung sich in den religionsgeschichtlichen Rahmen einfügt, den wir als die geschicht-

---

[22] [119²] Vgl. etwa Bo Reicke, Glauben und Leben der Urgemeinde, 1957, S. 43 („Über
die Eschatologie der Urgemeinde haben wir sonst keine direkten Nachrichten, sondern können nur von der lukanischen Schilderung ausgehen"), S. 70f.

[23] [119³] Vgl. Mt 16, 28 mit Mk 9, 1 (Kommen des Menschensohns in seinem Reich statt
Kommen der Gottesherrschaft in Macht) und Mt 24, 3 mit Mk 13, 4 („Das Zeichen deiner
Ankunft und der Vollendung des Äons" statt „Das Zeichen, wann das alles vollendet wer-
den wird") und dazu J. A. T. Robinson, a. Anm. 13 aO, S. 52f.

[24] [119⁴] S. z. B. E. Grässer, a. Anm. 18 aO, S. 6ff und M. Goguel, La naissance du
Christianisme, 1946, S. 116ff.

liche Voraussetzung des ältesten Urchristentums kennen. Der Frage nach den *litera-rischen* Quellen, denen die einzelnen synoptischen Traditionsstücke angehören, darf dabei aber auf keinen Fall ausschlaggebende Bedeutung beigemessen werden. Denn die Tatsache, daß eine Vorstellung etwa in der Redenquelle (Q) fehlt, kann nicht be-weisen, daß diese Vorstellung zur Zeit der Abfassung dieser Quelle noch nicht exi-stierte[25], da keine unserer Quellen den Charakter eines Kompendiums hat; der Hin-weis auf die literarischen Quellen kann in der Regel nur *positiv* als Beweis für das Vorhandensein einer Vorstellung zur Zeit der Abfassung dieser Quellen gebraucht werden. Und genau so wenig besagt es, wenn man darauf verweist, daß es keine Gleichnisse Jesu gebe, „in welchen das Reich Gottes eindeutig als gegenwärtig an-gesprochen werden kann"[26]. Denn weder ist die Annahme berechtigt, daß unsere Evangelien die Gleichnisse Jesu vollständig anführen, noch läßt sich begründen, daß Jesus jeden wesentlichen Gedanken seiner Verkündigung auch in der Form eines Gleichnisses ausgesprochen haben müsse. Vielmehr kann nur die Ermittlung und Prüfung der alten Überlieferung in *allen* Schichten und Gattungen der synoptischen Tradition das Material vollständig erkennbar machen, auf Grund dessen die Frage nach dem Wesen der eschatologischen Predigt Jesu in der ältesten Überlieferung beantwortet werden kann.

3. Wenn man nun die synoptische Tradition analysiert auf Grund dieser metho-dischen Voraussetzungen, so ergibt sich leicht, daß sich ein apokalyptisches Zukunfts-bild mit einem zusammenhängenden Hintereinander von Endereignissen aus der ältesten Tradition nicht gewinnen läßt. Denn auch dann, wenn das formgeschicht-liche Argument nicht beweiskräftig sein *sollte,* daß die apokalyptischen Bestand-teile von Mk 13 und Parallelen sich darum als späterer Zuwachs zur Tradition er-weisen, weil sie nicht aus der besonderen eschatologischen Geschichtsanschauung Jesu heraus formuliert sind, | kann kein Zweifel darüber herrschen, daß der *Zusam-menhang* der synoptischen Apokalypse nicht ursprünglich ist und daher kein zusam-menhängendes apokalyptisches Zukunftsbild zur alten Tradition gehört[27]. Dagegen kann kein Zweifel sein, daß die alte Überlieferung *in gleicher Weise* Worte Jesu ent-hält, die das Kommen der Gottesherrschaft und die Erscheinung des Menschensohns in Herrlichkeit verheißen und die die Gegenwart Jesu als beginnende Verwirklichung des verheißenen Eschatons verkünden. Diese Feststellung ließe sich nur durch eine Besprechung sämtlicher als alt zu erweisender Jesusworte sicher begründen[28], was in diesem Zusammenhang unmöglich ist. Wohl aber muß darauf hingewiesen wer-den, daß es nur durch exegetische Gewaltsamkeit möglich ist, die Verheißungen der bald eintretenden eschatologischen Vollendung dieses Sinnes zu berauben. Be-

---

[25] [120¹] So E. STAUFFER, Jesus, S. 117: „In der Logienquelle stand kein einziges Wort vom nahen Weltende. Das ist bisher anscheinend noch gar nicht bemerkt worden, verdient aber ernsteste Beachtung."

[26] [120²] H. CONZELMANN, ZThK 54, 1957, S. 284.

[27] [121¹] Das gesteht auch G. R. BEASLEY-MURRAY zu, der für die Herkunft der gesamten Tradition von Mk 13 und par von Jesus eintritt (Jesus and the Future, 1954, S. 205 ff; A Commentary on Mark Thirteen, 1957, S. 10f).

[28] [121²] S. meinen Nachweis a. Anm. 10 aO.

sonders Jesu Antwort auf die Frage des Hohepriesters (Mk 14, 62) und das Wort vom Eintritt der Gottesherrschaft, ehe alle Hörer Jesu gestorben sind (Mk 9, 1), sind neuestens Gegenstand solcher Versuche gewesen. Aber es läßt sich keineswegs erweisen, daß Jesus in Mk 14, 62 die Messiasfrage damit beantwortet, daß er die präsentische Theophanieformel „Ich bin Gott" öffentlich gebraucht, jedoch keinerlei Zeitangabe für seine himmlische Erscheinung macht[29]; denn weder ist die Existenz einer solchen Theophanieformel überhaupt erwiesen noch wahrscheinlich gemacht, daß das ἐγώ εἰμι des Markustextes Wiedergabe dieser angeblichen hebräischen Theophanieformel ist. Und erst recht geht es nicht an, die Markusfassung der Jesusantwort gegenüber dem Hohepriester auf Grund des Matthäustextes so umzugestalten, daß der Markustext ursprünglich gelautet haben soll: σὺ εἶπας ὅτι ἐγώ εἰμι, πλὴν ἀπ' ἄρτι ὄψεσθε, κτλ., so daß das Logion von der im Augenblick des Todes sich vollziehenden Verherrlichung Jesu redete[30]; denn sowohl diese Textkritik wie die Wegdeutung der Bejahung der Frage nach der Messiaswürde durch Jesus sind exegetisch unhaltbar. Und was Mk 9, 1 anbetrifft, so ist die Annahme so wenig begründet, der überlieferte Wortlaut sei aus einem echten Jesuslogion erst deduziert, wie die Behauptung, das Logion rede ursprünglich von dem Geschehen unmittelbar nach dem Tode Jesu oder sei überhaupt nicht zeitlich gemeint[31]. Sowenig sich also wegdeuten läßt, daß Jesus hier mit der zeitlich begrenzten Nähe der eschatologischen Vollendung rechnet, so wenig besteht andererseits ein ausreichender Grund, dem Wortlaut von Mt 12, 8 entgegen zu bestreiten, daß Jesus von einer Gegenwart der Gottesherrschaft geredet hat[32]. |

Weil beide Aussagereihen sich in gleicher Weise als alt erkennen lassen, besteht aber auch keine Möglichkeit nachzuweisen, daß die Gegenwartsaussagen eine ältere Schicht der Überlieferung darstellten oder jedenfalls die eigentliche Meinung Jesu wiedergäben. Es ist durchaus ein Zeichen *für* die Ursprünglichkeit der Überlieferung von der Erwartung des nahen Gottesreichs durch Jesus, daß die Erwartung des nahen Weltendes „im Palästinajudentum des neutestamentlichen Zeitalters zu den alltäglichsten Erscheinungen" gehörte[33]; denn darin zeigt sich gerade, daß diese Verkündigung Jesu sich im Rahmen der Vorstellungen seiner näheren Umwelt vollzieht. Daß trotz dieser Zugehörigkeit zu der Vielfalt der eschatologischen Erwartungsformen seiner Zeit die Verkündigung Jesu einen unverkennbar eigenen Charakter trägt, zeigt sich nicht nur an der Verbindung mit den Gegenwartsaussagen, sondern auch an der unapokalyptischen und vor allem an der der jüdischen Grundanschauung so stark zuwiderlaufenden soteriologischen Sinngebung dieser eschatologischen Verkündigung. Gegenüber der in der synoptischen Verkündigung Jesu sich zeigenden palästinisch-jüdischen Vorstellungsform aber weist das Johannesevangelium gerade in seinen eschatologischen Anschauungen trotz des Weiterbestehens

[29] [121³] So E. STAUFFER, Jesus, 1957, S. 94, 137, 143 f; DERS., Nov. Test. 1, 1956, S. 88.
[30] [121⁴] J. A. T. ROBINSON, a. Anm. 13 aO, S. 43 ff.
[31] [121⁵] Gegen E. STAUFFER, Jesus, S. 120 und J. A. T. ROBINSON, a. Anm. 13 aO, S. 89.
[32] [121⁶] Vgl. etwa H. CONZELMANN, ZThK 54, 1957, S. 286 f und E. GRÄSSER, a. Anm. 18 aO, S. 6 ff.
[33] [122¹] E. STAUFFER, Jesus, S. 118; DERS., Jerusalem und Rom, 1957, S. 74 ff.

apokalyptischer Einzelvorstellungen eine gnostisch gefärbte Vorstellungswelt auf, die ihrer Herkunft nach dem jüdischen Zeitdenken völlig fern steht und sich nicht ohne Spannungen mit ihm verbunden hat. Gerade darum aber ist diese Vorstellungswelt bei Jesus und in der Urgemeinde religionsgeschichtlich nicht ursprünglich, und es geht nicht an, die johanneische Eschatologie als geschichtlichen Ausgangspunkt der urgemeindlichen Entwicklung zu postulieren.

4. Die Frage schließlich, wie sich die älteste urgemeindliche Glaubensüberzeugung von der Vorstellungswelt der ältesten uns erkennbaren Jesusüberlieferung unterschieden habe, wird sich trotz der neuesten zuversichtlichen Antworten auf diese Frage[34] im einzelnen kaum sicher beantworten lassen. Denn einerseits hängt hier ja Wesentliches davon ab, ob man bestimmte Überlieferungsstücke der synoptischen Tradition Jesus selbst zuschreibt oder aus der frühen Gemeinde herleitet. Hat man z. B. wie H. Conzelmann Jesus die Erwartung einer Zwischenzeit zwischen Auferstehung und Parusie abgesprochen, so muß man annehmen, daß sich die Gemeinde „anders als Jesus in einer Zwischenzeit sieht". Ist es dagegen wahrscheinlicher, daß schon Jesus selbst mit einer solchen Zwischenzeit rechnete[35], so kann die Urgemeinde diese Erwartung Jesu nur verstärkt haben. Andererseits aber ist es, wie schon betont, ebensowenig *sicher* möglich, die alte Gemeindetradition aus den Petrusreden zu Beginn der Apostelgeschichte auszuscheiden. Wenn aber der *Versuch* natürlich unternommen | werden darf, kerygmatische Bestandteile aus diesen Reden auszusondern, so kann schwerlich ein Zweifel darüber bestehen, daß Apg 3, 13–15. 18–21 zu diesen Traditionen gehört[36]. Wenn nun in Apg 3, 20f auf die Zeit ausgeschaut wird, da der Messias Jesus von Gott kommt, den Gott bis zur Zeit der Wiederherstellung aller Dinge in den Himmel aufgenommen hat, so widerspricht es sowohl dem Zusammenhang wie dem Wortsinn, wenn Robinson hier eine Tradition finden will, nach der Jesus jetzt noch nicht der Messias ist, sondern erst von der Zukunft als Messias erwartet wird, so daß hier überhaupt nicht von der baldigen Erscheinung des Erhöhten in Herrlichkeit die Rede wäre. Aber wenn auch eine sichere Abgrenzung der Vorstellungsgehalte für die älteste Urgemeinde nicht möglich sein wird, so erweist doch das Miteinander der sicher bezeugten Tatsachen, daß die Urgemeinde ἐν ἀγαλλιάσει ihre Mahlfeiern hielt (Apg. 2, 46) und das Kommen des erhöhten Herrn herbeiflehte (μαράνα θά, 1Kor 16, 22), auch in der Urgemeinde das Bewußtsein, angesichts der nahe erwarteten messianischen Ankunft des erhöhten Herrn in der begonnenen Endzeit zu leben. Und es besteht keinerlei ausreichende Begründung für die Annahme, daß eine dieser zusammengehörigen Glaubensaussagen erst im Verlauf der beginnenden Urkirche entstanden ist. Paulus ist ja nicht nur bereits in seinen ältesten Briefen der eindeutige Zeuge für die Erwartung der baldigen Parusie Christi (1Thess 1, 9f; 4, 13ff) *und* der bereits geschehenen Errettung der Chri-

---

[34] [122²] H. Conzelmann, ZThK 54, 1957, S. 288ff; J. A. T. Robinson, a. Anm. 13 aO. S. 82ff.

[35] [122³] S. meine Ausführungen a. Anm. 10 aO, S. 58ff, und G. R. Beasley-Murray, A Commentary on Mark Thirteen, 1957, S. 12f.

[36] [123¹] Vgl. C. H. Dodd, a. Anm. 11 aO, S. 42f, 50; J. Gewiess, Die urapostolische Heilsverkündigung nach der Apostelgeschichte, 1939, S. 31ff.

sten aus dem vergehenden bösen Äon (Gal 1, 4), sondern er hat *beide* Glaubensaussagen *übernommen,* wie die Traditionsstücke in Röm 1, 4 und 1Kor 11, 26; 16, 22
beweisen. Paulus hat dieses Nebeneinander der Glaubensaussagen systematisiert
durch die Vorstellung von dem Miteinander des vergehenden bösen und des begonnenen neuen Äon[37], aber er hat die Überzeugung von dem Miteinander der begonnenen eschatologischen Vollendung und der erhofften völligen Heilsverwirklichung
immer festgehalten (cf. Phil 1, 23 mit 3, 20f; 4, 5), und es kann daher keine Rede
davon sein, daß der spätere Paulus wie das Johannesevangelium zur „ursprünglichen" Tradition zurückgekehrt sei, die mit einer Heilsvollendung in der nahen
Zukunft nicht mehr rechnet[38]. Es zeigt sich vielmehr eindeutig, daß die Anschauung
des Paulus von Gottes Geschichte mit der Welt in Jesus Christus in ihren Grundzügen
mit der Anschauung Jesu und der ältesten Urgemeinde in Übereinstimmung steht. |

III

1. Es ergibt sich also, daß die älteste erkennbare Überlieferung von der Verkündigung Jesu und der ältesten Urgemeinde und die von Paulus übernommene und von
ihm theologisch durchdachte Glaubensanschauung in gleicher Weise das Miteinander der Erwartung des baldigen Kommens der eschatologischen Heilsvollendung
und der Glaubenserfahrung vom Beginn dieser Vollendung in Gottes Handeln in
Jesus Christus aufweisen. Es kann daher keine Rede davon sein, daß sich im ältesten Urchristentum zwischen Jesus und Paulus sofort nach Ostern oder einige Zeit
danach eine Entwicklung von einer rein präsentischen zu einer an die jüdische Apokalyptik sich anschließenden futurischen Eschatologie vollzogen habe; und genau-
sowenig läßt sich die Annahme begründen, daß die älteste Urchristenheit nur auf die
nahe Zukunft ausschaute und daß sich erst allmählich das durch die Ostererfahrung
gegebene Bewußtsein der Gegenwart des Eschaton daneben durchsetzte. Vielmehr
war bei Jesus wie in der frühen Urgemeinde die beherrschende Verkündigung von
Anfang an der Hinweis auf das baldige heilvolle Kommen Gottes *und* die Erscheinung seines Gesalbten vom Himmel, und so sehr diese Verkündigung im Rahmen
palästinisch-jüdischer Vorstellungen sich bewegt, so sehr war doch von Anfang an
die Erwartung der himmlischen Erscheinung des irdischen Menschen Jesus eine
neue Botschaft, für die es kein religionsgeschichtliches Vorbild gab. So wenig aber
angesichts der eindeutigen Überlieferung das Fehlen *dieser* Parusieerwartung im
zeitgenössischen Judentum als Argument gegen die geschichtliche Wirklichkeit dieser Erwartung bei Jesus und den ersten Christen gebraucht werden darf, so wenig
ist es begründet, die für die gesamte jüdische Eschatologie unerhörte Tatsache zu
bestreiten, daß Jesus und mit ihm die Urgemeinde mit der brennenden Erwartung

---

[37] [123²] S. G.Schrenk, Studien zu Paulus, 1954, S. 78f; O.Kuss, Der Römerbrief,
1. Lieferung, 1957, S. 277f.
[38] [123³] So J.A.T.Robinson, a. Anm. 13 aO, S. 160f mit Berufung auf C.H.Dodd,
New Testament Studies, 1953, S. 108ff.

der Heilsvollendung den Glauben an die Gegenwart dieser Heilsvollendung in Jesus und seinem Wirken verbunden haben. Dieses Miteinander zweier sich widersprechender zeitlicher Aussagen war zweifellos den ersten Jüngern Jesu ebenso ungewohnt und anstößig, wie es unserem nachdenkenden Bewußtsein schwer begreiflich ist. Aber darum besteht noch kein Recht, den zeitlichen Zukunftscharakter dieser Verkündigung dadurch aufzuheben, daß man Jesu Rede von *bestimmten* Ereignissen der für *alle* Menschen gleichen Zukunft zu Aussagen über die Struktur *meines* Verhältnisses zur Zukunft umdeutet, also die Aussage über ein Geschehen in der Zeit zur Aussageform über mein Zeitbewußtsein werden läßt[39]. Und man kann auch nicht die Erwartung der baldigen Parusie als „Rest des jüdisch eschatologischen Geschichtsbildes" bezeichnen, dem gegenüber der eigentliche neutestamentliche Heilsglaube „nicht das Abrollen der Zeit, sondern das Gegenüber mit Christus, bzw. | Gott" zum Gegenstand habe[40]. Denn gerade die Verkündigung von der Gegenwart als eschatologischer Gegenwart angesichts einer streng zeitlich als nahe erwarteten eschatologischen Zukunft ist die Form für die urchristliche Verkündigung von Gottes eschatologischem Heilshandeln in Jesus Christus. Darum hat sich zwar in den nachpaulinischen neutestamentlichen Schriften die Betonung der eschatologischen Erfüllung in der geschichtlichen Vergangenheit des Menschen Jesus und der geschichtlichen Gegenwart der Gemeinde Christi verstärkt, aber die Erwartung der nahen Heilsvollendung ist bis hin zur johanneischen Theologie die sinngebende *Grenze* der präsentischen Heilsaussage geblieben[41].

2. Das Miteinander eschatologischer Zukunfts- und Gegenwartsaussagen im ältesten und späteren Urchristentum ist nun aber nicht Ausdruck einer spekulativen Geschichtsbetrachtung, die in apokalyptischem Sinn an der Periodisierung der Weltgeschichte und Berechnung und Beschreibung des endzeitlichen Geschehens interessiert wäre. Vielmehr ist gerade dadurch, daß die Verheißung des nahen Gottesreiches von Anfang an verbunden ist mit dem Hinweis auf das in der Geschichte Jesu sich schon vollziehende eschatologische Handeln Gottes, diese grundlegende neutestamentliche Verkündigung Ausdruck für das unlösliche Miteinander eines theologischen und eines christologischen Elements in der urchristlichen Heilsbotschaft. Wenn Jesus sich als von Gott gesandt und sein Sterben als göttlichen Auftrag weiß (Mt 15, 24; Mk 10, 38; Lk 17, 25), und wenn die Urgemeinde bekennt, daß Jesus nach Gottes Willen für die Sünden gestorben und von Gott auferweckt ist, so wird

---

[39] [124¹] So H. CONZELMANN, ZThK 54, 1957, S. 287f.

[40] [125¹] J. KÖRNER, „Endgeschichtliche Parousieerwartung und Heilsgegenwart im Neuen Testament in ihrer Bedeutung für eine christliche Eschatologie", EvTh 14, 1954, S. 180f.

[41] [125²] Vgl. 1Petr 1, 3. 20f mit 4, 7. 17, und dazu R. BULTMANN, Theologie des Neuen Testaments, 1953, S. 523f; vgl. Hebr 1, 1f; 6, 5; 9, 26 mit 13, 14; 9, 28 und Apg 1, 6. 18; 7, 1ff mit 1, 3; 5, 12 und zu beiden Schriften H. D. WENDLAND, Geschichtsanschauung und Geschichtsbewußtsein im Neuen Testament, 1938 S. 39ff und C. K. BARRETT und E. G. SELWYN in der Dodd-Festschrift (s. Anm. 12), S. 363ff, 394ff; vgl. Joh 1, 14; 3, 18; 5, 24; 1Joh 3, 14 mit Joh 4, 5; 6, 40; 14, 3; 1Joh 2, 18 und dazu W. F. HOWARD, Christianity according to St John, 1947², S. 106ff. Zum Ganzen vgl. auch G. E. LADD, „Eschatology and the Unity of New Testament Theology", Expos. Tim. 68, 1956/57, S. 268ff.

Gott in diesem Geschehen als der eigentlich Handelnde erfaßt. Und wenn Jesus das Kommen der Gottesherrschaft in Kraft erwartet (Mk 9, 1) und die Urgemeinde die endzeitliche Sendung Jesu als des Messias vom Himmel verheißt (Apg 3, 20f), so ist auch in dieser eschatologischen Zukunftserwartung Gott als der das Heil endgültig Schaffende gesehen. So sehr also die ältesten Christen im Anschluß an Jesu eigenes Berufungsbewußtsein in Gott den letzten Wirker allen Heils gesehen haben, so sehr ist für diese Christen Jesus eine *selbständige* Person gewesen, und das Bewußtsein der Gegenwart des auferstandenen Herrn in der Gemeinde trägt das Erfüllungs-bewußtsein der Urgemeinde (Mt 18, 20; 1Kor 1, 2), und die Hoffnung auf die Er-scheinung des Auferstandenen in messianischer Herrlichkeit (1Kor 16, 22; 11, 26) macht die überkommene | eschatologische Hoffnung zur frohen Erwartung des voll-endeten *Heils*. In dem für die älteste christliche Verkündigung kennzeichnenden Miteinander und Ineinander von Erfahrung der Gegenwart als eschatologischer Heilszeit und brennender Ausschau auf die bevorstehende eschatologische Heilsvoll-endung gibt sich daher in zeitgebundener aber durchaus sachgemäßer Form der Glaube Ausdruck, daß der *eine* Gott, der Schöpfer und Vollender, uns sein Heil zu-wendet in dem geschichtlichen und auferstandenen Jesus Christus, dem *einen* Herrn.

DAS ERBE DES 19. JAHRHUNDERTS
FÜR DIE NEUTESTAMENTLICHE WISSENSCHAFT
VON HEUTE

I

Der Begriff des 19. Jahrhunderts ist chronologisch schwer zu begrenzen. Mag die Profanhistorie oder selbst die Kirchengeschichte von politischen und sozialen Ereignissen und Entwicklungsstufen aus die Grenzen ziehen, so kann eine wissenschaftsgeschichtliche Betrachtung immer nur von der besonderen Entwicklung der einzelnen Disziplin ausgehen. Denn so eng der Zusammenhang gerade der Geistesgeschichte und damit auch der Theologie mit der Kultur ihrer Zeit auch sein mag, die Geschichte der wissenschaftlichen Bemühungen um einen einzelnen Erkenntniskomplex ist doch in einem ungewöhnlichen Maß von einzelnen beherrschenden Persönlichkeiten bestimmt, deren wegweisende Gedanken den Beginn einer neuen Periode bedeuten. Deshalb kann die Bedeutung des 19. Jahrhunderts für die exegetische Arbeit am Neuen Testament und die Erforschung des Urchristentums nur dann recht erkannt werden, wenn man das 19. Jahrhundert auch hier durch die entscheidenden Wendungen des wissenschaftlichen Denkens und die richtunggebenden Persönlichkeiten bestimmt sein läßt. Von diesem Gesichtspunkt aus hat man jedoch die Nachwirkungen der die neutestamentliche Wissenschaft im strengen Sinn begründenden Aufklärungstheologie bis zum Ende des zweiten Jahrzehnts des 19. Jahrhunderts anzusetzen und erst etwa mit dem Jahr 1820 die spezifischen Gedanken des 19. Jahrhunderts beginnen zu lassen. In gleicher Weise hat erst die Zeit unmittelbar nach dem ersten Weltkrieg eine in wesentlichen Punkten neue Phase der Arbeit am Neuen Testament eingeleitet, obwohl gewisse Ansätze der neuen Entwicklung des 20. Jahrhunderts schon um die Jahrhundertwende zu erkennen sind. Man wird daher das 19. Jahrhundert, was seine Bedeutung für die exe|getische und historische Arbeit am Neuen Testament betrifft, etwa auf die Zeit von 1820 bis 1920 festlegen dürfen[1].

[1] Ähnlich grenzt auch F. SCHNABEL, Deutsche Geschichte im 19. Jahrhundert I, 1929, S. 4 ab: „Das Jahrhundert ... hob an, als der Vorhang über dem prächtigen Schauspiel des napoleonischen Heldenlebens niederfiel, und es ging zu Ende, als über Europa die Fackeln des allgemeinen Krieges und der Weltrevolution zu lodern begannen."

II

Wenn ich nun die besonderen Leistungen und die bleibenden Erkenntnisse des 19. Jahrhunderts für die Aufhellung des Neuen Testaments und der urchristlichen Geschichte aufzuzeigen versuche, so müssen wir zunächst fragen, welche Einsichten und Fragestellungen der Forschung zu Beginn des 19. Jahrhunderts aus der Zeit des Deismus und der Aufklärung, vor allem aus der zweiten Hälfte des 18. Jahrhunderts, überkommen waren, d. h. wir müssen wissen, welche Gedanken und methodischen Forderungen etwa um 1820 bereits anerkannt oder wenigstens als zu lösende Fragen erkannt worden waren. Denn manches, was uns heute selbstverständlich ist oder auch als problematisches Erbe des 19. Jahrhunderts erscheinen mag, ist schon zu dessen Beginn anerkannt oder umstritten gewesen.

Man wird zunächst auf *drei Voraussetzungen* neutestamentlicher Forschung hinweisen müssen, die die Theologie der Aufklärung den Forschern des 19. Jahrhunderts übergeben hat.

1. Grundlage aller Beschäftigung mit dem Neuen Testament ist ein zuverlässiger griechischer Text dieser Schriftensammlung. Nachdem schon zu Ende des 17. Jahrhunderts RICHARD SIMON an zahlreichen Handschriften und Nachrichten der Kirchenväter gezeigt hatte, daß es sehr verschiedenartige Textformen des Neuen Testaments gebe, und JOHN MILL die Lesarten aller erreichbaren Handschriften gesammelt hatte, wagten es zum erstenmal JOH. ALBR. BENGEL und JOH. SAL. WETTSTEIN in der ersten Hälfte des 18. Jahrhunderts, unter dem griechischen *textus receptus* die Lesarten anzugeben, die sie eindeutig oder zögernd als die richtigeren erklären wollten. Gegen Ende des Jahrhunderts beobachtete dann JOH. JAK. SEMLER den grundsätzlichen Unterschied zwischen der großen Masse der späteren Handschriften und der kleinen Zahl wertvoller älterer Zeugen, und JOH. SAL. GRIESBACH zog aus dieser Erkenntnis sogar die Konsequenz, den überlieferten Text auf Grund dieser kleinen | Gruppe besserer Handschriften vorsichtig zu ändern[2]. Damit war der Grundsatz anerkannt, daß der Text des Neuen Testaments methodisch auf der Grundlage der besseren Handschriften festgelegt werden müsse, doch wagte es vorerst noch niemand, diese Aufgabe der Herstellung eines kritischen Textes als Ganzes in Angriff zu nehmen.

2. RICHARD SIMON hatte, ausgehend von der Verschiedenheit der Sprachen und der Handschriften, die kritische Untersuchung des Textes des Alten und des Neuen Testaments zum erstenmal je für sich vorgenommen; JOH. DAVID MICHAELIS veröffentlichte von 1750 an seine „Einleitung in die göttlichen Schriften des neuen Bundes“; und 1761 ließ JOH. AUG. ERNESTI seine „Institutio interpretis Novi Testamenti“ erscheinen und zeigte damit, daß er die sachgemäße Erklärung des Neuen Testaments als eine Aufgabe ansah, die von der Untersuchung des Alten Testaments

---

[2] Nachweise bei W. G. KÜMMEL, Das NT. Geschichte der Erforschung seiner Probleme, 1958, S. 41 ff, 50 ff, 79, 88.

wesentlich verschieden sei. Damit war erkannt, daß das Alte und das Neue Testament bei einer geschichtlichen Betrachtung getrennt ins Auge gefaßt werden müssen, daß das Neue Testament deshalb ein eigener Gegenstand geschichtlicher Untersuchung sei.

3. Diese Einsicht war aber erst in dem Augenblick möglich, als man es als Aufgabe wissenschaftlicher Untersuchung der Bibel erkannt hatte, das Alte und das Neue Testament als geschichtliche Größen in ihrem geschichtlichen Zusammenhang zu erforschen. Diese Erkenntnis ist nur zögernd und schrittweise gewonnen worden. Am Anfang des 18. Jahrhunderts forderte JEAN ALPHONSE TURRETINI, man müsse die heiligen Schriften wie alle anderen Bücher aus ihrer eigenen Zeit heraus erklären[3], und bald danach stellte JOH. JAK. WETTSTEIN den Grundsatz auf, die Bücher des Neuen Testaments seien mit den Augen seiner ersten Leser zu lesen. Von diesem Standpunkt aus ließ dann JOH. AUG. ERNESTI nur die grammatische Erklärung des Schriftwortes als richtig gelten, erklärte allerdings die Anerkennung von Widersprüchen in den heiligen Schriften für unmöglich. JOH. SAL. SEMLER verband die Forderung grammatischer und zeitgeschichtlicher Auslegung, so daß KARL AUG. GOTTL. KEIL ausdrücklich fordern konnte, bei der Erklärung der Bibel von deren göttlichem Charakter abzusehen, und behauptete, daß allein die historische Auslegung die wahre Meinung der biblischen Schriftsteller er|kennen lasse. Obwohl die mit dieser methodischen Grundlegung gegebene Problematik sofort diskutiert wurde, ist doch diese Forderung *geschichtlicher* Auslegung zu Beginn des 19. Jahrhunderts im Prinzip anerkannt gewesen, und es war nur folgerichtig, daß JOH. PHIL. GABLER in seiner bekannten Rede über die richtige Unterscheidung zwischen biblischer und dogmatischer Theologie für die neue Disziplin der biblischen Theologie einen streng historischen Charakter postulierte[4].

Auf dem Boden dieser Voraussetzungen, die sich in der zweiten Hälfte des 18. Jahrhunderts durchzusetzen begannen, hat die Forschung, ebenfalls noch im Rahmen der Aufklärungstheologie, drei verschiedene Einsichten gewonnen, die das 19. Jahrhundert als Aufgaben übernahm und die ihre grundlegende Bedeutung bis heute behalten haben.

1. Schon JOHN LOCKE hatte in seiner Abhandlung über die Vernünftigkeit des Christentums 1695 festgestellt, daß die in den Evangelien und in der Apostelgeschichte enthaltenen notwendigen Lehren des christlichen Glaubens in den neutestamentlichen Briefen mit anderen Wahrheiten vermischt seien, LOCKE hat also einen sachlichen Unterschied zwischen der *Predigt* Jesu und der Apostel einerseits und der *Lehre* der neutestamentlichen Briefe andererseits bemerkt[5]. JOH. SAL. SEM-

---

[3] J. A. TURRETINI, De Sacrae Scripturae interpretandae methodo tractatus bipartitus ..., 1728. Auszugsweise übersetzt a. Anm. 2 aO, S. 65 ff.
[4] Novum Testamentum Graecum ... opera et studio J. J. WETSTENII II, 1752, S. 874 ff; J. A. ERNESTI, Institutio interpretis Novi Testamenti, 1762, S. 11 ff, 87; J. S. SEMLER, Vorbereitung zur theologischen Hermeneutik ..., 1760, S. 6 ff, 149 ff, 160 f; K. A. TH. KEIL, Opuscula academica ad Novi Testamenti interpretationem grammatico-historicam ... pertinentia, 1821, S. 85 ff, 98 f; J. PH. GABLERI, Opuscula academica II, 1831, S. 183 ff.
[5] C. WINCKLER, John Lockes Reasonableness of Christianity (Vernünftigkeit des bibli-

LER kam dann, indem er seine Forderung einer *geschichtlichen* Untersuchung der biblischen Schriften befolgte, zu dem Ergebnis, daß es im Urchristentum eine Partei von Christen gegeben habe, „die zu der Diöces von Palästina gehöret", und eine andere Partei von Christen, „welche zu Pauli Diöces gehören", und daß diese Gruppen eine „Abgeneigtheit" gegeneinander gehabt hätten[6]. Damit waren sachliche Gegensätze zwischen zwei Richtungen im Urchristentum beobachtet, mit denen die einzelnen Schriften des Neuen Testaments in Zusammenhang gebracht wurden, und es war erkannt, daß das Neue Testament keine | Einheit darstellt und die Auseinandersetzung zwischen den sich widersprechenden Gruppen die eigentliche geschichtliche Bewegung verursachte. GEORG LORENZ BAUER hat darum in seiner „Biblischen Theologie des Neuen Testaments" (1800/02) zum erstenmal die Lehrformen der Evangelien und der verschiedenen Briefe getrennt dargestellt.

Als das wichtigste Problem ergab sich in diesem Zusammenhang sofort das Verhältnis der Predigt Jesu zu der Predigt der Apostel. Denn nachdem der Deist THOMAS CHUBB das schlichte Evangelium Jesu den privaten und für uns unverbindlichen Meinungen der Evangelisten und Apostel gegenübergestellt hatte[7], forderte HERM. SAM. REIMARUS in den von LESSING herausgegebenen Fragmenten seiner „Apologie oder Schutzschrift für die vernünftigen Verehrer Gottes", „dasjenige, was die Apostel in ihren eigenen Schriften vorbringen, von dem, was Jesus in seinem Leben wirklich selbst ausgesprochen und gelehret hat, gänzlich abzusondern"[8]. Daß er dabei die eschatologische Predigt Jesu der durch Betrug begründeten apostolischen Lehre vom leidenden Erlöser gegenüberstellte, ist bekannt, aber wichtiger war, daß damit die Aufgabe des geschichtlichen Fragens nach der ursprünglichen Verkündigung und Gestalt Jesu als wichtigster Teil der Aufdeckung verschiedener Anschauungen innerhalb des Urchristentums unüberhörbar gestellt war.

2. Während so die bewußt geschichtliche Betrachtung des Neuen Testaments die Differenzen innerhalb der neutestamentlichen Schriften sichtbar werden ließ, führte sie zur gleichen Zeit zu der Frage nach den Entstehungsverhältnissen und der Verfasserschaft der einzelnen Schriften. JOH. DAV. MICHAELIS hatte sich dieser Aufgabe seit 1750 gewidmet und war dabei sofort auf die Frage gestoßen, ob einige dieser Bücher mit Recht ihren wahren Verfassern abgesprochen würden. Er hatte schon in der ersten Auflage seiner „Einleitung" behauptet, daß der Nachweis der apostolischen Herkunft aller neutestamentlichen Schriften zugleich auch deren Göttlichkeit erweise. In der 4. Auflage (1788) aber sah er sich gezwungen, für die Evangelien des Markus und Lukas und die Apostelgeschichte, aber auch für den Jakobus- und den Judasbrief (zögernd auch für den Hebräerbrief und die Apokalypse) die apostolische Herkunft zu leugnen, weshalb es ihm fraglich wurde, ob diese nicht|aposto-

schen Christentums) 1685; mit einer Einleitung herausgegeben von L. ZSCHARNACK, 1914, S. 130 (S. 295 der Originalausgabe von 1695).

    [6] J. S. SEMLERS Abhandlung von freier Untersuchung des Canon IV, 1775, Vorrede b S. 8f.
    [7] TH. CHUBB, The True Gospel of Jesus Christ, asserted, 1738, S. 43ff (auszugsweise übersetzt a. Anm. 2 aO, S. 60ff).
    [8] G. E. LESSINGS Werke, hrsg. v. J. PETERSEN und W. v. OLSHAUSEN, 22, 1925, S. 212 (= „Von dem Zwecke Jesu und seiner Jünger" I § 3).

lischen Schriften noch als inspiriert und kanonisch gelten könnten[9]. Damit war ein Problem gestellt, das dann im 19. Jahrhundert aufgegriffen werden mußte, nämlich die Frage, inwiefern die nun als unausweichliche Aufgabe erkannte geschichtliche Untersuchung der Entstehung der neutestamentlichen Schriften den kanonischen Charakter und damit auch die lehrhafte Autorität der neutestamentlichen Schriften berührt.

3. Die bewußt geschichtliche Betrachtung des Neuen Testaments führte aber auch dazu, daß JOH. GOTTFR. EICHHORN im Neuen Testament wie in den übrigen Schriften des Altertums den Mythos als primitive Ausdrucksform natürlichen Geschehens feststellte; und JOH. PHIL. GABLER leitete daraus die Aufgabe des Exegeten ab, die im Neuen Testament enthaltenen Mythen auf ihren geschichtlichen und sachlichen Gehalt zu prüfen, also angesichts der mythischen Bestandteile „das Geschäft der exegetischen Kritik" zu betreiben, wie er sich ausdrückt[10]. Aus dieser Feststellung, daß das Neue Testament Vorstellungsformen enthält, die in einem besonderen Sinn zeitgebunden sind, ergab sich die unerläßliche Aufgabe, daß die Forschung diese Berichte und Aussagen nicht einfach nur zur Kenntnis zu nehmen, sondern auch auf ihre Herkunft, ihren historischen Grund und ihre inhaltliche Bedeutung zu prüfen habe, daß also sowohl Geschichts- wie auch Sachkritik zur geschichtlichen Fragestellung gegenüber dem Neuen Testament gehören.

III

Auf diesen vom 18. Jahrhundert gelegten Grundlagen hat nun die wissenschaftliche Beschäftigung mit dem Neuen Testament im 19. Jahrhundert weiter gebaut. Die drei vom 18. Jahrhundert erarbeiteten *Voraussetzungen* neutestamentlicher Wissenschaft wurden im 19. Jahrhundert konsequent weitergeführt.

1. Die Herstellung eines kritisch gesicherten oder wenigstens methodisch begründeten griechischen Textes wurde in dreifacher Hinsicht gefördert. Zunächst veröffentlichte als erster der Philologe KARL LACHMANN eine Ausgabe des Neuen Testaments (1831; 1842ff), die nicht nur eine Verbesserung des überlieferten Textes mit Hilfe älterer Hand|schriften war, sondern sich bemühte, allein aus den ältesten Handschriften den Text des 4. Jahrhunderts herzustellen. Nicht mehr der gedruckte, sondern der älteste in den Handschriften erreichbare Text war damit als das einzige sachgemäße Ziel textkritischer Arbeit erkannt. Damit war aber auch erkannt, wie wichtig die genaue Kenntnis der ältesten Handschriften für die Gewinnung des Urtextes des Neuen Testaments ist. Daher setzte nun die systematische Suche nach Handschriften und die Veröffentlichung ihrer Lesarten ein, wofür in der Mitte des Jahrhunderts CONST. v. TISCHENDORF und SAMUEL TREGELLES die wesentlichsten

---

[9] S. die Quellenangaben in meinem Aufsatz: „Einleitung in das NT" als theologische Aufgabe, EvTh 19, 1959, S. 5ff.

[10] Nachweise bei C. HARTLICH und W. SACHS, Der Ursprung des Mythosbegriffes in der modernen Bibelwissenschaft, 1952, S. 20ff, 61ff.

Arbeiten leisteten. Aber weder das grundsätzliche Zurückgehen auf das Zeugnis der ältesten Handschriften noch die erweiterte Kenntnis dieser Handschriften reichten aus, um eine sichere Grundlage für die Gestaltung eines kritischen Textes zu schaffen. Es bedurfte einer zuverlässigen *Methode* für die Bewertung der Handschriften und Lesarten. Hier haben die beiden Engländer BROOKE FOSS WESTCOTT und FENTON JOHN ANTHONY HORT (1882) den entscheidenden Schritt getan, indem sie eine stichhaltige Begründung für die Bevorzugung der älteren Handschriften und ihre Einteilung in Familien fanden und dadurch Entscheidungen über den Vorzug bestimmter Lesarten an solchen Stellen fällen konnten, wo nicht schon aus inneren Gründen die Entscheidung getroffen werden kann[11]. Auf diesen vom 19. Jahrhundert geschaffenen Voraussetzungen hat dann das 20. Jahrhundert weiter gearbeitet, und die Entdeckung neuer Handschriften, vor allem Papyri, und einer neuen Textfamilie, die Diskussion um die Bedeutung alter Übersetzungen und Väterlesarten für die Aufdeckung des Urtextes, die Frage nach dem Charakter und textkritischen Wert der Textfamilien und nach der Möglichkeit, hinter die Textfamilie zum Archetyp und dadurch näher zum Urtext vorzudringen, alle diese Fragen haben unsere Kenntnisse und Methoden verfeinert, haben aber die methodischen Erkenntnisse des 19. Jahrhunderts nicht in Frage gestellt[12].

2. Die methodische Notwendigkeit, die wissenschaftliche Untersuchung des Alten und des Neuen Testaments voneinander zu trennen, hat sich | zu Beginn des 19. Jahrhunderts nach und nach durchgesetzt und ist seither nicht mehr grundsätzlich umstritten. Dem steht nicht entgegen, daß immer wieder, vor allem auf katholischer Seite, „Einleitungen in die Bibel" erschienen, daß die Probleme der Inspiration, des Verhältnisses von Schrift und Tradition usw. naturgemäß im Hinblick auf beide Testamente erörtert werden[13], daß Zeitschriften und Bibliographien teilweise beide Testamente behandeln und daß etwa in Amerika noch immer Lehrstühle für biblische Exegese, biblische Theologie usw. bestehen, wobei darauf hingewiesen werden muß, daß es neben solchen Lehrstühlen und Zeitschriften immer auch die Lehrstühle und Zeitschriften für die einzelnen Disziplinen gibt. Diese Trennung ist nicht nur die Folge der nicht zu leugnenden Spezialisierung, die es unmöglich macht, die Forschungen auf alttestamentlichem *und* auf neutestamentlichem Gebiet zu überschauen, sie ist vielmehr die unwiderrufliche Folge der Einsicht in die *geschichtliche* Aufgabe der Erforschung des Alten und des Neuen Testaments, die gelehrt hat, daß das Neue Testament nicht nur später entstanden ist als die Schriften des Alten Testaments, sondern auch eine religionsgeschichtlich und theologiegeschichtlich andere Größe darstellt, deren Eigenart verfälscht werden würde, wenn das Neue Testament nicht grundsätzlich als geschichtliche Erscheinung *sui generis* behandelt wird.

---

[11] Vgl. dazu C. R. GREGORY, Textkritik des NTs II, 1902, S. 966 ff, 917 ff.

[12] Zur Geschichte der Textkritik im 20. Jahrhundert vgl. F. G. KENYON, Recent Developments in the Textual Criticism of the Greek Bible, 1933; K. et S. LAKE, De Westcott et Hort au Père Lagrange et au-delà, Revue Biblique 48, 1939, S. 497 ff; J. DUPLACY, Où en est la critique textuelle du Nouveau Testament?, 1959.

[13] Vgl. z. B. H. HÖPFL, Introductio generalis in S. Scripturam. Tractatus de inspiratione, canone, historia textus, hermeneutica, ed. sexta ... curavit L. LELOIR, 1958.

Aber mit dieser grundsätzlichen und wissenschafts-praktischen Trennung von Altem und Neuem Testament war das Problem der Zusammengehörigkeit beider Testamente von einer neuen Seite her gestellt. Und so hat sich die neutestamentliche Forschung des 19. Jahrhunderts darum bemüht herauszuarbeiten, wo vor allem Jesus und Paulus mit dem Alten Testament in Zusammenhang, wo sie im Gegensatz zu ihm stehen; es wurde in der zweiten Jahrhunderthälfte immer mehr zum Streitpunkt zwischen kritischen und konservativen Forschern, ob allein das Alte Testament oder auch hellenistische Gedanken die geistesgeschichtlichen Voraussetzungen für die Theologie des Neuen Testaments bilden. In diese zweifellos schiefe Alternative schlug die zu Ende des Jahrhunderts vor allem von AD. HILGENFELD, WILH. BALDENSPERGER und HERM. GUNKEL verfochtene Heranziehung der spätjüdischen Quellen palästinischer und hellenistischer Herkunft eine Bresche, indem nachgewiesen wurde, daß das Neue Testament *direkt* vom Spätjudentum | und nicht vom Alten Testament abhängig sei[14]. So sehr diese These zuerst auf scharfen Widerstand stieß, so sehr hat sie sich doch durchgesetzt und ist zu einer anerkannten methodischen Voraussetzung der neutestamentlichen Forschung des 20. Jahrhunderts geworden.

Natürlich darf damit die Frage nicht ausgeschlossen werden, ob Jesus oder irgendwelche Formen der urchristlichen Verkündigung sich vom spätjüdischen Verständnis des Alten Testaments frei gemacht haben und zu ursprünglicheren alttestamentlichen Gedanken zurückgekehrt sind[15], aber ein Ja zu dieser Frage kann immer nur dann überzeugend sein, wenn gezeigt wird, wie sich ein solches Verständnis des Alten Testaments in die keineswegs einheitlichen Formen der spätjüdischen Deutung des Alten Testaments zustimmend oder ablehnend einfügt.

3. Die dritte Voraussetzung neutestamentlicher Forschung, die das 19. Jahrhundert vom 18. Jahrhundert übernahm, war die Forderung, das Neue Testament als geschichtliches Dokument auch grundsätzlich *geschichtlich* im Sinne seiner Bedeutung für die ersten Leser auszulegen. So hat denn HEINR. AUG. WILH. MEYER 1829 den ersten Band seines heute noch immer wieder neu aufgelegten „Kritisch-exegetischen Kommentars zum Neuen Testament" ausdrücklich mit der Feststellung herausgehen lassen, daß es Pflicht des Exegeten sei, „den Sinn, wie ihn der *Schriftsteller* bei seinen Worten gedacht hat, ganz unpartheiisch, historisch-grammatisch zu eruiren"[16]; und er hat in der zweiten Auflage hinzugefügt: „den Inhalt der Schrift nach kirchlicher Voraussetzung zu ermitteln, ist und bleibt, so viel man auch dagegen

---

[14] A. HILGENFELD, Die jüdische Apokalyptik in ihrer geschichtlichen Entwickelung. Ein Beitrag zur Vorgeschichte des Christenthums..., 1857; W. BALDENSPERGER, Das Selbstbewußtsein Jesu im Licht der messianischen Hoffnungen seiner Zeit, 1888; H. GUNKEL, Die Wirkungen des heiligen Geistes, nach der populären Anschauung der apostolischen Zeit und nach der Lehre des Apostels Paulus, 1888.

[15] Die These, daß Jesus sich über das Spätjudentum hinweg ausschließlich an das Alte Testament angeschlossen habe (J. W. BOWMAN, The Religion of Maturity, 1948), hat sich freilich nicht durchsetzen können.

[16] H. A. W. MEYER, Das Neue Testament Griechisch nach den besten Hilfsmitteln kritisch revidiert mit einer neuen deutschen Übersetzung und einem kritischen und exegetischen Kommentar, 1. Teil, 1. Abth., 1829, S. XXXI.

excipire und clausulire, eine schon von vorne herein bestochene Procedur, bei welcher man *hat,* ehe man *sucht,* und *findet,* was man *hat*"[17]. Daß | darin aber eine Schwierigkeit verborgen lag, zeigte die sofort zu Beginn des 19. Jahrhunderts einsetzende Diskussion. Gegen die „fast einmütige Meinung der Ausleger, daß nur der grammatisch-historische Sinn der heiligen Schriften der wahre sei", stellte 1807 Carl Friedr. Stäudlin die These, „daß die geschichtliche Auslegung der Bücher des Neuen Testaments nicht *allein* wahr ist". Er bestritt keineswegs, daß für die Bücher des Neuen Testaments dieselben Regeln der Auslegung gelten wie für alle anderen Bücher, aber er forderte vom Ausleger dieser Bücher, die „mit innigem, religiösem und moralischem Gefühl geschrieben" sind, eine gleiche Empfindung, wie sie die apostolischen Schriftsteller hatten, verlangte die Anwendung einer moralischen, religiösen, philosophischen Auslegung und begründete diese Forderung ausdrücklich mit der Inspiration des neutestamentlichen Kanons[18]. Und Schleiermachers Schüler Friedr. Lücke wollte die Besonderheit der Auslegung des Neuen Testaments darin sehen, daß es sich um eine *heilige* Schrift handele und daß der Ausleger ihr als christlicher *Theologe* begegne[19]. Stäudlin und Lücke hatten also gesehen, daß das Neue Testament zwar streng geschichtlich ausgelegt werden müsse, aber seinen kirchlich normativen Charakter verliert, wenn der Ausleger von diesem einzigartigen Charakter des Neuen Testaments völlig absieht. Das damit gestellte, aber unzureichend, weil rein subjektiv gelöste Problem brach gegen Ende des 19. Jahrhunderts in radikaler Form wieder auf. Franz Overbeck, der in seiner Basler Antrittsrede von 1870 noch die Bibelkritik als Ausfluß eines echten Protestantismus bezeichnet hatte, bestritt in seiner Schrift „Über die Christlichkeit unserer heutigen Theologie" (1873) jeder anderen Auslegung des Neuen Testaments als der rein historischen ihr Recht und leugnete den christlichen Charakter einer solchen allein zulässigen Auslegung[20]. Bald danach forderte Gustav Krü|ger, man müsse mit dem „Dogma vom Neuen Testament" völlig brechen und an die Stelle einer „Wissenschaft vom Neuen Testament" eine allgemeine Geschichte des Urchristentums stellen[21], und W. Wrede wollte die „Biblische Theologie des Neuen Testaments" durch eine „urchristliche Religionsgeschichte" ersetzen, die von der Existenz des Kanons absieht und eine rein historische Disziplin ist[22]. Dieser radikalen Leugnung des theologischen Charakters der neutestamentlichen Wissenschaft stellte Ad. Schlatter im Vorwort seines Buches über den Glauben im Neuen Testament die Behauptung

[17] H. A. W. Meyer, Kritisch exegetischer Kommentar über das NT, 1. Abth., 1. Hälfte, 1844², S. XIIf.
[18] C. F. Stäudlin, Über die blos historische Auslegung der Bücher des NTs, Kritisches Journal der neuesten theologischen Literatur, hrsg. v. F. Ammon und L. Bertholdt II, 1814, S. 17ff, 126ff. Vgl. auch J. Wach, Das Verstehen II, 1929, S. 140ff.
[19] F. Lücke, Übersicht der zur Hermeneutik, Grammatik, Lexikographie und Auslegung des NTs gehörigen Literatur vom Anfang 1828 bis Mitte 1829, ThStKr 3, 1830, S. 421.
[20] F. Overbeck, Über Entstehung und Recht einer rein kritischen Betrachtung der Neutestamentlichen Schriften in der Theologie. Antrittsvorlesung …, 1871; Ders., Über die Christlichkeit unserer heutigen Theologie, 1903², S. 108f, 125.
[21] G. Krüger, Das Dogma vom NT, Programm Giessen 1896, S. 4ff.
[22] W. Wrede, Über Aufgabe und Methode der sogenannten Neutestamentlichen Theologie, 1897, S. 34, bes. 79f.

entgegen, daß „im eigenen Erleben des Glaubens an Jesus die Möglichkeit, der Antrieb und die Ausrüstung zu wahrhaft geschichtstreuem Verständnis des Neuen Testaments" liege[23], er erklärte also für eine wirklich *geschichtliche* Erforschung des Neuen Testaments den Glauben des Forschers für unerläßlich. Ganz ähnlich hat MARTIN KÄHLER für die Bibelforschung „geschichtlich" nur als „Beiwort", nicht als „Hauptwort" gelten lassen wollen, weil ‚„biblisch' das bestimmende Wort sein" müsse[24], d. h. die Anerkennung des neutestamentlichen Kanons ist für KÄHLER die Voraussetzung für eine sachgemäße *geschichtliche* Erforschung des Neuen Testaments. Den damit aufgebrochenen Gegensatz zwischen einer grundsätzlich geschichtlichen und einer grundsätzlich theologischen Betrachtung des Neuen Testaments, die in der Regel der jeweils anderen Seite ein relatives Recht zugestand, hat das 19. Jahrhundert nicht lösen können; er ist nach dem ersten Weltkrieg wieder neu in Erscheinung getreten, besonders eindrücklich in der Auseinandersetzung zwischen KARL BARTH und A. v. HARNACK, nachdem die 2. Auflage von KARL BARTHS „Römerbrief" erschienen war[25]. Wenn darum das Problem der Hermeneutik heute wieder lebhaft diskutiert wird[26], so hat das 19. Jahrhundert uns | als ein zu wahrendes Erbe die Erkenntnis übergeben, daß keine Auslegung des Neuen Testaments ihrem Gegenstand angemessen sein kann, die nicht kompromißlos geschichtlich ist, d. h. die sich festzustellen bemüht, was die Verfasser meinten und die ersten Leser verstehen konnten und mußten, auch wenn solche Auslegung dem Wesen des Neuen Testaments entsprechend sachgemäß nur mit einem *theologischen* Interesse durchgeführt werden kann.

4. Daß aber mit diesem, durch die dritte Voraussetzung gegebenen Zwiespalt ein immer wieder neu zu lösendes Problem gegeben war, zeigte sich besonders eindrucksvoll bei der Arbeit an der Erforschung des geschichtlichen Charakters der einzelnen neutestamentlichen Schriften, bei der sogenannten „Einleitung in das Neue Testament"[27]. Hier hatte, wie wir schon sahen, JOH. DAV. MICHAELIS dem 19. Jahrhundert die problematische Fragestellung übermittelt, ob nicht die Feststellung des nichtapostolischen Charakters einzelner neutestamentlicher Schriften deren Kanonizität erschüttere. JOH. GOTTFR. EICHHORN behauptete demgegenüber, daß nicht die Abfassung durch einen Apostel darüber entscheide, ob sich eine neutestamentliche Schrift zur *regula fidei* eigne, wollte dann aber doch den *apostolischen* Schriften als Glaubensquellen einen höheren Rang zuerkennen als den Schriften der „apostolischen Männer". FERD. CHR. BAUR aber folgerte in einer Überschau über die bisherige Diskussion, daß die Einleitungswissenschaft zu prüfen habe, welche Schriften mit Recht zum Kanon gehörten, weil sie wirklich von den apostolischen Verfassern

---

[23] A. SCHLATTER, Der Glaube im Neuen Testament, 1885, S. 9. Vgl. dazu W. TEBBE, Der junge Schlatter, in „Aus Adolf Schlatters Berner Zeit", 1952, S. 49 ff (bes. 63 f).

[24] M. KÄHLER, Art. Biblische Theologie, Realencyklopädie für protestantische Theologie und Kirche, 3, 1897, S. 197 ff (bes. S. 197. 199).

[25] K. BARTH, Theologische Fragen und Antworten, Ges. Vorträge 3, 1957, S. 7 ff.

[26] S. die Literatur bei G. EBELING, Art. Hermeneutik, Die Religion in Geschichte und Gegenwart III, 1959³, S. 256 ff.

[27] Vgl. zum Folgenden meinen Anm. 9 genannten Aufsatz; dort die Quellenangaben.

herrühren. Damit war aber der geschichtliche Charakter der Untersuchung, wie die einzelnen neutestamentlichen Schriften entstanden waren, mißverstanden, da eine solche Untersuchung höchstens feststellen kann, ob diese oder jene Schrift nach den von den Theologen der frühen Kirche aufgestellten Kriterien zu Recht oder zu Unrecht in den Kanon aufgenommen worden ist, während der normative Charakter des Kanons als ein Glaubensurteil durch keine geschichtliche Untersuchung geprüft und gesichert werden kann. Das hat FRIEDR. SCHLEIERMACHER richtig gesehen, wenn er ausdrücklich feststellt, daß der kanonische Charakter einer Schrift von dem Nachweis nicht betroffen wird, daß sie nicht von dem Verfasser stammt, dem sie zugeschrieben wurde, doch hat SCHLEIERMACHER dann allerdings an dieser Einsicht nicht konsequent festgehalten. Nur der zu Unrecht vergessene EDUARD REUSS | hat in diesem Punkt völlig klar gesehen, wenn er in der ersten Auflage seiner „Geschichte der Heiligen Schriften Neuen Testaments" (1842) sagte: „Als Geschichte muß unsre Wissenschaft durchaus *unabhängig* sein von jedem theologischen Systeme. Der Ursprung und die religiöse Wichtigkeit eines Theiles derjenigen Schriften, mit welchen sie sich beschäftigt, wird ihr Achtung einflößen, ohne sie zu verblenden in Hinsicht der Zweifel, welche gegen gewisse andre bestehn mögen ... Der protestantische Theolog übt solche Kritik als ein Recht, in so fern seine Kirche sich die Prüfung ihres Schriftkanons für alle Zeit vorbehalten hat."[28] Hier ist deutlich erkannt, daß die Frage nach der Entstehung der neutestamentlichen Schriften eine rein geschichtliche Frage ist, deren Ergebnisse die Wertung dieser Schriften als kanonische in keiner Weise berührt. Aber das Mißverständnis, das die Einleitungswissenschaft von Anfang an begleitet hat, ist nur sehr langsam und bis heute nicht ganz gewichen, und es ist ohne Zweifel eine zentrale Aufgabe der neutestamentlichen Wissenschaft, dieses aus dem 19. Jahrhundert überkommene Mißverständnis endgültig zu überwinden.

5. Die größte Leistung, die die neutestamentliche Wissenschaft des 19. Jahrhunderts von der Voraussetzung konsequent geschichtlicher Erforschung des Urchristentums aus im Rahmen der Einleitungswissenschaft vollbracht hat, besteht zweifellos darin, daß die Frage nach den Quellen und nach der richtigen zeitlichen Einordnung der neutestamentlichen Schriften in Angriff genommen wurde. Am bekanntesten und für die Geschichte des Urchristentums vielleicht am bedeutsamsten war wohl die methodische Lösung des synoptischen Problems als einer Frage der Literarkritik. Hier waren schon um die Wende vom 18. zum 19. Jahrhundert die verschiedenen, grundsätzlich möglichen Hypothesen vorgetragen worden[29], aber die überzeugende Begründung der Priorität des Markusevangeliums und der Wahrscheinlichkeit einer zweiten Quelle durch CHRISTIAN GOTTLOB WILKE, CHRISTIAN HERMANN WEISSE und HEINR. JUL. HOLTZMANN war erst das Werk der Mitte des 19. Jahrhunderts. Auch wenn die Zweiquellentheorie noch immer umstritten ist und gerade in

---

[28] E. REUSS, Die Geschichte der Heiligen Schriften NTs, 1842, S. 2 (vgl. auch S. 132). S. auch die Zitate aus der 3. Auflage a. Anm. 2 aO, S. 192 f.

[29] S. H. J. HOLTZMANN, Lehrbuch der historisch-kritischen Einleitung in das NT, 1892³, S. 345 ff.

den letzten Jahrzehnten mancherlei neue Hypothesen vorgetragen wurden[30], so hat sich doch die Grundauffassung, daß der Erzäh|lungsstoff im Markusevangelium in der ursprünglichsten Form überliefert sei, weitgehend durchgesetzt, auch innerhalb der an diesem Punkt durch die Tradition behinderten katholischen Forschung.

War die Lösung dieser Quellenfrage entscheidend für die Jesusforschung, so war es für die Paulusforschung die Entdeckung des Deuteropaulinismus. Nachdem SCHLEIERMACHER und EICHHORN zuerst den unpaulinischen Charakter des 1. Timotheusbriefs bzw. der Pastoralbriefe nachgewiesen hatten, unterbaute F. CHR. BAUR diesen Nachweis, indem er die Pastoralbriefe der frühkatholischen Entwicklung des 2. Jahrhunderts zuordnete; er sah sich dann durch den Zwang seines Entwicklungsschemas gezwungen, sämtliche kleineren Paulusbriefe ebenfalls in diese Spätzeit zu versetzen. H. J. HOLTZMANN und AD. JÜLICHER haben diese Kritik auf ihr rechtes Maß zurückgeführt, und so sind heute neben den Pastoralbriefen nur noch der Epheserbrief und teilweise der Kolosser- und der 2. Thessalonicherbrief umstritten, aber es steht außerhalb jeder vernünftigen Debatte, daß erst nach Ausschaltung der deuteropaulinischen Schriften der *geschichtliche* Paulus erkannt werden kann.

Für die Jesusforschung und überhaupt für die Geschichte des urchristlichen Denkens war schließlich noch entscheidend die von DAV. FR. STRAUSS getroffene Feststellung, die dann von F. C. BAUR methodisch gefestigt und von CARL WEIZSÄCKER endgültig bewiesen wurde, daß das Jesusbild des vierten Evangeliums nur als Werk der zweiten Generation verständlich ist und daß deshalb das Johannesevangelium nur als Quelle für die Geschichte des späten Urchristentums, aber nicht als Quelle für den geschichtlichen Jesus in Frage kommt. Obwohl die Spätdatierung des Johannesevangeliums heute weithin anerkannt ist, ist der geschichtliche Wert der johanneischen Jesusüberlieferung gerade heute wieder stark umstritten, und hier kann m. E. erst die religionsgeschichtliche Fragestellung die endgültige Entscheidung bringen, wovon noch zu reden sein wird.

Neben diesen bis heute gültigen Erkenntnissen des 19. Jahrhunderts auf dem Gebiet der Einleitungswissenschaft sind hier noch zwei weitere Beobachtungen gemacht worden, deren Bedeutung erst das 20. Jahrhundert voll erkannte.

a) Schon HERDER hatte gesehen, daß *vor* den schriftlichen Evangelien das vollständige Evangelium *in der Predigt* da war; sowohl diese mündliche Überlieferung wie die Evangelienschriften sind nicht Biographie, sondern „historische Beurkundungen des christlichen Glaubens|bekenntnisses", d. h. alle Evangelienüberlieferung ist ihrer Intention nach nicht Geschichtsbericht, sondern Verkündigung[31]. Diese Erkenntnis wurde gegenüber der liberalen Leben-Jesu-Forschung, die diese Einsicht vergessen hatte, von M. KÄHLER erneuert, der in seinem bekannten Vortrag über den „sogenannten historischen Jesus und den geschichtlichen, biblischen Christus" (1892) die These aufstellte, daß der wirkliche Christus nur der gepredigte

---

[30] Vgl. L. VAGANAY, Le problème synoptique, 1954, S. XIII ff, 1 ff.

[31] J. G. HERDER, Christliche Schriften, 3. Sammlung: Von Gottes Sohn der Welt Heiland, Nach Johannes Evangelium..., 1797 = Herders Sämtliche Werke, hrsg. v. B. SUPHAN 19, 1880, S. 253 ff, bes. S. 273 Anm.

Christus sei und daß der historische Jesus der modernen Schriftsteller den lebendigen Christus verdecke[32]. Obwohl KÄHLER zweifellos das theologische Interesse, das in der Frage nach dem geschichtlichen Jesus liegt, verkannt hat, ist sein Hinweis auf den Verkündigungscharakter der Evangelienüberlieferung für die neuere Evangelienforschung grundlegend geworden und wird auch weiterhin bestimmend bleiben.

b) Ebenfalls HERDER hatte auch schon den mündlichen Charakter der ältesten Jesusüberlieferung erkannt und aus den kerygmatischen Interessen der ältesten Predigt die Folgerung hergeleitet, daß die Überlieferung der Worte Jesu zuverlässiger sei als diejenige der geschichtlichen Berichte. Diese Gedanken wurden erst gegen Ende des 19. Jahrhunderts in doppelter Weise wieder aufgenommen. C. WEIZSÄCKER wies darauf hin, daß die Tradition der in der Urgemeinde umlaufenden Jesusworte dort der Gestaltung des Gemeindelebens diente und von daher „eine gewisse Regel und feste Formen" annahm, während die Berichte von Jesus für die Mission überliefert wurden und ebenfalls „durch den Zweck und die weitere Mittheilung festere Form" bekamen[33]. FRANZ OVERBECK machte darauf aufmerksam, daß die „christliche Urliteratur" gerade in ihrer nichtliterarischen Ursprünglichkeit an ihrer Form erkannt werden könne[34]. Mit alledem waren die entscheidenden methodischen Grundgedanken der formgeschichtlichen Betrachtung der neutestamentlichen Schriften angeklungen, die dann nach dem ersten Weltkrieg zuerst auf die Evangelien angewendet wurde und deren Bedeutung für das Ver|ständnis der einzelnen Texte und die Aufhellung des urchristlichen Lebens heute trotz aller scharfen Kritik im einzelnen fast allgemein anerkannt ist.

6. Auf dem Boden dieser literarischen und chronologischen Bestimmung der Quellen war nun zum ersten Mal eine methodisch begründete Darstellung der Geschichte des Urchristentums möglich. Es ist bekannt, daß hier F. C. BAUR methodisch den entscheidenden Anstoß gegeben hat, indem er einerseits den Gegensatz von Paulinern und Petrinern als das Kennzeichen der apostolischen Zeit herausarbeitete, andererseits die Forderung aufstellte, die einzelnen Schriften in den historischen Ablauf einzuordnen und erst dadurch ihren geschichtlichen Standort zu bestimmen. War damit die auch heute noch unaufgebbare Einsicht gewonnen, daß die kritische Aufgabe an den Schriften des Neuen Testaments nur dann überzeugend gelöst werden kann, wenn nicht nur die Verfasserfrage positiv oder negativ beantwortet ist, sondern gerade auch bei der Ablehnung der traditionellen Verfasserangabe die Schriften als Quellen einer bestimmten Zeit erkannt und benützt werden, so zog BAUR aus dieser Einsicht die ebenfalls bis heute gültige Folgerung, daß neutestamentliche Theologie „streng nach ihrem geschichtlichen Begriff" nur dann behandelt werden kann, wenn „ein Fortschritt der Entwicklung nachgewiesen" wird[35].

---

[32] M. KÄHLER, Der sogenannte historische Jesus und der geschichtliche, biblische Christus, neu hrsg. v. E. WOLF, 1953, S. 44, 16.

[33] C. WEIZSÄCKER, Das Apostolische Zeitalter der christlichen Kirche, 1886, S. 381 ff, bes. S. 384 f.

[34] F. OVERBECK, Über die Anfänge der patristischen Literatur, Histor. Ztschr. 48, 1882, S. 423 ff, bes. S. 443.

[35] F. C. BAUR, Die Christuspartei in der korinthischen Gemeinde, der Gegensatz des petri-

Damit war erkannt, daß das Gedankengut des Neuen Testaments deshalb, weil es sich in zeitlich und personal verschiedenen Quellen findet, in seiner geschichtlichen Wirklichkeit nur dann erfaßt werden kann, wenn es nicht *ex hypothesi* als Einheit, sondern als Stoff einer Entwicklung oder jedenfalls einer Entfaltung verstanden wird.

Während in diesen methodischen Erkenntnissen BAURS ein Erbe liegt, das in vollem Umfang gültig geblieben ist, ist das von BAUR entworfene Geschichtsbild vor allem von ED. REUSS und A. RITSCHL korrigiert worden durch den Nachweis, daß es im palästinischen Urchristentum nicht nur die radikalen Gegner der paulinischen Heidenmission, sondern auch eine vermittelnde Gruppe gegeben hat, und daß der frühe Katholizismus | nicht das Ergebnis einer Synthese von Judenchristentum und Heidenchristentum war, sondern „eine Stufe des Heidenchristenthums allein ist"[36]. C. WEIZSÄCKER hat dieses modifizierte BAURsche Geschichtsbild in eine bleibend gültige Form gebracht und durch die Annahme ergänzt, daß die scharf antipaulinische Haltung eines Teils der Urgemeinde erst die *Folge* der nachgiebigen Haltung der vermittelnden Gruppe in der Urgemeinde gegenüber der Heidenmission gewesen sei[37]. Dieses Geschichtsbild ist, wenn ich nicht irre, auch heute noch in seinen Grundzügen durch kein besseres ersetzt worden, hat aber eine nicht unwesentliche Komplizierung dadurch erfahren, daß im 20. Jahrhundert die Wirksamkeit gnostischer Gegner des Paulus in seinen Gemeinden entdeckt und dadurch die Front der paulinischen Polemik verschoben worden ist. Es dürfte die Aufgabe weiterer Erforschung der Geschichte des Urchristentums sein, das Verhältnis der vom Judentum und vom Hellenismus herkommenden Gegner des Paulus zueinander und die Einwirkung ihrer Gedanken auf das paulinische Denken und auf das spätere Urchristentum noch genauer zu bestimmen.

7. Damit ist aber das religionsgeschichtliche Problem der Erforschung des Neuen Testaments berührt, das uns in zwei verschiedenen Grundanschauungen von der Forschung des 19. Jahrhunderts aufgegeben ist. Zu der bereits erwähnten Entdeckung der Bedeutung, die der spätjüdischen Apokalyptik für die Entstehung des Denkens Jesu und des Paulus beizumessen ist – wir verdanken sie vor allem WILHELM BALDENSPERGER, RICHARD KABISCH und OTTO EVERLING am Ende des 19. Jahrhunderts –, trat GUSTAF DALMANS Hinweis auf den Zusammenhang der Predigt Jesu mit dem aus den rabbinischen Quellen erkennbaren palästinischen Spätjudentum[38]. So fruchtbar diese neu erschlossenen Quellen für das Verständnis be-

---

nischen und paulinischen Christenthums in der ältesten Kirche..., Tübinger Ztschr. f. Theol. 4, 1831, S. 61 ff; DERS., Die Einleitung in das NT als theologische Wissenschaft, Theol. Jahrbücher 10, 1851, S. 294; DERS., Vorlesungen über Neutestamentliche Theologie, 1864, S. 38; DERS., Die sogenannten Pastoralbriefe des Apostels Paulus, 1835, S. V, VII.

[36] E. REUSS, Die Geschichte der Heiligen Schriften NTs, 1860³, S. 124 f, 332 f; A. RITSCHL, Die Entstehung der Altkatholischen Kirche, 1857², S. 22 f.

[37] C. WEIZSÄCKER, a. Anm. 33 aO, S. 152.

[38] W. BALDENSPERGER, a. Anm. 14 aO; R. KABISCH, Die Eschatologie des Paulus in ihren Zusammenhängen mit dem Gesamtbegriff des Paulinismus, 1893; O. EVERLING, Die paulinische Angelologie und Dämonologie, 1888; G. DALMAN, Die Worte Jesu. Mit Berücksichtigung des nachkanonischen jüdischen Schrifttums und der aramäischen Sprache I, 1898.

sonders des älteren Urchristentums waren, so gefährlich war die Tendenz, die sich zu Beginn unseres Jahrhunderts herausbildete und bis zur Gegenwart anhält, die Ableitung | urchristlicher Gedanken und etwa ganz besonders der gesamten paulinischen Theologie aus palästinisch-jüdischen oder allerhöchstens hellenistisch-jüdischen Zusammenhängen zur allein gültigen Methode zu machen und darin das Zeichen besonderer Bibeltreue zu sehen. Denn zu diesen spätjüdischen Quellen, die zur Illustration urchristlichen Denkens herangezogen wurden, gesellte sich etwa zur gleichen Zeit der Hinweis auf die unleugbaren Zusammenhänge des Paulus, des Johannesevangeliums, der späteren neutestamentlichen Briefe mit dem jüdischen und vor allem auch mit dem heidnischen Hellenismus, wie er besonders von OTTO PFLEIDERER, H. GUNKEL und WILHELM BOUSSET betont wurde [39]. Die methodische Trennung beider religionsgeschichtlichen Bereiche und der daraus gefolgerte Gegensatz im religionsgeschichtlichen Verständnis des Neuen Testaments ist ein Erbe des 19. Jahrhunderts, das die Arbeit des 20. Jahrhunderts schwer belastet und behindert hat. Wenn in den letzten Jahrzehnten deutlich geworden ist, daß auch das palästinische, vor allem aber das hellenistische Judentum offen war für den Hellenismus, und die Entdeckung der jüdischen Sektenfrömmigkeit ebenso wie der vorchristlichen Gnosis das religionsgeschichtliche Bild wesentlich bunter gestaltet haben, dürfte die Alternative „jüdisch-heidnisch" endgültig als unhaltbar erwiesen sein. Es ist die Aufgabe der heutigen neutestamentlichen Forschung, hier ohne falsche Alternativen die erkennbaren religionsgeschichtlichen Zusammenhänge zur Aufhellung der neutestamentlichen Texte heranzuziehen.

8. Auf dem Boden dieser Voraussetzungen sind nun besonders zwei Probleme zu nennen, die das 19. Jahrhundert gestellt hatte, deren Lösung uns weiterhin aufgegeben ist und die zum Schluß daher noch kurz erwähnt werden müssen. Am Anfang der geschichtlichen Arbeit des 19. Jahrhunderts steht die Erkenntnis, daß es notwendig ist, die Gestalt und Lehre des geschichtlichen Jesus auf wissenschaftlichem Wege zu erforschen, wenn man das Urchristentum in seiner Entwicklung verstehen will. Nachdem KARL HASE anhand der vier Evangelien eine psychologisch-genetische Biographie Jesu geschrieben hatte (1829), stellte D. F. STRAUSS (1835/36) die entscheidende Frage nach dem Geschichtswert der Evangelien und suchte nicht nur den größten Teil des Evan|gelienstoffes als historisch sekundäre Mythenbildung zu erweisen, sondern zeigte auch, daß im Johannesevangelium eine fortgeschrittene Form dieser Mythenbildung vorliegt. F. CHR. BAUR sicherte diese Erkenntnis durch den Nachweis (1847), daß das Johannesevangelium später entstanden sei, stellte aber zugleich fest, daß den synoptischen Evangelien ein relativ höherer geschichtlicher Wert zukomme. Diesen Beweisgang führte C. WEIZSÄCKER zu Ende, indem er den johanneischen Christus als „haggadisches Lehrstück" auf Grund des Glaubens an den Logos Gottes erklärte, die synoptische Tradition aber in die bewahrende

---

[39] O. PFLEIDERER, Das Urchristenthum, seine Schriften und Lehren, in geschichtlichem Zusammenhang beschrieben, 1886; H. GUNKEL, Schöpfung und Chaos in Urzeit und Endzeit, 1895; W. BOUSSET, Der Antichrist in der Überlieferung des Judentums, des NT und der alten Kirche..., 1895.

älteste Gemeinde zurückverfolgte[40]. Diese methodisch begründete Beschränkung unserer Quellen für den geschichtlichen Jesus auf die in den synoptischen Evangelien verarbeitete Überlieferung hat sich dann in der liberalen Jesusforschung am Ende des 19. Jahrhunderts unter starker Betonung der Markuspriorität durchgesetzt; von dieser Voraussetzung ging die Jesusforschung zu Beginn des 20. Jahrhunderts aus. Daß das von diesen Voraussetzungen aus entworfene liberale Jesusbild nicht haltbar war, hat bekanntlich ALBERT SCHWEITZER gezeigt, aber die methodische Voraussetzung wurde auch im Sinne SCHWEITZERS von diesem Nachweis nicht betroffen. Dieses Erbe des 19. Jahrhunderts ist jedoch gerade heute wieder in Frage gestellt, wenn beispielsweise ETHELBERT STAUFFER in seiner Darstellung der _Geschichte_ Jesu den Ablauf des Johannesevangeliums als gesicherten Rahmen benützt[41] oder wenn JOHN A. T. ROBINSON im Johannesevangelium eine „inaugurated eschatology" finden will, die derjenigen Jesu selbst entspricht, „a tradition of the teaching of Jesus which had never seriously undergone the tendency towards apocalyptic that we have seen reason to regard as a potent factor of distortion"[42]. Hier wird eine gültige Erkenntnis des 19. Jahrhunderts in unzulässiger Weise aufgegeben, obwohl gerade die Johannesforschung des 20. Jahrhunderts durch die Entdeckung der Zusammenhänge zwischen der johanneischen Sprache und der Gnosis uns erst die Mittel an die Hand gegeben hat, die Einordnung der johanneischen Theologie in die Spätzeit des Urchristentums endgültig zu bestimmen. Methodische Jesus|forschung muß gerade heute in ihrer quellenmäßigen Grundlegung an dieses Erbe des 19. Jahrhunderts anknüpfen.

Nun hat allerdings das 19. Jahrhundert im Zusammenhang der Jesusforschung nicht nur die Quellenfrage wesentlich gefördert, sondern auch eine theologisch bedeutsame Geschichtskonstruktion vertreten, die bis in unsere Tage weiter wirkt. Während REIMARUS gefordert hatte, „dasjenige, was die Apostel in ihren eigenen Schriften vorbringen, von dem, was Jesus in seinem Leben wirklich selbst ausgesprochen und gelehret hat, gänzlich abzusondern"[43], hatte F. C. BAUR als erster die Lehre Jesu als „die Grundlage und Voraussetzung von allem, was in die Entwicklungsgeschichte des christlichen Bewußtseins gehört", als „die Urperiode" der Lehre Paulus vorangestellt, bei dem „der einfache sittlich religiöse Inhalt der Lehre Jesu zu einem theologisch gestalteten und ausgebildeten Lehrbegriff geworden" ist[44]. E. REUSS hat dies dahin weitergeführt, daß das Evangelium Jesu keiner Nuance des Judentums homogen war, während für die ersten Jünger das Evangelium die Erfüllung der alten Religion war, die Verkündigung Jesu in der ältesten Gemeinde also dem Judentum wieder angeglichen wurde[45]. P. DE LAGARDE ging in der Fest-

---

[40] K. HASE, Das Leben Jesu. Ein Lehrbuch, 1829; D. F. STRAUSS, Das Leben Jesu kritisch bearbeitet, I. II, 1835/36; F. C. BAUR, Kritische Untersuchungen über die kanonischen Evangelien, ihr Verhältnis zu einander, ihren Charakter und Ursprung, 1847; C. WEIZSÄCKER a. Anm. 33 aO, S. 536.
[41] E. STAUFFER, Jesus, Gestalt und Geschichte, 1957.
[42] J. A. T. ROBINSON, Jesus and His Coming, 1957, S. 162f.
[43] A. Anm. 8 aO.
[44] F. C. BAUR, Vorlesungen über Neutestamentliche Theologie, 1864, S. 45, 122, 124.
[45] E. REUSS. Histoire de la théologie chrétienne au siècle apostolique I, 1852, S. 271 ff, 287.

stellung dieser religionsgeschichtlichen Differenzen noch einen Schritt weiter und bezeichnete Paulus als den „Unberufenen", der uns das Alte Testament in die Kirche gebracht und die Lehre Jesu judaisiert habe[46]. H. J. HOLTZMANN aber bezeichnete die Lehre der Urgemeinde im Gegensatz zu der Lehre Jesu als „pharisäisch-judenchristlich" und Paulus, den „secundären Religionsstifter", als verantwortlich dafür, daß „sich thatsächlich an die Verkündigung Jesu die christliche Dogmengeschichte anschließt"[47]. Damit wird über den religionsgeschichtlichen Gegensatz hinaus ein dogmatischer Graben zwischen Jesus und der Urkirche aufgerissen, und das 20. Jahrhundert sah sich vor die Aufgabe gestellt, den geschichtlichen und sachlichen Zusammenhang zwischen Jesus und der Urkirche sicherer zu bestimmen. |

Nun hat kürzlich E. STAUFFER die „konsequente Diakritik zwischen primärer Jesusüberlieferung und sekundärer Gemeindechristologie" als „das kritische Vermächtnis des 19. Jahrhunderts" bezeichnet und sich dabei gerade auf die eben genannten Forscher berufen. Er sucht nachzuweisen, daß solche Untersuchung „mit wachsender Klarheit den unendlichen qualitativen Unterschied zwischen Jesus von Nazareth und der Kirche seiner Apostel und Evangelisten" erkennen lasse[48]. Gegen diese Folgerung kann nur Verwahrung eingelegt werden. Denn auch wenn die Frage hier nicht beantwortet werden kann, ob sich die von STAUFFER angenommene Rejudaisierung und Qumranisierung der Jesusbotschaft wirklich nachweisen lasse, so ist nicht daran zu zweifeln, daß diese Annahme eines radikalen Unterschieds zwischen Jesus und der judaisierenden oder auch der dogmatisierenden Urgemeinde ein Gedanke des 19. Jahrhunderts ist, der einer *dogmatischen* Voraussetzung oder einer *a priori* feststehenden Depravationstheorie und nicht der strengen Beobachtung der Geschichte entsprungen ist, und es sind auch heute dogmatische oder weltanschauliche Motive, die diese These wieder aufkommen lassen[49]. Das Erbe des 19. Jahrhunderts, das es hier zu wahren gilt, ist die Einsicht, daß die Erkenntnis des geschichtlichen Jesus als sachliche Voraussetzung für das Verständnis des Urchristentums unerläßlich ist, und die neueste Diskussion um das Problem des geschichtlichen Jesus greift ein unverlierbares Vermächtnis des 19. Jahrhunderts wieder auf[50]. Aber der Charakter dieser Beziehung und die theologische Wertung dieses auf geschichtlichem Wege erkannten Zusammenhangs dürfen nicht von vornherein festgelegt werden.

9. Damit kommen wir zu dem zweiten uns aufgegebenen Problem, bei dem das

---

[46] P. DE LAGARDE, Deutsche Schriften, Gesamtausgabe letzter Hand, 1920[5], S. 60 ff.

[47] H. J. HOLTZMANN, Lehrbuch der Neutestamentlichen Theologie I, 1897, S. 351; II, 1897, S. 203, 208.

[48] E. STAUFFER, Das kritische Vermächtnis des Neunzehnten Jahrhunderts, ThLZ 84, 1959, S. 641 ff, bes. S. 646 f.

[49] Vgl. meinen Aufsatz: „Diakritik zwischen Jesus von Nazareth und dem Christusbild der Urkirche" in „Ein Leben für die Kirche. Zum dankbaren Gedächtnis an D. Johannes Bauer", 1960, S. 54 ff.

[50] Vgl. zu dieser Diskussion J. M. ROBINSON, Kerygma und historischer Jesus, 1960, und meinen Aufsatz: „Das Problem des geschichtlichen Jesus in der gegenwärtigen Forschungslage", in: „Der historische Jesus und der kerygmatische Christus", hrg. v. H. RISTOW u. K. MATTHIAE, 1960, S. 39–53.

Erbe des 19. Jahrhunderts in besonders starkem Maße unsere Weiterarbeit fordert. Das Problem des Mythos in der urchristlichen Verkündigung hatte, wie wir sahen, das 19. Jahrhundert vom 18. Jahrhun|dert übernommen. D. F. STRAUSS hatte den Begriff des Mythos in den Mittelpunkt seiner Kritik der Evangelienüberlieferung gestellt[51], dann aber war dieser Begriff in den Hintergrund getreten, bis am Ende des 19. Jahrhunderts die religionsgeschichtliche Schule die Einwirkung des heidnischen Mythos auf das urchristliche Denken nachwies[52]. Diese weit in das 20. Jahrhundert hineinreichenden Bemühungen stießen auf den scharfen Widerstand A. v. HARNACKS, der in diesen Forschungen eine „Überschätzung der mythologischen und folkloristischen Elemente" feststellte[53], ebenso auf den Widerstand PAUL WERNLES, der den Umweg über die hellenistischen Mythen und Mysterien zur Erklärung der paulinischen Kreuzestheologie als unnötig bezeichnete[54], fanden Kritik bei den konservativen Theologen[55], wurden jedoch stark gefördert durch RUD. BULTMANN und ERNST LOHMEYER, die auf den Einfluß orientalischer und gnostischer Mythologien bei Paulus, im Johannesevangelium und überhaupt im späteren Urchristentum hinwiesen[56]. Diese Forschungen wurden zum Gegenstand öffentlicher Diskussion, als R. BULTMANN auf dem Hintergrund dieser geschichtlichen Feststellungen die Forderung nach einer Entmythologisierung der neutestamentlichen Botschaft erhob[57]. Die daran sich anknüpfende und bis heute andauernde Diskussion ist bekannt[58]; die damit gestellte Frage kann hier nicht aufgegriffen wer|den. Es gilt nun aber gerade hier, das Erbe des 19. Jahrhunderts *sachgemäß* lebendig zu erhalten und an ihm weiterzuarbeiten. Denn die Aufgabe, die uns das 19. Jahrhundert gezeigt hat, kann auch an diesem Punkt nur die sein, das Vorhandensein und den geschichtlichen Sinn des Mythos so unvoreingenommen und sachlich wie möglich zu ermitteln und verständlich zu machen, aber nicht dabei stehen zu bleiben, sondern im Wissen um den für den Glaubenden richtungsweisenden Charakter des Neuen Testament als das Zeugnis der geschichtlichen Offenbarung Gottes nach der sachlichen Berechtigung und der bleibenden Bedeutung dieser mythischen Rede zu fragen[59]. Nicht in der Preisgabe oder Beschränkung geschichtlicher Forschung und nicht in der dogmatischen Bevormundung ihrer Resultate kann das Vermächtnis des 19. Jahrhunderts

---

[51] S. C. HARTLICH und W. SACHS, a. Anm. 10 aO, S. 121 ff und G. BACKHAUS, Kerygma und Mythos bei D. F. Strauß und R. Bultmann, 1959, S. 22 ff.

[52] S. die Hinweise bei W. G. KÜMMEL, a. Anm. 2 aO, S. 310 ff.

[53] A. v. HARNACK, Lehrbuch der Dogmengeschichte I, 1909⁴, S. 45.

[54] P. WERNLE, Jesus und Paulus, ZThK 25, 1915, S. 87 f.

[55] Vgl. z. B. P. FEINE, Das Christentum Jesu und das Christentum der Apostel in ihrer Abgrenzung gegen die Religionsgeschichte, Christentum und Zeitgeist 1, 1904, S. 61 f.

[56] R. BULTMANN, Die Bedeutung der neuerschlossenen mandäischen und manichäischen Quellen für das Verständnis des Johannesevangeliums, ZNW 24, 1925, S. 100 ff; E. LOHMEYER, Die Offenbarung des Johannes, 1926, S. 191 ff.

[57] R. BULTMANN, Neues Testament und Mythologie. Das Problem der Entmythologisierung der neutestamentlichen Verkündigung, 1941 (abgedruckt in „Kerygma und Mythos", hrsg. v. H. W. BARTSCH, I, 1948, S. 15 ff).

[58] S. die Literaturangaben in „Kerygma und Mythos", hrsg. v. H. W. BARTSCH, II, 1952, S. 209 ff und bei R. MARLÉ, Bultmann und die Interpretation des NTs, 1959, S. 199 ff. Ferner die Übersicht von G. GLOEGE, Verkündigung und Forschung 1956/57, 1957, S. 62 ff.

[59] Vgl. meinen Aufsatz: „Mythos im NT", ThZ 1950, S. 321 ff.

liegen, das es zu wahren gilt. Nur wenn wir die geschichtliche Fragestellung konsequent und ohne Scheu auf alle Bereiche des Neuen Testaments anwenden, fragen wir *sachgemäß* aus *dem* Glauben heraus, daß uns hier allein Gottes geschichtliche Offenbarung begegnen kann und nach seiner Verheißung auch begegnen wird.

DIAKRITIK ZWISCHEN JESUS VON NAZARETH
UND DEM CHRISTUSBILD DER URKIRCHE

I

Zu den wichtigsten und folgenreichsten Erkenntnissen der geschichtlichen Erforschung des Neuen Testaments gehört die Einsicht, daß zwischen der Verkündigung Jesu und den verschiedenen Formen der Christuspredigt der Urkirche wesentliche Unterschiede bestehen. Schon der englische Deist THOMAS CHUBB hatte 1738 die private Meinung der Apostel von dem zur Erlösung allein wichtigen klaren Evangelium Jesu unterschieden, und der Begründer einer streng geschichtlichen Darstellung der Entwicklung des Urchristentums, FERDINAND CHRISTIAN BAUR, hatte die Lehre Jesu, „eine den reinsten sittlichen Geist atmende Religion", als die Urperiode des Christentums der theologischen Lehre der Apostel von der Person Jesu gegenübergestellt. Als sich dann die Anschauung von Markus als dem ältesten Evangelium durchsetzte und auf dieser Erkenntnis das liberale Jesusbild errichtet wurde, konnte HEINRICH JULIUS HOLTZMANN der Verkündigung Jesu die Lehre der Urgemeinde als judenchristliches Mißverständnis und Jesus als dem primären Religionsstifter Paulus als den sekundären Religionsstifter gegenüberstellen[1]. Etwa zur gleichen Zeit bezeichnete PAUL DE LAGARDE das Bild Jesu, das uns die Evangelien überliefern, als „höchst kümmerlich, einseitig, karikierend" und Paulus als den „Unberufenen", der „uns das alte Testament in die Kirche gebracht…, uns mit der pharisäischen Exegese beglückt, … uns die jüdische Opfertheorie und alles, was daran hängt, ins Haus getragen" hat[2]. So war es konsequent, daß zu Beginn unseres Jahrhunderts die Frage nach dem Verhältnis von Jesus und Paulus lebhaft diskutiert und etwa von WILLIAM WREDE die These vertreten wurde, erst Paulus habe das Christentum zur Erlösungsreligion gemacht und sei als „der zweite Stifter der christlichen Religion zu betrachten"[3]. Diese radikale Auseinanderreißung von Jesus und Paulus war freilich schon damals auf Widerspruch gestoßen, und die neu einsetzende | Diskussion dieser Frage nach dem ersten Weltkrieg hatte zu der Erkenntnis geführt, daß trotz aller religionsgeschichtlichen Differenz und Weiterentwicklung der Lehre doch im wesentlichen eine Übereinstimmung zwischen der eschatologi-

---

[1] S. die Nachweise bei W. G. KÜMMEL, Das Neue Testament. Geschichte der Erforschung seiner Probleme, 1958, S. 60 ff, 175 ff, 240.

[2] P. DE LAGARDE, Deutsche Schriften, Gesamtausgabe letzter Hand, 1920⁵, S. 60 ff.

[3] S. dazu a. Anm. 1 aO, S. 367 ff.

schen Verkündigung bei Jesus und Paulus bestehe und daß die Verkündigung des Neuen Testaments nur durch die Zusammenschau der Geschichte und Verkündigung Jesu mit der Christusbotschaft der Urkirche zu einem richtigen Verständnis gebracht werden könne[4].

Nun war freilich diese Zusammenschau in den letzten Jahrzehnten vom Standpunkt jüdischen Glaubens aus stark in Frage gestellt worden. Joseph Klausner stellte dem Diasporajuden Paulus als dem bewußten Schöpfer und Organisator des Christentums Jesus gegenüber, der in seinem jüdischen Volk das Gottesreich verwirklichen wollte und bis zuletzt Jude blieb, während die Lehre des Paulus „einen Widerspruch zum Judentum und zugleich eine Aufhebung der jüdischen Nation bedeutet"[5]. Martin Buber erkennt einen Gegensatz zwischen Jesus und den Pharisäern auf der einen und dem zum hellenistischen Judentum gehörigen frühen Christentum auf der andern Seite und schildert den Glauben Jesu als Gottvertrauen (Emuna) im Unterschied zu dem für Paulus bezeichnenden griechischen „Glauben, daß es sich so verhält" (Pistis); er nennt darum Paulus „den eigentlichen Urheber der christlichen Glaubenskonzeption"[6]. Und Hans Joachim Schoeps, der freilich auch schon für Jesus auf Grund seines messianischen Anspruchs das Heraustreten aus dem Judentum konstatiert, nennt Paulus einen „den väterlichen Glaubensvorstellungen weit entfremdeten Assimilationsjuden der hellenistischen Diaspora", dessen „völliges Zerrbild vom jüdischen Gesetz | letzten Endes auf einem Mißverständnis beruht"[7]. Es ist nun aber bezeichnend, daß zwei dieser Kritiker des Paulus zugleich den Anspruch erheben, den Paulus ohne dogmatische Bindung von einem rein religionsgeschichtlichen und darum objektiven Standpunkt aus zu betrachten[8]. Denn dieser Anspruch beruht eindeutig auf einer Selbsttäuschung. Klausner gibt ja selber zu, daß sein „Gesichtspunkt als der eines Juden von demjenigen christlicher

[4] S. W. G. Kümmel, Jesus und Paulus, ThBl 19, 1940, 209 ff und die dort genannte Literatur. Vgl. dazu ferner J. Schniewind, Die Botschaft Jesu und die Theologie des Paulus, Nachgelassene Reden und Aufsätze, 1952, S. 16 ff und A. Fridrichsen, Jesus, St. John and St. Paul, in „The Root of the Vine", 1953, S. 37 ff (H. Ridderbos, Paulus en Jezus, 1957, sieht das Verhältnis zu problemlos und unkritisch).

[5] J. Klausner, Von Jesus zu Paulus, 1950 (bes. S. 535 ff) und dazu W. G. Kümmel, Jesus und Paulus. Zu Joseph Klausners Darstellung des Urchristentums, Judaica 4, 1948, S. 1 ff und O. Weinberger, ZMR 1954, S. 188 ff.

[6] M. Buber, Zwei Glaubensweisen, 1950, Vgl. dazu G. Schrenk, Martin Bubers Beurteilung des Paulus in seiner Schrift: „Zwei Glaubensweisen", Judaica 7, 1951, S. 241 ff; 8, 1952, S. 1 ff.

[7] H. J. Schoeps, Jésus et la Loi Juive, Revue d'histoire et de philosophie religieuses, 1953, S. 1 ff (bes. S. 19); Ders., Paulus. Die Theologie des Apostels im Lichte der jüdischen Religionsgeschichte, 1959, S. 278, 210.

[8] „Meine Einstellung zum Leben und zur Lehre Jesu, ebenso wie zur Geschichte Pauli, ist ... in erster Reihe die eines Historikers, für den die Theologie nur eine Hilfswissenschaft ist" (J. Klausner, a. Anm. 5 aO, S. 249 Anm. 7). „Ich empfinde es als einen Vorteil, an die Betrachtung der paulinischen Theologie als unabhängiger Religionshistoriker heranzugehen, der auch dem Judentum gerecht zu werden wünscht, aus dem Paulus hergekommen ist" (H. J. Schoeps, Paulus, S. V, vgl. auch S. 278). M. Buber dagegen bezeichnet Jesus als „meinen großen Bruder", dem „ein großer Platz in der Glaubensgeschichte Israels zukommt" und bekennt sich zur Geborgenheit des „unerlösten" Juden, nimmt also gerade als „unbefangener Leser" des Neuen Testaments einen bewußt jüdischen Standpunkt ein (a. Anm. 6 aO, S. 11, 173).

Forscher ... verschieden sein muß", und betont, daß das Judentum die Lehre des Paulus niemals hätte annehmen können[9]. Und SCHOEPS bezeichnet die paulinische Gesetzes- und Rechtfertigungstheologie als „verhängnisvolles Mißverständnis" und das Neue Testament als „Frohbotschaft nur für die Völkerwelt"[10]. Es scheint also gar nicht möglich zu sein, das Verhältnis der Verkündigung Jesu zu der zunächst bei Paulus greifbaren Christusbotschaft der Urkirche ins Auge zu fassen, ohne dabei eine theologische Stellungnahme bewußt oder unbewußt einzunehmen.

Dieser Sachverhalt ist im Auge zu behalten, wenn wir hören, daß die Forderung, die wesentliche Zusammengehörigkeit von Jesus und der Christusbotschaft der Urkirche kritisch in Frage zu stellen, neuerdings auch von christlicher Seite wieder mit großer Eindringlichkeit erhoben worden ist. ETHELBERT STAUFFER hat die Frage: „Ist die Christusbotschaft der Urkirche eine Bezeugung oder Verfälschung Jesu von Nazareth, seiner Gestalt, Geschichte und Botschaft?" als das „Grundproblem der neutestamentlichen Forschung seit ihren Anfängen" bezeichnet und als die wichtigsten | Vertreter dieser „kritischen Zentralfrage" die Deisten, F.C.BAUR, vor allem aber P. DE LAGARDE, W.WREDE, die Synoptikerkritik von ADALBERT MERX und als Bestärkung der Richtigkeit dieser Fragestellung die formgeschichtliche Evangelienforschung genannt. Er sieht diese „konsequente Diakritik zwischen primärer Jesusüberlieferung und sekundärer Gemeindechristologie" als „die theologischste Aufgabe der Theologie" an, die wir aber nur dann erfüllen können, „wenn wir Historiker sind und bleiben, nicht mehr und nicht weniger", weil die Wissenschaft vom Neuen Testament „ausschließlich eine historische Disziplin" ist (LAGARDE hatte das von der ganzen Theologie behauptet!). Schließen wir uns diesen methodischen Voraussetzungen STAUFFERS an, „dann wird uns die Einheit der neutestamentlichen Verkündigung fraglich, und wir erkennen mit wachsender Klarheit den unendlichen qualitativen Unterschied zwischen Jesus von Nazareth und der Kirche seiner Apostel und Evangelisten". Dann verliert auch der traditionelle Kanonbegriff, „bekanntlich ein Erbstück aus der Synagoge", „mehr und mehr seinen Sinn", und nicht mehr Paulus entscheidet, „ob und in welchem Sinn in der Kirche Jesu Christi von Jesus die Rede sein darf"[10a]. Es sei dahingestellt, ob die neutestamentliche Wissenschaft wirklich vor dieser konsequenten Diakritik zurückschrickt „wie vor der Enthüllung des verschleierten Bildes von Sais", aber STAUFFERS methodische Forderungen verlangen auf alle Fälle in doppelter Hinsicht eine Besinnung: a) Besteht die Möglichkeit einer solchen Diakritik zwischen Jesus und der Urkirche? Und b) Ist das Resultat wirklich die Konstatierung eines unendlichen qualitativen Unterschieds, der auf rein historischem Wege festgestellt werden kann? Beide Fragen können in diesem Rahmen nur in ganz großen Zügen ins Auge gefaßt werden.

---

[9] J.KLAUSNER, a. Anm. 5 aO, S. 15, 560.
[10] H.J.SCHOEPS, Paulus, S. 230, 273.
[10a] E.STAUFFER, Das kritische Vermächtnis des neunzehnten Jahrhunderts, ThLZ 84, 1959, S. 644ff.

II

Die Forderung einer konsequenten Diakritik zwischen der Verkündigung Jesu und der Christusbotschaft der Urkirche setzt die Beantwortung der methodischen Frage nach dem theologischen Recht und der konkreten Möglichkeit voraus, die Verkündigung und Gestalt des geschichtlichen Jesus aus der evangelischen Berichterstattung zu erheben und von der Christusverkündigung der Urkirche eindeutig zu unterscheiden. Nun ist in der neuerdings sehr lebhaft geführten Diskussion über das Problem des | historischen Jesus[11] vor allem das theologische Recht dieser Fragestellung diskutiert worden, d. h. man hat gefragt, ob die Erkenntnis des geschichtlichen Jesus für den auf die Verkündigung der Urkirche antwortenden Glauben überhaupt von Bedeutung sei. Auf diese Fragestellung soll hier nicht näher eingegangen, es soll dazu nur gesagt werden[12], daß die Frage nach dem geschichtlichen Jesus nicht nur geschichtswissenschaftlich unausweichlich, sondern auch theologisch darum notwendig ist, weil der reflektierende Glaube über die Rechtmäßigkeit der Rückbeziehung des Kerygmas auf den geschichtlichen Jesus Klarheit zu erlangen versuchen muß. Denn wenn es auch zutrifft, daß „der Glaube aus der Predigt und nicht aus der Kenntnis der Geschichte erwächst", so erfährt doch „die urchristliche Predigt durch die Feststellung der Kontinuität mit der Geschichte Jesu den Schutz gegenüber dem Verdacht einer selbständigen Konzeption"[13]. Um so wichtiger ist daher die Frage nach der Möglichkeit einer geschichtswissenschaftlich haltbaren Darstellung der Gestalt und Verkündigung Jesu. Hier kann zunächst nur erneut daran erinnert werden, was freilich in der Praxis der Jesusforschung immer wieder vergessen wird, daß unsere aus Einzelstücken zusammengefügte und ausschließlich im Interesse der Verkündigung geformte Überlieferung eine Darstellung der *Geschichte* Jesu als einer biographischen Entwicklung so wenig erlaubt wie eine unkritische Verwendung der überlieferten Jesusworte für eine Rekonstruktion seiner Verkündigung. Aber gerade wenn das anerkannt ist, wird die Frage unausweichlich, welche Kriterien es uns ermöglichen, zu dem ältesten und der geschichtlichen Wirklichkeit nächststehenden Überlieferungsbestand vorzudringen. Dem neuerdings mehrfach genannten Maßstab, daß als echt nur das anerkannt werden könne, was sich weder aus der jüdischen Umwelt Jesu noch aus den Anschauungen der ältesten Gemeinde ableiten lasse, muß man entgegenhalten, daß Übereinstimmungen | mit der Umwelt noch durchaus kei-

---

[11] Die Literatur zu dieser Frage verzeichnen: J. Schneider, Die Frage nach dem geschichtlichen Jesus in der neutestamentlichen Forschung der Gegenwart, 1958; B. Rigaux, L'historicité de Jésus devant l'exégèse récente, RB 65, 1958, S. 481 ff; J. M. Robinson, A New Quest of the Historical Jesus, 1959; R. Schnackenburg, Jesusforschung und Christusglaube, Catholica 13, 1959, S. 1 ff; J. Jeremias, Das Problem des historischen Jesus, 1960.

[12] S. dazu W. G. Kümmel, Das Problem des geschichtlichen Jesus in der gegenwärtigen Forschungslage, in: Der historische Jesus und der kerygmatische Christus, hrg. v. H. Ristow u. K. Matthiae, 1960, S. 39–53.

[13] H. W. Bartsch, Das historische Problem des Lebens Jesu, 1960, S. 29 f.

nen grundsätzlichen Anlaß zur kritischen Anfechtung geben und daß die Erweiterung unserer Kenntnisse der Umwelt durch neue Funde die Anwendbarkeit dieses Maßstabs erst recht fraglich macht[14]. STAUFFER hat in Abwandlung dieser Ansicht die These vertreten, „daß die unjüdischen und antijüdischen Herrenworte die echtesten" seien und daß darum die Aufgabe der Jesusforschung die „Entjudaisierung der Jesusüberlieferung" sei[15], und er hat diese These noch dahin präzisiert, daß alle Jesusworte echt sein müßten, die den Palästinajuden oder Palästinachristen ein Ärgernis waren[16]. Aber gegen dieses Kriterium muß auf alle Fälle der Einwand erhoben werden, daß dabei völlig übersehen ist, daß Jesus zweifellos in den Begriffs- und Vorstellungsformen seiner Zeit geredet haben muß, und daß darum eine Übereinstimmung mit den Anschauungen des zeitgenössischen Judentums keineswegs ein Einwand gegen die Herkunft einer Aussage von Jesus sein kann, daß vielmehr eine Abweichung von dem Sprach- und Vorstellungsgut der palästinischen Umwelt gegen die Herkunft eines Gedankens von Jesus bedenklich machen muß.

Zwei Beispiele mögen diesen Sachverhalt illustrieren. Nach STAUFFERS Meinung[17] kann das Wort „Für jedes nichtige Wort, das die Menschen reden werden, werden sie am Gerichtstag Rechenschaft ablegen müssen" (Mt 12, 36, Sondergut) nicht auf Jesus zurückgehen, weil Jesus nicht gesagt haben kann, daß jedes nichtssagende Wort (das der Sinn von πᾶν ῥῆμα ἀργόν) beim Gericht verantwortet werden müsse, und weil die Forderung auf Schweigsamkeit und Unterlassung törichter Worte aus der Welt der jüdischen Ordensgemeinde stammt. Das Mt 12, 37 angeschlossene Wort „Auf Grund deiner Worte wirst du gerecht gesprochen und auf Grund deiner Worte wirst du verurteilt werden" ist ein altes Sprichwort, das erst Matthäus angehängt hat. Voraussetzungen dieser Argumentation sind die reich belegten Behauptungen, daß ἀργός nichts anderes heißen könne als „unnütz" und daß Mt 12, 36 im Sinne der Qumrangruppe die Forderung auf Schweigsamkeit vertrete. Nun heißt ἀργός zwar | in der Mehrzahl der Fälle „untätig, faul, nutzlos", aber diese Bedeutung nähert sich mehrfach dem Sinn von „nichtsnutzig, schädlich"[18], und außerdem läßt sich das zugrunde liegende aramäische Wort schwerlich sicher bestimmen[19]. Es besteht also keinerlei Notwendigkeit, als den einzig möglichen Sinn des Spruches Mt 12, 36 die Pflicht der Verantwortung für das Aussprechen von Nichtigkeiten hinzustellen. Andererseits *kann* zwar Mt 12, 37 ein Sprichwort sein, doch ist das nicht wirklich nachgewiesen, und auch der Wechsel in die 2. Person zwingt nicht zu der

---

[14] S. meinen Anm. 12 genannten Aufsatz und H. W. BARTSCH, a. Anm. 13 aO, S. 13.

[15] E. STAUFFER, Die Botschaft Jesu, damals und heute, 1959, S. 10, 16.

[16] E. STAUFFER, Das Evangelium vom barmherzigen Gott in Qumran und in der Botschaft Jesu, Deutsches Pfarrerblatt 60, 1960, S. 73ff, 103ff, 126ff, 150ff (bes. S. 103).

[17] E. STAUFFER, Von jedem unnützen Wort?, Gott und die Götter, die Festgabe für E. Fascher, 1959, S. 94ff.

[18] Plato, de re publ. 572 e ἔρως ... προστάτης τῶν ἀργῶν καὶ τὰ ἕτοιμα διανεμομένων ἐπιθυμῶν; Jos. bell. Jud., IV § 137 πλήθει ἀχρήστῳ καὶ ἀργῷ (Gegensatz dazu „die Kämpfer"); Jos. bell. Jud. IV § 309: statt den Verteidigern Jerusalems zu Hilfe zu kommen, ἀργὰ ἀντεβόων (sc. die Menge) καὶ ἀντωλοφύροντο (= sie jammerten wechselweise); Philo, de conf. ling., § 43: die Anhänger der Vernunft und der Tugenden εὔδιον καὶ γαληνὸν βίον ζῶσιν, οὐ μὴν ἀργὸν καὶ ἀγενῆ τινα, ἀλλὰ σφόδρα ἀνδρεῖον.

[19] Vgl. A. JÜLICHER, Die Gleichnisreden Jesu II, 1910, S. 126.

Annahme, daß 12, 37 nicht von jeher die verallgemeinernde Erläuterung von 12, 36 gewesen ist[20]. Dann ergibt sich aber, daß keinerlei Veranlassung dazu vorliegt, Mt 12, 36 als Ausdruck der „Schweigedisziplin" zu deuten. Die rabbinischen Parallelen für den Gedanken der Verantwortlichkeit für jedes Wort vor Gottes Gericht[21] führen vielmehr darauf, daß Jesus in Mt 12, 36 f in der Sprache seiner Umwelt den Gedanken ausdrücken wollte, dem Mt 5, 37 (korrigiert nach Jak 5, 12) in anderer Weise Ausdruck verleiht, daß *alles* Reden des Jüngers so geschehen solle, daß daraus die Gesinnung des vor Gott stehenden und auf die Gottesherrschaft zugehenden Menschen eindeutig erkennbar wird (vgl. Mt 6, 33; Lk 17, 7–10)[22]. Es zeigt sich darum an diesem Beispiel, daß die formale Übereinstimmung dieses Wortes mit der palästinischen Umwelt Jesu keineswegs ein Grund zu einer kritischen Anfechtung dieses Wortes ist.

Umgekehrt aber kann das Fehlen solcher Übereinstimmung gerade kritisch bedenklich machen. Stauffer weist darauf hin, daß die Offenbarungsworte Mt 11, 25–30 mit qumranischen Begriffen durchsetzt seien, daß aber der Satz „Niemand kennt | den Vater als allein der Sohn" weder im Palästinajudentum noch in der Urkirche entstanden sein, daß vielmehr diesen Satz nur Jesus gesagt haben könne und daß Jesus diesen Offenbarungsanspruch in der Terminologie der Qumranlieder wohl als antiqumranisches Kampfwort gegen den Offenbarungsanspruch des Meisters von Qumran geäußert habe; auf Grund dieses Sachverhalts könne dann der ganze Kontext von Jesus stammen[23]. Nun hat sich gegen die oft vertretene Anschauung, das „johanneische" Wort vom Erkennen des Sohnes durch den Vater und des Vaters durch den Sohn lasse sich religionsgeschichtlich nur aus dem Hellenismus erklären[24], neuerdings wieder verstärkt die Behauptung erhoben, die hier begegnende Vorstellung vom Erkennen des Vaters durch den „Sohn" sei aus palästinisch-jüdischen Voraussetzungen (Apokalyptik, Weisheitslehre, Qumran) erklärlich, und darum sei dieses Wort für eine Äußerung Jesu zu halten[25]. Stauffer schließt sich hier also einer in

---

[20] Die bei T. W. Manson, Sayings of Jesus, 1949, S. 191 angeführte Parallele Sprüche Achiqars 123 f ist formal völlig anders gestaltet.

[21] (Strack)-Billerbeck, Kommentar zum Neuen Testament aus Talmud und Midrasch I, 1922, S. 639 f.

[22] Die Beziehung des Doppelspruchs Mt 12, 36 f auf Äußerungen gegenüber Jesus und seinem Wirken ist willkürlich (gegen W. Beilner, Christus und die Pharisäer, 1959, S. 61).

[23] E. Stauffer, Jesus. Gestalt und Geschichte, 1957, S. 124 ff; Ders., a. Anm. 16 aO, S. 103 f.

[24] S. W. G. Kümmel, Verheißung und Erfüllung, 1956³, S. 34 f (dort auch die ältere Literatur). Ähnlich seither noch S. E. Johnson, The Gospel According to St. Matthew, The Interpreter's Bible 7, 1951, S. 387; E. Schweizer, Erniedrigung und Erhöhung bei Jesus und seinen Nachfolgern, 1955, S. 87 f; G. Bornkamm, Jesus von Nazareth, 1956, S. 204 f; H. E. Tödt, Der Menschensohn in der synoptischen Überlieferung, 1959, S. 236. – Die Frage der Echtheit lassen offen R. H. Fuller, The Mission and Achievement of Jesus, 1954, S. 89 ff; E. Sjöberg, Der verborgene Menschensohn in den Evangelien, 1955, S. 184 ff, 230 ff.

[25] Vgl. etwa J. Dupont, Gnosis, 1949, S. 58 ff; E. Percy, Die Botschaft Jesu, 1953, S. 259 ff; W. D. Davies, „Knowledge" in the Dead Sea Scrolls and Matthew 11, 25–30, Harvard Theological Review 46, 1953, S. 113 ff; L. Cerfaux, Les sources scripturaires de Mt, XI, 25–30, Ephemerides Theologicae Lovanienses 30, 1954, S. 740 ff; 31, 1955, S. 331 ff; A. Feuillet, Jésus et la sagesse divine, Revue Biblique 62, 1955, S. 169 ff; W. Grundmann, Die Geschichte Jesu Christi, 1956, S. 80 f; O. Cullmann, Die Christologie des Neuen Testaments, 1957, S. 293 f; F. Gils, Jésus prophète d'après les évangiles synoptiques, 1957, S. 78 ff.

vielen Varianten vertretenen Anschauung der heutigen Forschung an. Aber es ist bezeichnend, daß STAUFFER in seinem Beweisgang für die Herkunft des Spruches von Jesus nur von dem Sätzchen „Niemand kennt den Vater als allein der Sohn" ausgeht und daß andere Forscher auf Grund problematischer textkritischer Argumente den parallelen Satz „niemand kennt (oder ‚kannte') den Sohn außer dem | Vater" als Zusatz streichen wollen[26]. Denn in dem Parallelismus vom Kennen des Sohnes durch den Vater und des Vaters durch den Sohn kann man unmöglich „erkennen" zunächst im Sinne von „erwählen" und dann im Sinne von „glauben" und „gehorchen" erklären[27], die Entsprechung von Erkennen auf Grund des Erkanntseins hat aber nach wie vor in den palästinajüdischen Texten keine Parallele. Und außerdem ist der absolute Gebrauch von „der Sohn" im Munde Jesu darum unmöglich, weil „Sohn Gottes" kein jüdischer Messiastitel gewesen ist[28]. Damit ist aber gegeben, daß das ursprünglich nicht zu dem Kontext von Mt 11, 25f und 11, 28–30 gehörige Wort Mt 11, 27 gerade darum nicht von Jesus stammen kann, weil es *nicht* in die Umwelt Jesu paßt, sondern frühchristlich-hellenistische Gedanken aufnimmt. Das Kriterium, daß nur das sicher von Jesus stamme, was im Gegensatz zu seiner Umwelt steht, ist daher nur mit großen Einschränkungen zu gebrauchen.

HANS-WERNER BARTSCH, der dieses Kriterium ablehnt, ist der Meinung, daß wir zu einer sicheren Bestimmung der Wirksamkeit und Lehre Jesu nur kommen können, wo die Berichte sich als Voraussetzungen erklären lassen für das Bekenntnis der Gemeinde zu dem nicht ausgewiesenen Ruf Jesu in die Nachfolge, den die Jünger bei Lebzeiten Jesu nicht richtig verstanden. Zur Bestimmung der Echtheit einzelner Sprüche könnten wir dagegen höchstens vermutungsweise vordringen, „das Selbstbewußtsein Jesu ist weder historisch faßbar noch theologisch relevant"[29]. Aber so richtig der Ausgangspunkt ist, daß wir immer nur von der Verkündigung der Gemeinde ausgehen können, so unrichtig ist die Voraussetzung, daß nur dort die Verkündigung Jesu sicher greifbar sei, wo die Gemeinde von der Zweideutigkeit des Eindrucks Jesu und von ihrem eigenen Versagen diesem Anspruch gegenüber sich Rechenschaft gibt. Es besteht gar kein Grund zur *grundsätzlichen* Anzweiflung der Überlieferung, und die Aufgabe | des Forschers kann nur sein, zur ältesten erreichbaren Überlieferung mit Hilfe formgeschichtlicher, traditionsgeschichtlicher, religionsgeschichtlicher Fragestellungen vorzudringen und dabei auf Besonderheiten der Rede und des Verhaltens Jesu im Vergleich zu seiner Umwelt wie zur späteren christlichen Gemeinde ebenso zu achten wie auf den inneren Zusammenhang der so herausgestellten ältesten Überlieferungsschicht. Es besteht, wie die Erfahrung zeigt,

---

[26] Vgl. P.WINTER, Matthew XI 27 and Luke X 22 from the First to the Fifth Century, Novum Testamentum 1, 1956, S. 112ff; W.GRUNDMANN, a. Anm. 25 aO.

[27] So R.H.FULLER, a. Anm. 24 aO.

[28] E.SJÖBERG, a. Anm. 24 aO, S. 231 redet darum von einem „zufälligen Gebrauch der absoluten Termini ‚der Vater' und ‚der Sohn' "; und auch A. S. VAN DER WOUDE, Die messianischen Vorstellungen der Gemeinde von Qumran, 1957, S. 163f hat nicht nachgewiesen, daß die messianische Deutung von 2Sam 7, 14 in dem Qumranfragment 4 Q Flor (veröffentlicht im JBL 1956, S. 176f) den Messiastitel „Sohn Gottes" vorbildet.

[29] H.-W.BARTSCH, a. Anm. 13 aO, S. 24, 29.

bei aller Unsicherheit solcher Untersuchung durchaus die Möglichkeit einer methodisch begründeten und überzeugenden Unterscheidung zwischen der Verkündigung
Jesu und der Christusverkündigung der Urkirche.

III

Aber ergibt sich als Resultat einer solchen Unterscheidung nun wirklich auf rein
historischem Wege ein unendlicher qualitativer Unterschied, wie STAUFFER behauptet? Schon die wenigen Hinweise auf die Behandlung des Verhältnisses von Jesus
und Paulus seit der Aufklärungszeit zu Beginn dieses Aufsatzes dürften gezeigt
haben, daß immer eine bestimmte dogmatische oder weltanschauliche Voraussetzung
die Triebfeder zu einer mehr oder weniger radikalen Abgrenzung der Urkirche und
besonders des Paulus von der grundsätzlich als überlegen angenommenen Verkündigung und Person Jesu gewesen ist. Das läßt sich nun leicht auch bei STAUFFER erkennen. Es ist nicht das Christusdogma wie bei den Aufklärern, den Liberalen und
den jüdischen Forschern, es ist ähnlich wie bei LAGARDE ,,der große Rejudaisie-
rungsprozeß der ältesten Jesustradition", die ,,progressive Qumranisierung der
Jesusüberlieferung", die ,,Judaisierung des Urchristentums", von der STAUFFER
Jesus befreien möchte[30], weil ,,Jesus das Maß aller Dinge…, das Maß des neutestamentlichen Kanons, das Maß der paulinischen und johanneischen Theologie, das
Maß der synoptischen Evangelien, das Maß aller Jesustradition und Christusverkündigung" ist[31]. Damit ist aber eine dogmatische Position bezogen, auf Grund von
deren ,,Vorverständnis" Jesus von der judaisierenden Verfälschung der Evangelientradition befreit werden muß, Paulus die Rolle bestritten wird, darüber zu entscheiden, ,,ob und in welchem Sinn in der Kirche Jesu Christi von Jesus die Rede sein
darf", und ,,der traditionelle Kanons|begriff mehr und mehr seinen Sinn verliert"[32].
Nun kann die Frage, ob trotz der Einsicht in die Widersprüche zwischen den neutestamentlichen Schriften auch der historisch denkende Theologe auf die kritisch
zu beschränkende Norm des neutestamentlichen Kanons nicht verzichten kann oder
ob der Kanonsbegriff radikal aufgegeben werden sollte, hier nicht behandelt werden[33]. Wohl aber muß auf zwei Tatbestände aufmerksam gemacht werden, die STAUF-
FERS ,,Vorverständnis" als unhaltbar erscheinen lassen.

1. Die Annahme einer fortschreitenden Rejudaisierung der Jesusüberlieferung
und überhaupt des ganzen Urchristentums kann sich zwar auf die bekannten Tat-

---

[30] E. STAUFFER, Jesus, S. 11; DERS., Die Botschaft Jesu. damals und heute, S. 9.

[31] E. STAUFFER, Neue Wege der Jesusforschung, WZ der Martin-Luther-Universität Halle-
Wittenberg, Gesellschafts- und sprachwissenschaftliche Reihe VII, 2, 1958, S. 453.

[32] E. STAUFFER, a. Anm. 10a aO, S. 647f.

[33] S. W. G. KÜMMEL, Notwendigkeit und Grenze des neutestamentlichen Kanons, ZThK
47, 1950, S. 277 ff und dazu E. KÄSEMANN, Begründet der neutestamentliche Kanon die Einheit der Kirche?, EvTh 11, 1951/52, S. 13 ff; O. WEBER, Grundlagen der Dogmatik I, 1955,
S. 274 ff; J. K. S. REID, The Authority of Scripture, 1957, S. 234 ff; H. BRAUN, Hebt die heutige neutestamentlich-exegetische Forschung den Kanon auf?, Fuldaer Hefte 12, 1960,
S. 9 ff.

sachen der Aufnahme jüdischer oder judenchristlicher Gedanken im Matthäusevangelium, im Jakobusbrief und in der Apokalypse berufen, auf die Verwandtschaft der Lebensformen der Urgemeinde mit Lebensformen pharisäischer und sektiererischer Kreise, auch auf das Eindringen des jüdischen Traditionsdenkens im nachapostolischen Zeitalter. Und auch darüber kann ja kein Zweifel herrschen, daß die Verkündigung Jesu von der den Sünder suchenden Gottesliebe ebenso wie die Rechtfertigungslehre des Paulus der jüdischen Heilslehre radikal entgegenstehen[34]. Aber die von STAUFFER vertretenen Annahmen, daß Jesus von einem bestimmten Zeitpunkt seiner Wirksamkeit an mit der Täufertradition gebrochen und von da an eine neue Moral verkündet habe, die grundsätzlich nicht mehr an die Tora gebunden ist, während nach der verfälschenden Evangelientradition Jesus Toraexegese treibt, daß Jesu Bekenntnis „Ich bin er" (d. h. Gott) die Ungeschichtlichkeit des Messiasanspruchs und der Verkündigung der nahen Gottesherrschaft durch Jesus beweise und daß „die paulinische Gehorsamsethik mit Jesus von Nazareth nichts zu tun" habe[35], beruhen nicht auf | der Beobachtung der Quellen, sondern auf der *Voraussetzung,* zwischen Jesus und dem Judentum bestehe ein in jeder Hinsicht radikaler Gegensatz[36]. Die Folge ist eine Fülle von willkürlichen Textänderungen und Unechterklärungen[37], zu deren Begründung vielfach nur auf die Übereinstimmung mit jüdischen Vorstellungen verwiesen wird. Dabei wird aber völlig die eschatologische Verkündigung von Gottes Heilstat in Jesus Christus am Ende der Zeiten übergangen, die Jesus, die Urgemeinde und Paulus verbindet[38], und darum auch der Tatbestand, daß Jesus sich als den Erfüller der alttestamentlichen Heilsoffenbarung Gottes wußte. Ein radikaler Gegensatz zwischen der Verkündigung Jesu und der Christuspredigt der Urkirche läßt sich darum nur gewaltsam herausstellen.

2. STAUFFER setzt voraus, daß die konsequente Diakritik zwischen Jesus und der Gemeindechristologie eine rein historische Aufgabe sei, deren Erfüllung „eine refor-

---

[34] Vgl. etwa H. BRAUN, Spätjüdisch-häretischer und frühchristlicher Radikalismus II, 1957; DERS., Art. Christentum I. Entstehung, RGG I, 1957³, S. 1685ff.

[35] E. STAUFFER, Jesus, S. 64, 127f, 144; DERS., Die Botschaft Jesu, damals und heute, S. 18.

[36] Es ist verblüffend, wie stark sich STAUFFER in seiner Grundanschauung mit früheren Arbeiten von W. GRUNDMANN (Jesus der Galiläer und das Judentum, 1940; Aufnahme und Deutung der Botschaft Jesu im Urchristentum, 1941) berührt. Vgl. meine Kritik GRUNDMANNS in der ThR, NF. 17, 1948, S. 105ff.

[37] Nur zwei Beispiele. a) Die Antithesen Mt 5, 21–48 gehen in der Form alle auf Matthäus zurück, von Jesus stammt nur das Gebot der Feindesliebe; Mt 6, 1–7, 27 ist ein judenchristlicher Katechismus, „mit Jesus hat diese Extramoral so gut wie nichts mehr zu tun." „Jedenfalls aber kann die Rejudaisierung des Christentums garnicht triumphaler in Erscheinung treten als hier" (E. STAUFFER, Die Botschaft Jesu, damals und heute, S. 39). b) In der Bilderrede vom Weltgericht Mt 25, 31ff fragt Jesus „nach Taten der Menschlichkeit"; der jungen Christengemeinde war das aber ein Ärgernis, und Matthäus hat die Bilderrede vom Weltgericht umgedeutet, indem er in 25, 40 die Worte τῶν ἀδελφῶν μου einschiebt. „Was ein Mensch für die armen und verfolgten Brüder in der jungen Christengemeinde getan hat, das zählt. Was man an anderen Menschen getan oder versäumt hat, das gilt nicht. Kommentar überflüssig" (E. STAUFFER, a. Anm. 16 aO, S. 126).

[38] Vgl. die Andeutungen in W. G. KÜMMEL, Futurische und präsentische Eschatologie im ältesten Urchristentum, NTS 5, 1958/59, S. 113ff.

matorische Selbstkritik der Kirche ermöglicht[39]. Nun ist es zweifellos nicht Sache des Historikers, eine konsequente Diakritik zwischen Jesus und der Urkirche zu *fordern*, da ja historisch a priori völlig offen bleiben muß, ob zwischen Jesus und der Urkirche eine glatte Weiterentwicklung, eine allmähliche Umbildung oder ein radikaler Bruch | stattfand. Hinter dieser Forderung einer konsequenten Diakritik steht vielmehr die theologische Vorentscheidung, daß die Predigt Jesu und nicht die Botschaft der Urkirche für uns maßgeblich sei, und nicht eine historische, sondern eine dogmatische Vorbesinnung hätte zu klären, ob diese Vorentscheidung sachgemäß ist oder nicht[40]. Freilich muß eine solche dogmatische Vorbesinnung die historischen Tatbestände sorgfältig in Betracht ziehen. Nun hat die historische Forschung der letzten Jahrzehnte, auf die sich auch STAUFFER immer wieder beruft, nachgewiesen, daß wir dem geschichtlichen Jesus in unsern Quellen überhaupt nicht unabhängig von dem in den Evangelien und den sonstigen Schriften der Urkirche niedergelegten Zeugnis begegnen, daß der „geschichtliche Jesus" uns also nur durch hypothetischen Rückgang hinter die Quellen zugänglich ist. Und ganz gewiß ist es eine der wichtigsten Aufgaben der Theologie, dieses Zeugnis der Urkirche nach Möglichkeit daraufhin zu befragen, ob der Rückweis des urchristlichen Zeugnisses auf Jesus von Nazareth sich als zu Recht bestehend erweisen läßt oder nicht[41]. Der Glaube und die Verkündigung der Kirche aber können sich nicht auf die notwendigerweise wechselnden und unsicheren Resultate solcher kritischen Prüfung richten, sie haben ihren Grund in der Verkündigung der apostolischen Zeugen, der Evangelisten ebenso wie des Paulus und anderer neutestamentlicher Schriften, die vom Osterglauben her die eschatologische Sendung Jesu zu bezeugen ver|mögen. Die Frage nach dem historischen Jesus kann diese Begründung des Glaubens prüfen und reinigen, nicht aber ersetzen. Darum kann die Forderung einer konsequenten Diakritik zwischen Jesus von Nazareth und der Christusbotschaft der Urkirche auf Grund der Quellenlage nur sehr unvollkommen erfüllt werden und würde, auch wenn die Quellenlage anders beschaffen wäre, das erstrebte Ziel einer reformatorischen Selbstkritik der Kirche notwendigerweise verfehlen.

[39] E. STAUFFER, a. Anm. 10a aO, S. 646.
[40] Darauf verweist mit Recht H. BRAUN, RGG I, 1957³, S. 1686.
[41] G. SCHNEIDER, Kernprobleme des Christentums. Eine Studie zu Paulus, Evangelium und Paulinismus, 1959, sucht an einer temperamentvollen Exegese von Röm 3, 21 ff nachzuweisen, daß der richtig verstandene Paulus (im Gegensatz zum traditionellen Paulinismus) sich in voller Übereinstimmung mit Jesus befindet. Aber so richtig sein Nachweis ist, daß die Satisfaktionstheorie des Anselm von Canterbury zu Unrecht in Röm 3, 21 ff eingetragen wird, so fragwürdig ist seine Übersetzung und Auslegung dieser Stelle an vielen Punkten, da die sprachlichen und begriffsgeschichtlichen Fragen in durchaus unzureichender Weise behandelt werden (weder W. G. KÜMMEL, πάρεσις und ἔνδειξις, ZThK 49, 1952, S. 154 ff noch ST. LYONNET, Le sens de πάρεσις en Rom 3, 25, Bibl 38, 1957, S. 40 ff noch L. MORRIS, The Meaning of ἱλαστήριον in Romans III. 25, NTS 2, 1955/56, S. 33 ff sind benutzt). SCHNEIDER hat darum nicht nachweisen können, daß im Sinne des Paulus „die Grundlage des Christentums der Tod und Grab überdauernde Gottglaube Jesu" ist (S. 240), so sympathisch seine Polemik gegen Rechtgläubigkeit und Kirchlichkeit berühren mag.

DAS PROBLEM DES GESCHICHTLICHEN JESUS
IN DER GEGENWÄRTIGEN FORSCHUNGSLAGE

Als ALBERT SCHWEITZER seine „Geschichte der Leben-Jesu-Forschung" schrieb,
wollte er damit den Schlußstrich setzen unter *eine* Periode der Jesusforschung, die
liberale Schilderung einer Entwicklung des Berufsbewußtseins Jesu, indem er nach-
wies, daß diese auf das Markus-Evangelium als die älteste erreichbare Quelle begründete Konstruktion in den Synoptischen Evangelien als ganzen keine ausreichende Begründung finde. Es war aber keineswegs seine Absicht, die Frage nach
dem geschichtlichen Jesus überhaupt zu einem Ende zu bringen, vielmehr stellte er
im Vertrauen auf die Zuverlässigkeit des Matthäus-Berichtes eine durch die eschatologische Erwartung bestimmte Entwicklung des Wirkens Jesu an die Stelle der
liberalen Konstruktion und war überzeugt, daß „das geschichtliche Problem des
Lebens Jesu, wie es sich der wissenschaftlich verfahrenden Forschung enthüllt hat,
durch die aus der spätjüdischen Eschatologie gewonnene Erkenntnis als im wesentlichen gelöst angesehen werden kann"[1]. Die wirkliche Wendung in der Beurteilung
der Möglichkeit, eine sichere Kenntnis des geschichtlichen Jesus zu gewinnen,
brachten vielmehr WILLIAM WREDE, JULIUS WELLHAUSEN und die Vertreter der
formgeschichtlichen Methode. WREDE zeigte in seinem Buch über „Das Messiasgeheimnis in den Evangelien" (1901) nicht nur, daß die liberale Konstruktion einer
Entwicklung im Leben Jesu unhaltbar war, weil sie den Tatbeständen im Markus-
Evangelium selber widerspricht, er wies vor allem nach, daß die beherrschende theologische Anschauung des Markus-Evangeliums von der geheimen Messianität Jesu
eine Schöpfung der Urkirche darstelle und daß daher dem Zeugnis des Markus von
dem messianischen Anspruch Jesu geschichtlich nicht getraut werden | könne.
WELLHAUSEN wies in seinen Kommentaren zu den Synoptischen Evangelien (1903/
1905) auf den dogmatischen Einfluß des urchristlichen Glaubens auf den größten
Teil der christologischen Anschauungen der Synoptiker hin. Und die Begründer der
formgeschichtlichen Betrachtung der Evangelien, KARL LUDWIG SCHMIDT, MARTIN
DIBELIUS, RUDOLF BULTMANN, zeigten einerseits, daß der Rahmen des Markus-

---

[1] A. SCHWEITZER, „Vorrede zur sechsten Auflage" der „Geschichte der Leben-Jesu-Forschung", 1951, S. XII. Die Grundgedanken der 1906 in dem Buche „Von Reimarus zu
Wrede" vertretenen „konsequenten Eschatologie" hat A. SCHWEITZER schon in seiner 1901
erschienenen Schrift über „Das Messianitäts- und Leidensgeheimnis. Eine Skizze des Lebens Jesu" vertreten, vgl. dazu W. G. KÜMMEL, „L'eschatologie conséquente d'Albert
Schweitzer jugée par ses contemporains", Revue d'histoire et de philosophie religieuses 37,
1957, S. 58 ff.

Evangeliums eine lockere Verbindung ursprünglich einzelner Überlieferungsstücke darstellt, daß andererseits diese einzelnen Überlieferungsstücke ihre Formung und damit teilweise auch ihre Umformung oder Entstehung den missionarischen, kate- chetischen und dogmatischen Interessen der palästinischen und vielleicht auch der hellenistischen Urgemeinde verdanken. Auf Grund dieser Erkenntnisse war es kei- neswegs unbedingt notwendig, auf eine geschichtliche Darstellung Jesu überhaupt zu verzichten, wohl aber drängte sich der Verzicht auf eine *Biographie* Jesu im Sinne einer Schilderung der äußeren oder inneren Entwicklung Jesu gebieterisch auf und ergab sich die Notwendigkeit, die in den Evangelien überlieferten Berichte über Jesus zuerst auf ihre Zugehörigkeit zur ältesten Jesusüberlieferung zu prüfen, ehe man sie für eine Darstellung des geschichtlichen Jesus verwenden konnte. Der Zwei- fel an der Möglichkeit, eine pragmatische Darstellung Jesu auf wissenschaftlichem Wege geben zu können, hat denn auch dazu geführt, daß innerhalb der deutschen Theologie kaum noch ein ,,Leben Jesu" geschrieben wurde, während im englischen und französischen Sprachbereich weiterhin zahlreiche solche Bücher erschienen[2]. Immerhin ist bezeichnend, daß die drei genannten Begründer der ,,Formgeschichte" ausführliche Jesusdarstellungen veröffentlicht haben[3], von denen nur die Bult- manns auf jede Erörterung der geschichtlichen Fragen um die Person Jesu über- haupt verzichtete, freilich zur Schilderung der Verkündigung Jesu mancherlei Stoff verwandte, den Bultmann in seiner ,,Geschichte der synoptischen Tradition" (1921) historisch angezweifelt hatte.

Gegen diese Fragestellung hatte freilich schon vor A. Schweitzer und W. Wrede Martin Kähler (1892) in seinem berühmten Vortrag ,,Der sogenannte historische Jesus und der geschichtliche, biblische Christus" protestiert, indem er unter Ableh- nung der Möglichkeit, ,,eine Biographie Jesu von Nazareth von dem Maßstab heu- tiger geschichtlicher Wissenschaft" zu geben, die Forderung aufstellte, den ,,ge- schichtlichen Christus der Bibel" nur in dem ,,gepredigten Christus" der neutesta- mentlichen Zeugen zu suchen[4]. Aber Kähler fand weitgehende Ablehnung, und das Problem, das mit dieser mehr oder weniger weitgehenden Anerkennung der Unmög- lichkeit einer geschichtlichen Erkenntnis Jesu gegeben war, wurde | erst in dem Augenblick in seiner ganzen Tragweite sichtbar, als von diesen Voraussetzungen aus eine geschichtlich vorgehende Gesamtdarstellung der Theologie des Neuen Testa- ments gegeben wurde. War die historisch zu erfassende älteste Schicht der Über- lieferung nur das Kerygma, das *auf Grund der Auferstehungserfahrung* die eschatolo- gische Bedeutung der Person Jesu und seine messianische Würde proklamierte, so konnte die Verkündigung Jesu einschließlich seines persönlichen Anspruchs, soweit wir davon auf historischem Wege überhaupt etwas erfassen können, nicht in die ur-

---

[2] Vgl. die Zusammenstellungen von J. G. Hoffmann, Les vies de Jésus et le Jésus de l'histoire, Paris 1947, S. 116 ff und O. Piper, Das Problem des Lebens Jesu seit Schweitzer, in: Verbum Dei manet in aeternum, Festgabe für O. Schmitz, 1953, S. 73 ff.

[3] K. L. Schmidt, Art.: Jesus Christus, in RGG III, 1929², S. 110 ff; R. Bultmann, Jesus, 1926, 1951³; M. Dibelius, Jesus, 1939, 1960³.

[4] M. Kähler, Der sogenannte historische Jesus und der geschichtliche, biblische Chri- stus, 1892, S. 7, 21 f (Neudruck 1953, S. 21, 42, 44).

christliche Theologie hineingehören. R. BULTMANN zog darum die Folgerung, die Verkündigung Jesu müsse im Zusammenhang des Spätjudentums behandelt werden und gehöre nur zu den Voraussetzungen der Theologie des Neuen Testaments[5]. Damit war aber nicht nur das geschichtliche Problem unübersehbar geworden, ob die Gestalt, durch deren Wirksamkeit die Urkirche ins Leben gerufen wurde, zur Geschichte dieser Kirche nicht eigentlich dazu gehörte, es war auch das theologische Problem brennend geworden, worauf sich die Verkündigung des Neuen Testaments als Verkündigung von *Jesus* Christus wirklich sachlich begründe.

So war es unausweichlich, daß die Frage nach dem historischen Jesus als geschichtliches und als theologisches Problem von neuem in den Mittelpunkt trat, und zwar in einer neuen und nicht weniger radikalen Form als zu Beginn unseres Jahrhunderts. Dieser neue Aufbruch der Frage nach dem geschichtlichen Jesus zeigt sich einmal darin, daß im Kreise der Schüler BULTMANNS, aber dann auch darüber hinaus die methodische Frage nach der Bedeutung des geschichtlichen Jesus für die Verkündigung der Urkirche und zugleich nach der Möglichkeit, eine geschichtliche Kenntnis dieses Jesus zu gewinnen, lebhaft diskutiert wurde. ERNST KÄSEMANN wies darauf hin, daß die Einsicht in die Unmöglichkeit, den Bios Jesu ausfindig zu machen, nicht dazu veranlassen dürfe, „die Frage nach dem irdischen Jesus abzudrosseln"; da er aber daran festhält, „daß die historische Glaubwürdigkeit der synoptischen Tradition auf der ganzen Linie zweifelhaft geworden ist", will er sicheres Traditionsgut nur dort finden, wo „Tradition aus irgendwelchem Grunde weder aus dem Judentum abgeleitet noch der Urchristenheit zugeschrieben werden kann". Da sich bei solchem Bemühen nach KÄSEMANN erkennen läßt, daß Jesus sich mit seinem Anspruch gegen Moses stellte und „sich als Werkzeug des lebendigen Gottesgeistes wußte", darf der Historiker feststellen, „daß aus dem Dunkel der Historie Jesu charakteristische Züge seiner Verkündigung verhältnismäßig scharf erkennbar heraustreten und die Urchristenheit ihre eigene Botschaft damit vereinte". Obwohl Jesus keinerlei messianischen Anspruch erhob, auch nicht vom Menschensohn redete, ist auf Grund dieser Feststellung „die | einzige Kategorie, die seinem Anspruch gerecht wird ... diejenige, welche seine Jünger ihm denn auch beigemessen haben, nämlich die des Messias"[6]. KÄSEMANN ist darum davon überzeugt daß alles darauf ankommt, „das Verhältnis der Botschaft Jesu zur Verkündigung vom Gekreuzigten und Auferstandenen neu und besser als bisher zu bestimmen", womit gesagt ist, daß „nur die Verkündigung Jesu uns dem historischen Jesus begegnen und seine Geschichte verstehen lassen" kann[7]. In ähnlicher Weise sucht ERNST FUCHS Jesu Verhalten, „das eines Menschen, der es wagt, an Gottes Stelle zu handeln,

---

[5] Vgl. R. BULTMANN, Das Urchristentum im Rahmen der antiken Religionen, 1949, S. 78: „In den Rahmen der jüdischen Religion gehört auch die Verkündigung Jesu. Jesus war kein ‚Christ', sondern ein Jude"; DERS., Theologie des Neuen Testaments, 1958[3], S. 1f: „Die *Verkündigung Jesu* gehört zu den Voraussetzungen der Theologie des Neuen Testaments und ist nicht ein Teil dieser selbst."

[6] E. KÄSEMANN, Das Problem des historischen Jesus, ZThK 51, 1954, S. 125ff (133, 144, 148, 152, 145).

[7] E. KÄSEMANN, Neutestamentliche Fragen von heute, ZThK 54, 1957, S. 1ff (12).

indem er Sünder ... in seine Nähe zieht", als sachliche Grundlage der vom Hörer geforderten Entscheidung für Jesus herauszustellen und damit nachzuweisen, daß „der sogenannte Christus des Glaubens in der Tat kein anderer ist als der historische Jesus"[8].

Der Neuaufbruch der Frage nach dem geschichtlichen Jesus zeigt sich aber nicht nur in dieser von den verschiedensten Gesichtspunkten aus weitergeführten Diskussion über die Möglichkeit und den theologischen Sinn der Frage nach dem geschichtlichen Jesus[9], sondern auch und vor allem darin, daß in den letzten Jahren mehrere wissenschaftlich bedeutsame Gesamtdarstellungen Jesu erschienen sind, die methodisch so weit voneinander abweichen, daß man den Eindruck erhalten kann, eine methodisch sichere geschichtswissenschaftliche Darstellung Jesu sei offenbar nicht möglich. Gerade darum aber scheint es mir nützlich, ehe wir uns dieser methodischen Problematik selbst zuwenden, fünf in den letzten vier Jahren erschienene Jesusbücher auf ihre methodischen Voraussetzungen zu befragen, um die Schwierigkeiten einer methodischen Jesusforschung nicht nur an der methodologischen Erörterung, sondern auch an der in der konkreten Forschung selbst verwendeten Methode zu erkennen.

Am stärksten in der Linie des Herkömmlichen geht VINCENT TAYLOR in seiner Darstellung von Leben und Wirksamkeit Jesu (1955). TAYLOR, der in einem wertvollen Markus-Kommentar gute Vorarbeit geleistet hatte[10], geht von der Feststellung | aus, daß die Überschneidung der Quellen oftmals die Sicherheit des Bezeugten verdopple oder verdreifache, daß schon in der Tradition vor den schriftlichen Evangelien Erzählungs*gruppen* überliefert waren und daß darum „die Evangelien, obwohl literarischer und geschichtlicher Kritik unterworfen, ein verläßlicher Führer für das Studium des Denkens und der Absicht Jesu und zu den Wendepunkten seiner Wirksamkeit in Galiläa und Jerusalem sind". TAYLOR entwirft auf Grund dieser Beurteilung der Quellen eine Geschichte Jesu, die nicht nur den Ablauf des Geschehens in großen Zügen im Anschluß an Markus beschreibt (Die Periode von der galiläischen Wirksamkeit, Die galiläische Wirksamkeit, Rückzug aus Galiläa, Die Jerusalemer Wirksamkeit, Leiden und Auferstehung sind die Kapitelüberschriften!), sondern auch eine Entwicklung der Wirksamkeit Jesu zeichnen will: Eine Wendung im Leben

---

[8] E. FUCHS, Die Frage nach dem historischen Jesus, ZThK 53, 1956, S. 210 ff (220, 229),

[9] Hier wären noch zu nennen: E. HEITSCH, Die Aporie des historischen Jesus als Problem theologischer Hermeneutik, ZThK 53, 1956, S. 192 ff; E. FUCHS, Glaube und Geschichte im Blick auf die Frage nach dem historischen Jesus, ZThK 54, 1957, S. 117 ff; N. A. DAHL, Der historische Jesus als geschichtswissenschaftliches und theologisches Problem, KD I, 1955, S. 105 ff; F. MUSSNER, Der historische Jesus und der Christus des Glaubens, BZ, N. F. 1, 1957, S. 224 ff; Die Frage nach dem historischen Jesus, ZThK 56, 1959, Beiheft 1 (mit Beiträgen von H. CONZELMANN, G. EBELING, E. FUCHS). Vgl. dazu die Berichte von P. BIEHL, Zur Frage nach dem historischen Jesus, ThR 24, 1957/58, S. 54 ff; H. W. BARTSCH, Neuansatz in der Leben-Jesu-Forschung, Kirche in der Zeit 12, 1957, S. 244 ff; J. SCHNEIDER, Die Frage nach dem geschichtlichen Jesus in der neutestamentlichen Forschung der Gegenwart, 1958; B. RIGAUX, L'historicité de Jésus devant l'exégèse récente, RB 65, 1958, S. 481 ff.

[10] V. TAYLOR, The Gospel according to St. Mark, 1952. Vgl. meine Besprechung in ThLZ 78, 1953, Sp. 338 ff.

Jesu fand statt, als die Jünger von ihrer Missionstätigkeit frohlockend zurückkamen und Jesus an seiner Popularität erkennen mußte, daß die Menge nicht Buße tat; nun zog sich Jesus von der Menge zurück, und jetzt wurde der Gedanke des messianischen Leidens „eine beherrschende Idee, die seine ganze weitere Wirksamkeit bestimmte"[11]. Die für Jesus damit entscheidend gewordene Verbindung des danielischen Menschensohns mit dem Gottesknecht des Deuterojesaja führt schließlich dazu, daß Jesus in Gethsemane „als der Menschensohn und der Gottesknecht notwenigerweise die Sünden Israels als Last gespürt haben muß, die er zu tragen hatte und der er nicht entgehen konnte". Es ist deutlich, daß hier (in Abwandlung der bekannten Konstruktion A. Schweitzers) ein Wendepunkt im Leben Jesu *konstruiert* wird, der Jesu Weg in den Tod psychologisch verständlich machen soll. Dabei wird die Einsicht in den Einzelcharakter der evangelischen Überlieferung über Bord geworfen und die Frage überhaupt nicht mehr gestellt, *inwiefern* die Beurteilung der Person und des Werkes Jesu in der Evangelientradition durch den Gemeindeglauben bestimmt ist. Das so entstehende pragmatische Bild Jesu beruht darum in wesentlichen Stücken auf Eintragung in die Quellen.

Methodisch verwandt mit diesem „Leben Jesu" ist die kürzere Darstellung des Auftrags und des Wirkens Jesu durch Reginald Fuller[12]. Er will ausgesprochenermaßen zeigen, daß Bultmanns Voraussetzungen für die Neutestamentliche Theologie im ersten Kapitel seiner „Theologie des Neuen Testaments" „nicht ausreichen, um das Kerygma zu erklären", und er möchte „eine angemessenere Deutung der Geschichte Jesu an ihre Stelle setzen". Er sucht darum, methodisch durchaus sachgemäß, die Rolle der Person Jesu in seiner Predigt zunächst unter Absehen von der Messiasfrage zu klären und meint nachweisen zu können, daß Jesus seit der Taufe seinen Auftrag als den des Gottesknechtes bei Deuterojesaja betrachtete und es als seine Sendung ansah, „durch seinen Tod die entscheidende Gelegenheit zu schaffen, mit und in der Gott das Ereignis in die Wege leiten wollte, dessen unmit|telbare Nähe der Hauptinhalt seiner Verkündigung war". Fuller fügt dann aber hinzu, daß die Betrachtung der Menschensohn-Worte Jesu zeige, daß Jesus bis zum Kreuz die Rolle des Gottesknechtes, danach die des Menschensohnes zu spielen sich berufen weiß, „aber er handelt als der zum triumphierenden Gottessohn Bestimmte schon während seines Amtes in Niedrigkeit"; und vom Messiasbekenntnis von Caesarea Philippi an „wendet sich Jesus ab von der öffentlichen Verkündigung des Kommens der Gottesherrschaft und wendet sich der privaten Einführung der Jünger in das Geheimnis seines bevorstehenden Todes zu". Auch hier wird also im Anschluß an den Markus-Faden das Messiasbekenntnis (Mk 8, 27 ff) als ein Wendepunkt in der Wirksamkeit Jesu in Anspruch genommen, darüber hinaus aber werden zwei Stadien im Berufungsbewußtsein Jesu behauptet, die psychologisch mit dem Gottessohnbewußtsein Jesu in Zusammenhang gebracht werden. Bei dieser Argumentation wird aber nicht nur mit reichlich gewaltsamer Exegese Jesus die Übernahme

[11] V. Taylor, The Life and Ministry of Jesus, 1955, S. 27, 136, 196.
[12] R. H. Fuller, The Mission and Achievement of Jesus. An Examination of the Presuppositions of New Testament Theology, Studies in Biblical Theology 12, 1956², S. 7, 108, 77.

der Rolle des leidenden Gottesknechtes zugeschrieben, es wird auch eine Stufenfolge im Berufsbewußtsein Jesu konstruiert, die an den Quellen keinerlei Anhalt hat, ohne daß der Tatbestand ernst genommen wäre, daß für psychologische Rekonstruktionen des Lebens oder auch nur des persönlichen Anspruchs Jesu unsere Quellen völlig ungeeignet sind.

WALTER GRUNDMANNS „Geschichte Jesu Christi" (1956) ist mit den beiden besprochenen Büchern methodisch nur teilweise verwandt. Er geht von der Tatsache aus, daß „die ersten Träger der Überlieferung" die Jünger Jesu sind und daß daher „die Grundlage der schriftlichen Evangelienüberlieferung auf der Kunde der Augenzeugen beruhen und infolgedessen gut sein müsse"; und diese deduzierte Behauptung wird unterstützt durch die Feststellung: „Die Annahme, die Gemeinde habe die Jesusüberlieferung umgebogen und zum größeren Teil überhaupt erst geschaffen, steht im Widerspruch zu dem diese Gemeinde führenden Geist", wobei der Leser sich unwillkürlich fragt, wie der Historiker diesen Geist in seiner die geschichtliche Überlieferung sichernden Funktion feststellen kann! Von dieser Voraussetzung aus schildert GRUNDMANN die Verkündigung Jesu, der in der Taufe „zum messianischen Hohenpriester geweiht wird" und sich von da an als Gottessohn und leidender Gottesknecht weiß. Aber obwohl GRUNDMANN annimmt, daß der von Jesus gebrauchte Titel „Menschensohn" verhüllt die Bestimmung Jesu zu dem noch vor aller Welt verborgenen und nur Gott bekannten „Richter der Endzeit zur Rechten Gottes" bezeichnet, will er in dem Bild des forensischen Gerichts in Mt 25, 31 ff „die an Jesus glaubende Gemeinde gestalten sehen und nicht Jesus von Nazareth selbst hören". Und die Überlieferung der Frage des Hohenpriesters und der Antwort Jesu bei Mk 14, 61 f ist der „Endpunkt einer längeren Arbeit am Text", es war ursprünglich nicht die Bejahung der Frage nach der Messiaswürde durch Jesus und seine Ankündigung des Kommens des Menschensohns auf den Wolken des Himmels berichtet, der Hohepriester fragte vielmehr nur nach der Gottessohnwürde Jesu, die Jesus anerkannte[13]. | Durch diese zum Teil sehr willkürliche Kritik (und in anderen Fällen durch Umdeutung der Texte) verschwindet die futurische Eschatologie aus der Verkündigung Jesu[14], und das zu Beginn des Buches ausgesprochene summarische Zutrauen zur Überlieferung wird plötzlich aufgegeben. Es ist aber nicht methodisch begründete, sondern von einer bestimmten theologischen Vorentscheidung geleitete Kritik, die diese Inkonsequenz verursacht.

Eine völlig andere Art der Darstellung der Geschichte Jesu bietet ETHELBERT STAUFFER in seinem Jesusbuch. STAUFFER ist der Meinung, daß man die „Krisis in unserer Jesusforschung" nur überwinden könne „durch die planmäßige Erschließung neuer Quellen, die von christlichen Tendenzen gänzlich unberührt sind", und er findet solche Quellen in den Texten zur jüdischen Zeitgeschichte und in der jüdi-

---

[13] W. GRUNDMANN, Die Geschichte Jesu Christi, 1956, S. 19, 24, 35, 221, 285, 343.
[14] Vgl. aber schon W. GRUNDMANN, Die Gotteskindschaft in der Geschichte Jesu und ihre religionsgeschichtlichen Voraussetzungen, 1938; Jesus der Galiläer und das Judentum, 1940; Aufnahme und Deutung der Botschaft Jesu im Urchristentum, 1941. Diese Bücher werden in dem Anm. 13 genannten Werk nicht erwähnt!

schen Polemik gegen Jesus. Auf Grund „der Synchronisierung dieser Nachrichten mit den Evangelien" will STAUFFER eine *Geschichte* Jesu schreiben als „streng positivistische Klarstellung der überhaupt noch erkennbaren Tatsachen" und dort aufhören, „wo die Darstellung der Tatsachen und Kausalzusammenhänge aufhört und die Deutung beginnt". Voraussetzung der von hier aus dargebotenen Schilderung des Ablaufs der Wirksamkeit Jesu und vor allem der *Entwicklung* des juristischen Vorgehens der jüdischen Behörde gegen Jesus ist die Annahme, daß das vierte Evangelium die Chronologie der Geschichte Jesu am zuverlässigsten bewahrt habe und daß es möglich sei, „den synoptischen Rahmen einzubauen in das johanneische Rahmenwerk". STAUFFER ist überzeugt, auf Grund dieser Kombination die Stellung der Mehrzahl der überlieferten Berichte der Evangelien im Ablauf des Kampfes Jesu gegen das Judentum sicher und chronologisch genau festlegen zu können (etwa Februar 32 wurde z. B. der Todesbeschluß des Synedriums gegen Jesus gefaßt!)[15]. Und ebenso möchte STAUFFER in zahlreichen Angaben der Evangelien juristische Notizen finden, die darum nicht der Tendenz der Urgemeinde entsprungen sein können, weil sich „in der urchristlichen Jesusüberlieferung allenthalben ein juristischer Präzisionsverlust bemerklich macht", während wir durch die Entdeckung dieser ursprünglichen Tatbestände „ein überraschend klares, folgerichtiges, widerspruchsloses und einleuchtendes Bild von der Strafverfolgung Jesu gewinnen, das Punkt für Punkt zu den jüdischen Ketzergesetzen und Strafprozeßparagraphen stimmt"[16]. Auf Grund des gleichen konstruktiven Zutrauens zu dem Bericht des Johannes-Evangeliums meint nun STAUFFER aber auch nachweisen zu können, daß Jesus zunächst „in der Periode seiner täuferzeitlichen Wirksamkeit der Thora ohne Vorbehalt die Treue | gehalten hat", während seit dem Konflikt bei der Heilung des Kranken am Teiche Bethesda (Joh 5) Jesus „eine neue Gottesbotschaft, eine neue Religion und eine neue Moral verkündet, die grundsätzlich nicht mehr an die Thora gebunden ist". Ebenso will STAUFFER zeigen, daß bei Jesus jede Erwartung des nahen Endes, jeder Messiasanspruch fehlen, daß Jesus sich dagegen als den unerkannten Gottessohn gewußt habe, ja in dem ‚ani hu' = „ich bin es" der Antwort an den Hohenpriester (Mk 14, 62) beansprucht habe, „daß sich in seinem Leben die geschichtliche Epiphanie Gottes vollzieht"[17]. Auch wenn hier die Frage nicht im einzelnen erörtert werden kann, ob die Interpretation STAUFFERS überzeugend und seine Kombinationen wirklich begründet sind – mir scheint das in sehr vielen Fällen äußerst fraglich[18] –, so zeigt sich doch ohne weiteres, daß hier eine bis in die Details gehende Rekon-

---

[15] E. STAUFFER, Jesus, Gestalt und Geschichte, 1957, S. 8, 12, 17, 81.

[16] E. STAUFFER, Neue Wege der Jesusforschung, Wissenschaftliche Zeitschrift der Martin-Luther-Universität Halle-Wittenberg, Ges.-Sprachw. Reihe VII, 2, 1958, jetzt auch in: Gottes ist der Orient, Festschrift für Otto Eißfeldt, 1959, S. 184.

[17] E. STAUFFER, aaO (Anm. 15), S. 63, 144; DERS., Messias oder Menschensohn, NovTest I, 1956, S. 81 ff; DERS., Agnostos Christos: Joh. II, 24 und die Eschatologie des vierten Evangeliums, in: The Background of the New Testament and its Eschatology (Dodd-Festschrift), 1956, S. 281 ff.

[18] Vgl. für die Frage der Naherwartung meine kritischen Bemerkungen in dem Aufsatz: Futurische und präsentische Eschatologie im ältesten Urchristentum, NTS 5, 1958/59, S. 113 ff.

struktion der Geschichte Jesu geboten wird, die sich mit einer radikalen Kritik an der synoptischen Überlieferung von der eschatologischen und christologischen Verkündigung Jesu verbindet und in dieser Verbindung von konstruktivem Anschluß an die Quellen und stärkster Ablehnung der Überlieferung methodisch sehr problematisch erscheint, wobei STAUFFER in dieser „Diakritik zwischen Jesus von Nazareth und dem Christusbild der Urkirche" „die theologischste Aufgabe der Theologie"[19] sieht.

Dieser der Überlieferung gegenüber zu einem Teil sehr vertrauensvoll vorgehenden Darstellung Jesu gegenüber ist GÜNTHER BORNKAMMS „Jesus von Nazareth"[20] (1956) als konsequent kritisch zu bezeichnen. Trotz der Einsicht, daß die Überlieferung „aus dem Glauben der Gemeinde erwachsen" ist, hält BORNKAMM es für seine Aufgabe, „*im* Kerygma der Evangelien die Geschichte zu suchen", und ist davon überzeugt, daß „die Evangelien die geschichtliche Gestalt Jesu in unmittelbarer Mächtigkeit vor uns sichtbar werden lassen". BORNKAMM verzichtet konsequent auf jede Schilderung einer Entwicklung in der Wirksamkeit oder Verkündigung Jesu, stellt aber fest, daß „jede von den Evangelien erzählte Szene die erstaunliche Souveränität Jesu schildert, mit der er je nach den Menschen, die ihm begegnen, die Situation meistert", so daß der von den Evangelisten gebrauchte Begriff „Vollmacht" „eine Wirklichkeit bezeichnet, die von ihrem Ursprung her vor aller Deutung dem geschichtlichen Jesus zugehört". Trotz aller Betonung des futurischen Charakters der Gottesreichsverkündigung Jesu läßt BORNKAMM Jesus vom „Heute und Jetzt der anbrechenden Gottesherrschaft" reden: „in ihm selbst wird der Anbruch der Gottesherrschaft Ereignis". Freilich meint BORNKAMM dann auch, daß „es tatsächlich keinen einzigen sicheren Beweis gibt, daß Jesus einen | der messianischen Titel, die ihm die Tradition anbot, für sich in Anspruch nahm", und gibt für diese historische Feststellung die theologische Erklärung, daß „kein gängiger und geläufiger Begriff, kein Titel und Amt, welche jüdische Tradition und Erwartung bereit hielten, der Legitimation seiner Sendung dient und das Geheimnis seines Wesens erschöpft", weil „das ‚Messianische' seines Wesens *in* seinem Wort und seiner Tat und der Unmittelbarkeit seiner geschichtlichen Erscheinung beschlossen ist". BORNKAMMS Darstellung ist somit auf einer kritischen Sichtung der Überlieferung aufgebaut, wobei dann auch alle Würdeprädikate der Jesusüberlieferung kritisch eliminiert werden, ohne daß eine Erklärung dafür gegeben würde, warum diese Prädikate in so verschiedener Weise in die Überlieferung eingedrungen sind.

Die Übersicht über diese fünf Jesusbücher der letzten Jahre dürfte gezeigt haben, daß die Frage nach der rechten Methode einer *geschichtlichen* Jesusdarstellung vielfach nicht wirklich gesehen oder von unhaltbaren Voraussetzungen aus beantwortet wird. Diesem Mangel an methodischer Klärung der Frage nach dem geschichtlichen Jesus will nun aber JAMES ROBINSON[21] abhelfen in seinem Buch über „Die neue

[19] E. STAUFFER, ThLZ 84, 1959, Sp. 646.
[20] G. BORNKAMM, Jesus von Nazareth, 1956, S. 18, 21, 53 f, 70, 156, 158, 163.
[21] J. M. ROBINSON, A New Quest of the Historical Jesus, Studies in Biblical Theology 25, 1959, S. 37 f, 66, 70, 85, 111, 125. – Die zweite erweiterte Auflage: Kerygma und historischer Jesus, 1960, konnte für diesen Aufsatz nicht mehr benutzt werden.

Fragestellung gegenüber dem geschichtlichen Jesus". Er sieht durch die Arbeiten von E. KÄSEMANN, E. FUCHS u. a. das Problem aktuell geworden, ob das Kerygma der Gemeinde seit der Auferstehung nicht schon im Selbstverständnis Jesu seine geschichtliche Wurzel habe. Da „die Geschichte Jesu nur als Kerygma überlebte", ist die positivistische Geschichtsschreibung des 19. Jahrhunderts unmöglich, und die „Beweislast liegt bei dem Forscher, der objektives Tatsachenmaterial in dem gottesdienstlichen Buch der Urkirche erkennt". Die neue Fragestellung wird aber nicht ermöglicht durch den im Kerygma enthaltenen Rückweis auf geschichtliche Ereignisse, auch nicht durch die Heranziehung neuer Quellen oder eine neue Anschauung von den Evangelien, sondern „diese Möglichkeit schlummert in dem völlig verschiedenen Verständnis der Geschichte und der menschlichen Existenz, das die Gegenwart von der Vergangenheit unterscheidet". Moderne Geschichtsschreibung fragt nach der Existenz der Menschen, um die sie sich bemüht, und wir haben genug Quellen, die uns eine Einsicht erlauben „in das Existenzverständnis, das in Jesu Absicht, seine Existenz zu ergreifen, vorausgesetzt ist ... Folglich sind Jesu Geschichte und Existenz der modernen Geschichtsschreibung und Biographie zugänglich". Diese Frage nach „dem Existenzverständnis, das in Jesu Geschichte implizit vorhanden ist", ist aber darum notwendig, weil die Theologie heute „an ein Kerygma gewiesen ist, das sein rettendes Ereignis in einer historischen Person lokalisiert, zu der wir infolge der Entstehung der wissenschaftlichen Geschichtsschreibung seit der Aufklärung eine zweite Zugangsstraße haben". Es ist also unsere geistesgeschichtliche Situation, die die neue Frage nach dem Selbstverständnis Jesu bedingt, und die Ant|wort auf diese Frage zeigt nicht nur, daß „eine Begegnung mit Jesus eine Begegnung mit dem Sinn des Kerygmas sein sollte", sondern stellt uns auch vor die Tatsache, daß „die Existenz Jesu uns in gleicher Weise auf dem Weg der historischen Forschung und auf dem Wege des Kerygmas zugänglich ist als ein mögliches Verständnis unserer Existenz". ROBINSON hält also konsequent die Tatsache fest, daß wir in der ältesten Jesusüberlieferung nur dem Kerygma begegnen, ist aber überzeugt, daß die von uns auf Grund unserer geistesgeschichtlichen Situation geforderte Frage nach dem geschichtlichen Jesus uns *im* Kerygma auch dem persönlichen Anspruch des geschichtlichen Jesus begegnen läßt, der uns ebenso anredet wie das Kerygma.

Mit diesem Versuch, das Recht und die Notwendigkeit der Frage nach dem geschichtlichen Jesus nachzuweisen, scheint mir freilich die Beziehung des Kerygmas zur Geschichte Jesu nicht richtig bestimmt zu sein. Denn ganz zweifellos stellt das Kerygma eine *Deutung* der Geschichte Jesu dar, da es vom Glauben an die Auferstehung und Erhöhung des Gekreuzigten aus den eschatologischen Sinn der Geschichte Jesu bekennt. Und ebenso zweifellos ist in Jesu Verkündigung und Handeln eine *Deutung* seiner Existenz vorhanden, die wir aus direkten Aussagen Jesu entnehmen oder auch nur erschließen können, und diese Deutung seines Werkes und Auftrags ist ein Teil der Geschichte Jesu selbst. Aber dieses Selbstverständnis ist doch nur ein *Teil* der Geschichte, und bereits das älteste Kerygma 1Kor 15, 3ff verweist nicht primär auf den Glauben der apostolischen Zeugen, sondern auf die diesen Glauben begründenden Tatsachen: d. h. auf den durch das Begräbnis in seiner Realität anschaulichen Tod Jesu und auf die durch die Erscheinungen vor Kephas und den Zwölf in ihrem Geschehensein erkennbar gewordene Auferweckung am dritten Tage[22]. Und so kann auch die Frage nach dem historischen Jesus angesichts des Charakters der evangelischen Überlieferung wie angesichts des Charakters der ältesten urchristlichen Verkündigung nur zu gleicher Zeit die Frage nach den dem Kerygma zugrunde liegenden *Tatsachen und* nach der ältesten Interpretation dieser Tatsachen sein. Daß zu diesen Tatsachen ein persönlicher Anspruch des geschichtlichen Jesus gehört und daß das Kerygma eine bejahende Wiederaufnahme dieses Anspruchs in der veränderten Situation nach der Auferstehung ist, daß also die urgemeindliche Deutung Jesu ihre geschichtliche Begründung in Jesu eigener Verkündigung hat, kann die geschichtliche Forschung nicht im voraus wissen, ergibt sich aber in der Tat aus der geschichtlichen Betrachtung[23]. |

Das methodische Problem der Jesusforschung ist darum, welcher Weg zur Feststellung der *Tatsachen* und ihrer ältesten Deutung möglich ist und welcher Art die geschichtlichen Tatbestände sind, die wir auf diesem Wege finden. In großen Zügen kann dazu folgendes gesagt werden.

1. Die Notwendigkeit, nach dem historischen Jesus auf wissenschaftlichem Wege zu fragen, ist nicht nur begründet in unserem geschichtlichen Bewußtsein, das die Gegenwart verstehen will auf Grund der Vergangenheit, und schon gar nicht nur in dem allgemein menschlichen Trieb, alles wissen zu wollen, diese Notwendigkeit ist vielmehr vor allem darin begründet, daß der auf die Anrede des Neuen Testaments antwortende Glaube nach dem sachlichen Grund dieses Glaubens in der Person Jesu fragt, auf die die Verkündigung zurückweist. Solche Rückfrage kann ganz gewiß nicht mit dem Ziel geschehen, dem Glauben eine Sicherheit zu geben, weil dieses Ziel sowohl wegen des Charakters der Quellen wie auf Grund des Wesens wahren Glaubens unerreichbar ist; die Notwendigkeit der existentiellen Wahl zwischen verschiedenen *möglichen* Deutungen der Person Jesu kann keine historische Feststellung uns abnehmen[24]. Wohl aber sieht sich der über sein Wesen und seine Begründung reflektierende Glaube, also die theologische Besinnung, unausweichlich zu der Frage gedrungen, ob der Rückweis des Kerygmas auf die Geschichte Jesu sich auf Grund der wissenschaftlichen Erkenntnis dieser Geschichte als sachentsprechend

[22] Siehe W. G. KÜMMEL, in: H. LIETZMANN, An die Korinther I. II, 1949[4], S. 192; W. BAIRD, What is the Kerygma? A Study of I. Cor. 15, 3–8 and Gal. 1, 11–17, JBL 76, 1957, S. 181 ff; H. GRASS, Ostergeschehen und Osterberichte, 1956, S. 261.

[23] „Jesus hat dieses eschatologische Handeln Gottes in der Geschichte verkündet, und dieses Handeln fand seine endgültige Formulierung im Kerygma" (J. M. ROBINSON, aaO [Anm. 21], S. 110). Daß diese Wiederaufnahme des Kerygmas die *sachliche* Berechtigung des Kerygmas erweist, kann freilich geschichtliche Forschung nicht mehr konstatieren.

[24] „Damit daß Jesus als Wundermann herausgestellt wird, ist noch niemand im echten Sinn vor die Entscheidung zwischen Glauben und Unglauben gezwungen" (E. KÄSEMANN, aaO [Anm. 6], S. 129); „Der geschichtliche Jesus legitimiert nicht das Kerygma mit einem bewiesenen göttlichen Faktum, sondern stellt uns einem Vorgang und einer Person gegenüber, die entweder als Gottes Geist oder als Beelzebub oder als Wahnsinn verstanden werden können. Der geschichtliche Jesus stellt uns einer existentiellen Entscheidung gegenüber, genauso wie das Kerygma" (J. M. ROBINSON, aaO [Anm. 21], S. 77).

erkennen läßt oder nicht. Nicht die historischen Einzelheiten, wohl aber die Tatsächlichkeit und die geschichtliche Besonderheit der menschlichen Existenz Jesu möchte der über seine Begründung nachdenkende Glaube erkennen.

2. Die Möglichkeit einer wissenschaftlichen Antwort auf die Frage nach dem geschichtlichen Jesus hängt von der Art der Tradition über diesen Jesus ab. Wir können nicht hinter die Einsicht zurück, daß die primäre Überlieferung nicht in der fortlaufenden Darstellung der Evangelien und erst recht nicht in der theologischen Deutung der Evangelisten zu finden ist, sondern ausschließlich in der mündlichen Einzelüberlieferung, die *hinter* den uns allein erhaltenen zusammenhängenden Evangelienschriften liegt. Es ist freilich eine zu prüfende Frage, inwieweit *Reihungen* von Einzeltexten bereits in der unseren ältesten erreichbaren Quellen, Markus und der Redenquelle, zugrunde liegenden Tradition vorhanden waren, und es ist durchaus zu prüfen, ob nicht die Leidensgeschichte von Anfang an einen zusammenhängenden Bericht gebildet hat[25]. Aber das ändert nichts an | der grundsätzlichen Einsicht, daß die älteste Tradition ausschließlich aus Einzelüberlieferungen bestand. Die Formung und Weitergabe dieser Einzelüberlieferungen aber war nicht biographisch, d. h. psychologisch oder genetisch interessiert, sondern ausschließlich kerygmatisch oder katechetisch. Das bedeutet nicht, daß kerygmatische oder katechetische Interessen die Überlieferung *geschaffen* haben, wohl aber, daß sie sie beeinflußt haben und daß weder auf Grund eines methodischen Postulats noch auf dem Wege analytischer Scheidung eine Schicht der evangelischen Überlieferung auslösbar ist, die ihre Formung und Weitergabe nicht diesem „Sitz im Leben" verdankt[26]. Damit ist gegeben, daß jede allgemeine Feststellung der historischen Zuverlässigkeit der evangelischen Überlieferung unbegründbar ist[27]. Genausowenig besteht aber ein wirklicher Grund zu der Feststellung, daß „nicht das Recht der Kritik, sondern ihre Grenze heute zu beweisen" sei, und daß als echt nur anzusehen sei, „was sich weder in das jüdische Denken einfügt noch in die Anschauungen der späteren Gemeinde"[28]; denn weder die Übereinstimmung mit jüdischen Ausdrucksformen und

[25] Vgl. zur Frage der Überlieferungseinheiten den Bericht von G. IBER, Zur Formgeschichte der Evangelien, ThR 24, 1957/58, S. 328 ff und zur ursprünglichen Einheit der Leidensgeschichte M. DIBELIUS, Die Formgeschichte des Evangeliums, 1933², 1959³, S. 178 ff und H. W. BARTSCH, aaO (Anm. 9).

[26] Die Behauptung von H. RIESENFELD, The Gospel Tradition and its Beginnings. A Study in the Limits of „Formgeschichte", 1957 (auch in: Studia Evangelica = Texte und Untersuchungen zur Geschichte der altchristlichen Literatur 73, 1959, S. 43 ff), daß Jesus seine Jünger seine Worte und Taten formuliert auswendig lernen ließ und mit der „Rezitierung" der Evangelientradition in der Zwischenzeit zwischen seinem Tod und der Parusie rechnete, widerspricht dem Charakter der sich wandelnden Tradition und beruht auf einer unbeweisbaren Konstruktion (vgl. dazu G. IBER, aaO [Anm. 25], S. 315 ff und J. M. ROBINSON, aaO [Anm. 21], S. 64).

[27] Vgl. etwa den Hinweis auf die Bezeugung des historischen Jesus durch die vom Heiligen Geist geleiteten Apostel (F. MUSSNER, aaO [Anm. 9], S. 240 ff) oder auf den Tatbestand, daß die Evangelisten als gut informierte Zeugen sich und uns nicht täuschen konnten und daß ihre Zuverlässigkeit durch die Gegenwart und Autorität der Apostel gedeckt sei (B. RIGAUX, aaO [Anm. 9], S. 511).

[28] Vgl. E. KÄSEMANN, aaO (Anm. 6), S. 142; H. CONZELMANN, Art.: Jesus Christus, in RGG III, 1959³, Sp. 623; J. M. ROBINSON, aaO (Anm. 21), S. 104.

Gedanken noch mit Glaubensvorstellungen der christlichen Gemeinde ist an sich schon ein Grund zur kritischen Anzweiflung der Überlieferung, ein solcher Grund liegt vielmehr erst dann vor, wenn solche im Judentum vorhandenen oder sicher später im Urchristentum bezeugten Formulierungen oder Vorstellungen mit zweifellos ältester Jesusüberlieferung in unausgleichbarer Spannung stehen. Die Aufgabe ist vielmehr, die älteste Jesusüberlieferung aus dem synoptischen Traditionsgut auszuscheiden, und hier liegt unbestreitbar eine methodische Schwierigkeit, die nicht mit letzter Sicherheit zu lösen ist. Was man als „Kennzeichen für die *ipsissima vox Jesu*" und als „Kriterien für den historischen Jesus in den Evangelien" genannt hat[29], sind wichtige Hilfen, aber sie führen nicht weit und sind im einzelnen auch | kontrovers. Hier kann nur das Zusammenwirken von formgeschichtlichem Gang rückwärts zu den ältesten erreichbaren Überlieferungsformen mit der Aufdeckung besonderer Redeformen, Verhaltensweisen und Vorstellungen Jesu, ebenso aber auch die Konstatierung des Drinstehens in der palästinisch-jüdischen Umwelt, zugleich aber auch der Auseinandersetzung damit zur Herausstellung eines als alt feststellbaren Überlieferungsbestandes führen; und dabei wird die Beachtung der Frage eine wichtige Rolle spielen müssen, wie sich die Ablehnung Jesu durch die jüdischen Führer und andererseits die Entwicklung der frühesten Kirche von dem so gefundenen Jesusbild aus verständlich machen lassen. Und ein wesentliches Kriterium für die Richtigkeit solcher Ausscheidung wird sein, ob sich aus der Zusammenschau der so gewonnenen Quellenstücke eine geschichtlich mehr oder weniger verständliche Einheit ergibt. Eines aber ist sicher: Diese älteste Überlieferung bietet keinerlei Möglichkeit zu einer biographischen oder psychologischen Konstruktion, und sämtliche Versuche dieser Art sind darum *auf Grund der Quellenlage* als völlig unsachgemäß abzulehnen. Das bedeutet natürlich nicht, daß uns die Evangelisten nicht auch gute Erinnerungen über die Reihenfolge von Ereignissen innerhalb der Wirksamkeit Jesu erhalten haben oder daß nicht einzelne Berichte in sich brauchbare Hinweise auf ihre Stellung im Ablauf der Geschichte Jesu enthalten *könnten*. Es bedeutet aber, daß wir völlig verzichten müssen auf eine genetische Erklärung des Selbstverständnisses Jesu und ebenso auf eine pragmatische Erklärung seines Verhältnisses zu seinen Jüngern und seinen Gegnern. Die Quellen erlauben nur eine Darstellung der Geschichte Jesu ohne jede chronologische Unterscheidung oder höchstens in ganz großen Umrissen. Der Historiker muß sich auf Grund der Quellen mit diesem Sachverhalt begnügen, und der Theologe benötigt nicht mehr.

3. Bei der Suche nach der ältesten Jesusüberlieferung ergibt sich als besonders drängendes Problem die Frage, inwieweit der Autoritätsanspruch, den die Überlieferung Jesus zuschreibt und den das Kerygma mit seinem Bekenntnis zu Jesus als dem himmlichen Herrn aufnimmt, auf Jesus selber zurückgeht. Um diese Frage ging nicht nur der Streit für oder gegen die liberale Jesusdeutung[30], an diesem Pro-

---

[29] J. JEREMIAS, Kennzeichen der *ipsissima vox* Jesu, in: Synoptische Studien (Festschrift A. Wikenhauser), 1953, S. 86ff; F. MUSSNER, aaO (Anm. 9), S. 227ff. Vgl. auch N. A. DAHL, aaO (Anm. 9), S. 114ff und H. CONZELMANN, ZThK 56, 1959, Beiheft 1, S. 9.

[30] Es darf erinnert werden an A. HARNACKS bekannte These: „Nicht der Sohn, sondern

blem setzte auch die neue Erörterung an mit der Frage nach dem „Anspruch Jesu" oder nach „Jesu Verhalten" als dem „eigentlichen Rahmen seiner Verkündigung"[31]. Es ist freilich eine ebenso falsche *Voraussetzung,* daß die Quellen | uns eine genaue Einsicht in die Selbstdeutung Jesu erlauben *müßten,* wie daß sie das infolge ihrer Bestimmtheit durch den Gemeindeglauben an den Auferstandenen nicht tun *könnten.* Wollen wir die Stellung zu erkennen suchen, die sich Jesus selbst im Zusammenhang seiner Verkündigung und seines Wirkens zuschrieb, so müssen wir vielmehr fragen nach denjenigen Überlieferungsstücken, die noch nicht spezifisch die Deutung Jesu vom Glauben an die Auferstehung her und die Formulierungen des Kerygmas bieten und die sich außerdem im Rahmen der Vorstellungsformen der jüdischen Umwelt Jesu als *formal* von daher bedingt verstehen lassen. Nun stimmt es natürlich durchaus, daß der Glaube an Jesus den *Herrn* auch schon in dem Nachweis des absoluten Anspruchs Jesu den geschichtlichen Grund seines Bekennens erkennen könnte. Es scheint mir aber deutlich zu sein, daß weder die Geschichte des ältesten Christusglaubens noch die Verkündigung Jesu selber wirklich verständlich gemacht werden können ohne die in den ältesten Quellen erkennbare Tatsache, daß Jesus seinen absoluten eschatologischen Anspruch in durchaus paradoxer Weise mit dem aus der apokalyptischen Eschatologie stammenden Titel des „Menschen" angedeutet hat[32]. Und es ist m. E. ein wissenschaftliches Dogma, daß „es tatsächlich keinen einzigen sicheren Beweis" gebe, „daß Jesus einen der messianischen Titel, die ihm die Tradition anbot, für sich in Anspruch nahm"[33], oder gar, daß Jesus „auch nicht mit einem von sich verschiedenen Menschensohn gerechnet hat"[34], wie es ebenso ein nie überzeugend bewiesenes wissenschaftliches Dogma ist, daß Jesus mit diesem Menschensohnanspruch das Bewußtsein verbunden habe, er solle die Rolle

allein der Vater gehört in das Evangelium, wie es Jesus verkündigt hat, hinein" (Das Wesen des Christentums, 1901[4], S. 91) und A. SCHWEITZERS Gegenthese: „Geschichtlich ist nur diejenige Auffassung, welche begreiflich macht, wie Jesus sich für den Messias halten konnte, ohne sich genötigt zu sehen, dieses sein Selbstbewußtsein in seiner öffentlichen Wirksamkeit auf das messianische Reich hin zur Geltung zu bringen" (A. SCHWEITZER, Das Abendmahl im Zusammenhang mit dem Leben Jesu und der Geschichte des Urchristentums, 2. Hälfte: Das Messianitäts- und Leidensgeheimnis, 1901, S. VII).

[31] E. KÄSEMANN, aaO (Anm. 6), S. 145; E. FUCHS, aaO (Anm. 8), S. 220. Vgl. auch die Rede von der „erstaunlichen Souveränität Jesu" (G. BORNKAMM, aaO [Anm. 20], S. 53) und vom Selbstverständnis Jesu als des *„letzten* Rufers" (H. CONZELMANN, aaO [Anm. 28], S. 633).

[32] Vgl. die Andeutungen bei W. G. KÜMMEL, Verheißung und Erfüllung, 1956[3], S. 39 f und dazu E. SJÖBERG, Der verborgene Menschensohn in den Evangelien, 1955. Die neueste Literatur zu dieser Frage referiert A. J. B. HIGGINS, Son of Man-Forschung since „The Teaching of Jesus"; in: New Testament Essays in Memory of T. W. MANSON, 1959, S. 119 ff.

[33] G. BORNKAMM, aaO (Anm. 20), S. 158. Vgl. auch R. BULTMANN, Theologie des Neuen Testaments, 1958[3], S. 27 ff und H. BRAUN, Der Sinn der neutestamentlichen Christologie, ZThK 54, 1957, S. 345 f (nach diesen Forschern hat Jesus vom kommenden Menschensohn gesprochen, sich aber nicht damit gemeint).

[34] E. KÄSEMANN, aaO (Anm. 6), S. 150; H. CONZELMANN, aaO (Anm. 28), S. 631 und aaO (Anm. 9), S. 9. Vgl. PH. VIELHAUER, Reich Gottes und Menschensohn in der Verkündigung Jesu, Festschrift für G. Dehn, 1957, S. 51 ff., dessen Argumentation, Reich Gottes und Menschensohn gehörten zwei verschiedenen Überlieferungen der Herrenworte an und widersprächen sich sachlich, ein völlig unbeweisbares Postulat voraussetzt, während sein inquisitorischer Nachweis der Unechtheit aller Menschensohnworte nicht überzeugt.

des leidenden Gottesknechtes spielen [35]. Der Nachweis eines den Titel des „Menschen" aufnehmenden Sendungsanspruches Jesu erklärt selbstverständlich die Entstehung des Auferstehungsglaubens der Urgemeinde keineswegs, aber er hilft zum Verständnis der Form, die das Bekenntnis zu dem auferstandenen Jesus von Nazareth in der | ältesten Gemeinde angenommen hat. Und ebenso selbstverständlich kann der immer nur bis zu einem gewissen Grade zu sichernde Nachweis dieses persönlichen Anspruchs Jesu dem Glauben nicht zur Sicherung seiner Entscheidung dienen, wohl aber kann eine solche Feststellung dem *reflektierenden* Glauben die Möglichkeit und Sachgemäßheit seiner Entscheidung bestätigen [36].

4. Mit alledem ist gegeben, daß die Frage nach dem geschichtlichen Jesus auf keine Weise zu einer psychologisch verständlichen Schilderung der religiösen Persönlichkeit Jesu führen kann, und das Argument, diese oder jene aus den Quellen erhobene Feststellung über Jesu Botschaft oder Anspruch mache sein Verhalten psychologisch verständlich oder unverständlich, ist in jeder Form unerlaubt. Wohl aber kann die Antwort auf die Frage nach dem geschichtlichen Jesus uns einen Menschen erkennen lassen, der sein Handeln und seinen Auftrag als gegenwärtige Verwirklichung des zukünftigen eschatologischen Heilshandelns Gottes der Welt gegenüber deutete und sich so die entscheidende endzeitliche Rolle in Gottes Heilsgeschichte zuschrieb. Dieser Anspruch Jesu, den nach dem Glauben der Urkirche Gott durch das eschatologische Geschehen von Kreuz und Auferstehung bestätigt hat, erklärt die eschatologische, heilsgeschichtliche Deutung der Person Jesu in der frühen Christenheit. Ebenso aber wird der Mensch, den diese urchristliche Verkündigung aus den Schriften des Neuen Testaments anredet, durch diese Verkündigung vor die Frage gestellt, ob er diese heilsgeschichtliche Deutung der Person Jesu, die Jesus selber verkündete und die die Urgemeinde auf Grund der Ostererfahrung in verstärkter Form vertrat, als der göttlichen Wirklichkeit entsprechend zu bejahen und als für sich entscheidend anzuerkennen bereit ist, oder ob er sie als unannehmbaren Irrtum ablehnen muß.

[35] Vgl. etwa J. JEREMIAS, Art. παῖς θεοῦ, ThWB V, 1954, S. 709 ff; O. CULLMANN, Die Christologie des Neuen Testaments, 1957, S. 59 ff; R. H. FULLER, aaO (Anm. 12), S. 55 ff und dagegen die bei W. G. KÜMMEL, aaO (Anm. 32), S. 66 Anm. 180 Genannten und M. D. HOOKER, Jesus and the Servant, 1959, S. 62 ff, 148 f.

[36] Der Bezug des Glaubens auf den historischen Jesus kann also keineswegs „nur ein jeweilig-punktueller" sein, nämlich „das nackte Daß des Dagewesenseins Jesu" (so H. CONZELMANN, aaO [Anm. 28], S. 651). Entzöge die Nicht-Existenz dieses „Daß" Jesu dem Glauben überhaupt seine Existenzmöglichkeit, so sucht der fragende Glaube doch nicht ein bloßes „Daß", sondern eine geschichtliche Person mit ihrer Besonderheit und ihrem Stehen in einem einmaligen Abschnitt der Geschichte Gottes mit der Welt.

DAS LITERARISCHE UND GESCHICHTLICHE PROBLEM
DES ERSTEN THESSALONICHERBRIEFES

1. Daß der 1. Thessalonicherbrief der älteste erhaltene Brief des Paulus ist, zu Beginn seines ersten Aufenthalts in Korinth (Apg 18, 1 ff) geschrieben, gilt heute weithin als sicher[1], gerade auch im Vergleich mit dem 2. Thessalonicherbrief, dessen paulinische Herkunft nach wie vor von einer Reihe von Forschern angefochten wird[2]. Zwar hat F. C. BAUR auch 1. Thess dem Paulus abgespro|chen, weil dieser „Brief" keinen dogmatischen Inhalt habe und von der Apostelgeschichte und den Korintherbriefen abhängig sei[3], er hat damit aber nur bei wenigen seiner Schüler

---

[1] [213¹] Vgl. etwa die Einleitungen in das Neue Testament von E. REUSS, Die Geschichte der heiligen Schriften Neuen Testaments, 1887⁶, S. 74f; M. GOGUEL, Introduction IV, 1, 1925, S. 308; A. JÜLICHER-E. FASCHER, 1931⁷, S. 58; J. DE ZWAAN, Inleiding 2, 1948², S. 147, 157; H. HÖPFL-B. GUT, Introductio specialis, 1949⁵, S. 338; M. MEINERTZ, 1950⁵, S. 83f; K. TH. SCHAEFER, Grundriß, 1952, S. 112f; A. WIKENHAUSER, 1953, S. 259; P. FEINE-J. BEHM, 1954¹⁰, S. 130f; J. CAMBIER in A. ROBERT-A. FEUILLET, Introduction à la Bible 2, 1959, S. 293f; D. GUTHRIE, The Pauline Epistles, New Testament Introduction, 1961, S. 181. Ebenso die Kommentare von P. W. SCHMIEDEL (Hand-Commentar, 1892²), S. 4f; G. WOHLENBERG (Zahns Kommentar, 1903), S. 7; E. VON DOBSCHÜTZ (Meyers Kritisch-exegetischer Kommentar, 1909⁷), S. 17; J. E. FRAME (International Critical Commentary, 1912), S. 9; A. STEINMANN (Die Heil. Schrift des Neuen Testaments, 1935⁴), S. 19; M. DIBELIUS (Handbuch zum Neuen Testament 1937³), S. 33; W. NEIL (Moffatt New Testament Commentary, 1950), S. XIIIf; W. HENDRIKSEN (New Testament Commentary, 1955), S. 15f; B. RIGAUX (Études Bibliques, 1956), S. 42, 50; CH. MASSON (Commentaire du Nouveau Testament, 1957), S. 7; L. MORRIS (The New International Commentary on the New Testament, 1959), S. 25f; K. STAAB (Regensburger Neues Testament 7, 1959³), S. 8. Die Kommentare werden im Folgenden nur noch mit dem Verfassernamen angeführt.
[2] [213²] Vgl. zuletzt etwa A. JÜLICHER-E. FASCHER (s. Anm. 1), S. 67; H. BRAUN, Zur nachpaulinischen Herkunft des zweiten Thessalonicherbriefes, ZNW 44, 1952/3, S. 152ff; CH. MASSON, S. 10; R. BULTMANN, Theologie des Neuen Testaments, 1958³, S. 484; E. FUCHS, Hermeneutik?, Theologia Viatorum 7, 1960, S. 46; K.-G. ECKART, Der zweite echte Brief des Apostels Paulus an die Thessalonicher, ZThK 58, 1961, S. 30f. Es gibt freilich m. E. sehr schwerwiegende Argumente für die Herleitung auch des 2. Thessalonicherbriefs von Paulus, auf die leider in diesem Zusammenhang nicht eingegangen werden kann. Es fragt sich aber, ob angesichts des in diesem Falle konservativen Urteils auch vieler kritischer Theologen (vgl. nur M. DIBELIUS, J. WEISS, J. MOFFATT, E. J. GOODSPEED, M. GOGUEL, s. die Literaturangaben bei B. RIGAUX, S. 132) die Formulierung angemessen ist: „Es sollte nicht mehr bezweifelt werden, daß das im Neuen Testament als 2. Thessalonicherbrief geführte Schreiben nicht von Paulus ... stammt" (so K.-G. ECKART, aaO, S. 30)!
[3] [214¹] F. C. BAUR, Paulus, der Apostel Jesu Christi, 1845, S. 480ff. Daß schon K. SCHRADER, Der Apostel Paulus 5, 1836, S. 23ff in zahlreichen gelegentlichen Hinweisen die These vertreten hatte, es scheine „in dem Brief nur gesammelt zu sein, was man für paulinisch hielt, sodaß man den Brief für paulinisch halten konnte, ohne daß ihn doch wirklich Paulus verfaßt hatte" (S. 34), hat F. C. BAUR offensichtlich nicht gewußt.

Anklang gefunden, und die Unechtheit des 1. Thessalonicherbriefs ist auch sonst nur von der kleinen Gruppe von Radikalen vertreten worden, die alle erhaltenen Briefe dem Paulus absprachen[4]. Ja, die im 19. Jahrhundert so beliebte und heute von neuem für die Paulusbriefe vertretene Annahme von Kompilationen und Interpolationen ist auf den 1. Thessalonicherbrief nur in ganz geringem Maße angewandt worden[5].

Diese weitgehende Übereinstimmung in der Frage der paulinischen Herkunft und Einheitlichkeit des 1. Thessalonicherbriefs ist nun neuestens stark in Frage gestellt worden. E. Fuchs[6] hat 1Thess 4, 13–5, 11 als den Zusammenhang unterbrechend und als „wahrscheinlich ein Stück, wenn nicht den Hauptteil des von dem kanonischen 2. Thessalonicherbrief verdrängten echten 2. Briefes des Apostels an die Thessalonicher" bezeichnet und 4, 18 vermutungsweise der Redaktion zugeschrieben. Vor allem aber hat K.-G. Eckart[7] zu zeigen versucht, daß mehrere Abschnitte des 1. Thessalonicherbriefs keinen Brieftext bieten (2, 13–16; 4, 1–8. 10b–12; 5, 12–22), daß darüber hinaus die beiden Erwähnungen des Timotheus in 1Thess 3, 1ff und 3, 6ff verschiedene Situationen voraussetzen, die nicht in denselben Brief passen, und daß sich 1Thess 3, 11ff und 5, 23ff auch zwei Briefschlüsse finden. Er zieht aus diesen Beobachtungen die Folgerung, daß im kanonischen 1. Thessalonicherbrief zwei Briefe an die Thessalonicher zusammengefügt seien, von denen der eine nur den Timo|theus nach Thessalonich geleiten sollte (1, 1–2, 12; 2, 17–3, 4. 11–13), während der andere nach der Rückkehr des Timotheus geschrieben sei (3, 6–10; 4, 13–5, 11; 4, 9. 10a; 5, 23–26. 28); beide Briefe seien bereits in Athen abgefaßt. Auf die Frage, wie aus diesen beiden Briefen und den unpaulinischen Stücken der 1. Thessalonicherbrief entstanden sei, geht K.-G. Eckart freilich nicht ein. Ist mit diesen beiden Hypothesen die Echtheit und Einheitlichkeit des 1. Thessalonicherbriefs wieder zur Diskussion gestellt, so ist die Datierung des 1. Thessalonicherbriefs (und gegebenenfalls des 2. Thessalonicherbriefs) in den korinthischen Aufenthalt des Paulus nicht erst durch K.-G. Eckart angezweifelt worden, vielmehr ist schon seit langem die These vertreten worden, der 1. Thessalonicherbrief stamme aus späterer Zeit, nämlich aus der ephesinischen Wirksamkeit des Paulus (sogenannte 3. Missionsreise), und diese Annahme ist ebenfalls vor kurzem erneut verteidigt worden[8].

---

[4] [214²] Vgl. die Angaben bei W. Bornemann, Die Thessalonicherbriefe, Meyers Kritisch-exegetischer Kommentar, 1894⁵·⁶, S. 301ff und B. Rigaux, S. 120ff.

[5] [214³] Außer dem in verschiedener Weise angefochtenen Abschnitt gegen die Juden 2, 14–16 sind nur einzelne Verse beanstandet worden (1, 10b.c; 2, 2. 18; 3, 2b–5a; 5, 7. 8a. 10. 27), vgl. die Zusammenstellungen bei C. Clemen, Die Einheitlichkeit der paulinischen Briefe, 1894, S. 13ff; E. von Dobschütz, S. 32 Anm. 3; M. Goguel, S. 306f; E. Bammel, Judenverfolgung und Naherwartung, ZThK 56, 1959, S. 294ff (bes. S. 294 Anm. 1. 2). Ferner hält A. Loisy, La naissance du Christianisme, 1933, S. 17, 2, 1–16; 3, 2b–4; 4, 13–5, 11 für interpoliert und R. M. Hawkins 1, 10; 2, 14–16; 4, 13–5, 10 (nach W. Hendriksen, S. 18 Anm. 8).

[6] [214⁴] E. Fuchs, s. Anm. 2, S. 46ff.

[7] [214⁵] K.-G. Eckart, s. Anm. 2.

[8] [215¹] W. Lütgert, Die Vollkommenen im Philipperbrief und Die Enthusiasten in Thessalonich, 1909, S. 55ff (sucht nur dieselben Gegner wie in den Korintherbriefen nachzuweisen); W. Hadorn, Die Abfassung der Thessalonicherbriefe in der Zeit der 3. Missions-

Die geschichtliche Stellung des 1. Thessalonicherbriefs bedarf daher einer erneuten Untersuchung.

2. Eine solche Untersuchung hat naturgemäß zunächst danach zu fragen, ob es sich bei dem überlieferten kanonischen 1. Thessalonicherbrief in der Tat um eine sekundäre Komposition handelt und ob bei dieser Komposition auch nichtpaulinische Stücke verwendet worden sind. Diese zweite Frage ist natürlich die entscheidende; denn wenn diese Annahme zutrifft, ist ja der zusammengesetzte Charakter des Briefes von vornehein unbestreitbar. Stellen wir zunächst einmal den auch früher gelegentlich angezweifelten Abschnitt 2, 14–16[9] zurück, so begegnen wir der Behauptung K.-G. ECKARTS, 1Thess 4, 1–8. 10b–12; 5, 12–22 seien darum unpaulinisch, weil diese Paränesen nicht brieflich und nicht konkret seien und sich durch die Stilform des Parallelismus als *literarische* Paränese erwiesen; auch verwende Paulus den Begriff παραλαμβάνειν im Zusammenhang ethischer Belehrung (4, 1) sonst nie; einzig 4, 9. 10a, das Lob der Gemeinde wegen ihrer Bruderliebe, weise dieses Stilmerkmal nicht auf und stamme von Paulus. Man kann sich diesen, | mit bemerkenswerter Sicherheit vorgetragenen Behauptungen gegenüber nur wundern, mit wie unzureichenden Argumenten K.-G. ECKART die paulinische Herkunft dieser Abschnitte zu bestreiten wagt. Der einzige gebotene Hinweis auf einen unpaulinischen Sprachgebrauch ist offenkundig falsch; zwar stimmt es konkordanzmäßig, daß παραλαμβάνειν in den meisten Fällen sich auf kerygmatische Inhalte bezieht[10], aber wenn K.-G. ECKART zu Phil 4, 9 *ἃ ἐμάθετε καὶ παρελάβετε καὶ ἠκούσατε καὶ εἴδετε ἐν ἐμοί, ταῦτα πράσσετε* sagt, dieser Text beziehe sich nicht auf ethische Belehrung zurück, so widerspricht ἠκούσατε eindeutig dieser Behauptung, und in 1Kor 11, 2 *(καθὼς παρέδωκα ὑμῖν τὰς παραδόσεις κατέχετε)* bezieht sich Paulus eindeutig auf eine ethische Paradosis[11]. Dieser lexikalische Sachverhalt weist aber nur darauf hin, daß in der Verkündigung des Paulus neben dem εὐαγγέλιον immer auch die παράκλησις steht (vgl. 1Thess 2, 2. 3; Röm 12, 1)[12]. Nun ist aber Paränese ihrem traditionsgebundenen und unsystematischen Charakter entsprechend weitgehend unkonkret und keineswegs immer oder auch nur vornehmlich durch Mißstände in den Gemeinden veranlaßt[13]. Das Vorhandensein von allgemeiner Paränese im 1.

---

reise des Paulus, 1919; W. MICHAELIS, Die Gefangenschaft des Paulus in Ephesus und das Itinerar des Timotheus, 1925, S. 60ff; DERS., Einleitung in das Neue Testament, 1961[3], S. 221ff, Ergänzungsheft S. 31; W. SCHMITHALS, Die Häretiker in Galatien, ZNW 47, 1956, S. 64 Anm. 123; DERS., Zur Abfassung und ältesten Sammlung der paulinischen Hauptbriefe, ZNW 51, 1960, S. 230, 232f (der dort Anm. 18 erwähnte Aufsatz ist noch nicht erschienen, mir aber im Manuskript bekannt).

[9] [215[2]] S. die Angaben in Anm. 5.

[10] [216[1]] So K.-G. ECKART, s. Anm. 2, S. 35 Anm. 2.

[11] [216[2]] Da K.-G. ECKART 2. Thess. nicht für paulinisch hält, will ich mich auf 2. Thess. 2, 15; 3, 6 nicht berufen, obwohl m. E. auch diese Stellen beweisen, daß Paulus παράδοσις im Sinn ethischer Überlieferung gebraucht.

[12] [216[3]] Vgl. C. H. DODD, Gospel and Law, 1951, S. 5ff (= Das Gesetz der Freiheit, 1960, S. 7ff).

[13] [216[4]] Vgl. M. DIBELIUS, Exkurs zu 1. Thess. 4, 1 und E. KÄSEMANN, Gottesdienst im Alltag der Welt, in „Judentum-Urchristentum-Kirche", Festschrift für J. Jeremias, 1960, S. 165ff.

Thessalonicherbrief steht darum in keinem Widerspruch zu dem Lob des Glaubens und der Liebe der Gemeinde durch Paulus (1, 7; 3, 6f; 4, 9f); zumal dasselbe Nebeneinander von Lob und Paränese sich auch sonst bei Paulus findet (Phil 1, 3–7 neben 1, 27–2, 4; 1Kor 1, 4–7 neben 10, 5–12; Kol 1, 4–6 neben 3, 5–14).

Über diese allgemeine Feststellung hinaus ist aber zu den beanstandeten paränetischen Abschnitten des 1. Thessalonicherbriefes nun noch ein Doppeltes zu sagen.

a) Der Blick auf die von K.-G. ECKART unverantwortlicherweise völlig übergangene Sprache der Abschnitte 4, 1–12 und 5, 12–22 zeigt, daß zahlreiche charakteristisch paulinische Worte und Wendungen begegnen[14], während die Zahl der bei Paulus sonst | nicht vorkommenden Worte sehr gering ist und nichts Auffälliges zeigt[15]. Gewiß läßt sich durch eine solche Prüfung des Sprachgebrauchs die paulinische Herkunft der beanstandeten Abschnitte nicht *beweisen,* aber es ist kaum denkbar, daß ein unpaulinischer Text eine solche Fülle typisch paulinischer Sprachgewohnheiten und *keine* unpaulinischen Spracherscheinungen aufweist. Und es müßten schon erhebliche inhaltliche Abweichungen von Paulus nachgewiesen werden, wenn man trotz dieses sprachlichen Befundes diese Abschnitte dem Paulus begründetermaßen absprechen wollte.

b) K.-G. ECKART sucht nachzuweisen, daß die von ihm beanstandeten paränetischen Abschnitte (im Gegensatz zu 4, 9. 10a) einen besonderen Stil aufweisen, nämlich eine strenge Gliederung in Parallelzeilen, die nur in 4, 1b.c. 2 durch Bearbei-

---

[14] [216 5] Zu Sprache und Stil des 1. Thess. vgl. HERM. VON SODEN, Der erste Thessalonicherbrief, ThStKr 58, 1885, S. 264ff und B. RIGAUX, S. 80ff – 1. Thess. 4, 1 λοιπόν häufig, λοιπόν, ἀδελφοί nur bei Paulus; περισσεύειν, ἀρέσκειν sind Lieblingsworte des Paulus; καθάπερ im NT außer bei Paulus nur Hebr 4, 2; ἐν κυρίῳ Ἰησοῦ nur bei Paulus (Röm 14, 14; Phil 2, 19) und Eph 1, 15; pleonastisches μᾶλλον außer bei Paulus (2Kor 7, 13; Phil 1, 23; 1Thess 4, 1. 10) nur Mk 7, 36—4, 5 πάθος im NT nur noch Röm 1, 26; Kol 3, 5; die alttestamentliche Formel μὴ εἰδότες τὸν θεόν für die Heiden im NT nur bei Paulus (Gal 4, 8; 2Thess 1, 8) – 4, 6 πλεονεκτεῖν nur bei Paulus; ἔκδικος nur noch Röm 13, 4; 4, 7 ἀκαθαρσία nur bei Paulus und Mt 23, 27; Eph 4, 19; 5, 3—4, 11 φιλοτιμεῖσθαι nur bei Paulus – 4, 12 εὐσχημόνως nur bei Paulus – 5, 12 προϊστάμενος technisch nur noch Röm 12, 8, νουθετεῖν mehrfach bei Paulus, sonst nur Apg 20, 31—5, 13 εἰρηνεύειν außer bei Paulus nur Mk 9, 50 – 5, 14 ἀσθενής (bzw. ἀσθενῶν) zur Bezeichnung der „geistlich Schwachen" nur bei Paulus (Röm 14, 1f; 1Kor 8, 7ff; 9, 22) – 5, 15 κακὸν ἀντὶ κακοῦ ἀποδιδόναι noch Röm 12, 17; 1Petr 3, 9; διώκειν metaphorisch häufig bei Paulus (und nachpaulinisch) – 5, 16 ἀδιάλειπτος und ἀδιαλείπτως nur noch Röm 1, 9; 9, 2; 1Thess 1, 2; 2, 13 und 2Tim 1, 3 – 5, 18 ἐν παντί nur bei Paulus (1Kor 1, 5; 2Kor 4, 8; 6, 4; 7, 5. 11; 8, 7; 9, 8. 11; 11, 6. 9; Phil 4, 6. 12) und Eph 5, 24—5, 20 ἐξουθενεῖν Lieblingswort des Paulus – 5, 21 δοκιμάζειν Lieblingswort des Paulus.

[15] [217 1] 4, 2 διὰ τοῦ κυρίου Ἰησοῦ (begegnet sonst nirgends) – 4, 3; 5, 22 ἀπέχεσθαι ἀπό – 4, 4 σκεῦος, κτᾶσθαι – 4, 6 ὑπερβαίνειν, διαμαρτύρεσθαι – 4, 8 τοιγαροῦν – 5, 14 ἄτακτος (aber noch 2Thess 3, 6. 7. 11), ὀλιγόψυχος, ἀντέχεσθαι – 5, 19 σβεννύναι – 5, 27 ἐνορκίζειν – Die Prüfung der als paulinisch festgehaltenen Abschnitte 4, 9. 10a. 13–17; 5, 1–11. 23–26. 28 auf sonst bei Paulus nicht begegnende Worte ergibt kein anderes Resultat (4, 9 θεοδίδακτοι – 4, 15. 17 περιλειπόμενοι – 4, 16 κέλευσμα ἀρχάγγελος – 4, 17 ἀπάντησις – 5, 2 ἀκριβῶς – 5, 3 ἀσφάλεια, αἰφνίδιος, ἐφιστάναι, ὠδίν – 5, 6. 8 νήφειν – 5, 7 μεθύσκεσθαι – 5, 8 θώραξ, περικεφαλαία – 5, 9 περιποίησις (= 2Thess 2, 14) – 5, 23 ἁγιάζειν aktiv ὁλοτελής, ὁλόκληρος). Bei den angefochtenen Texten der Kapitel 4 und 5 entfallen auf 42 Zeilen 11 sonst nicht bei Paulus begegnende Ausdrücke, bei den auf Paulus zurückgeführten Texten auf 46 Zeilen 18 derartige Ausdrücke.

tung gestört | sei[16]. Nun kann man freilich schon stark bezweifeln, ob in 4, 3–8. 10b–12 überhaupt Parallelzeilen vorliegen oder nicht vielmehr Sinnzeilen, über deren Abgrenzung man außerdem noch schwanken kann[17]. Und man kann auch durchaus fragen, ob eine solche stichische Gliederung hier im Sinne des Verfassers überhaupt beabsichtigt ist. Aber wie dem auch sei: solche selbständigen und verschieden langen Sinnzeilen gehören zum Stil der Paränese und finden sich genauso in andern paränetischen Abschnitten bei Paulus, etwa Röm 12, 6–21 oder Phil 4, 4–9; und daß in 1Thess 4, 3–6 und 4, 10b. 11 ein Teil der Paränese in je 4 abhängigen Infinitiven gereiht ist, dürfte schwerlich eine stilistische Besonderheit sein, die dazu Veranlassung geben könnte, diese Texte dem Paulus abzusprechen. D. h. für die Abschnitte 4, 1–8. 10b–12; 5, 12–22 läßt sich nicht das geringste überzeugende Argument für die Annahme anführen, diese Abschnitte des 1. Thessalonicherbriefs stammten nicht von Paulus. Wo bleibt bei einer solchen Behauptung die Ehrfurcht vor den Tatbeständen des Textes?

Und wie steht es mit 2, 13–16? Nach K.-G. ECKART ist auch dieser Abschnitt ein Fremdkörper im Brief, der den guten Zusammenhang zwischen 2, 12 und 2, 17 unterbricht; 2, 13 und 2, 15. 16 sind ebenfalls in unbrieflichem Satzparallelismus gebaut, 2, 14 ist eine allgemeine Beschreibung der Situation der christlichen Gemeinde, 2, 15. 16 eine programmatische Judenpolemik, d. h. der ganze Abschnitt trägt keinen brieflichen Charakter. Warum dieser „Fremdkörper", von diesem unbrieflichen Charakter abgesehen, nicht von Paulus stammen könne, begründet K.-G. ECKART freilich nicht, stellt es vielmehr einfach fest (S. 37). Stellen wir die Frage der Stellung des Abschnitts im Zusammenhang für einen Augenblick zurück, so ist auch hier zunächst zu fragen, ob sich gegen die Herkunft des Abschnitts von Paulus sprachliche Bedenken erheben. Das ist ebenfalls keineswegs der Fall[18], dagegen hat man, wie | schon erwähnt[19], sachliche Bedenken auch sonst gegen 2, 14–16 oder nur V. 16b erhoben. Gegen V. 13 führt K.-G. ECKART nur seinen Aufbau im „straffen Satzparallelismus" und das Fehlen konkreten Inhalts an. Einen straffen Satzparallelismus weist der Vers aber durchaus nicht auf, bietet vielmehr eine logische Folge von drei Sätzen, indem dem Hauptsatz mit εὐχαριστοῦμεν der ὅτι-Satz die Begründung für diesen Dank in positiver und negativer Form folgen läßt und dann ein Relativsatz diese Begründung durch den Hinweis auf Gottes Kausalität zu Ende führt[20]. Nun ist freilich diese Danksagung eine Dublette zu 1, 2. 6, was nach K.-G. ECKART in einem Brief doch sehr ungewöhnlich sei. Man kann jedoch durchaus fragen, ob es

---

[16] [218¹] Die durch Umstellung hypothetisch hergestellte ursprüngliche Anordnung von 4, 1b. c (S. 36 Anm. 2) scheint mir freilich sprachlich gänzlich unmöglich.

[17] [218²] Die drei Sätze von 4, 6 bilden z. B. keinerlei Parallelismus, und daß 4, 7 für *eine* Zeile zu lang und für zwei Zeilen zu kurz ist, empfindet K.-G. ECKART selber.

[18] [218³] 2, 13 zu ἀδιαλείπτως vgl. Anm. 14; ἀκοή = Predigt bei Paulus mehrfach, sonst nur Joh 12, 38 (= Jes 53, 1; dasselbe Zitat Röm 10, 16) und in der Verbindung λόγος ἀκοῆς Hebr 4, 2; ἐνεργεῖν Lieblingswort des Paulus – 2, 15 ἀρέσκειν s. Anm. 14 – Bei Paulus begegnen sonst nicht ἐκδιώκειν und ἐναντίος (2, 15).

[19] [219¹] S. Anm. 5.

[20] [219²] *Wenn* man in *Sinn*zeilen gliedern wollte, dann wären wohl 4, nicht 5 Zeilen anzunehmen *(καὶ- ἀδιαλείπτως; ὅτι – θεοῦ; ἐδέξασθε – θεοῦ; ὃς – πιστεύουσιν).*

zutreffe, daß eine Dublette in einem Brief ungewöhnlich sei. Aber K.G. ECKART hat es überhaupt unterlassen, sich die Besonderheit des Aufbaus des 1. Thessalonicherbriefs zu vergegenwärtigen. Schon E. VON DOBSCHÜTZ[21] hatte darauf aufmerksam gemacht, daß der Abschnitt 1Thess 1, 2–3, 13 formal eine Einheit bildet, indem Paulus hier in den Rahmen der brieflichen Anfangsdanksagung, die er 2, 13 und 3, 9 wieder aufnimmt, seine ganze Korrespondenz mit der Gemeinde einfügt, so daß die Paränese in 4, 1 ff ausnahmsweise direkt an den erst hier zu Ende gehenden Briefeingang anschließt. P. SCHUBERT hat dann durch eine sorgfältige Analyse dieses Briefeingangs gezeigt, daß 2, 13 „is a stylistically effective climax of the entire „digression" which immediately precedes it" (d. h. von 2, 1–12) und daß „the thanksgiving itself constitutes the main body of I Thessalonians"[22]. Die Wiederaufnahme der Danksagung in 2, 13 erweist sich also bei genauerem Hinsehen als durchaus verständlich, und sie ist darum so wenig unkonkret wie der 1, 6 wieder aufnehmende Hinweis auf das μιμηταί-Sein der Thessalonicher, das sich hier auf das Leiden der palästinensischen Judenchristen bezieht. Freilich sucht nun K.-G. ECKART zu zeigen, daß in 2, 14 gar nicht „von einem Leiden in Thessalonich die Rede" sei, zumal man statt des allgemeinen συμφυλέται eine speziellere Bezeichnung der Partner der Thessalonicher erwarte und die Verfolgung der Heidenchristen durch die συμφυλέται der Thessa|lonicher nicht mit Apg 17, 5 übereinstimme, wo von Verfolgung durch die Juden die Rede ist. Auch in dem von Paulus stammenden Text 3, 3f sei nur von der allgemeinen Situation der christlichen Gemeinde und nicht von der Märtyrersituation der Thessalonicher die Rede. Gegen diese Behauptung spricht nun aber, daß **3, 4** sehr eindeutig von *erfahrener* Bedrängnis bei den Thessalonichern redet, und warum in 2, 14 statt des Wortes συμφυλέται eine Bezugnahme auf Mazedonien und Achaia stehen müßte, ist unerfindlich. Und wenn der 1. Thessalonicherbrief von einer Verfolgung der Gemeinde durch heidnische Mitbürger, die Apostelgeschichte aber von einer Verfolgung durch die Juden spricht, so besagt das gar nichts gegen die Richtigkeit von 1Thess 2, 14, da die Juden in der Apostelgeschichte ganz schematisch als Verfolger der christlichen Mission erscheinen[23] und außerdem in Apg 17, 5 die Beteiligung des Pöbels an der Verfolgung der Christen vorausgesetzt wird. Gegen die Zugehörigkeit von 1Thess 2, 14 zum paulinischen Brief spricht darum gar nichts.

Unkonkret ist freilich, wie schon lange beobachtet worden ist, die sich anschließende Judenpolemik 2, 15. 16. Daß diese Verse in Sinnzeilen aufgegliedert werden können, ist richtig, aber ein „straffer Parallelismus" liegt auch hier keineswegs vor[24].

[21] [219³] S. 62. Ähnlich M. DIBELIUS, S. 2.

[22] [219⁴] P. SCHUBERT, Form and Function of the Pauline Thanksgivings, 1939, S. 7f, 16ff, 43ff, 51ff (bes. S. 19, 26).

[23] [220¹] S. E. HAENCHEN, Die Apostelgeschichte, Meyers Kritisch-exegetischer Kommentar, 1959¹², S. 452f.

[24] [220²] Der von K.-G. ECKART, s. Anm. 2, S. 32 angenommene Parallelismus der Sätze τῶν – Ἰησοῦν und καὶ – ἐκδιωξάντων in V. 15a.b wird von sämtlichen modernen Kommentatoren m. E. mit Recht abgelehnt, weil das καί vor τὸν κύριον zu deutlich mit dem καί vor τοὺς προφήτας korrespondiert und die jüdischen Prophetenmorde eine verbreitete Anklage gegen die Juden waren (s. H.-J. SCHOEPS, Aus frühchristlicher Zeit, 1950, S. 126ff).

Im übrigen aber ist zu sagen, daß Paulus hier darum unkonkret redet, weil er, anknüpfend an die Erwähnung der Verfolgung der palästinischen Judenchristen durch die Juden, traditionelle christliche Vorwürfe und traditionelle heidnische Anklagen gegen die Juden aufnimmt und durch die eschatologische Bewertung der Behinderung der paulinischen Heidenmission ergänzt[25], wobei das viel umstrittene ἔφθασεν ἐπ' αὐτοὺς ἡ ὀργὴ εἰς τέλος schwerlich die Judenvertreibung aus Rom durch Claudius, von der Paulus in Korinth durch Aquila und Priskilla gehört haben wird, „in das eschatologische Koordinatensystem" einordnet, da wir keinerlei Zeugnis dafür haben, | daß diese Maßnahme von jüdischer oder christlicher Seite als ein so entscheidender Faktor im eschatologischen Drama gewertet worden ist, und da die Thessalonicher nicht bemerken konnten, daß Paulus auf dieses ihm womöglich erst in Korinth bekanntgewordene geschichtliche Ereignis anspiele[26]. Richtig ist dagegen der Hinweis von E. BAMMEL, daß nach jüdischer Anschauung die Heidenmission als Akt im eschatologischen Drama angesehen wird[27] (vgl. auch Mk 13, 10), und daraus ergibt sich zwangsläufig die Anschauung, daß ihre Behinderung durch die Störung der Heidenmission des Paulus von Paulus als Anzeichen für die sich schon vollziehende Verwerfung der ungläubigen Juden durch Gott gedeutet wird[28]. Auch die traditionelle Sprache von 1 Thess 2, 15. 16 gibt daher keine Veranlassung, den Abschnitt 2, 13–16 dem Paulus abzusprechen[29].

3. Mit dieser hiermit wohl als gänzlich unbegründet erwiesenen These von unpaulinischen Abschnitten im 1. Thessalonicherbrief hat nun K.-G. ECKART die Annahme verbunden (und dabei die teilweise Zustimmung von E. FUCHS gefunden), daß der von Paulus stammende Teil des kanonischen 1. Thessalonicherbriefs aus zwei Paulusbriefen an die Thessalonicher sekundär kombiniert sei. Diese Annahme wird einerseits mit dem Widerspruch in den Ausführungen über die Sendung des Timotheus in 3, 1 f und 3, 6 begründet, andererseits mit dem von der umgebenden Paränese abweichenden literarischen Charakter von 4, 13–5, 11. Nun bildet zweifel-

---

[25] [220³] S. das Material bei M. DIBELIUS, S. 11 ff, 34 ff und I. HEINEMANN, Pauly-Wissowa, Real-Encyclopädie der classischen Altertumswissenschaft, Suppl. 5, 1931, S. 19 ff.

[26] [221¹] Gegen E. BAMMEL, s. Anm. 5, S. 295 ff.

[27] [221²] E. BAMMEL, s. Anm. 5, S. 307 unter Hinweis auf P. VOLZ, Die Eschatologie der jüdischen Gemeinde im neutestamentlichen Zeitalter, 1934², S. 170 ff. Vgl. auch J. JEREMIAS, Jesu Verheißung für die Völker, 1959², S. 48 ff.

[28] [221³] ἔφθασεν heißt also zweifellos „ist gekommen", vgl. M. DIBELIUS, W. NEIL, W. HENDRIKSEN, B. RIGAUX, CH. MASSON, K. STAAB z. St. und E. BAMMEL, s. Anm. 26, S. 308, während der genaue Sinn von εἰς τέλος („auf das Ende hin"?, vgl. M. DIBELIUS, B. RIGAUX z. St., E. BAMMEL aaO, S. 309) wohl nicht bestimmt werden kann.

[29] [221⁴] Daß 2, 17 an die Judenpolemik 2, 13–16 „schlicht gesagt garnicht" anschließt (so K.-G. ECKART, s. Anm. 2, S. 33), stimmt natürlich; aber daß 2, 17 einen „sachlich sehr begründeten Anschluß des Textes an 2, 12" hat, stimmt keineswegs. Denn ἡμεῖς δέ ... περισσοτέρως ἐσπουδάσαμεν 2, 17 ergäbe keinerlei sinnvollen Gegensatz zu 2, 12, wohl aber ist 2, 17 als Wiederaufnahme der durch den Exkurs 2, 14–16 unterbrochenen Verteidigung des Paulus gegen Mißdeutungen seines Verhaltens gegenüber der Gemeinde verständlich, gleichgültig ob man das δέ eher als bloß weiterführend oder im Gegensatz zu den Juden in 2, 14–16 versteht (s. E. VON DOBSCHÜTZ, B. RIGAUX, CH. MASSON zu 2, 17). Auch von hier aus läßt sich also die Behauptung nicht begründen, daß 2, 13–16 „ein Fremdkörper im Brief" seien.

los 3, 5 μηκέτι στέγων | ἔπεμψα eine Wiederaufnahme von μηκέτι στέγοντες ἐπέμ-ψαμεν in 3, 1 f, K.-G. ECKART will aber in 3, 1 ff die Sendung des Timotheus nach Thessalonich als noch bevorstehend, in 3, 6 ff Timotheus als bereits zurückgekehrt vorausgesetzt sehen, so daß beide Stellen verschiedene geschichtliche Situationen voraussetzen. Diese Differenzierung beruht freilich auf der völlig willkürlichen Behauptung, ἐπέμψαμεν Τιμόθεον in 3, 2 sei ein Aorist des Briefstils; die sonstigen neutestamentlichen Beispiele für diese Stilform weisen aber alle durch ihren jeweiligen Zusammenhang deutlich darauf hin, daß der im Aorist erwähnte Vorgang mit der Abfassung des Briefes gleichzeitig ist[30], während der Wortlaut von 1 Thess 3, 1 f in keiner Weise zu dieser Annahme Veranlassung bietet und andererseits 3, 6 deutlich auf den Erfolg der Sendung des Timotheus, der nun wieder bei Paulus ist, zurückblickt. Und nicht einmal als Bekräftigung darf man, wie es K.-G. ECKART tut, den „Wechsel vom Wir- zum Ich-Still" anführen, um so 3, 5 als redaktionelle Verbindung zwischen den beiden ursprünglich getrennten Briefen auszuscheiden. Denn sprachlich ist 3, 5 völlig unanstößig[31], und der Wechsel vom Wir zum Ich begegnet nicht nur unmittelbar vorher in 2, 18, sondern ist auch für Paulus besonders kennzeichnend[32]. Zu einer Aufteilung von 2, 17–3, 13 auf zwei Briefe besteht darum nicht die geringste Veranlassung. Damit entfällt aber auch die Möglichkeit, die Abfassung der beiden hypothetischen Briefe nach Athen zu verlegen, da Paulus ja im Zusammenhang des überlieferten Textes in 3, 6 auf den Aufenthalt in Athen *zurückschaut*.

Besteht nun aber wenigstens ein ausreichender Grund, in 1 Thess 4, 13–5, 11 den Hauptteil des verdrängten echten 2. Thessalonicherbriefes zu erkennen, weil 5, 12 an 4, 12 „ausgezeichnet anschließt" (E. FUCHS), oder 4, 13–5, 11 als Fortsetzung von 3, 10 zu erklären, | da Paulus in diesen Ausführungen die wichtigste Hilfe biete angesichts der in 3, 10 erwähnten ὑστερήματα τῆς πίστεως der Thessalonicher (K.-G. ECKART), wobei E. FUCHS 4, 18 der Redaktion zuschreibt, weil der Satz sich mit 5, 11 stoße[33]? Eine ausreichend begründete Antwort auf diese Frage müßte natürlich auch die gesamte Auslegung des Abschnitts 4, 13–5, 11 durch E. FUCHS und K.-G. ECKART einbeziehen, wozu der hier zur Verfügung stehende Raum nicht ausreicht. Aber in der notwendigen Kürze läßt sich doch das Wichtigste sagen.

Daß Paulus in 4, 13 und 5, 1 auf schriftlich fixierte Fragen aus der Gemeinde antwortet (E. FUCHS), ist schon mehrfach vermutet worden, aber darum nicht streng beweisbar, weil wir nicht wissen, was Timotheus dem Paulus mündlich berichtet

---

[30] [222¹] Vgl. die Beispiele bei F. BLASS-A. DEBRUNNER, Grammatik des neutestamentlichen Griechisch, 1943⁷, § 334 und L. RADERMACHER, Neutestamentliche Grammatik, 1925², S. 156. 1 Thess 3, 2 fehlt also mit Recht bei BLASS-DEBRUNNER!

[31] [222²] κόπος ist ein Lieblingswort des Paulus für die Missionsarbeit (vgl. A. v. HARNACK ZNW 27, 1928, S. 2 ff), von κόπος κενός ist 1 Kor 15, 58 die Rede, und εἰς κενόν begegnet im Neuen Testament nur bei Paulus immer im Zusammenhang mit dem Erfolg der Missionsarbeit, vgl. auch 1 Thess. 2, 1. Der Sprachgebrauch des Verses ist also auffallend paulinisch.

[32] [222³] Vgl. 1 Kor 9, 11 ff; 2 Kor 7, 4 f vgl. mit 2, 13, 2 Kor 11, 12; Kol 1, 28 f; 4, 3 f und dazu K. DICK, Der schriftstellerische Plural bei Paulus, 1900, bes. S. 61 ff; E. VON DOBSCHÜTZ, Wir und Ich bei Paulus, ZSTh 10, 1933, S. 251 ff; B. RIGAUX, S. 77 ff.

[33] [223¹] S. Anm. 6 und 7; K.-G. ECKART, s. Anm. 2, S. 40 Anm. 1 schließt sich dem Urteil von E. FUCHS über 4, 18 an.

hat, und weil eine direkte Anspielung auf einen Brief der Gemeinde nicht begegnet[34]. Aber auf Anfragen oder Nachrichten aus Thessalonich antwortet Paulus in 4, 13 bis 5, 11 zweifellos. Nachrichten aus Thessalonich liegen aber den Mahnungen in 5, 12 ff ebenso zugrunde, wie 4, 11 f die besondere Lage in Thessalonich im Auge zu haben scheint. Dann ist aber das lockere Nebeneinander von 4, 9–12; 4, 13–5, 11; 5, 12–14 nicht nur aus dem Stil der Paränese, sondern auch aus der brieflichen Situation verständlich, und irgendeine Notwendigkeit, 4, 13–5, 11 als Fremdkörper im Zusammenhang zu erklären, besteht daher keineswegs. Und daß 5. 12 an 4, 12 ausgezeichnet anschließt, trifft nur darum zu, weil bei der reihenden Stilform der Paränese fast jeder Sinnabschnitt an den andern anschließt.

Der Abschnitt 4, 13–5, 11 aber bildet in diesem paränetischen Kontext eine sachliche Einheit. Denn die Annahme, daß 4, 13 ff die Thessalonicher trösten wolle angesichts der Furcht, „doch noch vor der Parusie sterben zu müssen" (K.-G. Eckart), scheitert schon daran, daß κοιμώμενοι in 4, 13 nicht „die Sterbenden", sondern „die Toten" und λυπεῖσθαι „traurig sein" und nicht „Angst haben" bezeichnen. Ebensowenig aber sagt Paulus, was er *eigentlich* sagen | will, erst nach 4, 18, weil in 5, 1 ff die Frage nach irgendwelchen Terminen entfalle, da die Christen schon im Bereich des Heils sind, nämlich im Bereich der Liebe (E. Fuchs). Es geht vielmehr in dem ganzen Abschnitt 4, 13–5, 11 um die einheitliche Frage nach der richtigen Stellung des Christen angesichts der noch nicht so rasch eingetretenen und doch unausweichlich nahen Parusie, d. h. um das richtige Miteinander der Glaubensgewißheiten, daß der Christ herausgerissen *wurde* aus dem gegenwärtigen bösen Äon (Gal 1, 4) und daß unser Heil doch erst näher ist als damals, als wir gläubig wurden (Röm 13, 11). Auf die Not des „Immer noch nicht" *und* auf die Gefahr des falschen „Noch lange nicht" weisen 4, 13 ff und 5, 1 ff gemeinsam hin, und es besteht darum keinerlei Recht, die zentrale Bedeutung von 4, 13 ff für Paulus und als Vorbereitung von 5, 1 ff irgendwie abzuschwächen[35]. Ja, die Wiederholung des zu Unrecht angefochtenen Verses 4, 18 „ermahnet einander mit diesen Worten" in 5, 11 weist gerade auf den notwendigen Zusammenhang beider Abschnitte hin, gegen deren Ursprünglichkeit in ihrem heutigen Zusammenhang des 1. Thessalonicherbriefes darum keinerlei ausreichende Bedenken bestehen.

[34] [223 2] Das haben W. Hendriksen, S. 12 f; B. Rigaux, S. 55 ff; L. Morris, S. 39 Anm. 34, vgl. auch D. Guthrie, s. Anm. 1, S. 180 Anm. 1, mit Recht gegen C. E. Faw, On the Writing of First Thessalonians, JBL 71, 1952, S. 217 ff eingewandt, der in 1 Thess 1–3 eine Antwort auf den mündlichen Bericht des Timotheus und in 1 Thess 4–5 auf einen Brief der Gemeinde finden wollte (bei C. E. Faw auch Hinweise auf frühere Vertreter ähnlicher Hypothesen).

[35] [224 1] Das tut auch E. Bammel, s. Anm. 5, S. 310 ff, der behauptet, daß es sich in 1 Thess 4, 13 ff um ein Emporzucken jüdischen eschatologischen Erbes bei Paulus handle unter dem Einfluß der apokalyptischen Ereignisse der Christenverfolgung, Heidenmission und Judenverfolgung, und der daraus die willkürliche Folgerung zieht, „die Nah- oder Nächsterwartung" sei „nicht Voraussetzung und Movens für die Gestaltung des paulinischen Schemas". Aber E. Bammel kann nur mit Hilfe der Wegerklärung von 1 Kor 15, 51 ff und der Umdeutung von 2 Kor 5, 1 ff; Phil 4, 5 die Isoliertheit der Naherwartung von 1 Thess 4, 13 ff behaupten, und die Erklärung dieser angeblich isolierten Anschauung durch den Verweis auf sich zeitweise zeigendes jüdisches Erbe ist völlig aus der Luft gegriffen.

Die für eine Aufteilung des 1. Thessalonicherbriefes auf zwei Schreiben und für eine Unechterklärung eines Teiles des 1. Thessalonicherbriefes vorgebrachten Argumente haben sich somit als völlig unzureichend erwiesen. Überdies wäre die These von der Kombination zweier Briefe an die Thessalonicher im heutigen 1. Thessalonicherbrief überhaupt erst dann wirklich überzeugend begründet, wenn erklärt werden könnte, warum die beiden ursprünglich selbständigen Briefe an dieselbe Gemeinde sekundär von einem Redaktor zu *einem* Brief zusammengefügt worden sein sollten, wobei zum mindesten das Präskript des einen Briefes weggeschnitten worden sein müßte. Auf diese unerläßliche, aber selten gestellte Frage[36] gehen E. Fuchs und | K.-G. Eckart überhaupt nicht ein, und ohne ihre Beantwortung kann die These von der sekundären Zusammensetzung zweier zeitlich und sachlich nahe zusammengehöriger Briefe schwerlich als einleuchtend gemacht bezeichnet werden.

4. Bestehen somit keine ernstlichen Gründe gegen die Annahme, daß der 1. Thessalonicherbrief in der überlieferten Form von Paulus stammt, so bleibt für die Bestimmung seiner geschichtlichen Situation nur noch die Frage zu beantworten, ob der Brief bald (vgl. 1 Thess 3, 1. 6) nach dem in Apg 17, 16 ff berichteten Aufenthalt des Paulus (und Timotheus) in Athen oder erst bei einem Aufenthalt in Athen geschrieben ist, den man aus dem Tatbestand erschließen *kann,* daß Paulus von Ephesus aus einen „Zwischenbesuch" in Korinth gemacht haben muß (2 Kor 2, 1), bei dem Timotheus den Paulus begleitet haben und Paulus ihn von Athen aus nach Thessalonich geschickt haben *könnte* (1 Thess 3, 1 f). Daß der Brief nur in dieser hypothetisch angenommenen Situation geschrieben sein könne, kann man nun auf keinen Fall damit begründen, daß sich die Polemik des 1. Thessalonicherbriefs mit |

---

[36] [224²] Es ist durchaus zu bestreiten, daß die Frage nach der Absicht bei der Redaktion eines Textes aus mehreren ursprünglich selbständigen Schriftstücken unerheblich sei für die Frage nach der Redaktion überhaupt, d. h. für die Annahme der Zusammensetzung von Paulusbriefen aus mehreren Briefen (s. W. Schmithals, Die Irrlehrer des Philipperbriefes, ZThK 54, 1957, S. 307 Anm. 0); daß die beabsichtigte Siebenzahl bei der Kombination von Paulusbriefen zu den Briefen der ältesten Sammlung der Paulusbriefe eine Rolle gespielt habe, wäre höchstens dann überzeugend, wenn diese Siebenzahl für die älteste Sammlung auf weniger willkürlichem Wege gewonnen wäre, als das bei W. Schmithals, ZNW 51, 1960, S. 240 ff (s. Anm. 8) der Fall ist. G. Bornkamm, der richtig feststellt, „die entscheidende Frage" sei, „ob sich für das Zustandekommen der Briefsammlung in der überlieferten Gestalt eine Erklärung geben läßt", hat einen entsprechenden Erklärungsversuch für den 2. Korintherbrief vorgelegt (der mich freilich nicht überzeugt), weiß aber als Analogie für die Zusammenfügung zweier echter Briefe zu einem neuen Briefkonglomerat nur die Kombination des überlieferten Polykarpbriefes aus einem umfangreicheren späteren und einem kürzeren früheren Brief des Polykarp zu nennen. Diese heute weitgehend anerkannte Hypothese (vgl. zuletzt J. A. Fischer, Die Apostolischen Väter, 1956, S. 234 ff) ist aber keine wirkliche Analogie, da es sich hier nur um die *Anhängung* des kürzeren Briefes an den längeren und nicht um die Ineinanderarbeitung zweier oder mehrerer Briefe handelt. Für die Annahme der Zusammenarbeitung zweier echter Briefe mit unechten Textstücken gibt es aber m. W. überhaupt keine Analogie. Die Aufteilungshypothese für 1. Thessalonicher lehnt G. Bornkamm übrigens auch ab (s. G. Bornkamm, Die Vorgeschichte des sogenannten Zweiten Korintherbriefes, SAH ,Phil.-hist. Kl. 1961, 2, S. 24 ff, 34 Anm. 131). Zur Frage nach dem „Sitz im Leben" der sekundären Komposition von Paulusbriefen vgl. auch W. Michaelis, Teilungshypothesen bei Paulusbriefen, ThZ 14, 1958, S. 321 ff.

denselben Gegnern auseinandersetze, mit denen Paulus es in den Korintherbriefen zu tun hat, und daß nur die zur Zeit des ephesinischen Aufenthalts des Paulus in seine Gemeinden einbrechende judenchristliche Gnosis die im 1. Thessalonicherbrief bekämpften Vorwürfe gegen Paulus erkläre[37]. Denn daß Paulus konkrete gnostische Vorwürfe gegen sich im 1. Thessalonicherbrief zurückweise, ist nur mit gewaltsamer Überinterpretation einzelner Texte zu begründen; auch ist keineswegs sicher, daß Paulus im 1. Thessalonicherbrief überhaupt Vorwürfe bekämpft, die gegen ihn in Thessalonich erhoben worden sind.

Schwerer wiegt das Argument, daß seit der Gründung der Gemeinde durch Paulus auf der 2. Missionsreise (Apg 17, 1 ff) nicht erst eine Zeit von vielleicht einem halben Jahr verflossen sein könne (der Glaube der Gemeinde ist nicht nur in Makedonien und Achaia, sondern an jedem Ort bekannt geworden 1 Thess 1, 7–9; die Gemeinde hat Verfolgungen erlitten 2, 14; sie hat eine gewisse Organisation 5, 12); insbesondere könnten nicht schon mehrere Todesfälle in der Gemeinde vorgefallen sein (4, 13. 16)[38]. Aber die Hinweise auf den sich ausbreitenden Ruf des Glaubens der Thessalonicher und auf die von ihnen erfahrene Verfolgung verlangt, genau betrachtet, keine längeren Fristen; und einige Todesfälle können unerwarteterweise auch in einer relativ kurzen Frist vorgekommen sein[39]. Entscheidend spricht gegen die Datierung des 1. Thessalonicherbriefs aus einer Zeit, die mehrere Jahre von dem Gründungsaufenthalt des Paulus abliegt, aber der Sachverhalt, daß der Bericht des Paulus über seine Beziehungen zur Gemeinde seit seinem Fortgang von dort (2, 17 bis 3, 8) eindeutig zeigt, daß Paulus von der Gemeinde jetzt zum ersten Mal durch Timotheus gehört hat und vorher nicht einmal wußte, ob die Gemeinde überhaupt noch bestand (3, 5)[40]. Das ist nach einer Frist von mehreren Jahren nicht wohl denkbar.

Der 1. Thessalonicherbrief ist also nach dem ersten Aufenthalt des Paulus in Athen, und dann doch wohl in Korinth etwa im Jahre | 51 geschrieben. Er ist also zweifellos der älteste uns erhaltene Paulusbrief[41] und zeigt uns nicht nur, welche Schwierigkeiten die eschatologische Heilsverkündigung des Paulus für Heidenchristen in sich schloß, sondern auch, daß Paulus sein Evangelium vom gottgewirkten Endheil durch Christus nicht notwendigerweise in der jüdischen Terminologie der Rechtfertigungslehre ausdrücken mußte (vgl. 1 Thess 1, 10; 2, 13; 5, 9f. 23) und vielleicht, soweit unsere Kenntnis geht, erst in der Abwehr judaistischer Propaganda in diese Sprache gekleidet hat.

---

[37] [226¹] So vor allem (nach W. Lütgert und W. Hadorn) W. Schmithals in dem Anm. 8 genannten Aufsatz.

[38] [226²] Vgl. W. Hadorn, s. Anm. 8, S. 21ff und W. Michaelis, s. ebd.

[39] [226³] Überzeugend ist die Beweisführung von B. Rigaux, S. 45ff und Ch. Masson, S. 7 Anm. 2.

[40] [226⁴] Auch 1 Thess 2, 18 ἠθελήσαμεν ἐλθεῖν πρὸς ὑμᾶς ... καὶ ἅπαξ καὶ δίς verlangt nicht, daß die hier genannten Besuchsabsichten zeitlich weit auseinanderliegen, zumal wenn es zutrifft, was L. Morris, *KAI ΑΠΑΞ ΚΑΙ ΔΙΣ*, NovTest 1, 1956, S. 205ff wahrscheinlich gemacht hat, daß diese Phrase nur bedeutet „mehr als einmal".

[41] [227¹] Ich setze dabei voraus, daß der Galaterbrief nicht schon vor dem Übergang des Paulus nach Europa, d. h. auf der sog. 2. Missionsreise, geschrieben sein kann.

DAS PROBLEM DES HISTORISCHEN JESUS
IN DER GEGENWÄRTIGEN DISKUSSION

I

Seitdem die englischen Deisten den Unterschied zwischen der unverfälschten Lehre Jesu und deren Umbildung durch die Apostel zuerst beobachtet hatten und diese Unterscheidung durch die phantastische Kontruktion des H.S.REIMARUS auf dem Kontinent bekanntgeworden war, seit dann W.M.L. DE WETTE (1813) zum erstenmal im Zusammenhang einer wissenschaftlichen Darstellung der Biblischen Theologie „die Lehre Jesu von der Auffassung derselben durch die Apostel und Evangelisten" unterschieden und K.HASE (1829) „eine rein wissenschaftliche und gelehrte Darstellung des Lebens Jesu" gewagt hatte[1], hat sich die Frage nach der ursprünglichen Verkündigung Jesu und nach seiner geschichtlichen Gestalt als Aufgabe neutestamentlicher Forschung schrittweise durchgesetzt. Es ist bekannt, daß die Frage nach dem geschichtlichen Jesus die theologische Arbeit der zweiten Hälfte des 19. Jahrhunderts stark bestimmte, vor allem im Bereich der liberalen Theologie, und daß A.SCHWEITZER den Bankrott dieser Leben-Jesu-Forschung proklamierte. Es wird aber oft übersehen, daß SCHWEITZER damit keineswegs die historische Jesus-Forschung als grundsätzlich verfehltes Unternehmen hinstellen wollte, daß er vielmehr selber einen „konsequent-eschatologischen" Jesus schilderte, für den er historische Sicherheit beanspruchte[2]. Weniger bekannt ist auch, daß schon 30 Jahre vorher A.HARNACK als eine Disputationsthese für seine Habilitation den Satz formulierte: „Vita Christi scribi nequit" und damit vor der Sicherheit in der Konstruktion eines pragmatischen Ablaufs des Lebens Jesu warnte[3], ohne damit die Möglichkeit und Notwendigkeit zu leugnen, „das Evangelium Jesu Christi nach seinen Selbstzeugnissen" als *eine* der Voraussetzungen der Dogmengeschichte darzustellen[4]. Auch M.KÄHLER, der in einem berühmten Vortrag (1892) „diese ganze ‚Leben-Jesu-

---

[1] S. die Belege bei W.G.KÜMMEL, Das Neue Testament. Geschichte der Erforschung seiner Probleme, 1958, S. 60ff, 105, 126f, 110ff.

[2] „Dieses Buch kann zuletzt nicht anders, als dem Irrewerden an dem historischen Jesus, wie ihn die moderne Theologie zeichnet, Ausdruck zu geben, weil dieses Irrewerden ein Resultat des Einblicks in den gesamten Verlauf der Leben-Jesu-Forschung ist"; „darum ist es gut, daß der historische Jesus den modernen stürzt" (A. SCHWEITZER, Von Reimarus zu Wrede, 1906, S. VIII, 401).

[3] S. A. VON ZAHN-HARNACK, Adolf von Harnack, 1936, S. 69.

[4] Vgl. A. VON HARNACK, Lehrbuch der Dogmengeschichte I, 1909[4], S. 65ff.

Bewegung' für einen Holzweg" erklärte und nur den „gepredigten Christus" als den „geschichtlichen Christus der Bibel" hatte gelten lassen, war trotz der Einsicht, daß wir „keine Quellen für ein Leben Jesu, welche ein Geschichtsforscher als zuverlässige und ausreichende gelten lassen kann", besitzen, davon überzeugt, daß uns „aus diesen bruchstückartigen Überlieferungen ... doch ein lebensvolles, in sich zusammenstimmendes, immer wieder zu erkennendes Menschenbild" ansieht und daß „er selbst der Urheber dieses Bildes" ist[5]. Auch KÄHLER war also überzeugt, daß man auf Grund des Zeugnisses der neutestamentlichen Autoren zu dem Bild des geschichtlichen Jesus kommen könne, wenn auch nicht auf dem Wege der nach dem Analogieprinzip arbeitenden damaligen Jesusforschung[6].

Dieses Zutrauen zur Jesusüberlieferung und diese selbstverständliche Voraussetzung, daß geschichtliche Beschäftigung mit dem Neuen Testament auch nach dem geschichtlichen Jesus zu fragen habe, wurde dann aber zu Beginn unseres Jahrhunderts von zwei Seiten her in Frage gestellt. Einmal zog W.WREDE aus dem Nachweis, daß die Darstellung Jesu im ältesten Evangelium „keine wirkliche Anschauung mehr vom geschichtlichen Leben Jesu" habe, daß vielmehr dogmatische „Momente, und nicht die geschichtlichen an sich, das eigentlich Bewegende und Bestimmende in der Erzählung des Markus" darstellen, die Folgerung, daß „das Evangelium keine historische *Anschauung* mehr vom wirklichen Leben Jesu" biete: „Nur blasse Reste einer solchen sind in eine übergeschichtliche Glaubensauffassung übergegangen."[7] Weil der Glaube der Gemeinde das Bild Jesu in den Evangelien gestaltete, erweist sich das ursprüngliche Bild Jesu dem heutigen Forscher mehr oder weniger unerkennbar. Auf der anderen Seite wiesen die Begründer der „*formgeschichtlichen*" Betrachtung der Evangelien nach, daß der Stoff der synoptischen Evangelien aus einzelnen Überlieferungsstücken besteht, die ihre Form und Tendenz im Leben und Glauben der urchristlichen Gemeinde empfangen haben[8]. Trafen diese Beobachtungen zu, so war die geschichtliche Darstellung eines *Lebens* Jesu nicht mehr möglich, die Auffindung der ursprünglichen Verkündigung Jesu aber zum mindesten sehr schwierig geworden. Aber nur R.|BULTMANN hat aus diesen formgeschichtlichen Voraussetzungen die Konsequenz gezogen, daß uns die Persönlichkeit Jesu völlig unerkennbar sei und wir uns nur von seiner Verkündigung ein zusammenhängendes Bild machen können; er fügt freilich hinzu: „Als der Träger dieser Gedanken wird uns von der Überlieferung Jesus genannt; nach überwiegender Wahrscheinlichkeit

---

[5] M.KÄHLER, Der sogenannte historische Jesus und der geschichtliche, biblische Christus, 1892, S. 5, 22, 21, 7, 40, 38 (neu hrsg. v. E.WOLF, 1953, S. 18, 44, 42, 21, 71, 68).

[6] Vgl. dazu R.HERMANN, RGG III³, S. 1082; O.MICHEL, Der „historische Jesus" und das theologische Gewißheitsproblem, EvTh 15, 1955, S. 349ff; E.FUCHS, Hermeneutik, 1954, S. 12ff; J.SCHNIEWIND, Nachgelassene Reden und Aufsätze, 1952, S. 168ff; M.KÄHLER hat in seiner kleinen Schrift „Kommt und sehet. Der Prophet in Galiläa nach Markus", 1923³, zwar festgestellt: „Mit unserm Herrn wollen wir Umgang pflegen. Das können wir nur tun zugleich mit seinen ersten Jüngern und durch ihren Dienst" (S. 13), umschreibt aber dann den Bericht des Markus doch einfach als „das Bild des galiläischen Propheten" (S. 187).

[7] W.WREDE, Das Messiasgeheimnis in den Evangelien, 1901, S. 129, 131.

[8] Auszüge a. Anm. 1 aO, S. 419ff.

war er es wirklich. Sollte es anders gewesen sein, so ändert sich damit das, was in dieser Überlieferung gesagt ist, in keiner Weise."[9] M. DIBELIUS dagegen wollte nach wie vor „Wort und Taten Jesu ins Auge fassen" und blieb überzeugt, daß es gerade durch formgeschichtliche Analyse gelingt, „einen Bestand alten ... Überlieferungsgutes zu kennen, der ein einheitliches ... Bild von der Art des Evangeliums vermittelt". Er bot darum von der Überzeugung aus, daß wir „diese alte Schicht der Tradition geschichtlich als relativ zuverlässig halten dürfen", eine Darstellung Jesu, die auch Jesu Handlungen und persönlichen Anspruch mit einbezog[10]. Und auch K. L. SCHMIDT hat von den gleichen formgeschichtlichen Voraussetzungen aus das Handeln und den persönlichen Anspruch Jesu geschildert, nach dem Messiastum bei Jesus selbst gefragt und den Einwand, daß man dabei „nun doch wieder einen sogenannten historischen Jesus oder gar ein Leben Jesu herauszustellen sich bemühe", ausdrücklich abgelehnt mit dem Hinweis darauf, daß die Einzelfrage, „als was und wer denn dieser Jesus von Nazareth gelebt hat", dieselbe Bedeutung habe wie die Frage, ob er überhaupt gelebt habe oder nicht[11]. Obwohl also gerade führende Anhänger der Formgeschichte die Frage nach dem geschichtlichen Jesus keineswegs aufgaben, ist diese Frage in der deutschsprachigen Theologie seit den zwanziger Jahren stark in den Hintergrund getreten. Immerhin trifft es auch für die deutschsprachige Forschung dieser Zeit nicht zu, daß infolge der „Aporien der Leben-Jesu-Forschung" „zunächst diese Forschung völlig aufgegeben wurde"[12]; denn auch, wenn man Arbeiten ausgesprochen liberaler, deutschchristlicher und streng konservativer Forscher beiseite läßt, so sind doch von Forschern, die die Resultate WREDES und der Formgeschichte durchaus ernst nahmen, auch zwischen 1930 und 1954 eine ganze Reihe von Untersuchungen zur geschichtlichen Gestalt und Lehre Jesu veröffentlicht worden[13]. Daß im englischen und französischen Sprachbereich die Jesusforschung fast ungebrochen weitergegangen ist[14], hat man mehrfach betont.

Wenn nun trotzdem der Rückgang des Interesses an der Frage nach dem historischen Jesus nicht zu leugnen ist, so hat dazu neben den schon genannten geschichts-

---

[9] R. BULTMANN, Jesus, 1926, S. 15, 17 (Neuausgabe 1951, S. 14, 16).

[10] M. DIBELIUS, Geschichtliche und übergeschichtliche Religion im Christentum, 1925, S. 33, 35; DERS., Jesus, 1939, S. 27 (= 1960³).

[11] K. L. SCHMIDT, Art. Jesus Christus, RGG III, 1929², S. 110 ff; DERS., Das Christuszeugnis der synoptischen Evangelien, in „Jesus Christus im Zeugnis der Heiligen Schrift und der Kirche", Beiheft 2 zur EvTh, 1936, S. 27 f.

[12] J. M. ROBINSON, Kerygma und historischer Jesus, 1960, S. 8.

[13] Ohne Anspruch auf Vollständigkeit seien etwa genannt: H. D. WENDLAND, Die Eschatologie des Reiches Gottes bei Jesus, 1931; DERS., Geschichtsanschauung und Geschichtsbewußtsein im Neuen Testament, 1938, S. 69 ff; J. JEREMIAS, Die Abendmahlsworte Jesu, 1935; DERS., Die Gleichnisse Jesu, 1947; R. OTTO, Reich Gottes und Menschensohn, 1934; H. LIETZMANN, Geschichte der alten Kirche 1, 1932, S. 34 ff; E. SEEBERG, Wer ist Christus?, 1937; A. OEPKE, Jesus und das Alte Testament, 1938; E. LOHMEYER, Kultus und Evangelium, 1942; E. PERCY, Die Botschaft Jesu, 1953; W. G. KÜMMEL, Jesus und der jüdische Traditionsgedanke, ZNW 33, 1934, S. 105 ff; DERS., Verheißung und Erfüllung, 1945; DERS., Die Gottesverkündigung Jesu und der Gottesgedanke des Spätjudentums, Judaica 1, 1945, S. 40 ff.

[14] S. J. G. H. HOFFMANN, Les vies de Jésus et le Jésus de l'histoire, 1947, und O. A. PIPER, Das Problem des Lebens Jesu seit Schweitzer, Festschr. O. Schmitz, 1953, S. 73 ff.

wissenschaftlichen Ursachen auch ein theologisches Motiv entscheidend beigetragen. R. BULTMANN hatte schon kurz nach dem Erscheinen seines Jesusbuches erklärt: „Der Χριστὸς κατὰ σάρκα geht uns nichts an" und bald danach hinzugefügt: „Man darf nicht hinter das Kerygma zurückgehen, es als ‚Quelle' benutzend, um einen ‚historischen Jesus' mit seinem ‚Messiasbewußtsein', seiner ‚Innerlichkeit' oder seinem ‚Heroismus' zu rekonstruieren. Das wäre gerade der Χριστὸς κατὰ σάρκα, der vergangen ist. Nicht der historische Jesus, sondern Jesus Christus, der Gepredigte, ist der Herr."[15] Daß BULTMANN in diesen Äußerungen „den Grundgedanken der Theologie M. Kählers wieder aufnimmt", leidet keinen Zweifel, auch wenn KÄHLER nicht genannt wird, aber diese Ablehnung der theologischen Relevanz der Frage nach dem geschichtlichen Jesus geschieht bei BULTMANN von einer skeptischen Beurteilung der Möglichkeit solcher geschichtlichen Rückfrage aus, während KÄHLER letztlich ein ungebrochenes Zutrauen zu der geschichtlichen Richtigkeit des evangelischen Jesusbildes gehabt hatte[16]. KÄHLERS Grundgedanke (seine Schrift erschien 1928 in einem Neudruck) ist dann auch von K. L. SCHMIDT ausdrücklich aufgenommen und dahin gedeutet worden, daß „die Evangelien nur vom Kerygma aus zu lesen" seien, ohne daß klar würde, wie SCHMIDT mit dieser Forderung das oben zitierte Programm zu vereinen vermag, daß die Einzelfrage untersucht werden müßte, als wer und was dieser Jesus gelebt habe[17]. Aber wenn auch KÄHLER, soweit ich sehe, im Zusammenhang der Jesusforschung zwischen 1930 und 1954 kaum ausdrücklich erwähnt worden ist, so hat doch sein Grundgedanke starken Einfluß gehabt[18] und, wie E. KÄSEMANN mit Recht betonte, „eine Generation hindurch lähmend gewirkt"[19]. Solche „Lähmung" zeigte sich vor allem im Einflußbereich der

---

[15] R. BULTMANN, Zur Frage der Christologie, Zwischen den Zeiten 5, 1927, S. 56 (= Glauben und Verstehen I, 1933, S. 101); DERS., Die Bedeutung des geschichtlichen Jesus für die Theologie des Paulus, ThBl 8, 1929, S. 148 (= Glauben und Verstehen I, S. 208). Vgl. auch DERS., Der Begriff der Offenbarung im Neuen Testament, 1929, S. 41 (= Glauben und Verstehen III, 1959, S. 31): „Hinter den gepredigten Christus zurückgehen, heißt die Predigt mißverstehen; nur im Wort, als der Gepredigte, begegnet er uns, begegnet uns in ihm die Liebe Gottes".

[16] Auf diese Anknüpfung an KÄHLER und die grundsätzlich verschiedene Ausgangsposition bei BULTMANN und KÄHLER machte damals sofort aufmerksam P. ALTHAUS in seiner wichtigen Besprechung von BULTMANNS Vortrag über den Begriff der Offenbarung im Neuen Testament, ThLZ 54, 1929, S. 412 ff (bes. S. 415). Vgl. auch E. KÄSEMANN, Das Problem des historischen Jesus, ZThK 51, 1954, S. 126 (= E. K., Exegetische Versuche und Besinnungen 1, 1960, S. 188): „Im Grunde hat Bultmann die Thesen dieses Buches (d. h. Kählers) nur auf seine Weise untermauert und präzisiert".

[17] K. L. SCHMIDT, Christuszeugnis (s. Anm. 11), S. 29.

[18] Vgl. etwa E. SCHWEIZER in einer Besprechung der 1. Auflage meines Buches „Verheißung und Erfüllung" im Kirchenblatt für die reformierte Schweiz, 1945, S. 204: „Es läßt sich zur ganzen Arbeit die prinzipielle Frage stellen, ob es ... theologisch relevant ist, zur Verkündigung des ‚historischen' Jesus vorzudringen, und ob nicht das Scheitern der ganzen Leben-Jesu-Forschung ... uns jene gesegnete Zurückhaltung auferlegt, in der wir dabei bleiben, daß wir Jesus nur mit dem Auge der glaubenden Gemeinde sehen können und sollen."

[19] S. Anm. 16. Zur Kritik an dieser Einstellung vgl. W. MICHAELIS, Notwendigkeit und Grenze der Erörterung von Echtheitsfragen innerhalb des Neuen Testaments, ThLZ 77, 1952, S. 397 ff.

Theologie R. Bultmanns[20], aber auch bei konservativen Theologen[21] und K. Barth[22]. Und es hat darum berechtigtes Aufsehen erregt, daß gerade bei den Schülern Bultmanns und Barths eine neue Diskussion über das Problem des geschichtlichen Jesus aufgebrochen ist, von der in diesem Bericht vor allem die Rede sein soll.

II

Es ist nun freilich einseitig zu behaupten, daß die Diskussion um den geschichtlichen Jesus erst durch Käsemanns 1954 veröffentlichten Vortrag über „Das Problem des historischen Jesus" eröffnet worden sei[23]. Denn nicht nur war das Jesusbuch von M. Dibelius 1949 wieder erschienen, in dem ausdrücklich erklärt wird, daß „bereits Lukas die Bedeutung des Wissens um die geschichtliche Wirklichkeit auch für den Glauben" betont habe (S. 9)[24], nicht nur hatte J. Jeremias ausdrücklich die Aufgabe formuliert, soweit wie möglich „zurückzukommen zum ursprünglichen Sinn der Gleichnisse Jesu, zu Jesu *ipsissima vox*"[25], und O. Michel gegenüber Kähler auf die Notwendigkeit der historisch-kritischen Jesusforschung hingewie-

---

[20] Vgl. etwa E. Fuchs, Christus das Ende der Geschichte, Ev Th 1948/49, S. 449 (= E. F., Zur Frage nach dem historischen Jesus, 1960, S. 81): „Es ist ein entscheidender hermeneutischer Fehler, wenn man Jesus dem Neuen Testament historisch abtrotzen will, indem man die Verkündigung ausklammert."

[21] Vgl. etwa O. Cullmann, Die Christologie des Neuen Testaments, 1957, S. 7: „Es scheint mir der Augenblick gekommen, wo wir ... die Frage nach dem historischen Jesus doch wieder neu stellen müssen. Es war sicher richtig, wenn in den letzten Jahrzehnten diese Frage zunächst bewußt unberücksichtigt blieb"! Ferner P. Brunner, Schrift und Tradition, Festschr. f. H. Meiser, 1951, S. 123: „Es ist uns durch die Einrichtung, die Christus mit der Erwählung und Beauftragung seiner Zeugen geschaffen hat..., untersagt, zu versuchen, an dem lehrenden Mund und der spendenden Hand jener Zeugen vorbei zu dem redenden Mund und der spendenden Hand Christi selbst vorzudringen." Vgl. E. Brunners Abwehr einer „gewissen christusgläubigen Theologie, die der Meinung ist, daß dieses Zurückgehen auf den historischen Jesus etwas sei, an dem der christliche Glaube gar kein Interesse habe, da er auf dem ... Zeugnis der Apostel von Jesus dem Christus beruhe" (Dogmatik 2, 1950, S. 287), und W. Mundle, Der Glaube an Christus und der historische Zweifel, 1950, S. 119: das eigentliche Interesse der biblischen Theologie „gilt nicht der Geschichte Jesu oder dem ‚historischen Jesus', sondern dem sachgemäßen Verständnis der neutestamentlichen Christusbotschaft".

[22] K. Barth, Kirchliche Dogmatik I, 2, 1938, S. 150f: „Damit fällt als Gegenstand des Glaubens und der Verkündigung jener ‚historische Jesus' des modernen Protestantismus, der ja eigens dazu erdacht worden ist, um einen Zugang zu Jesus Christus unter Umgehung seiner Gottheit ... aufzuweisen"; ders., K. D. I, 1, 1932, S. 442: „Das fragt sich eben, ob man ein solches Wissen um eine ‚geschichtliche Gestalt' als das Erste, eine Verwandlung dieses Wissens in den Glauben an den himmlischen Gottessohn als das Zweite voraussetzen ... möchte". Zu K. Barths Ablehnung der historischen Tatsachenfrage gegenüber dem biblischen Bericht vgl. H. Diem, Dogmatik 2, 1955, S. 87ff.

[23] So J. M. Robinson, Kerygma und historischer Jesus, 1960, S. 11, und H. Zahrnt, Es begann mit Jesus von Nazareth, 1960, S. 104.

[24] Vgl. auch die Anm. 13 genannten Arbeiten. Ich darf auch verweisen auf meine Abwehr der Anm. 20 zitierten Anschauung von E. Fuchs in „Verheißung und Erfüllung", 1953[2], S. 98.

[25] J. Jeremias, Die Gleichnisse Jesu, 1952[2], S. 15; vgl. auch dens., Kennzeichen der *ipsissima vox Jesu*, Synopt. Studien f. A. Wikenhauser, 1953, S. 86ff.

sen, weil „nur die strenge Identität des Auferstandenen mit dem historischen Jesus vor Schwärmerei schützt"[26], vor allem hatten skandinavische Forscher die Notwendigkeit der Frage nach dem historischen Jesus ausdrücklich verteidigt[27]. In Deutschland freilich hat nun in der Tat Käsemanns Vortrag eine große Zahl von Diskussionsbeiträgen ausgelöst, über die im Zusammenhang schon mehrfach berichtet worden ist[28], und ein umfangreicher Sammelband hat vor kurzem die divergierenden Stimmen zu diesem Thema gesammelt[29]. E. Käsemann hält mit Recht die Erkenntnis fest, daß uns der historische Jesus im Neuen Testament nur begegnet als der Herr der an ihn glaubenden Gemeinde, daß aber der Osterglaube „dessen inne wurde, daß Gott gehandelt hat, ehe wir gläubig wurden" und daß er darum „die irdische Geschichte Jesu in seine Verkündigung einbezieht". Da der heutigen Forschung „die historische Glaubwürdigkeit der synoptischen Tradition auf der ganzen Linie zweifelhaft geworden ist", besteht für uns die Aufgabe, die Echtheit des Einzelgutes durch den Nachweis zu sichern, daß es „weder aus dem Judentum abgeleitet noch der Urchristenheit zugeschrieben werden kann". Von dieser Voraussetzung aus skizzierte Käsemann den persönlichen Anspruch Jesu, dem trotz des Fehlens aller Würdeprädikate im Munde Jesu nur das Prädikat des Messias gerecht wird, und betonte abschließend, daß wir uns, ohne zur Leben-Jesu-Forschung zurückkehren zu können, der Frage nach dem historischen Jesus als der „Frage nach der Kontinuität des Evangeliums in der Diskontinuität der Zeiten und in der Variation des Kerygmas" zu stellen haben. Und Käsemann hat ein wenig später erklärt, daß mit dieser Neubesinnung auf den historischen Jesus wirklich „nach der Bedeutung des historischen Jesus für den Glauben" gefragt werden sollte, damit „das Verhältnis der Botschaft Jesu zur Verkündigung vom Gekreuzigten und Auferstandenen neu und besser als bisher" bestimmt werden könne[30].

Diese neugestellte Frage wurde im Kreise der Schüler Bultmanns in rascher Folge

---

[26] O. Michel, s. Anm. 6, S. 361, 363.

[27] E. Percy, s. Anm. 13, S. 1 ff; E. Sjöberg, Der verborgene Menschensohn in den Evangelien, 1955, S. 214 ff („für den christlichen Glauben ist es von entscheidender Bedeutung, daß wir vom geschichtlichen Jesus wirklich etwas wissen können", S. 216); N. A. Dahl, Der historische Jesus als geschichtswissenschaftliches und theologisches Problem, Kerygma und Dogma 1, 1955, S. 104 ff (geht auf einen 1952 gehaltenen Vortrag zurück).

[28] Vgl. vor allem das sehr sorgfältige und die Literatur vollständig verarbeitende Buch von J. M. Robinson und den mit bemerkenswerter Klarheit abgefaßten Bericht von H. Zahrnt (beide Titel in Anm. 23), ferner: H. Anderson, The Historical Jesus and the Origins of Christianity, Scottish Journal of Theology 13, 1960, S. 113 ff; H. W. Bartsch, Neuansatz der Leben-Jesu-Forschung, Kirche in der Zeit 12, 1957, S. 244 ff; P. Biehl, Zur Frage nach dem historischen Jesus, ThR 24, 1956/57, S. 54 ff; G. Buttler, Das Problem des „historischen Jesus" im theologischen Gespräch der Gegenwart, MPTh 46, 1957, S. 235 ff; B. Rigaux, L'historicité de Jésus devant l'exégèse récente, RB 65, 1958, S. 481 ff; J. Schneider, Die Frage nach dem historischen Jesus in der neutestamentlichen Forschung der Gegenwart, 1958. Vgl. auch das Referat über einen Teil der hierher gehörigen Literatur im „Materialdienst" (Beilage zu „Für Arbeit und Besinnung") 23, 1960, S. 41 ff, 169 ff.

[29] Der historische Jesus und der kerygmatische Christus. Beiträge zum Christusverständnis in Forschung und Verkündigung, hrsg. v. H. Ristow und K. Matthiae, 1960 (= 1961²). Im Folgenden abgekürzt: HJkChr.

[30] E. Käsemann, s. Anm. 16 und Neutestamentliche Fragen von heute, ZThK 54, 1957, S. 11 f.

von E. Fuchs, G. Bornkamm, H.|Braun, H. Conzelmann, G. Ebeling und J. M. Robinson aufgegriffen. Ihre Anschauungen decken sich keineswegs, doch kann auf diese Differenzen hier nicht genauer eingegangen werden. E. Fuchs, der sich 1949 der Frage nach dem historischen Jesus gegenüber noch sehr ablehnend äußerte[31], verwies nun darauf, daß Jesus „in seinen Gleichnissen Aussagen über sich selbst gemacht" habe, daß „Jesu Verhalten der eigentliche Rahmen seiner Verkündigung war", weil er „es wagt, an Gottes Stelle zu handeln, indem er ... Sünder in seine Nähe zieht" und „sich ... ganz konkret als Gottes Stellvertreter benahm"; er betonte, daß „Gottes Ja zu uns ... uns gerade *in* der Geschichte aus Jesu Mund angeboten, gemacht worden" und „der sogenannte Christus des Glaubens ... in der Tat kein anderer als der historische Jesus" ist: „Das größere Gewicht liegt also beim historischen Jesus selber, nicht in der Osterbotschaft, die nicht isoliert werden darf." Freilich stellt Fuchs dann doch fest, daß „sich nicht sicher entscheiden" lasse, „ob uns ein unzweifelhaft echtes Jesuswort überliefert worden ist", und daß „Q mit Bewußtsein auch solche Worte gesammelt" habe, „die damals niemand als echte Worte Jesu auffaßte", was für uns ein Grund mehr sei, „Jesu Verkündigung nicht aus unter allen Umständen ‚echten‘ Jesusworten zusammensetzen zu wollen". Trotz dieser Vorbehalte erklärt Fuchs aber einerseits (freilich ohne *exegetischen* Nachweis), daß „Jesu Gottesverhältnis ... das Leiden von Anfang an" voraussetzt, andererseits (gegen den Wortlaut der Texte), daß „das übliche Reden von einer ‚Naherwartung‘ und womöglich ‚Nächsterwartung‘ Jesu irreführend" sei, die richtige Frage sei vielmehr, ob „sich Jesus darin getäuscht hat, daß er glaubte, die Zeit *zur* Liebe sei gekommen"[32].

Zeigt Fuchs so eine eigentümliche Mischung von grundsätzlicher Skepsis mit konstruktiver Interpretation, so hat G. Bornkamm in seinem Jesusbuch von den Voraussetzungen aus, daß der Glaube „die Überlieferung durchbrechen und hinter sie zurückfragen muß, um der Sache selbst ansichtig zu werden", und daß die Evangelien trotz ihres Bestimmtseins vom Osterglauben „die geschichtliche Gestalt Jesu in unmittelbarer Mächtigkeit vor uns sichtbar werden" lassen, eine kritische Darstellung der Verkündigung Jesu verbunden mit dem Hinweis auf die Person Jesu, dessen „erstaunliche Souveränität" jede Szene der Evangelien schildere und dessen „Vollmacht" „vor aller Deutung dem geschichtlichen Jesus zugehört". Dagegen bestreitet Bornkamm, daß Jesus „seine Würde zu einem Thema seiner Botschaft vor allem andern macht", vielmehr sei „das ‚Messianische‘ seines Wesens *in* seinem Wort und seiner Tat und der Unmittelbarkeit seiner geschichtlichen Erscheinung beschlossen"[33].

Rückt diese Darstellung des geschichtlichen Jesus trotz ihrer Bestreitung jedes

---

[31] S. Anm. 20.

[32] Seine hierher gehörigen Arbeiten sind gesammelt im 2. Band seiner Gesammelten Aufsätze: „Zur Frage nach dem historischen Jesus", 1960. Dazu im 1. Band der Gesammelten Aufsätze S. 280 ff: Das Sprachereignis in der Verkündigung Jesu, in der Theologie des Paulus und im Ostergeschehen. Die Zitate aus Bd. 2, S. 137, 155f, 224, 301, 166, 218, 305, 160, 395, 375.

[33] G. Bornkamm, Jesus von Nazareth, 1956, S. 5, 21, 53f, 155, 163.

Würdeprädikats im Munde Jesu stark von BULTMANN ab, so bleiben H. BRAUN und H. CONZELMANN ihm wesentlich näher. H. BRAUN, der unter äußerst radikaler Reduktion der als echt zu bezeichnenden Jesusüberlieferung das Miteinander von radikaler Gottesforderung „mit dem voraussetzungslosen Ja Gottes zu den radikal als Übertreter verstandenen Menschen" in der Verkündigung Jesu aufzeigte [34], bestreitet dann für „die älteste Schicht der Synoptiker, die die Anschauungen aus der Periode des historischen Jesus am treuesten spiegelt, eine explizite Christologie"; der Bekennende, der christologische Titel auf Jesus bezieht, weiß nur „um die grundsätzliche Gleichheit dessen, was ihm in seinem spezifischen Selbstverständnis widerfährt, und dessen, was sich um Jesus von Nazareth begab"; an Jesus glauben heißt „ja sagen zu dem ‚so tut Gott' in dem Reden und Verhalten des Menschen Jesus von Nazareth" [35].

Wird hier die Bedeutung der Person Jesu auf die *Praktizierung* des Verhaltens Gottes zum Menschen beschränkt [36], so betont H. CONZELMANN, daß „das Kerygma selbst zur historischen Darstellung des Auftretens Jesu und seiner Predigt" zwingt, um „die Geschichtlichkeit der Offenbarung nicht aus dem Blick zu verlieren", gibt sogar zu, daß „von Jesu Selbstbewußtsein her erst die Einheit seiner Gedankenwelt sichtbar wird". Aber dann wird Jesus doch nur eine „indirekte Christologie" zugeschrieben („die Bindung des Heils an die Person *Jesu* liegt einfach darin, daß *er* dieses Heil als jetzige, letzte Möglichkeit darbietet"), wird die Bedeutung der Eschatologie auf das „punctum mathematicum" der Gegenwart Jesu reduziert und dem Glauben nur eine Beziehung auf „das nackte Daß des Dagewesenseins Jesu" zugeschrieben [37].

G. EBELING freilich lehnte „das seltsame Dogma" ausdrücklich ab, „man dürfe über die Zeugnisse des Neuen Testaments nicht zurückfragen nach dem historischen Jesus", und betonte, daß der christliche Glaube „allerdings an der Historizität Jesu interessiert ist, und zwar nicht etwa nur an der puren Faktizität eines Menschen namens Jesus, sondern durchaus daran, daß der Glaube an Jesus Anhalt hat an Jesus selbst"; weil „die Entstehung des Glaubens jeweils | angewiesen war auf die Begegnung mit Jesus". Ist so nach EBELING „Jesu Wort nicht trennbar von seiner Person" und „die Begegnung mit Jesus als Zeugen des Glaubens ohne Einschränkung Begegnung mit ihm selbst", so ist es auf alle Fälle mißverständlich, hier von

---

[34] H. BRAUN, Spätjüdisch-häretischer und frühchristlicher Radikalismus II, 1957, S. 134.

[35] H. BRAUN, Der Sinn der neutestamentlichen Christologie, ZThK 54, 1957, S. 346, 377; DERS., Die Bedeutung der Qumranfunde für die Frage nach dem Verhältnis des historischen Jesus zum kerygmatischen Christus, HJkChr, S. 147.

[36] Vgl. auch H. BRAUN, Die Heilstatsachen im Neuen Testament, ZThK 57, 1960, S. 41 ff.

[37] H. CONZELMANN, Gegenwart und Zukunft in der synoptischen Tradition, ZThK 54, 1957, S. 289; DERS., Art. Jesus Christus, RGG III, 1959³, S. 648, 631, 634, 651; DERS., Zur Methode der Leben-Jesu-Forschung, ZThK 56, 1959, Beih. 1, S. 13, 10. Vgl. auch DENS., Jesus von Nazareth und der Glaube an den Auferstandenen, HJkChr, S. 188 ff und zur „indirekten Christologie" Jesu PH. VIELHAUER, Reich Gottes und Menschensohn, Festschr. f. G. Dehn, 1957, S. 51 ff, der von einem „mit keinen zeitgenössischen Kategorien zu deutenden Anspruch Jesu" redet (S. 78).

einem „Sprachgeschehen" zu reden, das die Christologie dann „zur Sprache zu bringen" hat[38].

Schließlich hat J.M.Robinson über diese ganze Diskussion zuverlässig berichtet, die „Unmöglichkeit und Illegimität der Leben-Jesu-Forschung" ausführlich nachgewiesen und zu zeigen gesucht, daß eine neue Jesusforschung möglich ist auf Grund des neuen Verständnisses der Geschichte als Frage an mein Existenzverständnis, daß darum der auf wissenschaftlichem Wege gefundene Jesus „uns genauso zu einer existentiellen Entscheidung führt, wie es das Kerygma tut". Die so sich ergebende Frage, ob „die Geschichtsschreibung dasselbe Existenzverständnis beim historischen Jesus feststellt, das das Kerygma mit seiner Person verknüpft", wird dann auf Grund einer schwerlich überzeugenden, formalen Vergleichung der Sprüche Jesu („beschränkt auf das Material, das Bultmann ... für wahrscheinlich echt hält") mit urchristlichen kerygmatischen Formulierungen dahin beantwortet, daß das Existenzverständnis des Kerygmas („die Teilhabe am Auferstehungsleben Christi wird verborgen und unverfügbar in der Kraft zum Ausharren im Leiden gesehen") „sachlich zusammenfällt mit dem Existenzverständnis Jesu, der durch das Zukommen Gottes zu einem Bruch mit dem gegenwärtigen bösen Äon veranlaßt worden ist". Auch hier wird darum bestritten, daß in der Verkündigung Jesu „die eschatologische Polarität wesentlich auf eine zeitliche Abfolge ausgerichtet ist", und die geforderte Rückfrage nach dem historischen Jesus ausschließlich in der konkreten theologischen Situation begründet gesehen, „da wir Jesus ja im Kerygma begegnen können"[39].

Diese Neubesinnung auf die Notwendigkeit der wissenschaftlichen Frage nach dem historischen Jesus zeigte sich nun aber auch im Umkreis der Theologie K. Barths. F.Lieb verwies darauf, daß das Kreuz seine Heilsbedeutung erhalte „nicht nur durch eine Vorschau auf das von ihm unabtrennbare Auferstehungsgeschehen..., sondern auch durch die Rückschau auf die Geschichte und den besonderen Charakter dessen, der an diesem Kreuz gestorben ist", forderte dann aber etwas mißverständlich, daß die historische Forschung „uns das echte Bild der Menschlichkeit Jesu ... nahe zu bringen" habe[40]. Und H.Diem verlangte von der Voraussetzung aus, daß der ganze Inhalt der neutestamentlichen Verkündigung sich zusammenfassen lasse als „die Verkündigung von Jesus Christus, der sich selbst verkündigt", ein „Zurückfragen bis zu jener ersten Phase der Verkündigungsgeschichte, der Verkündigung des irdischen Jesus selbst". Durch diese historische Frage kann nämlich die theologische Wahrheitsfrage beantwortet werden, „ob der in dieser Verkündigungs-

[38] G.Ebeling, Jesus und Glaube, ZThK 55, 1958, S. 64ff und Die Frage nach dem historischen Jesus und das Problem der Christologie, ZThK 56, 1959, Beih. 1, S. 14ff, beides abgedruckt in G.Ebeling, Wort und Glaube, 1960 (dort S. 206f, 251, 310); ders., Das Wesen des christlichen Glaubens, 1959, S. 64.
[39] J.M.Robinson, Kerygma und historischer Jesus, 1960, S. 39, 95, 112, 155, 180, 160, 104. Die Arbeit war ursprünglich in kürzerer Form englisch erschienen (A New Quest of the Historical Jesus, 1959).
[40] F.Lieb, Die Geschichte Jesu Christi in Kerygma und Historie, Antwort, K.Barth zum 70. Geburtstag, 1956, S. 590, 594.

geschichte als Subjekt handelnde und darum … uns begegnende Jesus Christus identisch ist mit dem irdischen Jesus von Nazareth"[41].

III

So verschiedenartig diese Stimmen sind, ihnen allen ist gemeinsam, daß die wissenschaftliche Frage nach dem geschichtlichen Jesus als theologisch notwendig und geschichtswissenschaftlich möglich angesehen wird. K. BARTH und R. BULTMANN sind freilich von diesen Anschauungen ihrer Schüler deutlich abgerückt. K. BARTH, der innerhalb seiner Dogmatik 1955 eine umfangreiche Schilderung des „königlichen Menschen" Jesus nach den *vier* Evangelien gegeben hatte, die auf jede historisch-kritische Fragestellung verzichtet, hat neuestens die Suche nach dem historischen Jesus summarisch abgelehnt[42]. R. BULTMANN aber hat in einer Auseinandersetzung mit den hier referierten Arbeiten nicht nur seine Einordnung der Verkündigung Jesu in die jüdische Religion und unter die Voraussetzungen der neutestamentlichen Theologie[43] verteidigt und bestritten, daß das urchristliche Kerygma „an der ‚objektiven Geschichtlichkeit' über das Daß hinaus interessiert" sei und daß „die sachliche Einheit des Wirkens und Verkündens Jesu mit dem Kerygma" bewiesen werden könne durch den „Nachweis, daß das Kerygma auf den im Wirken Jesu enthaltenen Anspruch zurückgeht". Er sieht mit H. BRAUN (und ähnlich J. M. ROBINSON) keine historische Kontinuität zwischen den Worten Jesu und dem Kerygma, sondern nur die Konstante des Selbstverständnisses des Glaubenden. Weil die älteste Gemeinde „die Geschichte Jesu als das entscheidende eschatologische Ereignis verstanden hat", bleibt die Geschichte Jesu in der Verkündigung präsent („Der Christus des Kerygmas hat den historischen Jesus sozusagen verdrängt"!). Die historische Fragestellung kann darum nur „jenes im Kerygma behauptete Daß gegenüber einer etwaigen Skepsis an der Historizität Jesu bestätigen", darf aber nicht „die Legitimität des Kerygmas durch wissenschaftliche Forschung erweisen wollen"[44]. Damit hat BULTMANN erneut die Frage nach dem historischen Jesus als theologisch illegitim bezeichnet und alle Versuche abgelehnt, zwischen dem Kerygma und dem historischen Jesus eine sachliche Kontinuität nachzuweisen[45].

[41] H. DIEM, Der irdische Jesus und der Christus des Glaubens, 1957, korrigiert abgedruckt in HJkChr, S. 219ff (hier S. 223, 226, 231).
[42] K. BARTH, Kirchl. Dogm. IV, 2, 1955, S. 173ff; DERS., How my mind has changed, EvTh 20, 1960, S. 104: die alttestamentliche Wissenschaft befindet sich im ganzen auf viel besserem Boden „als die maßgebenden Neutestamentler, die sich zu meiner nicht geringen Verblüffung aufs neue, mit Schwertern und Stangen bewehrt, auf die Suche nach dem ‚historischen Jesus' begeben haben, an der ich mich nach wie vor lieber nicht beteiligen möchte".
[43] R. BULTMANN, Das Urchristentum im Rahmen der antiken Religionen, 1949, S. 78; DERS., Theologie des Neuen Testaments, 1958³, S. 1f.
[44] R. BULTMANN, Das Verhältnis der urchristlichen Christusbotschaft zum historischen Jesus, SAH, Philos.-hist. Kl. 1960, 3, S. 13, 17, 22, 25, 17, 14.
[45] Noch weitergehend hat H. W. BARTSCH, Das historische Problem des Lebens Jesu, 1960; DERS., Kann man Jesus existential interpretieren?, Kirche in der Zeit 16, 1961,

IV

Was ist zu dieser geschilderten wissenschaftlichen Situation zu sagen? Auf diese Frage kann in der gebotenen Kürze nur andeutend geantwortet werden[46]. Es scheint mir einerseits sicher, daß die Rückwendung zur Frage nach dem geschichtlichen Jesus dort, wo man dieser Frage bisher ablehnend oder skeptisch gegenüberstand, als ein theologisch notwendiger Schritt bezeichnet werden muß, und der Vorwurf, die Frage nach der Geschichte und Verkündigung des geschichtlichen Jesus wolle der Legitimation des Kerygmas dienen und sei darum abzulehnen[47], trifft alle hier besprochenen Forscher nicht[48]. Andererseits dürfen wir uns auch nicht darauf zurückziehen, daß uns das Jesusbild der Evangelien „nach Gottes eigenem Wort den wirklichen Jesus darstellt, so wie er war, ist und sein wird"[49], oder daß für alle Aussagen des Kerygmas „die Anfänge in der Verkündigung Jesu liegen"[50]. Und erst recht ist die Behauptung bedenklich, die geschichtliche Zuverlässigkeit der Evangelientradition ergebe sich daraus, daß Jesus seine Jünger „nicht senden konnte, ohne ihnen verbotenim geprägtes Traditionsgut mitzugeben"[51]. Gegen alle solche Behauptungen spricht der einfache Vergleich der Evangelientexte und die Einsicht in den kerygmatischen Charakter der Traditionsformung. Damit ist aber keineswegs gesagt, daß keine Möglichkeit bestehe, zwischen historisch zuverlässigen und sekundären Texten innerhalb der Überlieferung der Worte Jesu einigermaßen sicher zu unterscheiden, mag solche Behauptung skeptisch oder konservativ gemeint sein[52]. Es besteht vielmehr guter Grund zu der Feststellung, daß „die historische Rückfrage hinter das Kerygma nicht aussichtslos ist, sondern zu einem klaren und sicheren Ergebnis führt, trotz aller Unsicherheiten, die im einzelnen bleiben"[53]. Solche

S. 48 ff; DERS., Die Bedeutung des Anwendungsbereiches der existentialen Interpretation innerhalb der Theologie, EvTh 21, 1961, S. 224 ff erklärt, daß uns eine Rekonstruktion der Verkündigung Jesu auf Grund der Quellen unmöglich sei und ein Rückfragen hinter die Texte für die gegenwärtige Verkündigung keinerlei Relevanz habe, weil der Glaube als Osterglaube begonnen habe.

[46] Weiteres in meinem Aufsatz: Das Problem des geschichtlichen Jesus in der gegenwärtigen Forschungslage, HJkChr, S. 39 ff.

[47] P. BIEHL, s. Anm. 28, S. 57; R. BULTMANN, s. Anm. 44, S. 7, 12; H. URNER, Der historische Jesus in unserer Predigt, HJkChr, S. 593.

[48] Richtig G. KOCH, Dominus praedicans Christum-id est Jesum praedicatum, ZThK 57, 1960, S. 251.

[49] B. REICKE, Der Fleischgewordene, HJkChr, S. 218; ähnlich R. SCHNACKENBURG, Jesusforschung und Christusglaube, Catholica 13, 1959, S. 15; F. MUSSNER, Der historische Jesus und der Christus des Glaubens, BZ, N. F. 1, 1957, S. 240 ff; B. RIGAUX, s. Anm. 28, S. 511.

[50] J. JEREMIAS, Der gegenwärtige Stand der Debatte um das Problem des historischen Jesus, HJkChr, S. 19 (= Das Problem des historischen Jesus, 1960, S. 15).

[51] H. SCHÜRMANN, Die vorösterlichen Anfänge der Logientradition, HJkChr, S. 364; ähnlich H. RIESENFELD, The Gospel Tradition and its Beginnings, 1957; B. GERHARDSSON, Memory and Manuscript, 1961, S. 324 ff; F. MUSSNER, Der „historische" Jesus, Trierer Theol. Ztschr. 69, 1960, S. 326.

[52] B. REICKE, HJkChr, S. 216f.; H. W. BARTSCH, Das historische Problem des Lebens Jesu, 1960, S. 24, 30; H. J. SCHOEPS, HJkChr, S. 88; E. FUCHS, Zur Frage nach dem historischen Jesus, 1960, S. 392.

[53] P. ALTHAUS, Der gegenwärtige Stand der Frage nach dem historischen Jesus, SAM, Philos.-hist. Kl. 1960, S. 6, 14; vgl. auch H. ANDERSON, s. Anm. 28, S. 135.

Rückfrage ist aber, auch wenn sie nicht der Legitimation des Kerygmas dienen kann, durchaus eine theologische Notwendigkeit. Denn es trifft nicht nur die negative Feststellung zu, daß „es theologisch recht fatal wäre, wenn etwa die Feststellung eines unüberbrückbaren Gegensatzes zwischen dem historischen Jesus und dem Christuszeugnis des Neuen Testaments das Ergebnis dieser Forschung sein sollte"[54], die theologische Notwendigkeit einer wissenschaftlichen Rückfrage nach dem historischen Jesus ergibt sich vor allem aus zwei Gründen. Einmal fragt die über ihre Be|gründung *reflektierende* Glaubensantwort auf das Kerygma notwendigerweise danach, ob der für uns gestorbene und auferstandene Herr wirklich der Mensch Jesus von Nazareth war, wie ihn uns die Evangelien in der Wiedergabe der vom Glauben geformten Überlieferung zeigen; denn „der christliche Glaube kann nicht leben ohne ein gutes historisches Gewissen"[55]. Andererseits aber verweist das Kerygma nun gerade nicht auf die Verkündigung, sondern auf die Person Jesu zurück, und die neuesten Erörterungen über das Problem des geschichtlichen Jesus haben gerade in der verschiedensten Weise gezeigt, daß „Jesu Wort nicht trennbar ist von seiner Person – seine Person verstanden in eins mit dem Weg, den er ging"[56]. Darum *muß* der über seinen Grund reflektierende Glaube nach dem geschichtlichen Jesus fragen, und er kann auf diese Frage auf keinem anderen Wege eine Antwort bekommen als auf dem Wege der geschichtlichen Forschung. So führt uns zwar nicht der historische Jesus „genauso zu einer existentiellen Entscheidung, wie es das Kerygma tut"[57], denn das uns in der wissenschaftlichen Forschung begegnende Bild des geschichtlichen Jesus bleibt notwenigerweise der wissenschaftlichen Nachprüfung und Korrektur unterlegen wie jedes geschichtswissenschaftliche Resultat. Wohl aber hilft uns die wissenschaftliche Frage nach dem geschichtlichen Jesus zu der Gewißheit, daß wir in der Predigt von Jesus Christus nicht einem geschichtslosen Mythus begegnen, sondern vielmehr dem einmaligen eschatologischen Heilshandeln Gottes in dem, „*was* da *geschehen* ist in diesen Tagen" (Lk 24, 18).

[54] N. A. DAHL, s. Anm. 27, S. 126; vgl. auch H. DIEM, HJkChr, S. 226 und R. SCHNACKEN-BURG, s. Anm. 49, S. 17.
[55] P. ALTHAUS, s. Anm. 53, S. 19; vgl. etwa auch H. ZAHRNT, s. Anm. 23, S. 103; G. KOCH, s. Anm. 48, S. 251; W. PANNENBERG, Heilsgeschehen und Geschichte, Kerygma und Dogma 5, 1959, S. 270; H. GOLLWITZER, HJkChr, S. 110f.
[56] G. EBELING, Das Wesen des christlichen Glaubens, 1959, S. 64; ähnlich H. ZAHRNT, s. Anm. 23, S. 132.
[57] So J. M. ROBINSON, s. Anm. 28, S. 95.

DER PERSÖNLICHE ANSPRUCH JESU
UND DER CHRISTUSGLAUBE DER URGEMEINDE

I

Wenn in der Vorlesungsreihe, die mit dieser Vorlesung eröffnet wird, vom „Wandel des Christusverständnisses vom Urchristentum bis zur Gegenwart" die Rede sein soll, so wird es den meisten Hörern selbstverständlich scheinen, daß eine solche geschichtliche Darstellung mit Jesus von Nazareth und dessen Botschaft zu beginnen habe. Denn darüber kann doch kein Zweifel herrschen, daß sich die Verkündigung der christlichen Kirche von Anfang an auf diese geschichtliche Person zurückbezogen hat und daß alle Formulierungen des Christusglaubens von der geschichtlichen Gestalt dieses Menschen Jesus ausgehen. Nun stimmt diese als selbstverständlich erscheinende Annahme natürlich in dem Sinne, daß die Entwicklung des Christusglaubens und die sich wandelnde Formulierung dieses Glaubens vom Anfang des Urchristentums an von der Voraussetzung ausging, daß die Lehre von Christus und die Frömmigkeit der Christen es in irgendeiner Weise mit einem Menschen Jesus zu tun haben, der von seinen Anhängern der Messias, d. h. der Gesalbte (griechisch: Christus), genannt wurde und der zu Beginn des 1. Jahrhunderts unserer Zeitrechnung gelebt hat oder von dessen geschichtlicher Existenz man zum mindesten überzeugt war. Selbst die Bestreitung der wirklichen *menschlichen* Seinsweise Jesu durch einige Gruppen von Irrlehrern vom Ende des 1. Jahrhunderts an (vgl. 1Joh 4, 2f) oder die Leugnung der geschichtlichen Existenz Jesu bei manchen radikalen Kritikern der Neuzeit haben nicht bestritten und nicht bestreiten können, daß sich der Glaube der Urchristenheit im Zusammenhang mit der Vorstellung von einem *angeblichen* Menschen Jesus gebildet hat. Freilich ist heute im Bereich unserer westlichen Kultur, innerhalb wie außerhalb der christlichen Theologie, die Frage überhaupt nicht ernsthaft umstritten, ob es einen Menschen Jesus von Nazareth im Palästina des 1. Jahrhunderts gegeben habe, und auf die Gründe, warum man diese Tatsache überhaupt anzweifeln konnte und auch heute im Bereich sowjetischen Einflusses anzweifelt, braucht darum hier nicht eingegangen zu werden. Dagegen ist es im Zusammenhang der heutigen wissenschaftlichen Situation keineswegs selbstverständlich, daß die geschichtliche Frage nach dem Wandel des Christusverständnisses vom Urchristentum bis zur Gegenwart mit der Frage nach dem persönlichen Anspruch Jesu anfangen muß oder auch nur anfangen kann.

Es sind zwei Gründe, die in der heutigen Lage der Theologie die Voraussetzung in

Frage stellen, daß das sich durch die Jahrhunderte hindurch wandelnde Christusverständnis der christlichen Gemeinde seinen geschichtlichen Anfang nehme in dem,
was Jesus selbst für sich in Anspruch genommen hat. |

a) Im 18. Jahrhundert tauchte zum ersten Mal der Gedanke im Bereich der theologischen Wissenschaft auf, daß zwischen der Verkündigung Jesu und der Lehre der
Apostel ein Unterschied bestehen könne oder wirklich bestanden habe, und der
erste, der diese Möglichkeit im deutschen Sprachbereich in Aufnahme von Gedanken
englischer Deisten der Öffentlichkeit zum Bewußtsein brachte, war der Anonymus,
dessen Abhandlung „Vom Zwecke Jesu und seiner Jünger" Lessing 1778 heraus-
gab, Hermann Samuel Reimarus[1]. Die Rekonstruktion des geschichtlichen Vorgangs durch Reimarus war freilich völlig phantastisch, doch griff die theologische
Wissenschaft die damit gestellte Aufgabe sofort methodisch auf, die Verkündigung
Jesu im Unterschied zu dem Christusbild der Apostel darzustellen (als erster Wilhelm Martin Leberecht de Wette, 1813[2]), sah sich dabei aber sehr bald vor die
Frage gestellt, ob man das überhaupt könne. Seit David Friedrich Strauss in
seinem „Leben Jesu" (1835/36) die Möglichkeit, etwas geschichtlich Zuverlässiges
über Jesus zu wissen, zwar nicht ganz bestritten, aber radikal beschnitten hatte, ist
diese Frage nicht mehr zur Ruhe gekommen und im 20. Jahrhundert erneut aktuell
geworden durch den Nachweis der sogenannten Formgeschichte, daß die gesamte
Evangelientradition ihre überlieferte Formung erhalten hat innerhalb der christlichen Gemeinde, die vom Glauben an den auferstandenen Herrn Jesus Christus aus
von Jesus erzählte und Jesu Worte überlieferte[3]. So stellt sich heute dem Forscher,
der sich um die Geschichte und die Verkündigung des historischen Jesus bemüht, in
voller Schärfe die Frage, ob wir über Jesus und besonders über Jesu Verständnis
seiner Aufgabe und über seinen persönlichen Anspruch überhaupt so viel sicher erkennen können, daß wir eine wissenschaftlich haltbare und ausreichend breite
Kenntnis Jesu gewinnen, die dann zum Ausgangspunkt des Verständnisses des urchristlichen Christusglaubens gemacht werden könnte.

b) Zu dieser aus der Quellenlage entspringenden Frage nach der *Möglichkeit* eines
geschichtlichen Verständnisses Jesu und seiner Lehre gesellt sich nun aber noch ein
im engeren Sinn theologisches Problem. Schon am Ende des 19. Jahrhunderts hatte
in Auseinandersetzung mit der damals blühenden Leben-Jesu-Forschung der Systematiker Martin Kähler in einem berühmten Vortrag über „den sogenannten
historischen Jesus und den geschichtlichen, biblischen Christus" (1892) die Frage
nach dem geschichtlichen Jesus als einen „Holzweg" bezeichnet, weil es nur auf den
gepredigten Christus als den geschichtlichen Christus der Bibel ankomme[4]. Und
nach dem ersten Weltkrieg hat Rudolf Bultmann der Theologie das Recht bestritten, hinter die urchristliche Verkündigung zurückzufragen nach einem historischen

---

[1] Näheres bei W. G. Kümmel, Das Neue Testament. Geschichte der Erforschung seiner
Probleme, 1958, S. 60 ff, 98 f, 105 f.

[2] W. G. Kümmel, aaO, S. 126 f.

[3] Belege ebenda, S. 147 ff, 359 ff, 419 ff.

[4] Auszüge ebenda, S. 281 ff.

Jesus und seinem Messiasbewußtsein, weil „nicht der historische Jesus, sondern Jesus Christus, der Gepredigte, der Herr ist"[5]. Und KARL BARTH hat | in ähnlicher Weise den historischen Jesus abgelehnt, „der ja eigens dazu erdacht worden ist, um einen Zugang zu Jesus Christus unter Umgehung seiner Gottheit ... aufzuweisen"[6]. Diese vor allem in der deutschsprachigen Theologie zwischen den beiden Weltkriegen einflußreiche Anschauung, die „eine Generation hindurch lähmend gewirkt hat"[7], ist nun freilich nach dem zweiten Weltkriege gerade im Kreise der Schüler R. BULT- MANNS durch E. KÄSEMANN, E. FUCHS, G. BORNKAMM, G. EBELING, J. M. ROBINSON in Frage gestellt worden. Eine weit verzweigte Diskussion ist um das Recht und die Notwendigkeit der Frage nach dem historischen Jesus geführt worden, die mit ver- schiedener Deutlichkeit zu der Überzeugung zurückführte, daß die Frage nach der Geschichte und Verkündigung des geschichtlichen Jesus in einer neuen Form unbe- dingt zu stellen sei und auch beantwortet werden könne[8]. R. BULTMANN selber hat freilich in aller Form erneut erklärt, daß die Frage nach dem historischen Jesus, so- weit sie überhaupt beantwortet werden könne, nicht dazu dienen dürfe, die Richtig- keit oder Sachgemäßheit der urchristlichen Verkündigung an der Predigt und dem Selbstverständnis Jesu zu prüfen[9]. Und K. BARTH hat es ausdrücklich abgelehnt, sich auf die Suche nach dem historischen Jesus zu begeben[10].

Angesichts dieser von zwei Seiten erhobenen Einwände gegen die Voraussetzung, man müsse zum Verständnis des urchristlichen Christusglaubens vom historischen Jesus ausgehen, ergibt sich die Notwendigkeit, in aller Kürze zunächst auf die Fra- gen einzugehen, ob wir von dem persönlichen Anspruch Jesu überhaupt etwas Aus- reichendes erkennen können und ob eine solche Frage geschichtlich und theologisch sachgemäß sei.

II

a) Kann man über den persönlichen Anspruch Jesu geschichtlich etwas Ausrei- chendes erkennen ? Daß wir die älteste Überlieferung über Jesus und seine Verkündi- gung in den drei ersten Evangelien, den sogenannten Synoptikern, und nicht im Johannesevangelium finden, ist eine seit D. F. STRAUSS und FERDINAND CHRISTIAN BAUR[11] erwiesene Tatsache, die auch ETHELBERT STAUFFER und einige englische

[5] R. BULTMANN, Die Bedeutung des geschichtlichen Jesus für die Theologie des Paulus, ThBl 8, 1929, S. 148 = R. B., Glaube und Verstehen I, 1933, S. 208 (vgl. auch ebenda I, S. 101 und III, S. 31).

[6] K. BARTH, Kirchliche Dogmatik I, 2, 1938, S. 150f.

[7] E. KÄSEMANN, Das Problem des historischen Jesus, ZThK 51, 1954, S. 126 = E. K., Exegetische Versuche und Besinnungen I, 1960, S. 188.

[8] S. die Überblicke von J. M. ROBINSON, Kerygma und historischer Jesus, 1960; H. ZAHRNT, Es begann mit Jesus von Nazareth, 1960; W. G. KÜMMEL, Das Problem des histo- rischen Jesus in der gegenwärtigen Diskussion, Deutsches Parrerblatt 61, 1961, S. 572ff.

[9] R. BULTMANN, Das Verhältnis der urchristlichen Christusbotschaft zum historischen Jesus, SAH, Phil.-hist. Kl. 1960, 3.

[10] K. BARTH, How my mind has changed, EvTh 20, 1960, S. 104.

[11] S. W. G. KÜMMEL, am Anm. 1 ang. Ort, S. 152ff, 169ff.

Forscher[12] nicht als falsch haben nachweisen können. Während aber bis zum Ende des 19. Jahrhunderts die Überzeugung | herrschte, daß der Forscher im Bericht des Markusevangeliums und in dem von Matthäus und Lukas gemeinsam überlieferten Redenstoff im großen und ganzen einem zuverlässigen Bericht von der geschichtlichen Wirklichkeit Jesu begegne, hat die „formgeschichtliche" Untersuchung des Evangelienstoffes seit dem ersten Weltkrieg erkannt, daß wir nur in den einzelnen Berichten und Jesusworten altes Überlieferungsgut vor uns haben, während die Reihenfolge der Berichte und die Zusammenstellung der Worte erst von den Evangelisten oder ihren Vorlagen geschaffen sind. Wir haben also einen Zugang zur ältesten Jesusüberlieferung nur in den Einzelüberlieferungen und müssen versuchen, durch formale und traditions- und religionsgeschichtliche Untersuchung dieses Stoffes die ältere von der jüngeren Überlieferung zu scheiden. Über die Methoden, die dabei anzuwenden sind, und die Möglichkeit, zu wirklich alten Überlieferungen vorzudringen, gehen die Meinungen der Forscher weit auseinander, und das gilt in erhöhtem Maße für die Frage nach dem persönlichen Anspruch Jesu, weil vor allem hier der Glaube der Gemeinde von Anfang an als gestaltende und umgestaltende Kraft am Werke war. Zu diesem Fragenkomplex kann ich hier nur zusammenfassend bemerken, daß es m. E. durchaus möglich ist, zwischen historisch zuverlässigen alten und fortgebildeten Texten und Vorstellungen mit ziemlicher Sicherheit zu scheiden. Als Kriterium kann man bei solcher Scheidung einerseits die Beobachtung der Tendenzen verwenden, die für die urchristliche Glaubensentwicklung charakteristisch sind und darum verändernd auf die Jesusüberlieferung eingewirkt haben müssen, andererseits wird man die Richtigkeit der so erzielten Resultate daran prüfen können, ob sich aus der Kombination der als alt erkannten Überlieferungen ein einheitliches und in sich verständliches Bild der Gestalt und Verkündigung Jesu gewinnen läßt.

b) Daß solche Rückfrage nach dem geschichtlichen Jesus und seinem persönlichen Anspruch aber nicht nur geschichtswissenschaftlich unerläßlich, sondern vor allem theologisch sachgemäß und notwendig ist, ergibt sich aus dem Wesen des urchristlichen Christusglaubens. Dieser Glaube bekennt den gekreuzigten und auferstandenen *Menschen* Jesus als den himmlischen Herrn: „Das ganze Haus Israel soll sicher erkennen, daß Gott ihn zum Herrn und Gesalbten gemacht hat, den Jesus, den ihr gekreuzigt habt" (Apg 2, 36). Darum ist dieser Glaube brennend daran interessiert, wer dieser Mensch Jesus war und ob sich solcher Glaube mit Recht oder mit Unrecht auf den Menschen Jesus zurückbezieht, dessen himmlisches Herrsein er bekennt. Und darum ist es unerläßlich, daß auch zu Beginn dieser Vorlesung die Frage steht, auf welchen persönlichen Anspruch Jesu sich das sich wandelnde Christusverständnis der christlichen Gemeinde zurückbezieht, ja ob solche Beziehung ihren guten Grund hat oder auf einer Illusion beruht.

[12] E. STAUFFER, Jesus, Gestalt und Geschichte, 1957; DERS., Historische Elemente im vierten Evangelium, „Bekenntnis zur Kirche", 1960, S. 33ff; P. GARDNER-SMITH, Saint John and the Synoptic Gospels, 1938; A.J.B. HIGGINS, The Historicity of the Fourth Gospel, 1960 u. a.

III

Fragen wir also danach, was wir über den persönlichen Anspruch Jesu im Rahmen seiner Verkündigung erkennen können, so ist zunächst noch einmal daran zu erinnern, daß wir den Aussagen Jesu über sich selbst innerhalb der synoptischen Überlieferung nur *in der* Form begegnen, die die Ge|meinde im Glauben an die Auferstehung des gekreuzigten Jesus von den Toten und seine Erhöhung zu Gott diesen Aussagen Jesu über sich selbst gegeben hat. Man hat angesichts dieses Sachverhalts bestritten, daß Jesus überhaupt für sich mehr in Anspruch genommen hat, als ein von Gott beauftragter Prophet zu sein[13]. Andere haben diese Annahme als unzureichend angesehen und in verschiedener Form die These vertreten, daß Jesus zwar keine der überlieferten Würdetitel in Anspruch genommen habe, daß er aber durch sein Verhalten, durch seine Gleichnisse, durch seine Autorität einen Anspruch habe spürbar werden lassen, der weit über jedes prophetische Sendungsbewußtsein hinausging, und man hat in diesem Zusammenhang von einer „indirekten Christologie" in der Verkündigung Jesu gesprochen (H. CONZELMANN)[14]. Diese Anschauungen bedeuten in *einer* Hinsicht einen wesentlichen Unterschied gegenüber der völligen Bestreitung eines mehr als prophetischen Anspruchs Jesu, insofern nämlich das Christusbekenntnis der Urgemeinde sich von diesen Annahmen aus als in einem zweifellosen sachlichen Zusammenhang mit dem persönlichen Anspruch Jesu stehend erweist. Aber diese Anschauungen lassen andererseits die Frage unbeantwortet, *warum* Jesus überhaupt im Zusammenhang seiner Verkündigung von der Gottesherrschaft einen so hohen Anspruch für seine Person erhob und wie die Urgemeinde dazu kam, dann eine ganze Reihe von traditionellen Würdeprädikaten für die Deutung der Person Jesu zu gebrauchen, die sich keineswegs widerspruchslos miteinander vertragen.

Zu diesen Konsequenzen für die Geschichte des urchristlichen Christusglaubens kommt noch eine weitere historische Problematik hinzu, der sich die genannten Anschauungen ausgesetzt sehen. Es ist unbestreitbar, daß das Judentum zur Zeit Jesu in fast allen seinen verschiedenen Gruppen nicht nur in einer sehr lebendigen Erwartung der Endzeit lebte, sondern auch sehr konkret ausgeschmückte und bildhaft empfundene Vorstellungen von einer oder mehreren endzeitlichen Rettergestalten hatte. Es bestand also eine fast unausweichliche Notwendigkeit, solange sich Jesus überhaupt in den Vorstellungsformen seiner jüdischen Umwelt bewegte, daß ein so hochgreifender persönlicher Anspruch, wie ihn Jesus auch nach den genannten Anschauungen erhoben hat, sich im Zusammenhang der Verkündigung von der Nähe

---

[13] R. BULTMANN, Theologie des Neuen Testaments, 1958³, S. 27 ff; PH. VIELHAUER, Gottesreich und Menschensohn in der Verkündigung Jesu, Festschrift für G. Dehn, 1957, S. 51 ff; H. BRAUN, Der Sinn der neutest. Christologie ZThK 54, 1957, S. 345 ff = H. B., Gesammelte Studien zum Neuen Testament und seiner Umwelt, 1962, S. 246 ff.

[14] Vgl. G. BORNKAMM, Jesus von Nazareth, 1956, S. 48 ff, 155 ff, 204 ff; E. FUCHS, Die Frage nach dem historischen Jesus, ZThK 53, 1956, S. 210 ff = E. F., Zur Frage nach dem historischen Jesus, 1960, S. 143 ff; E. KÄSEMANN, vgl. Anm. 7, S. 144 f bzw. 206; H. CONZELMANN, Art. Jesus Christus, RGG III, 1959³, Sp. 631.

oder dem Gekommensein der endzeitlichen Gottesherrschaft mit den in diesem Bereich üblichen Vorstellungen und Erwartungen auseinandersetzen mußte[15]. Es ist mit anderen Worten schwer vorstellbar, daß Jesus der Frage nach seiner Stellung | zur Erwartung eines endzeitlichen Gesalbten oder eines himmlischen „Menschen" oder eines Priestermessias angesichts seiner Endzeitverkündigung und seines persönlichen Anspruchs überhaupt ausweichen *konnte*. Die Frage, ob Jesus seinen persönlichen Anspruch nicht doch schon selber in irgendeine Form der traditionellen Rettererwartung gekleidet hat, stellt sich also auch von religionsgeschichtlichen Gesichtspunkten aus unausweichlich.

IV

Daß Jesus dieser Frage in der Tat begegnet *ist,* zeigt sich eindeutig in seiner Antwort auf die Frage des Täufers Johannes: „Bist du der Kommende oder sollen wir auf einen anderen warten?" (Mt 11, 2 ff). Jesu Antwort auf diese Frage: „Blinde sehen, Lahme gehen, Aussätzige werden rein, und Taube hören, und Tote werden auferweckt, und Armen wird die frohe Botschaft verkündigt, und selig, wer über mich nicht zu Fall kommt", ist kein eindeutiges Ja und kein eindeutiges Nein, sie ist vielmehr ein andeutender Hinweis auf die Erfüllung messianischer Verheißungen in Wort *und* Tat Jesu. Der in seiner Bibel lebende fromme Jude der Zeit Jesu mußte aus diesem Hinweis den Anspruch Jesu entnehmen (s. Jes 61, 1; 35, 5f), er handle und lehre so, wie man es von dem Gesalbten der Endzeit, dem Messias, erwartete, und mußte sich zugleich durch diesen Anspruch aufgefordert wissen, an der Person Jesu, die diesen Anspruch erhob, angesichts seiner sonstigen Schwachheit keinen Anstoß zu nehmen. Ergibt sich aus diesem Text, daß die Frage tatsächlich an Jesus gestellt worden *ist,* wie er sich zu den geläufigen jüdischen Erwartungen eines endzeitlichen Heilsbringers stelle, so ergibt sich andererseits aus der Kreuzesinschrift des römischen Statthalters „der König der Juden" (Mk 15, 26), daß Jesu jüdische Ankläger ihn beim römischen Statthalter mit dem Vorwurf angezeigt haben, er wolle der endzeitliche Herrscher des jüdischen Volkes, der Messias, sein, er habe also einen politischen Herrschaftsanspruch erhoben. Daß diese Behauptung eines politischen Anspruchs Jesu die wirkliche Haltung Jesu nicht wirklich wiedergibt, ergibt sich freilich mit Sicherheit aus Jesu durchaus unpolitischem Verhalten und seinem aller irdischen Herrlichkeit baren Auftreten. Um so dringender erheischt aber dann die Frage eine Antwort, welcher Art der mit dieser Anklage verzerrt wiedergegebene Anspruch Jesu in Wirklichkeit war, da die Mißdeutung ja einen solchen Anspruch zum Ausgangspunkt gehabt haben muß.

Welchen Anspruch hat Jesus für seine Person erhoben? Schon die Antwort Jesu auf die Frage des Täufers ließ deutlich erkennen, daß Jesus in seinen Taten und Worten die verheißene messianische Heilszeit angebrochen sah, und dieser Anspruch

---

[15] Vgl. den ausgezeichneten Überblick von P. GRELOT, Le Messie dans les Apocryphes de l'Ancien Testament, in „La venue du Messie", Recherches Bibliques VI, 1962, S. 19 ff.

Jesu läßt sich auch in anderen Texten beobachten. Wenn Jesus seine Jünger selig preist, weil sie sehen und hören dürfen, was Propheten und Könige nicht sehen und hören durften (Lk 10, 23f), so ist die Gegenwart der messianischen Endzeit im Wirken Jesu vorausgesetzt, ohne daß der Messiastitel begegnet. Und das Wort Jesu „Wenn ich mit dem Finger Gottes die Dämonen austreibe, so ist die Gottesherrschaft zu euch gekommen" (Lk 11, 20) deutet ebenso Jesu Taten als Taten des erwarteten Heilsbringers der Endzeit. Mit diesem auch sonst noch erkennbaren Anspruch | Jesu[16], daß in seiner Person die Kräfte der messianischen Zeit zu wirken begonnen haben, steht nun die Tatsache in einer gewissen Spannung, daß Jesus der Überlieferung nach den *Titel* „Messias" nicht beansprucht hat. Die These von E. STAUFFER u. a., daß Jesus diesen Titel ausdrücklich und scharf von sich gewiesen habe[17], ist allerdings völlig unbewiesen und unwahrscheinlich. Vielmehr zeigt die viel diskutierte Antwort Jesu auf die Frage des Hohenpriesters „Bist du der Gesalbte?": „Ich bin es, und ihr werdet den ‚Menschen' zur Rechten der Kraft sitzen und mit den Himmelswolken kommen sehen" (Mk 14, 62), daß Jesus nicht *grundsätzlich* den Messiastitel von sich gewiesen hat[18]. Aber die Antwort Jesu zeigt zugleich, daß er seinen göttlichen Auftrag mit dem Begriff des „Gesalbten" offenbar nicht sachgemäß ausgedrückt fand, sondern daß er ihn erläutert mit der Aussage über das Sehen des „Menschen". Freilich gehen die Meinungen über den Gebrauch dieses Titels besonders weit auseinander[19], und ich kann in der gebotenen Kürze nur meine Sicht der Dinge darstellen, ohne auf gegensätzliche Anschauungen einzugehen. Es läßt sich nachweisen, daß Jesus die endzeitliche Gottesherrschaft zu Lebzeiten seiner Generation erwartete und daß er zugleich diese Gottesherrschaft in seinem Wirken und Lehren schon als gegenwärtig ansah[20]. Ganz entsprechend redet Jesus einerseits von der Gegenwart des „Menschen" auf Erden: „der ‚Mensch' kam, aß und trank, und man sagt: siehe ein Fresser und Weintrinker, ein Freund der Zöllner und Sünder" (Mt 11, 19), und „der ‚Mensch' hat auch Vollmacht, Sünden zu vergeben" (Mk 2, 10). Und daneben verheißt Jesus andererseits, daß der „Mensch" bald kommen werde: „ihr werdet mit den Städten Israels nicht zu Ende kommen, bis der ‚Mensch' kommt" (Mt 10, 23), und „Wie der Blitz ausgeht vom Osten und bis zum Westen leuchtet, so wird die Ankunft des ‚Menschen' sein" (Mt 24, 27). Jesus sagt nun freilich nicht eindeutig, er sei der himmlische „Mensch", der „Menschensohn", wie die irrtümliche griechische Übersetzung des aramäischen Begriffes lautet. Aber schon die Beweisführung in dem Bericht von der Heilung eines Gelähmten (Mk 2, 1ff) ist nur dann schlüssig, wenn der „Mensch", der Vollmacht beansprucht, auf

[16] Vgl. Mk 11, 15ff; 11, 1ff; 2, 18. 19a.

[17] E. STAUFFER, Messias oder Menschensohn?, Novum Testamentum 1, 1956, S. 81ff; J. HÉRING, Le Royaume de Dieu et sa venue, 1937, S. 111ff.

[18] Zur Frage nach der Geschichtlichkeit der Verhörsszene und der Antwort Jesu vgl. W. G. KÜMMEL, Verheißung und Erfüllung, 1956³, S. 43ff; B. RIGAUX, La seconde venue de Jésus, in „La venue du Messie", Recherches Bibliques VI, 1962, S. 206ff.

[19] Vgl. die neuere Diskussion bei E. SCHWEIZER, Erniedrigung und Erhöhung bei Jesus und seinen Nachfolgern, 1962², S. 33ff und: The Son of Man again, New Testament Studies 9, 1962/63, S. 33ff.

[20] S. dazu W. G. KÜMMEL, Verheißung und Erfüllung, 1956³.

Erden Sünden zu vergeben, identisch ist mit dem Jesus, den man wegen seiner Zusage der Sündenvergebung Gottes an den Gelähmten eben angegriffen hatte. Und die Verbindung zwischen den Aussagen über die Gegenwart und Zukunft des „Menschen" und der Person Jesu ergibt sich völlig eindeutig aus dem in verschiedener Form überlieferten Jesuswort: „Wer sich meiner und meiner Worte schämt in diesem ehebrecherischen und sündigen Geschlecht, dessen wird sich auch der ‚Mensch' schämen, wenn er kommt in | der Herrlichkeit seines Vaters mit den heiligen Engeln" (Mk 8, 38). Aus diesem Wort muß der aufmerksame Hörer entnehmen, daß das Verhalten eines Menschen zu dem gegenwärtigen Jesus das Urteil des kommenden „Menschen" über diesen Menschen beim Weltgericht entscheidend vorausbestimmt. Und damit ist auch deutlich, daß Jesus zwar nicht offen und laut, aber andeutend und doch unüberhörbar seine Hörer aufruft, sich für oder gegen ihn und damit für oder gegen das endzeitliche Handeln Gottes zu entscheiden, das in seiner Person Wirklichkeit geworden war.

V

Was ist mit diesem Anspruch nun aber inhaltlich gemeint? Ganz gewiß ist dieser persönliche Anspruch Jesu nur der Rahmen, der seiner Predigt und seinem Wirken die unbedingte göttliche Bedeutung gibt, die sie beanspruchen können. Und wir müßten die gesamte Verkündigung Jesu, seine Verheißung der Gottesherrschaft, seinen Zuspruch der Vergebungsbereitschaft Gottes an die Verachteten, seine neue Erklärung und Radikalisierung der alttestamentlich-jüdischen Gesetzesforderung, seine Auseinandersetzung mit den jüdischen Richtungen seiner Zeit und seine Berufung von Jüngern aus *allen* Kreisen des Volkes – wir müßten all dies heranziehen, um den eigentlichen Sinn der Verkündigung Jesu und damit auch die volle Begründung für den von ihm erhobenen Anspruch zu begreifen. Aber eines läßt sich auch erkennen, ohne daß wir der ganzen Breite der Predigt Jesu nachgehen: hier begegnet uns ein Mensch, der streng in der Heilserwartung und dem Gottesglauben seines jüdischen Volkes wurzelt, der aber diese Erwartung und diesen Glauben in vielen Punkten durchbricht und auf diese Weise ein völlig neues, endgültiges Handeln Gottes für alle Menschen proklamiert und zur Wirklichkeit werden läßt. Und dieser Mensch begründet die Endgültigkeit und darum auch die drängende Aktualität dieses Handelns Gottes mit der einzigartigen und endgültigen Bedeutung seiner Person nach dem Heilsplan Gottes. Vor die Entscheidung, ob sie diesen Anspruch anerkennen und darum in seinem Handeln und Reden Gottes endgültiges Heilshandeln ergreifen wollten oder nicht, hat Jesus seine Hörer gestellt. Und obwohl Jesus offensichtlich viele Anhänger im Volke hatte, haben die Führer seines Volkes seinen Anspruch abgelehnt, Jesus als Gotteslästerer bezeichnet und als politischen Verbrecher den Landesfeinden zur Aburteilung übergeben. Wer hatte recht? Jesus oder die Führer seines Volkes?

VI

Nach menschlichem Ermessen war die Rolle Jesu ausgespielt, als er den Verbrechertod am Kreuz gestorben war, selbst wenn seine Botschaft wie die anderer Menschen, die als Märtyrer für ihre Gesinnung starben, um der ihr innewohnenden Wahrheit willen später trotzdem zu neuer Bedeutung gekommen wäre. Aber so ist die Geschichte nicht verlaufen, und die Nachrichten des Neuen Testaments ergeben eindeutig, daß sich die zerstreuten und verzweifelten Jünger nach kurzer Zeit wieder gesammelt haben in der festen Überzeugung, daß ihr gekreuzigter Lehrer nicht im Tode geblieben, sondern von Gott aus dem Tode wieder auferweckt worden sei und nun bei Gott | lebe. Und die Nachrichten ergeben ebenso deutlich, daß die sich in diesem Glauben zusammenschließenden Juden, ob sie zu den Jüngern des irdischen Jesus gehört hatten oder, wie Jesu Bruder Jakobus, erst nach seinem Tode zu den Jüngern Jesu gestoßen waren, die Erfahrung machten, daß dieser auferstandene Jesus ihr Leben von Gott her leite und auf ihre Gebete höre. Gott hatte wider alle Erwartung den Gekreuzigten nicht verworfen, sondern zu sich erhöht, und damit konnte nicht mehr bezweifelt werden, daß er der Messias, der Gesalbte Gottes, gewesen war, ja, daß er noch mehr sei als ein irdischer Herrscher, daß er der Sohn Gottes, der Herr sei. Es kann hier nicht mehr davon geredet werden, wie es in der ältesten Gemeinde zu diesen neuen Würdenamen „Sohn Gottes" und „Herr" gekommen ist; auch davon kann nicht die Rede sein, wie sich der Glaube an den erhöhten und gegenwärtigen Herrn mit der Erwartung seiner herrlichen Erscheinung in der nahen Zukunft verband und welchen Sinn man dem Kreuzestod des Auferstandenen gab, so wichtig diese Gedanken der ersten Gemeinde auch für die Entwicklung der späteren urchristlichen Botschaft waren. Aber *ein* Tatbestand und *eine* Frage müssen hier noch zur Sprache kommen.

a) Zunächst der Tatbestand: Die Christusbotschaft der Urgemeinde: „Das ganze Haus Israel soll sicher erkennen, daß Gott diesen Jesus zum Herrn und Gesalbten gemacht hat, den ihr gekreuzigt habt" (Apg 2, 36) ist gewiß aus der Auferstehungserfahrung der ersten Christen erwachsen, die sie zu Glaubenden gemacht hatte und für sie weiterhin Grund ihres Zeugnisses war. Aber diese Christusbotschaft hatte doch auch, wie die Weitergabe und Umformung der synoptischen Tradition beweist, die Überzeugung zum Inhalt, daß der persönliche Anspruch des irdischen Jesus sich trotz des Kreuzestodes als richtig, als Gottes Willen entsprechend erwiesen hatte, weil dieser Anspruch durch die Auferweckung Jesu von Gott selbst bestätigt worden war (Apg 10, 36–41). Die Erinnerung an Jesu Verkündigung, Jesu Handeln, Jesu persönlichen Anspruch bedeutete für die älteste Christenheit die Gewißheit, daß sie sich in ihrem Glauben nicht an eine bloße Einbildung, ein Hirngespinst hielten, sondern daß sie es wirklich mit dem Gesandten Gottes zu tun gehabt hatten und jetzt erst recht zu tun hatten. Die Erinnerung an Jesu persönlichen Anspruch und die Weitergabe der Worte des irdischen Jesus dienten darum ursprünglich nicht der Weckung und nicht der Sicherung, wohl aber der Bestätigung des Christusglaubens, und so hat das Wissen um den persönlichen Anspruch Jesu seine theologische Bedeutung für den Christen von Anfang an darin gehabt, daß es ihn zu einer Antwort auf die Frage zwang, ob dieser Jesus von Nazareth mit Recht oder Unrecht so übermäßig Hohes, so Einmaliges für sich in Anspruch nahm. Und so führt die Rückschau auf die uns erkennbare geschichtliche Wirklichkeit des Messiasanspruchs Jesu auch heute den Christen vor die Entscheidung, ob sein Glaube an die Auferstehung des Gekreuzigten mit Recht oder Unrecht davon überzeugt ist, in dem Auferstandenen dem von Gott gesandten Menschen Jesus zu begegnen.

b) Und dann die Frage: Haben sich die ersten Christen getäuscht, als sie die Erfahrung der Auferstehung Jesu dahin deuteten, daß Gott an dem gekreuzigten Jesus gehandelt habe, und als sie darin eine Bestätigung für den persönlichen Anspruch Jesu fanden? Darauf kann der Historiker, der in | den bisherigen Ausführungen die Entstehung des Christusglaubens der Urgemeinde zu erkennen versuchte, keine Antwort mehr geben. Aber eines steht fest: Niemand wird der Einzigartigkeit der Predigt Jesu wirklich ansichtig werden können, ohne sich *zugleich* dem persönlichen Anspruch Jesu gegenübergestellt zu sehen; und niemand wird dieser persönlichen Forderung Jesu gegenüber eine Entscheidung fällen können, ohne sich zugleich vor die Botschaft der ersten Christen gestellt zu sehen: ,,Der Herr ist wirklich auferweckt und dem Simon erschienen" (Lk 24, 34). Nur wenn Jesu Behauptung, der von Gott gesandte endzeitliche Heilsbringer zu sein, durch die Aufweckung von Gott bestätigt worden ist, begegnen wir ja darin nicht mehr frevlerischer Anmaßung, sondern göttlicher Wahrheit. Vor diese Entscheidung wird jeder gestellt, der der Botschaft von Jesus begegnet, und sie muß von jedem persönlich gefällt werden. Wer freilich als Glaubender den Anspruch Jesu als von Gott bestätigt erkannt und darum als *für sich* geltende Wahrheit bejaht hat, der wird mit den ersten Christen sagen: ,,Es ist in keinem andern Rettung, es ist ja auch kein anderer Name unter dem Himmel den Menschen gegeben, durch den wir gerettet werden sollen" (Apg 4, 12).

JESUS UND PAULUS[1]

Mein verehrter Vorgänger als Präsident unserer Societas, Père Benoit, hat uns
im vergangenen Jahr durch eine anschauliche Schilderung der Erlebnisse eines
Knaben bei der Besichtigung eines Ozeanriesen die Gefahr vor Augen gestellt, die
uns alle immer wieder bei unserer wissenschaftlichen Beschäftigung mit dem Neuen
Testament bedroht, daß wir nämlich über der Fülle des unvermeidlichen wissenschaftlichen Stoffes nicht mehr die Zeit und Ruhe finden, die Texte selber wirklich
zu uns sprechen zu lassen. Er konnte uns freilich gegen diese Krankheit auch kein
Allheilmittel anbieten, hat uns statt dessen aber zu einem Ausblick eingeladen, der
die großen Themen der paulinischen und johanneischen Theologie zueinander in
Beziehung setzte[2]. Wenn ich Sie heute dazu einlade, diesen Vergleich nach rückwärts
fortzusetzen und die Theologie des Paulus neben die Verkündigung Jesu zu stellen,
so kann ich mich eines doppelten Unbehagens nicht erwehren. Einerseits muß ich
mir die Frage stellen, ob man einem so weit ausgreifenden und schwierigen Thema
in der kurzen Zeit eines Vortrags überhaupt gerecht werden kann, selbst wenn man
sich das Ziel einer Weiterführung der Probleme gar nicht steckt. Andererseits aber
muß ich befürchten, daß Sie mir die Frage stellen, ob mit der Behandlung dieses
Themas nicht ein Problem wieder aufgerollt wird, das einmal vor einem halben Jahrhundert aktuell gewesen ist[3], das aber heute nicht mehr im Zentrum des Interesses
steht und als erledigt angesehen werden sollte. Nun trifft es natürlich zu, daß man
ein umfassendes Thema in einer kurzen Stunde niemals ausreichend behandeln kann,
aber das muß man in Kauf nehmen, wenn man überhaupt umfassendere Fragen in
Form eines Vortrags anpacken will. Der Einwand gegen die Aktualität der Fragestellung aber hätte insofern recht, als die beiden zusammengehörenden Fragen nach
dem geschichtlichen Zusammenhang zwischen Paulus und Jesus und nach der sachlichen Übereinstimmung zwischen der paulinischen Theologie und der Verkündigung Jesu in der Tat in den letzten 4–5 Jahrzehnten nicht häufig erörtert worden
sind. Freilich ist die Frage „Jesus und Paulus" auch in der Zeit zwischen den beiden
Weltkriegen nicht ganz zum Schweigen gekommen, und in den dreißiger Jahren
haben R. Bultmann, J. Leipoldt, H. Windisch, teilweise durch den politisch-welt-
anschaulichen Kampf dazu veranlaßt, wesentliche Beiträge zu diesem Problem

---

[1] [163¹] Presidential address at the Nottingham meeting of SNTS, September 1963.
[2] [163²] P. Benoit, Paulinisme et Johannisme, NTS 9, 1962/63, S. 193 ff.
[3] [163³] S. darüber W. G. Kümmel, Das Neue Testament. Geschichte der Erforschung
seiner Probleme, 1958, S. 367 ff.

geliefert, mit denen ich mich in einem Aufsatz 1940 ausführlich auseinandergesetzt |
habe[4]. Im übrigen jedoch erwecken die wenigen kurzen Arbeiten, die in den vier-
ziger Jahren zu unserm Thema veröffentlicht wurden, in der Tat den Eindruck, als
liege hier überhaupt kein Problem vor, als sei die geschichtliche und sachliche Einheit zwischen Jesus und Paulus eine selbstverständliche Angelegenheit. Auch der
Presidential Address, den G. S. Duncan bei der zweiten Tagung unserer Societas
1948 in Oxford unter dem Titel „From Paul to Jesus" gehalten hat, sieht hier keinerlei ernstliche Probleme[5].

Und doch dürfte es nicht zutreffen, daß die Frage „Jesus und Paulus" erledigt
und nicht mehr aktuell sei. Das wird sofort deutlich werden, wenn man sich ver-
gegenwärtigt, daß diese Frage in den letzten 15 Jahren von mehreren Seiten mit
wesentlichen neuen Gesichtspunkten wieder aufgenommen worden ist und sich dadurch als eines der wirklich zentralen und keineswegs gelösten Probleme unserer
Wissenschaft erwiesen hat. Ich darf mir darum erlauben, Sie zuerst an die neuen
Fragestellungen zu erinnern, die es mir dann ermöglichen werden, einige Vorschläge
zur Lösung des Problems anzufügen.

I

Da ist zunächst auf die Tatsache hinzuweisen, daß sich die *jüdische Forschung* in
größerem Umfang der Frage des Verhältnisses von Jesus und Paulus angenommen
hat. Zwar hatten schon seit mehr als 100 Jahren einzelne jüdische Gelehrte die
These vertreten, daß Paulus im Gegensatz zu dem im Judentum verbleibenden
Jesus der eigentliche Gründer des Christentums sei, weil erst Paulus durch seine
Christusverehrung das Judentum verlassen und das Christentum zu einer heidnisch-
jüdischen synkretistischen Religion umgestaltet habe[6]. Aber diese und vereinzelte
spätere Äußerungen von jüdischer Seite sind meines Wissens von der christlichen
Theologie kaum zur Kenntnis genommen worden und haben jedenfalls die Diskus-
sion über Jesus und Paulus zu Beginn unseres Jahrhunderts nicht beeinflußt. Aber

[4] [164 1] R. Bultmann, Die Bedeutung des geschichtlichen Jesus für die Theologie des
Paulus, ThBl 8, 1929, S. 137 ff = Glauben und Verstehen I, 1933, S. 188 ff; ders., Jesus und
Paulus, in: Jesus Christus im Zeugnis der Heiligen Schrift und der Kirche, Beiheft 2 zur
EvTh, 1936, S. 68 ff; J. Leipoldt, Jesus und Paulus – Jesus oder Paulus ?, 1936; H. Windisch, Paulus und Christus = Untersuchungen zum NT, 24, 1934; ders., Paulus und Jesus,
ThStKr 106, 1934/35, S. 432 ff; W. G. Kümmel, Jesus und Paulus, ThBl 19, 1940, S. 209 ff.
[5] [164 2] Vgl. seit 1940 etwa: A. Schlatter, Jesus und Paulus, 1940 (Vorlesungen aus
dem Jahre 1906); E. Buonaiuti, Christus und Paulus, Eranos-Jahrbuch 1940/41, Zürich
1942, S. 257 ff; J. Schniewind, Die Botschaft Jesu und die Theologie des Paulus, in Nachgelassene Reden und Aufsätze, 1952, S. 16 ff (Vortrag von 1937); S. M. Gilmour, Paul and
the Primitive Church, JR 25, 1945, S. 119 ff; M. Goguel, De Jésus à l'apôtre Paul, RHPR
28/29, 1948/49, S. 1 ff; H. Ridderbos, Paulus en Jezus, 1952; A. Fridrichsen, Jesus,
St John and St Paul, in The Root of the Vine (Westminster 1953), S. 37 ff; G. S. Duncan,
From Paul to Jesus, ScJTh 2, 1949, S. 1 ff.
[6] [164 3] Nachweise bei G. Lindeskog, Die Jesusfrage im neuzeitlichen Judentum =
Arbeiten und Mitteilungen aus dem neutestamentlichen Seminar zu Uppsala 8, 1938, S. 310 ff.

als J. KLAUSNER 1939/40 in seinem zuerst hebräisch erschienenen Buch „Von Jesus
zu Paulus", das bald durch Übersetzungen ins Englische und Deutsche allgemein
zugänglich wurde, eine umfassende wissenschaftliche Darstellung des Problems gab,
hat | auch die christliche Wissenschaft von seinen Darlegungen Kenntnis genom-
men[7]. KLAUSNER war ja schon durch sein 20 Jahre vorher veröffentlichtes Jesusbuch der neutestamentlichen Wissenschaft bekannt geworden, in dem er, bei aller
Anerkennung des jüdischen Charakters der ethischen Verkündigung Jesu, Jesus
darum als unjüdisch ablehnte, weil seine extreme Ethik und seine Mißachtung des
Zeremonialgesetzes dem Judentum die Möglichkeit zur Selbstbehauptung unter
den Völkern unmöglich gemacht habe[8]. In seinem neuen Buch aber schilderte
KLAUSNER Paulus nicht ohne phantastische Vermutungen als den „wahren Stifter
des Christentums", der als entwurzelter Diasporajude das Christentum als einen
vom Judentum getrennten neuen Glauben zu schaffen in der Lage war. Damit hat
KLAUSNER die These umfassend begründet, daß Jesus im wesentlichen ins Judentum
gehöre, während Paulus in Abhängigkeit von heidnischen Vorstellungen das Christentum als eine nichtjüdische Religion geschaffen habe. Freilich spürt man KLAUS-
NERS Konfrontierung des Diasporajuden Paulus mit dem im Judentum verbleibenden Jesus sehr deutlich eine starke Abneigung gegen Paulus an, die auch vor der
Vergewaltigung geschichtlicher Tatsachen nicht zurückschreckt, wie ich seinerzeit
nachgewiesen habe[9], und darum hat sich die neutestamentliche Wissenschaft, soweit ich sehe, mit KLAUSNERS Darstellung des Verhältnisses von Jesus und Paulus
kaum auseinandergesetzt.

Läßt sich die geringe Beachtung der Fragestellung KLAUSNERS angesichts von
KLAUSNERS kaum verhüllter Antipathie gegen Paulus und angesichts seiner starken
Bindung an den theologischen Liberalismus immerhin verstehen, so muß man es
uneingeschränkt als verwunderlich bezeichnen, daß M. BUBERS wesentlich tiefer
grabendes Buch „Zwei Glaubensweisen" (1950) bis heute in seiner Bedeutung für
unsere Fragestellung kaum beachtet und überhaupt nur ganz vereinzelt von christlichen Theologen besprochen worden ist[10]. Auch BUBER teilt die religionsgeschichtliche Anschauung, „daß Jesus und das zentrale Pharisäertum wesentlich zusammengehören, ebenso wie das frühe Christentum und das hellenistische Judentum wesentlich zusammengehören" (S. 10); und er weist dementsprechend darauf hin, daß Paulus schon in seiner vorchristlichen Zeit als hellenistischer Jude den griechischen Be-

[7] [165 1] J. KLAUSNER, Mijjēšū ʿad Paulos, 1939/40; From Jesus to Paul, 1943; Von
Jesus zu Paulus, 1950.
   [8] [165 2] J. KLAUSNER, Jesus von Nazareth, 1930, vor allem S. 505 ff.
   [9] [165 3] S. W. G. KÜMMEL, Jesus und Paulus. Zu Joseph Klausners Darstellung des Urchristentums, Judaica 4, 1948/49, S. 1 ff.
   [10] [165 4] Zwei Glaubensweisen, 1950 (die Zitate S. 10, 144, 149, 34, 99). An Auseinandersetzungen mit diesem Werk sind mir bekannt geworden: G. SCHRENK, Judaica 7, 1951,
S. 241 ff; 8, 1952, S. 1 ff; E. BRUNNER, Die christliche Lehre von der Kirche, vom Glauben
und von der Vollendung. Dogmatik 3, 1960, S. 186 ff; F. VON HAMMERSTEIN, Das Messias-
problem bei M. Buber = Studia Delitzschiana 1, 1958, S. 48 ff; G. EBELING, Zwei Glaubensweisen? in: Juden, Christen, Deutsche, 1961, S. 158 ff.

griff der εἱμαρμένη kennengelernt habe, der sich nun hinter seiner Vorstellung vom
Zorn Gottes verberge, und daß er unter den Einfluß der im 4. Esrabuch uns zugäng-
lichen Apokalyptik geraten sei, woraus sich sein Leidenspessi|mismus erkläre. Folgt
BUBER in dieser Einordnung des Paulus in das hellenistische und apokalyptische
Judentum im Gegensatz zu dem palästinisch denkenden Jesus nur der Tradition
der modernen jüdischen Wissenschaft[11], so führt er die Differenz zwischen Jesus und
Paulus nun auf zwei verschiedene Glaubensweisen zurück: Jesus teilt die alttestamentliche Vorstellung von der *emuna*, dem glaubenden Vertrauen, in dem man steht,
für das man sich aber nicht erst entschließt; Paulus aber vertritt einen Glauben, der
in der vorchristlichen Ära nicht schon möglich war, eine *pistis*, die die Annahme der
Tatsächlichkeit eines Vorgangs bedeutet und auf einem Akt beruht, den man vollzogen hat und vollzieht. Nach dieser Deutung entsprechen die Verkündigung Jesu
und die Theologie des Paulus zwei Glaubensweisen, die sich bis ins letzte unterscheiden und weder geschichtlich noch sachlich eine Einheit darstellen.

Und BUBER steht mit diesem Abrücken des Paulus vom genuinen Judentum und
dieser Ablehnung des Paulus durchaus nicht allein in der neueren jüdischen Forschung: auch LEO BAECK hat durch Jahrzehnte hindurch Jesus als Juden und Paulus als einen aus dem Judentum Herausgetretenen geschildert, und nach H.J.
SCHOEPS hat Paulus als Diasporajude die Tora vom Gottesbunde gelöst, und die
Kirche hat „sich von einem den väterlichen Glaubensvorstellungen weithin ent-
fremdeten Assimilationsjuden der hellenistischen Diaspora ein völliges Zerrbild
vom jüdischen Gesetz überreichen lassen"[12]. Das durch diese drei bedeutenden
jüdischen Forscher aufgegebene Problem wird dadurch nur noch brennender, daß
L.BAECK nicht lange vor seinem Tode in einem Aufsatz über „The Faith of Paul"
zu der Erkenntnis gelangte, daß Paulus, auch wo er hellenistische Gedanken auf-
nahm, immer ein Jude geblieben sei, und die Anschauung des Paulus als Konsequenz
des Glaubenssatzes zu interpretieren suchte, daß die Tage des Messias hereinge-
brochen seien, und daß H.J.SCHOEPS von denselben Voraussetzungen aus die Gesetzeskritik des Paulus sogar als Hinweis auf ein innerjüdisches Problem zu verstehen sich bemühte[13]. Denn mit diesen Paulus positiver wertenden Einsichten stellen uns diese jüdischen Forscher erst recht vor die Frage, ob ein grundlegender
Gegensatz zwischen Jesus und Paulus bestehe und ob es der geschichtlichen Wirklichkeit entspreche, wenn man Jesus als wahren Juden, Paulus aber als den Verleug-
ner des Judentums bezeichnet. |

---

[11] [166¹] Vgl. außer den bei LINDESKOG (s. Anm. 6) Genannten vor allem C.G.MONTE-
FIORE. Judaism and St Paul, 1914 und dazu W.D.DAVIES, Paul and Rabbinic Judaism,
1948, S. 1ff.
[12] [166²] L.BAECK, Paulus, die Pharisäer und das Neue Testament, 1961, S. 159ff, 131ff
(die hier abgedruckte Arbeit über Das Evangelium als Urkunde jüdischer Glaubensgeschichte erschien zuerst 1938 in Berlin). Vgl. zu BAECKS Anschauungen über das Urchristentum R.MAYER, Christentum und Judentum in der Schau Leo Baecks = Studia Delitzschiana 6, 1961, S. 50ff. – H.J.SCHOEPS, Paulus. Die Theologie des Apostels im Lichte der
jüdischen Religionsgeschichte, 1959, S. 225ff, 278.
[13] [166³] L.BAECK, The Faith of Paul, JJS 3, 1952, S. 93ff; s. vorige Anm. S. 7ff; H.J.
SCHOEPS, s. vorige Anm. S. 178ff, 299ff.

II

Das damit aufgeworfene Problem einer Abwertung des Paulus im Vergleich zu Jesus ist nun aber auch innerhalb der christlichen Theologie in den letzten Jahren erneut gestellt worden. Ich denke dabei nicht an den Versuch G.Schneiders, eine Differenz zwischen Jesus und Paulus, wie sie nach Schneider bei der herkömmlichen Paulusdeutung bestehen soll, durch die Behauptung aus der Welt zu schaffen, daß Jesus und Paulus nur vom Gottesglauben Jesu redeten, daß also eine Differenz in Wirklichkeit nicht vorhanden sei. Denn dieser Ausgleichsversuch sieht sich zur Leugnung der Vorstellung vom Kreuz als Heilsereignis und der Erwartung einer Heilszukunft bei Paulus gezwungen und ist exegetisch auch sonst völlig unhaltbar[14]. Ich denke vielmehr an E.Stauffers Forderung einer „Diakritik zwischen Jesus von Nazareth und dem Christusbild der Urkirche" und Stauffers damit zusammenhängende Frage: „Soll Paulus darüber entscheiden, ob und in welchem Sinn in der Kirche Jesu Christi von Jesus die Rede sein darf?" Stauffer hatte diese Forderung und diese Frage in einer Rezension geäußert, ähnliche Gedanken über das Verhältnis von Jesus und Paulus aber etwa gleichzeitig in verschiedenen Beiträgen zur Jesusforschung vertreten; alle diese Äußerungen hatten dann die Vertreter der Systematischen Theologie in seiner Fakultät zu einem „Offenen Brief" veranlaßt, der Stauffer vor allem über seine Stellung zu Paulus und zur paulinischen Rechtfertigungslehre als der zentralen Lehre der Reformatoren befragte, und Stauffer hat darauf in seiner Schrift „Jesus, Paulus und wir" geantwortet[15]. Die beiden für unsern Zusammenhang entscheidenden Thesen Stauffers sind: „Jesus ist das Maß aller Dinge", freilich der Jesus, den die wissenschaftliche Forschung von seiner Rejudaisierung und Qumranisierung in den Evangelien befreit hat; und: Paulus kann man nicht alles glauben, obwohl er sich für unfehlbar hält und sich zwischen Jesus von Nazareth und die Christenheit stellt; denn „das paulinische Pneuma Kyriou steht" (im Falle des Blutschänders von 1Kor 5) „zum Geiste Jesu von Nazareth in unversöhnlichem Gegensatz". Dem entspricht, daß „die paulinische Gehorsamsethik mit Jesus von Nazareth nichts zu tun" hat; und wenn Paulus „die verzeihende und schenkende Liebe von Mensch zu Mensch, die Jesus verkündet hat, in aller Stille wieder einengt auf die Liebe zum Bruder nach qumranischem Muster", so ist das „die Rückkehr zur | Gnadenreligion mit Vorbehalt ... die Rejudaisierung des Christentums"[16]. Es braucht hier nicht entschieden zu werden, ob Stauffer

---

[14] [167 1] G.Schneider, Kernprobleme des Christentums. Eine Studie zu Paulus, Evangelium und Paulinismus, 1959. Vgl. zur Kritik P.Benoit, RB 67, 1960, S. 451ff.

[15] [167 2] E.Stauffer, Das kritische Vermächtnis des neunzehnten Jahrhunderts, ThLZ 84, 1959, S. 641ff; ders., Jesus, Paulus und wir, 1961. Von den Untersuchungen Stauffers zu Jesus sind hier zu nennen: Die Botschaft Jesu, damals und heute, 1959; Neue Wege der Jesusforschung, in Gottes ist der Orient, Festschrift für O.Eißfeldt, 1959, S. 161ff; Das Evangelium vom barmherzigen Gott in Qumran und der Botschaft Jesu, Deutsches Pfarrerblatt 60, 1960, S. 73ff. Zur Kritik vgl. W.G.Kümmel, Diakritik zwischen Jesus von Nazareth und dem Christusbild der Urkirche, in Ein Leben für die Kirche. Zum dankbaren Gedächtnis an D.J.Bauer, 1960, S. 54ff und W.Joest, ThLZ 86, 1961, S. 641 ff.

[16] [168 1] Vgl. dazu vor allem Jesus, Paulus und wir, S. 44ff. Die Zitate ebd. S. 50: Die Botschaft Jesu..., S. 18; Deutsches Pfarrerblatt, 1960, S. 151.

den Vorwurf des Paulushasses verdient hat oder nicht, aber darüber kann nach den angeführten und zahlreichen anderen Äußerungen STAUFFERS kein Zweifel sein, daß nach seiner Meinung in wesentlichen Punkten zwischen Jesus und Paulus keine Übereinstimmung besteht und man daher Paulus das Recht bestreiten muß zu entscheiden, was Evangelium ist. Diesen Thesen STAUFFERS gegenüber muß aber nicht nur die Frage gestellt werden, ob die Verkündigung Jesu von ihm richtig wiederhergestellt worden ist und ob er Paulus gerecht beurteilt, sondern hier erhebt sich vor allem das drängende Problem, ob wirklich Paulus in ganz wesentlichen Punkten in unausgleichbarem Gegensatz zu Jesus steht oder nicht.

III

Die Frage des geschichtlichen Zusammenhangs und der Übereinstimmung zwischen Jesus und Paulus ist aber in der neutestamentlichen Wissenschaft unserer Tage nicht nur durch solche verschiedenartige Kritik an Paulus wieder dringend geworden, sondern ergab sich auch im Zusammenhang der Wiederbelebung der Frage nach dem historischen Jesus als unausweichliche Aufgabe, und zwar unter zwei ganz verschiedenen Blickrichtungen. Einerseits hat W. SCHMITHALS die oft beobachtete Tatsache, daß Paulus offensichtlich sehr wenig vom historischen Jesus weiß, durch die Feststellung verschärft, daß wir, abgesehen von der Existenz des Menschen Jesus und von seinem Tode, in den Paulusbriefen nichts von dem Leben Jesu, aber auch nichts über seine Lehre erfahren, obwohl „der Mensch Jesus selbst der Gegenstand der paulinischen Theologie schlechthin ist". Da SCHMITHALS durchaus anerkennt, daß Paulus grundsätzlich nichts dagegen habe, den historischen Jesus zu kennen, bleibt nur die Möglichkeit, daß er wirklich nichts von ihm gewußt hat. SCHMITHALS ist darüber hinaus der Meinung, daß „die gesamte christliche Literatur bis hin zu Justin und viele Literatur zwischen Justin und Irenäus dasselbe Verhältnis zum historischen Jesus zeigen wie Paulus", und „daß unsere Evangelien und die ihnen vorausliegende Jesustradition bis in die Mitte des 2. Jahrhunderts eine ausgesprochen apokryphe Literatur darstellen". Mit diesen Feststellungen sieht SCHMITHALS die Aufgabe gestellt, das Problem des beziehungslosen Nebeneinanders von Jesustradition und paulinischer und nachpaulinischer Theologie zu lösen, und er folgert aus diesen Feststellungen, daß Paulus zwar die Identität zwischen dem historischen und dem auferstandenen Christus voraussetzt, daß also das paulinische Kerygma bereits *von dieser Voraussetzung* aus legitim ist, daß aber der Nachweis der Kontinuität vom historischen Jesus zur Predigt der nachösterlichen Gemeinde zur Anerkennung dieser Legitimität nichts beiträgt. | „Das ‚Daß‘, nicht das ‚Was‘ der historischen Existenz des auferstandenen und erhöhten Christus begründet die christliche Predigt"[17].

[17] [169¹] W. SCHMITHALS, Paulus und der historische Jesus, ZNW 53, 1962, S. 145 ff. (die Zitate S. 147, 156, 157, 159).

Damit nimmt aber Schmithals die These R. Bultmanns auf, daß sich eine Kontinuität zwischen Jesus und Paulus nicht nachweisen lasse und daß Paulus „vom
Leben Jesu … nur das Daß und die Tatsache der Kreuzigung" als Voraussetzung
für sein Kerygma benötige. Bultmann hat diese These 1960 in einer Akademieabhandlung[18] dem Bemühen einer Gruppe seiner Schüler entgegengestellt, die Frage
nach dem historischen Jesus in neuer Weise zu stellen. Die auf den Anstoß vor allem
von E. Käsemann, G. Bornkamm und E. Fuchs hin in den letzten zehn Jahren geführte Diskussion über das Problem des historischen Jesus ist ja schon mehrfach zu-
sammenfassend dargestellt worden[19], so daß ich hier darauf nicht im einzelnen einzugehen brauche. Im Zusammenhang dieser Diskussion ist nun auch die Frage nach
der Kontinuität zwischen dem historischen Jesus und dem Glauben der Urkirche
wieder aufgenommen worden, und dabei trat der andere Gesichtspunkt angesichts
des Verhältnisses von Jesus zu Paulus in den Vordergrund, von dem hier noch die
Rede sein muß. Freilich ist es auffällig, daß in der weitschichtigen Diskussion der
letzten Jahre über den historischen Jesus, soweit ich sehe, zwar sehr viel vom Verhältnis des urchristlichen Kerygmas zum historischen Jesus die Rede war, aber
kaum einmal von der paulinischen Theologie in ihrer geschichtlichen und sachlichen
Beziehung zum historischen Jesus[20]. Doch mußte diese Frage früher oder später
auch in diesem Zusammenhang explizit gestellt werden, und so hat vor kurzem
E. Jüngel eine umfangreiche Untersuchung über „Paulus und Jesus" veröffentlicht[21]. Jüngel will, der Terminologie seines Lehrers E. Fuchs folgend, die „Sprachereignisse" der paulinischen Rechtfertigungslehre und der Verkündigung Jesu miteinander konfrontieren, um auf diesem Wege festzustellen, „inwiefern Jesus Selbst
im Sprachereignis der paulinischen Rechtfertigungs|lehre *als* er selbst *neu* zur
Sprache kommt". Da Jüngel die Rechtfertigungslehre mit Recht als „die beherrschende Mitte der paulinischen Theologie" ansieht, beschreibt er die Rechtfertigung
als Ausdruck für das neue Sein des Christen: „Die eschatologische Gerechtigkeit ist

---

[18] [169 2] R. Bultmann, Das Verhältnis der urchristlichen Christusbotschaft zum historischen Jesus, SAH, Phil.-hist. Kl. 1960, 3, S. 9.
[19] [169 3] Vgl. besonders: J. M. Robinson, A New Quest of the Historical Jesus, London
1959, stark erweitert in der deutschen Ausgabe: Kerygma und historischer Jesus, 1960;
B. Rigaux, L'historicité de Jésus devant l'exégèse récente, RB 65, 1958, S. 481 ff; W. G.
Kümmel, Das Problem des historischen Jesus in der gegenwärtigen Diskussion, Deutsches
Pfarrerblatt, 61, 1961, S. 573 ff. Seither ist noch zu nennen: E. Lohse, Die Frage nach dem
historischen Jesus in der gegenwärtigen neutestamentlichen Forschung, ThLZ 87, 1962,
S. 161 ff; F. Mussner, Der „historische" Jesus, in Der historische Jesus und der Christus
unseres Glaubens, hrsg. v. K. Schubert, 1962, S. 103 ff; J. M. Robinson, The Recent Debate
on the „New Quest" JBR 30, 1962, S. 198 ff; E. Schick, Die Bemühungen der neueren protestantischen Theologie um den Zugang zu dem Jesus der Geschichte, insbesondere zum
Faktum seiner Auferstehung, BZ, N. F. 6, 1962, S. 256 ff.
[20] [169 4] Als Ausnahmen wird man in beschränktem Sinne nennen können E. Fuchs. Die
Frage nach dem historischen Jesus, ZThK 53, 1956, S. 210 ff = Zur Frage nach dem historischen Jesus. Gesammelte Aufs. 2, 1960, S. 143 ff und H. Braun, Der Sinn der neutestamentlichen Christologie, ZThK 54, 1957, S. 341 ff = Gesammelte Studien zum NT und seiner Umwelt, 1962, S. 243 ff.
[21] [169 5] E. Jüngel, Paulus und Jesus. Eine Untersuchung zur Präzisierung der Frage
nach dem Ursprung der Christologie, 1962. Die Zitate S. 3 f, 41, 53, 57, 55, 81, 134, 169, 180,
188, 261 f, 282 f.

für Paulus an ein einmaliges geschichtliches Geschehen gebunden, das als christologischer Grund der Gerechtigkeit erscheint" und das Gesetz ausschließt; ,,Christus ist als Ende des Gesetzes der Grund der Rechtfertigung des Menschen". Freilich wird in dieser Aussage der Begriff des Gesetzes völlig formal gebraucht, das Gesetz kann ,,als Gesetz der Sünde und des Todes oder als Gesetz des Geistes, der Leben wirkt" anwesend sein; und der Begriff der Eschatologie beschreibt nach Jüngel ausschließlich ,,das in der Geschichte Ereignis gewordene Eschaton". Der so verstandenen paulinischen Rechtfertigungslehre wird nun die Verkündigung Jesu als Ausdruck ,,für das, was in den als authentisch anzuerkennenden Worten Jesu zur Sprache kommt", gegenübergestellt, und diese Verkündigung wird aus den Gleichnissen Jesu erhoben, die ,,Gottes Zukunft so zur Sprache bringen, daß die Gleichnisse selbst zum Sprachereignis der Zukunft Gottes werden". Den auf diese Weise unter Bestreitung der Unterscheidung von Bild- und Sachhälfte interpretierten Gleichnissen entnimmt Jüngel nun folgende Aussage: ,,Die Gleichnisse Jesu helfen, die nahe Zukunft der Gottesherrschaft nicht als etwas noch Ausstehendes, sondern als eine in die Gegenwart eindringende Macht zu verstehen und derselben zu entsprechen". Jüngel betrachtet es daher als unangebracht, Jesu Verkündigung ,,mit dem Schlagwort ,Naherwartung' zu charakterisieren"; und er stellt dementsprechend fest, daß ,,Jesu Ruf kein Bußruf" war, ,,sondern Berufung in die Gemeinschaft der von Gottes Ja lebenden Liebe". Weiter ergibt sich, daß der Anspruch, daß ,,in Jesu Verkündigung und Verhalten die Gottesherrschaft selbst nahe war", eine Christologie impliziert, ,,die Jesus … auf der Seite des nahen Gottes zu stehen kommen läßt". Der Vergleich beider Sprachereignisse ergibt dann auffälligerweise doch eine temporale Differenz: ,,Paulus blickt auf das Eschaton zurück, indem er es als die Offenbarung der δικαιοσύνη θεοῦ im Tod und in der Auferstehung Jesu zur Sprache bringt, während Jesus in die Zukunft blickte, wenn er das Eschaton als βασιλεία τοῦ θεοῦ zur Sprache brachte". Freilich ist dieser Unterschied nach Jüngel nur eine *sprachliche* Differenz innerhalb der Geschichte, weil hinter beiden Sprachereignissen ,,das eschatologische Ja Gottes zum Menschen als das beide Sprachereignisse ermöglichende extra nos der Sprache Gottes" steht.

Es dürfte auch durch dieses vereinfachende Referat deutlich geworden sein, daß Jüngel das Problem ,,Paulus und Jesus" in einer sehr selbständigen und in vieler Hinsicht zu Fragen Anlaß gebenden Weise neu aufgegriffen hat, daß damit aber dieses Problem selber unüberhörbar erneut als Aufgabe gestellt ist. Und erst recht dürfte der gesamte Überblick über die verschiedenen Formen, in denen die Frage ,,Jesus und Paulus" im letzten Jahrzehnt erörtert | worden ist, gezeigt haben, daß dieses Problem in der Tat äußerst aktuell ist, daß aber von einer allgemein anerkannten Lösung so wenig die Rede sein kann wie von einem allgemein anerkannten Weg zu seiner Lösung. Damit stellt sich mir aber die Aufgabe, auf dem Hintergrund der geschilderten Forschungslage in großen Zügen zu zeigen, welchen Weg zur Lösung des Problems ich für gangbar halte und in welcher Richtung ich die Lösung sehe.

IV

R. Bultmann hat 1929 festgestellt, daß man die Frage „Jesus und Paulus" in dreifachem Sinn stellen könne: 1. Ist Paulus in seinen Gedanken durch den historischen Jesus bestimmt? 2. Wie verhält sich sachlich die Theologie des Paulus zur Verkündigung Jesu? 3. Welche Bedeutung hat das Faktum des geschichtlichen Jesus für die Theologie des Paulus?[22] Diese methodische Gliederung, der ich mich früher auch angeschlossen habe, scheint mir heute nicht mehr haltbar zu sein, weil die Frage nach der *Einwirkung* der Person und Lehre Jesu auf Paulus und die nach der *Bedeutung* der Person Jesu für Paulus in Wirklichkeit nur verschiedene Aspekte des *einen* Problems der Kontinuität zwischen Jesus und Paulus sind. Damit ergibt sich, daß man das Problem „Jesus und Paulus" methodisch unter zwei Gesichtspunkten untersuchen kann: 1. Der geschichtliche Zusammenhang zwischen Jesus und Paulus (d. h. das Problem der Kontinuität), 2. die sachliche Übereinstimmung oder Differenz zwischen Jesus und Paulus (d. h. das Problem der Identität). Obwohl sich diese beiden Fragestellungen natürlich überschneiden und darum nicht völlig trennen lassen, wird man beide Probleme nur nacheinander erörtern können. Da das Problem der Kontinuität das gegenwärtig brennendere ist und die eigentlichen methodischen Schwierigkeiten birgt, werde ich mich im folgenden diesem Problem zuwenden und die Frage der Identität nicht im einzelnen erörtern.

Und noch eine zweite methodische Vorfrage muß erörtert werden: Soll man von Jesus zu Paulus vorangehen oder von Paulus zu Jesus zurückgehen? Selbstverständlich ist grundsätzlich beides möglich, und die ältere Diskussion ist trotz der Skepsis gegenüber der Möglichkeit einer Erkenntnis des geschichtlichen Jesus in der Regel von Jesus ausgegangen. Aber da die neuere Diskussion gezeigt hat, daß gerade die Frage, ob man nach dem geschichtlichen Jesus zurückfragen darf und kann, umstritten ist, dürfte es zweckmäßiger sein, von der quellenmäßig gesicherten Theologie des Paulus aus nach Jesus zurückzufragen[23]. Doch kann die Frage, ob bzw. inwieweit die Theologie des Paulus mit der Verkündigung Jesu in einem kontinuierlichen Zusammenhang steht oder nicht, erst dann mit Aussicht auf eine sichere Erkenntnis in Angriff genommen werden, wenn man sich über den grundlegenden Charak|ter der paulinischen Theologie und dann auch der Verkündigung Jesu Klarheit verschafft hat. Ich wende mich darum zunächst der Frage nach dem grundlegenden Charakter der paulinischen Theologie zu.

V

Der Blick auf die neueste Diskussion hat gezeigt, daß vor allem drei Probleme im Verständnis der paulinischen Theologie geklärt werden müssen, wenn wir den

---

[22] [171 1] R. Bultmann, Die Bedeutung des geschichtlichen Jesus für die Theologie des Paulus, Glauben und Verstehen I, 1933, S. 188.
[23] [171 2] So auch E. Jüngel, s. Anm. 21, S. 16.

Zusammenhang der paulinischen Theologie mit der Verkündigung und Person Jesu untersuchen wollen: a) der Charakter der paulinischen Eschatologie, b) die religionsgeschichtliche Stellung des Paulus und c) die Bedeutung der Jesusüberlieferung und der Person Jesu für Paulus.

a) Fragen wir zunächst nach der Eschatologie des Paulus, so hören wir auf der einen Seite bei SCHOEPS, der darin A. SCHWEITZER folgt, daß für Paulus zwar das messianische Reich schon begonnen hat, daß Paulus aber aus der unerschütterlichen Erwartung heraus lebt, daß die Zukunft des Herrn in nächster Zeit bevorsteht; und wir hören bei STAUFFER, daß Paulus das Weltende in den allernächsten Jahren erwartet und daß sich diese Vorhersage nicht erfüllt habe, wie sich kontrollieren lasse[24]. JÜNGEL aber bestreitet, daß es in der paulinischen Eschatologie um Erwartungen gehe, die sogenannte Naherwartung sei ein sekundäres eschatologisches Phänomen; Paulus blicke auf das Eschaton bereits zurück, „in der Verkündigung der eschatologischen Gottesgerechtigkeit bei Paulus gewährt Gottes eschatologisches Ja dem Menschen ein neues Sein"[25]. Es ist deutlich, daß im ersten Fall die futurische Eschatologie im streng zeitlichen Sinn verstanden und die Theologie des Paulus als Antwort auf die Frage gedeutet wird, wie sich mit dieser Naherwartung des Kommens des Auferstandenen der Glaube an den Beginn der messianischen Zeit in Christus in Einklang bringen lasse. Die Rechtfertigungslehre erscheint dann leicht als ein Fremdkörper in der paulinischen Theologie (so auch bei SCHOEPS). Im zweiten Fall enthält die Rechtfertigungslehre die zentrale paulinische Anschauung über die eschatologische Existenz des Menschen, und Eschatologie wird als Aussage über die Näherung Gottes zur Geschichte im Wort definiert[26]. Nun läßt sich ja wohl nicht bestreiten, daß Paulus in der Erwartung des nahen Endes lebte und die Vollendung des den Glaubenden geschenkten Heils erst bei der zukünftigen Erscheinung des Herrn aus den Himmeln erwartete (1Thess 4, 15 ff; 1Kor 15, 51 ff; Phil 3, 20f). Und es läßt sich ebensowenig leugnen, daß Paulus in der Sendung und Auferweckung Jesu Christi die eschatologische Heilszeit angebrochen glaubte und den Christen in das Reich Christi versetzt wußte (Gal 4, 4; 1Kor 15, 20; Kol 1, 13), also in der Tat auf das Eschaton auch | *zurück*blickte. Und es läßt sich schließlich nicht verkennen, daß Paulus dieses in der eschatologischen Letztzeit vor der nahen Endvollendung den Christen geschenkte Heil als Kundwerden der Gerechtigkeit Gottes beschrieben hat, daß die Botschaft von der Rechtfertigung aus Glauben also Beschreibung eben dieses in der konkreten Heilszeit der Gegenwart des Paulus den Glaubenden rettenden Handelns Gottes ist (Röm 3, 21 ff; Phil 3, 8 ff). Was einst W. WREDE in seinem Paulusbüchlein (1904) eindrücklich gezeigt hat, daß Paulus nicht an das Individuum, sondern an die Menschheit und darum heilsgeschichtlich denkt[27], das hat neuestens E. KÄSEMANN erneut überzeugend betont: „Gerade die Rechtfertigungs-

---

[24] [172 1] H. J. SCHOEPS, Paulus (s. Anm. 12), S. 96 ff; E. STAUFFER, Jesus, Paulus und wir, S. 46 f.

[25] [172 2] E. JÜNGEL, s. Anm. 21, S. 265 ff, bes. 266.

[26] [172 3] E. JÜNGEL, s. Anm. 21, S. 288 f.

[27] [173 1] Die entscheidenden Stellen sind abgedruckt bei W. G. KÜMMEL, s. Anm. 3, S. 378 f.

lehre des Apostels zeigt, daß Gottes Handeln in Christus wie in der Schöpfung der
Welt gilt und die paulinische Dialektik von präsentischer und futurischer Eschatologie die christliche Existenz übergreift"[28]. So unzweifelhaft die Rechtfertigungslehre die „Mitte der paulinischen Botschaft" ist, so unzweifelhaft beschreibt Paulus
mit dieser Vorstellung das die Welt rettende Heilshandeln Gottes, das von der Vergangenheit Jesu Christi her die Gegenwart zur beginnenden Endzeit gemacht hat
und die nahe Vollendung dieses Heilshandelns durch die Erscheinung Christi verheißt[29].

b) Mit dieser Einsicht in die beherrschende Rolle des eschatologisch-heilsge-
schichtlichen Denkens für die Theologie des Paulus berühren wir bereits das religionsgeschichtliche Problem. Denn von der richtigen religionsgeschichtlichen Einordnung des paulinischen Denkens hängt nicht nur das Urteil über den Zusammenhang zwischen Jesus und Paulus ab, sondern überhaupt das Verständnis der paulinischen Theologie[30]. Wir haben ja gehört, daß man neuestens Paulus einerseits zum
Vorwurf macht, er habe als hellenistischer Jude der Kirche ein falsches Bild des
Judentums vermittelt, und daß man ihn andererseits anklagt, weil er die Botschaft
Jesu judaisiert und qumranisiert habe. Aber mit diesen beiden Vorwürfen ist das
eigentliche religionsgeschichtliche Problem nicht wirklich ins Auge gefaßt. Die noch
immer begegnende Alternative „jüdisch oder heidnisch" für den religionsgeschichtlichen Mutterboden des paulinischen Denkens bedeutet ja zweifellos eine „terrible
simplification". Auch wenn es zutreffen sollte, daß Paulus zwar in Tarsus geboren
wurde, aber seine ganze Jugend in Jerusalem verbracht hat[31], so läßt sich der Ein-
fluß jüdisch-hellenistischer und heidnisch-hellenistischer | Vorstellungen auf sein
Denken nicht leugnen[32], und es ist recht wahrscheinlich, daß er manche hellenistisch
beeinflußten Vorstellungen schon aus der vor ihm liegenden hellenistischen Gemeinde
übernommen hat[33]. Doch ist nicht das die eigentliche Frage, ob diese oder jene Vorstellung des Paulus sich besser aufgrund jüdischer oder hellenistischer Prämissen

---

[28] [173[2]] E. Käsemann, Gottesgerechtigkeit bei Paulus, ZThK 58, 1961, S. 367ff (das
Zitat S. 377).

[29] [173[3]] Vgl. zu dieser Paulusdeutung auch H.-D. Wendland, Die Mitte der paulini-
schen Botschaft, 1935; G. Schrenk, Die Geschichtsanschauung des Paulus, in Studien zu
Paulus = AThANT 26, 1954, S. 49ff; O. Kuss, Der Römerbrief, 1. Lief., 1957, S. 275ff;
R. Schnackenburg, Neutestamentliche Theologie. Der Stand der Forschung = Bibl.
Handbibliothek 1, München 1963, S. 90ff.

[30] [173[4]] Vgl. den instruktiven Überblick über die moderne Paulusforschung bei B. Rigaux, Saint Paul et ses Lettres. État de la question = Studia Neotestamentica, Subsidia
2, 1962, S. 13ff.

[31] [173[5]] So W. C. van Unnik, Tarsus or Jerusalem: The City of Paul's Youth, 1962.

[32] [174[1]] Die Bestreitung jeglichen Mysterieneinflusses auf die paulinische Tauflehre
durch G. Wagner, Das religionsgeschichtliche Problem von Römer 6, 1–11 = AThANT
39, 1962, ist z. B. ebensowenig überzeugend wie die Leugnung jedes gnostischen Einflusses
auf den Kirchenbegriff des Paulus durch E. Schweizer, Die Kirche als Leib Christi in den
paulinischen Homologumena, ThLZ 86, 1961, S. 161ff. Richtig zuletzt O. Kuss, Die Rolle
des Apostels Paulus in der theologischen Entwicklung der Urkirche, MThZ 14, 1963, S. 51ff,
bes. S. 59.

[33] [174[2]] Gegen deren Leugnung mit Recht E. Käsemann, Paulus und der Frühkatholizismus, ZThK 60, 1963, S. 82.

verstehen läßt. Denn wenn es zutrifft, daß für das Denken des Paulus der eschato-
logisch-heilsgeschichtliche Rahmen entscheidend ist, so beruht das zweifellos auf
jüdischen Voraussetzungen. Aber was ist das für ein Judentum, dem Paulus diese
grundlegenden Vorstellungen verdankt ? Ganz zweifellos nicht der jüdische Hellenismus, wie wir ihn etwa im Aristeasbrief oder bei Philo finden. Denn hier fehlt gerade
die heilsgeschichtlich-eschatologische Anschauung von Gottes Walten der Welt
gegenüber, obwohl in der Wertung des Gesetzes als der Israel gegebenen Offenbarung
und Norm zwischen dem hellenistischen und dem palästinischen Judentum kein
wesentlicher Unterschied besteht. Man kann darum Paulus nicht als hellenistischen
Assimilationsjuden bezeichnen und darin seine Differenz zu Jesus begründet sehen,
wie es Buber und Schoeps wollen. Viel eher kann man Paulus als „apokalyptischen
Theologen" bezeichnen[34], wenn man damit nicht die spekulativen Entwürfe apokalyptischer Himmels- und Zukunftsbeschreibung, sondern die heilsgeschichtlich-
eschatologische Zukunfterwartung als Aussage über die heilsgeschichtliche Situation der konkreten Gegenwart meint. Mit dieser Aussage wird Paulus freilich keineswegs von der pharisäischen Theologie abgerückt, deren Gesetzesverständnis ein
grundlegend anderes gewesen sein soll als das der Apokalyptik. Denn diese von
U. Wilckens vertretene These kommt nur dadurch zustande, daß sein Gewährs-
mann D. Rössler die Quellen für unsere Kenntnis der Apokalyptik willkürlich beschränkt (die *Assumptio Mosis* fällt z. B. unter den Tisch) und diejenigen Schriften
übergeht, in denen sich schriftgelehrt-pharisäische Gesetzesanschauung mit apokalyptischen Gedanken verbindet (Jesus Sirach, Sapientia), und darum verkennt,
daß für die Rabbinen das Gesetz ebenso Dokument göttlicher Erwählung (Ab. 3,
14) wie für die Apokalyptiker Kodex und Gebotssammlung ist (AssMos 9, 4–6)[35].
| So wenig wir über die Theologiegeschichte des palästinischen Judentums zu Be-
ginn unserer Zeitrechnung schon ausreichend Bescheid wissen –, das kann man
doch sicher behaupten, daß in der Auffassung des Gesetzes als der Norm der geschichtlichen Erwählung des jüdischen Volkes und in dem Verständnis der Gegenwart im Zusammenhang eschatologisch-apokalyptischer Heilsgeschichte das in den
rabbinischen Quellen und das in den Apokalypsen sich Ausdruck gebende Judentum im wesentlichen übereinstimmen[36]. Paulus aber, der auf dem Boden dieses
Judentums steht, weicht in seiner Anschauung von der Gegenwart als eschatologischer Heilszeit vor dem nahen Ende und von Christus als dem Ende des Gesetzes
vom palästinischen Judentum ebenso ab wie vom hellenistischen, und der Grund

[34] [174³] So U. Wilckens, Die Bekehrung des Paulus als religionsgeschichtliches Problem, ZThK 56, 1959, S. 273ff, bes. S. 285; ders. Das Offenbarungsverständnis in der Geschichte des Urchristentums, in Offenbarung als Geschichte = Kerygma und Dogma, Beiheft 1, 1961, S. 63ff; E. Käsemann, Zum Thema der urchristlichen Apokalyptik, ZThK
59, 1962, S. 257ff, bes. S. 279; ders., s. vorige Anm.

[35] [174⁴] U. Wilckens, s. vorige Anm.; D. Rössler, Gesetz und Geschichte, Untersuchungen zur Theologie der jüdischen Apokalyptik und der pharisäischen Orthodoxie =
WMANT 3, 1960, bes. S. 111.

[36] [175¹] Vgl. R. T. Herford, Talmud and Apocrypha, 1933; W. D. Davies, s. Anm. 11,
S. 9f; W. Foerster, Neutestamentliche Zeitgeschichte 1. 1955³, S. 173ff.

dafür ist seine Abhängigkeit vom Kerygma der christlichen Gemeinde vor ihm und durch deren Vermittlung von Jesus selbst.

c) Damit ist aber das dritte Problem im Verständnis des Paulus angerührt, das in unserm Zusammenhang entscheidend ist, nämlich die Bedeutung der Jesusüberlieferung und der Person Jesu für die Theologie des Paulus. Wir sahen, daß nach R. Bultmann und W. Schmithals für Paulus nur das Daß, nicht das Was des Menschen Jesus von Bedeutung ist, und daß Paulus von der in den synoptischen Evangelien uns zugänglichen Jesustradition nach dieser These so wenig etwas weiß wie das Christentum bis zur Mitte des 2. Jahrhunderts. Nun läßt sich einerseits gewiß nicht bestreiten, daß Paulus in den erhaltenen Briefen nur wenige Jesusworte anführt und daß es sich nicht entscheiden läßt, ob er sich dort, wo seine Paränese an Jesusworte anklingt, über die Herkunft dieser Worte im klaren ist. Aber man kann andererseits auch nicht sagen, daß die von Paulus angeführten Herrenworte „ihren Sitz nicht im Leben Jesu, sondern im Leben der nachösterlichen Gemeinde haben"[37]; denn 1Kor 11, 23–25 setzt Paulus eindeutig voraus, daß die von ihm zitierten Deuteworte Jesu beim letzten Mahl vom irdischen Jesus gesprochen worden sind, und angesichts von 1Kor 9, 14 kann man nicht anders urteilen. Die wenigen Jesusworte, die Paulus in paränetischem Zusammenhang anführt, sind nun aber für Paulus bezeichnenderweise letzte und durch nichts zu überbietende Normen für die Lebensführung der nachösterlichen Gemeinde, und der Wechsel zwischen δ $\varkappa \acute{\upsilon} \varrho \iota o \varsigma$ $\delta \iota \acute{\epsilon} \tau a \xi \epsilon \upsilon$ und $\pi a \varrho a \gamma \gamma \acute{\epsilon} \lambda \lambda \epsilon \iota$ δ $\varkappa \acute{\upsilon} \varrho \iota o \varsigma$ (1Kor 9, 14; 7, 10) beweist, daß das vom irdischen Jesus gesprochene Wort zugleich als Weisung des Auferstandenen gilt. W. Schrage, der diesen Sachverhalt mit Recht feststellt, bestreitet dann freilich, daß das irdische Leben Jesu für die paulinische Ethik irgend eine Bedeutung habe, nur die Menschwerdung des Präexistenten sei Vorbild, und diese Anschauung ist auch sonst mehrfach vertreten worden[38]. Aber diese Behaup|tung ist schon darum fraglich, weil die Parallelisierung Christi als Vorbild des Paulus und des Paulus als Vorbild der Christen (1Kor 11, 1) ebenso wie das Nebeneinander des Paulus und des Herrn als Vorbilder der Christen (1Thess 1, 6) ja zweifellos die Orientierung am irdischen Jesus voraussetzen; außerdem können die Mahnung „unter Hinweis auf die Milde und Güte des Christus" (2Kor 10, 1) und die Begründung der Mahnung zur Selbstlosigkeit durch den Hinweis auf den Christus, der sich nicht selbst gefiel, sondern Schmähungen ertrug (Röm 15, 2f), nur als Bezugnahme auf das irdische Verhalten Jesu verstanden werden. Aber auch hier finden sich daneben die Hinweise auf die Herablassung des Präexistenten als Norm ethischen Verhaltens (2Kor 8, 9; 5, 15; Röm 15, 7f)[39], und es zeigt sich auch hier, daß Paulus den irdischen Jesus und den erhöhten Herrn als Einheit sieht. Es trifft also nicht zu, daß für Paulus nur die Existenz, nicht die konkrete Person Jesu von Bedeutung ist.

[37] [175²] So W. Schmithals, s. Anm. 17, S. 147.
[38] [175³] W. Schrage, Die konkreten Einzelgebote in der paulinischen Paränese, 1961, S. 238ff. Vgl. auch R. Bultmann, Glauben und Verstehen I, S. 206 und W. Schmithals, s. Anm. 17, S. 147.
[39] [176¹] Vgl. dazu A. Schulz, Nachfolgen und Nachahmen = Studien zum Alten und Neuen Testament VI, 1962, S. 270ff.

Und doch bleibt die Tatsache unbestreitbar, daß der Verweis auf das Handeln und die Worte Jesu bei Paulus eine untergeordnete Rolle spielen. Diese Tatsache wäre weniger auffällig, wenn SCHMITHALS mit seiner Behauptung recht hätte, daß die gesamte christliche Literatur bis zu Justin dasselbe Verhältnis zum historischen Jesus habe wie Paulus, nämlich vom synoptischen Erzählstoff überhaupt keine und von der Wortüberlieferung kaum eine Kenntnis verrate. Aber diese Behauptung trifft schwerlich die Wirklichkeit. Denn einmal haben É. MASSAUX und H. KÖSTER gezeigt, daß die synoptischen Jesusworte bei den apostolischen Vätern häufig anklingen, ob man dabei eine Kenntnis der synoptischen Evangelien annimmt oder nicht[40]. Andererseits zeigt das Johannesevangelium am Ende des 1. Jahrhunderts zum mindesten eine Kenntnis der synoptischen Tradition und beweist das sogenannte „Unbekannte Evangelium" zu Beginn des 2. Jahrhunderts, daß auch der Erzählungsstoff der Evangelien bekannt war und frei variiert werden konnte[41]. Und schließlich läßt das Thomasevangelium erkennen, ob man es nun von einer selbständigen nebensynoptischen Tradition oder wahrscheinlicher von den synoptischen Evangelien selbst abhängig denkt, daß vor der Mitte des 2. Jahrhunderts die synoptische Tradition in Ägypten so bekannt war, daß sie umgeformt und gnostisch verändert werden konnte[42]. Die Evangelientradition hat also zweifellos spätestens vom Ende des 1. Jahrhunderts an einen | großen Einfluß auf die kirchliche Entwicklung ausgeübt. Es ist darum eine unnötige, rein spekulative und geschichtlich sehr unwahrscheinliche Hypothese, daß die Kirche die synoptische Jesustradition galiläischen Gemeinden verdanke, „die in der Nachfolge des historischen Jesus den mit ihm nicht identischen Menschensohn erwarteten", aber den Osterglauben nicht teilten[43]. War aber die Evangelientradition keineswegs apokryph, dann ist es in der Tat auffällig, daß sie bei Paulus eine so geringe Rolle spielt und daß Paulus nur gelegentlich den geschichtlichen Jesus als Norm ethischen oder kultischen Verhaltens anführt und Worte Jesu als letzte Autorität zitiert. Daß für diesen Sachverhalt noch keine ausreichende Erklärung gefunden worden ist, wird man SCHMITHALS zugestehen; denn daß Paulus von der ihm anvertrauten Tradition schweige, weil ihre Wiedergabe im Briefzusammenhang eine Profanierung gewesen wäre, ist eine

[40] [176²] É. MASSAUX, Influence de l'Évangile de saint Matthieu sur la littérature chrétienne avant saint Irénée = Universitas Catholica Lovaniensis, Dissertationes. Ser. 2, Tom. 42, 1950; H. KÖSTER, Synoptische Überlieferung bei den Apostolischen Vätern = Texte und Untersuchungen zur Geschichte der altchristl. Literatur 65, 1957.

[41] [176³] Zur Frage der Abhängigkeit des Johannesevangeliums von den Synoptikern oder von synoptischer Tradition vgl. P. FEINE-J. BEHM-W. G. KÜMMEL, Einleitung in das NT, 1963¹², S. 136 ff und zum Unbekannten Evangelium J. JEREMIAS, ThBl 15, 1936, S. 38 ff.

[42] [176⁴] Vgl. die Literaturangaben bei FEINE-BEHM-KÜMMEL, s. vorige Anm. S. 40 f,. ferner H. SCHÜRMANN, Das Thomasevangelium und das lukanische Sondergut, BZ, N. F. 7, 1963, S. 236 ff.

[43] [177¹] So W. SCHMITHALS, Paulus und Jakobus = FRLANT 85, 1963, S. 26, 97 f. Auch die Behauptung, „daß bereits die Missionstradition der syrischen Gemeinde, von der Paulus ausgegangen ist, synoptische Jesusstoffe nicht enthalten hat"und daß darum Paulus „in der von ihm übernommenen kerygmatischen Tradition ... keinerlei Jesustradition synoptischen Charakters übernommen" habe, ist angesichts von 1Kor 11, 23 ff äußerst unwahrscheinlich (gegen U. WILCKENS, Das Offenbarungsverständnis..., s. Anm. 34, S. 71).

völlig unbewiesene und unwahrscheinliche Hypothese RIESENFELDS[44]. Aber wenn
wir auch für dieses weitgehende Schweigen noch keine ausreichende Erklärung haben, so bleibt der Sachverhalt bestehen, daß Paulus nicht nur auf den Auferstandenen, sondern auch auf den mit ihm identischen geschichtlichen Jesus zurücksieht
und in dessen Nachfolge stehen will. Es ist darum durchaus im Sinne des Paulus,
wenn wir die Frage stellen, ob Paulus mit Recht den Anspruch erhob, daß er sich
an den geschichtlichen Jesus anschließe, oder ob er darin einer Selbsttäuschung
unterlag.

VI

Aber ist solche Rückfrage von Paulus zum historischen Jesus denn sachlich angemessen und methodisch möglich? Daß die Rückfrage nach dem historischen
Jesus nicht dazu dienen darf und kann, das Kerygma zu legitimieren, ist R. BULT-
MANN durchaus zuzugestehen[45]. Aber wenn es zutrifft, daß Paulus sich nicht nur an
das urgemeindliche Kerygma vom Auferstandenen (1Kor 15, 3ff), sondern auch an
den geschichtlichen Jesus anschließt, so sieht sich die wissenschaftliche Bemühung
um das Verständnis des Paulus zweifellos vor die Aufgabe gestellt zu fragen, ob die
von Paulus angenommene Kontinuität zwischen seiner Predigt und der Gestalt,
dem Wirken und Lehren des geschichtlichen Jesus den Tatsachen entspricht oder
nicht. Freilich wäre die Erfüllung dieser Aufgabe überhaupt unmöglich, wenn wir
angesichts der Quellenlage über den geschichtlichen Jesus sozusagen nichts Zuver-
lässiges wissen *könnten.* Nun kann hier nicht im einzelnen erörtert | werden, warum
das nicht der Fall ist[46], aber Folgendes läßt sich doch mit einiger Sicherheit behaupten: Obwohl die Quellen eine pragmatische Geschichte Jesu und den Aufweis einer
biographischen Entwicklung nicht gestatten, gelingt es der literarkritischen und
formgeschichtlichen Untersuchung, zu der ältesten Schicht der Überlieferung über
Jesus vorzudringen und durch sorgfältige Beobachtung der Überlieferungsgeschichte,
der Tendenzen der ältesten Gemeinde und der religionsgeschichtlichen Zusammen-
hänge die für Jesus charakteristischen Berichte und Worte auszusondern und so zu
einem in sich verständlichen Bild des Wirkens und Lehrens Jesu zu gelangen.

Versuchen wir, auf diesem Wege die Grundstruktur der Verkündigung und des
Wirkens Jesu zu erkennen, so ergeben sich im Blick auf die gegenwärtige Problem-
lage zwei für das Verhältnis des Paulus zu Jesus entscheidende Einsichten. a) Die
Annahme STAUFFERS, daß die uns in den Evangelien begegnende Jesusüberlieferung das Resultat einer radikalen Judaisierung und Qumranisierung sei, entspricht
nicht den Tatsachen, sondern ist aus der falschen Voraussetzung erwachsen, daß der

---

[44] [177²] H. RIESENFELD, The Gospel Tradition and Its Beginnings, 1957, S. 18ff = Studia Evangelica, TU 73, 1959, S. 55ff.

[45] [177³] R. BULTMANN, s. Anm. 18, S. 6f, 12f.

[46] [178¹] S. meine Ausführungen, Anm. 15, S. 58ff und in dem Aufsatz Das Problem
des geschichtlichen Jesus in der gegenwärtigen Forschungslage, in Der historische Jesus
und der kerygmatische Christus, 1960, S. 39ff, bes S. 49ff.

geschichtliche Jesus in einem *durchgehenden* Gegensatz zum Judentum gestanden habe. Die Beseitigung dieser angeblichen Judaisierung der Überlieferung kann auch nur durch zahlreiche willkürliche Unechterklärungen und Umdeutungen erreicht werden, während bei besonnener Kritik sich ebenso sehr ein Anschluß Jesu an die jüdische Heilserwartung wie eine radikale Opposition Jesu gegen die nationale und nomistische Heilsbeschränkung der jüdischen Traditionslehre ergibt. b) Jesus verkündet die Nähe der Gottesherrschaft ebenso wie Paulus, eine Nähe, die er auf den Zeitraum seiner Generation eingrenzt. Aber diese Zukunftsaussage wird in Jesu Verkündigung zur Heilsaussage, zum Evangelium, weil Jesus den Anspruch erhebt, die nahe Zukunft sei in seiner Person und dem von ihm verwirklichten Heilshandeln Gottes an den Sündern und Armen bereits in der Gegenwart wirksam geworden. Wenn diese Deutung der Verkündigung Jesu zutrifft – und ich meine, daß sie sich streng exegetisch begründen läßt[47] –, so ist in der Tat die eschatologische Heilserwartung, wie sie in der Apokalyptik ihren wirksamsten Ausdruck gefunden hat, „der geschichtliche Mutterboden für die Verkündigung Jesu"[48] gewesen, doch bereits Jesus hat diese spätjüdische eschatologische Erwartung durch seine Behauptung vom Einbruch der Eschatologie in die Gegenwart entscheidend alteriert. Und es ist darum unrichtig, „daß Jesu Predigt nicht konstitutiv durch die Apokalyptik geprägt war, sondern die Unmittelbarkeit | des nahen Gottes verkündete"[49], und daß es unangebracht sei, „Jesu Verkündigung mit dem Schlagwort ‚Naherwartung' zu charakterisieren", weil bei Jesus vielmehr „die Zukunft als die nahe Zukunft *direkt* zur Gegenwart" sei[50]. Vielmehr ist es gerade dieses heilsgeschichtliche Miteinander von wirklichem Da-Sein der eschatologischen Vollendung in der Person Jesu und von der Erwartung der vollen Heilsverwirklichung in der nahen Zukunft, das die Grundlage der Verkündigung Jesu und die Konstante zwischen Jesus und der Urkirche und damit auch Paulus bildet. Die Urgemeinde aber hat die Gegenwart des Gekreuzigten als des Auferstandenen und die Gabe des endzeitlichen Geistes als göttliche Wirklichkeiten erfahren, und so hat sich auch für Paulus die Gegenwart des endzeitlichen Heils gegenüber Jesus gewandelt und verstärkt, ohne daß die brennende Erwartung der Heilsvollendung geschmälert worden wäre[51].

Mit dieser grundlegenden Konstante zwischen Jesus und Paulus hängt nun m. E. eine weitere engstens zusammen, bei der die Feststellung des geschichtlichen Tatbestandes noch wesentlich schwieriger und das historische Urteil darum noch erheb-

---

[47] [178²] Vgl. W. G. Kümmel, Verheißung und Erfüllung = AThANT 6, 1956³; Promise and Fulfilment = Studies in Biblical Theology 23, 1961². Ferner N. Perrin, The Kingdom of God in the Teaching of Jesus, 1963, S. 79ff, 185ff.

[48] [178³] U. Wilckens, Das Offenbarungsverständnis..., s. Anm. 34 S. 54.

[49] [179¹] E. Käsemann, Die Anfänge christlicher Theologie, ZThK 57, 1960, S. 179; ders. Zum Thema..., s. Anm. 34, S. 261.

[50] [179²] E. Jüngel, s. Anm. 21, S. 180; ähnlich E. Fuchs, Über die Aufgabe einer christlichen Theologie, ZThK 58, 1961, S. 256 und die militante Polemik von G. Klein, Offenbarung als Geschichte? Monatsschrift für Pastoraltheologie, 51, 1961, S. 71ff gegen U. Wilckens.

[51] [179³] Näheres dazu bei W. G. Kümmel, Futurische und präsentische Eschatologie im ältesten Urchristentum, NTS 5, 1958/59, S. 113ff; vgl. auch U. Wilckens, Das Offenbarungsverständnis..., s. Anm. 34, S. 68ff.

lich umkämpfter ist. R. BULTMANN hat bekanntlich immer die These vertreten, „daß
das Leben Jesu ein unmessianisches war", und nur zugestanden, „daß Jesu Auftreten und seine Verkündigung eine Christologie impliziert"[52]. E. KÄSEMANN und
andere Vertreter der „neuen Frage" nach dem historischen Jesus haben dagegen
Jesus einen Anspruch zugeschrieben, dem nur die Kategorie des Messias gerecht
wird; aber alle diese Forscher bestreiten, daß Jesus irgendeines der jüdischen Heils-
bringerprädikate auf sich bezogen habe[53]. Wenn es aber zutrifft, daß Jesus einen so
einzigartigen Anspruch für seine Person erhob, so ist es freilich angesichts der vielfältigen spätjüdischen Heilsbringererwartung[54] nur schwer denkbar, daß sich Jesus
mit diesen Erwartungen nicht hat auseinandersetzen *müssen;* und daß Jesus sich
damit wirklich auseinandergesetzt *hat,* beweisen ebenso Jesu Antwort auf die Frage
des Täufers (Mt 11, 2 ff) wie die von römischer Seite formulierte Kreuzesinschrift
(Mk 15, 26)[55]. Daß diese Auseinandersetzung Jesu mit | den traditionellen Heils-
bringererwartungen eine konkrete Form annahm, zeigt sein Gebrauch des Titels
„Menschensohn", richtiger „Mensch". Freilich stehen sich gerade in der Beurteilung dieser Frage gegenwärtig erneut die verschiedensten Anschauungen gegenüber[56], und ich kann bei der gebotenen Kürze nicht auf die ganze Problematik eingehen[57]. Doch scheinen mir die sich gegenseitig bekämpfenden Beweisführungen
von E. SCHWEIZER und F. HAHN gerade in der Zusammenschau die sichere Erkenntnis zu vermitteln, daß sich Jesus ebenso als den „Menschen" bezeichnet hat, der in
der Gegenwart auf Erden Vollmacht hat, Sünden zu vergeben (Mk 2, 1 ff), wie als
den „Menschen", der in Kürze in der Herrlichkeit seines Vaters mit den heiligen
Engeln kommen wird (Mk 8, 38; Mt 10, 23). Auch Jesu persönlicher Anspruch, den
er in die verdeckte Form der apokalyptischen „Menschen"-Erwartung kleidete,
zeigt also das Miteinander der in der Gegenwart Wirklichkeit gewordenen und der
als Vollendung in Bälde erwarteten eschatologischen Heilstat Gottes. Ja, gerade
darum, weil in dem zum himmlischen „Menschen" bestimmten und schon jetzt als
„Mensch" auf Erden wirkenden Jesus Gottes liebendes Heil sich endzeitlich verwirklicht, kann Jesus von der Gegenwart *und* von der baldigen Zukunft der eschatologischen Gottesherrschaft reden.

[52] [179⁴] R. BULTMANN, Theologie des NT, 1958³, S. 33; DERS., s. Anm. 18, S. 16.

[53] [179⁵] E. KÄSEMANN, Das Problem des historischen Jesus, in Exegetische Versuche und
Besinnungen 1, 1960, S. 206; vgl. G. BORNKAMM, Jesus von Nazareth, 1956, S. 48 ff, 155 ff,
204 ff; E. FUCHS, Zur Frage nach dem historischen Jesus, 1960, S. 152 ff u. a.

[54] [179⁶] Vgl. P. GRELOT, Le Messie dans les Apocryphes de l'Ancien Testament, in La
Venue du Messie = Recherches Bibliques VI, 1962, S. 19 ff.

[55] [179⁷] Zur Täuferfrage vgl. J. DUPONT, L'ambassade de Jean-Baptiste, NRTh 93,
1961, S. 805 ff, 943 ff; zur Kreuzesinschrift P. WINTER, On the Trial of Jesus = Studia
Judaica 1, 1961, S. 107 ff; N. A. DAHL, Der gekreuzigte Messias, in Der historische Jesus...,
s. Anm. 46, S. 159 f; E. LOHSE, s. Anm. 19, S. 173.

[56] [180¹] Vgl. die Überblicke über die Forschungslage bei E. SCHWEIZER, Erniedrigung
und Erhöhung bei Jesus und seinen Nachfolgern = AThANT 28, 1962², S. 33 ff und F. HAHN,
Christologische Hoheitstitel. Ihre Geschichte im frühen Christentum = FRLANT 83, 1963,
S. 13 ff; vgl. auch N. PERRIN, s. Anm. 47, S. 90 ff.

[57] [180²] Weiteres bei W. G. KÜMMEL, Der persönliche Anspruch Jesu und der Christusglaube der Urgemeinde, in Jesus Christus. Das Christusverständnis im Wandel der Zeiten
= Marburger Theol. Studien 1, 1963, S. 1 ff.

VII

Auf diese von Jesus gebrachte und verkündete eschatologische Heilswirklichkeit ist die Theologie des Paulus im Anschluß an die Verkündigung der Urgemeinde die Glaubensantwort, und insofern besteht zwischen Jesus und Paulus eine grundlegende Kontinuität, auf deren Hintergrund man nun die Frage nach der sachlichen Übereinstimmung oder Abweichung zwischen Jesus und Paulus im einzelnen erörtern müßte, doch fehlt dazu jetzt die Zeit[58]. In *einer* Hinsicht aber befindet sich Paulus trotz dieser grundlegenden Übereinstimmung mit Jesus in einer entscheidend anderen Lage: er schaut zusammen mit der Urgemeinde auf die Erhöhung des gekreuzigten Jesus zur Würde des himmlischen Kyrios zurück, und er weiß vom Wirken des himmlischen Herrn durch seinen Geist in seiner Gemeinde. Mit Recht hat darum A. FRIDRICHSEN gesagt: „The apparent discrepancy (between Jesus and St Paul) depends on the difference of the situations before and after Easter | and Pentecost"[59]. Hierin besteht ein grundlegender Unterschied zwischen der Verkündigung Jesu und der Theologie des Paulus; aber dieser Unterschied trennt nicht, wie M. BUBER wollte, zwei Glaubensweisen, sondern es handelt sich, um eine Formulierung G. EBELINGS anders zu wenden, „um die Ansage zweier Glaubens*zeiten*"[60]. Denn die gegenwärtige Verwirklichung des erwarteten endzeitlichen Heils Gottes hat sich ja nach dem Glauben der Urgemeinde und des Paulus erweitert zur himmlischen Wirksamkeit des auferstandenen Herrn und zur irdischen Wirklichkeit der vom Geist durchwalteten „Kirche in Gott dem Vater und dem Herrn Jesus Christus" (1Thess 1, 1. 5). So ist in der Tat die Apokalyptik (im Sinne der Naherwartung der Parusie) „die Mutter aller christlichen Theologie gewesen", wie E. KÄSEMANN betont hat[61]. Aber man darf dann nicht in den Fehler der ersten Vertreter der religionsgeschichtlichen Schule verfallen[62] und die Verkündigung Jesu, wie es selbst KÄSEMANN tut[63], aus dieser „Apokalyptik" ausklammern. Die Wirklichkeit *und* die Verkündigung von dem sich bereits verwirklichenden und in naher Zukunft in Vollendung erwarteten göttlichen Endheil haben ihre Wurzel bei Jesus selbst, und Paulus ist nur der Bote dieser Wirklichkeit in der neuen durch Gott geschaffenen Situation der Gemeinde des Auferstandenen. Man kann darum nicht zwischen Jesus und Paulus wählen, man kann nur im Zeugnis des Paulus dem Jesus begegnen, der der Grund und die Wahrheit dieses Zeugnisses ist.

[58] [180³] Vgl. meine Erörterung am Anm. 4 aO, und A. M. HUNTER, The Unity of the NT, 1944², S. 75ff (deutsch: Die Einheit des NT = BEvTh, 1952, S. 67ff).

[59] [181¹] A. FRIDRICHSEN, s. Anm. 5, S. 47.

[60] [181²] G. EBELING, s. Anm. 10, S. 166 (EBELING spricht vom Unterschied zwischen dem jüdischen und dem christlichen Glauben).

[61] [181³] E. KÄSEMANN, Die Anfänge christlicher Theologie, ZThK 57, 1960, S. 180; DERS., Zum Thema der urchristlichen Apokalyptik, ZThK 59. 1962, S. 258 Anm. 2, S. 284.

[62] [181⁴] S. die Belege bei W. G. KÜMMEL, s. Anm. 3, S. 290ff.

[63] [181⁵] S. Anm. 49.

DIE NAHERWARTUNG IN DER VERKÜNDIGUNG JESU

RUDOLF BULTMANN leitet die Darstellung der Verkündigung Jesu zu Beginn seiner „Theologie des Neuen Testaments" mit folgenden Sätzen ein: „Der beherrschende Begriff der Verkündigung Jesu ist der Begriff der Gottesherrschaft ($\beta\alpha\sigma\iota\lambda\epsilon\iota\alpha$ $\tau o\tilde{v}$ $\vartheta\epsilon o\tilde{v}$). Ihr unmittelbar bevorstehendes Hereinbrechen, das sich schon jetzt kundtut, verkündigt er. Die Gottesherrschaft ist ein eschatologischer Begriff. Er meint das Regiment Gottes, das dem bisherigen Weltlauf ein Ende setzt."[1] Dieses grundlegend futurisch-eschatologische Verständnis der Verkündigung Jesu, zu dem J. WEISS und A. SCHWEITZER den Grund gelegt haben, scheint R. BULTMANN so selbstverständlich zu sein, daß er keine Belege dafür anführt und auch keine abweichenden Meinungen erwähnt. Und doch ist diese Anschauung, daß Jesus die zeitliche Nähe des Kommens der Gottesherrschaft verkündet habe, seit jeher auf starken Widerstand gestoßen und in den letzten Jahren von neuem energisch bestritten worden[2]. Man leugnet einerseits, daß Jesus überhaupt von einem zukünftigen Kommen der Gottesherrschaft gesprochen habe[3], oder gesteht Jesus nur eine zeitlich völlig unbestimmte Erwartung des endzeitlichen Kommens des Menschensohns zu, die aber neben der grundlegenden Verkündigung von der Gegenwart der Gottesherrschaft ohne Bedeutung ist[4]. Man bestreitet andererseits kategorisch jede Erwartung eines *nahen* Endes oder einer *nahe* bevorstehenden Gottesherrschaft durch | Jesus[5] und sucht nachzuweisen, daß Jesu Verkündigung von der nahen Gottesherrschaft

---

[1] R. BULTMANN, Theologie des Neuen Testaments, 1958³, S. 3.

[2] Zur Übersicht über die Geschichte der Forschung vgl. G. LUNDSTRÖM, The Kingdom of God in the Teaching of Jesus. A History of Interpretation from the Last Decades of the Nineteenth Century to the Present Day, 1963 und N. PERRIN, The Kingdom of God in the Teaching of Jesus, 1963, ferner die kurzen Zusammenstellungen bei W. G. KÜMMEL, Verheißung und Erfüllung, 1953² (= 1956³), S. 11 ff und B. RIGAUX, La seconde venue de Jésus, in „La venue du Messie", Recherches Bibliques VI, 1962, S. 173 ff.

[3] S. C. H. DODD, E. STAUFFER und J. A. T. ROBINSON bei W. G. KÜMMEL, Futurische und präsentische Eschatologie im ältesten Urchristentum, NTSt 5, 1958/9, S. 115 f, ferner E. JÜNGEL, Paulus und Jesus, 1962, S. 168 f.

[4] E. FUCHS, Zur Frage nach dem historischen Jesus, 1960, S. 252; G. NEVILLE, The Advent Hope, 1961, S. 59 f; J. A. BAIRD, The Justice of God in the Teaching of Jesus, 1963, S. 100.

[5] E. FUCHS, s. Anm. 4, S. 325, 395; E. JÜNGEL, s. Anm. 3, S. 154, 180; G. NEVILLE, s. Anm. 4, S. 42 f; J. A. BAIRD, s. Anm. 4, S. 123, 142 ff; E. LINNEMANN, Gleichnisse Jesu, 1961, S. 46, 138 ff; J. W. DOEVE, Parusieverzögerung, Nederlands Theologisch Tijdschrift 17, 1962/3, S. 32 ff. Nach N. PERRIN, s. Anm. 2, S. 198 f hat Jesus über den Zeitpunkt nichts gesagt, an dem die Spannung zwischen eschatologischer Gegenwart und Zukunft gelöst werden wird, und nach S. E. JOHNSON, Jesus in His Own Times, 1957, S. 129 können wir nicht sagen, ob Jesus an das nahe Weltende glaubte oder nicht.

überhaupt nicht in einem temporalen Zusammenhang stehe, daß Jesus vielmehr die Zeit ignoriere, weil die vertikale Dimension des Geistes nicht zeitlich sein könne[6]. Damit soll nicht gesagt sein, daß nicht auch neuestens zahlreiche Forscher an der Annahme festgehalten haben, daß Jesus mit einem zukünftigen Kommen der Gottesherrschaft rechnete[7], und manche haben diese Annahme dahin präzisiert, daß Jesus ein baldiges Eintreten der Gottesherrschaft in seiner Generation erwartet habe[8]. Doch wird man sagen müssen, daß dieses | im strengen Sinn „eschatologische" Verständnis der Predigt Jesu in der Gegenwart stark in Frage gestellt worden ist.

Nun kann natürlich die Frage nach dem Sinn der Gottesreichspredigt Jesu hier nicht in ihrer ganzen Breite aufgerollt werden; und es kann auch nicht erneut gezeigt werden, daß die Zukünftigkeit *und* die Gegenwärtigkeit der Gottesherrschaft

---

[6] E. Fuchs, s. Anm. 4, S. 326 („Das proton pseudos unserer Forschungslage heute könnte darin bestehen, daß man auch das *Wesen* der Basileia von vornherein in einem temporal sekundären Phänomenzusammenhang unterbringt"); ders., Über die Aufgabe einer christlichen Theologie, ZThK 58, 1961, S. 256; E. Jüngel, s. Anm. 3, S. 139 ff, 154. 174, 180 („Die Zukunft ist als die nahe Zukunft *direkt* zur Gegenwart; sie kennt keine Zeit-Zwischen-Räume"); J. A. Baird, s. Anm. 4, S. 125, 148 ff („The nearness of the spiritual dimension is primarily a spatial, dimensional nearness, and any sense of temporal immediacy derives from the eternally ‚present nature of God'"); H. Conzelmann, Gegenwart und Zukunft in der synoptischen Tradition, ZThK 54, 1957, S. 287 ff („Solange ich überhaupt noch nach dem Zeitpunkt frage, habe ich den Anruf noch gar nicht begriffen"; Jesus ignoriert die Zeit); E. Linnemann, s. Anm. 5, S. 47 („Bei Jesus ist … der Anbruch der Gottesherrschaft … nicht die Grenze der Zeit, die durch ihre drängende Nähe der Gegenwart das Gepräge gibt, sie qualifiziert. Der Anbruch der Gottesherrschaft ist selber ‚Zeit zu'"); N. Perrin, s. Anm. 2, S. 185 („We may not interpret the eschatological teaching of Jesus in the terms of a linear concept of time"); E. Käsemann, Die Anfänge christlicher Theologie, ZThK 57, 1960, S. 179 („Die Dinge liegen doch wohl so, daß Jesu Predigt nicht konstitutiv durch die Apokalyptik geprägt war, sondern die Unmittelbarkeit der Nähe Gottes verkündigte"); ders., Zum Problem der urchristlichen Apokalyptik, ZThK 59, 1962, S 261 („Offensichtlich redet Jesus vom Kommen der Basileia … nicht ausschließlich oder auch nur primär auf ein chronologisch zu datierendes Weltende bezogen"); J. Gnilka. „Parusieverzögerung" und Naherwartung in den synoptischen Evangelien und in der Apostelgeschichte, Catholica 13, 1959, S. 277 ff („Nicht Prophetie im temporalen Sinn. Dazu kommt, daß der biblische Mensch die Zeit nicht als lineare Größe auffaßt").

[7] R. H. Fuller, The Mission and Achievement of Jesus, 1954, S. 20 ff; J. Jeremias, Die Gleichnisse Jesu, 1962[6], S. 48, 170 ff; O. Cullmann, Christus und die Zeit, 1962[3], S. 86 ff; R. Schnackenburg, Gottes Herrschaft und Reich, 1959, S. 49 ff, 110 ff; E. Grässer, Das Problem der Parusieverzögerung in den synoptischen Evangelien und in der Apostelgeschichte, 1960[2], S. 3 ff; G. E. Ladd, The Kingdom of God-Reign or Realm ?, JBL 81, 1962, S. 230 ff; N. Perrin, s. Anm. 2, S. 81 ff, 158 f; G. Lundström, s. Anm. 2, 232 f; Ph. Vielhauer, Gottesreich und Menschensohn in der Verkündigung Jesu, Festschrift für G. Dehn, 1957, S. 77; F. Hahn, Christologische Hoheitstitel, 1963, S. 28; G. Bornkamm, Jesus von Nazareth, 1956, S. 82 ff; D. Bosch, Die Heidenmission in der Zukunftsschau Jesu, 1959, S. 73 f.

[8] D. Selby, Changing Ideas in New Testament Eschatology, HThR 50, 1957, S. 21 ff; O. Knoch, Die eschatologische Frage, ihre Entwicklung und ihr gegenwärtiger Stand, BZ, N. F. 6, 1962, S. 112 ff; G. R. Beasley-Murray, A Commentary on Mark Thirteen, 1957, S. 9, 99 ff; H. P. Owen, The Parousia of Christ in the Synoptic Gospels, ScJTh 12, 1959, S. 173 ff; M. S. Enslin, The Prophet from Nazareth, 1961, S. 72, 87 ff; G. Gloege, Aller Tage Tag, 1960, S. 135, 138 f; U. Wilckens, Das Offenbarungsverständnis in der Geschichte des Urchristentums, in „Offenbarung als Geschichte", KuD, Bh. 1, 1961, S. 58, 61; B. Rigaux, s. Anm. 2, S. 212; E. Grässer, s. Anm. 7, S. 16.

als Anschauung Jesu in gleicher Weise sicher bezeugt sind[9]. Wohl aber ist angesichts der vielfältigen Bestreitung des futurischen und zeitlichen Sinnes der Verkündigung Jesu vom Kommen der Gottesherrschaft die Frage dringend geworden, ob wir wirklich keine ausreichenden Zeugnisse dafür haben, daß Jesus mit einem Kommen der Gottesherrschaft und damit des Endes dieser Weltzeit in zeitlich begrenzter Nähe gerechnet hat, und ob es zutrifft, daß die Annahme einer Naherwartung Jesu „keinen ausreichenden Anhalt an den Texten hat"[10]. Sollte sich nämlich zeigen lassen, daß Jesus ein *zeitlich* nahes Kommen der Gottesherrschaft verkündigt hat, so wäre damit ein sicherer Ausgangspunkt für das gesamte Verständnis der Predigt Jesu vom Nahen der Gottesherrschaft gewonnen. Allein von *den* Jesusworten soll darum hier die Rede sein, die ausdrücklich von der *zeitlichen Nähe* des eschatologischen Geschehens reden[11].

Diese Frage wäre nun rasch zu beantworten, wenn die Ankündigungen ἤγγικεν ἡ βασιλεία τοῦ θεοῦ (Mk 1, 15 par Mt 4, 17; Mt 10, 7 par Lk 10, 9. 11) und ὅταν ἴδητε ταῦτα γινόμνεα γινώσκετε ὅτι ἐγγύς ἐστιν ἐπὶ θύραις (Mk 13, 29 par Mt 24, 33 Lk 21, 31) unbestrittenermaßen das nahe Kommen der Gottesherrschaft bzw. der Endereignisse als Meinung Jesu bezeugten. Aber dagegen ist ein doppelter Einwand erhoben worden: a) Mk 1, 15 ist eine nicht auf Jesus zurückgehende Zusammenfassung des Evangelisten, und Mt 10, 7 könne als Verdoppelung dazu ebenfalls eine Formulierung der Urkirche sein[12]; b) bei ἐγγίζειν und ἐγγύς ist die Bedeutung „nahe" ebenso | nachweisbar wie „anwesend", und überdies beschreibe ἐγγίζειν sowohl zeitliche wie räumliche Nähe, ἤγγικεν sage also nichts aus über das baldige Kommen der Gottesherrschaft[13]. Nun läßt sich nicht bestreiten, daß Mk 1, 15 eine zusammenfassende Formulierung der Verkündigung Jesu ist, die zum mindesten teilweise Gemeindeformulierungen enthält[14] und darum nicht ohne weiteres als Beleg für die Anschauung Jesu verwendet werden kann. Mt 10, 7 par Lk 10, 9 dagegen ist zwar „kein selbständiges Logion"[15], doch ist die ganze Aussendungsrede Mk 6, 8ff und Lk 10, 4ff par Mt 10, 7ff das Resultat einer komplizierten Entwicklung, der sehr verschiedenartige Stoffe zugrunde liegen[16], und darum kann über das Alter der Einzelbestandteile dieses Überlieferungskomplexes nur im einzelnen entschieden werden. Besteht aber kein ausreichender Grund, die Aussendung von Jün-

[9] S. W. G. KÜMMEL, Anm. 2. Vgl. ferner O. CULLMANN, s. Anm. 7; R. SCHNACKENBURG, s. Anm. 7, S. 77ff; N. PERRIN, s. Anm. 2, S. 79ff, 159; G. LUNDSTRÖM, s. Anm. 2, S. 234; G. BORNKAMM und D. BOSCH, s. Anm. 7; O. KNOCH, s. Anm. 8.

[10] E. LINNEMANN s. Anm. 5, S. 138.

[11] Auf die in der 2. Auflage meines Buches „Verheißung und Erfüllung" (1953) verarbeitete Literatur ist dabei nicht erneut zurückgegriffen worden.

[12] E. LINNEMANN, s. Anm. 5, S. 138; N. PERRIN, s. Anm. 2, S. 200f; E. FUCHS, s. Anm. 4, S. 325.

[13] W. R. HUTTON, The Kingdom of God Has Come, ET 64, 1952/53, S. 89ff; F. REHKOPF, Die lukanische Sonderquelle, 1959, S. 44ff; R. F. BERKEY, Ἐγγίζειν, φϑάνειν and Realized Eschatology, JBL 82, 1963, S. 177ff; E. JÜNGEL, s. Anm. 3, S. 174f; J. A. BAIRD, s. Anm. 4, S. 148f.

[14] N. PERRIN, s. Anm. 2, S. 200f.

[15] E. LINNEMANN, s. Anm. 5, S. 138.

[16] Vgl. die Literaturangaben bei E. GRÄSSER, s. Anm. 7, S. 18f.

gern zur Mission durch Jesus zu bezweifeln[17], so bestünde nur dann ein methodisches Recht, die Ansage Mt 10, 7 par Jesus abzusprechen, wenn aus andern Gründen feststünde, daß diese Ansage der Anschauung Jesu widerspricht[18].

Aber hat denn ἤγγικεν die Bedeutung „ist nahegekommen" und ist es zeitlich gemeint? W.R.Hutton sucht zu zeigen, daß in der Mehrzahl der neutestamentlichen Stellen ἐγγίζειν mit „ankommen" übersetzt werden müsse und daß darum in Mk 1, 15 par die Übersetzung „has come" für ἤγγικεν sachgemäß sei[19]. Nun liegt zwar an wenigen Stellen die Übersetzung „herankom|men" im Sinne von „nahe gekommen *sein*" nahe[20], aber das Perfekt ἤγγικεν besagt an *allen* Stellen des Neuen Testaments eindeutig „ist in die Nähe gekommen" (Mt 26, 45; Mk 14, 42 par Mt 26, 46; Lk 21, 8. 20; Röm 13, 12; Jak 5, 8; 1Petr 4, 7)[21], und so besteht kein Grund, in Mt 10, 7 par nicht zu übersetzen: „die Gottesherrschaft ist in die Nähe gekommen." Und R.F.Berkeys Hinweis darauf, daß ἐγγίζειν (ähnlich wie φϑάνειν) mehrdeutig sei und in gleicher Weise das Nahekommen bezeichne wie die Ankunft[22], übersieht, daß ἐγγίζειν nur in Grenzfällen den Sinn von „ankommen" erhalten kann, dann aber immer unter Zufügung des Zieles, dem man sich so weit angenähert hat.

Daß die Ankündigung „die Gottesherrschaft ist in die Nähe gekommen" aber *zeitlichen* Sinn hat, ergibt sich eindeutig aus dem Gleichnis vom Feigenbaum Mk 13, 28f par. Da dieses Gleichnis in seinem Kontext isoliert ist und darum aus sich selbst erklärt werden muß[23], sind die Subjekte zu ταῦτα γινόμενα und zu ἐγγύς ἐστιν ἐπὶ ϑύραις schwer zu bestimmen. Aber das Bild vom Feigenbaum, der das baldige Kom-

---

[17] W.G.Kümmel, Kirchenbegriff und Geschichtsbewußtsein in der Urgemeinde und bei Jesus, 1943, S. 31; J.Jeremias, Jesu Verheißung für die Völker, 1959², S. 16ff; B.Rigaux, Die „Zwölf" in Geschichte und Kerygma, in „Der historische Jesus und der kerygmatische Christus", 1960, S. 475f.

[18] Daß die Urkirche *beide* Worte *formuliert* habe (Mk 1, 15 und Mt 10, 7), ist eine unbewiesene Behauptung; und erst recht ist es irreführend, R.Otto, Reich Gottes und Menschensohn, 1934, S. 113ff zur Stützung dieser Behauptung anzuführen, da er Gründe für die Verdunklung des Wissens um Jesu Verkündigung vom Schonanbruch des Reiches angegeben habe (so E.Linnemann, s. Anm. 5, S. 138). Denn R.Otto will ja zeigen, daß sich die Kunde von Jesu streng eschatologischem Verständnis des Reiches Gottes als des künftigen Reichs der Endzeit *durchgehalten* hat, nicht daß diese Vorstellung sekundär eingedrungen ist; und was R.Otto für seine These anführt, sind überdies allgemeine Erwägungen ohne exegetische Begründung. Auch E.Fuchs, s. Anm 4, S. 325 gibt für seine Behauptung, daß „die Verkündigung der *nahen* Basileia eher dem Täufer und der Urgemeinde zugehören dürften", keine ausreichende exegetische Begründung.

[19] S. Anm. 13 (eine Ergänzung bei M.A.Simpson, ebd. S. 188).

[20] Die Überprüfung der von W.R.Hutton für die Übersetzung „herankommen" angeführten Belege ergibt, daß nur in Lk 12, 33; Apg 21, 33; Hebr 7, 19 ἐγγίζειν eher in diesem Sinne gebraucht ist als im Sinne von „nahekommen"; aber selbst in diesen Fällen ist diese Übersetzung nicht zwingend. Und auch F.Rehkopf, s. Anm. 13, hat nicht *mehr* nachweisen können, als daß ἤγγισεν in Lk 22, 47 dem Sinn von προσέρχεσϑαι nahekommt.

[21] P.Staples, The Kingdom of God Has Come, ET 71, 1959/60, S. 87f hat gegen W.R. Hutton nachgewiesen, daß in Mt 26, 45; Lk 18, 35 ἐγγίζειν „nahekommen" bezeichnen *muß*. Vgl. auch W.G.Kümmel, s. Anm. 2, S. 16f und F.Blass-A.Debrunner, A Greek Grammar of the New Testament and Other Early Christian Literature, A Translation by R.W.Funk, 1961, S. 176.

[22] S. Anm. 13.

[23] S. W.G.Kümmel, s. Anm. 2, S. 14f; G.R.Beasley-Murray, s. Anm. 8, S. 95ff; J.Jeremias, s. Anm. 7, S. 119f.

men des Sommers durch sein Sprossen anzeigt, kann doch schwerlich etwas anderes in Beziehung zueinander setzen wollen als bestimmte Vorzeichen und das Eintreten der eschatologischen Vollendung. Es ist aber völlig unbegründet, den Hinweis auf den Zusammenhang zwischen nicht näher gekennzeichneten Vorzeichen und dem Ende als „Rechtfertigung des Verzuges" zu interpretieren und darum das Gleichnis Jesus abzusprechen[24]; und erst recht schwebt die Vermutung in der Luft, daß das Gleichnis ursprünglich den Abschluß der in Mk 13 verarbeiteten jüdischen Apokalypse gebildet habe[25]. Denn gerade der fragmentarische | Charakter des Textes zeigt, daß es sich um ein altes Überlieferungsstück handelt, das von der Voraussetzung aus formuliert ist, daß die Endvollendung bald eintreten wird, ob man nun ταῦτα γινόμενα auf noch ausstehende Vorzeichen oder doch wohl eher auf gegenwärtige Geschehnisse bezieht, die die Hörer als Vorzeichen *begreifen* sollen. Auf alle Fälle aber zeigt dieses ἐγγύς ἐστιν ἐπὶ θύραις, daß die Ankündigung des nahen Gekommenseins der Gottesherrschaft von Jesus nur im zeitlichen Sinn der baldigen Verwirklichung von Gottes uneingeschränktem Regiment gemeint gewesen sein kann,

Dieser Schluß wird durch das Gleichnis vom ungerechten Richter Lk 18, 2–8 bestärkt. Die Annahme, daß es sich bei diesem Gleichnis um eine Gemeindebildung handle[26], ist schwerlich überzeugend. E. LINNEMANN hat gegen die Ursprünglichkeit des eigentlichen Gleichnisses V. 2-5 auch nur einwenden können, daß weder eine allgemeine Mahnung zur Beharrlichkeit im Gebet noch eine spezielle Mahnung zum beharrlichen Bitten um den Anbruch der Gottesherrschaft, aber auch nicht die Zusage der Erfüllung solcher beharrlichen Bitten in den Mund Jesu paßten. Aber Jesus hat dem zuversichtlichen Gebet Erhörung verheißen (Mk 11, 24), und er hat zum Gebet um das Kommen der Gottesherrschaft aufgefordert (Mt 6, 10), ohne daß das Vaterunser oder Lk 18, 2-5 auf den Gedanken führten, man könne oder solle die Gottesherrschaft „durch das beharrliche Gebet herbeiziehen". Kann darum schwerlich bezweifelt werden, daß dieses Gleichnis von Jesus stammt, so sind die Einwände gegen die Ursprünglichkeit der Gleichnisdeutung 18, 6–8 gewichtiger[27]. Man wendet gegen diese Deutung vor allem ein, daß die Anwendungen der Gleichnisse häufig sekundär sind, daß ἐκλεκτοί sich in keinem echten Jesuswort finde und daß die Deutung die allgemeine Mahnung des Gleichnisses zum anhaltenden Gebet in die

[24] E. GRÄSSER, s. Anm. 7, S. 164f; W. GRUNDMANN, Das Evangelium nach Markus, 1959, S. 270 schreibt diese Deutung offenbar nur dem Evangelisten zu.
[25] So E. LINNEMANN, s. Anm. 5, S. 140. Es ist keineswegs „methodisch nicht zulässig, Mk 13, 28f und Lk 12, 54–56 zu kombinieren und dadurch für Lk 12, 54–56 den Bezug auf die Naherwartung herzustellen, für Mk 13, 28f Ursprünglichkeit zu beanspruchen". Denn beide Texte fordern in gleicher Weise zu der üblichen Folgerung aus der Beobachtung bestimmter Naturvorgänge auf; und es ist daher unwesentlich, daß in Lk 12, 56 auf den *Vorzeichencharakter* des Bildes nicht noch ausdrücklich hingewiesen wird, da der Hörer diesen Sinn des Bildes von selbst in die Anwendung überträgt (s. R. H. FULLER, s. Anm. 7, S. 46). Die Kombination von Mk 13, 28f und Lk 12, 54–56 ist daher exegetisch völlig angemessen.
[26] E. FUCHS, s. Anm. 5, S. 70; E. LINNEMANN, s. Anm. 5, S. 140, 180f.
[27] Die Echtheit der Gleichnisdeutung lehnen ab außer den bei W. G. KÜMMEL, s. Anm. 2, S. 52 Anm. 126 Genannten E. GRÄSSER, s. Anm. 7, S. 36f; E. LINNEMANN, s. Anm. 5, S. 180; W. GRUNDMANN, Das Evangelium nach Lukas, 1961, S. 346; A. R. C. LEANEY, A Commentary on the Gospel According to St. Luke, 1958, S. 235.

spezielle zum Beten um das kommende Reich umbiege. Nun beweist die allgemeine Feststellung, daß Gleichnisanwendungen oft sekundär sind, natürlich gar nichts, und wenn sich die Bezeichnung ἐκλεκτοί in keinem echten Jesuswort findet, so findet sich dort doch der Gedanke der Erwählung (Lk 12, 32; Mt 11, 25f par Lk 10, 21). Und schließlich: die Deutung verfehlt keineswegs den Sinn des Gleichnisses; denn im Mittelpunkt | des Gleichnisses steht nicht die Witwe, sondern der Richter, und dem entspricht die Deutung, die Gottes sichere Erfüllung der Bitten um die endzeitliche Erlösung verheißt[28]. Es besteht darum guter Grund, Lk 18, 2–8a für eine zusammengehörige Jesusüberlieferung zu halten. Dann hat Jesus den Jüngern, die um das Kommen der Gottesherrschaft beten, verheißen, daß Gott ihnen in Bälde Recht verschaffen wird[29]. Gegen dieses Verständnis des Textes hat man freilich eingewandt, daß ἐν τάχει „plötzlich, im Augenblick" heißen könne und in der Mehrzahl der Fälle und darum auch hier heiße, so daß 18, 8a über die Frist bis zur Parusie keine Angabe mache[30]. Aber wenn auch gelegentlich ταχύς die Bedeutung von „unüberlegt, plötzlich" haben kann (z. B. 1Tim 5, 22), so ist in keiner Stelle des Neuen Testaments, an denen ἐν τάχει noch vorkommt (Apg 12, 7; 22, 18; 25, 4; Röm 16, 20; Apk 1, 1; 22, 6) eine andere Übersetzung als „rasch, bald" naheliegend. Und darum ist kein Grund vorhanden, für Lk 18, 8 von dieser am häufigsten begegnenden Bedeutung abzuweichen[31]. Es spricht also alles dafür, daß Jesus auch nach Lk 18, 2–8a ein rasches Kommen der Endvollendung angekündigt hat.

Diese Annahme erhält ihre volle Sicherheit aber erst durch die Untersuchung der drei viel diskutierten Texte, die ausdrücklich eine Frist für das Kommen der Endzeitvollendung angeben (Mk 9, 1; 13, 30; Mt 10, 23). Es ist sehr bezeichnend, daß man immer wieder Warnungen äußert wie die, „Texte, die eine ‚Terminangabe' zu enthalten scheinen, in den Mittelpunkt zu rücken"[32], oder | daß man diese Texte

[28] Vgl. J.JEREMIAS, s. Anm. 7, S. 156. Die Ursprünglichkeit der Deutung verteidigen mit Recht außer JEREMIAS auch C.SPICQ, La parabole de la veuve obstinée et du juge inerte, aux décisions impromtues, RB 68, 1961, S. 68ff und G.DELLING, Das Gleichnis vom gottlosen Richter, ZNW 53, 1962, S. 1ff. V. 8b ist freilich gegen SPICQ und DELLING als Zusatz des Lukas zu dieser Gleichnisdeutung anzusehen, wie der Ersatz Gottes durch den Menschensohn und das Auftauchen des Glaubensbegriffs beweisen (so richtig auch E.LINNEMANN, s. Anm. 5, S. 181; J.A.BAIRD, s. Anm. 4, S. 145). Um einen Zusatz handelt es sich ja auch dann, wenn man J.JEREMIAS in der Annahme folgt, daß V. 8b ein vorlukanischer Menschensohnspruch sei; H.E.TÖDT, Der Menschensohn in der synoptischen Überlieferung, 1959, S. 92 hält dagegen V. 8b für eine Formulierung des Evangelisten.
[29] Die crux interpretum καὶ μακροθυμεῖ ἐπ᾽ αὐτοῖς (V. 7 Ende) ist möglicherweise im Anschluß an Sir 35, 19 zu übersetzen: „Auch wenn er in bezug auf sie auf sich warten läßt" (so H.RIESENFELD, Zu μακροθυμεῖν (Lk 18, 7), Neutestamentliche Aufsätze, Festschrift J.Schmid, 1963, S. 214ff).
[30] C.SPICQ, s. Anm. 28, S. 81ff; J.JEREMIAS, s. Anm. 7, S. 155; G.DELLING, s. Anm. 28, S. 19f; W.GRUNDMANN, s. Anm. 27, S. 348; als Möglichkeit bei E.GRÄSSER, s. Anm. 7, S. 38.
[31] So auch E.LINNEMANN, s. Anm. 5, S. 181. Die alten Übersetzungen verstehen ebenso (*cito* vet. lat., vg; *celeriter* a; ba῾gal pesch; nur d weicht ab: *confestim;* vgl. Itala, hrsg. von A.JÜLICHER und W.MATZKOW, 3. 1954, S. 202). Sollte die in Anm. 29 angeführte Übersetzung von 18, 7b zutreffen, so würde sie die zeitliche Bedeutung von ἐν τάχει weiter sichern.
[32] R.SCHNACKENBURG, s. Anm. 7, S. 138; G.NEVILLE, s. Anm. 4, S. 60; J.GNILKA, s. Anm. 6, S. 31.

einfach darum als verdächtig beiseite schiebt, *weil* sie eine Terminangabe enthalten[33], oder von „kantigen Traditionssplittern" spricht, die schon die Urgemeinde nicht sauber in das Gefüge der eschatologischen Predigt Jesu einzuordnen wußte[34]. Doch kann ja auch angesichts dieser Texte nur die Frage sein, was sie wirklich aussagen und ob gegen die Herkunft jedes einzelnen Textes von Jesus schwerwiegende Bedenken bestehen. Die wenigsten Probleme bietet Mk 13, 30 „Wahrlich ich sage euch, dieses Geschlecht wird nicht vergehen, bis daß alles geschehen ist." Daß es sich um ein ursprünglich isoliertes Einzelwort handelt, ist oft nachgewiesen worden[35], und auch darüber sollte kein Zweifel bestehen, daß $\dot{\eta}$ $\gamma \varepsilon \nu \varepsilon \grave{\alpha}$ $\alpha \ddot{\upsilon} \tau \eta$ nur die Zeitgenossen Jesu bezeichnen kann[36]. So bleibt als wirkliche Frage, was mit $\tau \alpha \ddot{\upsilon} \tau \alpha$ $\pi \acute{\alpha} \nu \tau \alpha$ gemeint ist. Die Deutung des Evangelisten auf die Gesamtheit der eschatologischen Ereignisse bis zur Parusie ist angesichts des ursprünglich isolierten Charakters des Logion nicht unausweichlich. Daher wird immer wieder vorgeschlagen, $\tau \alpha \ddot{\upsilon} \tau \alpha$ $\pi \acute{\alpha} \nu \tau \alpha$ auf die Ereignisse bis zur Zerstörung Jerusalems zu beziehen[37], aber diese Vermutung läßt sich mit nichts begründen (13, 4 fragt nur nach $\tau \alpha \ddot{\upsilon} \tau \alpha$, während in 13, 30 von $\tau \alpha \ddot{\upsilon} \tau \alpha$ $\pi \acute{\alpha} \nu \tau \alpha$ die Rede ist) und kann nur als „une échappatoire" bezeichnet werden[38]. Und die Vermutung, Jesus habe ursprünglich von seinem Tod innerhalb dieser Generation gesprochen und der Evangelist habe den Spruch an 13, 4 angeglichen[39], ist erst recht ohne jeden Anhalt am Text. $\tau \alpha \ddot{\upsilon} \tau \alpha$ $\pi \acute{\alpha} \nu \tau \alpha$ weist dem Wortlaut nach am ehesten auf die Gesamtheit der eschatologischen Ereignisse, und „this statement of our Lord's ... simply requires grace to be received"[40]. Denn „an sich enthält der Vers nichts, was der Verkündigung Jesu widerspräche"[41], und wenn man nicht von der oben erwähnten vorgefaßten Meinung ausgeht, Jesus *könne* keinen Termin für das Endgeschehen angegeben oder sich geirrt haben, so spricht alles | dafür, daß wir es in Mk 13, 30 mit einem Wort Jesu zu tun haben, das den Eintritt der Endvollendung für den Zeitraum ansagt, der mit „diese Generation" umschrieben werden kann[42]. Auf ein von einem christlichen Propheten geschaffenes „Trostwort infolge des Ausbleibens der Parusie"[43] weist der Wortlaut dagegen in keiner Weise.

---

[33] E. Jüngel, s. Anm. 3, S. 237f; J. A. Baird, s. Anm. 4, S. 142; J. W. Doeve, s. Anm. 5, S. 32 Anm. 2; E. Fuchs, s. Anm. 4, S. 70.

[34] R. Schnackenburg, s. Anm. 7, S. 146.

[35] Vgl. etwa E. Grässer, s. Anm. 7, S. 128f.

[36] So z. B. R. Schnackenburg, s. Anm. 7, S. 143f; B. Rigaux, s. Anm. 2, S. 197; G. R. Beasley-Murray, s. Anm. 8, S. 99f.

[37] Vgl. die bei W. G. Kümmel, s. Anm. 2, S. 54 Anm. 129 und bei E. Grässer, s. Anm. 7, S. 129 Anm. 4 Genannten; zögernd auch R. Schnackenburg, s. Anm. 7, S. 144 und E. Grässer, aaO. C. E. B. Cranfield, The Gospel According to Saint Mark, 1959, S. 409 hält eine Beziehung von $\tau \alpha \ddot{\upsilon} \tau \alpha$ $\pi \acute{\alpha} \nu \tau \alpha$ auf die *Vorzeichen* des Endes für die wahrscheinlichste Erklärung, und H. P. Owen, s. Anm. 8, S. 176f will es auf die Zerstörung des Tempels beziehen, aber als ein Vorzeichen für das Ende innerhalb dieser Generation.

[38] B. Rigaux, s. Anm. 2, S. 215.

[39] G. Neville, s. Anm. 4, S. 62f.

[40] G. R. Beasley-Murray, s. Anm. 8, S. 99.

[41] E. Grässer, s. Anm. 7, S. 130.

[42] G. R. Beasley-Murray, s. Anm. 8, S. 99ff; W. Grundmann, Das Evangelium nach Markus, 1959², S. 270f; D. Bosch, s. Anm. 7, S. 145f; B. Rigaux, s. Anm. 2, S. 197, 214f.

[43] E. Grässer, s. Anm. 7, S. 131; E. Linnemann, s. Anm. 5, S. 138.

Ein ähnliches Problem bietet Mk 9, 1: „Wahrlich ich sage euch, es gibt einige unter den hier Stehenden, die den Tod nicht schmecken werden, bis sie die Gottesherrschaft in Kraft haben kommen sehen." Auch für dieses Wort ist weitgehend anerkannt, daß es sich um ein Einzellogion handelt, das der Evangelist auf die Parusie bezogen und darum an 8, 38 angeschlossen hat[44]. Dagegen ist stark umstritten, ob Markus mit dieser Einordnung den Spruch in seinem ursprünglichen Sinn verstanden hat. C. H. Dodd hatte seinerzeit die Rede vom zukünftigen Sehen der Gottesherrschaft durch diejenigen, die bis zu diesem Zeitpunkt am Leben bleiben, dahin gedeutet, daß diese Menschen noch rechtzeitig vor ihrem Tod erkennen werden, daß die Gottesherrschaft bereits gekommen *ist*[45]. Diese Auslegung hat J. A. Baird in der Form erneuert[46], daß von denjenigen Menschen die Rede sei, die nicht sterben werden, ehe sie die innerliche Erkenntnis gewonnen haben, daß das Gottesreich in ihrem Leben oder im Leben der Kirche im Kommen ist. Aber daß in Mk 9, 1 von einem künftigen *öffentlichen* Sichtbarwerden der Gottesherrschaft die Rede ist und nicht von einem künftigen Innewerden der Gottesherrschaft, ist mit Recht von verschiedenen Seiten aus nachgewiesen worden und braucht nicht erneut gezeigt zu werden[47]. C. H. Dodd hat darum später die Verheißung des zukünftigen Sehens der Gottesherrschaft in Kraft durch einige Anwesende als Hinweis Jesu auf seine bevorstehende Auferstehung und auf das Gottesreich auf Erden in der Gemeinde erklärt, und ähnlich haben andere an die Wirkung des Todes Jesu oder die Wirkung des Geistes in der Kirche gedacht[48]. Aber die Verbindung von „sehen" und „kommen in Macht" weist | zu deutlich auf ein öffentlich sichtbares und spürbares In-Erscheinung-Treten der Gottesherrschaft, als daß die Deutung dieser Verheißung auf den eschatologischen Anbruch der Gottesherrschaft umgangen werden könnte[49]. Dann besagt aber Mk 9, 1, daß Jesus den aller Welt sichtbaren Beginn der Gottesherrschaft innerhalb des Zeitraums seiner Generation erwartet, das Kommen der Gottesherrschaft also eindeutig als ein Geschehnis der nahen Zukunft angesehen hat.

Freilich meint man nun, diese Verheißung, die in dieser Form zweifellos nicht in Erfüllung gegangen ist, im Rahmen der Verkündigung Jesu nicht unterbringen zu können, und so sagen die einen, daß der ursprüngliche Sinn des Wortes im Munde

---

[44] Vgl. etwa E. Grässer, s. Anm. 7, S. 131.

[45] C. H. Dodd, The Parables of the Kingdom, 1936³, S. 42, 53f.

[46] J. A. Baird, s. Anm. 4, S. 142 ff.

[47] Vgl. W. G. Kümmel, s. Anm. 2, S. 20 f und die dort Anm. 26 genannte Literatur, ferner B. Rigaux, s. Anm. 2, S. 184.

[48] C. H. Dodd, The Coming of Christ, 1951, S. 13f; G. Neville, s. Anm. 4, S. 60f; V. Taylor, The Gospel According to St. Mark, 1952, S. 386; A. Richardson, An Introduction to the Theology of the New Testament, 1958, S. 63f; J. A. T. Robinson, Jesus and His Coming, 1957, S. 89; R. A. Cole, The Gospel According to St. Mark, 1961, S. 140; P. Carrington, According to St. Mark, 1960, S. 188ff; vgl. auch die von D. Bosch, s. Anm. 7, S. 144f genannten Meinungen. C. E. B. Cranfield, s. Anm. 37, S. 287f findet in 9, 1 eine Voraussage der Verklärung 9, 2ff.

[49] R. H. Fuller, s. Anm. 7, S. 27f, 118; H. P. Owen, s. Anm. 8, S. 181; G. Gloege, s. Anm. 8, S. 140; N. Perrin, s. Anm. 2, S. 139f; B. Rigaux, s. Anm. 2, S. 192, 196f; D. Bosch, s. Anm. 7, S. 144f; E. Grässer, s. Anm. 7, S. 132.

Jesu nicht mehr erkennbar sei[50], während andere in der Unterscheidung zwischen τινές, die diese Erfahrung machen dürfen, und der Mehrzahl, die vorher sterben muß, einen Hinweis darauf sehen wollen, daß wir es mit einem urchristlichen Prophetenspruch zu tun haben, der eine Antwort geben will auf das drängende Problem der Parusieverzögerung[51]. Und man antwortet auf das Argument, daß die Gemeinde sich schwerlich durch eine Voraussage, die dann nicht eintraf, selber Schwierigkeiten gemacht hätte[52], mit der Feststellung: „Wer ein solches Trostwort im Namen des erhöhten Herrn der Gemeinde zusprach, rechnete mit dem *Eintreffen* und konnte deshalb unmöglich über Schwierigkeiten reflektieren, die sich aus dem Nichteintreffen ergeben würden."[53] Aber wenn der Spruch tatsächlich als Antwort auf die als Problem empfundene Parusieverzögerung entstanden wäre, so könnte derjenige, der ihn formulierte, gewiß nicht über die Möglichkeit seines | Nichteintreffens reflektieren, wohl aber mußte er die tröstende Zusage in einer Form machen, die wirklich tröstenden Charakter trug bzw. die Gewißheit des baldigen Kommens der Parusie verstärkte (vgl. etwa 1Thess 5, 1–3 oder Röm 13, 11. 12a). Mk 9, 1 *konnte* aber diesen Zweck nicht erfüllen, weil die darin enthaltene Terminangabe ja zum Nachprüfen aufforderte und darum in der Tat eine Schwierigkeit verursachen mußte, die man sich in diesem Fall ganz gewiß nicht selber geschaffen hätte. Und die Formulierung „einige, die hier stehen" erklärt sich im Munde Jesu leicht, ist aber im Munde eines christlichen Propheten, der ein die Gemeinde bedrückendes Problem lösen wollte, allzu situationsgebunden[54]. Es besteht daher kein berechtigter Einwand gegen die Annahme, daß Mk 9, 1 auf Jesus zurückgeht und damit ebenfalls zeigt, daß Jesus mit einer zeitlichen Nähe des Eintritts der Gottesherrschaft gerechnet hat.

Besonders umstritten ist das dritte der hier zu besprechenden Worte, Mt 10, 23. An den (mit Mk 13, 9-13 parallelen) Abschnitt Mt 10, 17-22, der von der Verfolgung der Jünger handelt, ist der nur bei Matthäus überlieferte Spruch angefügt: „Wenn sie euch aber verfolgen in dieser Stadt, flieht in die andere; denn wahrlich ich sage euch, ihr werdet die Städte Israels nicht zu Ende bringen, bis der Menschensohn kommt." Da mit Mt 10, 24 ein neues Thema unverbunden einsetzt, besteht zwischen

[50] J. Gnilka, s. Anm. 6, S. 289; W. Strawson, Jesus and the Future Life, 1959, S. 74; R. Schnackenburg, s. Anm. 7, S. 143.
[51] Vgl. die bei W. G. Kümmel, s. Anm. 2, S. 21 Anm. 28 Genannten, ferner H. A. Guy, The Origin of the Gospel of Mark, 1954, S. 88ff; E. Grässer, s. Anm. 7, S. 133f; E. Linnemann, s. Anm. 5, S. 138; E. Percy, Die Botschaft Jesu, 1953, S. 177; H. Conzelmann, Die Mitte der Zeit, 1954, S. 88. W. Marxsen, Der Evangelist Markus, 1956, S. 140 Anm. 1 will die Frage nach der Herkunft des Spruches von Jesus nicht gestellt haben, und W. Grundmann, s. Anm. 42, S. 177f hält die Erwähnung von τινές für einen der Parusieverzögerung entstammenden Zusatz, will aber offenbar auch den von allen Christen redenden ursprünglichen Spruch auf die älteste Christenheit zurückführen. Die Echtheitsfrage bleibt offen bei S. E. Johnson, A Commentary on the Gospel According to St. Mark. 1960, S. 153.
[52] W. G. Kümmel, s. Anm. 2, S. 21; G. Gloege, s. Anm. 8, S. 140; N. Perrin, s. Anm. 2, S. 138f; D. Bosch, s. Anm. 7, S. 144.
[53] E. Linnemann, s. Anm. 5, S. 138; ähnlich H. Conzelmann, s. Anm. 51, S. 88; E. Grässer, s. Anm. 7, S. 134.
[54] H. A. Guy, s. Anm. 51, empfindet offenbar diese Schwierigkeit und ist darum wieder auf den unmöglichen Ausweg verfallen, ἑστηκότων im Sinne von „feststehen" zu interpretieren.

10, 23 und 10, 24 ff zweifellos kein ursprünglicher Zusammenhang. 10, 23 a schließt dagegen gut an 10, 22 an: neben das Gehaßtwerden tritt die Verfolgung; freilich war in 10, 22 vom Aushalten des Hasses εἰς τέλος die Rede gewesen während 10, 23 a zur Flucht von einer Stadt in die andere auffordert. Das dürfte schwerlich auf einen *ursprünglichen* Zusammenhang zwischen 10, 22 und 10, 23 a führen. Nun schließt sich an die Aufforderung zur Flucht in 10, 23 a die tröstende Verheißung 10, 23 b an, daß die Jünger die Städte Israels nicht zu Ende bringen werden, bis der Menschensohn kommt. Das kann man im Zusammenhang nur dahin verstehen, daß den Jüngern noch immer eine zur Flucht geeignete Stadt übrigbleiben wird, ehe mit dem Kommen des Menschensohnes ihre Flucht ein Ende nimmt. Und vielleicht hat der Evangelist den Spruch so gedeutet. Aber diese Deutung setzt voraus, daß οὐ μὴ τελέσητε τὰς πόλεις τοῦ Ἰσραήλ zu übersetzen ist: „ihr werdet nicht mit den Städten Israels zu Ende kommen."[55] Diese fast allgemein | übliche Übersetzung läßt sich aber nicht belegen[56]. An sämtlichen Stellen des Neuen Testaments hat τελέω entweder den Sinn „zu Ende bringen, vollenden (abgeschwächt: ausführen)" oder die Spezialbedeutung „bezahlen", und im Profangriechisch außer diesen beiden Bedeutungen noch die weitere Spezialbedeutung „einweihen"; dagegen findet sich die intransitive Bedeutung „zu Ende kommen" nur ganz selten in poetischen Texten, aber natürlich nicht mit einem Akkusativobjekt[57]. Allein die Übersetzung „ihr werdet die Städte Israels nicht fertig machen, zu Ende bringen" ist darum sprachlich möglich[58]. Damit ist aber die unausweichliche Konsequenz gegeben, daß 10, 23 a nicht von jeher mit 10, 23 b zusammengehört haben kann und daß die durch 10, 23 a geforderte Deutung von 10, 23 b auf die Flucht von einer Stadt in die andere nicht der ursprüngliche Sinn des Satzes 10, 23 b gewesen ist[59]. Es gelingt aber auch nicht,

[55] So LUTHER und die Zürcher Übersetzung. Besonders deutlich ist die Übersetzung in The Interpreter's Bible 7, 1951 und die der New English Bible: „(before you) have gone through all the towns of Israel".
[56] Auch W. BAUER, WB, 1958⁴, Sp. 1604 bietet diese Übersetzung, jedoch ohne einen Beleg.
[57] S. H. G. LIDDELL-R. SCOTT-H. S. JONES, A Greek-English Lexicon II, Sp. 1772.
[58] So E. GRÄSSER, s. Anm. 7, S. 137; J. DUPONT, „Vous n'aurez pas achevé les villes d'Israel avant que le Fils de l'Homme ne vienne" (Mat X 23), NovTest 2, 1958, S. 231 gegen PH. VIELHAUER, s. Anm. 7, S. 59; H. E. TÖDT, s. Anm. 28, S. 56; A. FEUILLET, Les origines et la signification de Mt 10, 23 b, CBQ 23, 1961, S. 186; E. LINNEMANN, s. Anm. 5, S. 138 f (die von FEUILLET angeführten Beispiele τελεῖν ὁδόν, τὸν βίον, τοὺς λόγους τούτους beweisen nichts, da hier τελεῖν „beendigen" und nicht „zu Ende kommen mit" bedeutet). Die alten Übersetzungen *non consummabitis* (so sämtliche Lateiner, s. A. JÜLICHER-W. MATZKOW, Itala 1, 1938, S. 60) und tᵉšallᵉmūn (syᶜ und Pesch) sind korrekt, aber mehrdeutig. Richtig ist auch die Übersetzung L. ALBRECHTS: „Vor des Menschensohnes Kommen wird eure Arbeit an den Städten Israels noch nicht vollendet sein."
[59] Die ursprüngliche Einheitlichkeit von 10, 23 und damit die Deutung von 10, 23 b auf die Flucht von Stadt zu Stadt verteidigen R. SCHNACKENBURG, s. Anm. 7, S. 142; PH. VIELHAUER, s. Anm. 7, S. 59 Anm. 43; H. E. TÖDT, s. Anm. 28, S. 56; E. LINNEMANN, s. Anm. 5, S. 139; A. FEUILLET, s. Anm. 58, S. 186; H. SCHÜRMANN, Zur Traditionsgeschichte von Mt 10, 23, BZ, N. F. 3, 1959, S. 85; E. BAMMEL, Matthäus 10, 23, Stud. Theol. 14, 1960, S. 79 ff (der Versuch, für die Gedanken des Wanderns von Ort zu Ort und seine Beendigung durch ein eschatologisches Ereignis, damit also für den ganzen Vers ohne den einleitenden ὅταν-Satz eine jüdische Vorlage aufzuweisen, ist schwerlich gelungen).

durch Aufdeckung der traditionsgeschichtlichen Herkunft des Satzes den ursprünglichen Sinn von 10, 23 b aufzuhellen[60], und so bleibt nur der Versuch übrig, den Sinn von 10, 23 b ohne Rücksicht auf den jetzigen oder einen hypothetischen Kontext zu bestimmen. „Ihr werdet die Städte Israels | nicht zu Ende bringen bis … „kann aber auch bei solcher Betrachtung schwerlich etwas anderes besagen als „ihr werdet mit der Missionierung Israels nicht fertig werden bis…"; die Jünger Jesu sollen also mit ihrer Missionsaufgabe ihrem Volk gegenüber nicht fertig werden vor dem Kommen des Menschensohns. Da sonst in der synoptischen Überlieferung mit dem „Kommen des Menschensohns" immer die eschatologische Vollendung bezeichnet wird (Mk 8, 38 par Mt 16, 27 Lk 9, 26; Mt 16, 28; 25, 31; Mk 13, 26 par Mt 24, 30 Lk 21, 27; Mt 24, 44 par Lk 12, 40; Mk 14, 62 par Mt 26, 64; Lk 18, 8 b; vgl. ἔσται ἡ παρουσία τοῦ υἱοῦ τοῦ ἀνθρώπου Mt 24, 27)[61], liegt diese Bedeutung in Mt 10, 23 b auch am nächsten: der Menschensohn wird erscheinen, ehe die Missionstätigkeit der Jünger beendet sein kann. Trifft diese Auslegung zu, so hat Jesus auch in diesem Wort, ähnlich wie in Mk 9, 1, einen zeitlich begrenzten Termin für das baldige Kommen des Menschensohns vorausgesagt, und auch diese Verheißung ist nicht in Erfüllung gegangen. Man hat dieser Tatsache dadurch auszuweichen versucht, daß man das bevorstehende Kommen des Menschensohns auf die Aufrichtung der Kirche durch den Tod und die Auferstehung Jesu[62] oder auf den Fall Jerusalems[63] bezog oder einen futurischen Sinn dieses „Kommens" für das ursprüngliche Jesuswort leugnete[64].

[60] H. SCHÜRMANN, s. Anm. 59 S. 82 ff (unter Zustimmung von A. FEUILLET, s. Anm. 58 S. 182 ff) möchte Mt 10, 23 als ursprünglichen Schluß der Komposition der Redenquelle Lk 12, 8–12 und damit als Trostwort in der Verfolgungssituation erweisen; aber daß in Mt 10, 17–22 die Redenquelle und nicht Mk 13, 9–13 zugrunde liegt, ist nicht bewiesen; und diese Hypothese wird erst recht unhaltbar, wenn Mt 10, 23 keine ursprüngliche Einheit sein kann. J. DUPONT, s. Anm. 58, S. 228 ff hält Mt 10, 23 b für die ursprüngliche Fortsetzung von 10, 5 b. 6, die Matthäus an das Ende der Missionsrede verschoben hat; aber das ist erst recht unbeweisbar.

[61] Auf die grundsätzliche Bestreitung dieser Tatsache (vgl. z. B. A. FEUILLET, Le triomphe du Fils de l'Homme d'après la déclaration du Christ aux Sanhédrites, in „La venue du Messie", Recherches Bibliques VI, 1962, S. 149 ff) kann ich hier nicht eingehen.

[62] G. NEVILLE s. Anm. 4, 61 (ursprünglich war vom Kommen des Gottesreichs mit Macht die Rede); R. V. G. TASKER, The Gospel According to St. Matthew, 1961, S. 108; V. TAYLOR, The Life and Ministry of Jesus, 1955, S. 107 f.

[63] J. A. T. ROBINSON, s. Anm. 48, S. 80. 91 f (vermutlich hat das Wort „a chronological twist" erhalten und ist so der Parusiehoffnung angeglichen worden); A. FEUILLET, s. Anm. 58, S. 192 f (F. bietet S. 190 ff eine Aufzählung weiterer Deutungen des Spruches; ältere Deutungen bei P. NEPPER-CHRISTENSEN, Das Matthäusevangelium ein judenchristliches Evangelium ?, 1958, S. 185 ff).

[64] Nach J. A. BAIRD, s. Anm. 4, S. 145 hatte Mt 10, 23 ursprünglich „a present, historic meaning", ähnlich dem präsentisch zu deutenden Spruch Mk 9, 1. P. BONNARD, L'Évangile selon Saint Matthieu, 1963, S. 149 erklärt: „jusqu'à mon retour en gloire, à la fin des temps, vous trouverez toujours un lieu où fuir et témoigner de l'Évangile" und eliminiert auf diese Weise eine Terminangabe. J. DUPONT, s. Anm. 58, S. 238 ff beschränkt die Voraussage auf die Mission in Galiläa und will „Menschensohn" auf den irdischen Jesus beziehen; der Evangelist wolle durch diese Ausdrucksweise „simplement marquer son respect pour le Maître, sans cesse de le considérer dans son existence terrestre et dans ses rapports familiers avec ses disciples"; A. FEUILLET, s. Anm. 58, S. 188 nennt diesen Erklärungsversuch angesichts der feierlichen Formulierung mit Recht „la déclaration la plus banale qui se puisse concevoir". W. GRUNDMANN, Die Geschichte Jesu Christi, 1956, S. 245 ff und R. SCHNACKENBURG, s. Anm. 7, S. 142 f lassen die Frage nach dem ursprünglichen Sinn offen.

Aber keine dieser Erklärungen legt sich vom Wortlaut des Spruches her irgendwie nahe oder ist auch nur wahrscheinlich zu machen, und daß Mt 10, 23b | vom endzeitlichen Kommen des Menschensohns vor Beendigung der Mission der Jünger in Israel redet, muß als exegetisch sicher bezeichnet werden[65].

Nun soll freilich der so zu erklärende Spruch im Munde Jesu unmöglich sein, weil er eine Naherwartung vertritt, weil er die Ankunft des Menschensohnes mit dem Kommen der Gottesherrschaft gleichsetzt und eine Verfolgungssituation für die Jünger voraussetzt; auch sei es unwahrscheinlich, daß Jesus seine Verkündigung auf die Städte Israels beschränkt und sein Kommen ausgemalt habe. Es handele sich deutlich um ein Trostwort aus der frühesten Urgemeinde oder um ein Wort einer eng judenchristlichen Gruppe, die die Heidenmission ablehnte[66]. Diese Einwände sind freilich merkwürdig schwach und keineswegs überzeugend. Daß Jesus keine Naherwartung vertreten haben *könne,* ist eine *petitio principii,* die man nicht als kritisches Prinzip gebrauchen kann. Daß die Identifizierung von Einbruch der Gottesherrschaft und Ankunft des Menschensohnes erst da verständlich werde, wo der die Gottesherrschaft verkündende Jesus als Menschensohn erwartet wird (E. JÜNGEL), ist eine vor allem von PH. VIELHAUER verteidigte Anschauung[67]. Wenn aber nicht nur Mk 9, 1 (s. o.), sondern auch Mk 8, 38[68] auf Jesus zurückgeht, so zeigt das Miteinander beider Aussagen Jesu, daß Jesus in gleicher Weise vom zukünftigen Kommen des Menschensohns wie der Gottesherrschaft gesprochen hat, ganz gleich, ob man annimmt, daß Jesus den kommenden Menschensohn von sich unterschieden[69] oder sich selbst als den kommenden Menschensohn bezeichnet hat[70]. Daß

---

[65] Die Auslegung A. SCHWEITZERS, daß Jesus das Kommen des Menschensohns vor der Rückkehr der Jünger von der Galiläamission erwartet habe, hat M. GOGUEL noch einmal erneuert (Le caractère, à la fois actuel et futur, du salut dans la théologie Paulinienne, in „The Background of the New Testament and Its Eschatology", Festschrift C.H. DODD, 1956, S. 323); daß diese Auslegung unhaltbar ist, ist jetzt allgemein anerkannt, vgl. W. G. KÜMMEL, s. Anm. 2, S. 55f und A. FEUILLET, s. Anm. 58, S. 189f).

[66] So oder ähnlich die bei W. G. KÜMMEL, s. Anm. 2, S. 56 Anm. 137 Genannten, ferner E. GRÄSSER, s. Anm. 7, S. 137f; E. LINNEMANN, s. Anm. 5, S. 138f; PH. VIELHAUER, s. Anm. 7, S. 58ff; H. E. TÖDT, s. Anm. 28, S. 56f; E. SCHWEIZER, Erniedrigung und Erhöhung bei Jesus und seinen Nachfolgern, 1962², S. 42f; E. BAMMEL, s. Anm. 59, S 92; E. FUCHS, s. Anm. 4, S. 70; E. JÜNGEL, s. Anm. 3, S. 239f; H. BRAUN, Spätjüdisch-häretischer und frühchristlicher Radikalismus II, 1957, S. 102 Anm. 4; W. SCHMITHALS, Paulus und Jakobus, 1963, S. 94; G. STRECKER, Der Weg der Gerechtigkeit, 1962, S. 41.

[67] PH. VIELHAUER, s. Anm. 7, S. 71ff; DERS., Jesus und der Menschensohn, ZThK 60, 1963, S. 135ff.

[68] S. W. G. KÜMMEL, s. Anm. 2, S. 38ff.

[69] S. H. E. TÖDT, s. Anm. 28, S. 181, 37ff; F. HAHN, s. Anm. 7, S. 38.

[70] S. Anm. 68 und DERS., in „Jesus Christus. Das Christusverständnis im Wandel der Zeiten", Marburger Theol. Stud. 1, 1963, S. 7f. Gegen PH. VIELHAUERS Einwand, „daß Gottesherrschaft und Menschensohn in der zeitgenössischen jüdischen Eschatologie nichts miteinander zu tun hatten und daß sich ihre Kombination für Jesus auch von seinen religionsgeschichtlichen Voraussetzungen her nicht nahelegt" (ZThK 60, 1963, S. 136), ist zu sagen, daß dieser Einwand in dem Augenblick hinfällig wird, in dem zugestanden werden muß, daß Jesus sowohl von der in der Gegenwart durch sein Handeln wirksam werdenden Gottesherrschaft (Mt 12, 28) als auch von sich als dem auf Erden handelnden Menschensohn (Mk 2, 10; Mt 8, 20) gesprochen hat; denn dann hat Jesus auf alle Fälle eine bewußte Umprägung der überlieferten jüdischen Eschatologie vollzogen.

Jesus seine Verkündigung nicht auf den Bereich der Städte | Israels beschränkt habe (H. E. TÖDT), trifft nicht zu, wenn Mt 10, 5 b. 6 Jesu Anschauung richtig wiedergibt, wofür alles spricht[71]. Und daß schließlich Mt 10, 23 b tröstenden Charakter haben solle, legt sich nach dem Wortlaut so wenig nahe, wie daß der Satz die Heidenmission ablehne, die vielmehr überhaupt nicht im Gesichtskreis zu sein scheint. So weist alles darauf hin, daß Mt 10, 23 auf Jesus zurückgeht, und zeigt, daß er das endzeitliche Kommen des Menschensohns erwartete, während die Jünger noch mit der Verkündigung der kommenden Gottesherrschaft an die Juden beschäftigt waren[72]. Freilich gibt dieses Wort keine genaue zeitliche Angabe über den Termin des Kommens der Gottesherrschaft, aber der Hinweis auf das Nicht-Fertigwerden mit den Städten Israels läßt sich doch kaum anders verstehen, als daß das Kommen des Menschensohns unerwartet bald geschehen soll. So zeigt auch dieses Wort deutlich die Erwartung Jesu, daß die Gottesherrschaft und mit ihr der Menschensohn in naher Zukunft kommen werden.

Damit sind, wie beabsichtigt war, diejenigen Jesusworte auf ihren Sinn geprüft worden, in denen ausdrücklich von der *zeitlichen* Nähe der Gottesherrschaft bzw. des eschatologischen Geschehens die Rede ist, und es hat sich gezeigt, daß die Behauptung nicht zutrifft, die Annahme einer Naherwartung durch Jesus habe „keinen ausreichenden Anhalt an den Texten"[73]. Eine unvoreingenommene kritische Prüfung der in Betracht kommenden Texte zeigt vielmehr eindeutig, daß Jesus mit der nahen, auf seine Generation beschränkten Zukunft der Gottesherrschaft gerechnet hat[74]. Man wird darum auch nicht bestreiten können, obwohl das immer wieder als „törichte Frage" hingestellt und bestritten wird[75], daß Jesus sich in dieser Erwartung getäuscht hat[76]. Aber | wichtiger ist natürlich der Sachverhalt, der sich aus dieser Prüfung von neuem ergibt, daß die Verkündigung Jesu von der nahen Gottesherrschaft in der Tat ein *zeitlich* nahes Geschehen meint und daß darum die vielfältige Bestreitung dieses konkret zeitlichen Sinnes der Verkündigung Jesu von

[71] S. W. G. KÜMMEL, s. Anm. 2, S. 78; J. JEREMIAS, s. Anm. 17, S. 16ff.

[72] So J. JEREMIAS, s. Anm. 17, S. 18; H. P. OWEN, s. Anm. 8, S. 175f; D. BOSCH, s. Anm. 7, S. 157; G. R. BEASLEY-MURRAY, Jesus and the Future, 1954, S. 185; wohl auch N. PERRIN, s. Anm. 2, S. 83 und B. RIGAUX, s. Anm. 2, S. 194f.

[73] E. LINNEMANN, s. Anm. 5, S. 138. Die von E. LINNEMANN in diesem Zusammenhang noch genannten Texte Mk 14, 25; Lk 12, 45. 56, ferner die „allgemeinen Mahnungen zur Wachsamkeit" und die sog. Wachsamkeitsgleichnisse können hier aus Raumgründen nicht besprochen werden; ihre Prüfung würde aber an dem gewonnenen Resultat nichts ändern, da diese Texte ihren Sinn als Hinweise auf eine *Nah*erwartung erst im Zusammenhang mit den hier besprochenen Texten erhalten.

[74] S. Anm. 8.

[75] Vgl. z. B. E. FUCHS, s. Anm. 4, S. 375; E. JÜNGEL, s. Anm. 3, S. 237; R. SCHNACKENBURG, s. Anm. 7, S. 147; H. SCHÜRMANN, s. Anm. 59, S. 86 Anm. 17; J. GNILKA, s. Anm. 6, S. 289; J. A. BAIRD, s. Anm. 4, S. 142; B. RIGAUX, s. Anm. 2, S. 190, 198 (Jesus hat das Ende für seine Generation nicht *gelehrt* und sich darin getäuscht, wohl aber erwartet!).

[76] Richtig H. P. OWEN, s. Anm. 8, S. 176; G. GLOEGE, s. Anm. 8, S. 140 („Man sollte es offen zugeben, daß sich Jesus in dieser Hinsicht ‚verrechnet hat'. Man sollte aber noch mehr darüber staunen, daß dieser Irrtum nicht seine Glaubwürdigkeit in der Gemeinde minderte und daß das Ausbleiben des Tages der Herrlichkeit, genauer gesagt: seine Verzögerung, nach allen Aussagen des Neuen Testamentes, den Glauben keineswegs erschüttert hat").

der Gottesherrschaft[77] angesichts des Textbefundes nicht haltbar ist. R. BULTMANN hat vielmehr in den zu Beginn dieses Aufsatzes wiedergegebenen Sätzen die Verkündigung Jesu von der nahen Gottesherrschaft durchaus richtig interpretiert. Daraus folgt einerseits, daß man nach den Gründen für die Entstehung der urchristlichen Naherwartung nicht zu suchen braucht, weil sie auf Jesus selber zurückgeht[78]. Und daraus ergibt sich andererseits, daß die für Paulus zweifellos charakteristische Verbindung von konkreter Naherwartung und dem Glauben an die eschatologische Erfüllung in der Gegenwart ihre Wurzeln in der Verkündigung Jesu hat[79], so sehr auch der Osterglaube der ältesten Gemeinde dieser grundlegenden Anschauung Jesu eine neue Wendung gegeben hat. Doch kann davon hier nicht mehr die Rede sein[80]. Daß das rechte Verständnis für die Einheit und Verschiedenheit der neutestamentlichen Verkündigungsformen grundlegend abhängt von der Einsicht in den konkret zeitlichen Sinn der eschatologischen Verkündigung Jesu, dürfte aber deutlich geworden sein.

[77] S. Anm. 3, 5 und 6.

[78] Vgl. den Hinweis auf ältere Erklärungsversuche bei W. G. KÜMMEL, s. Anm. 3, S. 115 ff. T. F. GLASSON hat seine Anschauung, daß die *Parusie*erwartung zwischen der Urgemeinde und Paulus durch die Übertragung alttestamentlicher Aussagen über das eschatologische Kommen Jahwes auf Jesus und daß die *Nah*erwartung als Folge der Aufstellung der Caligulastatue im Jerusalemer Tempel und infolge einiger anderer Einflüsse entstanden seien (The Second Advent, 1947[2]), wieder veröffentlicht mit der Hinzufügung, daß auch das Mißverständnis einiger Jesusworte über seinen Triumph jenseits des Kreuzes zur Entstehung des Parusieglaubens beigetragen haben könne und daß die Naherwartung vor allem aus der Übertragung jüdischer Naherwartung ins Christliche entstanden sei (1963[3], S. 176 f, 208); vgl. dazu meine Kritik ThR, N. F. 22, 1954, S. 144 ff. J. W. DOEVE, s. Anm. 5, will eine Naherwartung höchstens für einzelne Kreise des Urchristentums als *möglich* anerkennen (auch 1Thess 4, 15 erwecke nur diesen Eindruck!), erörtert aber die Entstehung dieser vereinzelten Vorstellungen nicht. Und J. G. DAVIES, The Genesis of Belief in an Imminent Parousia, JThS, NS 14, 1963, S. 104 ff will aus 1Thess 4, 15 ableiten, daß der Glaube an eine *nahe* Parusie auf die Offenbarung eines christlichen Propheten zurückgeht.

[79] S. Anm. 9.

[80] S. W. G. KÜMMEL, Jesus und Paulus, NTSt 10, 1963/64, S. 163 ff.

BIBLIOGRAPHIE 1929–1964

Nicht aufgenommen wurden Rezensionen und Berichte allgemeiner Art, sowie Betrachtungen, biblische Besinnungen und allgemein gehaltene Vorträge. Bei den besprochenen Büchern wurden deutsche Erscheinungsorte nicht angegeben.

Folgende Abkürzungen wurden für die Bibliographie verwendet:

Arb.z.KG.	=	Arbeiten zur Kirchengeschichte
AThANT	=	Abhandlungen zur Theologie des Alten und Neuen Testaments
Art.	=	Artikel
Bd.	=	Band
Beih.ZNW	=	Beihefte zur Zeitschrift für die Neutestamentliche Wissenschaft und die Kunde der älteren Kirche
BFTh	=	Beiträge zur Förderung christlicher Theologie
BGE	=	Beiträge zur Geschichte der neutestamentlichen Exegese
BhEvTh	=	Beihefte zur Evangelischen Theologie
BHTh	=	Beiträge zur Historischen Theologie
BWANT	=	Beiträge zur Wissenschaft vom Alten und Neuen Testament
DLZ	=	Deutsche Literaturzeitung
Erg.Bd.	=	Ergänzungsband
EvTh	=	Evangelische Theologie
F.	=	Folge
FRLANT	=	Forschungen zur Religion und Literatur des Alten und Neuen Testaments
H.	=	Heft
hrg., Hrg.	=	herausgegeben, Herausgeber
Jhrg.	=	Jahrgang
Kirchenblatt	=	Kirchenblatt für die Reformierte Schweiz
N.F.	=	Neue Folge
NovT	=	Novum Testamentum
NTSt	=	New Testament Studies
NZZ	=	Neue Zürcher Zeitung
RGG	=	Die Religion in Geschichte und Gegenwart
SAH	=	Sitzungsberichte der Akademie Heidelberg
SAW	=	Sitzungsberichte der Akademie Wien
Suppl.	=	Supplementband
ThBl	=	Theologische Blätter
ThLZ	=	Theologische Literaturzeitung
ThR	=	Theologische Rundschau
ThW	=	Theologisches Wörterbuch zum Neuen Testament
ThZ	=	Theologische Zeitschrift Basel
TU	=	Texte und Untersuchungen
UNT	=	Untersuchungen zum Neuen Testament
Vol.	=	Volume
WMANT	=	Wissenschaftliche Monographien zum Alten und Neuen Testament
WUNT	=	Wissenschaftliche Untersuchungen zum Neuen Testament
ZNW	=	Zeitschrift für die Neutestamentliche Wissenschaft und die Kunde der älteren Kirche
ZRGG	=	Zeitschrift für Religions- und Geistesgeschichte

1929

Römer 7 und die Bekehrung des Paulus, UNT 17, Leipzig 1929.

1930

Rezension
EISLER, R., Jesus basileus ou basileusas I, II, 1929/30, Die Christliche Welt 44, 1930, S. 890 bis 893.

1931

Rezension
MEYER, A., Das Rätsel des Jakobusbriefes, 1930, Die Christliche Welt 45, 1931, S. 734f.

1932

Rezensionen

GERKE, F., Die Stellung des ersten Clemensbriefes innerhalb der Entwicklung der altchristlichen Gemeindeverfassung und des Kirchenrechts, TU 47, 1, 1931, DLZ 53, 1932, S. 241–243.

STEIGER, R., Die Dialektik der paulinischen Existenz, 1931, Die Christliche Welt 46, 1932, S. 809.

BACON, B. W., Studies in Matthew, London 1930, ThLZ 57, 1932, S. 29–31.

WINDISCH, H., Imperium und Evangelium im Neuen Testament, Kieler Universitätsreden 14, 1931, ThLZ 57, 1932, S. 220 f.

DELLING, G., Paulus' Stellung zu Frau und Ehe, BWANT 4. F. H. 5, 1931, ThLZ 57, 1932, S. 250 f.

1933

Jesus und die Rabbinen, Kirchenblatt 89, 1933, S. 214–217, 225–230.

Rezensionen

LIETZMANN, H., Geschichte der Alten Kirche I, 1932, Kirchenblatt 89, 1933, S. 26–28.

GOGUEL, M., La vie de Jésus, Paris 1932, ThLZ 58, 1933, S. 47–52.

RANFT, J., Der Ursprung des katholischen Traditionsprinzips, 1931, ThLZ 58, 1933, S. 276 bis 280.

KIETZIG. O., Die Bekehrung des Paulus, UNT 22, 1932, ThLZ 58, 1933, S. 305–308.

1934

Jesus und der jüdische Traditionsgedanke, ZNW 33, 1934, S. 105–130.

Die Bedeutung der Enderwartung für die Lehre des Paulus, Kirchenblatt 90, 1934, S. 98–104.

Geleitwort zu GOGUEL, M., Das Leben Jesu, 1934, S. VII f.

Rezensionen

OTTO, R., Reich Gottes und Menschensohn, 1934, Kirchenblatt 90, 1934, S. 197–200.

FUCHS, E., Christus und der Geist bei Paulus, UNT 23, 1932, DLZ 55, 1934, S. 538–541.

MUNDLE, W., Der Glaubensbegriff des Paulus, 1932, DLZ 55, 1934, S. 677–680.

WENSCHKEWITZ, H., Die Spiritualisierung der Kultbegriffe, 1932, ThLZ 59, 1934, S. 273 bis 275.

1935

Rezensionen

SANDERS, H. A., (ed.) A third-century-papyrus codex of the Epistles of Paul, Ann Arbor 1935, ThLZ 60, 1935, S. 307–309, NZZ 25.9.1935 (Nr. 1655). Bl. 1.

BELL, H. J., and SKEAT, T. S. (ed.), Fragments of an Unknown Gospel and other Early Christian Papyri, London 1935, NZZ 25.9.1935 (Nr. 1655), Bl. 1.

KRAELING, C. H. (ed.), A Greek Fragment of Tatian's Diatessaron from Dura, London 1935, NZZ 25.9.1935 (Nr. 1655), Bl. 1.

1936

Die Eschatologie der Evangelien. Ihre Geschichte und ihr Sinn, ThBl 15, 1936, S. 225–241 (= Buchausgabe, Leipzig 1936).

Rezensionen

BÜCHSEL, F., Theologie des Neuen Testaments, 1935, Die Christliche Welt 1936, S. 809.

SEESEMANN, H., Der Begriff κοινωνία im Neuen Testament, Beih. ZNW 14, 1933, DLZ 57, 1936, S. 913–915.

HIRSCH, E., Studien zum vierten Evangelium. Text, Literaturkritik, Entstehungsgeschichte, BHTh 11, 1936, Kirchenblatt 92, 1936, S. 242–245.

HIRSCH, E., Das vierte Evangelium in seiner ursprünglichen Gestalt verdeutscht und erklärt, 1936, Kirchenblatt 92, 1936, S. 242–245.

BELL, H. J.–SKEAT. T. S. (ed.), Fragments of an Unknown Gospel and other Early Christian Papyri, London 1935, ThLZ 61, 1936, S. 47–49.

TAYLOR, V., The Formation of the Gospel Tradition, London, 1933, ThLZ 61, 1936, S. 196 f.

WINDISCH, H., Paulus und das Judentum, 1935, NZZ 13.1.1936 (Nr. 60), Bl. 1.

LEIPOLDT, J., Jesus und Paulus – Jesus oder Paulus ? Ein Wort an Paulus' Gegner, 1936, NZZ 6.2.1936 (Nr. 207), Bl. 1.

WENDLAND, H.-D., Die Mitte der paulinischen Botschaft, 1935, NZZ 6.2.1936 (Nr. 207), Bl. 1.

HOLMSTRÖM, F., Das eschatologische Denken der Gegenwart, 1936, NZZ 24.6.1936 (Nr. 1087), Bl. 1.

BARTH, P. (ed.), Jesus Christus im Zeugnis der Heiligen Schrift und der Kirche. Eine Vortragsreihe, BhEvTh 2, 1936, NZZ 12.8.1936 (Nr. 1378), Bl. 1.

WECHSSLER, E., Hellas im Evangelium 1936, NZZ 15.9.1936 (Nr. 1575), Bl. 1.

KENYON, F.G. (ed.), The Chester Beatty Biblical Papyri, Fasciculus III Supplement. Pauline Epistles, London 1936, NZZ 25.10.1936 (Nr. 1833), Bl. 3.

ROBERTS, C.H. (ed.), Two Biblical Papyri in the John Rylands Library Manchester, Manchester 1936, NZZ 25.10.1936, (Nr. 1833), Bl. 3.

SCHMIDT, C.–SCHUBART, W., Πραξεις Παυλου Acta Pauli. Nach dem Papyrus der Hamburger Staats- und Universitätsbibliothek, 1936, NZZ 25.10.1936 (Nr. 1833), Bl. 3.

KITTEL, G. (ed.), Theologisches Wörterbuch zum Neuen Testament I–III, 1933 ff, NZZ 25.11.1936 (Nr. 2032), Bl. 3.

CAMPENHAUSEN, HANS FRHR. v., Die Idee des Martyriums in der alten Kirche, 1936, NZZ 3.12.1936 (Nr. 2086), Bl. 1.

1937

Der Glaube im Neuen Testament, seine katholische und reformatorische Deutung, ThBl 16, 1937, S. 209–221.

Rezensionen

FRIDRICHSEN, A. (ed.), Arbeiten und Mitteilungen aus dem Neutestamentlichen Seminar zu Uppsala I, II, 1936, ThLZ 62, 1937, S. 198.

LOHMEYER, E., Galiläa und Jerusalem, FRLANT N.F. 34, 1936, ThLZ 62, 1937, S. 304 bis 307, Kirchenblatt 93, 1937, S. 45 f.

THOMAS, J., Le mouvement baptiste en Palestine et Syrie, Gembloux 1935, ThLZ 62, 1937, S. 345–348.

LOHMEYER, E., Das Markusevangelium, Meyers Krit. exeget. Komm. I. Abt., 2. Bd., 1936/7 [10], Kirchenblatt 93, 1937, S. 30 f, 124 f.

MICHEL, O., Der Hebräerbrief, Meyers Kritisch-exegetischer Komm. XIII. Abt. 1936/7, Kirchenblatt 93, 1937, S. 30 f, 124 f.

HAUGG, D., Die zwei Zeugen, 1936, DLZ 58, 1937, S. 690–692.

OEPKE, A., Der Brief des Paulus an die Galater, Theologischer Handkommentar zum Neuen Testament IX, 1937, Kirchenblatt 93, 1937, S. 173.

HEUSSI, K., War Petrus in Rom ?, 1936, NZZ 2.2.1937 (Nr. 188 und 193), Bl. 1. 6.

BIENERT, W., Der älteste nichtchristliche Jesusbericht. Josephus über Jesus, 1936, NZZ 7.3.1937 (Nr. 401), Bl. 4.

SCHAMMBERGER, H., Die Einheitlichkeit des Jakobusbriefes im antignostischen Kampf, 1936, NZZ 11.3.1937 (Nr. 430), Bl. 2.

VÖLTER, D., Die Grundfrage des Lebens Jesu, 1936, NZZ 8.6.1937 (Nr. 1034), Bl. 4.

The Excavations at Dura-Europos. Preliminary Report of Fifth (Sixth) Season of Work 1931–1932 (1932–1933), New Haven 1934 bzw. 1936, NZZ 20.6.1937 (Nr. 1113), Bl. 4.

LEIPOLDT, J., Der Gottesdienst der ältesten Kirche, jüdisch ? griechisch ? christlich ?, 1937, NZZ 6.7.1937 (Nr. 1221), Bl. 4.

HOLZNER, J., Paulus, Ein Heldenleben im Dienste Christi im religionsgeschichtlichen Zusammenhang dargestellt, 1937, NZZ 24.10.1937 (Nr. 1905), Bl. 4.

HÉRING, J., Le royaume de Dieu et sa venue, Paris 1937. NZZ 11.12.1937 (Nr. 2248), Bl. 1 und 12.12.1937 (Nr. 2255), Bl. 4.

1938

Textkritik und Textgeschichte des Neuen Testaments 1914–1937, ThR N.F. 10, 1938, S. 206–221, 292–327.

Rezensionen

HARTMANN, G., Der Aufbau des Markusevangeliums, 1936, ThLZ 63, 1938, S. 275–278.

FRIDRICHSEN, A. (ed.), Arbeiten und Mitteilungen aus dem Neutestamentlichen Seminar zu Uppsala III IV V VI, 1936/37, ThLZ 63, 1938, S. 309–311.

GROBEL,, K., Formgeschichte und synoptische Quellenanalyse, FRLANT N. F. 35, 1937, ThLZ 63, 1938. S. 360f.

ZERWICK, M., Untersuchungen zum Markus-Stil, Rom 1937, ThLZ 63, 1938, S. 378f.

MALDEN, R. H., The Authority of the New Testament, Oxford 1937, ThLZ 63, 1938, S. 454f.

HOLZINGER, K., Erklärungen zu einigen der umstrittensten Stellen der Offenbarung Johannis und der Sibyllinischen Orakel mit einem Anhang über Martial XI 33, SAW, phil.-hist. Klasse, Bd. 216, Abh. 3, 1936, ThLZ 63, 1938, S. 455–457.

BULTMANN, R., Das Johannesevangelium, Lieferung Kap. 1, 1-2, 5, Meyers Krit. exeget. Komm. II. Abt. 1937¹⁰, Kirchenblatt 94, 1938, S. 13f.

WINDISCH, H., Der Sinn der Bergpredigt, UNT 16, 1937², Die Christliche Welt 52, 1938, S. 93–96 und DLZ 59, 1938, S. 473–476.

THURNEYSEN, E., Die Bergpredigt, Theologische Existenz heute 46, 1936, Die Christliche Welt 52, 1938, S. 93–96.

PREISKER, H., Neutestamentliche Zeitgeschichte, 1937, Kirchenblatt 94, 1938, S. 301f.

MEYER, R., Hellenistisches in der rabbinischen Anthropologie, BWANT F. 4. H. 22, 1937, DLZ 59, 1938, Sp. 1737–1739.

REIFENBERG, A., Denkmäler der jüdischen Antike, 1937, NZZ 5.1.1938 (Nr. 23), Bl. 2.

ALEITH, E., Paulusverständnis in der Alten Kirche, 1937, NZZ 1.3.1938 (Nr. 573), Bl. 1.

ALTHAUS, P., Paulus und Luther über den Menschen, 1938, NZZ 4.6.1938 (Nr. 1003), Bl. 1.

KITTEL, G. (ed.), Theologisches Wörterbuch zum Neuen Testament, 1933 ff, NZZ 2.8.1938 (Nr. 1363), Bl. 1.

HOSKYNS, E. C.–DAVEY, F. N., Das Rätsel des Neuen Testaments, 1938, NZZ 18.8.1938 (Nr. 1454), Bl. 1.

NOCK, A. D., St. Paul, London 1938, NZZ 8.9.1938 (Nr. 1581), Bl. 1.

OEPKE, A., Jesus und das Alte Testament, 1938, NZZ 20.9.1938 (Nr. 1656), Bl. 2.

THIEL, R., Jesus Christus und die Wissenschaft, 1938, NZZ 11.10.1938 (Nr. 1783), Bl. 1 und 11.10.1938 (Nr. 1786), Bl. 4.

LINDESKOG, G., Die Jesusfrage im zeitgenössischen Judentum, Arbeiten und Mitteilungen aus dem Neutestamentlichen Seminar zu Uppsala 8, 1938, NZZ 21.10.1938 (Nr. 1850), Bl. 1.

LIETZMANN, H., Geschichte der Alten Kirche II III, 1936-38, NZZ 22.11.1938 (Nr. 2054), Bl. 1.

1939

Textkritik und Textgeschichte des Neuen Testaments 1914–1937 (Schluß), ThR N.F. 11, 1939, S. 84–107.

Rezensionen

JEREMIAS, J., Hat die älteste Christenheit die Kindertaufe geübt?, 1938, Die Christliche Welt 53, 1939, S. 521f.

WENDLAND, H.-D., Geschichtsanschauung und Geschichtsbewußtsein im Neuen Testament, 1938, ThBl, 18, 1939, 100–102.

THIEL, R., Jesus Christus und die Wissenschaft, 1938; DERS., Drei Markusevangelien, Arb. z. KG. 26, 1938, ThLZ 64 (1939), S. 115–121.

SMITH, B. T. D., The Parables of the Synoptic Gospels, Cambridge 1937, ThLZ 64, 1939, S. 210f.

MAJOR, H. D. A., MANSON, T. W., WRIGHT, C. J., The Mission and Message of Jesus. An Exposition of the Gospels in the Sight of Modern Research, London 1937, ThLZ 64, 1939, S. 297–300.

CASEY, R. P., LAKE, S., LAKE, A. K., Quantulacumque. Studies Presented to Kirsopp Lake by Pupils, Colleagues and Friends, London 1937, ThLZ 64, 1939, S. 338–341.

Arbeiten und Mitteilungen aus dem Neutestamentlichen Seminar zu Uppsala, hrsg. von A. FRIDRICHSEN,

VII ARVEDSON, TH., Das Mysterium Christi. Eine Studie zu Mt 11. 25–30, 1937,

VIII LINDESKOG, G., Die Jesusfrage im neuzeitlichen Judentum. Ein Beitrag zur Geschichte der Leben-Jesu-Forschung, 1938, ThLZ 64, 1939, S. 370–373.

KARRER, O., Die Geheime Offenbarung, Einsiedeln 1938, NZZ 21.1.1939 (Nr. 127), Bl. 1.

MICHAELIS, W., Es ging ein Sämann aus, zu säen, 1938, NZZ 9.2.1939 (Nr. 245), Bl. 1.

DIBELIUS, M., Jesus, (Sammlung Göschen Bd. 1130) 1939, NZZ 23.3.1939 (Nr. 515), Bl. 2.

PFANNMÜLLER, G., Jesus im Urteil der Jahrhunderte, 1939², NZZ 9.5.1939 (Nr. 834), Bl. 1.

KOOLE, J.L., De Overname van het Oude Testament door de Christelijke Kerk, Hilversum 1938, NZZ 8.8.1939 (Nr. 1436), Bl. 1.

HANSE, H., Gott Haben in der Antike und im frühen Christentum, 1939, NZZ 15.8.1939 (Nr. 1478), Bl. 2.

GRUNDMANN, W., Die Gotteskindschaft in der Geschichte Jesu und ihre religionsgeschichtlichen Voraussetzungen, 1938, NZZ 22.10.1939 (Nr. 1828), Bl. 3.

POHLMANN, H., Der Gottesgedanke Jesu als Gegensatz gegen den israelitisch-jüdischen Gottesgedanken, 1939, NZZ 22.10.1939 (Nr. 1828), Bl. 3.

EBELING, H.J., Das Messiasgeheimnis und die Botschaft des Marcus-Evangelisten, Beih. ZNW 19, 1939, NZZ 2.12.1939 (Nr. 2042), Bl. 2 und 2.12.1939 (Nr. 2043), Bl. 3.

MICHAELIS, W., Das hochzeitliche Kleid, 1939, NZZ 15.12.1939 (Nr. 2130), Bl. 6.

1940

Jesus und Paulus, ThBl 19, 1940, S. 211–231.

Rezensionen

POHLMANN, H., Die Metanoia, UNT 25, 1938, ThLZ 65, 1940, S. 13–16.

EBELING, H.J., Das Messiasgeheimnis und die Botschaft des Marcus-Evangelisten, Beih. ZNW 19, 1939, Kirchenblatt 96, 1940, S. 2–5.

SCHWEIZER, E., EGO EIMI..., FRLANT 56, 1939, Kirchenblatt 96, 1940, S. 76f.

BULTMANN, R., Das Johannesevangelium, Lief. Kap. 2, 5–17, 26, Meyers Krit. exeget. Komm. II. Abt., 1938–1940[10], Kirchenblatt 96, 1940, S. 124f.

SCHLIER, H., Der Galaterbrief, Lief. Kap. 1, 1–3, 1, Meyers Krit. exeget. Komm. VIII. Abt., 1939[10], Kirchenblatt 96, 1940, S. 124f.

SCHMIDT, K.L., Le Problème du Christianisme primitif, Paris 1938, NZZ 15.3.1940 (Nr. 388), Bl. 1.

HIRSCH, E., Die Auferstehungsgeschichten und der christliche Glaube, 1940, NZZ 28.3.1940 (Nr. 456). Bl. 2.

SCHMIDT, K.L., Die Polis in Kirche und Welt, Zollikon-Zürich 1939, NZZ 24. 5. 1940 (Nr. 760), Bl. 1.

DU MESNIL DU BUISSON, Les peintures de la synagogue de Doura-Europos. 245–256 après J.-C., Scripta Pontificii Instituti Biblici 86, Rom 1939, NZZ 8.6.1940 (Nr. 830), Bl. 1.

KNOX, W.L., St. Paul and the Church of the Gentiles, Cambridge 1939, NZZ 14.8.1940 (Nr 1162), Bl. 1.

MEYER, R., Der Prophet aus Galiläa, 1940, NZZ 7.9.1940 (Nr. 1286), Bl. 1.

BONSIRVEN, J., Exégèse rabbinique et exégèse Paulinienne, Paris 1939, NZZ 20.9.1940 (Nr. 1355), Bl. 1.

LEENHARDT, F.J., Études sur l'église dans le Nouveau Testament, Genf 1940, NZZ 16.10.1940 (Nr. 1497), Bl. 1.

1941

Rezensionen

BULTMANN, R., Das Johannesevangelium, Lief. Kap. 17, 27–21, 25, Meyers Krit. exeget. Komm. II. Abt., 1940/41[10], Kirchenblatt 97, 1941, S. 365f.

SCHLIER, H., Der Galaterbrief, Lief. Kap. 3, 1–4, 27, Meyers, Krit. exeget. Komm. VII. Abt., 1941[10], Kirchenblatt 97, 1941, S. 365f.

JOHANSSON, N., Parakletoi. Vorstellungen von Fürsprechern für die Menschen vor Gott in der alttestamentlichen Religion, im Spätjudentum und Urchristentum, Lund 1940, Svensk Exegetisk Årsbok 6, 1941, S. 120–130.

FOERSTER, W., Neutestamentliche Zeitgeschichte I, 1940, NZZ 21.1.1941 (Nr. 102), Bl. 1.

LEENHARDT, F.-J., Le Chrétien doit-il servir l'Etat? Essai sur la théologie politique du Nouveau Testament, Genf 1939, NZZ 29.4.1941 (Nr. 653), Bl. 1.

CULLMANN, O., Königsherrschaft Christi und Kirche im Neuen Testament, Theologische Studien 10, Zollikon 1941, NZZ 12.7.1941 (Nr. 1078), Bl. 1.

BIEDER, W., Ekklesia und Polis im Neuen Testament und in der Alten Kirche, zugleich eine Auseinandersetzung mit Erik Petersons Kirchenbegriff, Zürich 1941, NZZ 17.10.1941 (Nr. 1638), Bl. 1.

GRUNDMANN, W., Jesus der Galiläer und das Judentum, 1940, NZZ 30.11.1941 (Nr. 1922), Bl. 3 und 30.11.1941 (Nr. 1923), Bl. 4.

DIBELIUS, M., Paulus und die Mystik, 1941, NZZ 13. 12.1941 (Nr. 2031), Bl. 3.
KAMLAH, W., Christentum und Selbstbehauptung, 1940, NZZ 17.12.1941 (Nr. 2065), Bl. 3.

1942

Das Urchristentum I II, ThR N.F. 14, 1942, S. 81–95, 155–173.
Rezensionen
WEGMANN, H., Feuer auf Erden. Ein Wesensbild Jesu, Bern 1942, NZZ 4.1.1942 (Nr. 12 [2]), Bl. 3.
BRAUN, F.-M., Aspects nouveaux du problème de l'Eglise, Fribourg en Suisse 1942, NZZ 10.2.1942 (Nr. 222), Bl. 1.
MAURER, CHR., Die Gesetzeslehre des Paulus nach ihrem Ursprung und in ihrer Entfaltung dargelegt, Zollikon-Zürich 1941, NZZ 14.4.1942 (Nr. 588), Bl. 1.
LEIPOLDT, J., Jesu Verhältnis zu Griechen und Juden, 1941, NZZ 31.5.1942 (Nr. 852 [24]), Bl. 3.
GRUNDMANN, W., Aufnahme und Deutung der Botschaft Jesu im Urchristentum, 1941, NZZ 4.10.1942 (Nr. 1572), Bl. 4.
SCHWEIZER, E., Der 1. Petrusbrief, Prophezei. Schweizerisches Bibelwerk für die Gemeinde, 1942, NZZ 28.10.1942 (Nr. 1720), Bl. 1.

1943

Kirchenbegriff und Geschichtsbewußtsein in der Urgemeinde und bei Jesus, Symbolae Biblicae Upsalienses I, Uppsala-Zürich 1943.
Rezensionen
FRIDRICHSEN, A. (ed.), Coniectanea Neotestamentica, Fasc. IV–VII, Uppsala-Leipzig, 1940–42, Svensk Teologisk Kvartalskrift 2, 1943, S. 169–172.
MICHAELIS, W , Der Herr verzieht nicht die Verheißung. Die Aussagen Jesu über die Nähe des „Jüngsten Tages", Bern 1942, NZZ 13.1.1943 (Nr. 70), Bl. 1.
SCHMIDT, K.L., Ein Gang durch den Galaterbrief, Theologische Studien 11/12, Zollikon-Zürich, 1942, NZZ 17.2.1943 (Nr. 274), Bl. 2.
BULTMANN, R., Offenbarung und Heilsgeschehen, BhEvTh 7, 1941, NZZ 31.3.1943 (Nr. 522), Bl. 1 und 1.4.1943 (Nr. 529), Bl. 2.
LIECHTENHAN, R., Gottes Gebot im Neuen Testament, Basel 1942, NZZ 21.7.1943 (Nr. 1133), Bl. 1.
CULLMANN, O., Les Premières Confessions de foi Chrétiennes, Paris 1943, NZZ 22.8.1943 (Nr. 1302 [36]), Bl. 4.
KITTEL, G. (ed.), ThW IV, 1942, NZZ 14.10.1943 (Nr. 1602), Bl. 1.
SCHRENK, G., Der göttliche Sinn in Israels Geschick. Ein Erläuterung zu Röm 9–11, Zollikon-Zürich 1943, NZZ 14.12.1943 (Nr. 2010), Bl. 1.
SCHMIDT, K.L., Die Judenfrage im Lichte der Kapitel 9–11 des Römerbriefes, Theologische Studien 13, Zollikon-Zürich 1943, NZZ 14.12.1943 (Nr. 2010), Bl. 1.

1944

Rezensionen
MICHAELIS, W., Die Erscheinungen des Auferstandenen, Basel 1943, NZZ 26.2.1944 (Nr. 329), Bl. 1.
CULLMANN, O., Urchristentum und Gottesdienst, AThANT 3, 1944, NZZ 1.4.1944 (Nr. 560), Bl. 1.

1945

Verheißung und Erfüllung. Untersuchungen zur eschatologischen Verkündigung Jesu, AThANT 6, Basel 1945.
Die Gottesverkündigung Jesu und der Gottesgedanke des Spätjudentums, Judaica 1, 1945, S. 40–68.
Rezensionen
Prophezei, Schweizerisches Bibelwerk für die Gemeinde:
    SCHWEIZER, E., 1. Petrusbrief, 1942;
    MAURER, CHR., Galaterbrief, 1943;
    BIEDER, W., Kolosserbrief, 1943;
    BIEDER, W., Philemonbrief, 1944;

MEYER, W., 1. Korinther 11–16, Leib Christi, 1945, ThZ 1, 1945, S. 229–234 und NZZ 16.10.1945 (Nr. 1551), Bl. 1 u. 2.

Kirche und Synagoge. Die ersten biblischen Zeugnisse ihres Gegensatzes im Offenbarungsverständnis: Der Barnabasbrief und der Dialog Justin des Märtyrers. Neu bearbeitet und erläutert von K. THIEME, Kreuzritterbücherei III, Olten 1945, Judaica 1, 1945, S. 344 bis 347 und NZZ 7.12.1945 (Nr. 1853), Bl. 1 u. 2.

Das Mosebuch Thomas Manns und die Bibel (= Bespr. von MANN, TH., Das Gesetz. Erzählung, Stockholm, 1944), Neue Schweizer Rundschau 8, 1945, S. 544–550.

GOETZ, K., Das antichristliche und das christliche, geschichtliche Jesusbild von heute, Basel 1944, NZZ 9.1.1945 (Nr. 43), Bl. 1 u. 2.

SCHMIDT, K.L., Kanonische und apokryphe Evangelien und Apostelgeschichten, AThANT 5, Basel 1945, NZZ 31.1.1945 (Nr. 180), Bl. 2.

MENOUD, PH., L'évangile de Jean d'après les recherches récentes, Cahiers théologiques de l'actualité protestante, No. 3, Neuchâtel-Paris 1943, NZZ 26.5.1945 (Nr. 836), Bl. 1 u. 2.

LEENHARDT, F.-J., Le Baptème chrétien, son origine, sa signification, Cahiers théologiques de l'actualité protestante, No. 4, Neuchâtel-Paris 1944, NZZ 24.6.1945 (Nr. 982), Bl. 2 u. 3.

BIETENHARD, H., Das tausendjährige Reich. Eine biblisch-theologische Studie, Bern 1944, NZZ 8.8.1945 (Nr. 1202), Bl. 1 u. 2.

1946

Die älteste religiöse Kunst der Juden, Judaica 2, 1946, S. 1–56.

Rezensionen

GAUGLER, E., Der Brief an die Römer, 1. Teil: Kapitel 1–8 (Prophezei, Schweizerisches Bibelwerk für die Gemeinde), Zürich 1945, ThZ 2, 1946, S. 224–227 und NZZ 17.4.1946 (Nr. 673), Bl. 1.

CULLMANN, O., Christus und die Zeit. Die urchristliche Zeit- und Geschichtsauffassung, Zollikon-Zürich 1946, NZZ 21.3.1946 (Nr. 484), Bl. 2 und NZZ 21.3.1946 (Nr. 486), Bl. 4.

BARTH, M., Der Augenzeuge. Eine Untersuchung über die Wahrnehmung des Menschensohnes durch die Apostel, Zollikon-Zürich 1946, NZZ 29.8.1946 (Nr. 1526), Bl. 1.

1947

Mythische Rede und Heilsgeschehen im Neuen Testament, Coniectanea Neotestamentica XI in honorem Antonii Fridrichsen, Lund/Kopenhagen 1947, S. 109–131 (= Kerygma und Mythos II, hrg. v. H.W. Bartsch, 1952, S. 153–169).

Rezensionen

ROWLEY, H.H., The Relevance of Apocalyptic. A Study of Jewish and Christian Apocalypses from Daniel to Revelation, London and Redhill 1947[2], Judaica 3, 1947, S. 244–247.

MICHAELIS, W., Einleitung in das Neue Testament. Die Entstehung, Sammlung und Überlieferung der Schriften des Neuen Testaments, Bern 1946, NZZ 1.3.1947 (Nr. 391 [10]), Bl. 2.

1948

Das Bild des Menschen im Neuen Testament, AThANT 13, Zürich 1948 (= engl. Trad. Man in the New Testament, Revised and enlarged Tradition, London 1963 [in den Anmerkungen erweitert]).

Jesus und Paulus. Zu Joseph Klausners Darstellung des Urchristentums, Judaica 4, 1948, S. 1–35.

Das Urchristentum III., ThR N.F. 17, 1948, S. 3–50.

Das Urchristentum IV., ThR N.F. 17, 1948, S. 103–142.

Rezensionen

MEYER, W., Der erste Brief an die Korinther, 1. Teil, Kapitel 1–10, Gemeinschaft der Heiligen (Prophezei, Schweizerisches Bibelwerk für die Gemeinde), Zürich 1947, ThZ 4, 1948, S. 147–151.

RIESENFELD, H., Jésus transfiguré. L'arrière-plan du récit évangélique de la transfiguration de Notre-Seigneur, Acta Seminarii Neotestamentici Upsaliensis, ed. A. Fridrichsen, XVI, Kopenhagen 1947, in: Revue de Travaux sur le Nouveau Testament publiés à Uppsala et à Lund 1945–1948, Symbolae Biblicae Upsalienses 11, 1948, S. 49–56.

SJÖBERG, E., Der Menschensohn im äthiopischen Henochbuch, Skrifter utgivna av Kungl. Humanistika Vetenskapsamfundet i Lund, XLI, Lund 1946, ebenda, S. 79–84.

1949

LIETZMANN, H., An die Korinther I. II, Vierte von W. G. KÜMMEL ergänzte Auflage, Hand-
buch zum Neuen Testament 9, Tübingen 1949,
Martin Dibelius als Theologe, ThLZ 74, 1949, S. 129–140.
Rezensionen
WISCHNITZER, R., The Messianic Theme in the Paintings of the Dura Synagogue, Chicago
1948;
RIESENFELD, H., The Ressurection in Ezekiel XXXVII and the Dura-Europos Paintings,
Univ. Arsskrift, Uppsala 1948, ThZ 5, 1949, S. 380–386.

1950

Das Gleichnis von den bösen Weingärtnern (Mk 12, 1–9) in: Aux Sources de la Tradition
Chrétienne, Mélanges offerts à M. Goguel, Neuchâtel-Paris 1950, S. 120–131.
Notwendigkeit und Grenze des Neutestamentlichen Kanons, ZThK 47, 1950, S. 277–313.
Mythos im Neuen Testament, ThZ 6, 1950, S. 321–337.
Das Urchristentum. Nachträge zu Teil I–III, ThR N. F. 18, 1950, S. 1–53.
Der Begriff des Eigentums im Neuen Testament, hrg. vom Ökumenischen Rat der Kirchen
in Genf, Stud. Abt. 50 G/128 (5 Seiten masch.).
Mariä Himmelfahrt und das Neue Testament, NZZ 3. 12. 1950 (Nr. 2619), Bl. 6.
Rezensionen
NOACK, B., Das Gottesreich bei Lukas. Eine Studie zu Lk 17, 20–24, Uppsala 1948, ThLZ
75, 1950, S. 32.
STAUFFER, E., Die Theologie des Neuen Testaments, 1948[4], ThLZ 75, 1950, S. 421–426.
BULTMANN, R., Das Urchristentum im Rahmen der antiken Religionen, Zürich 1949, ThLZ
75, 1950, S. 733–737.
SCHOEPS, H. J., Theologie und Geschichte des Judenchristentums, 1949, Studia Theologica
3, 1949 (1950/51), S. 188–194.
BIEDER, W., Die Vorstellung von der Höllenfahrt Jesu Christi, AThANT 19, Zürich 1949,
NZZ 21. 10. 1950 (Nr. 2223 [43]), Bl. 4.

1951

DIBELIUS, M., Paulus. Nach dem Tode des Verfassers herausgegeben und zu Ende geführt
von W. G. KÜMMEL (Sammlung Göschen Bd. 1160), Berlin 1951 (= 1956[2]; 1964[3] mit
neuem Literaturverzeichnis).
Rezensionen
PARVIS, M. M.–WIKGREN, A. P., New Testament Manuscript Studies, Chicago 1950, ThLZ
76, 1951, S. 541–544.
BIETENHARDT, H., Die himmlische Welt im Urchristentum und Spätjudentum, WUNT 2,
1951, ThZ 7, 1951, S. 385–388.
DAVIES, W. D., Paul and Rabbinic Judaism. Some Rabbinic Elements in Pauline Theology,
London 1948, Judaica 7, 1951, S. 299–302.

1952

Πάρεσις und *ἔνδειξις*. Ein Beitrag zum Verständnis der paulinischen Rechtfertigungslehre,
ZThK 49, 1952, S. 154–167.
Rezensionen
KLOSTERMANN, E., Das Markusevangelium, Handbuch zum Neuen Testament 3, 1950[4],
ThLZ 77, 1952, S. 36.
LOHMEYER, E., Das Evangelium des Markus, Meyers Krit. exeget. Komm. I. Abt. 2. Bd.,
1951[11], ThLZ 77, 1952, S. 158.
BENZ, E., Der gekreuzigte Gerechte bei Plato und im Neuen Testament, Akademie der
Wissenschaften und der Literatur Mainz, Abhandlungen der Geistes- und Sozialwissen-
schaftlichen Klasse, Jhrg. 1950, Nr. 12, S. 1029–1074, ThLZ 77, 1952, S. 423–425.
BIEDER, W., Die kolossische Irrlehre und die Kirche von heute, Theologische Studien
Heft 33, Zollikon-Zürich, 1952, ThZ 8, 1952, S. 386–390.

1953

Verheißung und Erfüllung. Untersuchungen zur eschatologischen Verkündigung Jesu,
AThANT 6, Zürich 1953 [umfassende Neubearbeitung der Auflage von 1945] (= 1956[3];

engl. Trad. Promise and Fulfilment. The Eschatological Message of Jesus, Studies in Biblical Theology 23, London 1957, 1961²).

Die älteste Form des Aposteldekrets, in: Spiritus et Veritas, Festschrift K. Kundzins, San Francisco 1953, S. 83–98.

Jesus und die Anfänge der Kirche, Studia Theologica 7, 1953, S. 1–27.

Rezensionen

JEREMIAS, J., Unbekannte Jesusworte, BFTh 45, 2, 1951, ThLZ 78, 1953, S. 99–101.

MOE, O., The Apostle Paul. His Life and his Work, Minneapolis 1950, ThLZ 78, 1953, S. 156f.

CAMPENHAUSEN, H. FRHR. V., Polykarp von Smyrna und die Pastoralbriefe, SAH, Phil.-hist. Klasse, Jhrg. 1951, Heft 2, ThLZ 78, 1953, S. 227–229.

TAYLOR, V., The Gospel according to St. Mark, London 1952, ThLZ 78, 1953, S. 338–340.

PREISS, TH., La Vie en Christ, Neuchâtel 1951, ThLZ 78, 1953, S. 409–412.

1954

Verlobung und Heirat bei Paulus (1Cor 7, 36–38), in: Neutestamentliche Studien für Rudolf Bultmann, Beih. ZNW 21, Berlin 1954 (= 1957²), S. 275–295.

Das Urchristentum I. Gesamtdarstellungen, ThR N.F. 22, 1954, S. 138–170.

Das Urchristentum II. Die Quellen für die Geschichte des Urchristentums, ebenda, S. 191 bis 211.

New Testament Research and Teaching in Present-Day Germany, NTSt 1, 1954/55, S. 229 bis 234.

Rezensionen

ALBERTZ, M., Die Botschaft des Neuen Testamentes, 1. Band: Die Entstehung der Botschaft, 2. Halbband: Die Entstehung des apostolischen Schriftenkanons, Zollikon-Zürich, 1952, ThZ 10, 1954, S. 55–60.

RÜSCH, TH., Die Entstehung der Lehre vom Heiligen Geist bei Ignatius von Antiochia, Theophilus von Antiochia und Irenäus von Lyon, Studien zur Dogmengeschichte und systematischen Theologie II, Zürich 1952, ZRGG 6, 1954, S. 164f.

LEIPOLDT, J., Der soziale Gedanke in der altchristlichen Kirche, 1952, Gnomon 26, 1954, S. 139f.

1955

Rezensionen

FASCHER, E., Textgeschichte als hermeneutisches Problem, 1953, ThLZ 80, 1955, S. 211 bis 213.

SCHÄFER, K. TH., Grundriß der Einleitung in das Neue Testament, 1952², ThLZ 80, 1955, S. 280f.

Studia Paulina. In honorem Johannis de Zwaan Septuagenarii, Haarlem 1953, ThLZ 80, 1955, S. 342–345.

MANSON, W. [u. a.], Eschatology. Four Papers read to the Society for the Study of Theology by W. MANSON, G. W. H. LAMPE, T. F. TORRANCE, W. A. WHITEHOUSE, Scottish Journal of Theology, Occasional Papers 2, Edinburgh 1953, ThLZ 80, 1955, S. 359–361.

1956

Rezensionen

VISCHER, L., Die Auslegungsgeschichte von 1Kor 6, 1–11. Rechtsverzicht und Schlichtung, BGE 1, 1955, ThLZ 81, 1956, S. 726–728.

MUNCK, J., Paulus und die Heilsgeschichte, Acta Jutlandica XXVI, 1, Aaarhus 1954, ZRGG 8, 1956, S. 271f.

1957

„L'eschatologie conséquente" d'Albert Schweitzer jugée par ses contemporains, Revue d'histoire et de philosophie religieuses 37, 1957, S. 58–70.

Art. DIBELIUS, M., in „Neue Deutsche Biographie" 3, 1957, S. 632.

Art. BAUER, W., in RGG, 3. Aufl. Bd. I, 1957, Sp. 925.

Art. Bibel, II. Neues Testament. II A. Bestand und Zusammensetzung des NT, ebenda, Sp. 1130f; II B. Sammlung und Kanonisierung des NT, ebenda, S. 1131–1138.

Art. Bibelwissenschaft, geschichtlich, II. Bibelwissenschaft des NT, ebenda, S. 1236–1251.
Rezension
Text und Offenbarung des Johannes (= Bespr. von SCHMID, J., Studien zur Geschichte des griechischen Apokalypse-Textes I. II., Münchener Theologische Studien, 1. Erg.-Bd., 1955), ThLZ 82, 1957, S. 249–254.

1958

Das Neue Testament. Geschichte der Erforschung seiner Probleme, Orbis Academicus III, 3, Freiburg/München, 1958.
Art. DIBELIUS, 2, Martin, Neutestamentler, in RGG, 3. Aufl. Bd. II, 1958, Sp. 181.
Rezensionen
MICHEL, O., Der Brief an die Römer, Meyers Krit. exeget. Komm. IV. Abt., 1955[10], ThLZ 83, 1958, S. 111–114.
HAMILTON, N.Q., The Holy Spirit and Eschatology in Paul, London/Edinburgh 1957, ThLZ 83, 1958, S. 677f.
ZUNTZ, G., The Text of the Epistles. A Disquisition upon the Corpus Paulinum, London 1953, ThLZ 83, 1958, S. 765–769.
Kurzberichte, ThR N.F. 24, Jhrg. 1956/57 (1958), S. 274–277, 360–364.

1959

„Einleitung in das Neue Testament" als theologische Aufgabe, EvTh 19, 1959, S. 4–16.
Futuristische und präsentische Eschatologie im ältesten Urchristentum, NTSt 5 (1958/59), S. 113–126 (= Futurisk och presentisk eskatologi i den äldsta urkristendomen, Svensk Exegetisk Årsbok XXIV, 1959, S. 54–71; Futurisc and Realized Eschatology in the Earliest Stages of Christianity, The Journal of Religion XLIII, 1963, Sp. 303–314).
Art. HEITMÜLLER, W., Neutestamentler, in RGG, 3. Aufl. Bd. III, 1959, Sp. 206.
Art. Himmelfahrt Christi. I. Im NT, ebenda, Sp. 335.
Art. Judenchristentum, I. Im Altertum, ebenda, S. 967–972.
Rezensionen
Lo BUE F., Che cosa è il Nuovo Testamento, Torino 1954, ThLZ 84, 1959, S. 53.
LOHSE, E., Märtyrer und Gottesknecht. Untersuchungen zur urchristlichen Verkündigung vom Sühntod Jesu Christi, FRLANT N.F. 46, 1955, ThLZ 84, 1959, S. 352–354.
CURTIS, A.H., The Vision and Mission of Jesus, Edinburgh 1954, ThLZ 84, 1959, S. 914f.

1960

DIBELIUS, M., Jesus. Dritte Auflage mit einem Nachtrag von W.G.KÜMMEL (Sammlung Göschen Bd. 1130), Berlin 1960[3].
Diakritik zwischen Jesus von Nazareth und dem Christusbild der Urkirche, in: Ein Leben für die Kirche, Festschrift zum dankbaren Gedächtnis an Johannes Bauer, Karlsruhe 1960, S. 54–67.
Das Erbe des 19. Jahrhunderts für die neutestamentliche Wissenschaft von heute, in: Deutscher Evangelischer Theologentag 1960: Das Erbe des 19. Jahrhunderts, hrsg. von W.SCHNEEMELCHER, 1960, S. 67–89.
Das Problem des geschichtlichen Jesus in der gegenwärtigen Forschungslage, in: Der historische Jesus und der kerygmatische Christus. Beiträge zum Christusverständnis in Forschung und Verkündigung, hrsg. von H.RISTOW und K.MATTHIAE 1960, S. 39–53.
The Main Types of New Testament Proclamation. Variety and Unity in the Early Kerygma, Encounter 21, 1960, S. 161–180.
Rezensionen
SCHNACKENBURG, R., Gottes Herrschaft und Reich. Eine biblisch-theologische Studie, 1959, ThLZ 85, 1960, S. 46–48.
RICHARDSON, A., An Introduction to the Theology of the New Testament, London 1958, ThLZ 85, 1960. S. 921–925,
Kerygma, Selfhood, or Historical Fact. A Review-Article on the Problem of the Historical Jesus (= Bespr. von ROBINSON, J.M., A New Quest of the Historical Jesus, Studies in Biblical Theology 25, London 1959), Encounter 21, 1960, S. 232–234.
Kurzberichte, ThR N.F. 26, 1960, S. 80–85. 86.

1961

Das Problem des historischen Jesus in der gegenwärtigen Diskussion, Deutsches Pfarrer-
blatt, 61. Jhrg., 1961, S. 573–578.
Die neue Wirklichkeit des Menschen, in: Der Mensch in der Wirtschaft, 11. Jhrg. 1961,
S. 28–41.
Neutestamentliche Wissenschaft und kirchliches Leben, Nachrichten der Evangelisch-
Lutherischen Kirche in Bayern 16, 1961, S. 261–267 (= Amtsblatt der Evangelisch-
Lutherischen Kirche in Thüringen 15, 1962, S. 81–84, 90–96).
Art. Paulusakten, in RGG, 3. Aufl. Bd. V, 1961, Sp. 193f.
Art. Paulusbriefe, ebenda, Sp. 195–198.
Art. SCHMIEDEL, P.W., ebenda, Sp. 1460.
Art. Schriftauslegung, III. Im Urchristentum, ebenda, Sp. 1517–1520.
Rezensionen
Kurzberichte, ThR N.F. 27, 1961, S. 85f, 90–92, 94f, 179–181, 184–186.

1962

Das literarische und geschichtliche Problem des ersten Thessalonicherbriefes, in: Neo-
testamentica et Patristica, Freundesgabe O.Cullmann, NovT Suppl. VI, Leiden 1962,
S. 213–227.
Art. Sittlichkeit, V. Im Urchristentum, in RGG, 3. Aufl. Bd. VI, 1962, Sp. 70–80.
Art. Urchristentum, ebenda, Sp. 1187–1193.
Art. WEISS, 2., Johannes, Neutestamentler, ebenda, Sp. 1582.
Art. Weissagung und Erfüllung, II. Im NT, ebenda, Sp. 1587f.
Rezensionen
DIDIER, G., Désintéressement du Chrétien. La rétribution dans la morale de St. Paul, Paris
1955, ThLZ 87, 1962, Sp. 423f.
KANAEL, B., Die Kunst der antiken Synagoge, 1961, ThLZ 87, 1962, S. 599f.
GUTHRIE, D., New Testament Introducing. The Pauline Epistles, London 1961, ThLZ 87,
1962, S. 752f.
MANSON, T.W., Studies in the Gospel and Epistles, ed. by M.Black, Manchester 1962,
ZRGG 14, 1962, S. 378f.
NEUGEBAUER, F., In Christus. *EN XPIΣTΩI*. Eine Untersuchung zum paulinischen Glau-
bensverständnis, 1962, ZRGG 14, 1962, S. 379–381.

1963

P.FEINE–J.BEHM, Einleitung in das Neue Testament, 12., völlig neu bearbeitete Auflage
von W.G.KÜMMEL, Heidelberg 1963 (= 1964[13] mit Literaturnachträgen).
Der persönliche Anspruch Jesu und der Christusglaube der Urgemeinde, in: Jesus Christus.
Das Christusverständnis im Wandel der Zeiten, Marburger Theologische Studien 1, Mar-
burg 1963, S. 1–10.
Die neutestamentliche Exegese, in: Einführung in die exegetischen Methoden. Unter Mit-
arbeit von Prof. O.KAISER, Prof. W.G.KÜMMEL und G.ADAM hrsg. in Verbindung mit
dem Verband Deutscher Studentenschaften (Fachverband Evangelische Theologie),
München 1963 (= 1964[2]), S. 37–67.
Rezensionen
Kurzberichte, ThR N.F. 29, 1963, S. 293–300.

1964

Jesus und Paulus, NTSt 10, 1963/64, S. 163–181.
Rudolf Bultmann zum 80. Geburtstag, Forschungen und Fortschritte 38, 1964, S. 253–255.
Die Naherwartung in der Verkündigung Jesu, in: Zeit und Geschichte, Dankesgabe an
R. Bultmann, 1964, S. 31–46.
Wurde die Kirche in Qumran geboren?, Sonntagsblatt (Hrsg. H. Lilje), 17.Jhrg. 1964,
Nr. 39 vom 27.9.1964, S. 14.
Art. BENGEL, Albrecht, Encyclopaedia Britannica, Vol. 3, 1964, S. 477.

Art. Corinthians, Epistle to the, ebenda, Vol. 6, 1964, S. 497 f.

Art DIBELIUS, M., ebenda, Vol. 7, 1964, S. 374.

Art. Galatians, Epistle to the, ebenda, Vol. 9, 1964, S. 1078–1080.

Rezensionen

GUTHRIE. D., New Testament Introduction. Hebrews to Revelation, London 1962, ThLZ 89, 1964, S. 355 f.

RIGAUX, B., Saint Paul et ses Lettres. État de la question, Studia Neotestamentica, Subsidia II, Paris/Bruges 1962, ThLZ 89, 1964, S. 598 f.

WEGENAST, K., Das Verständnis der Tradition bei Paulus und in den Deuteropaulinen, WMANT 8, 1962, ThLZ 89, 1964, S. 753–755.

GRANT, R.M., A Historical Introduction to the New Testament, New York 1963, Theology Today 21, 1964, S. 234–236.

Kurzberichte, ThR N.F. 30, 1964, S. 272–280.

STELLENREGISTER

A. Altes Testament

B. Neues Testament

2, 1 ff	234	13, 14	268
14	286	19, 13	321
20	286	20	162 f
3, 12	299	22, 6	462
12, 11	268	18 f	234

C. Apokryphen und Pseudepigraphen

4, 23	24
5, 16	17
5, 29	18
5, 33	24
7, 7f	17
8, 7	24
9, 1	24
11, 5	17
16, 16	24
18, 10	20

Sibyllinen

III, 584ff	286

Äthiopischer Henoch

99, 2	18
105, 2	215
108, 1	17

Slavischer Henoch

35, 2	24
48, 6ff	18

Assumptio Mosis

9, 4–6	450
10, 1	51, 122
10, 8	51
10, 10	51
12, 10	17

4 Esra

3, 19	17
4, 23	18
7, 21ff	17
7, 24	18
7, 27	114
7, 28f	215
9, 31	18
9, 37	18
13, 23	68

13, 32	215
13, 37	215
13, 52	215
14, 9	215
14, 30f	17
14, 42–46	20

Syr. Baruchapokalypse

17, 4	17
41, 3	18
48, 24	17
48, 38f	17
54, 5	68
59, 2	18
77, 16	17
84, 2. 5	17
84, 8. 9	18

Test. der XII Patriarchen

Levi

13, 2	17
14, 7	17
15, 1	17
16, 2	20

Juda

26, 1	17

Sebulon

3, 8	263
9, 5	24

Naphtali

8, 10	17

Asser

6, 1ff	17

Benjamin

10, 3f	18

D. Damaskusschrift und Qumran

Dam

1, 20	18
3, 12ff	18
4, 9	18

9, 4. 7	20
11, 13f	27

4 QFlor	388

E. Josephus und Philo

Josephus

Antiquitates

II, § 97	321
IV, 6, 4, § 114	172
VI, § 102	321
VII, § 338	17

XIII, § 296	34
XIII, § 297	25
XIII, § 298	26
XIII, § 408	34
XIV, § 116	24
XV, 3, 2, § 48	262
XVII, § 149	24

F. Rabbinische Stellen

Jebamoth
3, 4	32

Kethubboth
1, 4	325
5, 2	326

Sota
13, 2	113
13, 10	24

Qidduschin
1, 15	120

Sanhedrin
14, 13	21

Nidda
4, 10	20

c) Babylonischer Talmud

Berakhoth
4 a	114
28 b	114

Schabbath
14 b	29
30 b	178
31 a (Bar.)	22
128 b	27

Megilla
14 a	21

Gittin
55 b	172

Aboda Zara
17 a (Bar.)	20
42 b	128

Sanhedrin
33 b	25
90 b	25
92 b	150
99 a (Bar.)	20

Menachoth
34 b (Bar.)	18
65 a (Bar.)	26

Nidda
45 a	20
45 a (Bar.)	22

d) Jerusalemer Talmud

Berakhoth
9, 1, 13 a, 20 f	111
9, 1, 13 a, 25 ff	111

Schabbath
1, 3 d, 46	29

Pesachim
6, 1, 53 a	21

Schebuoth
9, 38 d, 27 ff	111

e) Targumim

Pseudo-Jonathan
zu
2 Mos
13, 17	150
14, 21	143
14, 24	143

3 Mos
26, 1	128

f) Midraschim

Tannaitische Midraschim
Mekhiltha zu Exodus
14, 31 (Wajjehi beschallach § 6)	68
15, 1	20
15, 9	20
15, 11 (Wajjehi beschallach § 8)	111
17, 6 (Wajjassa beschallach § 6)	111
18, 12 (Amalek Jithro 1)	112
31, 13	27

Sifra zu Leviticus
1, 5 (Wajjiqra Nedaba Par 4, 4. 5)	23
7, 12 (Zaw Perek 11, 6)	22
18, 4 (Achare Moth Perek 13, 10)	23
26, 9 (Bechuqqothai Perek 2, 5)	119
26, 46 (Bechuqqothai Perek 8, 12)	22
27, 34 (Bechuqqothai Perek 13, 7)	21

Sifre zu Numeri
5, 12 (§ 7)	22
5, 16 (§ 9)	32
6, 25 (§ 41)	112
6, 26 (§ 42)	17
10, 8 (§ 75)	23
10, 29 (§ 78)	17
15, 22 (§ 111)	20
15, 31 (§ 112)	33
27, 1 (§ 133)	112

Sifre zu Deuteronomium
11, 15 (§ 43)	118
13, 1 (§ 82)	21
23, 9 (§ 253)	23
33, 10	22
33, 3 (§ 344)	21

G. Gnosis

H. Antike Literatur und Papyri

I. Frühchristliche Schriften und Kirchenväter

PERSONENREGISTER

Biblische Namen werden nur in Auswahl angegeben; Herausgeber sind durch (ed) gekennzeichnet.

Beyer, H.W.-H.Lietzmann: 126, 130–136, 138
Bieber, M.: 319
Bieder, W.: 223–225, 299, 301, 475f, 478
Biehl, P.: 395, 422, 427
Bienert, W.: 473
Bietenhard, H.: 163, 477f
Bihlmeyer, K. (ed): 235
(Strack)-Billerbeck, P.: 2f, 18, 20–22, 24–27, 29–31, 33, 51, 114, 128, 147, 172, 208f, 215f, 284ff, 306, 324f, 387
Björck, G.: 193, 209
Black, M.: 211
Blankert, S.: 193
Blaß, F. (ed): 262f
Blaß, F.-A.Debrunner: 211f, 268, 413, 460
Blau, L.: 23
Bleek, F.: 346f
Blümner, H.: 317
Bohlin, T.: 49
Bohren, R.: 302, 313
Bolkestein, H.: 193
Bonnard, P.: 467
Bonner, C.: 215
Bonsirven, J.: 88, 110–113, 115, 475
Bonwetsch, G.N. (ed): 280, 311
Bornemann, W.: 407
Bornkamm, G.: 104, 268, 355, 387, 399, 404, 415, 423, 431, 433, 445, 455, 458f
Bosch, D.: 458f, 463–465, 469
Bousset, W.: 42, 58, 60f, 86, 113, 158f, 216, 310, 312, 330, 377
Bousset, W.-H.Greßmann: 20, 25, 110
Bowman, J.W.: 295, 370
Branscomb, B.H.: 16, 26, 28–35, 189
Bratton, F.G.: 81, 105
Braun, F.-M.: 248, 476
Braun, H.: 96, 389ff, 404, 406, 423f, 426, 433, 445, 468
Brenz, J.: 242
Broekutne, A.: 312
Brückner, M.: 86
Brunner, E.: 97, 100, 160, 166, 168, 220f, 226, 245, 253, 260, 270, 289, 302, 308, 421, 441
Brunner, P.: 421
Buber, M.: 383, 441f, 450, 456
Buber, S.: 20, 54, 112, 120
Büchsel, F.: 61, 74, 99, 101, 196, 207, 264, 472
Bultmann, R.: 31f, 34, 37, 40, 50, 52, 55f, 61f, 73, 82f, 86f, 89, 92, 94–98, 101f, 105, 108, 115, 118f, 121, 123, 137, 153–161, 163, 181, 195, 199, 203, 207, 216, 218–221, 223–228, 260, 262, 266, 268f, 291f, 295f, 298, 304, 313, 327, 337, 347, 355, 362, 380, 392ff, 396, 404, 406, 418–422, 424–427, 430f, 433, 439f, 445, 447, 451, 453, 455, 457, 470, 474ff, 478, 481

Buonaiuti, E.: 440
Buri, F.: 49, 64f, 161f, 338
Burkitt, F.C.: 35, 334
Buttler, G.: 422

Cadbury, C.H.: 166
Cadoux, C.J.: 184, 207, 301f
Caesar, A.: 235
Cajetan, J.: 241
Calvin, J.: 79f, 101, 268
Cambier, J.: 406
Cambell, J.Y.: 289
Campenhausen, H.von: 246, 252, 272, 277, 303, 308, 312, 327, 473, 479
Carcopino, J.: 318, 323
Carrington, Ph.: 167, 464
Casey, R.P.: 196, 474
Cerfaux, L.: 279, 286f, 387
Chaine, J.: 313
Champion, L.G.: 86, 289
Chanan (Hohepriester): 188
Channaja ben Chizqijja ben Garjon: 23
Chantepie de la Saussaye, P.D.: 312
Charles, R.H.: 18
Chrysostomus: 311, 315
Chubb, Th.: 367, 382
Clark, A.C.: 279, 282, 284
Claudius (Kaiser): 341, 412
Clemen, C.: 207, 216, 407
Clemens v. Alexandrien: 239, 244, 252, 254, 277, 311
Cohon, S.: 26
Cohn-Wiener, E.: 127, 129, 131, 134, 138
Cole, R.A.: 464
Conzelmann, H.: 355f, 358ff, 362, 395, 402 bis 405, 423f, 433, 458, 465
Cornelius Nepos: 314
Craig, C.T.: 285, 287
Cramer, I.A. (ed): 31
Cranfield, C.E.B.: 463f
Credner, K.A.: 340, 345
Creed, J.M.: 261f
Cullmann, O.: 159, 163f, 191, 220, 238, 256, 278, 290, 292–295, 297, 299f, 302–306, 308, 347, 387, 405, 421, 458, 459, 475–477
Curtis, A.H.: 480
Curtis, W.A.: 207
Cyprian: 279f

Dahl, N.A.: 213, 290, 292, 294, 298, 300, 395, 403, 422, 428, 455
Dalman, G.: 2, 34, 51, 53, 115, 216, 376
Dalmeyda, G. (ed): 319
David (König): 28, 145f, 150
Davies, J.G.: 470
Davies, W.D.: 265, 387, 442, 450, 478
Debrunner, A.: 314
Dehn, G.: 287
Deißmann, A.: 172, 264

75
48.-
7c
10.7.67